KB051616

명량 한산 노량

스토리보드북

일러두기

- 이 책은 영화 스토리보드 집필형식을 존중해 최대한 원본에 따랐습니다.
- 영화 대사는 글말이 아닌 입말임을 감안하여 한글맞춤법에서 벗어난 표현도 그대로 살렸습니다.
- 이 책은 영화 〈명량〉 〈한산: 용의 출현〉 〈노량: 죽음의 바다〉 최종 스토리보드로 영화에 담기지 않은 부분이 포함되어 있습니다.

스토리보드북

21세기북스

김한민 감독

목차

3부  죽음의 바다

1

명량

2014

명량

프로덕션 노트

"두려움을 용기로 바꿀 수만 있다면
그 용기는 백배 천배 큰 용기로 배가되어 나타날 것이다"
한국 영화 사상 최초의 해상 전투극
스펙터클한 볼거리, 압도적 스케일을 창조하다!

한국 영화 사상 최초의 해상 전투극 〈명량〉은 단 12척의 배로 수백 척의 왜선과 수천 명 왜군에 맞섰던 한일(韓日) 간 대전(大戰)의 위용을 되살리기 위해 광양, 완도 등지를 오간 6개월간의 대장정 속 다양한 시도와 도전을 감행했다. 해전이라는 전쟁의 특성상 배의 움직임이 무엇보다 중요했던 〈명량〉은 전라도 광양에 실제 바다 위의 해전 세트와 육지에서 배를 장착하고 촬영할 수 있는 '짐벌Gimbal'을 활용한 대형 세트를 제작, 매 장면에 부합하는 스펙터클한 볼거리를 담아낼 수 있었다. 조선군과 왜군이 직접 접촉하거나 바다 위의 리얼리티를 살려야 하는 장면은 임진왜란 당시 조선 수군의 배인 판옥선과 일본의 전투선 세키부네, 이를 지휘하는 안택선 등 4척의 거대한 배를 건조하여 바다 위에서 운행이 가능하도록 제작, 실제 바다에서 촬영함으로써 생생한 볼거리를 포착했다. 한편 거친 바다의 움직임과 배와 배가 맞붙는 충격 등 보다 다이내믹한 장면을 위해 짐벌 위에 장착할 동일한 4척의 배를 별도 제작, 총 8척의 배를 만들어 CG가 만들어낼 수 없는 리얼리티의 한계를 극복하고자 애썼다. 특히 기존 영화에서 사용된 적이 없었던 초대형 사이즈의 자유로운 움직임이 가능한 짐벌을 만들기 위해 제작진은 외국에서 수집한 자료를 토대로 직접 도면을 설계하고 제작하기까지 4개월의 시간과 열정을 투여하였으며 이렇게 탄생한 짐벌은 좌우, 상하, 360도 회전까지 자유자재의 움직임이 가능한 장치로 〈명량〉 속 해전의 역동적인 액션 신을 탄생시켰다.

대형 화포인 천자포를 포함하여 지, 현, 황, 승자 총통 등 다양한 크기의 화포들을 장착할 수 있는 대형 군함의 형태를 띤 조선 판옥선과 붉은 깃발과 금색 장식의 화려함을 뽐내는 왜군이 맞붙는 전투씬은 한-일의 상반된 이미지로 그 자체가 장대한 볼거리가 된다. 그리고 물 위에서 화약이 터지는 효과를 구현하기 위한 특수 장비 '워터캐논Water Canon'을 활용하여 완성한 폭파 신, 조선의 화포와 일본의 소총이 맞붙는 전투 신, 그리고 배 위에서 서로의 칼과 칼이 맞붙는 백병전까지 다양한 액션과 전투가 쉴 틈 없이 펼쳐지는 〈명량〉은 눈을 뗄 수 없는 긴장감과 압도적 몰입감으로 관객들을 사로잡을 것이다.

無에서 有를 창조하다!
초대형 세트와 짐벌, 각종 화포까지

기존의 짐벌Gimbal이 대부분 상하 혹은 좌우의 움직임만이 구현 가능한 것에 반해 〈명량〉에서는 회오리치는 바다의 질감을 표현하기 위해 360도로 회전이 가능한 최초의 짐벌을 제작했다. 제작진은 〈캐리비안의 해적〉 시리즈의 특수효과 팀을 찾아 기존 짐벌의 구조와 운영 방식을 연구하였고, 이를 토대로 새로운 설계와 기술을 통해 30m 길이의 배를 들어올리고, 150명이 승선 가능한 짐벌을 완성했다. 이는 높이 11m, 너비 150m 가량의 국내 최대 규모의 그린 매트가 설치된 야외 세트와 결합하여 기존에 볼 수 없었던 리얼하고 다이내믹한 전투 액션 신이 탄생할 수 있었다. 또한 현대를 방불케 하는 다채로운 무기 체계를 갖추고 있었던 조선시대의 과학적이고 체계적인 전투를 표현하기 위해 당시의 모든 무기들은 그 외관과 원리를 고스란히 차용하여 새롭게 제작되었다. 조선시대 화약 무기의 정보를 집대성한 대표적 병서(兵書)인 이서의 '화포식언해(火砲式諺解)'를 토대로 각 무기의 사이즈별로 주물을 떠서 제작하고, 그 안에 화약을 장착하여 반복적 테스트를 함으로써 실제 조선시대 무기와 가장 흡사한 효과를 구현하기 위한 노력을 아끼지 않았다.

의상에 시대와 캐릭터를 입히다!
1,000여 벌의 갑옷 제작

〈명량〉의 의상은 수백 명의 민초들과 수천 명 군사들의 모습을 통해 당시 조선과 일본의 리얼한 시대상을 재현해야 하는 그야말로 방대한 작업이었다. 시대적 고증을 반영하는 동시에 영화적 상상력과 각 인물의 캐릭터를 담아낸 고유의 의상을 만들기 위해 의상팀은 관련 논문 16개 이상을 연구하고 일본 막부시대의 해전도를 분석하는 등 준비 과정을 거쳤다. 민초들의 의상은 6년 간의 임진왜란으로 피폐해진 조선 백성의 삶을 반영하면서도 이순신 장군이 주둔했던 지역이 비교적 안정적이었음을 고려, 당시의 시대 상황을 세밀하게 포착한 의상으로 극의 리얼리티를 높였다. 한편 이순신 장군과 조선군의 갑옷은 국내의 자료와 시대상을 토대로 권유진 의상 감독이 직접 디자인 및 제작하였고, 왜군의 갑옷은 일본의 갑옷 명인을 찾아 현지에서 제작하여 각각의 특색을 극대화하였다. 이렇게 제작된 갑옷의 개수만 1,000벌을 넘어설 정도로 물량과 완성도에서 심혈을 기울인 의상은 전쟁과 시대의 리얼리티와 영화적 캐릭터가 반영된 〈명량〉만의 특별한 볼거리가 될 것이다.

액션에 리얼리티를 담다!
50명의 정예 액션 부대!

〈명량〉의 전투 신과 액션에 있어 가장 중점을 두었던 부분은 허구성이 배제된 리얼리티였다. 영웅적인 판타지나 볼거리를 위한 유려한 액션이 아닌 실제 바다 위에서 죽기를 각오하고 싸웠던 이순신 장군과 병사들의 혼이 살아 숨쉬는 전쟁 신을 만들기 위해 화려한 카메라 워킹보다는 상황을 리얼하게 포착할 수 있는 촬영에 중심을 두었고, 이를 통해 죽음의 공포 속 조선을 지켰던 이들의 드라마틱한 상황을 생생하게 담아냈다. 또한 최대한 리얼한 전투 신을 연출하고자 장면별로 엑스트라를 동원하는 기존의 방식에서 벗어나 50명의 무술 정예 인원을 선발, 촬영 전부터 검술, 창술, 활 등의 제식 동작을 습득하였으며 실내에 모형 배를 설치하고 상황별 액션을 연습하며 실전과 같은 트레이닝을 거쳤다. 이처럼 병사 한 명의 움직임까지 완벽한 전쟁의 리얼리티를 구현하고자 했던 〈명량〉의 전투 신은 이순신 장군과 병사들의 땀과 숨소리까지 느껴지는 생생함으로 관객들을 사로잡을 것이다.

사극의 고정관념을 깨다!
150인조 오케스트라로 완성된 음악!

〈명량〉은 이순신 장군의 영화, 사극이 주는 고정관념을 벗어난 과감한 음악 연출로 감동과 전율을 배가시킨다. 한국 역사 속 영웅으로서의 이순신 장군이 아닌 거대한 전쟁을 목도하고 싸워나가는 한 인간으로서의 보편적 정서를 담아내기 위해 17~18세기의 클래식에서 모티브를 차용한 〈명량〉의 음악은 심장을 울리는 박진감 넘치는 브라스Brass 선율부터 스트링String과 피아노의 섬세하고 유려한 선율, 웅장한 오케스트라까지 이순신 장군의 고뇌와 정서, 시시각각 변화하는 전쟁의 서사를 따라 흐르는 압도적이고 드라마틱한 선율로 귀와 심장을 사로잡는다. 단순히 각 장면에 맞는 음악이 아닌, 2시간 동안 이어지는 하나의 오케스트라를 만들고자 했던 김태성 음악 감독은 약 50명의 브라스 파트와 60명의 스트링 파트, 그리고 40명의 목관, 퍼커션 파트가 더해진 150인조 대규모 오케스트라의 체코 현지 녹음을 통해 〈명량〉의 장대한 음악을 완성했다.

명량

스토리보드

S#0

고문을 받는 이순신, 칠천량 바다 몽타주

5 CUTS

EXT DAWN  LOCATION

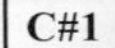

C#1

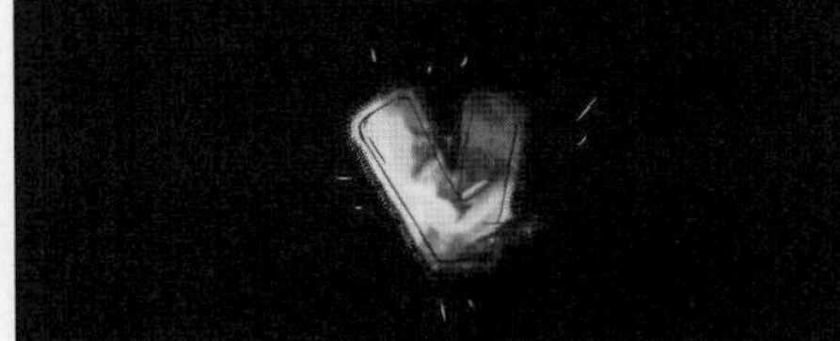

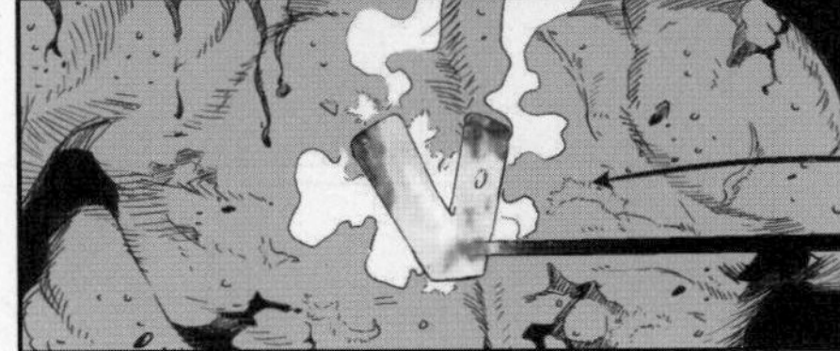

이순신 가슴 C.U.
초점 나간 발간 불빛 하나….
누군가의 몸으로 파고든다. 인두다. 몸부림….

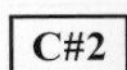

C#2

이순신 B.S. / TRACK IN
봉두난발의 이순신이다.

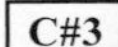

C#3

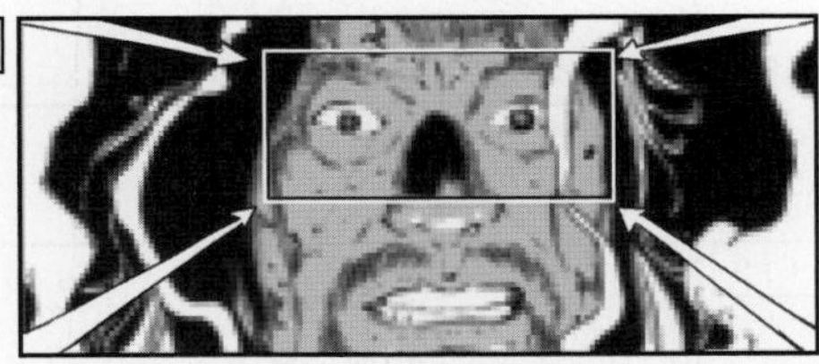

그의 핏발 선 눈에서 어느 바다로 오버랩.

C#4

부서진 판옥선 TIGHT F.S. / 칠천량
부서지고 불타는 판옥선과 죽은 병사들의 잔해들.
칠천량 바다,

C#5

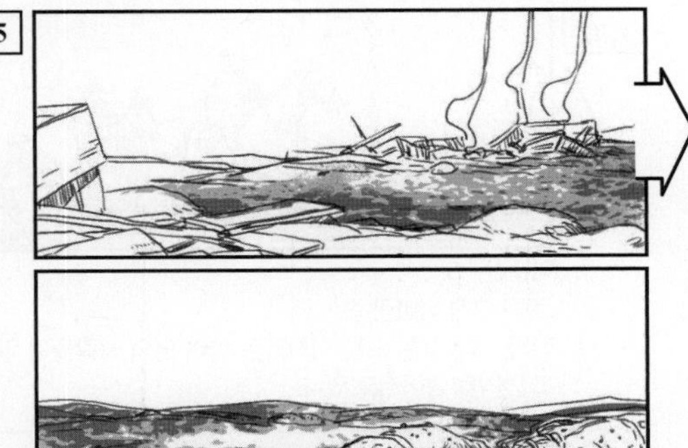

부서진 판옥선-> PAN -> 칠천량 바다 F.S.
부서지고 불타는 판옥선과 죽은 병사들의 잔해들….
칠천량 바다, 그 위로….

1597년 정유재란.
임진왜란 발발 6년, 음력 7월, 거제도 앞바다 칠천량,
원균이 이끄는 조선 수군이 전멸한다.

S#1 회령포 앞 언덕

백의종군하는 이순신 / 타이틀

15 CUTS

EXT

DAY

LOCATION

C#1

이순신 L.S. / 헬리캠 팔로우
백의종군하는 이순신.
(헬리캠)

C#2

이순신 F.S.
쿠쿵! 모진 비바람 속,
잔뜩 비에 젖은 도롱이를 입은 10여 명의 사람들이 말을 타고 언덕을 넘어서고 있다.

C#3

이순신 M.S.
언덕 너머 바닷가, 대충 밧줄에 묶인 판옥선(조선의 주력 목선)들이 버려진 듯 출렁대고 있다.

C#4

이순신 F.S. / TRACK IN
절벽 위에 서 있는 이순신의 뒷모습 W.L.S.에서 이순신을 향해 다가가는 카메라.

C#5

이순신 O.S. 판옥선
이순신 너머로 회령포 앞바다에 떠 있는 판옥선 12척이 보인다.

C#6

절벽 WIDE L.S.
벽파진 포구에서 판옥선들 너머로 멀리 절벽 위에 서 있는 이순신.

C#7

이순신 B.S. -> PAN -> 안위, 송희립 F.S.
장군! 언덕 아래에서 장수 옷차림의 두 사람이 도롱이의 한 남자(이순신)에게 다가와 엎어질 듯 무릎을 꿇으며 통곡을 한다.

C#8

안위, 송희립 O.S. 이순신
무릎을 꿇는 안위와 송희립.

C#9

위패 O.S. 안위, 송희립
통곡을 하는 안위와 송희립.

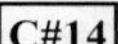

C#10

안위 C.U.

안 위 어이하오리까 장군! 우리 조선 수군이 전멸했사옵니다. 부디 저희를 베어 죽여주소서. 장군-!

C#11

위패 C.U. -> TILT UP -> 이순신 C.U.
망자(어머니)의 위패를 든 채 한없이 무표정한 이순신, 다시 바다를 바라본다.

C#12

판옥선 O.S. 이순신 WIDE L.S.
절벽 위에 서 있는 이순신.

C#13

이순신 C.U.
묵묵히 바다를 바라보는 이순신.

C#14

판옥선 F.S. / 이순신 P.O.V.
절벽 끝, 당장이라도 판옥선들을 집어삼킬 듯 바다가 크게 요동치고 있는데. 그 위로,

타이틀
명량 - 회오리 바다

C#15

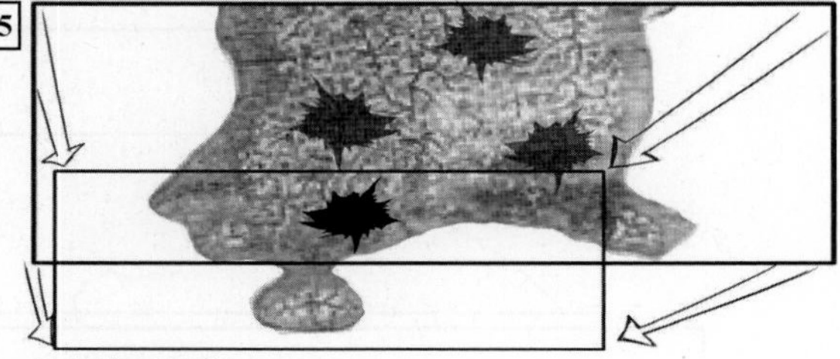

조선 지도 / 몽타주
먹물처럼 번져가는 조선 지도.
지도 위 남원에서 전주로 자막 내용에 따라 카메라 이동.
한양 쪽에서 카메라 빠지면 남한 전체가 보인다.
백의종군하는 지역으로 카메라 IN.

자막
8월 16일 요충지 남원성을 함락,
8월 25일 전주성마저 함락하기에 이른다.

일본 육군은 파죽지세로 수도 한양을 향해서 북상하고 일본 수군은 남해와 서해를 거쳐 직접 수도 한양을 공략하려 한다.

이로 인해 임진년 이후 조선은 또다시 국가 존립의 위기에 처한다.

이때 백의종군 중이던 이순신을 수군통제사로 급거 재임명, 남해안 서쪽 끝 진도 벽파진에서 겨우 12척의 배로 진을 치는데, 그로부터 겨우 50리 밖, 3백 척이 넘는 일본 수군이 해남 어란진으로 속속 집결하고 있었다.

S#2 왜군 진영 포구

군량미와 보급품을 실으며 전투의지를 다지는 도도와 가토

16 CUTS

EXT

DAY

OPEN SET

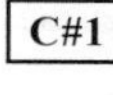

C#1

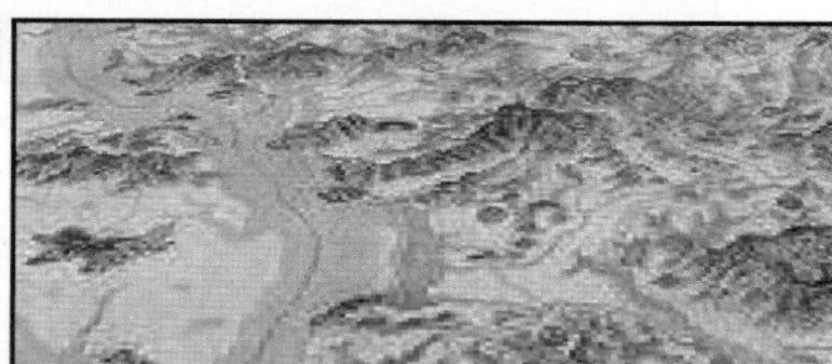

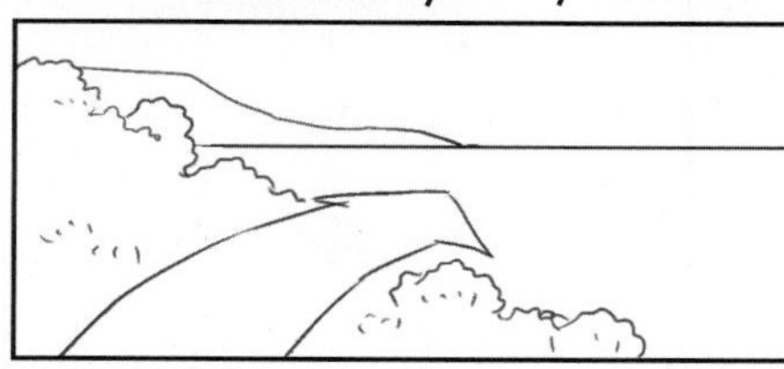

해남 WIDE F.S. / 헬리캠
조선 해남 쪽 산기슭을 훑는 카메라.

카메라 산을 타고 넘으면
허름한 벽파진 포구와 달리 2백여 척의 배와 수많은 천막이 장관을 이루고 있는 어란진 포구. 군량미와 보급품이 산처럼 쌓여 있고, 곳곳에 왜병들이 넘쳐난다.

자막
해남 어란진(魚卵津), 왜군 진영

C#2

왜병들 그룹쇼트 -> PAN -> 도도, 가토 2S / FOLLOW
(CUT TO)
왜병들이 조선 장독째 식수를 싣고 군량미와 보급품 또한 싣는 데 한창이다. 그 사이를 왜군 수장 '도도'와 (항시 엷은 미소 띤) 부수장 '가토'가 걷고 있다.

C#3

도도, 가토 2S / 뒷모습

도 도 이번엔 반드시 조선 왕을 잡고 전쟁을 끝내야 돼! 임진년 때처럼 놈이 도망갈 틈을 줘서는 안 돼!

C#4

도도, 가토 2S

도 도 한번에 우레처럼 휘몰아치는 전격전(電擊戰)이야. 서둘러야 해.

가 토 (특유의 엷은 미소, 나긋한 목소리) 예, 장군. 조선 왕을 잡는 영광을 고니시 육군에게 빼앗길 순 없지요.

C#5

도도 C.U.

도 도 이런 때에 관백(도요토미 히데요시)께서는 선봉세울 자를 보낼 테니 그저 기다리라 하시니….

가 토 어쩌겠습니까. 이순신 그자가 복귀했다니… 놈이 비록 종이호랑이가 됐다 하나 돌다리도 두들겨 가라는 관백님의 깊은 배려가 아닐는지요.

C#6

어란진 포구 F.S. / 도도 P.O.V.

뿌우~ 뿔고동 소리. 돌아보는 도도의 시야로, 쌍고리 문양의 깃발을 나부끼며 안택선(安宅船, 왜군 대장선) 한 척과 세키부네 10여 척이 포구로 들어서는 게 보인다.

C#7

도도, 가토 2S

포구를 바라보는 도도와 가토.

C#8

세키부네 F.S. / 도도 P.O.V.

복귀하는 와키자카 부대.

C#9

와키자카 F.S. / 도도 P.O.V.

왠지 표정이 굳어 있는 안택선 위 한 장수(와키자카)의 모습이 눈에 들어온다.

C#10

도도, 가토 SIED 2S

도 도 와키자카인가?

가 토 예. 탐망 후 복귀하는 것 같습니다.

C#11

도도 C.U

도 도 (불쑥) …몇 번째 탐망이지?

C#12

가토 C.U.

가 토 …어젯밤 아습까지 합친다면 총 세 차례이지요.

C#13

도도 C.U.

도 도 (안색이 별로 좋지 않다) …….

C#14

가토 C.U.

가 토 (표정을 살피다 짐짓) 헌데 천하의 도도님을 기다리게 하는 자가 대체 누구란 말입니까.

C#15

도도 C.U.

도 도 이번 싸움에 꼭 필요한 자라 하시더군. 그자만큼 이순신을 확실히 잡을 자가 없다고.

C#16

가토 C.U.

가 토 ?

S#03 왜군 진영 너머 숲

전갈을 들고 사라지는 준사 4 CUTS

EXT DAY  LOCATION

C#1

준사 F.S.-> M.S. / FOCUS Out
어란진 포구 전경이 보인다.
실루엣으로 누군가(준사)가 보이기 시작한다.

카메라 쪽으로 다가오는 누군가.

C#2

준사 발 C.U. -> BOOM UP-> 준사 뒷모습 M.S.
(Top)
걸어가는 준사의 발 C.U._Boom Up

준사의 뒷모습 팔로우.

C#3

준사 F.S. / 부감
대나무 앞에 서는 준사.

C#4

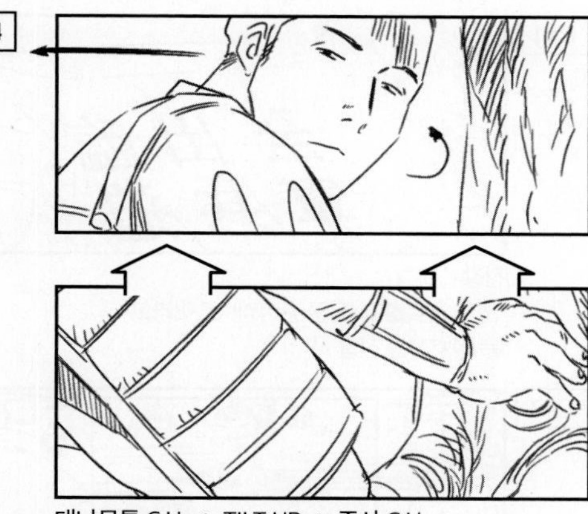

대나무통 C.U. -> TILT UP -> 준사 C.U.
전갈이 든 나무통을 집어 드는 준사.
카메라 TILT UP 되면 적정을 살피다 사라지는 준사 fr.out

S#04 벽파진 포구

이순신에게 준사의 전갈을 보고하는 임준영 / 임준영과 정씨 여인의 헤어짐 28 CUTS   EXT   DAY  OPEN SET

C#1

전갈 C.U.
"全軍 出兵臨迫 (전군 출병임박)" 이라고
툭! 펼쳐지는 전갈 하나!

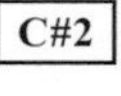
C#2

병사, 임준영 O.S. 이순신 / M.S. -> TRACK OUT
전갈을 들고 서 있는 이순신의 표정에 긴장감이 서린다.

화려한 왜군 진영과는 대비되는 허름한 벽파진 포구,
이순신 뒤로 한참 보수 중인 구선(龜船, 거북선) 한 척이 서 있다.

자막
진도 벽파진 (조선 수군 진영)

C#3

이순신 O.S. 임준영
가쁜 숨을 애써 참으며 땀으로 얼룩진 탐망꾼 임준영이 말을 이어간다.

임준영 적들의 동태가 심상찮습니다.

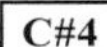
C#4

임준영 O.S. 이순신
임준영의 이야기를 심각하게 듣는 이순신.

C#5

어란진 포구 F.S. / INSERT

임준영 이미 적선이 2백 척이 넘어섰고 보급선에 물자들이 실리기 시작했고,

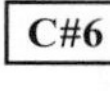
C#6

왜병들 그룹쇼트 / INSERT
INS) 빠르게 펼쳐지는 적들의 상황들.
보급선에 물자를 싣고 있는 왜병들.

임준영(V.O.) 인근 마을들에선 약탈한 군량들이 시시각각 들어오고 있습니다.

C#7

왜병들 그룹쇼트 / INSERT
마을에서 민초들을 학살하는 왜병들.
비명 속에 처절히 죽어가는 조선 사람들과 울부짖는 아이들.

임준영(V.O.) 저들이 말하는, 이른바 주둔지 소개(疏開)가 이미 시작됐습니다.

C#8

왜병들 그룹쇼트 / INSERT
어린 애를 안고 도망가고 있는 아녀자를 향해 조총을 쏘는 왜병들.

임준영(V.O.) 조금이라도 저항하는 사람들은 죽여서 코를 베고

C#9

조선 아이 M.S. / INSERT
피 흘리는 어미 밑에서 울고 있는 꼬마 아이.

임준영(V.O.) 연습 삼아 아이들을 조총으로 쏴 죽이고 있습니다.

C#10

조선 아이 M.S. / INSERT

임준영(V.O.) 패배한 칠천량에서 끌려와 노역 중인 조선 포로들도 상당수 눈에 띄였습니다.

C#11

이순신 O.S. 임준영

임준영 옛 대장선 차군관 '배흥석' 같은 자도 보였습니다.

C#12

임준영 O.S. 이순신

이순신 2만 5천 별동군이 전주 쪽에서 내려오고 있다는 것이 사실이냐?

C#13

임준영 C.U.

임준영 사실인 듯싶습니다. 놈들이 우리 수군은 없는 거나 마찬가지니 일거에 쓸어버리고 한양으로 그들을 실어 나를 거라고 술 취해 떠드는 소리를 여럿 들었습니다.

C#14

이순신 C.U.

이순신 …그냥 놓아 보내면 한양이 쑥대밭이 되겠구나.

C#15

이순신 손 C.U.
이순신, 미리 써놓은 전갈(작은 종이를 말아놓은)을 작은 나무통에 넣어 내민다.

C#16

이순신, 임준영 2S / N.S.
나무통을 받아드는 임준영.

이순신 '준사'에게 전달하고 꼭 답을 받아오게.

C#17

이순신 O.S. 임준영.

임준영 예, 장군. (돌아서면)

인사를 하고 돌아서는 임준영.

C#18

이순신 O.S. 임준영, 정씨 여인
돌아서는 임준영 따라 FOLLOW.

정씨 여인 (뭐라 손짓, 절절한… 벙어리다) ….

C#19

정씨 여인, 임준영 2S

임준영 (끄덕) 난 괜찮네. 애들 간수나 잘하소.

정씨 여인이 다급하게 다가가 임준영에게 뭔가를 내민다.

C#20

부적 C.U.
부적을 내미는 정씨 여인.

C#21

임준영 C.U.

임준영 부적 아닌가. 잘 간직함세! 나 가네.

C#22

임준영 O.S. 정씨 여인
임준영을 바라보는 정씨 여인.

C#23

임준영, 정씨 여인 F.S. / 부감
서둘러 배에 오르는 임준영.

C#24

정씨 여인 C.U.
임준영, 다시 뛴다. 정씨 여인, 하염없이 쳐다보고….

C#25

임준영 F.S. / 정씨 여인 P.O.V.
노를 저어 어디론가 가는 임준영.

C#26

이순신 O.S. 구선
문득 거북선 갑판 위에서 한 노인(김 노인)의 외침이 들린다.
상판(上板)이 다 되었다! 상판이 다 되었어! -대사 수정

C#27

이순신 M.S.
이순신, "전군출병임박全軍出兵臨迫"의 전갈을 부장 송희립에게 건네주고 급히 구선 쪽으로 이동한다.

C#28

벽파진 WIDE F.S.
분주한 벽파진 전경.

S#05 벽파진 관아 마당

곤장을 맞는 김억추, 임금의 교지를 들고 오는 송희립

9 CUTS

EXT

DAY

OPEN SET

C#1

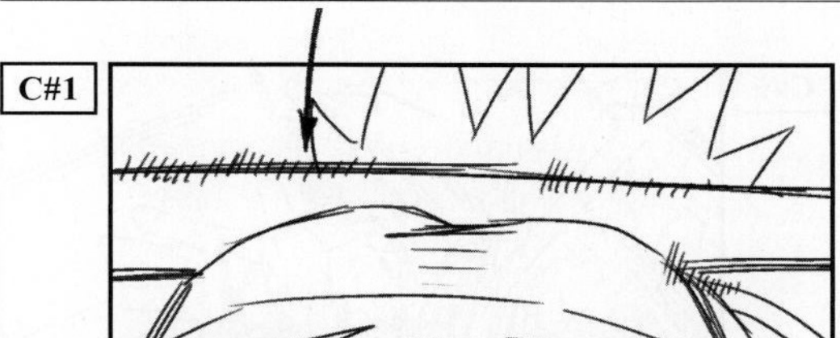

김억추 엉덩이 C.U.
엉덩이를 내려치는 곤장.

아~악 소리와 함께
카메라 아래에서 Frame In하는 김억추의 얼굴.

C#2

관아 마당 WIDE F.S.
형틀에 엎드려 있는 장수 '김억추'가 볼기에 곤장을 맞고 있다.

C#3

이순신 B.S.
굳은 표정으로 묵묵히 지켜보고 있는 이순신….

C#4

이순신 O.S. 곤장 맞는 김억추, 송희립

김억추 (다급) 자, 장군… 내, 내가 잘못했소. 제발 용서해주시오. 적선들을 보고 내빼다니 내가 진정 얼이 빠졌나 보오.

이순신, 반응 없고,
열 대요! 아아악! 김억추가 발버둥!

C#5

김억추 C.U. -> PAN UP -> 송희립 M.S.
곤장을 맞는 김억추 얼굴에서 PAN UP 되면
관아로 들어오는 송희립 따라 FOLLOW.

C#6

송희립 O.S. 이순신.

이순신 …….

C#7

송희립 B.S.
이순신에게 인사를 하는 송희립.

C#8

이순신 O.S. 송희립

송희립 장군, 한양서 교지가 당도했습니다.

C#9

송희립 O.S. 이순신
교지를 펼쳐보는 이순신.

이순신 …….

S#06 대장선 업무실

임금의 교지를 읽는 이순신 6 CUTS  INT  DAY  SET

C#1

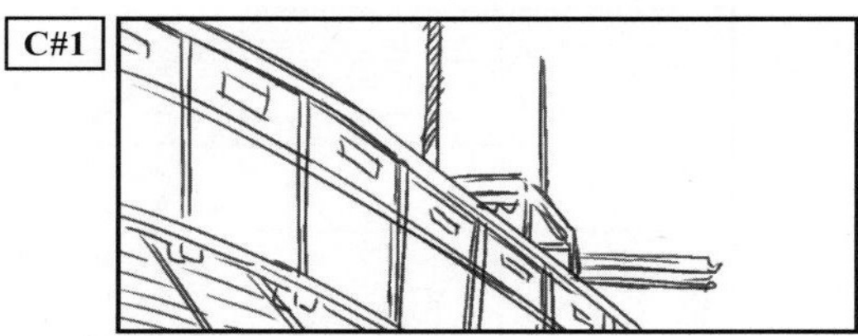

판옥선 F.S / L.A.
판옥선 망루 너머로 보이는 불켜진 지휘실 앙각.

C#2

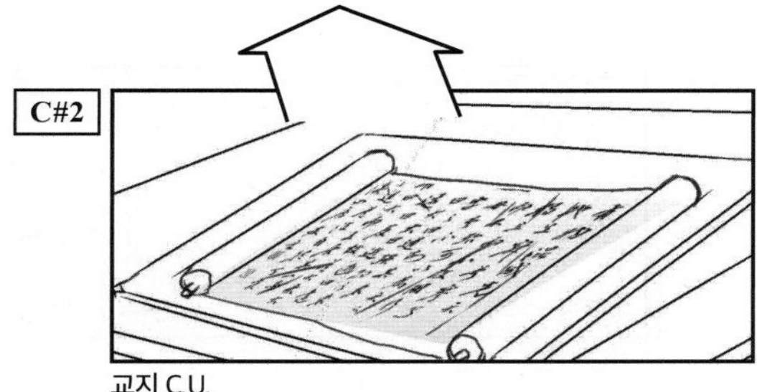

교지 C.U.
이순신 앞에 임금이 보낸 교지가 놓여 있다.

C#3

이순신 O.S. 교지 / TRACK IN
이순신 너머 교지.
교지의 글귀가 보이는데,

자막
적은 수와 고단한 군대로 적의 대군을 감당키
어려울 터이니,
수군을 파하고 도원수 권율이 이끄는
육군에 합류하여 싸우라.

C#4

이순신 F.S.
이때, 피를 토하는 이순신.

C#5

이순신 B.S. / H.A.
피를 보는 이순신.

C#6

이순신 C.U.
피를 토하며 교지를 묵묵히 내려다보고 있는 이순신.

S#07 벽파진 관아 - 배설의 거처

이순신을 탐탁지 않아 하는 배설

6 CUTS

INT DAY OPEN SET

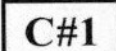

C#1

배설 B.S.

베개를 걸치고 모로 누워 있는 배설.
젊은 관기가 붙어 앉아 배설의 다리를 주무르고 있다.
고개를 들면서

배 설 (황당한) 곤장을 쳤다고?

C#2

배설 부장 측면 M.S.

배설 부장 예. 김억추 장군이 몰려드는 적을 보고 진(陣)을 세우지도 않고 맨 먼저 물러섰다 합니다.

C#3

배설 F.S.

배 설 (냉소) 예닐곱 척으로 세울 진도 있었다더냐? 그래 몇 대나 맞았다더냐?

배설 부장 열닷 대라 하더이다.

C#4

배설 부장 B.S.

배 설 (피식) 볼기짝에 불이 났겠구나. 그래 지금 이순신은 뭐하고 있느냐?

C#5

배설 부장 B.S.

배설 부장 한양서 교지가 와 대장선으로 향했다고 합니다.

C#6

배설 B.S.

배 설 (벌떡) 교지?

S#08 왜군 진영 포구 근처 관목 숲

와키자카와 구루지마의 만남

92 CUTS

EXT

DAY

LOCATION

C#1

조총 왜병 -> PAN -> 조총.

C#2

조선 포로들 정측각 M.S.

총에 맞는 조선 포로들.

C#3

조선 포로들 M.S.

총에 맞는 조선 포로들.

C#4

조선 포로들 그룹쇼트

총에 맞고 죽으며 구덩이로 떨어지는 조선 포로들… 구덩이에 이미 많이 쌓여 있는 시체들….

C#5

왜병 그룹쇼트

총에 맞은 시체들에 다시 한번 창을 꼽는 왜병들.

C#6

왜병들 그룹쇼트

조총을 쏘는 왜병들.

C#7

와키자카 M.S.

말을 타고 바라보는 와키자카.

C#8

와키자카 O.S. 조총 부대

도열해 있는 왜병 조총 부대와 그 너머 와키자카.

C#9

조선 포로들 그룹쇼트 / TRACKING
조선 수군 포로들을 끌어내는 왜병들 O.S 조선 수군 포로 무리들에서 TRACKING하면 보이는 조선 민초 포로 무리들과 그들과 섞여 있는 수봉, 중걸.

C#10

왜병, 조선 포로들 그룹쇼트 / 수봉 P.O.V
총에 맞고 구덩이로 떨어지지 않은 남은 죽은 포로들을 구덩이로 발로 차 넣는 왜병들,

C#11

김중걸,수봉 M.S. 2S /TRACKING
놀라는 김중걸과 수봉.

C#12

조선인들 그룹쇼트 / TRACKING
놀라 겁에 질린 조선인들.

C#13

왜병, 조선 포로들 그룹쇼트
조선 수군 포로들 무리에서 한 무리를 끌고 가는 왜병들. 그 무리들 사이에 배홍석이 섞여 있다.

C#14

배홍석, 왜병들 N.S.
왜병들에게 끌려나가는 배홍석.

C#15

수봉/중걸 M.S_2SHOT
놀라는 수봉이.

C#16

배홍석 B.S. / 수봉 P.O.V.
왜병들에게 끌려나가는 배홍석.

C#17

배홍석 O.S. 수봉, 김중걸, 조선 포로들
끌려가는 배홍석 너머로 보이는 수봉과 조선 포로들….

C#18

수봉이 C.U.

수봉이 (본능적으로) 아버지!

C#19

수봉 O.S. 배홍석
놀라 수봉이를 바라보는 배홍석.

C#20

수봉이, 김중걸 B.S.

김중걸 (놀라) 아버지?

C#21

배홍석 B.S.
배홍석의 등을 후려치는 왜병. 돌처럼 서 있는 배홍석.

배홍석, 이를 악물더니 옆에서 끌고 가는 왜병에게 온몸을 날린다.

C#22

배홍석, 왜병들 F.S.
맞고 쓰러지는 왜병.

C#23

배홍석 M.S.
배홍석이 바닥에 떨어진 왜병의 칼을 집어 든다.

C#24

수봉이 M.S.
놀라는 수봉이, 왜병들. 그리고 포로들.

C#25

와키자카 B.S.
배홍석 쪽을 돌아보는 와키자카.

C#26

와키자카 O.S. 배홍석
와키자카에게 달려드는 배홍석.

C#27

배홍석 C.U.

배홍석 (갈대숲 너머 와키자카를 향해) 네 이놈! 대체 무슨 죄가 있다고 어린 것들까지!(부들부들) 내 니놈부터 먼저 죽이리라!

배홍석이 칼을 치켜들고 와키자카를 향해서 달려간다.

배홍석, 와키자카 F.S.
배홍석이 칼을 치켜들고 와키자카를 향해서 달려간다.

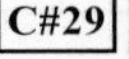

와키자카 M.S. / Track Out

와키자카 (냉정) 움직이는 표적이다.

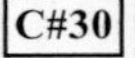

구로다, 와키자카 M.S.
카메라가 빠지면 옆에 서 있던 구로다가 앞으로 나서며 외친다.

구로다 (앞으로 나서며) 조준!

조총수들 그룹쇼트
조총수들이 일제히 조총을 들고 방향을 틀어 배홍석 쪽으로 조준한다.

C#31

조총수 O.S. 배홍석
칼을 들고 소리를 내지르며 달려오는 배홍석을 조준하는 왜병들.

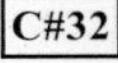

포로들 그룹쇼트
배홍석 뒤쪽에 있는 왜병들과 조선 포로들이 총에 맞을까 봐 혼비백산한다.

C#33

수봉이 M.S.
놀라 일어나 쳐다보는 수봉이.

C#34

수봉이 C.U.
놀라는 수봉이.

C#35

조총수들 그룹쇼트
탕탕탕탕탕!

C#36

배홍석 F.S.
탕탕탕탕탕! 배홍석의 팔과 다리에 총탄들이 스친다!

C#37

배홍석 F.S.
우욱! …고통스럽게 몸을 웅크리는 배홍석.

C#38

수봉이 C.U.
놀라는 수봉이.

C#39

수봉이, 김중걸 B.S.
수봉이의 입을 막고 상기되어 바라보는 김중걸.

C#40

배홍석 C.U.
쓰러진 배홍석.

C#41

배홍석 칼 C.U.
칼을 집어든다.

C#42

배홍석 M.S.
배홍석이 기어이 다시 일어나 와키자카를 향해 달려간다.

C#43

와키자카 F.S.
바라보는 와키자카.

C#44

구로다 O.S. 와키자카
와키자카, 구로다에게 없애라 눈짓한다.

C#45

배홍석 O.S. 구로다
구로다가 칼을 치켜들고 나간다.

C#46

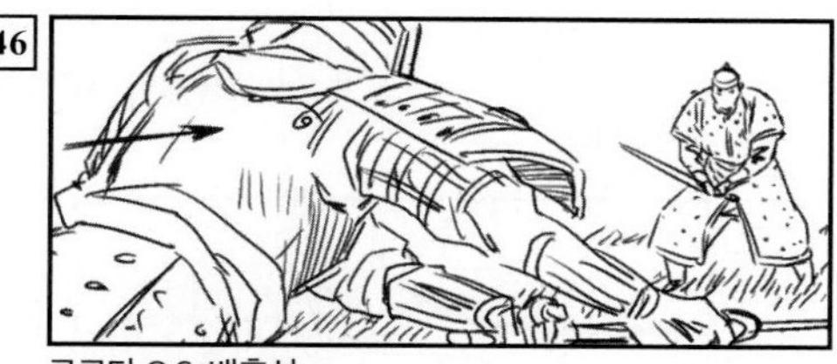

구로다 O.S. 배홍석
이를 악물고 달려가는 배홍석.

구로다 F.S.
달려오는 구로다.

배홍석 B.S.
이를 악물고 달려가는 배홍석.

구로다, 배홍석 F.S. / 측면
배홍석과 구로다가 맞붙는 찰나….

배홍석 B.S.
탕 ! 그대로 목이 뒤로 꺾이며 쓰러지는 배홍석.

구로다의 머리 뒤에서 날아온 총탄이 배홍석의 이마를 관통한다.

수봉이 C.U.
수봉이가 경악! 주저앉는데,

수봉이, 김중걸 F.S.
그런 수봉이를 받아 앉히는 김중걸.

와키자카 B.S.
와키자카 역시 상기된 표정으로 돌아보는데,

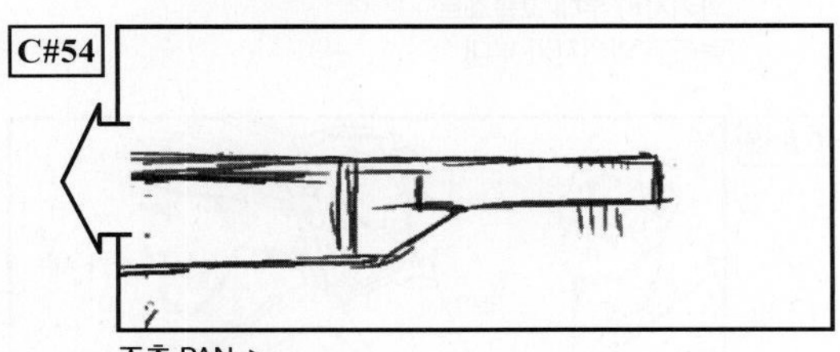

조총 PAN->
조총에서 PAN하면

PAN-> 하루 C.U.
멀리 천천히 조총(총열이 특이하게 긴)을 내리는 두건을 쓴 강렬한 눈빛의 한 남자.

하루 B.S. -> TRACK OUT -> 하루,구루지마 F.S.
(구루지마의 심복 '하루')

그 뒤로 특이한 복장의 기나긴 부대가 도열하고 있다.

C#56

에히메들 그룹쇼트
하나같이 햇살에 달궈진 근육들에 날렵한 복장을 하고 있으며, 군살 없는 강골의 체격에다 인상마저 강한 야수성을 풍기고 있다.

C#57

와키자카 부대 그룹쇼트
놀라는 와키자카 부대.

C#58

에히메들 그룹쇼트
다가오는 에히메들.

C#59

구루지마 F.S.
말을 탄 도깨비 가면 투구를 쓴 누군가가 천천히 앞으로 나선다.

C#60

구루지마 F.S.
말을 탄 도깨비 가면 투구를 쓴 누군가가 천천히 앞으로 나선다.

C#61

와키자카 M.S.
바라보는 와키자카.

C#62

구루지마 B.S.

도깨비 가면 (쉰 듯 거친 목소리가 인상적) 역시 '하루'다.

C#63

구루지마 C.U.
구루지마가 천천히 자신의 도깨비 가면을 벗는다.
흡사 늑대와도 같은 강하고 차가운 표정, '구루지마 미치후사'.

구루지마 (특유의 목소리로) 이해하시오. 그저 지나가다 안타까웠을 뿐이오.

C#64

구루지마 M.S.
와키자카를 바라보는 구루지마.

C#65

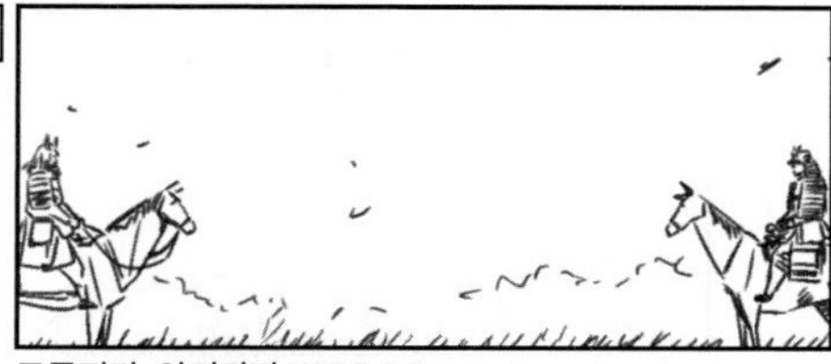

구루지마, 와키자카 WIDE F.S.
와키자카와 구루지마의 신경전.

C#66

와키자카 M.S.

와키자카 (상기된) 그대가 관백께서 보내신 장수요?

C#67

구루지마 M.S.
구루지마. 조용히 긍정의 고개를 숙인다.

C#68

와키자카 B.S.
바라보는 와키자카.

C#69

구루지마 B.S.
바라보는 구루지마.

C#70

갈대숲 WIDE F.S. / 부감
구루지마의 부대가 와키자카의 부대를 지나 천천히 이동해 간다.

C#71

에히메들 O.S. 와키자카 부대
한쪽에서 와키자카의 왜병들이 수군거린다.

왜병 1 이요 수군이다. 에히메 놈들이야.

C#72

에히메들 그룹쇼트
갑옷과 무기를 철커덕대며 아랑곳하지 않고 지나가는 구루지마의 병사들.

왜병 2 수군은 무슨. 저놈들은 해적이야.

C#73

구루지마 M.S.
스쳐 지나가는 구루지마와 보내는 와키자카의 찰나의 신경전.

C#74

와키자카 M.S.
스쳐 지나가는 구루지마와 보내는 와키자카의 찰나의 신경전.

C#75

구루지마 M.S.
구루지마, 묘하게 기분 나쁜 미소를 흘린다.

C#76

갈대숲 WIDE F.S. / 부감

와키자카를 지나쳐 가는 구루지마.

C#77

에히메 O.S. 와키자카. 구로다

갑옷과 무기를 철커덕대며 아랑곳하지 않고 지나가는 구루지마의 병사들….

스쳐 지나가는 구루지마와 보내는 와키자카의 찰나의 신경전.

구루지마, 묘하게 기분 나쁜 미소를 흘리는데,

챙! 날카로운 쇳소리와 함께 갑자기 칼을 빼어 드는 와키자카의 부장 구로다!

C#78

구로다 O.S. 기무라, 에히메들

기무라를 향해 칼을 내미는 구로다.

C#79

기무라, 에히메들 그룹쇼트

구루지마의 부장 '기무라'를 필두로 그의 부대 역시 순식간에 온갖 기괴한 무기들을 치켜든다.

C#80

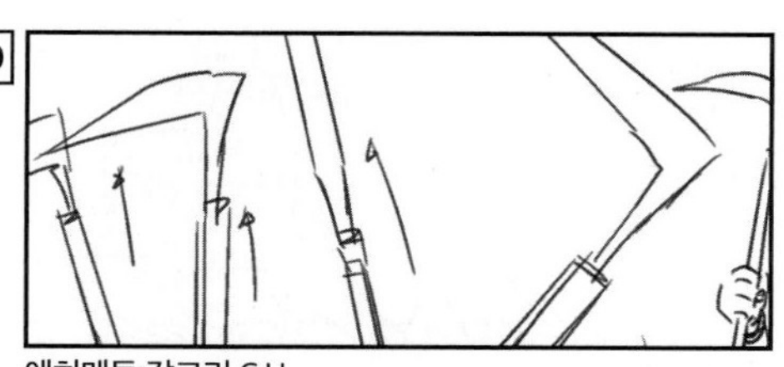

에히메들 갈고리 C.U.

일제히 치켜 올라가는 갈고리들.

C#81

구루지마 부대, 와키자카 부대 F.S.

일촉즉발의 상황!

C#82

와키자카 O.S. 구루지마

무표정한 구루지마.

C#83

와키자카 M.S.

상기된 와키자카.

C#84

와키자카F.S. /부감

구로다! 따르라! 갑자기 말을 박차며 양 진영을 가르며 사라지는 와키자카.

C#85

구루지마 C.U.
묵묵히 지켜보는 구루지마.

C#86

배홍석 O.S. 구루지마
배홍석 앞으로 다가가는 구루지마.

C#87

배홍석 O.S. 구루지마
배홍석 시체 앞에 선 구루지마.

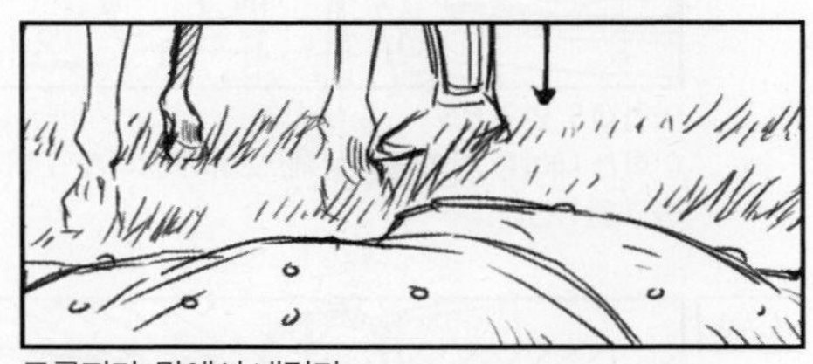

구루지마, 말에서 내린다.

C#88

구루지마 M.S. / 앙각
칼을 휘두르는 구루지마.

C#89

배홍석 M.S.
배홍석의 목을 쳐내는 구루지마.

C#90

구루지마, 기무라 M.S. / 부감
배홍석의 수급을 기무라에게 던지는 구루지마.

C#91

구루지마 C.U.

구루지마 (특유의 거칠고 쉰 목소리) 아깝구나. 긴히 쓸데가 있으니 잘 모아두어라.

C#92

기무라 B.S.

기무라 예, 주군!

S#09 벽파진 관아 숙실

피를 토하며 이회를 찾는 이순신. 교지에 대해 이야기하는 안위와 이회 12 CUTS

 EXT  NIGHT  OPEN SET

C#1

솥뚜껑 C.U. / 부감
숙실 안에서 토사곽란의 소리가 들려온다.
젊은 사내(이회)가 황급히 문밖으로 피 묻은 옷들과 수건을 들고 나와 부엌으로 향한다.

C#2

이회 O.S. 안위 / TRACK IN
대야를 들고 나가는 이회 너머, 들어오는 안위.

카메라 TRACK IN 되면 이회, 안위 2S

안 위 대체 어찌 된 일인가? 항시 대장선에 계시던 분이 회의도 참석지 못하시고.

C#3

안위 O.S. 이회

이 회 식사 후 몸이 떨린다며 소주를 찾으시더니 오히려 덧난 듯싶습니다. 의원이 들어갔으니 지켜볼밖에요.

C#4

이회, 안위, 노파 3S
안위, 걱정스러운 표정…. 이때 부엌에서 한 노파(종선 할매)가 덥힌 물 대야를 들고 나온다.

C#5

이회 O.S. 안위 B.S.
이회가 대야를 받아 들려는데, 노파가 강하게 도리질, 직접 들고 들어간다.

C#6

이회 B.S.

이 회 지금 육군에 합류하란 임금의 교지로 의견들이 분분하다지요.

C#7

안위 B.S.

안 위 이 사람아. 임금이라니! 불경스럽구먼. 누가 듣겠네.

C#8

이회 B.S.

이 회 (아랑곳하지 않고) 차라리 잘되었습니다.

C#9

안위 M.S.

안 위 잘되다니? 뭐가 말인가?

C#10

이회 C.U.

이회가 대답 없이 그저 입술만을 깨무는데….

C#11

안위 O.S. 이회

회야! 회야! 안에서 회를 부르는 이순신의 고통스러운 목소리가 들린다.

이회가 급히 방으로 들어간다.

C#12

안위 B.S.

안위, 염려 어린 표정….

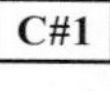

S#10 대장선 내 작전실

이순신에게 따지듯 묻는 배설과 김억추

38 CUTS

INT

NIGHT

SET

C#1

벽파진 포구 F.S. / INSERT

INS) 을씨년스러운 벽파진 포구…. 거센 바람에 판옥선들이 마구 흔들거린다.

C#2

이순신 B.S. / TRACK OUT

지그시 눈을 감고 앉아 있는 창백한 표정의 이순신….

C#3

안위, 장군들 B.S. / TRACK IN

이순신을 바라보는 장수들 TRACK IN.

C#4

이순신, 배설, 김억추 B.S.

이순신을 바라보는 배설과 김억추.

C#5

이순신 눈 E.C.U.

이순신이 마침내 눈을 뜨며 쭈욱 장수들의 표정을 훑는데.

C#6

이순신 O.S. 배설

배설이 더 이상 참지 못하고 말을 토해낸다.

배 설 (애써 공손) 그래, 언제 합류하시렵니까?

C#7

이순신 B.S.

이순신 (짐짓, 착 가라앉은) 뭘 말이오?

C#8

배설 B.S.

배 설 (언성) 그야 어명 말이지요! 어명! 상감께서 육군에 합류하라 했으니 (애써 다시 웃음) 언제 합류하실지를 묻는 거 아닙니까.

C#9

이순신 B.S.

이순신 그리 적혀 있습디까?

C#10

배설, 김억추 B.S. / FOCUS PLAY

배 설 (황당한) 뭐요? (입이 바싹) 이보시오, 통제공. 아마도 통제공께서는 저 구선만 마냥 믿고 계시는가 본데, 적선이 이미 2백 척이 넘었소이다. 영내엔 탈영자들이 속출하고 있소. 아시오?

FOCUS IN -> 김억추

김억추 거… 닷새 사이에 군영을 이탈한 자가 서른이 넘었지요.

C#11

이순신 B.S.

김억추 쪽을 바라보는 이순신.

C#12

배설, 김억추 B.S.

김억추, 황급히 입을 닫는데,

C#13

이순신 B.S.

다시 눈을 지그시 감는 이순신.

C#14

배설 O.S. 안위 장수들

배 설 (답답) 내 오늘은 기어이 들어야겠소이다! 2백 척이 넘는 적들이 당장 오늘 밤에라도 들이닥칠지 모를 일인데, 통제공께선 대체 어떤 방진(方陣)을 어찌 구사하실 요량이시오?

C#15

배설 O.S. 이순신

대답이 없는 이순신.

C#16

안위, 장수들 B.S.

배설의 도를 넘는 직설에, 불안한 눈빛을 교환하는 장수들.

C#17

이순신 B.S.

이순신 대답이 없다.

C#18

배설 O.S. 안위, 장수들

배 설 (언성) 어디 젊은 장수들한테 한번 들어봅시다. 이 싸움이 승산이 있소?

C#19

장수들 B.S.
눈치만 보는 장수들.

C#20

안위 O.S. 배설

배 설 (장수들이 눈치만 보자) 충언을 아끼지 마시오, 충언을. 통제공! 속 시원하게 얘기 한번 해주시구려. 솔직히 저 부실한 구선 한 척 말고 달리 복안이 있소이까!

C#21

배설 O.S. 안위

안 위 거 통제공께 말씀이 지나치시오!

C#22

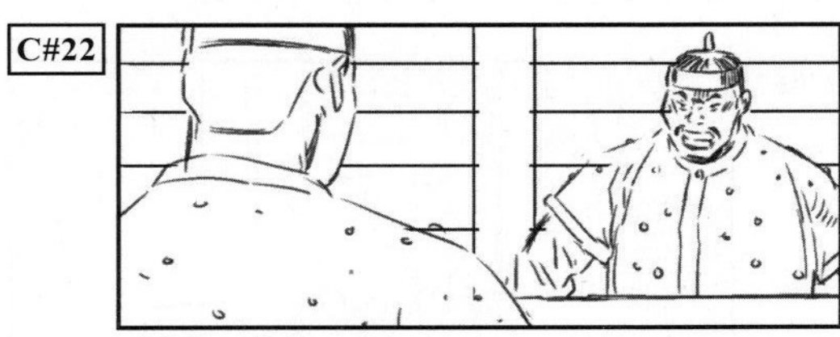

안위 O.S. 배설

배 설 네 이놈! 내가 네놈 직속상관이야! 그 입 다물고 들으라!

C#23

안위 B.S.

안 위 상관도 상관 나름이지요! 칠천량에서 그리 도망쳐 나오고도 정녕 부끄럽지도 않소이까.

C#24

배설 B.S.

배 설 이놈이… 이놈아! 내가 그리 도망쳐 나왔기 때문에 시방 열두 척이 남아 있는 게야!

C#25

배설 O.S. 안위
안위, 꿈틀! 뭐라 말하려다 입을 닫는데,

C#26

배설 O.S. 이순신
배설을 바라보는 이순신.

C#27

작전실 F.S.

배 설 통제공! 공도 이 싸움이 얼마나 무모한 줄 잘 아실 게요!

C#28

배설, 김억추 B.S.

배 설 칠천량에서 나는 봤소이다. 적들이 얼마나 날래고 간악해졌는지.

C#29

배설 O.S. 안위

배 설 무려 1만이 죽었소.

발끈해 듣는 안위.

C#30

작전실 F.S. / TRACK IN

배 설 정녕 남은 수군의 종자까지 박멸해버리시려는 게요.

C#31

이순신 B.S.

이순신 …회의는 이만 됐다. 모두 나가 있으라.

C#32

안위 O.S. 배설

배 설 (울컥) 통제공!

소리치는 배설.

C#33

안위 C.U. / 앙각

안 위 (벌떡 일어나) 장군께서 명하시지 않소! 모두들 일어나시오! 배를 보수하고 병사들을 점검하는 것이 급하오!

C#34

장수들 F.S. / 앙각

안위의 급한 재촉에 장수들이 따라서 일어난다.

C#35

이순신 O.S. 장수들

밖으로 나가는 장수들. 배설, 나가지 않고 이순신을 노려본다.

C#36

배설 O.S. 이회

배설을 노려보는 이회.

C#37

이회, 이순신 O.S. 배설 / Follow

배설이 끝까지 이순신을 노려보다, 이회의 강한 시선에 이내 밖으로 사라진다.

C#38

이순신 B.S.

장수들이 모두 나가자, 의자에 깊게 몸을 파묻고 가라앉는 이순신.

S#11 왜군 진영 도도의 천막

구루지마와 와키자카의 신경전 23 CUTS

 INT  NIGHT SET

C#1

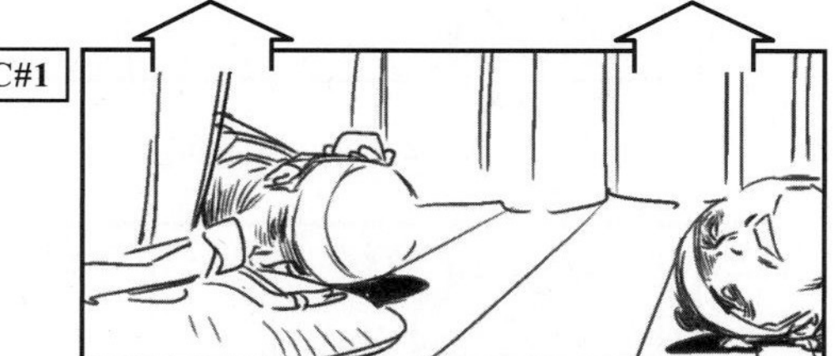

구루지마 발 C.U. -> BOOM UP -> 구루지마 O.S. 도도
구루지마 발 너머 보이는 왜병들의 시체.
카메라 BOOM UP해 올라가면

몇몇 부장들이 어쩔 줄 모르고 꼿꼿이 서 있는 구루지마에게 칼끝을 겨누고 서 있는데,
구루지마의 가신 하루와 부장 기무라의 눈빛이 살기로 가득하다.

구루지마 반나절을 기다렸소. 이게 먼 길을 달려온 손님에 대한 대접이오.

C#2

와키자카 B.S. / L.A.
구루지마를 살기 띤 눈으로 바라보는 와키자카.

C#3

도도, 가토 2S
그저 가는 눈빛으로 엷은 미소만 띠며 중앙 단상에 앉아 있는 도도….
가토가 특유의 엷은 미소를 띠며 나선다.

가 토 우리가 그저 작전회의에 몰입하다 보니 대인(大人)을 영접할 시간을 지체했소이다. 부디 용서하십시오. 헌데 어찌 조선 왕을 잡을지 (힘주어) 해적왕다운 고견을 들려주시지요.

C#4

기무라 B.S. -> PAN -> 구루지마 B.S.
기무라가 발끈 칼을 치고 나서는데, 구루지마가 제지하며 천천히 앞으로 나선다.

C#5

구루지마 O.S. 도도,가토,와키자카,구로다,하루
지도 쪽으로 걸어가는 구루지마를 따르는 카메라.

C#6

도도의 천막 F.S. / 부감
구루지마가 나아가 지도를 살펴본다.

C#7

구루지마 B.S. / L.A.
지도를 내려다보는 구루지마.

C#8

조선 지도 C.U.
어란진에 보이는 도도의 수군과 태안까지 진격한 고니시 육군….
그리고 울돌목을 중심으로 우측의 벽파진(조선 수군의 현 위치)과 좌측의 우수영이 눈에 띈다.

구루지마(V.O.) (조선 수군의 모형을 손으로 쓸어버리고 특유의 목소리로) 오다 물길을 살폈소. 진도 내해를 끼고 아침 일찍 조류를 타고 나가면,

C#9

와키자카 C.U.

구루지마(V.O.) 그날 밤으로 육군에 보급을 마치고

C#10

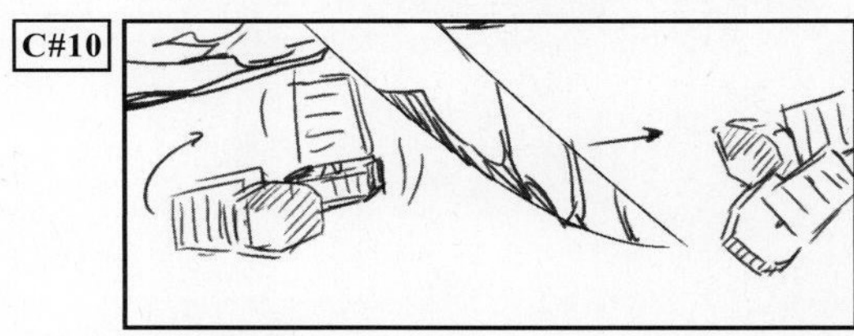

조선 지도 C.U.

구루지마(V.O.) 한양을 접수할 수 있소이다.

C#11

와키자카 C.U.
듣는 와키자카 반응.

C#12

구루지마 B.S. / L.A.

구루지마 한양까지는… 하루 반나절이면 족하지.

C#13

도도 B.S.
도도의 반응.

C#14

조선 지도 C.U.
피가 뚝뚝 떨어지는 조선 지도.

C#15

와키자카 C.U.

와키자카 (냉소) 흥! 말이 쉽지. 이순신이 그렇게 호락호락한 상대가 아니오. (도도에게) 진도 외해로 빠져나가 한양을 접수한 뒤 추후 육군과 함께 이순신을 괴멸시키는 것이 합당한 전략입니다.

C#16

와키자카 O.S. 구루지마

구루지마 (무표정하게) 히데요시 관백이 나를 왜 보냈다고 생각하는가?

C#17

와키자카 C.U.

와키자카 (부르르) 저자가 감히! 관백님의 이름을 함부로!

C#18

와키자카 O.S. 가토

가토가 칼을 빼 드는 와키자카를 말린다.

C#19

구루지마 B.S.

구루지마 (담담) 이순신은 내가 잡겠소. (도도에게) 당신은 고니시에게 먼저 한양을 뺏길 생각인가?

C#20

도도 B.S. / TRACKING

고니시를 들먹이는 구루지마의 말에 도도가 엷은 미소로 반응, 이내 크게 웃으며

도 도 하하하! 이거 결례를 범했소이다. 부디 이 못난 자를 용서하시오…. 어서, 어서 자리에 앉으시오, 구루지마.

C#21

도도 O.S. 구루지마

천천히 돌아서 도도 앞 중앙에 자리를 잡고 앉는 구루지마.

와키자카가 부르르….

C#22

도도 C.U.

도 도 (태연) 좋다! 이제 출병만 남았다! 우리의 임무는 북상하고 있는 고니시의 지상군에 물자를 보급하고, 서해를 통해서 한강으로 들어가 곧바로 한양을 도모하는 것이다! 조선 왕을 잡고 곧장 전쟁을 끝내는 것! 그것이 바로 관백님의 뜻이다! 그러기 위해선 반드시 이순신을 잡아야 할 터! (미소) 진정 당신만 믿겠소이다. 구루지마… 장군.

C#23

구루지마 B.S.

구루지마 …….

S#12 포구 대장선 앞

김 노인과 구선을 바라보며 이야기하는 이순신　　9 CUTS　　EXT　NIGHT　OPEN SET

C#1

판옥선 WIDE F.S. / TRACK OUT / PAN

다소 쓸쓸한 포구 앞, 물끄러미 대장선 판옥선을 바라보고 있는 이순신….

이끼 낀 판옥선…. 몸체는 낡았지만 그 위용을 자랑하고 있다.

김 노인이 다가온다.

C#2

이순신 O.S. 김 노인

김 노인 구선 쪽에 계신 줄 알았더니 여그 계셨는게라.

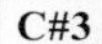

C#3

김 노인 O.S. 이순신

이순신 적들은 빠른 물살과 함께 밀어붙일 거네. 비록 우리 판옥선이 적선보다 강하다 하나 적선들이 마구 충돌해 들어올 때 능히 버텨낼 수 있겠는가.

C#4

이순신 O.S. 김 노인

김 노인 (염려) 제대로 수리를 받지 못한 배들이라… 설령 수리를 잘 했다 혀도 지금껏 항시 거리두기로 싸웠지 가차이서(가까이서) 싸움질은 없어서….

C#5

김 노인 O.S. 이순신

이순신 서로 충돌할 시 목숨을 장담할 수 없다는 말인가.

C#6

이순신 O.S. 김 노인

김 노인 (끄덕) 그려서 저그 구선이 더욱 요긴해지는 거 아니겄는가요.

C#7

이순신 O.S. 판옥선

이순신 결국은…. (멀리 구선을 쳐다보는 애틋한 시선) 필히 판옥선들 앞에서 저 구선이 버티며 싸워줘야겠지. 그래야 능히 온전한 화포전도 가능할 테고….

이순신 O.S. 김 노인

김 노인 저 구선은 젤로 강헌 판옥선을 골라 개조한 것잉께 능히 버텨낼 것이옵니다요.

김 노인 O.S. 이순신

이순신 …….

김 노인 (조심스럽게) 통제사 어른…. 밤바람이 차구만요. 이만 들어가시지요. 회 도련님께서 진즉 기다리고 계십니다요.

이순신 (다소 의아) 회가?

S#13 벽파진 관아 숙실

이순신에게 복안을 묻는 이회

28 CUTS

INT

NIGHT

SET

C#1

이순신 F.S.
보관대 자신의 긴 칼의 문구를 물끄러미 쳐다보고 있는 이순신….

C#2

칼 O.S. 이순신
보관대 자신의 긴 칼의 문구를 물끄러미 쳐다보고 있는 이순신….

C#3

칼 C.U. / PAN
三尺誓天 山河動色 삼석서천 산하동색 (긴 칼로 하늘에 맹세하니 산천이 떨고)
一揮掃蕩 血染山河 일휘소탕 혈염산하 (한번 내 휘두르는 칼에 산천이 물들도다)

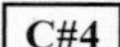

이순신 C.U.
보관대 자신의 긴 칼의 문구를 물끄러미 쳐다보고 있는 이순신….
어지러이 전장의 소리들이 들리는 듯한데,

C#5

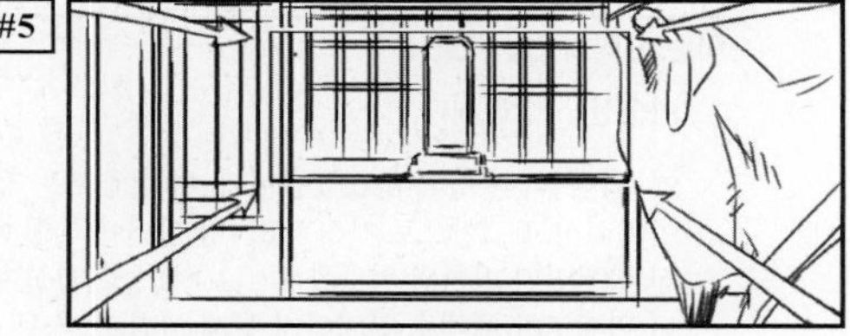

이순신 O.S. 위패 / TRACK IN 위패 C.U.
이내 그 밑에 모신 어머니의 위패를 바라보다 천천히 눈을 감고 호흡을 고른다.

C#6

이순신, 이회 F.S. / 2S
이회가 밥상을 들고 들어온다.

C#7

이회, 이순신 B.S. / 2S
이회와 둘이 마주 앉은 소박한 밥상, 젓갈과 김치, 그리고 생선 한 조각….
두 사람이 식사를 하고 있다.

이순신 함께하니 좋구나.

C#8

이순신 O.S. 이회

이 회 예…. (잠시 뜸을 들이다) …아버님.

C#9

이순신, 이회 F.S. / 2S

이순신 …말하거라.

이 회 차라리 잘되지 않았습니까. 이참에 모든 걸 놓아버리시고 고향으로 가시지요. (방 한편에 놓인 이순신의 어머니 변씨의 위패를 돌아보며) 돌아가신 할머니 위패조차 제대로 안치하지 못해 저리 그저 두고만 있지 않습니까. 군사들을 육군에 내어주고 병이 깊어 더 이상 임무를 수행할 수 없다 하십시오.

C#10

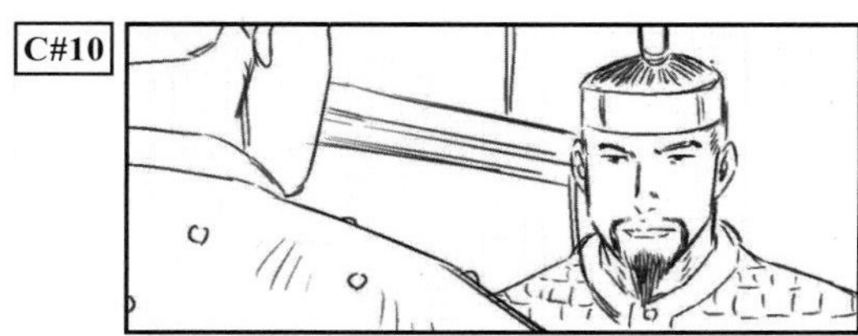

이회 O.S. 이순신

이순신 …네가 상감에 대한 원한이 깊구나.

C#11

이회 B.S

이 회 목숨까지 거두려 했던 임금입니다. 아버님은 억울하지도 않으십니까.

C#12

이순신 B.S.

이순신 …….

C#13

이회 B.S.

이 회 다 죽고 이제 열두 척만이 남았사옵니다. 지금 우리 형편이 수군이라 할 수 있습니까.

C#14

이순신 C.U. / L.A.

이순신 …….

C#15

이회 C.U. / L.A.

이 회 아버님은 왜 싸우시는 겁니까.

C#16

이순신, 이회 F.S. / 2S

이순신 (툭) …의리(義理)다.

C#17

이회 B.S.

이 회 나라에 장수된 자로서 의리를 말씀하시는 겁니까?

C#18

이순신 B.S.

이순신 그렇다.

C#19

이회 B.S.

이 회 저토록 몰염치한 임금한테 말입니까.

C#20

이순신 B.S.

이순신 무릇… 장수된 자의 의리는 충(忠)을 쫓아야 하고, 그 충은… 백성에게 있다.

C#21

이회 B.S.

이 회 임금이 아니고 말입니까?

C#22

이순신 B.S.

이순신 백성이 있어야 나라가 있고 나라가 있어야 임금이 있다.

C#23

이회 B.S.

이 회 그 백성은 저 살기만을 바랄 뿐 아무것도 기대할 게 없는데도 말입니까.

C#24

이순신 B.S.

이순신 (빤히 이회를 쳐다보며) …밥술을 좀 뜨거라. 아까운 밥이다.

C#25

이회 B.S.

이 회 …….

이때 밖에서 들리는 소리.

안 위(V.O.) 장군! 소장 안위 와 있습니다. 명하신 대로 목수장 어른도 함께 왔습니다.

이 회 몸도 성치 않으시면서 이 밤중에 어딜 가시옵니까.

C#26

이순신 B.S.

이순신 (일어서며) …가볼 데가 있다.

C#27

이순신, 이회 F.S. / 2S

C#28

이순신, 이회 F.S. / 2S

일어나는 이순신.

이 회 …….

S#14 피섬

피섬으로 향하는 이순신, 안위, 김 노인 4 CUTS

EXT

NIGHT

LOCATION

C#1

어선 F.S.
횃불에 비치는 빠른 물살! 조심스럽게 앞으로 나아가고 있는 어선 한 척.

C#2

어선 F.S.
어선을 몰고 있는 한 군관이 조심스럽게 조류를 타고 있다.

C#3

이순신, 안위 B.S.
횃불을 든 안위 뒤로 이순신과 김 노인이 눈앞의 작은 섬을 응시하고 있다.

C#4

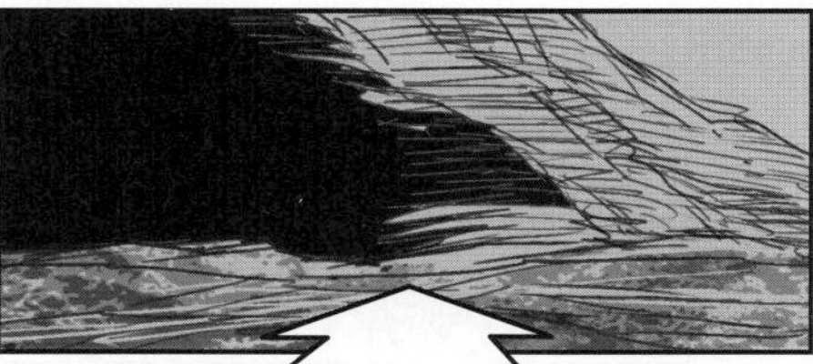

피섬 C.U. / TRACK IN
달빛 속, 울돌목의 가장 좁은 곳에서 해남 쪽으로 서 있는 '피섬!'

우우우~ 소리를 내며 피섬을 끼고 돌아 나가는 거센 조류가 인상적인데,

S#15 피섬

피섬 앞, 회오리를 보는 이순신, 안위, 김 노인 13 CUTS

EXT

NIGHT

LOCATION

C#1

피섬 앞 절벽 F.S. / CRANE
우거진 나무 사이로 횃불을 밝히며 올라오는 안위, 이순신, 김 노인.

C#2

이순신,안위,김 노인 3S F.S. / 부감
우거진 나무 사이로 횃불을 밝히며 올라오는 안위, 이순신, 김 노인.

C#3

이순신,안위,김 노인 3S F.S.
우거진 나무 사이로 횃불을 밝히며 올라오는 안위, 이순신, 김 노인.

C#4

이순신, 안위, 김 노인 3S F.S. / L.A.

김 노인 목이 젤로 좁은 곳이다 보니 항시 물살이 부딪히고 돕니다. 오죽하면 물살이 울면서 돌아 나간다고 울돌목이라고 부르겠습니까요. 거그다 낼모레가 대조기다 보니 물도 엄청스리 많아졌습니다.

안 위 (근심 어린) 이곳이옵니까?

이순신 …….

C#5

이순신, 안위, 김 노인 B.S.

안 위 허나… 아무리 이곳이 목이 좁아 우리가 일자진(一字陣)으로 막아선들 앞에서 구선(龜船)이 버티지 못한다면 무용지물이 될 것입니다. 물살이 바뀌는 시각까지 족히 반나절은 버텨내야 할 터인데.

C#6

이순신 O.S. 회오리
'우우웅~' 거리는 나직한 소리가 들려오자 돌아보는 이순신. 달빛 속, 피섬을 지나 멀리 물살들이 작은 회오리들을 만들어내며 사라지고 있다.

C#7

이순신 C.U.

이순신 (유심히 살피는데) …….

C#8

김 노인 O.S. 이순신
다가서는 김 노인의 얼굴이 점차 상기되며….

김 노인 평상시 우는 소리허고 쪼까 달라졌습니다요.

이순신 ?

C#9

이순신 O.S. 김 노인

김 노인 평상시에는 그저 애기 울음소리 정도라면 지금소리는 뭔가 굵직헌 남정네 울음소리 같기도 허고,

이때 다시 들려오는 나직한 우우웅~ 소리.

김 노인 문제는 회오립니다요. 대조기 때도 저런 소리는 잘 안 나는디, 어쩌다 저런 소리가 나서 그것이 대조기랑 맞물리믄 바다에 꼭 큰 회오리가 일었습니다요.

C#10

이순신 O.S. 안위

김 노인 지도 살믄서 아주 드물게 들어봤는디 그때마다 배들이 큰 피해를 입었습죠. (불안한) 낼 모레믄 큰 대조긴디 저런 소리가 나니께….

이순신/안 위 …….

C#11

회오리 C.U.

김 노인 (상기되어 눈물까지 글썽) 참말로 송구허지만… 통제사 어른.

C#12

이순신,안위,김 노인 3S M.S. / 뒷모습

김 노인 솔직헌 제 심정으론 이곳서 전쟁을 치러서는 결단코 안 될 거 같습니다요.

C#13

안위, 이순신 2S B.S.

안위, 역시 무슨 말을 하려다 이순신의 표정을 살피고 이내 입을 닫는데,

다시 들려오는 우우웅소리….

이순신 …….

S#16 합천 도원수부 권율의 진영

권율에게 군사와 무기를 내어달라 청하는 나대용,
나대용을 옥에 가두라 명하는 권율

23 CUTS

EXT

NIGHT

OPEN SET

C#1

권율 N.S. / FOLLOW
권율의 진영에 문을 박차고 들어오는 권율.
자막
합천 (도원수 권율 진영)

C#2

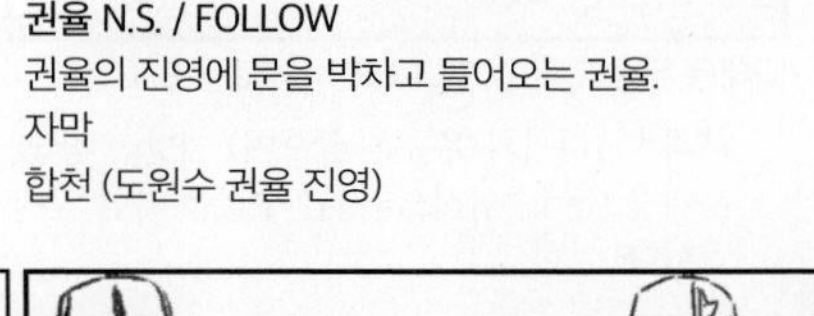

권율 B.S. / SIDE

권 율 공이 또 어명을 어기겠다는 것인가?

C#3

권율, 군관들 F.S. / TRACK OUT
자리에 앉는 권율.

카메라 TRACK OUT 되면 보이는
따라 들어오는 나대용.

C#4

나대용 B.S.

나대용 합당한 이치를 쫓고자 함입니다.

C#5

권율 B.S.

권 율 상감의 명을 다시 한번 어긴다면 공의 목숨을 진정코 장담 못 하네.

C#6

나대용 B.S.

나대용 남원성과 전주성이 함락되었습니다. 놈들의 지상군이 북상하고 있습니다. 동시에 적의 수군이 한강을 통해 한양으로 들이닥친다면 어찌되겠습니까.

C#7

권율 B.S.

권 율 (무거운 한숨) 고작 12척의 배로 무얼 할 수 있단 말인가?

C#8

나대용 B.S.

나대용 고작 12척의 배가 육군에 무슨 힘이 된다고 합류하라 하십니까.

C#9

나대용 O.S. 권율

권 율 말장난하지 말게. 통제공은 지금 몸도 성치 않은 사람이야!

C#10

나대용 B.S. / 권율 P.O.V.

나대용 장군의 몸을 그리 만든 게… 누구입니까.

C#11

권율 B.S. / L.A.

권 율 (부르르) 이자가…. (이내 다시 깊은 한숨) 자네 대체 이쪽 사정을 알고나 이런 억지를 부리시는 겐가. 울산성에 그 악랄한 가등청정(가토 기요마사)이 시방 코앞에 들이닥쳐 있단 말일세. 말인즉, 사람 하나 마필 하나가 몹시 절실한 형국이다 이 말이네.

C#12

혜희 B.S.
승려 혜희가 염주를 돌리며 지그시 눈을 감는다.

C#13

나대용 F.S.
권율 쪽으로 다가오는 나대용.

C#14

나대용 무릎 C.U. -> TILT UP -> 나대용 B.S.

나대용 (다가와 무릎을 꿇으며) 제발… 장군. 군사와 무기를 내어주십시오! 지금 수군은 바람 앞에 등불이옵니다!

C#15

권율 B.S.

권 율 (답답) 어명을 따르면 될 일이야! 그리 알고 물러가게!

C#16

나대용 B.S.

나대용 (뚫어지게) 정녕… 통제공의 간절한 청을 이리 묵살하시렵니까.

C#17

나대용 O.S. 권율

권 율 (마침내 분노) 정녕 이자가! 항명에도 분수가 있거늘! 밖에 부장은 들라! 당장 이 자를 끌어내 옥에 가두어라!

나대용, 군관1,2 F.S. / H.A.

나대용 도원수 장군!

문이 열리고 군관 두 사람이 들어와 나대용을 잡아끌고 나간다.

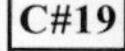

나대용, 군관1,2 B.S.

나대용 (버티려 안간힘을 쓰며) 장군! 통제공께서 이 말을 꼭 전하라 하셨습니다!

C#20

권율 B.S.

권 율 !

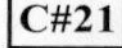

나대용 C.U.

나대용 바다를 버리는 것은 조선을 버리는 것이다!

C#22

권율 B.S.

입을 굳게 다물고 외면하는 권율.

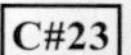

혜희 B.S.

승려 혜희가 크게 눈을 뜬다!

S#17 벽파진 포구

수급선을 보고 놀라는 오상구와 오둑이

26 CUTS

EXT

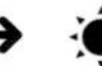
DAY

OPEN SET

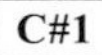
C#1

소머리 F.S.

소머리가 걸려 있다. 몇 대의 가마솥들이 끓고 있고, 고기 구경이 얼마 만이여. 제주서 보냈다지!

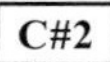
C#2

벽파진 포구 WIDE F.S.

허기진 군사들이 잔뜩 입맛을 다시며 길게 줄을 서 배식을 기다리고 있다.

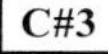
C#3

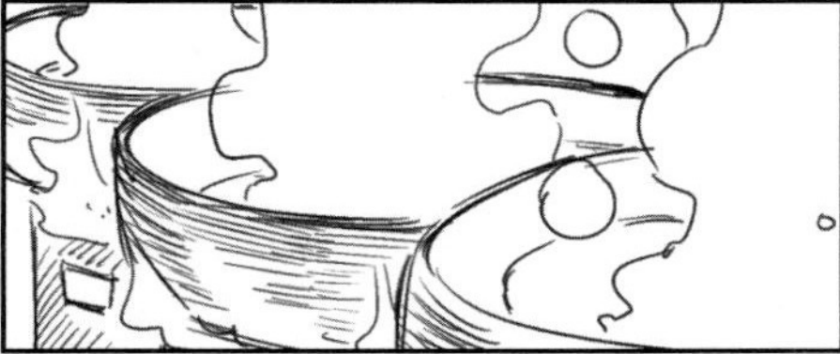

가마솥 C.U.

펄펄 끓는 가마솥.

C#4

군사들 그룹쇼트

사부 김돌손 이하 군관들에게 배식을 받는 장졸들.

C#5

군사들 그룹쇼트 / H.A.

사부 김돌손 이하 군관들에게 배식을 받는 장졸들.

C#6

정씨 여인 B.S.

이순신의 밥상을 차리는 정씨 여인.

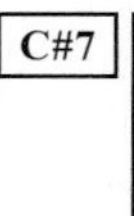
C#7

군사들 그룹쇼트

배식을 하는 군사들.

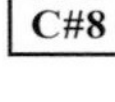
C#8

조태식 손 C.U.

절름발이 조태식이 한쪽에 놓인 밥상 위 고기에 은근슬쩍 손을 대다 호되게 손을 얻어맞는다.

C#9

조태식, 정씨 여인 B.S.

어느새 다가온 정씨 여인이 노려보고 있다. 인상 쓰는 조태식.

C#10

조태식, 정씨 여인 O.S. 김돌손

김돌손 (돌아보며 피식) 참말로 니가 운이 없다. 고거 통제사 어른 밥상이여. 고 처자헌테 물어뜯겨 봉변 안 당할라믄 고냥 얌전히 사라져라이.

C#11

조태식 O.S. 정씨 여인

정씨 여인의 기세에 얼굴만 붉으락푸르락 차츰 내빼는 조태식.

C#12

정씨 여인 O.S. 조태식

내빼는 조태식을 바라보는 정씨 여인의 뒷모습.

정씨 여인, 이내 보리밥 한 상에 고기 몇 점을 더 얹어 총총히 사라지는데,

C#13

망루 F.S. / 부감

(CUT TO)

망루 위, 군사 둘이 고기 몇 점을 받아들고 오물오물… 그 광경을 지켜보고 있다.

C#14

망루 위, 군사 둘이 고기 몇 점을 받아들고 오물오물… 그 광경을 지켜보고 있다.

C#15

오상구 O.S. 오둑이

군사 오둑이 (정씨 여인을 보며) 저 처자는 누구요?

C#16

오상구 O.S. 정씨 여인

정씨 여인이 대장선을 향하고 있다.

C#17

오둑이 O.S. 오상구

군사 오상구 (그것도 모르냐는 표정) 여그 출신 아닌가벼? 땅끝 마을 탐망꾼 임준영이 각시지. 근데 벙어리여.

C#18

오상구 O.S. 오둑이

오둑이 (놀라며) 그려요이? 예쁘장헌 거이 거참 아깝소이.

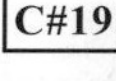

대장선 WIDE F.S. / H.A.
정씨 여인이 대장선을 향하고 있다.

C#20

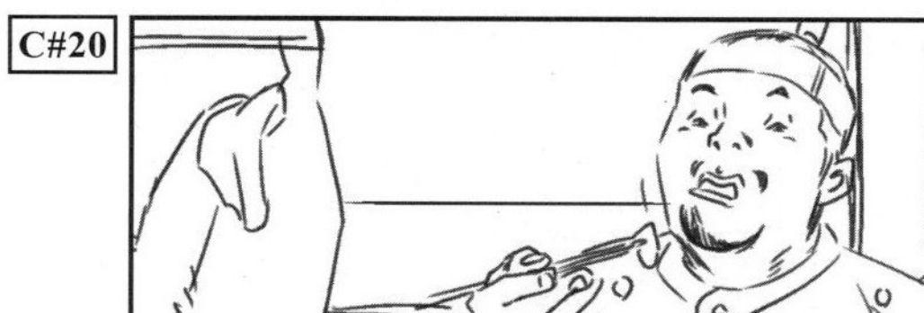

오둑이 O.S. 오상구

오상구 고 예쁘장헌 거 땜시 일가족 몰살당허고 왜놈들한티 안 끌려갔는가. 몇 해 전에. 욕보이는 왜놈 하나를 물어뜯어 갖고 혀 뽑혀서 바다에 버려졌는디, 다 죽어가는 것을 임준영이 건져다가 데꼬 사는거여.

C#21

오상구 O.S. 오둑이

오둑이 (놀라) !

C#22

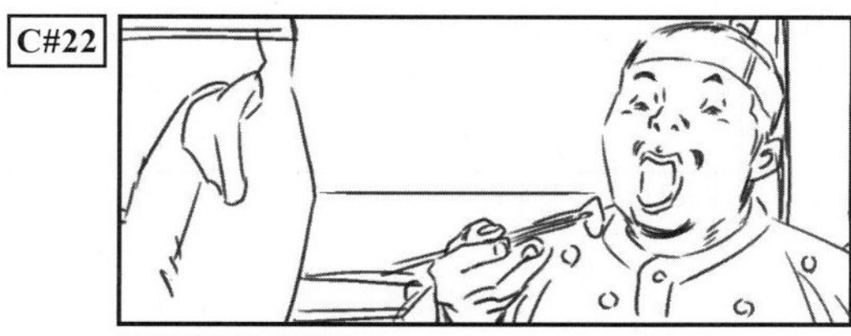

오둑이 O.S. 오상구
아무렇지 않게 설명하던 오상구, 내장 하나를 다시 한 입에 쏙 오물오물….

오상구 몇 번을 죽을라고 했다가 인자 맘 잡고 산다드만… 헌데 허구헌 날 남편은 왜놈들 쪽을 즈그(자기) 집 맹키로 왔다 갔다 허니….

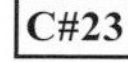

오둑이, 오상구 F.S.
오둑이 뭔가 아쉬운 표정으로 고개를 끄덕끄덕….
이때 멀리 바다 위 넘실거리며 빈 돛대에 뭔가를 달고 다가오는 어선 한 척을 발견하는데….

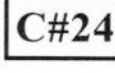

오상구 O.S. 오둑이

오둑이 근디… 저게 뭐여?

오둑이, 오상구 O.S. 수급선
오상구, 돌아보면,

E 으아악!… 물러나!… 비켜비켜!….

C#26

오둑이, 오상구 B.S.
뛰어 내려가는 오상구.

S#18 벽파진 포구

수급선을 보고 놀라는 백성들과 이순신

10 CUTS

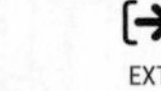
EXT

DAY

OPEN SET

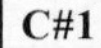

이순신 뒤 M.S. / FOLLOW

포구 앞, 성큼 다가오는 이순신의 시야로 보이는 포구의 작은 배 한 척.
울부짖고 토악질하는 사람들의 모습. 오상구, 먹었던 고기와 내장을 다 토해놓고 있다.

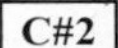

이순신 B.S. / L.A.

놀라는 이순신.

배홍석 수급 C.U. -> TILT DOWN -> 수급들

자막
너희들도 이와 같이 참해질 것이다.

저거…저거…대장선 차군관 홍석이 아녀! 모두가 대장선 차군관 배홍석의 수급에 경악!
깃발 아래로 놀랍게도 배홍석의 머리와 그의 갑옷이 걸려 있다.

C#4

배홍석 수급 O.S. 이순신, 백성들

이순신…! 그 충격이 남다르다.
무수한 수급들을 보며 경악하며 떨고 서 있는 군사들의 면면. 오둑이 눈만 데굴데굴….
김돌손과 격군장 '황보만', 몇몇 군사들이 수급에 매달려 통곡하는 사람들을 떼어놓으려 애를 쓴다.

C#5

이순신, 노파 F.S.

처참하고 잔혹한 광경에 말리던 군사들마저 학을 떼며 진저리를 친다.
갑자기 이순신 수발 들던 노파가 다짜고짜 수급선 안으로 뛰어든다.

C#6

노파 F.S.

수급선으로 뛰어드는 노파.

C#7

노파 F.S. / L.A.

노 파 (오열하고 매달리며) 아이고! 종선아! 종선아~

군사들이 종선 할매를 애써 배에서 끄집어낸다.

노 파 아이고! 내 새끼! 내 새끼 어쩐다요.

C#8

군사들 그룹쇼트 / 정씨 여인 F.S. FOLLOW

군 사 (놀라며) 근디 자는 포로가 아니라 탐망 나갔던 종선이 아니여!

우당탕! 탐망이란 소리에 정씨 여인이 들고 오던 밥상을 놓쳤다.

C#9

정씨 여인 C.U.
정씨 여인, 바들바들 떨다 곧장 수급선으로 달려드는데….

C#10

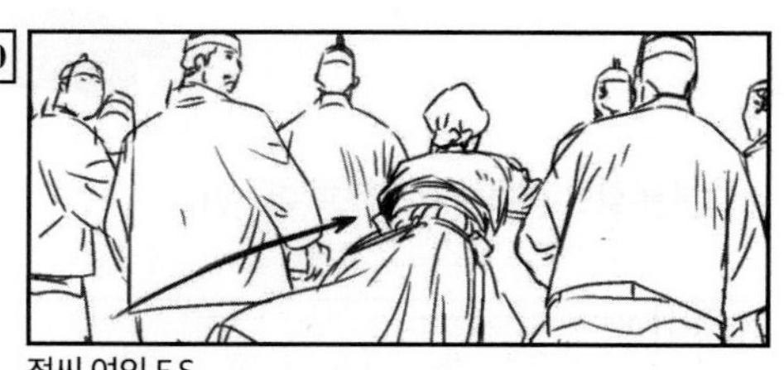

정씨 여인 F.S.
정씨 여인, 바들바들 떨다 곧장 수급선으로 달려드는데….

S#19 벽파진 근처 산

아비를 욕하는 조문옹에게 버럭하는 이회, 말리는 안위

13 CUTS

 EXT  DAY  LOCATION

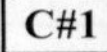

C#1

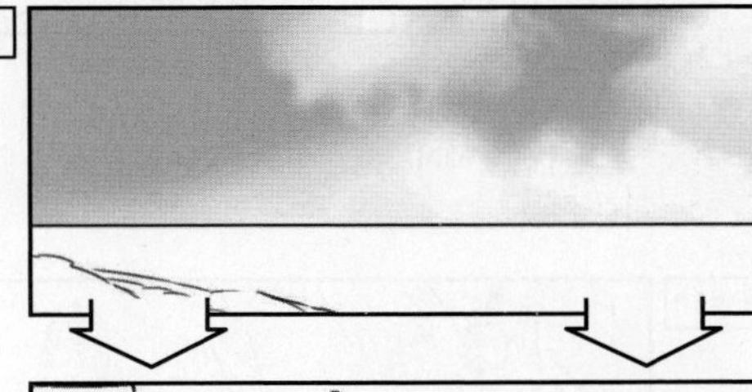

바다 전경 WIDE F.S. -> PAN -> 안위,정씨 여인,병사들 F.S.
바다 전경에서 좌 PAN하면 안위 O.S.
수급들을 묻고 있는 조선병사들과 백성들.
수급들 사이에서 자신의 가족을 찾는 정씨 여인과 백성들.

헝겊으로 입과 코를 가린 채 수급들을 묻고 있는 잔뜩 상기된 군사들.

C#2

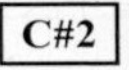

오상구 O.S. 배홍석 수급
오상구 O.S. 땅에 묻히기 직전의 배홍석 수급 C.U.

C#3

오상구, 정씨 여인,백성들 F.S.
울고 있는 오상구 뒤로 왔다 갔다 하는 정씨 여인과 백성들이 보인다.

오열하는 사람들… 특히 배홍석의 수급 앞에서 울고 있는 한 군사(오상구)가 눈에 들어온다.

C#4

안위 F.S.
수급을 묻고 있는 병사들 너머로 보이는 안위 F.S.
안위가 한숨과 함께 현장을 지휘하며 서 있는데, 갑자기 한쪽이 떠들썩하다.

C#5

안위 B.S.
안위가 한숨과 함께 현장을 지휘하며 서 있는데, 갑자기 한쪽이 떠들썩하다.
돌아보는 안위.

안 위 !

C#6

안위 M.S. / Follow Pan ->
안위 O.S. 이회, 조문옹, 김돌손, 병사들

안위 따라 카메라 팬하면, 절름발이 조태식과 곱추 오계적이 바들바들 떨며 주저앉아 있고 김돌손 이하 몇몇 군관들이 살기등등한 이회를 애써 막아서고 있다.

이 회 (고함) 네 이놈! 네가 그러고도 조선 백성이냐!

C#7

안위 B.S.

이 회 어찌 적들이 그리 나오는 게 아버님의 잘못이란 말이냐!

C#8

이회, 김돌손, 조태식 WIDE F.S.

칼을 빼 들고 죽이겠다고 달려드는 안위를 막아서고 있는 김돌손 F.S

이 회 내 기필코 네놈을!

김돌손 (급히 막아서며) 자네까지 왜 이러시나. 참으시게! 시방 이러는 건 도리어 아버님께 누가 된다는 것을 모르나!

이회가 부들부들….
두 사람이 빌다시피 하며 허겁지겁 사라진다.

C#9

이회 M.S.

이 회 (씩씩거리며) 다시 내 눈에 띄면 그땐 기필코 너의 목을 베리라!

이회 fr.out

C#10

안위, 김돌손 2S

안 위 (곁의 김돌손에게) 대체 무슨 일인가!

C#11

안위 O.S. 김돌손

김돌손 (주저) 그게 저… 통제사께서 되지도 않는 싸움을 벌이려 한다고… 그래서 적들이 저렇게 간악하게 나오는 것이라고… 그리 수군대는 것을 나으리께서 우연히 들으시고….

C#12

안위 B.S.

안 위 …!

C#13

이회 뒷모습 F.S. / 안위 P.O.V.

안위 시점으로 씩씩대며 걸어가는 이회의 뒷모습 F.S.

S#20 벽파진 안위의 판옥선 안

이순신을 걱정하며 대화하는 안위와 이회 9 CUTS

 INT  NIGHT SET

C#1

구선 WIDE F.S.

누군가의 시선, 멀리 구선 앞, 김 노인과 더불어 작업을 독려하는 이순신의 모습이 보인다.

C#2

안위 B.S.

판옥선 작전실 안에서 그저 내다보고 있는 안위.

C#3

이회 O.S. 안위

안 위 백성들도 문제지만 병사들 또한 말이 아니네.

C#4

안위 O.S. 이회

이 회 압니다. 장수들 분위기도 심상치 않지요.

C#5

이회 O.S. 안위

안 위 …잘 아는구먼. 그런 분위기를 아시는지 모르는지 (한숨) 장군께선 저리 구선 작업에만 몰두하고 계시니…. 자넨 저 구선이 과연 방책이 될 거라고 생각하나?

C#6

이회 B.S. / L.A.

이 회 …….

C#7

안위 B.S. / L.A.

안 위 (깊은 한숨) 옥고를 치르신 후 변해도 너무 많이 변하셨어. 도통 말도 없으시고 잘 들으려고도 하지 않으시니… 큰일이네… 그나마 장군님을 보고 모였던 병사들이 이젠 장군님이 계셔도 동요하고 있으니….

C#8

이회 B.S.

이 회 (빤히) 제게 혹… 묻고 싶은 것이 계신 겁니까?

C#9

안위 B.S. / L.A.

안 위 (역시 빤히) 눈치챈 거 같으니 내 단도직입적으로 물어봄세. 정말 장군께선 무슨 복안을 갖고 계시는 건가? (떨리는 눈빛) 이것은 중요한 문제일세.

S#21 벽파진 포구

오상구의 목을 치는 이순신

22 CUTS

 EXT  NIGHT OPEN SET

C#1

벽파진 포구 WIDE F.S.
어지러운 포구 앞 횃불들…. 진영이 몹시 어수선하다.

C#2

이순신 F.S.
의복을 갖춰 입은 칼을 든 이순신이 황급히 걸어 나온다.

C#3

오상구, 군사들 그룹쇼트 / 이순신 P.O.V.
이순신의 시야로, 포박되어 서럽게 울고 있는 오상구와 둘러싼 군사들의 웅성거림이 들린다.

C#4

군사들 그룹쇼트
(도망치다 피섬 쪽에서 잡혀 왔다드만. 물살 때문이겄지. 참말 운이 없었네그려.)

C#5

배설, 군사들 그룹쇼트
우수사 배설이 보란 듯 서 있다.
도망치다 피섬 쪽 망군들에게서 잡혀 왔습니다.
송희립의 보고다.
안위와 송여종, 김억추 등이 상기된 표정으로 서 있다.

C#6

오상구 B.S.
군졸 오상구가 서럽게 울며 말을 내뱉는다.

오상구 6년입니다… 장군. 6년 동안을 전쟁터 찾아다니믄서 싸웠습니다요. 잠도 못 자고 밥도 걸러가믄서 죽기 살기로 싸웠는디, 허나 지금처럼 무모한 싸움은 해본 적도 들어본 적도 없습니다요.

C#7

오상구 O.S. 이순신
군사들이 술렁이기 시작한다.
이순신, 묵묵히 듣고만 있고….

C#8

군사들 O.S. 이순신

오상구 (더욱 서러움이 북받쳐) 장군~ 칠천량에서 6년 동안을 함께헌 동료들이

C#9

군사들 O.S. 배설
딱하다는 듯 혀를 차는 군사들,
고개를 떨구고 시름에 빠지는 군사가 태반이다.
오상구가 고개를 들어 이순신을 쳐다본다.

오상구 모두 죽었습니다요. 오늘 제 손으로 그들을 묻고 왔습니다.

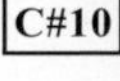

이순신 O.S. 군사들 / FOCUS PLAY

오상구 이젠 틀림없이 제 차례 같습니다요.

오상구 그저 이리 속절없이 다 죽어야 합니까요.

이순신 (착 가라앉은) 할 말 다 했느냐.

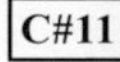

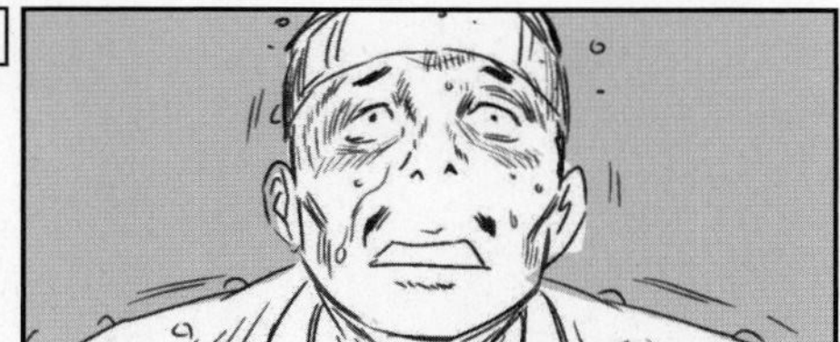

오상구 C.U.

올려다보는 오상구의 눈빛이 한없이 슬픈데….

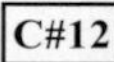

이순신 O.S. 오상구 / H.A.

단숨에 칼을 뽑아 휘두르는 이순신.

C#13

오상구 O.S. 이순신 / L.A.

단숨에 칼을 뽑아 휘두르는 이순신.

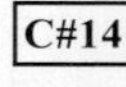

오상구, 이순신 F.S.

오상구의 머리가 순식간에 잘려나간다.

C#15

안위, 송여종, 김억추 B.S.

안위, 송여종, 김억추… 모두들 놀라며 얼어붙는다.

C#16

배설, 군사들 B.S.

특히 배설의 놀라움이란….

C#17

이순신 칼 O.S. 군사들 그룹쇼트

피 묻은 칼 너머 보이는 놀라워하는 군사들.

C#18

이순신 B.S. / TRACK IN

이순신 군율은 지엄한 것이다! 모두 알겠느냐!

C#19

배설 C.U.
당황한 배설.

C#20

벽파진 마당 F.S.
사색이 되어 입조차 뻥긋하지 못하는 군사들.
피 묻은 칼을 그대로 들고 이순신이 성큼성큼 사라진다.

C#21

군사들 그룹쇼트
놀라워하는 군사들.

C#22

배설, 김억추 B.S.
배설이 부들부들…. 김억추가 다가서며 몸을 떨며 말을 내뱉는다.

김억추 (한숨) 이젠 방법이 없어요. 방법이… 목까지 베어내는 판국에….

배 설 (눈에 독기를 품고) 방법? 찾으면 돼.

S#22 왜군 진영 구루지마의 안택선

와키자카에게 경고를 하는 구루지마 19 CUTS

INT  NIGHT  SET

C#1

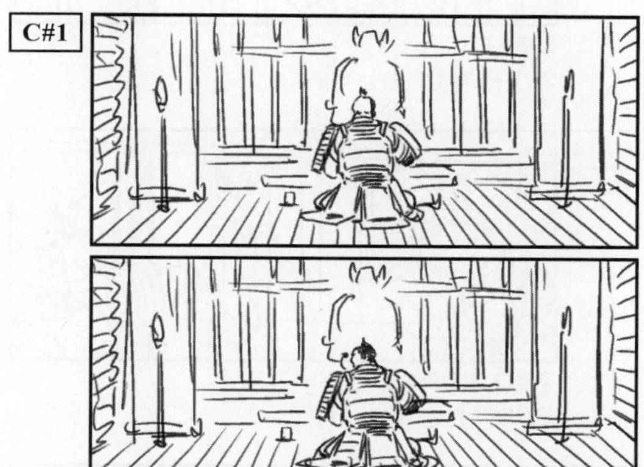

구루지마 F.S.

구루지마, 한쪽에 마련된 신사에 좌정하고 앉아 있다가 쾅! 와키자카가 밀고 들어오는 소리에 눈을 뜨고 뒤를 돌아본다.

C#2

와키자카, 구로다 M.S.

와키자카 (다짜고짜) 포로들의 목을 배에 실려 보낸 게 당신이요?

C#3

구루지마 F.S.

구루지마 (쉰 듯 거친 목소리) 코와 귀까지 베어 보냈소만.

C#4

구루지마 O.S. 와키자카,구로다

와키자카 내 칼에 진정 죽고 싶은가! 왜 쓸데없는 짓을 해서 공연히 적들을 분노케 하는 거지!

C#5

구루지마 C.U.

구루지마의 눈빛이 변한다. 하지만 이내 특유의 느릿느릿….

구루지마 서로 해볼 만한 싸움이면 그럴 수도 있겠지. 허나 과연 저들이 그럴까? 내 생각엔 두려움으로 더 떨고 있을 거 같소만.

C#6

와키자카 B.S.

와키자카 우리가 네놈이 생각하는 만큼 병신들이 아니야! 이순신은 호락호락 만만한 상대가 아니란 말이다!

C#7

구루지마 C.U.

구루지마 (특유의 그로테스크한 미소로 불쑥) 한산의 패배가 실로 크긴 컸나 보군.

C#8

와키자카 B.S.

와키자카 (마침내 분출) 뭐야! 이 자식아!

C#9

구루지마 C.U.
미소를 짓는 구루지마.

C#10

와키자카, 구로다 N.S. 2S
와키자카가 마침내 칼을 뽑아들고 달려든다. 구로다가 합세한다.

C#11

하루 M.S.
휙! 그림자처럼 지키던 하루가 채찍을 던졌다.

C#12

구루지마 M.S.
하루의 채찍에 감기는 구루지마의 칼.

순간 와키자카의 칼이 공중으로 날고,

C#13

하루 F.S.
와키자카의 칼을 뺏는 하루.

C#14

구로다, 기무라 F.S.
구로다의 칼을 쳐내는 기무라.

C#15

기무라, 구루지마 M.S.
으아~ 기무라가 이번엔 와키자카를 절단 낼 듯 칼을 휘두르는데,

C#16

구루지마,기무라 칼 C.U.
챙! 구루지마가 칼을 빼 들어 기무라의 칼을 막아선다.

C#17

구루지마, 와키자카 M.S.
구루지마가 천천히 칼끝을 돌려 와키자카의 목을 겨눈다.

와키자카 !

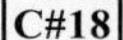

구루지마 B.S.

구루지마 (쉰 듯 거친 목소리) 내 다시 한번 말해두지. 관백이 나를 어찌 보냈겠나. 너희처럼 이순신 이름 앞에 그저 떠는 자들하고는 다르기 때문 아니겠는가. 칼은 함부로 뽑지 마라. 쥐도 새도 모르게 네놈 목이 달아날 것이다.

C#19

와키자카 C.U.

와키자카, 부들부들… 허나 이내 묘한 미소를 날리는데….

S#23 대장선 격군실 숙실

이순신에게 복안을 묻는 이회

16 CUTS

INT NIGHT SET

C#1

구선 WIDE F.S.
차가운 밤바다… 달무리에 어슴푸레 구선이 보인다.

C#2

이순신 B.S.
이순신이 장막을 걷어놓은 채 구선을 바라보고 있다.
우우우~ 소리가 바람결에 실려 온다.

이순신 들리느냐? 우우우우~ 나는 저 소리가 죽은 자들의 곡소리로 들린다. (잔을 들어 비우며) 한 잔 더 다오.

C#3

이회 O.S. 이순신
이회가 술잔을 마주하고 있다. 이회가 아버지 이순신의 술잔에 술을 따른다.

C#4

술잔 C.U.
이순신에게 잔을 따르는 이회.

C#5

이순신 O.S. 이회
단숨에 술잔을 비우는 이순신.

이 회 (조심스럽게) 아버님의 복안은… 정녕 저 구선이옵니까?

이순신 (잠시 말이 없다 담담히) 복안이 문제가 아니다. 문제는… 이미 독버섯처럼 퍼져버린 두려움이지.

C#6

이회 B.S.

이 회 (착잡) 극복할 방안이 있겠습니까?

C#7

이순신 B.S.

이순신 없다. 특히 집단적인 두려움이란….

C#8

이회 B.S.

이 회 (먹먹) 극복할 수 없다면 어찌하면 좋습니까? 저 목 베인 오상구처럼, 엄한 규율로 다스리는 것만이 그저 유일한 방법입니까? 그렇게 하면 승리할 수 있습니까?

C#9

이순신 B.S.

이순신 (이회를 물끄러미… 다시 술 한 잔을 들이켜며) 없다.

C#10

이순신 C.U.

이순신 (불쑥) 이용할 수는 있을 것이다.

C#11

이회 C.U.

이 회 (순간 이해되지 않음) 이용하다니요? …무얼? 두려움을 말입니까?

C#12

이순신 C.U.

이순신 …….

C#13

이순신, 이회 M.S.
이순신의 기침이 갑자기 심해진다. 이회가 급히 장막을 닫는데,

C#14

이회 O.S. 이순신

이순신 그만 됐다. 어서 와 너도 한잔 받거라.

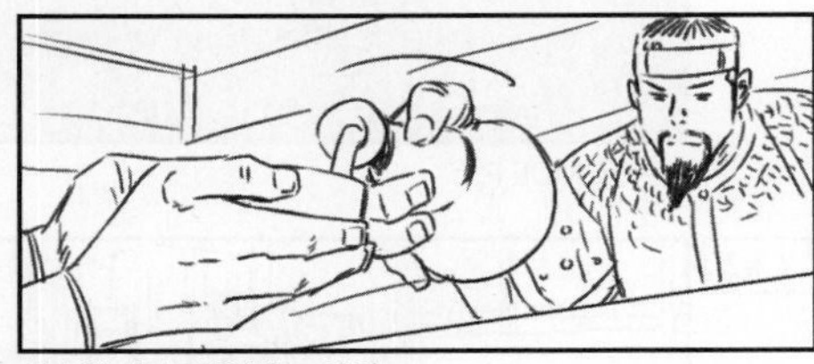

이순신의 술잔을 받는 이회.

C#15

이회 B.S.
묵묵히 술잔을 따라주는 이순신.
이회, 술잔을 받으며 그 끝을 알 수 없는 아버지 이순신의 눈빛을 뚫어지게 바라보는데,

C#16

이순신 C.U.
알 수 없는 이순신의 눈빛.

S#24 왜군 진영 가토의 막사

와키자카에게 속셈을 말하는 가토 14 CUTS

 INT  NIGHT SET

C#1

어란진 WIDE F.S.

C#2

가토, 와키자카 F.S.

조선 기생을 끼고 술잔을 마주하고 있는 가토와 와키자카.
와키자카, 기분이 몹시 언짢아 보인다.

C#3

와키자카 O.S. 가토

가 토 (특유의 엷은 미소) 그자에게 너무 마음을 쓰지 마시오. 어차피 한양으로 맨 처음 입성할 장수는 장군이오.

C#4

가토 O.S. 와키자카

와키자카 (풀 죽어) 무슨 소리요?

C#5

와키자카 O.S. 가토

가 토 구루지마는 그저 이순신을 잡고 고기나 물어다 줄 사냥개에 불과하오.

와키자카 허나 관백께서 직접 신임하여 보낸 자 아니요?

C#6

가토 B.S.

가 토 신임? (특유의 엷은 미소) 물론, 이순신의 상대로는 아주 적격이지요. (짐짓) 이순신을 겪어본 적이 없어 두려움도 없고….

C#7

와키자카 B.S.

와키자카 (인상을 찌푸리는데) …….

C#8

가토 B.S.

가 토 (미소) 더구나 울돌목의 빠른 물살은 그가 해적질하던 에히메와 같고, 임진년 당항포에선 그의 형제가 이순신에게 죽었소. 그자는 복수심으로 여기까지 온 자라 해도 과언이 아니지요.

C#9

와키자카 B.S.

와키자카 …….

C#10

가토 B.S.

가 토 (엷은 미소) 허나 그자의 역할은 거기까지일 뿐…. 절대 한양까지 온전히 입성치는 못할 것이오.

C#11

와키자카, 가토 F.S.

와키자카 !

가 토 (미소) 그냥 좀 두고 보시지요. (잠시 뜸 들이며) 어쩌면… 그러기도 전에 이순신 진영이 싱겁게 무너질 수도 있고….

C#12

가토 O.S. 와키카자

와키자카 (정색하며 쳐다보면) ?

C#13

와키자카 O.S. 가토

가 토 (엷은미소만) …….

C#14

가토 O.S. 와키카자

와키자카 …….

S#25 대장선 격군실 내 숙실

배설이 포섭한 괴한들에게 습격을 받는 이순신, 불타는 구선 38 CUTS

INT

NIGHT

SET

C#1

숙실 F.S. / CRANE -> 이순신 M.S.
우우웅웅웅~~
바다소리에 잠든 이순신이 뒤척인다.
허옇게 세어 풀어헤친 머리가 다소 그로테스크하다.

E 장군… 장군….
문득 나지막이 어떤 목소리가 바닷소리에 섞여 들려온다.
이순신이 눈을 뜬다.
E 장군….

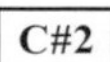
C#2

이순신 F.S. / 앙각
어둠 속에서 들려오는 목소리, 아니 목소리들….
급기야 이순신이 자리에서 일어나 앉는다.

C#3

격군실 문 앞 F.S. / 이순신 F.S.
누구냐… 어둠속, 격군실 쪽에 누군가 서 있다.
달빛에 차츰 드러나는 정체… 누군가가 피범벅이다.

C#4

이순신 M.S.
놀라는 이순신.

C#5

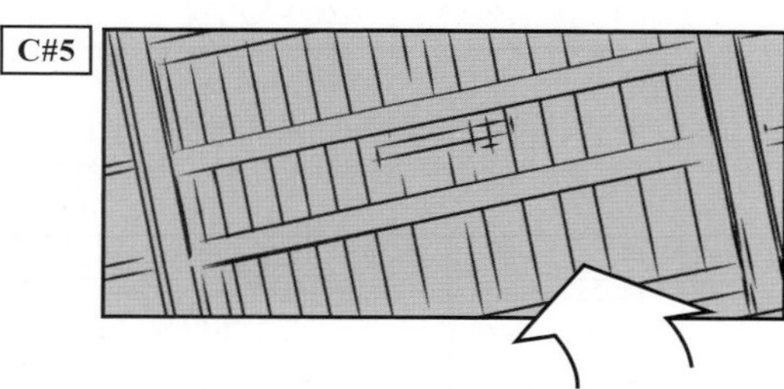
격군실 문 F.S. / 이순신 P.O.V. / TRACK IN
아무도 없는 격군실 문 앞.

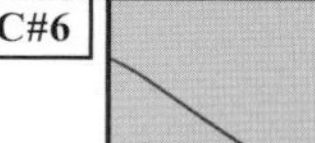
C#6

이순신 C.U. / TRACK IN
놀라는 이순신.

C#7

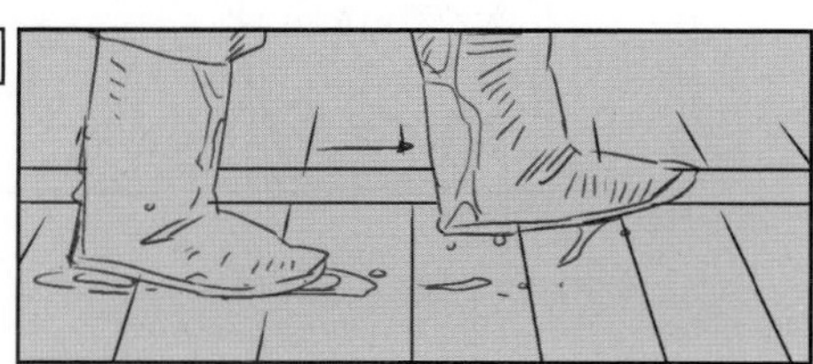
배홍석 발 C.U.
물에 젖은 누군가의 발.

C#8

배홍석,이억기,최호 M.S.

E 억울하오… 장군….

놀랍게도 차군관(次軍官) 배홍석이다.
그런데 그 뒤로 또 누군가 더 서 있다.
칠천량에서 전사한 전라 우수사 이억기, 충청 수사 최호가 바닷물에 흠뻑 젖어 산송장으로 서 있다.

C#9

이순신 B.S.

이순신 …!

이순신이 떨리는 손으로 탁자 위 술잔에 급히 술을 따른다.

C#10

배홍석, 이억기, 최호 B.S.
억울하다고 호소하는 배홍석, 이억기, 최호.

C#11

이순신 F.S. / 부감

이순신 잘 왔네. 잘 왔어. 홍석이, 이 수사, 최 수사.

C#12

이순신 B.S.

이순신 내 술 한잔 받으시게… (애타는) 이보시게들….

C#13

이순신 N.S.
급히 술잔을 치켜 들고 허겁지겁 따라 나가는 이순신….

C#14

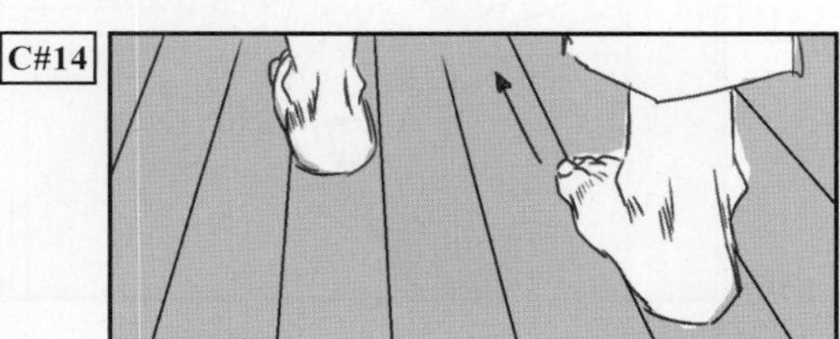

이순신 발 C.U.
맨발로 격군실 복도 따라 황망히 걸어가는 이순신….

C#15

이순신 C.U. -> TRACK OUT -> 이순신 O.S. 괴한들

이순신 (애타는) 이, 이보시게들. 어디를 그렇게 바삐들 가시는가.

이때 어둠 속에서 숙실을 덮치는 검은 그림자들….

C#16

이회 M.S.
이회가 물을 떠서 들어오다가 뭔가에 크게 놀란다.

이 회 아버님!

C#17

이순신 O.S. 괴한 1, 2

C#18

이순신 B.S.
이순신이 본능적으로 반응! 몸을 트는데,

쉬익! 갑자기 어디선가 빠르게 단도 하나가 날아와 이순신의 어깨에 박힌다.

C#19

이순신 O.S. 괴한 1
우욱! 휘청하는 이순신.

순간 변복을 한 복면 괴한 1이 칼을 들고 어둠 속에서 달려든다.

괴한 1을 집어 던지는 이순신.

C#20

숙실 F.S.
또다시 이순신에게 달려드는 괴한 2

C#21

이회 M.S.
급히 달려드는 이회.

이 회 아버님! 위험합니다! 피하십시오!

C#22

괴한 2 O.S. 이순신
퍼뜩 정신을 차린 이순신이 자신을 향해 달려드는 또 다른 칼(괴한 2)을 피하며,

어깨에 박혔던 단도를 빼 들어 괴한 2의 목에 꽂는다!

다시 달려드는 괴한 1을 몸으로 쳐내는 이회.

C#23

이순신 F.S.
괴한 2를 밀쳐내는 이순신.

C#24

괴한 2 B.S.
괴한 2, 이순신이 밀쳐내자 격군창을 부서트리며 떨어진다.

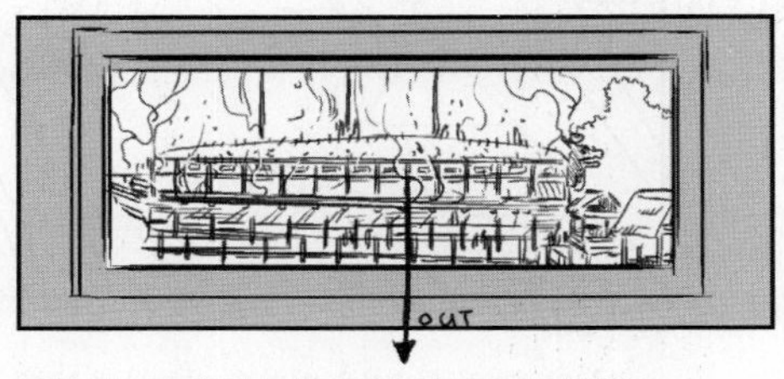

문득, 부서진 격군창 너머로 화광(火光)이 들어온다.

C#25

이순신 B.S.
불이다! 불이다! 멀리서 들려오는 소리.
이순신이 마침내 구선의 불길을 제대로 보게 된다!
써늘하게 얼어붙는 이순신.

C#26

이회, 괴한 1 M.S.
이회가 달려드는 괴한 1을 쓰러뜨린다.

C#27

이회 B.S.
이순신 쪽을 바라보는 이회.

C#28

이순신 M.S.
구선의 불길을 보고 얼어붙은 이순신.

C#29

이순신 O.S. 괴한 3
이순신 뒤로 몰래 다가오는 괴한 3

칼을 집어 들고 이순신에게 달려드는데

이때, 대신 칼을 어깨에 맞는 이회.

C#30

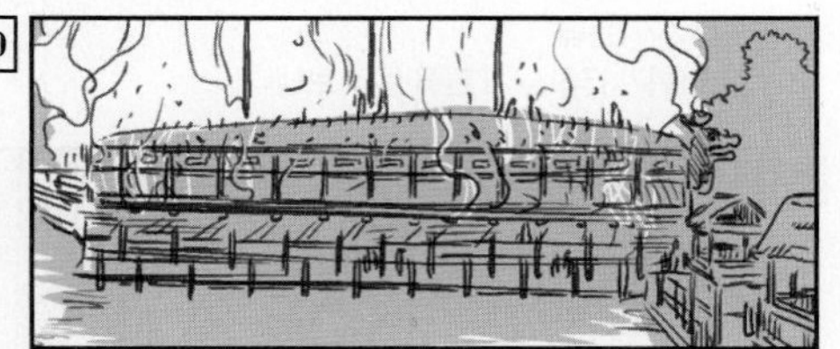

불타는 구선 F.S. / 이순신 P.O.V.
(CUT TO)
커다란 불길이 구선을 집어삼키고 있다.
군사들이 허둥거리며 구선 앞으로 달려온다.

괴한 3 O.S. 이회, 이순신.
자신의 어깨에 있던 칼을 뽑아 그대로 괴한 3의 목에 찔러넣는 이회.

우욱…!
회가 부들부들 떨며 주저앉는데.
격군실 밖으로 나가는 이순신.

C#32

숙실 F.S.
(각궁을 멘) 안위와 네 명의 군사가 급히 뛰어 올라온다.

안 위 (놀라) 장군!

이순신, 황망히 대꾸도 없이 화광(火光)을 따라 격군실을 빠져나가는데,
안위가 급히 군사 둘을 딸려 보낸다.

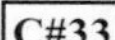

격군실 숙실 F.S. / 부감

이 회 (어깨를 부여잡고 부들부들) 전 괜찮습니다. 어서! 저자의 복면부터 벗겨보십시오!

이회 O.S. 안위
괴한 3의 앞으로 가는 안위.

C#35

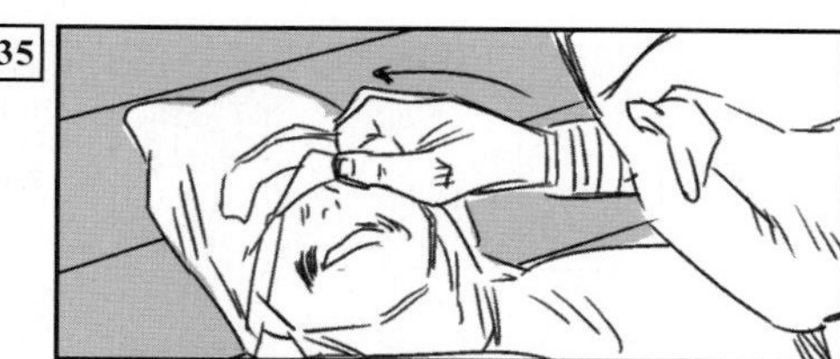

안위 O.S. 괴한 3
괴한 3의 복면을 벗기는 안위.

C#36

안위 C.U.

안 위 (괴한 1 복면을 벗기고, 싸늘하게 상기되며) 배설의 부장이야!

C#37

괴한 3 O.S. 안위, 이회
믿어지지 않는다는 얼굴로 서로 쳐다보는 안위와 이회.

C#38

안위 M.S.
안위가 빠르게 격군실을 빠져나간다.

S#27 동 해안가

도망치다가 안위의 활에 맞아 바다로 떨어지는 배설

16 CUTS

EXT NIGHT LOCATION

C#1

배설 배 WIDE F.S.
흘러가는 거룻배 위, 배설이 필사적으로 노를 젓고 있다.

C#2

안위 F.S.
급히 해안가로 뛰어오는 안위.

C#3

안위 B.S.
해안으로 들어선 안위가 호흡을 추스르며 배설을 향해서 화살을 겨눈다.

C#4

안위 O.S. 배설
안위 너머 보이는 배설.

C#5

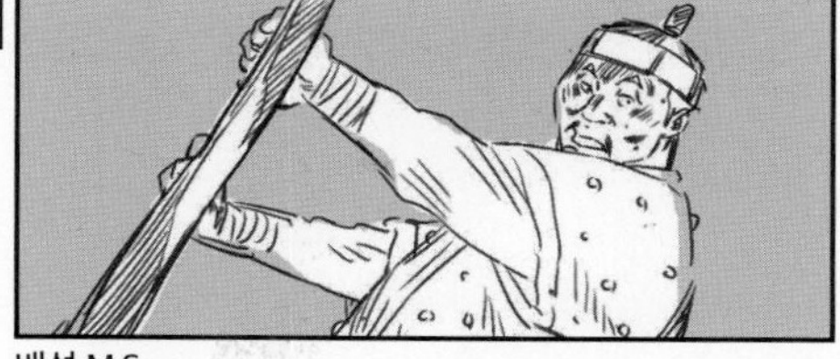

배설 M.S.
노를 저어 도망가는 배설.

C#6

안위 B.S.
화살을 겨누는 안위.

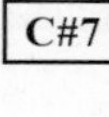

C#7

안위 O.S. 배설
배설을 향해 화살을 겨누는 안위.

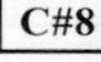

C#8

배설 M.S.

배 설 (부르르 떨며 고함) 모두들 진정 살고 싶지 아니하냐! 허여 내가 살 방도를 찾았노라! 그러니 어서 그대들도!

C#9

안위 O.S. 배설
활을 쏘는 안위.
배설 쪽으로 날아가는 화살.

C#10

배설 M.S.
슝---!
갑자기 날아와 그대로 배설의 가슴팍에 박히는 화살!

C#11

배설 B.S.
헉…! 박힌 화살을 잡고 비틀거리는 배설.

C#12

배설 배 WIDE F.S.
고통스럽게 입술을 부르르 떨며 배 위로 나동그라진다.

C#13

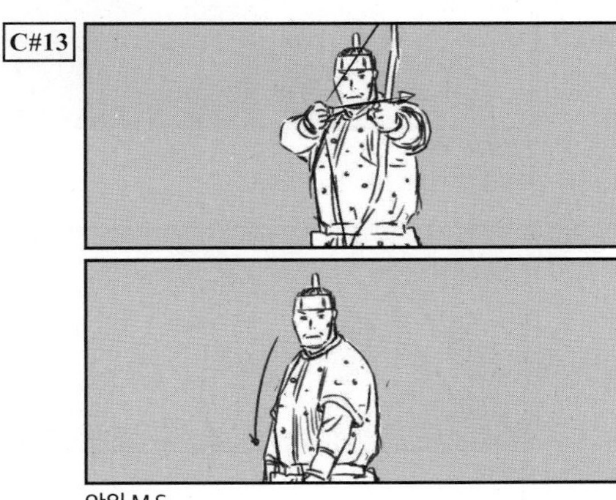

안위 M.S.
다시 활시위를 재고 있던 안위가 활을 내린다.

C#14

배설 배 WIDE F.S.

C#15

안위 B.S.
근심 가득한 얼굴로 포구 쪽을 쳐다보는 안위.

C#16

포구 WIDE F.S.
화광이 비치는 포구.

S#28 거북선 근처 포구 앞

불타는 구선을 보고 충격에 휩싸인 이순신

13 CUTS

EXT NIGHT OPEN SET

C#1

이순신 O.S. 구선
불타오르는 구선을 보며 서 있는 이순신의 뒷모습.
구선이 울부짖는 듯 기이한 소리를 내며 무너져 내린다.

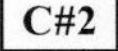

C#2

이순신 B.S. -> TRACK IN -> 이순신 C.U.

이순신 (망연자실) 안 된다… 안 돼!

C#3

이순신 O.S. 구선
무너져 내리는 구선.

C#4

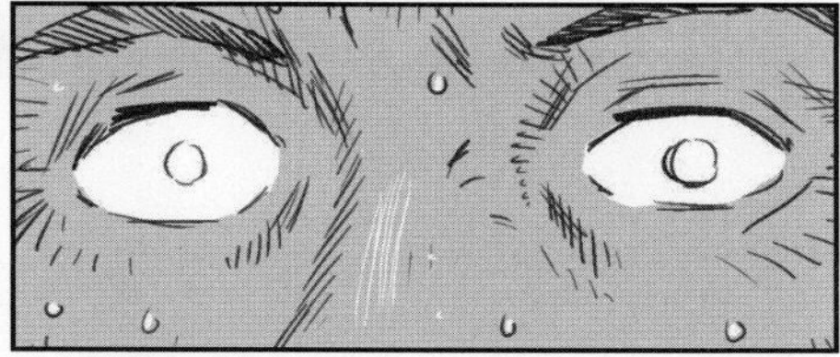

이순신 눈 E.C.U.
넋이 나간 이순신의 얼굴 위로 화광이 춤을 춘다.

C#5

이순신 B.S. -> 이순신, 장수들 M.S.
불타는 구선을 향해 무작정 다가가는 이순신.

"안 돼! 장군!" 달려온 송희립과 김돌손이
이순신을 애써 막는다.
몸부림치는 이순신. 어디선가 어깨를 동여맨 이회까지 뛰어들며 다시 막는다.

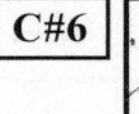

C#6

구선 TIGHT F.S. / 이순신 P.O.V.
불타 내려앉는 구선.

C#7

이순신, 이회, 장수들 B.S.

이 회 아버님, 끝났습니다! 아버님, 다 끝났어요!

이순신 아니다! 내일이면 완성인데 무슨 소리냐! 난 저 구선을 타고 나가 싸울 것이다! 아니 된다! (절규) 절대 아니 돼!

C#8

구선 TIGHT F.S. / 이순신 P.O.V.
불타 내려앉는 구선.

C#9

구선 머리 C.U.
불타 떨어지는 구선의 머리.

C#10

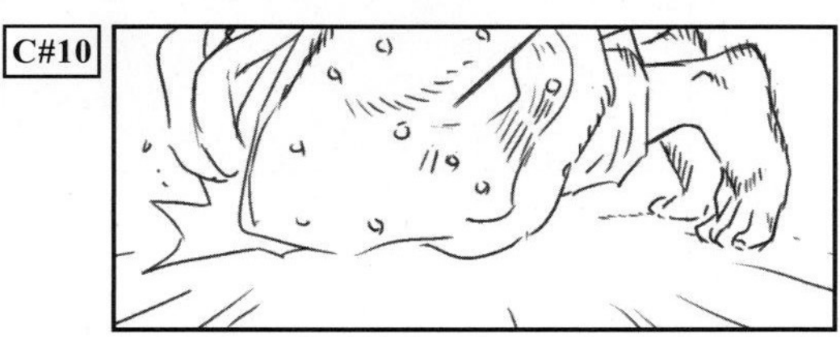

이순신 발 C.U.
주저앉는 이순신.

C#11

이순신 B.S.
발악하는 이순신!
아버님! 사력을 다해 막다 마침내 함께 오열하고 마는 이회….

발악하는 이순신!

C#12

이회 C.U.
오열하는 이회.

C#13

구선 TIGHT F.S.
불타 내려앉는 구선.

S#29 왜군 진영 도도의 안택선 지휘실

구선이 불탐을 전달받는 도도. 조선을 정복하려는 결의를 다진다 | 14 CUTS

INT

NIGHT

SET

C#1

어란진 포구 WIDE F.S.

달빛 아래, 거대 왜군 진영인 어란진 포구가 내려다보이는 도도의 안택선 내부.

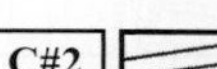
C#2

안택선 지휘실 WIDE F.S. / 부감

도도가 하얀 깃발 천에 큰 붓으로 힘차게 "大道"라는 글씨를 쓰고 있는데.
흥분된 얼굴로 황급히 들어서는 와키자카와 가토.

C#3

도도 O.S. 와키자카, 가토

와키자카 (잔뜩 상기되어) 이순신의 구선이 불탔습니다.

C#4

가토 O.S. 도도

도 도 뭐?

C#5

도도 O.S. 가토

가 토 이순신 진영에서 불길과 연기가 치솟아서 탐망을 보낸 결과, 구선이 잿더미가 된 것을 확인했습니다.

C#6

가토 O.S. 도도

도 도 매수하려던 적장이 벌인 일인가?

C#7

도도 O.S. 가토

가 토 그건 확실치 않습니다.

C#8

도도의 안택선 WIDE F.S.

도 도 마지막 구선이었지. 아마?

와키자카 (단호히) 예. 이순신에게는 이제 구선이 없습니다.

C#9

도도 C.U. / L.A.
정색하며 다시 글쓰기에 몰입하는 도도, 입가에 알 듯 모를 듯한 미소가 번진다.

C#10

대도무문 깃발 -> CRANE DOWN ->
(CUT TO)
펄럭이며 기세 좋게 나부끼고 있는 "大道無門 (대도무문)"이라고 쓰인 깃발.

CRANE DOWN -> 도도, 가토 F.S. / 부감
함께 그것을 보고 있는 도도와 가토.

C#11

도도,가토 2S B.S.

가 토 마땅히 가야 할 큰 길에는 거칠 것이 없다. 과연! 서체에서 도도님의 힘이 느껴집니다.

C#12

도도,가토 2S B.S.

도 도 지금 우리에게 필요한 정신이 아니겠는가. (확신에 찬) 바로 내일 아침! 조선의 운명은 바뀔 거다.

C#13

준사 O.S. 도도, 가토 / TRACKING
도도, 가토 뒷모습 FS에서 옆으로 트래킹하면
지휘실 쪽에서 몰래 염탐하고 있는 준사가 보인다.

C#14

준사 B.S.
문 쪽에서 염탐하던 준사, 심각한 표정으로 돌아 나간다.

S#30 왜군 진영 구루지마의 안택선 지휘실

형의 복수와 이순신에 대한 이야기를 하는 구루지마 15 CUTS

INT

NIGHT

SET

C#1

어란진 F.S.
INS) 마침내 출병을 서두르는 시끌벅적한 거대한 왜군의 진영.

C#2

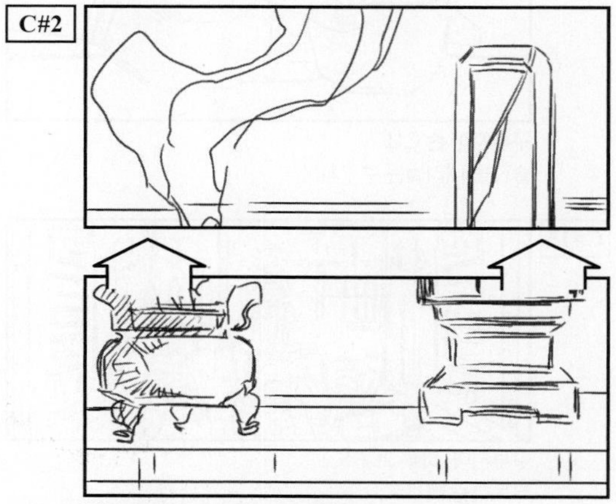

향불 C.U. -> TILT UP -> 위패 C.U.
지휘실 안 신사 앞,
향불에서 카메라 TILT UP 되면
(반으로 쪼개졌다 합친 듯 보이는 기이한) 위패.

C#3

위패 O.S. 구루지마, 하루.
그 너머 하루가 구루지마에게서 술잔을 받는다. 천천히 입을 여는 구루지마.

구루지마 …미치유키가 관백의 개가 되어 조선정벌에 참여한다 했을 때

C#4

하루 O.S. 구루지마

구루지마 난 놈을 가문의 수치로 여겼다. 놈은 기어이 정벌에 참여해 나갔지.

C#5

구루지마 O.S. 하루

구루지마 그리고 결국 죽어서 돌아왔다.

C#6

구루지마,하루 F.S. 2S -> TRACK IN

구루지마 난 놈의 위패를 그 자리에서 부숴버렸다. 그리고 제멋대로 방치해두었다.

C#7

위패 O.S. 구루지마,하루

구루지마 허나 놈은 우리 가문을 살리기 위해 나선 거였어.

C#8

구루지마 B.S.

구루지마 나를 향했던 히데요시의 칼끝을 그 놈이 참전하는 것으로 대신 막은 거지. 나중에 알았다.

갑자기 쉰 듯 거친 목소리로 그로테스크하게 웃는 구루지마.

C#9

하루 B.S.

하 루 …?

C#10

하루 O.S. 구루지마

구루지마 허나 내가 단지 미치유키에 대한 복수심만으로 조선에 왔다고 생각하면 오산이다.

C#11

구루지마 O.S. 하루

하 루 …!

C#12

하루 O.S. 구루지마 / PAN

구루지마 관백이 차지하려던 조선은 내가 먹을 것이다. 그자는 병들었다. 길어야 내년이다. 관백이 전쟁을 서둘러 끝내려는 이유가 거기에 있지. 나는 그자가 당혹해하며 죽는 모습을 꼭 지켜볼 것이다. 안됐지만 그렇기 때문에 이순신은 더더욱 죽어야 한다. 알겠느냐. 하루. 내가 조선에 온 진짜 이유를….

C#13

구루지마, 하루 F.S. 2S

핫! 하루가 잔을 내리고 깊이 부복한다.

구루지마 아마 그게 미치유키를 위한 진정한 복수의 길이기도 할 것이야.

C#14

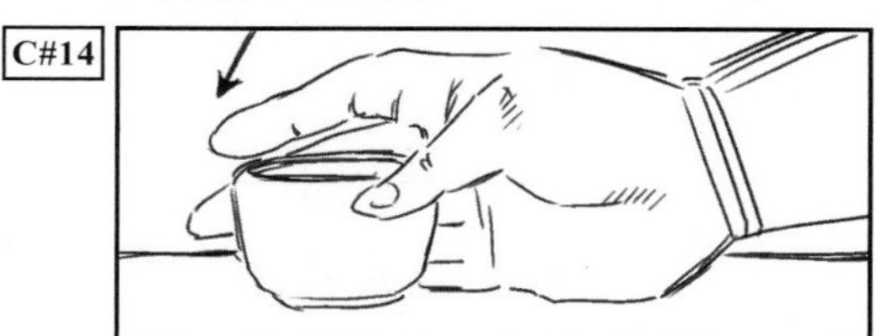

구루지마 손 C.U.

술잔을 내려놓는 구루지마.

C#15

구루지마, 하루 2S F.S.

부복하는 하루.

S#31 왜군 진영 보급선 내부

준사와 마주치는 와키자카와 구로다. 육중한 무기를 보고 충격을 받는 준사 24 CUTS

 INT  NIGHT  SET

C#1

보급선 내부 F.S.

와키자카와 구로다가 보급선 내부로 황급히 들어선다.

C#2

와키자카 B.S.
횃불의 불빛을 발견하는 와키자카.

C#3

보급선 F.S. / 와키자카 P.O.V.
화포, 조총, 포락(도자기에 기름을 넣은 구(球)형 폭탄), 화약 등 보급품이 즐비한 내부….
어둠 속 횃불.

C#4

구로다 B.S. / FOLLOW
횃불 쪽으로 움직이는 구로다.

횃불 쪽으로 움직이는 구로다.

C#5

구로다 O.S. 준사

구로다 거기 누구냐!

구로다가 뛰어가 횃불을 뺏어 들고 놈을 잡아챈다.
횃불 아래 드러나는 얼굴… 준사다.

C#6

준사 O.S. 구로다

구로다 누구냐! 네놈은!

C#7

구로다 O.S. 준사

준 사 주, 준사라 하옵니다. 보급관입니다.

C#8

준사, 구로다, 와키자카 M.S. 3S

구로다 (다가와) 무기고에 횃불은 금기란 걸 모르느냐. 대체 이곳에서 네놈은 무얼 하고 있었느냐.

준 사 (횃불 빼어들고 살기등등한 구로다를 흘낏) 출병 전 도착한 마지막 물자를 점검하고 있었습니다. 가토님께서 출병이 코앞이라 해뜨길 기다릴 수 없다 하셨습니다.

C#9

준사 O.S. 와키자카

와키자카 (뚫어지게) 준사라 했느냐?

C#10

와키자카 O.S. 준사

준 사 (긴장된) 예. 장군.

C#11

와키자카 C.U.

와키자카 준사! 제법 묵직한 품목이 왔을 것이다. 보았느냐.

C#12

준사 B.S.

준 사 예. 이, 이쪽으로 오십시오.

C#13

천막 C.U.

두꺼운 천막으로 덮여 있는 보급품 더미.

C#14

보급품 O.S. 준사, 구로다, 와키자카.

두꺼운 천막으로 덮여 있는 보급품 더미 앞에 서는 준사.
와키자카가 준사의 횃불을 빼어들고 다짜고짜 보급품 앞에 비추며,

와키자카 (보급품에 급 관심) 어서 열어보거라. 내 관백께 특별히 부탁한 것이니….

두꺼운 천막을 걷는 준사.

C#15

와키자카 B.S.

와키자카 (횃불을 구로다에게 넘기고 다가서며) 그래, 이것이야! 내 기필코 6년 전 한산에서 패배의 설욕을 똑같이 되갚아줄 것이다!

C#16

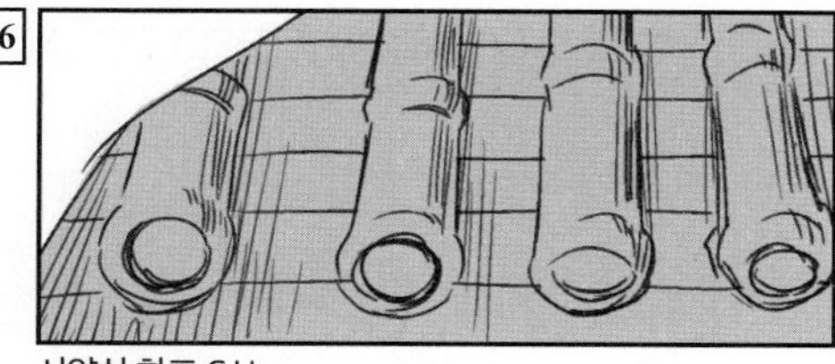

서양식 화포 C.U.

육중한 서양식 화포.

C#17

보급선 내부 WIDE F.S. / 부감
화포를 바라보는 세사람.

C#18

와키자카 O.S. 준사

준 사 (심각) 우리 배들은 화포를 운용할 만큼 강하지 못한데 괜찮겠습니까?

C#19

준사 O.S. 와키자카, 구로다

와키자카 (준사를 빤히) 염려가 많은 놈이구나. 일반 세키부네들은 그렇지. 내 아타케부네(안택선)는 들보에 매달아 쏠 수 있다.

C#20

와키자카 O.S. 준사

준 사 그… 그렇습니까?

C#21

준사 O.S. 와키자카, 구로다

와키자카 이 화포라면 제 아무리 단단한 판옥선이라도 깨부술 수 있어. 해적왕 구루지마? (콧방귀) 흥! 정규전을 모르는 해적 놈들은 아무리 종이호랑이가 됐다지만 이순신을 당해내지 못해.

C#22

준사 B.S.
표정이 어두워지는 준사.

C#23

구로다, 와키자카 B.S.

구로다 이제 이순신이 믿는 것은 아무것도 없겠습니다.

와키자카 (미소 짓는) …….

C#24

준사 C.U.
준사의 표정이 심각하다.

S#32 왜군 진영 외곽 숲속

비어 있는 전갈 통을 확인하는 임준영, 조선 포로들 대열에 숨는다

35 CUTS

EXT

DAY

LOCATION

C#1

임준영 M.S.
은밀하게 나무 앞으로 가는 임준영.

C#2

나무통 C.U. -> TILT UP -> 임준영 C.U.
은밀하게 접근해서 나무통을 꺼내보는 임준영… 비어 있다.

C#3

임준영 O.S. 어란진
다급해진 얼굴로 왜군 진영을 쳐다보는 임준영.
호각 소리들이 요란하다. 아무래도 적들의 움직임이 심상치 않다.

C#4

임준영 C.U.
다급해진 얼굴로 왜군 진영을 쳐다보는 임준영.

C#5

왜병들 그룹쇼트
출병 준비로 다급한 왜병들.

C#6

임준영 F.S.
과감하게 숲을 넘어가는 임준영.

C#7

임준영 F.S.
과감하게 숲을 넘어가는 임준영.

C#8

임준영 M.S.
과감하게 숲을 넘어가는 임준영.

C#9

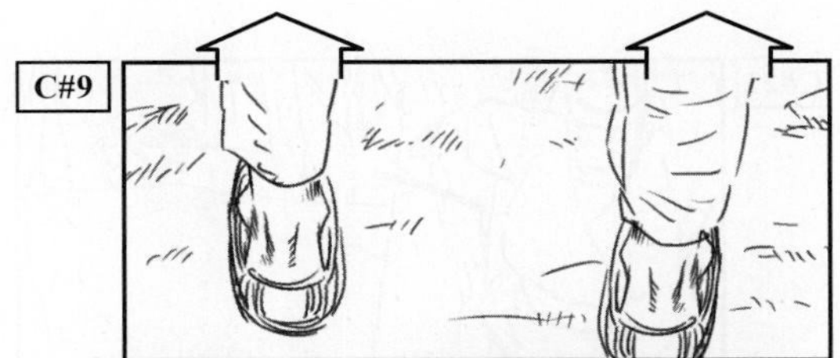

임준영 발 C.U. -> TITL UP -> 임준영 O.S. 시체들
(CUT TO)
문득 임준영, 온몸이 굳은 듯 멈춰 서는데,

숲 너머 한쪽 공터, 목 베이고 목 매달리고 온통 죽어 있는 노약자와 여자와 아이들,

C#10

임준영 F.S. / 부감
문득 임준영, 온몸이 굳은 듯 멈춰 서는데,

C#11

임준영 B.S.
주둔지 소개… 임준영, 홀로 중얼거리다 좀 더 나아가면,
숲 한쪽에서 아직도 간간히 비명 소리가 터져 나온다.

C#12

왜병들, 조선인 포로 F.S. / 임준영 P.O.V.
멀리 몇몇 조선 여자들이 몹쓸 짓을 당하다 죽임을 당하는 게 보인다.

C#13

왜병들, 조선인 포로 F.S. / 임준영 P.O.V.
멀리 몇몇 조선 여자들이 몹쓸 짓을 당하다 죽임을 당하는 게 보인다.

C#14

임준영, 차오르는 분노를 간신히 참아내며 준사가 있는 막사 쪽으로 이동해보려는데,

C#15

김중걸, 왜병 F.S.
사람 살려! 문득 초췌한 조선 선비 하나(김중걸)가 죽어라 숲 쪽에서 왜병들에 쫓겨 임준영 쪽으로 달려온다. 사라미! 사라미! (조선 사람들을 지칭하던 그들 표현) 왜병들이 고함치는 소리가 들린다.

C#16

임준영 M.S.
임준영, 숨을 곳을 찾아보지만 마땅한 곳이 없다.

C#17

임준영 O.S. 김중걸, 왜병.
선비, 온갖 몸짓을 해대며 도와달라며 곧 바로 임준영에게로 달려온다.

C#18

임준영 M.S.
단도를 던지는 임준영.

C#19

왜병 M.S.
단도에 맞아 쓰러지는 왜병.

C#20

왜병들 그룹쇼트
또다시 달려오는 왜병들.

C#21

임준영 B.S. -> F.S.
도망가는 임준영.

C#22

임준영 O.S. 왜병들
도망가는 임준영.

C#23

조선 포로들, 임준영 F.S.
임준영, 어쩔 수 없이 밀려오는 포로들의 대열 속으로 파고드는데.

C#24

조선 포로들, 임준영 M.S.
임준영, 어쩔 수 없이 밀려오는 포로들의 대열 속으로 파고드는데.

C#25

임준영 B.S.
김중걸 쪽을 바라보는 임준영.

C#26

김중걸, 왜병 F.S.
선비가 이내 쫓아온 왜병들에게 붙잡힌다.

C#27

임준영 B.S.
선비의 비명 소리! 힘겨운 포로들… 아무 반응 없이 그저 걷기만.
임준영, 구하지 못한 죄책감에 괴로운데,

C#28

준사 F.S.
말을 타고 빠르게 달려오는 준사.

C#29

준사 F.S.
퍼뜩! 말을 탄 준사가 임준영과 포로들의 옆을 빠르게 스쳐 지나간다.

임준영, 급히 휘파람 신호를 보낸다.

C#30

준사 F.S.
준사, 임준영이 보낸 신호 소리에 말을 멈추고 돌아보면,

C#31

준사 B.S.
바라보는 준사 얼굴.

C#32

조선인 포로, 임준영 F.S.

왜군관 (검으로 임준영의 등을 후려치며) 빨리 움직여!

C#33

준사 B.S. / L.A.
두 사람, 안타깝게 그렇게 서로만을 쳐다보며 멀어진다.

C#34

임준영 B.S.
두 사람, 안타깝게 그렇게 서로만을 쳐다보며 멀어진다.

C#35

준사 F.S. / 임준영 P.O.V.
두 사람, 안타깝게 그렇게 서로만을 쳐다보며 멀어진다.

S#33 왜군 진영 외곽 숲속 바위 터

위기에서 김중걸과 수봉이를 살려주는 준사, 전갈을 부탁한다

40 CUTS

EXT

DAY

LOCATION

C#1

김중걸, 왜병 1,2 F.S.

김중걸 좇도맞네. 시빨~ (눈물콧물) 살려주세요~~~

아직 살아 있는 김중걸이 무릎을 꿇고 왜병들에게 살려달라고 애걸하고 있다.

C#2

김중걸 B.S. -> PAN -> 김중걸 F.S.

김중걸 뭐, 뭔가 오해로 쓸모없다고 끌려왔지만, 이래 봬도 쓸모가 있다 이 말입니다. (허공에 노를 저으며) 노도 잘 젓고요…. (삽질하며) 일도 잘합니다. 보세요! 여기 잘 보세요~!

하고는 옆에 있는 죽은 나무통을 들어 올리는 김중걸.

김중걸, 나무통 무게에 힘이 겨워 이를 악물면서도 미소.

C#3

김중걸 O.S. 왜병

피식 웃으며 지켜보던 왜병 하나가, 번쩍! 칼을 치켜드는데,

C#4

김중걸, 왜병 F.S. / 부감

칼을 번쩍 치켜드는 왜병 1.

C#5

김중걸 B.S.

싹싹 빌며 눈을 감는 김중걸.

C#6

김중걸 O.S. 왜병

퍽! 악! 이때 어딘가에서 날아온 짱돌에 한 왜병 1이 눈을 감싸 쥐고 주저앉는다.

C#7

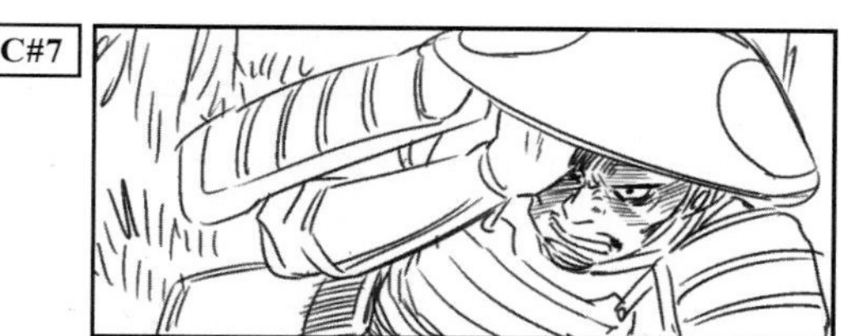

왜병 1 B.S.

주저앉는 왜병 1.

C#8

왜병 2 B.S. / L.A.
당황한 왜병 2

C#9

수봉이 F.S.
다른 왜병 2, 돌아보면 수봉이 도망가지도 않고 부르르 떨며 서 있다.
목 매단 밧줄이 끊어져 살았나 보다. 밧줄이 그대로 목에 걸려 있다.

C#10

김중걸 B.S.

김중걸 !

C#11

수봉이 F.S.
수봉이 다시 짱돌을 던진다.

C#12

왜병 2 F.S.
왜병 2가 피하며 칼을 치켜들고 수봉에게 달려간다.

C#13

왜병 O.S. 수봉이
수봉이에게 대가가는 왜병 2

C#14

수봉이 손 C.U.
수봉이 부르르… 짱돌 쥔 손에 힘이 들어가는데,

C#15

수봉이 B.S.
싸울 태세를 하는 수봉이.

C#16

김중걸 B.S.
놀라는 김중걸,

C#17

김중걸 O.S. 왜병 1
눈을 감싸 쥔 왜병 1이 고함을 지르며 일어선다.

C#18

왜병 2 O.S. 김중걸

김중걸이 부리나케 다시 나무통을 집어 들어 쳐보려 하지만 다리만 후들후들….

C#19

김중걸 O.S. 왜병 1

왜병 1, 김중걸에게 다시 칼을 휘두르는데,

슝! 갑자기 어디선가 화살이 날아와 왜병의 뒤통수에 박혀 앞이마까지 뚫고 나온다.

C#20

김중걸, 왜병 1 F.S.

으악! 놀란 김중걸을 그대로 덮치며 넘어지는 왜병.

C#21

김중걸 B.S.

놀란 김중걸의 얼굴.

C#22

준사 F.S.

이내 말발굽 소리. 작은 석궁 형태의 노(弩)를 겨냥하며 말을 달려오는 준사!

C#23

김중걸 C.U.

준사의 등장에 눈이 휘둥그레지는 김중걸.

C#24

준사 F.S. -> 김중걸 O.S. 준사

준사, 빠르게 달려와 말에서 뛰어내리더니 김중걸을 붙잡고 말한다.

C#25

준사 O.S. 김중걸

김중걸 (기겁해서. 어설픈 일본말로) 살려주십쇼.

C#26

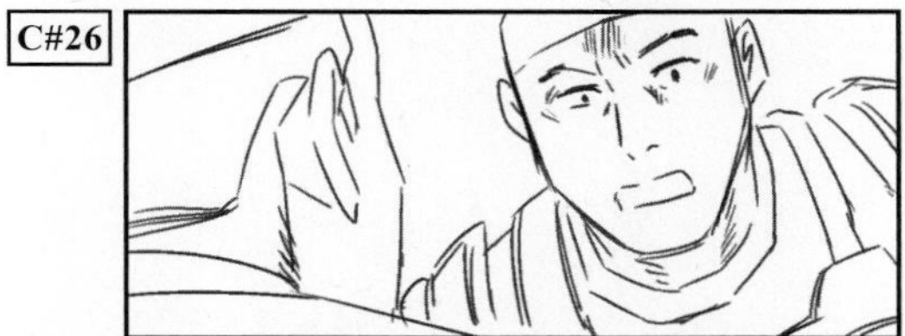

김중걸 O.S. 준사

준 사 (일본말로) 내 말을 알아듣겠소?

C#27

준사 O.S. 김중걸

김중걸 (고개를 끄덕끄떡) ……. (일본말로) 저, 저기 저 아이도 얼른 좀….

C#28

왜병 2 M.S.

중걸과 준사, 쳐다보면 수봉이 앞….

이미 왜병 2가 짱돌을 여러 개 맞아 머리가 깨져 피를 흘린 채 죽어 있다.

C#29

숲속 F.S.

씩씩거리며 서 있는 수봉이.

C#30

수봉이 F.S

수봉이 짱돌 몇 개를 더 들고 씩씩거리며 서 있다.

수봉이 준사에게도 갑자기 짱돌을 던지려 하는데,

C#31

김중걸, 준사 F.S.

좆도맞… 아이구! 김중걸이 막아서다 도리어 짱돌을 맞았다.

준 사 !

C#32

준사. 김중걸 B.S. 2S

(CUT TO)

푸르딩딩… 눈탱이가 밤탱이가 된 중걸에게 준사가 돌돌 말린 전갈을 내밀며,

준 사 (또박또박) 이것을 필히 이순신 장군께 전하시오.

C#33

준사 O.S. 김중걸

김중걸 (얼결에 전갈을 받아들고 놀라) 누구? 이순신요?

C#34

김중걸, 수봉이 M.S.

(CUT TO)

김중걸과 수봉이 말에 올라탄 채 고삐를 잡고 있다.

C#35

준사 O.S. 김중걸, 수봉이

준사를 바라보는 김중걸과 수봉이.

C#36

준사 B.S.
준사가 말 엉덩이를 힘껏 손으로 치면.

C#37

김중걸, 수봉이 M.S.
김중걸의 퍼렇게 멍든 눈이 휘둥그레지며 말이 급박하게 달리기 시작한다.

C#38

김중걸, 수봉이 F.S.
달려가는 말.

C#39

준사 B.S.
멀어지는 김중걸과 수봉이를 보는 준사의 표정에서 태산 같은 걱정이 엿보이는데,

C#40

준사 F.S.
이내 어디론가 쏜살같이 사라지는 준사.

S#34 관아 숙실

위패가 없어짐을 알고 황급히 나가는 이회 7 CUTS

INT

DAY

SET

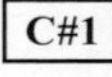
C#1

관아 숙실 F.S.
밥상을 들고 부엌에서 나와 이순신의 방으로 가는 이회.
종선 할매와 이야기를 하고 황급히 숙실로 향한다.

C#2

이회 F.S.
문 앞에 다다른 이회.

C#3

이회 M.S.
이회가 밥상을 들고 들어오다 문득 방이 텅 비어 있음을 발견한다.

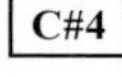
C#4

숙실 F.S.
이회 너머 왠지 허전한 방. 보면, 칼 보관대 밑 위패가 놓여 있던 자리에 위패가 보이지 않는다.

C#5

이회 B.S.

이 회 !

C#6

위패함 C.U.
텅 빈 위패함.

C#7

이회 B.S. / Follow Pan
황급히 나가는 이회.

이회 F.S.
허둥지둥 밖으로 달려 나가는 이회.

S#35 벽파진 절벽

회오리를 바라보던 이순신, 준사의 전갈을 받는다 23 CUTS

 EXT  DAY  LOCATION

C#1

절벽 C.U. -> 이순신 손 C.U.

가쁜 호흡….

누군가 절벽을 오르고 있다. 위패를 들고 가는 누군가의 손….

C#2

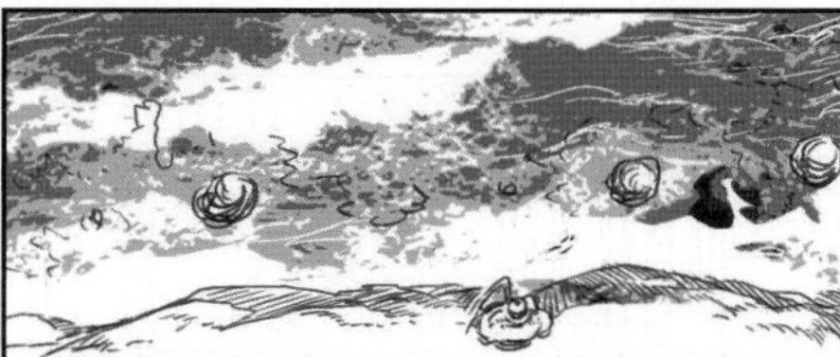

절벽 WIDE F.S. / 직부감.

(CUT TO)

다다른 절벽 끝… 이순신이다.

회오리치며 세차게 요동치는 바다.

C#3

이순신 B.S. / L.A.

이순신의 눈빛이 떨린다.

미동도 없이 바다를 보며 서는 이순신.

아들 이회의 말이 귓가에 맴돈다.

C#4

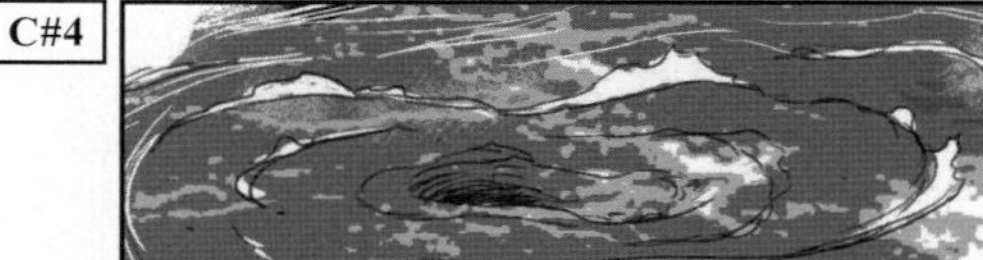

회오리 C.U.

이 회(회상 목소리) 아버님, 끝났습니다! 아버님, 다 끝났어요!

우우웅웅웅~ 바다의 소리가 더욱 크게 들린다.

부서지며 이는 회오리가 햇빛을 받아 더욱 유리처럼 빛난다.

C#5

이순신 C.U.

이순신의 눈빛이 꿈틀!

C#6

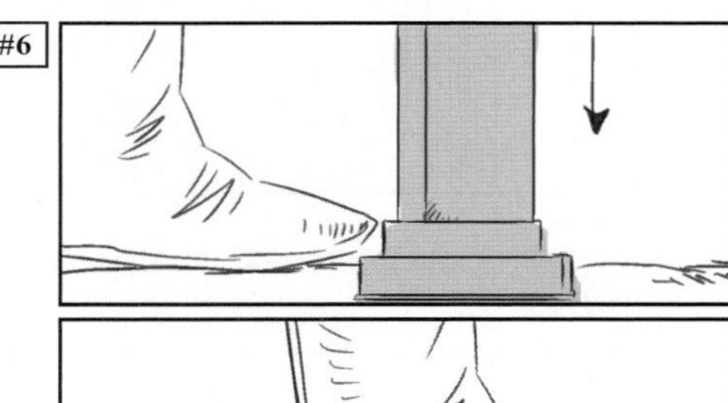

이순신 발 C.U.

위패를 내려놓고 천천히 한 발을 앞으로 떼는 이순신.

C#7

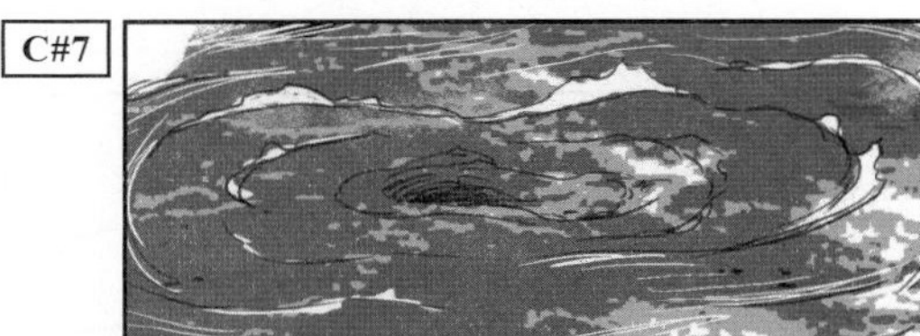

회오리 C.U.

요동치는 회오리….

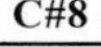

이순신 B.S.

이순신 (자신도 모르게 중얼) 회오리… 구선… 구선….

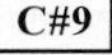

이순신 손 C.U.
이순신의 눈빛이 (뭔가 영감을 받은 듯) 떨린다.
이순신, 천천히 칼 쥔 손에 힘이 들어가는데….

C#10

이순신 C.U.
장군~! 문득 먼바다에서 꿈결처럼 아득히 들리는 소리….

C#11

이순신 O.S. 어선들
멀리 어선 대여섯 척이 줄지어 다가오는 것이 보인다.

C#12

이순신 B.S.
미간에 힘을 주고 뚫어지게 쳐다보는 이순신.

C#13

어선 F.S. / 이순신 P.O.V.
INS) 놀랍게도 어선 위에 나대용이 서 있다. 그리고 그 뒤엔 혜희와 무장한 승병들이 보인다.

C#14

이순신 B.S.

이순신 …!

이 회(V.O.) 아버님~!

갑자기 뒤에서 부르는 다급한 소리. 이회다.
이순신이 뒤돌아보면,

C#15

이회 F.S.
이회가 뛰어오고 있다.

C#16

이회 O.S. 이순신 / 이회 fr.in

이 회 (급히 달려오며) 준사의 전갈입니다!

C#17

전갈 C.U.
(CUT TO) - 긴박한 음악 시작.
준사의 전갈을 급히 펼치는 이순신의 손.

자막
(목소리) 출병일은 내일 아침입니다!

C#18

이순신 M.S. / L.A.
이순신의 표정이 상기된다!

C#19

전갈 C.U.
자막
물때를 맞춰 출병할 예정이며,
적선의 규모는 총 3백여 척입니다.
불행히도 알아보라 하신 적의 선봉에는
전혀 새로운 자입니다.
구루지마 미치후사란 자로,
물살이 이곳과 흡사한 에히메 출신으로
해적왕이라 일컫는 자로서 그의 형제 구루지마 미치유키가
지난 임진년 당항포에서 장군께 목숨을 잃었습니다.

C#20

구루지마 미치유키 F.S.
INS) 임진년(1592년) 당항포해전의 한가운데.
화살 열 대를 맞은 구루지마 미치유키, 버거워하면서도 끝까지 버티다 바다로 사라진다.

다행스러운 건 중군을 맡은 자론 한산도에서 장군께 대패한 와키자카 야스하루입니다. 이것이 다소나마 장군께 위안이 될지 모르겠습니다.

C#21

이순신 C.U.
(CUT TO)

이순신 (결연) 우수영으로 가자.

C#22

이순신 O.S. 이회

이 회 예?

C#23

이회 O.S. 이순신

이순신 명량을 뒤로 두고 싸울 수는 없다. 지금 당장 우수영으로 갈 것이다!

S#36 벽파진 관아 앞

울부짖는 민초들, 그런 민초들을 인솔해 가는 이회와 군사들

23 CUTS

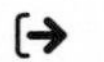
EXT

DAY

OPEN SET

민초들 M.S. / FOLLOW
벽파진 관아로 뛰어가는 민초들.

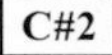

벽파진 관아 WIDE F.S.
CUT TO
마구 아비규환의 혼란에 휩싸인 벽파진 군영….
떠나려는 판옥선들에 절름발이 조태식, 조문옹, 오극신, 곱추 오계적 등의 피난민들이 몰려들어 울부짖으며 하소연을 하고 있다. 바닥에 주저앉아 우는 아낙들과 아이들.

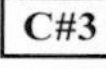

군사들, 민초들 F.S.
송희립과 군사들이 격앙된 백성들을 막아내느라 안간힘을 쓴다. 군사 오둑이 그저 안절부절….

C#4

송희립 O.S. 민초들
장군님! 살려주십시오! 장군님!

C#5

민초들 O.S. 송희립, 군사들
막는 군사들.

C#6

군사들,민초들 F.S.
힘겹게 민초들을 막고 서 있는 송희립과 황보만, 김돌손 등의 군사들….

C#7

김돌손 C.U.
난감한 김돌손의 얼굴.

C#8

아이 1 B.S.
울며 매달리는 아이 1.

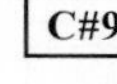

김 노인 B.S.
고개를 떨구는 김 노인.

C#10

송희립 B.S.

송희립 (안타까운) 왜놈들한테 죽어나지 않으려거든 어서 산으로 피하시오!

C#11

송희립 O.S. 조문옹.

조문옹 (절절) 장군! 우리는 산짐승이 아니오! 장군님이 안 계시는데 산으로 간다 한들 우리가 어찌 살아남을 수 있단 말입니까. 떠나시려거든 차라리 제주든 명나라든 어디든 제발 함께 데려가주시오! 장군님!

C#12

송희립 B.S.
당황하는 송희립.

C#13

오계적 B.S.

곱추 오계적 (밀고 들어오며) 장군님! 제발 저희를 버리지 마십시오! 저흰 그저 장군님만 따라가겠습니다요!

C#14

이회 O.S. 이순신
시끄러운 바깥 소리들에 아랑곳하지 않고 차분히 마주 앉아 있던 이순신과 이회,
이순신이 보관대 위 자신의 맹서가 새겨진 긴 칼을 이회에게 건넨다.

C#15

이순신 O.S. 이회
말없이 받아드는 이회….

C#16

송희립 B.S.

송희립 (짜증) 진정 이자들이! 모두 군율로 다스려야 알아먹겠느냐!

C#17

송희립, 민초들 O.S. 이회.
송희립, 짜증스럽고 막막할 따름인데.
어깨를 동여맨 다소 상기된 이회가 대장선에서 걸어 나온다.

C#18

이회 B.S.

이 회 (호통) 모두 동헌 앞으로 끌고 가거라! 내가 저들을 직접 인솔해 갈 것이다!

C#19

송희립 B.S.

송희립 예, 나리!

C#20

관아 WIDE F.S. / 부감
멀찍이 피난민들을 밀어붙이는 송희립과 군사들….
아이고 ! 장군님! 제발 저희를 데리고 멀리 가주시오! 아우성치고 울부짖는 피난민들,

C#21

민초들 그룹쇼트
저희를 버리십니까! 살려주십쇼… 장군~!

C#22

김 노인 B.S.
안타까움에 일그러지는 김 노인.

C#23

관아 WIDE F.S.
이회가 다시 한번 군사들과 함께 밀어붙인다.
피난민들의 울부짖음이 극에 달하는데….

S#37 벽파진 관아 작전실

격양되어 이순신을 찾아가자 말하는 군사들 11 CUTS

INT NIGHT SET

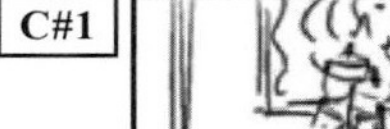

C#1

작전실 F.S.

바깥의 아우성 소리와 더불어 장수들이 온통 격앙되어 있다.

C#2

송여종 B.S. / H.A.

송여종 (탁자를 내려치며) 이젠 구선도 없소이다! 대체 일자진(一字陣)이란 게 진법이라 할 수 있소! 진정 장군께서 어찌 되신 것이 아니오!

C#3

김응함, 송여종 O.S. 김억추 B.S.

김억추 맞소이다! 이대로 개죽음을 당할 순 없지요! 특단의 방책을 세워야 할 것이오! 특단의 방책을!

C#4

김억추, 안위 O.S. 김응함

중군장 김응함 특단의 방책이란 게 대체 뭐요. 저 배설처럼 통제사를 다시 시해라도 하자는 말이요.

C#5

김응함 O.S. 김억추

김억추 (화들짝) 아니, 꼭 그것은 아니지만… 허~ 이거 사태가 시급해서 좌의정 대감께 전갈을 넣을 수도 없는 일이고… 맞소! 어떻소? 저번 구선처럼 우리 배들을 불 질러버리는 건?

C#6

김응함 B.S.

중군장 김응함 (눈을 지그시 감으며) 칼 맞을 소리요.

C#7

김응함 O.S. 김억추

김억추 !

C#8

김응함, 송여종 O.S. 안위

안 위 (불쑥) 가봅시다.

모두가 한참을 말이 없던 안위를 쳐다본다.

C#9

김억추 B.S.

김억추 어, 어디를… 말이요?

C#10

김억추 O.S. 안위

안 위 내가 설득해보리다. 설득이 안 되면… 내 장군께 목숨을 내놓겠소.

C#11

작전실 F.S.

김억추 (반색) 그렇지! 안 공이라면… 좋은 생각이외다! 어, 어서들 갑시다!

S#38 벽파진 관아 집무실

군사들을 모으는 이순신 16 CUTS

INT  NIGHT  SET

C#1

이순신 M.S. / 직부감
멀리 소란스러운 백성들의 소리 너머 한 획 한 획 정성을 다하는 누군가의 글씨.
숙연한 얼굴로 이순신이 장계를 쓰고 있다.

C#2

이순신 손 C.U. -> TILT UP -> 이순신 C.U.
이순신(NA)
전하… 지금 수군을 파하시면 적들이 서해를 돌아 바로 전하께 들이닥칠까 신은 다만 그것이 염려되옵니다.
아직 신에게는 열두 척의 배가 남아 있사옵니다.
죽을힘을 다하여 싸우면 오히려 할 수 있는 일입니다.
신이 살아 있는 한 적들은….

C#3

이순신 B.S.
글씨를 쓰던 오른손이 경련으로 떨린다.

C#4

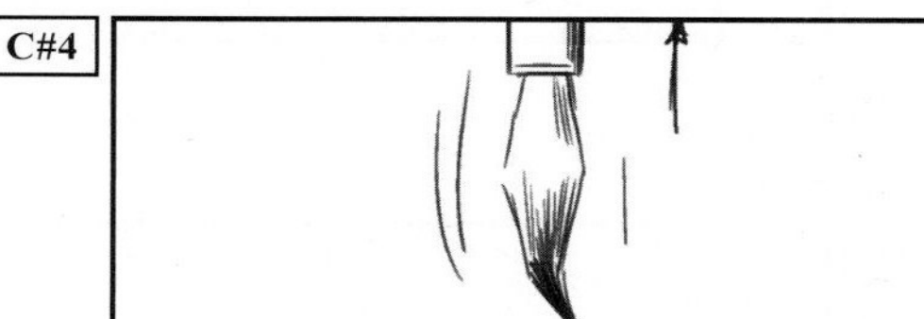

붓 C.U.
왼손으로 잠시 다잡고 다시 글씨를 이어가는 이순신.

C#5

이순신 B.S.
이순신(NA)
(힘주어) 감히 우리를 업신여기지 못할 것이옵니다.

장계 쓰기를 마치자 지그시 눈을 감고 호흡을 고르는 이순신.

이순신, 문득 안채 문을 밀고 들어오는 떠들썩한 소리에 눈을 뜬다.

C#6

이순신 O.S. 장수들
집무실 마당 앞, 송여종을 비롯한 김응함, 김억추, 안위 등의 장수들이 몰려들었다.

C#7

장수들 O.S. 이순신.
몰려드는 장수들.

C#8

안위 B.S.

태도들이 심상치 않다. 갑자기 누구보다 충복인 안위가 무릎을 꿇는다.

안 위 장군! 소장 목숨을 걸고 한 말씀 올리겠습니다. 이 싸움은 불가합니다!

다른 장수들도 일제히 무릎을 꿇고 외친다.

장수 일동 불가합니다!

C#9

이순신 M.S. / L.A.

이순신 …….

C#10

안위 B.S.

안 위 아무리 적들을 울돌목의 좁은 수로에서 막는다 한들 구선도 없는 마당에 결코 승산이 없는 싸움입니다!

C#11

이순신 C.U.

듣는 이순신.

C#12

안위 C.U.

안 위 부디 훗날을 도모하십시오, 장군…. 전선이 귀하고 군사 한 명이 귀한 때입니다!

C#13

장수들 O.S. 이순신

이순신 (짐짓) 정녕 그리 생각하느냐?

C#14

안위 B.S.

안 위 (눈물을 흘리며) 뜻을 거두지 않으시려거든 소장의 목을 베어주십쇼. 차라리 장군의 칼에 죽겠습니다!

C#15

이순신 B.S.

이순신 (의외로 담담하게) 그대들의 뜻이 정히 그러하다면… 좋다, 군사들을 포구 진영 앞에 모아라.

C#16

김억추, 군사들 그룹쇼트

이순신의 의외의 태도에, 장수들의 안색이 다소나마 밝아진다.

S#39 벽파진 포구 앞

벽파진에 불을 지르는 이순신 53 CUTS

EXT  NIGHT  OPEN SET

C#1

횃불 C.U.
바람에 흔들리는 횃불의 화광(火光)

C#2

군사들 그룹쇼트 / PAN
앞줄에 서 있는 김억추, 송여종 등 장수들의 표정에는 기대감이 크다.

C#3

군사들 그룹쇼트
두려움과 불안함, 그리고 뭔가 기대감들이 섞여있는 긴장된 분위기….

C#4

벽파진 WIDE F.S.
두려움과 불안함, 그리고 뭔가 기대감들이 섞여 있는 긴장된 분위기….

C#5

군사들 O.S. 이순신
이순신이 칼을 옆에 들고 군사들 앞으로 나온다.

C#6

이순신 O.S. 군사들
이순신을 바라보는 군사들.

C#7

군사들 O.S. 이순신, 김돌손, 황보만.

이순신 (군사들을 쓱 훑고는) 김돌손과 황보만은 가져왔는가!

"예!" 하며 커다란 기름통을 들고 나타나는 김돌손과 황보만, 그리고 몇몇 군사들.

군사들의 이목이 집중된다.

C#8

기름통 C.U. -> TILT UP -> 이순신 B.S. / L.A.
기름통에서 TILT UP 되면
군사들을 표정 없이 바라보는 이순신.

C#9

군사들 그룹쇼트
영문을 모르고 이순신을 바라보는 군사들.

C#10

군사들 그룹쇼트
영문을 모르고 이순신을 바라보는 군사들.

C#11

황보만, 김돌손 O.S. 이순신

이순신 부어라!

C#12

이순신 O.S. 황보만, 김돌손
당황하는 황보만과 김돌손.

C#13

이순신 B.S.

이순신 붓지 않고 뭐 하느냐!

C#14

이순신 O.S. 황보만, 김돌손

황보만 부어라!

C#15

김돌손, 황보만, 군사들 F.S.
김돌손과 황보만이 동시에 "예!" 하고는 기름통을 들고 가서,

C#16

기름통 C.U.
이순신의 등 뒤(군사들의 정면)에 위치한 벽파진 진영에 기름을 붓기 시작한다.

C#17

기름통 C.U.
이순신의 등 뒤(군사들의 정면)에 위치한 벽파진 진영에 기름을 붓기 시작한다.

C#18

군사들 그룹쇼트
놀라며 웅성거리는 군사들.

C#19

안위 C.U.
안위 등 장수들이 어안이 벙벙한 얼굴로 이순신을 쳐다본다.

C#20

벽파진 F.S.
기름을 붓는 군사들.

C#21

군사들 O.S. 혜희
뭔 일이래! 안 돼! 장군님! 안 됩니다! …소란스러운 소리가 터져 나온다.

군사들 뒤쪽, 나대용과 그의 곁에 서 있던 혜희가 두 눈을 지그시 감는다.

C#22

이순신 M.S.

이순신 불을 놓아라!

C#23

황보만, 김돌손 N.S.

김돌손 예!

C#24

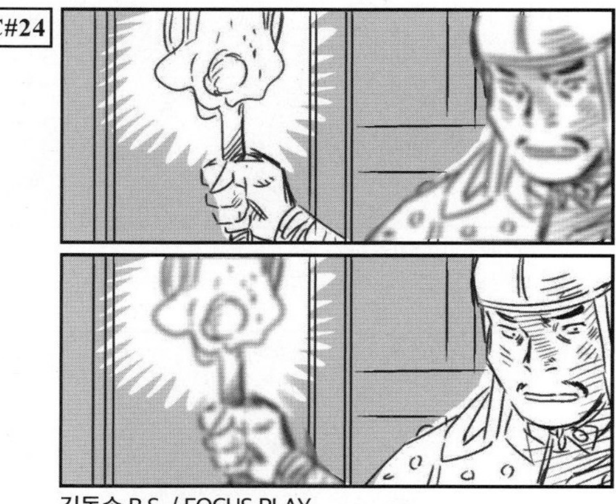

김돌손 B.S. / FOCUS PLAY
김돌손이 진영 앞에 횃불을 들고 서서 이순신을 쳐다본다.

C#25

이순신 C.U.
바라보는 이순신.

C#26

김억추 B.S.
김억추의 표정이 강하게 일그러진다.

C#27

김돌손 N.S.
불을 들고 서 있는 김돌손.

이순신 C.U.

이순신 놓아!

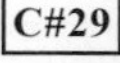

김돌손 N.S.

김돌손이 횃불을 던져 넣으면 순식간에 불길에 휩싸이는 진영.

이순신 N.S.

불타는 진영 앞의 이순신.

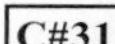

군사들 O.S. 이순신

군사들 앞으로 나오는 이순신.

C#32

이순신 N.S.

이순신 아직도 살고자 하는 자가 있다니… 통탄을 금치 못할 일이다! 우리는 죽음을 피할 수 없다!

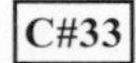

안위 B.S.

새파랗게 질린 안위.

C#34

이순신 C.U.

이순신 정녕 싸움을 피하는 것이 사는 길이냐! 육지라고 무사할 듯싶으냐!

C#35

이순신 O.S. 군사들

고개를 숙이는 군사들.

C#36

이순신 F.S.

이순신 똑똑히 보아라! 나는 바다에서 죽고자 이곳을 불태운다!

C#37

군사들 그룹쇼트

이순신(V.O.) 더 이상 살 곳도 물러설 곳도 없다!

C#38

벽파진 마당 F.S.
불타는 벽파진.

C#39

이순신 C.U. / TRACK IN

이순신 목숨에 기대지 마라. 살고자 하면 필히 죽을 것이다! 또한 죽고자 하면 살 것이니! 병법에 이르길 한 사람이 길목을 잘 지키면 천 명의 적도 떨게 할 수 있다 하였다. 바로 지금 우리들이 처한 형국을 두고 하는 말 아니더냐!

C#40

군사들 그룹쇼트 / PAN
모두가 말이 없다. 일체 반응이 없다.

C#41

이회 B.S.
말없이 바라보는 이회.

C#42

벽파진 F.S.
(CUT TO)
벽파진이 거세게 불타고 있다.

C#43

군사들 그룹쇼트
불타는 벽파진을 두려움 속에 쳐다보며 떠나가고 있는 조선 수군들….

C#44

벽파진 F.S.
불타는 벽파진.

C#45

군사들 그룹쇼트
오둑이 눈만 데굴데굴….

C#46

포구 WIDE F.S.
이회가 포구 앞에서 아버지 이순신에게 묵묵히 큰절을 올린다.

C#47

이회 O.S. 판옥선들.
대장선을 향해 큰절을 올리는 이회.

C#48

이순신 F.S.
대장선 위, 이순신은 어쩌면 마지막일지 모르는 아들의 모습을 한동안 바라본다.

C#49

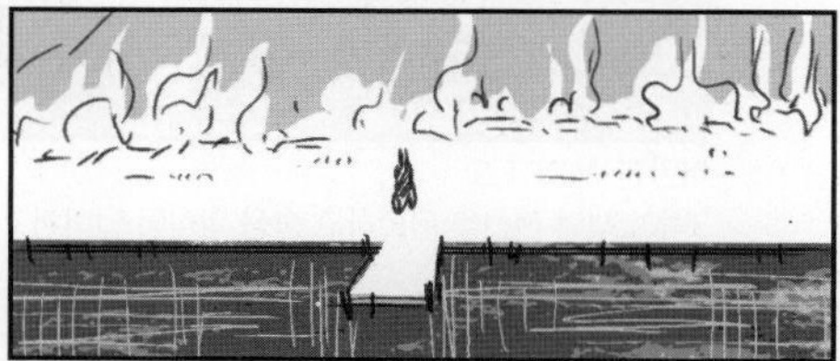

벽파진 포구 WIDE F.S. / 이순신 P.O.V.
이순신 시야로 보이는 절을 하는 이회.

C#50

이순신 B.S.
이회를 바라보는 이순신.
백성들의 울음소리가 바람을 타고 이순신의 귓속을 파고든다.

C#51

이회 B.S.
이순신을 바라보는 이회.

C#52

판옥선들 WIDE F.S. / 이회 P.O.V.
떠나가는 이순신의 함대.

C#53

이회 C.U.

이 회 (떨리는) 아버님, 대체 저 강한 두려움들을… 어찌 이용하시겠단 말씀입니까.

S#40 왜군 진영 중앙 망루 출정 태세

출정을 준비하는 왜군 진영 21 CUTS  EXT  NIGHT OPEN SET

C#1

왜병들 그룹쇼트
와아~ 드높은 함성 소리와 함께 군사들이 달라붙어 백마를 누르고,

C#2

왜병들 그룹쇼트 / 직부감
쓰러지는 백마 옆으로 몰려드는 왜병들.

C#3

왜병들 그룹쇼트
쓰러지는 백마 옆으로 몰려드는 왜병들.

C#4

왜병들 C.U. -> TILT UP -> 갈고리 C.U.
와아아~ 왜병들이 일제히 일어나 창과 칼을 치켜들고 함성을 내지른다.
천지가 울린다.

C#5

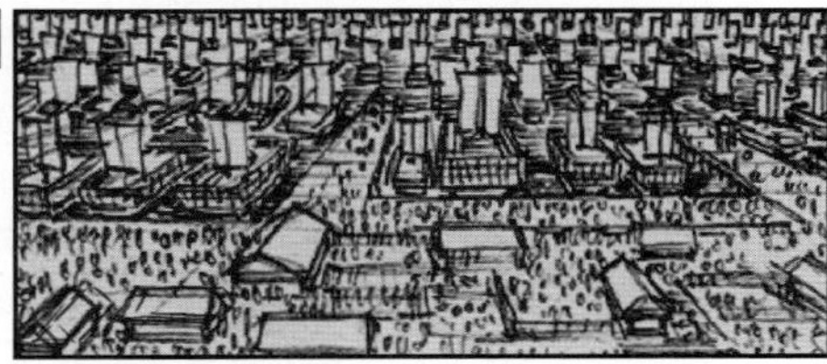

어란진 WIDE F.S.
3백여 척의 전선을 뒤로하고 출정 의식이 벌어지고 있는 왜군 진영.

C#6

백마 C.U.
한 군관이 백마의 피를 사발로 받아 장수들에게 돌린다.

C#7

어란진 WIDE F.S / 부감
출정 의식이 벌어지는 어란진.

C#8

왜병들 그룹쇼트
피를 마신 장수들은 제각각 자신의 손바닥을 긋는다.
이어 손을 뻗어 주먹을 쥐는 장수들.

C#9

왜병들 그룹쇼트
피를 마시는 왜병들.

C#10

왜병들 그룹쇼트
출정 준비를 마친 왜병들.

C#11

왜병들 그룹쇼트
승선하는 왜병들.

C#12

왜병들 그룹쇼트
승선하는 왜병들.
조총, 긴 창, 긴 칼, 갈고리 등의 장비를 갖춘 왜병들이 열을 지어 이동하기 시작한다.

C#13

어란진 F.S.
(CUT TO)
분주한 어란진 포구.

C#14

도도 B.S.
망루로 오르는 가토따라 BOOM UP.
높은 망루에 서서 모든 광경을 내려다보고 있는 도도.

망루로 오르는 가토따라 BOOM UP.
높은 망루에 서서 모든 광경을 내려다보고 있는 도도.

C#15

가토, 도도 M.S.

가 토 고니시의 전령입니다.

C#16

가토 O.S. 도도

도 도 (전문을 받아서 펴보고) 고니시가 나를 재촉하는군.

C#17

도도 O.S. 가토

가 토 분명 우리가 먼저 조선 왕을 잡을 것입니다. 준비 되었습니다!

C#18

도도, 가토 2S B.S.

도 도 (여유로운) 오늘 유난히 조선이 아름답게 보인다. 나는 조선이 마음에 든다.

가 토 이제 조선의 주인은 도도님이십니다.

C#19

도도 B.S.
도도의 얼굴에서 그만의 특유의 엷은 미소가 번지는데….

C#20

구루지마 M.S.
(CUT TO)
왜병들의 끝없는 행렬이 이어지는 가운데,
바라보는 구루지마의 뒷모습.

C#21

구루지마, 기무라 B.S.
기무라가 곁으로 다가온다.

구루지마 (의미심장) …어찌 되었느냐?

기무라 준비되었습니다. 조선 포로들만을 뽑아서 격군실에 배치했고, 화약도 충분히 쌓아두었습니다. 이순신은… 절대 살아남아나지 못할 겁니다.

S#41 왜군 진영 포구 A(와키자카 선단 구역)

준사의 도움으로 터지는 서양식 화포, 놀라는 와키자카

10 CUTS

EXT

NIGHT

OPEN SET

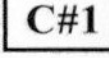
C#1

와키자카, 구로다, 군사들 B.S.
중무장한 와키자카와 구로다가 군사 수십 명을 거느리고 본인의 안택선으로 다가온다.

C#2

와키자카 O.S. 안택선.
안택선의 대들보에 밧줄들만 늘어져 있을 뿐 아직 화포가 설치되지 않았다.

C#3

안택선 TIGHT F.S.
안택선의 대들보에 밧줄들만 늘어져 있을 뿐 아직 화포가 설치되지 않았다.

C#4

와키자카, 구로다 B.S.

와키자카 아직까지 설치하지 않고 뭘 하고 있었던 게야!

구로다 무슨 착오가. (급히 고개를 숙이며) 제가 가보겠습니다.

C#5

와키자카, 구로다 O.S. 초병

초 병 (와키자카 지나치려는데) 저… 장군님!

C#6

와키자카, 초병 2S

와키자카 뭐냐?

초 병 횃불을 든 웬 보급관이란 자가 화포 무게를 점검해야 한다며 기다리라고.

C#7

와키자카 B.S.

와키자카 (흘려듣다가… 순간 놀라며 굳어지는) 뭐라 했느냐! 횃불을 들어?

C#8

와키자카, 구로다, 초병 F.S.
퍼엉~! 이때 어딘가에서 들려오는 커다란 폭발음.

C#9

와키자카 선단 F.S.

퍼엉~! 이때 어딘가에서 들려오는 커다란 폭발음.

C#10

와키자카, 구로다 B.S.

반사적으로 칼을 빼 들고 달려가는 와키자카와 구로다.

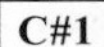

S#42 이동 중인 대장선 작전실

이순신에게 승선을 부탁하는 수봉이, 허락하는 이순신

27 CUTS

 INT  NIGHT  SET

C#1

판옥선들 F.S.
달빛 속, 우수영으로 조용히 이동 중인 이순신 함대….

C#2

수봉이 B.S. / TRACK OUT
대장선 안, 수봉이 두 눈을 부릅뜨고 서 있다.

C#3

수봉이, 이순신, 나대용 N.S.
나대용이 곁에 서 있고 이순신이 수봉에게 다가선다.

이순신 이 아이가 차군관 배홍석의 아들이란 말인가?

C#4

이순신 O.S. 나대용

나대용 예, 임준영 대신 준사의 전갈을 가져온 것도 이 아이라 합니다. 적진에 포로로 있다가 아비의 죽음까지 목격하고…(먹먹) 어찌 인연이 닿아 준사의 도움으로 간신히 빠져나왔다고 합니다.

C#5

이순신 B.S.
그런 수봉이를 가만히 쳐다보는 이순신.

C#6

수봉이 B.S.
눈물이 나려 하지만 입술을 꽉 다물고 참고 있는 수봉이.

C#7

이순신 B.S.

이순신 가져오너라.

C#8

수봉이 O.S. 이순신, 나대용
벽에 걸어놓은 배홍석의 갑옷을 가지러 가는 나대용.

수봉이에게 다가가는 나대용.
(그림 잘못 표현됨, 수정)

C#9

작전실 F.S.
수봉이에게 갑옷을 주는 이순신.

C#10

이순신 O.S. 수봉이
의아한 수봉이.

C#11

수봉이 O.S. 이순신

이순신 …네 아비의 것이다. 받겠느냐.

C#12

나대용, 이순신, 수봉이 N.S.
두 손으로 갑옷을 받아드는 수봉이, 이를 악물고 그렁그렁 눈물을 참아낸다.

C#13

이순신 O.S. 수봉이

수 봉 (그렁그렁) …….

C#14

배홍석 갑옷 C.U. / 수봉이 P.O.V.
아버지의 갑옷을 쥔 수봉이.

C#15

수봉이 B.S.
갑옷을 바라보는 수봉이.

C#16

수봉이 O.S. 이순신

이순신 이름이 무엇이냐?

C#17

이순신 O.S. 수봉이

수봉이 …배수봉입니다.

C#18

수봉이 O.S. 이순신

이순신 니 애비는 나를 도와 지난 6년간을 함께 싸웠다. 내 너의 애비와 너의 이름을 잊지 않겠다.

C#19

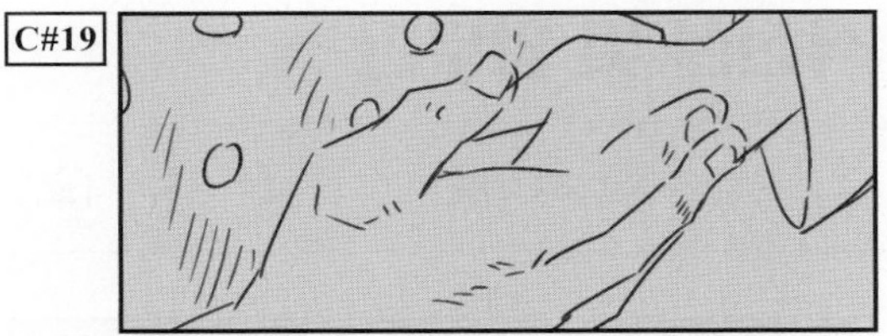

수봉이, 이순신 손 C.U.
수봉이 손을 잡아주는 이순신.

C#20

수봉이 O.S. 이순신

이순신 나군관! 이 아이에게 뭘 좀 먹이고 우수영에 데려다주게.

나대용 예!

C#21

수봉이 B.S.

수봉이 (용기 내어) 청… 청이 있습니다!

C#22

이순신 B.S.

이순신 말해보거라.

C#23

수봉이 B.S.

수봉이 장군님 배에 저도 태워주십쇼. 함께 싸우겠습니다.

C#24

이순신 B.S.
잠시 말없이 수봉이를 쳐다보는 이순신. 수봉이의 눈빛에 비장함이 보인다.

이순신 (미소) 칼 대신 노를 잡겠다면 태워주겠다.

C#25

나대용 B.S.
놀라는 나대용.

C#26

이순신 O.S. 수봉이

수봉이 (연신 인사하며) 고맙습니다… 고맙습니다….
(당돌하게) 헌데 한 사람 더 청해도 되겠습니까.

C#27

이순신 B.S.

이순신 …?

S#43 각 판옥선 작전실 및 업무실

출정 전날, 군사들의 모습

8 CUTS

 INT  NIGHT  SET

C#1

안위 B.S. / 안위의 판옥선

탁자 앞에 앉아 있는 안위.

C#2

안위 B.S.

말이 없다.

C#3

김응함 B.S. / 김응함 판옥선

말이 없는 김응함.

C#4

김억추 F.S. / PAN

(CUT TO) 김억추 판옥선,

김억추, 아예 이마에 수건을 대고 몸져누웠다.

C#5

판옥선 실내 / 군사들 그룹쇼트

(CUT TO)

판옥선위, 군사들과 격군들의 면면이 스케치하듯 보여진다.

C#6

군사들 그룹쇼트

누워서 잠든 군사들도 있고.

한숨을 내쉬며 심란해하는 군사들… 심각하게 얘기를 나누는 군사들…

오둑이는 졸고 있고…

어떤 군사는 조용히 눈물을 흘리고 있다.

C#7

격군실 F.S.

출정 준비 전의 격군들.

C#8

김중걸 M.S. -> PAN UP -> 수봉이 B.S.

전 큰 포상 안 바랍니다, 장군님~ 잠꼬대하는 김중걸에서 카메라 PAN UP하면

토란 하나를 씹어 먹는 수봉이.

S#44 산길

급히 구로다를 피해 빠져나가는 준사

9 CUTS

EXT

DAWN

LOCATION

C#1

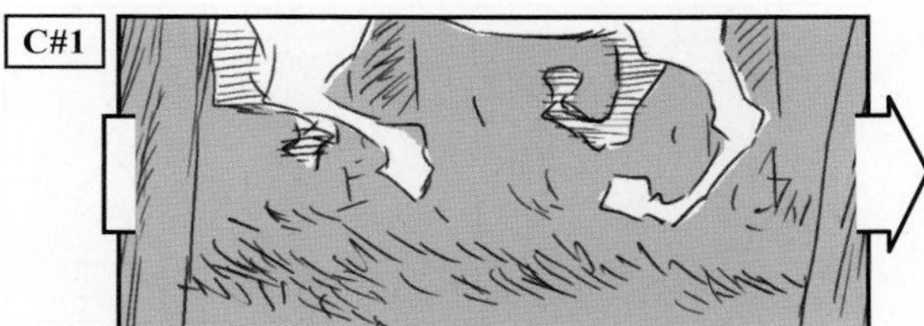

준사 말 C.U.
달빛 아래 산길, 빠르게 달려오는 말 한 마리….

C#2

준사 SIDE F.S.
상처투성이의 준사다!

C#3

준사 B.S.
빠르게 말을 달리는 준사.

C#4

준사 M.S.
휘익! 화살 하나가 준사를 스친다.

C#5

준사 C.U.
준사, 휘청! 하지만 끝까지 말을 놓치지 않고,

C#6

구로다, 왜병들 F.S.
먼 언덕 위, 와키자카의 부장 구로다가 활을 쐈다.

C#7

구로다 M.S.
분을 삼키며 씩씩거리는 구로다.

C#8

준사 C.U.
말을 달리던 준사, 멀리 바다 너머 벽파진 쪽에서 피어나는 연기를 바라보고 급히 방향을 돌린다.

C#9

우수영 포구 WIDE F.S.
INS) 이른 아침 우수영 포구, 판옥선들이 조용히 정박해 있다.

S#45 불탄 벽파진 포구 앞

임준영을 기다리는 정씨 여인

6 CUTS

C#1

불탄 잔해 -> BOOM UP -> 포구 WIDE F.S.
아직 연기가 피어오르고 있는 포구 앞,
한 여인이 끝까지 남아 있다. 홀로 서 있는 정씨 여인,

C#2

정씨 여인 B.S.
남편 임준영을 기다리며 이제나 저제나 애타는 눈빛으로 서 있는데….

C#3

정씨 여인 F.S.
홀로 서 있는 정씨 여인,

C#4

상기되는 정씨 여인.

C#5

나룻배 위… 준사다.

C#6

상기된 채 서로를 바라보는 두 사람….

S#47 대장선 숙실 안

어머니의 위패에 절을 올리는 이순신 5 CUTS

INT

DAY

SET

C#1

우수영 포구 WIDE F.S.
INS) 이른 아침 우수영 포구, 판옥선들이 조용히 정박해 있다.

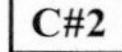
C#2

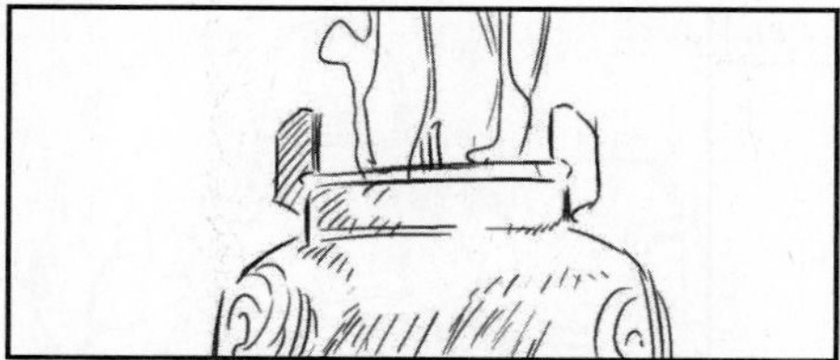

향 C.U.
향(香) 연기가 고요히 실내에 퍼지고 있다.

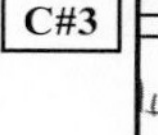
C#3

이순신 B.S.
어머니의 위패에 큰절을 올리는 이순신.

이순신 (어머니의 위패를 담담하게 보며) …어머니. 불초한 소자 어머니 곁으로 가고자 합니다. 그저 제 죽음이… 헛되지 않기를 바랄 뿐입니다.

C#4

이순신 B.S.
적이다! 적들이 다가온다! 다급한 호각 소리와 함께,
둥둥! 갑판 위에서 출정을 알리는 북소리가 울린다.
긴 뿔고둥 소리가 이어진다.

C#5

이순신 C.U.
눈을 뜨는 이순신.

S#48 대장선 갑판 위

승선하는 이순신과 병사들

9 CUTS

EXT DAY OPEN SET

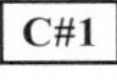

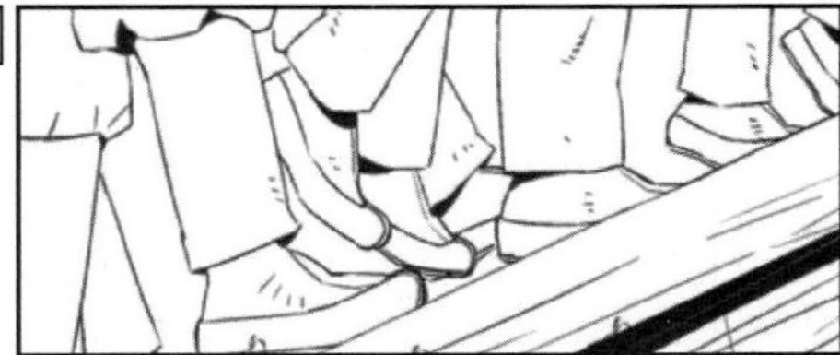

조선 수군 발 C.U.
열을 지어 판옥선에 승선하는 조선 수군들.(북소리 계속)

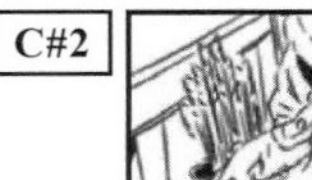

조선 수군들 TIGHT F.S.
무기를 들고 승선하는 조선 수군들.
표정에는 '죽으러 간다'는 두려움과 공포가 역력하다.

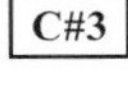

수봉이,김중걸 B.S.
판옥선을 향해 걸어가는 군사들.
아버지의 갑옷을 입고 담담한 표정으로 걸어가는 수봉이.
그리고 참담한 표정으로 수봉 옆을 걸어가는 김중걸.

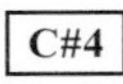

판옥선 WIDE F.S.
멀리 보이는 판옥선 쪽으로 승선하는 병사들

BOOM UP

군사들로 꽉 찬 우수영 포구.

C#5

이순신. 군사들 TIGHT B.S.
대장선을 향해서 걸어가는 이순신 정면 따라 FOLLOW
이순신이 문득 산길에 서 있는 이회를 발견한다.

C#6

이순신 O.S. 이회
이순신 너머의 이회와 사람들.

C#7

이회 M.S.
묵묵히 인사를 하는 이회.

C#8

이회 O.S. 이순신
이회를 바라보는 이순신.

C#9

이순신 B.S. FOLLOW
돌아서는 이순신, 묵묵히 이회를 뒤로하고 판옥선으로 걸어 간다.

S#48 대장선 갑판 위

출정을 하는 이순신 | 9 CUTS | EXT | DAY | SET

C#1

이순신 뒤 FOLLOW
뚜벅뚜벅 갑판 위로 올라 장루를 향해 걸어가는 이순신.

VFX_Solution
1. A1(대장선)

C#2

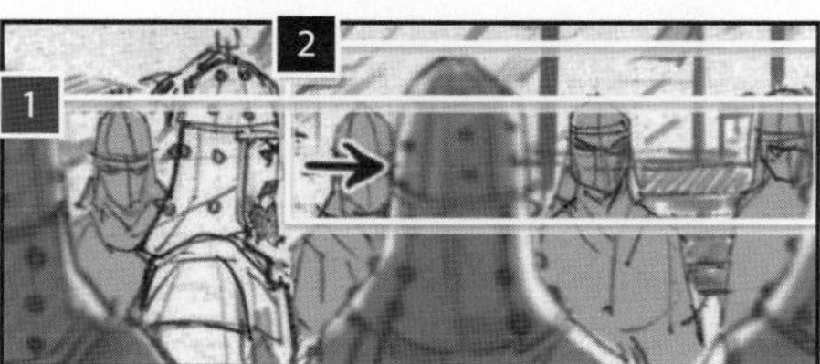

이순신 측면 FOLLOW
뚜벅뚜벅 갑판 위로 올라 장루를 향해 걸어가는 이순신.

VFX_Solution
1. A1(대장선)
2. A1(판옥선)

C#3

조선 수군 그룹쇼트
스치는 군사들의 표정에는 '죽으러 간다'는 두려움과 공포가 역력하다.

VFX_Solution
1. A1(대장선)

C#4

이순신 TIGHT B.S.
이순신 고개를 돌리면

VFX_Solution
1. A1(대장선)

C#5

이순신 O.S. 민초들 F.S.
이순신, 대장선 너머 해안 바위를 돌아 산길로 나아가는 민초들이 보인다.

VFX_Solution
1. A1(대장선)
2. 로케이션(울돌목 민초 산)

C#6

이회 TIGHT F.S. / 이순신 P.O.V.
이순신의 시선으로 보이는 이회.

C#7

문득 바위 위에 서 있는 이회를 발견하는 이순신….
잠시 서로 마주하는 시선….

VFX_Solution
1. A1(대장선)

C#8

이회 TIGHT F.S. / 이순신 P.O.V.
이회가 묵묵히 바위 위에서 큰절을 올린다.

C#9 1

이순신 TIGHT B.S.

어쩌면 마지막일지 모르는 아들의 모습을 한동안 바라보는 이순신.

VFX _Solution

1. A1(대장선)

S#49 이순신 대장선

출정하는 대장선과 판옥선

27 CUTS

 EXT  DAY  OPEN SET

C#1

이순신 O.S. 나대용, 승려들

장루 아래, 나대용이 승려들과 함께 서 있다.

VFX _Solution

1. A1(대장선)

C#2

혜희, 옥형 B.S.

혜 희 소승 혜희라 하옵니다.

혜희가 인사를 한다. 혜희 뒤로는 부장 '옥형'이 서 있다.

VFX _Solution

1. A1(대장선)

C#3

혜희 O.S. 이순신

이순신 (혜희에게 담담히) 고맙소, 큰 힘이 되오.

VFX _Solution

1. A1(대장선)

C#4

이순신, 승려들 극부감 / ZOOM OUT

혜희가 정중히 인사를 한다.

VFX _Solution

1. A1(대장선)

C#5

준사 O.S. 이순신

준 사 장군!

VFX _Solution

1. A1(대장선)

C#6

이순신 O.S. 준사

막 도착했는지 가쁜 호흡의 준사가 다가온다.

VFX _Solution

1. A1(대장선)

C#7

준사 O.S. 이순신

이순신 수고 많았다.

VFX _Solution

1. A1(대장선)

C#8

이순신 O.S. 준사

준 사 (조선말로) 놈들이 화포를 보유했습니다. 모조리 없애고자 했으나 제 힘이 부쳐 모두 없애지는….

VFX _Solution

1. A1(대장선)

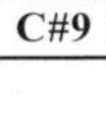

이순신, 준사 TIGHT 2S / B.S.

준 사 임준영이 (무리하게 넘어오다) 놈들의 노꾼으로 끌려갔습니다. 부인께 알려는 줬으나….

VFX_Solution

1. A1(대장선)

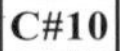

정씨 여인 F.S.

백성들이 빠지고 텅 빈 포구 앞, 출렁이는 나룻배 옆, 홀로 쭈그리 고 앉아 흐느끼고 있는 정씨 여인이 이순신의 눈에 들어온다.

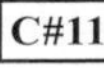

준사 O.S. 이순신

이순신 …….

VFX_Solution

1. A1(대장선)

C#12

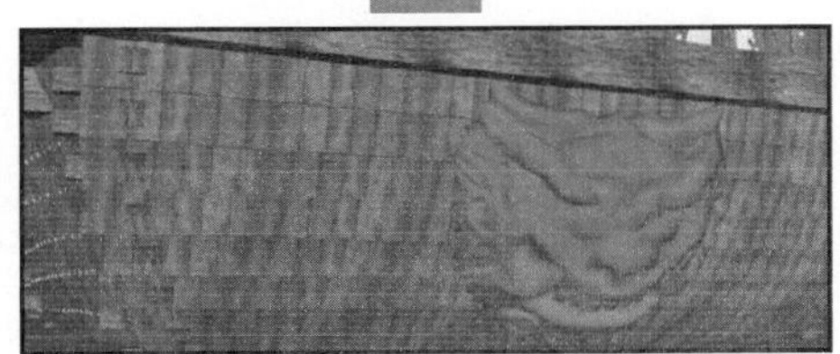

대장선 선체 -> BOOM UP -> 대장선 F.S.

(장루에 오르는 이순신)

VFX_Solution

1. A1(대장선)

이순신 M.S. / L.A.

장루 위에 묵묵히 서는 이순신.

이순신 (마침내) 전군 출정하라!

VFX_Solution

1. A1(대장선)

C#14

북꾼 O.S. 북 -> PAN -> 격군실 F.S.

(CUT TO)

둥~~~ 북을 치는 군사.

힘찬 구령과 함께 격군들의 팔뚝에 힘이 들어간다.

C#15

격군 그룹쇼트

힘찬 구령과 함께 격군들이 팔뚝에 힘이 들어간다.

C#16

격군들 팔 C.U.

힘찬 구령과 함께 격군들이 팔뚝에 힘이 들어간다.

C#17 1

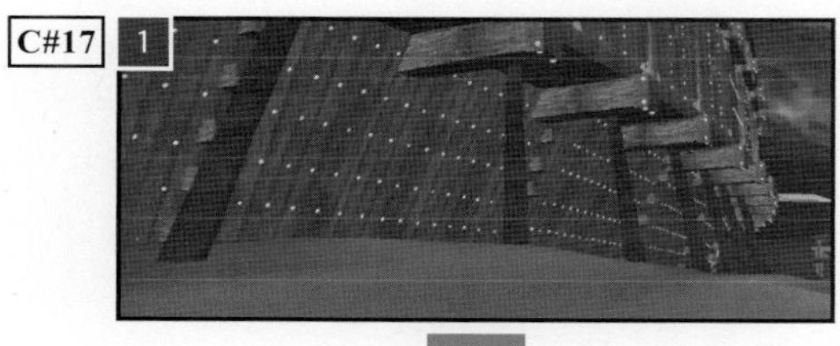

판옥선 노C.U. / TRACKING
(저어지기 시작하는 노)

VFX _Solution

1. B1(대장선)

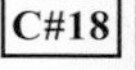

C#18

Track in

수봉이, 김중걸 M.S. / TRACK IN
아버지의 갑옷 상의를 입고 있는 수봉이가 야무지게 노를 젓는다.

C#19

수봉이, 김중걸 B.S.
노꾼 중에는 오만상을 찡그리고 수봉을 째려보는 김중걸도 있다.

C#20

tilt up

격군실 F.S. / TRACK IN
수봉이는 모른 척 열심히 노를 젓고, 그들 곁에서 나직이 불경 소리가 들린다.
바로 승병 30여 명이 불경을 읊조리며 격군들에 섞여 노를 젓고 있다.

C#21 1

대장선 F.S.
마침내 대장선이 물살을 가르며 나아가기 시작하고,

VFX _Solution

1. B1(판옥선_분리촬영)

C#22

격군 F.S. / TRACKING
땀 흘리는 노꾼들의 일사불란함이 강한 생명력을 느껴지게 하는데,

C#23 1

대장선, 판옥선 WIDE F.S.
(CUT TO)
화아~ 거센 격랑을 이겨내며 '양도'섬을 돌아 앞으로 나아가는 판옥선들.

VFX _Solution

1. B2(판옥선_분리촬영)

C#24

민초들 그룹쇼트
산으로 올라가던 민초들이 판옥선의 행렬을 쳐다보며 한동안 발길을 잇지 못하는데,

C#25

이회, 김 노인 M.S.
산으로 올라가던 민초들이 판옥선의 행렬을 쳐다보며 한동안 발길을 잇지 못하는데,

C#26

이회 B.S.
산으로 올라가던 민초들이 판옥선의 행렬을 쳐다보며 한동안 발길을 잇지 못하는데,

C#27

울돌목 WIDE F.S. / 부감
양도섬을 돌아 나아가기 시작하는 판옥선들.

VFX _Solution

1. C(울돌목_옥타콥터 촬영)

S#50 진도와 해남 사이 울돌목 바다

일자진을 펼치는 판옥선들 50 CUTS  EXT  DAY  OPEN SET

C#1

판옥선 WIDE F.S.
울돌목으로 향하는 판옥선 행렬.

VFX _Solution
1. B2(판옥선_분리촬영)

C#2

판옥선 TIGHT F.S.
울돌목으로 향하는 판옥선 행렬.

VFX _Solution
1. B2(대장선)

C#3

이순신 B.S.
울돌목을 응시하는 이순신.

VFX _Solution
1. A1(대장선)

C#4

울돌목 WIDE F.S.
수평선 너머 해무로 가득하다.

VFX _Solution
1. C(울돌목)

C#5

이순신 M.S.

이순신 정지하라! 일자진을 펼쳐라!

VFX _Solution
1-1. A1(대장선)
1-2. A1 (판옥선_분리촬영)

C#6

기라졸 M.S. / 부감
판옥선의 기라졸 깃발로 신호를 주고받는다.

VFX _Solution
1. A1(대장선)

C#7

기라졸 O.S. 판옥선
판옥선의 기라졸, 깃발로 신호를 주고받는다.

VFX _Solution
1. A1(대장선)
2. B1(판옥선_2회 분리촬영)

C#8

판옥선 TIGHT F.S.
마침내 대장선을 중심으로 12척의 판옥선이 양쪽으로 퍼지며 일자진을 만든다.

VFX _Solution

1-1. B1(판옥선 노 젓기 분리촬영)
1-2. B1 더미 배 (판옥선_소스 합성)
C# 8.9 동시 진행

C#9

울돌목 WIDE F.S.
마침내 대장선을 중심으로 12척의 판옥선이 양쪽으로 퍼지며 일자진을 만든다.

VFX _Solution

1-1. B1(판옥선 노 젓기_분리촬영)
1-2. B1 더미 배 (판옥선_소스 합성)
CH 8.9 동시 진행

C#10

울돌목 WIDE F.S. / 판옥선 뒷부
일자진을 펼치는 판옥선들의 후방샷.

VFX _Solution

1-1. B1(판옥선_노 젓기_분리촬영)
1-2. B1 더미 배 (판옥선_소스 합성)

C#11

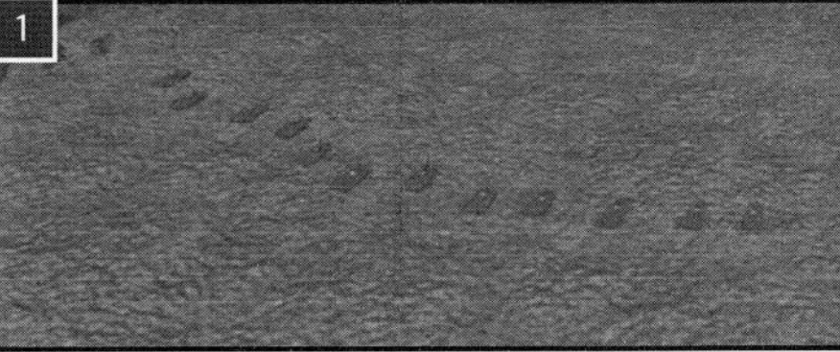

울돌목 WIDE F.S. / 부감
(일자진을 펼치는 판옥선들)

VFX _Solution

1. C(울돌목_더미 배(중심)_옥타콥터 촬영)

C#12

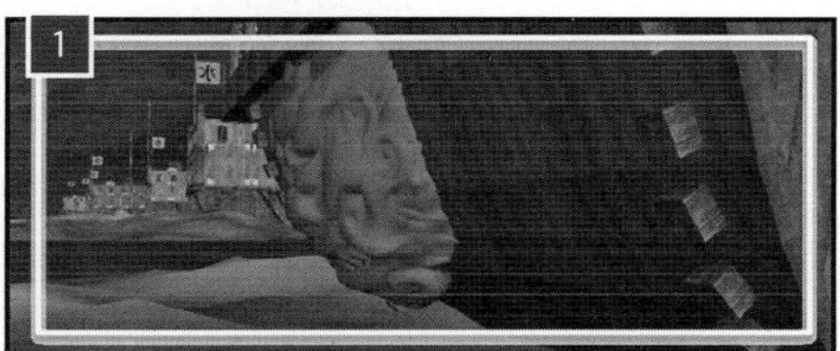

판옥선 TIGHT F.S.
(일자진을 펼치는 판옥선들)

VFX _Solution

1. B1(판옥선_분리촬영)

C#13

격군실 WIDE F.S.
격군들의 몸이 후끈 달아올랐다.

C#14

황보만 TIGHT B.S.
허나 물살로 인해 격군들은 정지 상태를 유지하기 위해서도 노를 저어야 한다.

황보만 노를 계속 저어라! 배가 밀려서는 안 된다.

C#15

황보만 N.S.
허나 물살로 인해 격군들은 정지 상태를 유지하기 위해서도 노를 저어야 한다.

황보만 노를 계속 저어라! 배가 밀려서는 안 된다.

C#16

안위 O.S. 판옥선들
거센 물살에 뒤로 밀리는 안위의 배.

VFX _Solution

1-1. A1(안위 판옥선)
1-2. A1(김응함 외 다른 판옥선_2회 분리촬영)

C#17

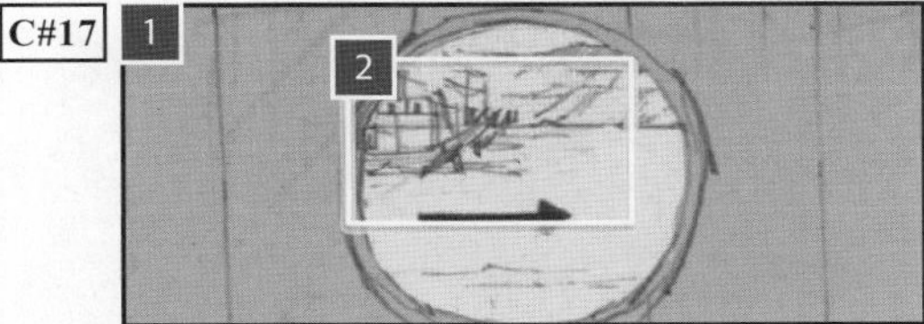

안위의 격창 / 안위 P.O.V.
안위 격군실 창으로 다른 배에 비해서 밀리는 안위의 배.

VFX _Solution
1. SET(대장선 격군실)
2. B1(판옥선_분리촬영)

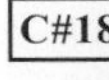
C#18

안위 격군장 M.S.

안위 격군장 배가 밀린다! 더 빨리 노를 저어라!

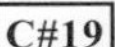
C#19

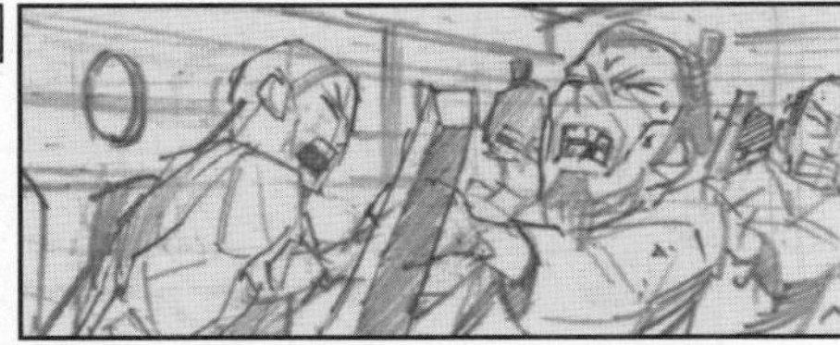

격군들 그룹쇼트
죽을 듯이 노를 젓는 격군들.

C#20

안위 격군 / L.A.
안위의 격군 중 한 명이 토악질을 한다.

C#21

판옥선 F.S.
다시 진형에 복귀하는 안위의 배.

VFX _Solution
1-1. B1(안위 판옥선)
1-2. B1(다른 판옥선_분리촬영)

C#22

송희립, 나대용 O.S. 이순신

이순신 전투 준비 하라!

송희립, 나대용 (복창) 전투 준비 하라!

VFX _Solution
1. A1(대장선)

C#23

tilt up

대장선 갑판 F.S. / TILT UP
갑판 위, 화포 옆으로 화약이 배포되고, 각종 포탄과 비격진천뢰, 대장군전이 비치된다.

VFX _Solution
1. AI(대장선)

C#24

조선 수군 그룹쇼트
갑판 위, 화포 옆으로 화약이 배포되고, 각종 포탄과 비격진천뢰, 대장군전이 비치된다.

VFX _Solution
1. A1(대장선)

C#25 1

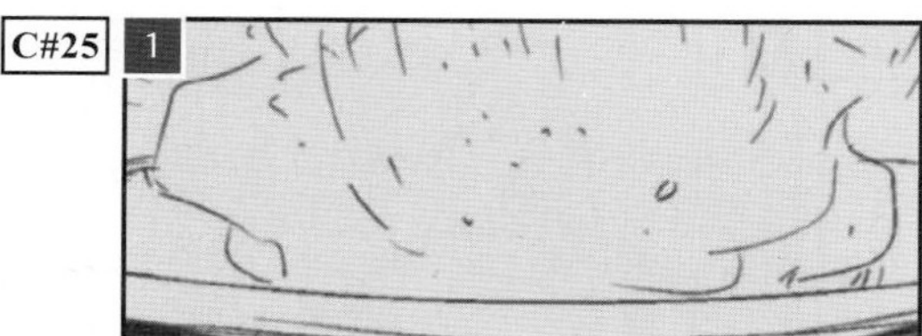

화포 C.U.

갑판 위, 화포 옆으로 화약이 배포되고, 각종 포탄과 비격진천뢰, 대장군전이 비치된다.

VFX _Solution

1. A1(대장선)

C#26 1

조선 수군 그룹쇼트

갑판 위, 화포 옆으로 화약이 배포되고, 각종 포탄과 비격진천뢰, 대장군전이 비치된다.

VFX _Solution

1. A1(대장선)

C#27 1

조선 수군 그룹쇼트

갑판 위, 화포 옆으로 화약이 배포되고, 각종 포탄과 비격진천뢰, 대장군전이 비치된다.

VFX _Solution

1. A1(대장선)

C#28 1

조선 수군 그룹쇼트 / SIDE

갑판 위, 화포 옆으로 화약이 배포되고, 각종 포탄과 비격진천뢰, 대장군전이 비치된다.

VFX _Solution

1. A1(대장선)

C#29 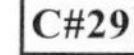

김돌손 B.S.

다부지게 지시를 내리는 사부 김돌손. 그 옆에 오둑이가 졸졸졸….

VFX _Solution

1. A1(대장선)

C#30 1

울돌목 WIDE F.S.

전방 울돌목의 좁은 수로를 넘어, 먼바다를 미동 없이 주시하고 있는 이순신.

VFX _Solution

1. C(울돌목)

C#31 1

이순신 TIGHT F.S.

전방 울돌목의 좁은 수로를 넘어, 먼바다를 미동 없이 주시하고 있는 이순신.

VFX _Solution

1. A1(대장선)
2. A1(다른 판옥선_분리촬영)

C#32 1

이순신 C.U.

전방 울돌목의 좁은 수로를 넘어, 먼바다를 미동 없이 주시하고 있는 이순신.

VFX _Solution

1. A1(대장선)

C#33

암초 O.S. 판옥선 F.S.

INS) 빠르게 왜군 진영에서 조선 수군 진영으로 흐르고 있는 거센 물살.

절벽에 부딪혀 깨지는 거센 물살이 허연 기포를 만들어내고 있다.

VFX _Solution

1. B1(판옥선_분리촬영)

C#34

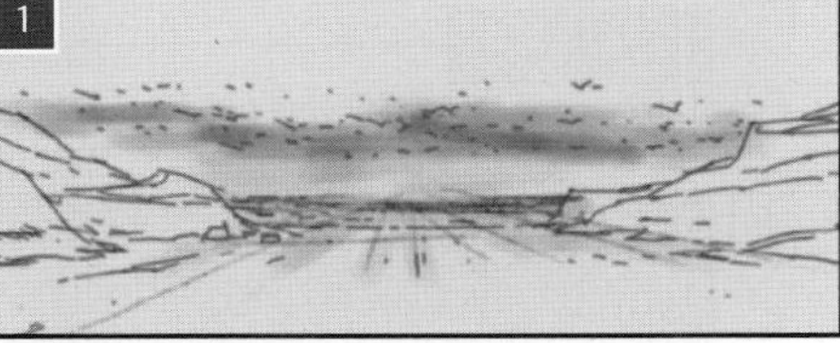

울돌목 WIDE F.S.

(CUT TO)

차츰 새 떼 소리가 점차 크게 들려오는데,

먼 하늘에서부터 갈매기 떼가 떼 지어 이동해오는 것이 보인다.

VFX _Solution

1. C(울돌목)

C#35

이순신 B.S. / ZOOM IN

이순신이 고개 들어 먼 하늘 갈매기 떼를 쳐다보는데,

VFX _Solution

1. A1(대장선)

C#36

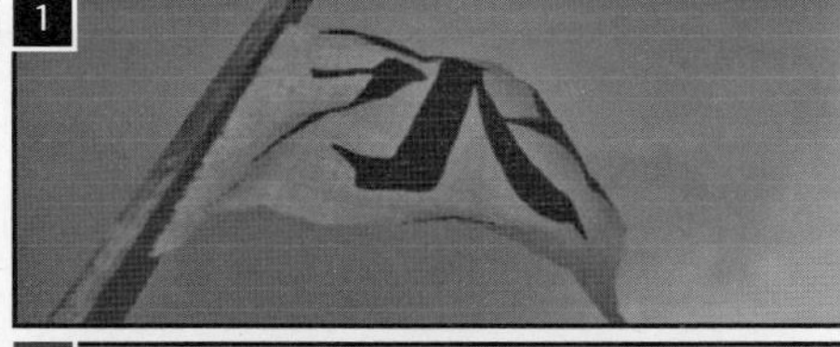

삼족오 깃발 INSERT / LA

뚝! 문득 바람에 여장의 삼족오 깃발 하나가 부러진다.

VFX _Solution

1. A1(대장선)

C#37

부러진 삼족오 깃발 O.S. 조선 군사들

(깃발이 부러지자) 모두들 불길한 듯 표정들이 어두워지는데,

VFX _Solution

1. A1(대장선)

C#38

기라졸 TIGHT F.S.

가라졸, 황급히 부러진 삼족오 기를 들고 일어선다.

VFX _Solution

1. A1(대장선)

C#39

기라졸 B.S.

가라졸, 황급히 부러진 삼족오 기를 듣고 일어선다.

VFX _Solution

1. A1(대장선)

C#40

조선 수군 O.S. 기라졸

가라졸, 황급히 부러진 삼족오 기를 들고 일어선다.

VFX _Solution

A1(대장선)

C#41

기라졸 O.S. 적선

기라졸 (입이 떡 벌어지며) 저… 저기!

VFX _Solution

1. A1(대장선)
2. C(울돌목)

C#42

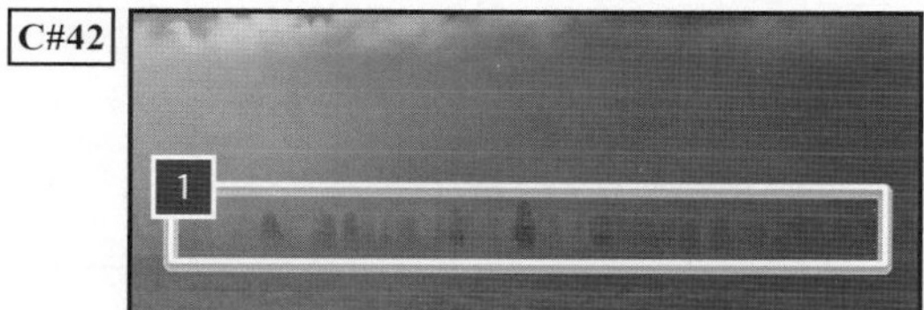

울돌목 WIDE F.S. / 적선들

좁은 울돌목 해협을 타고 들어오는 촘촘한 것이 모두 적선이다.

VFX _Solution

1. C(울돌목_더미 배)

C#43

이순신 B.S.

이순신 쳐다보면 멀리서 까마득하게 무수히 몰려오는 적들이 보인다.

VFX _Solution

1. A1(대장선)

C#44

조선 수군 그룹쇼트

(겁먹은 병사들.)

VFX _Solution

1. A1(대장선)

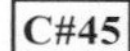

C#45

구루지마 M.SCRANE UP -> 울돌목 WIDE F.S.

생각보다 많은 수많은 적들… 바다를 뒤덮고 있다.

VFX _Solution

1. B1(구루지마 안택선/세키부네 2척_옥타콥터 촬영)

C#46

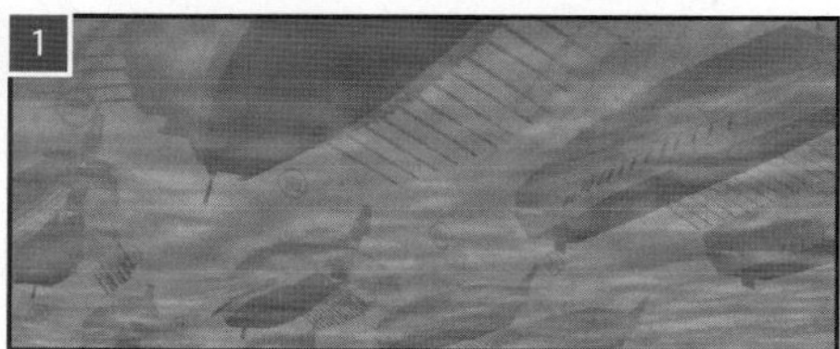

세키부네 암각 / 수중컷

생각보다 많은 수많은 적들… 바다를 뒤덮고 있다.

VFX _Solution

1. D(안택선/세키부네 2척_ 레퍼런스 수중촬영)

C#47

오둑이 B.S.

기겁하는 군사들의 모습. 오둑이 그저 눈알만 데굴데굴.

VFX _Solution

1. A1(대장선)

C#48

조선 수군 그룹쇼트

어떤 군사는 그 자리에 주저앉는다.

VFX _Solution

1. A1(대장선)

김중걸 B.S.
놋구멍 틈으로 밖을 보고는 기겁하는 김중걸.

VFX _Solution

1. B1(대장선)

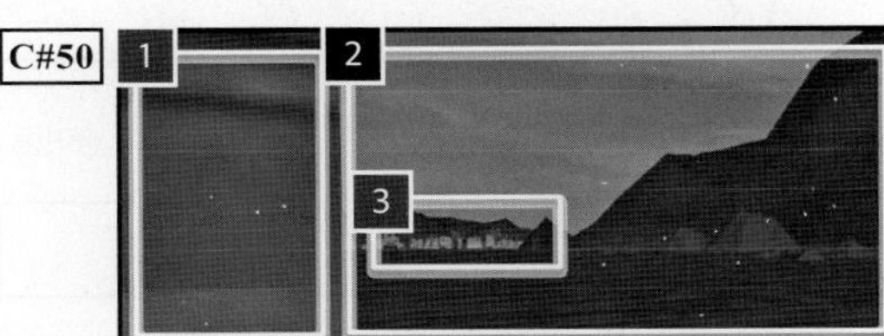

대장선 격창 O.S. 울돌목 / 김중걸 P.O.V
놋구멍 틈으로 밖을 보고는 기겁하는 김중걸.

VFX _Solution

1. SET(대장선 격군실)
2. C(울돌목)

S#51 11척의 판옥선

뒤로 밀리는 판옥선

11 CUTS

EXT

DAY

OPEN SET

C#1

안위, 판옥선 장수들 -> CRANE UP -> 안위 F.S.

두려움과 공포로 얼어붙은 안위 판옥선 장수들과 안위.

VFX _Solution

1. A1(안위 판옥선)

C#2

안위 TIGHT B.S.

두려움과 공포로 얼어붙은 안위 판옥선 장수들과 안위.

VFX _Solution

1. A1(안위 판옥선)

C#3

김응함 TIGHT B.S.

두려움과 공포로 얼어붙은 김응함 판옥선 장수들과 김응함.

VFX _Solution

1. A1 (김응함 판옥선)

C#4

송여종 TIGHT B.S.

두려움과 공포로 얼어붙은 송여종 판옥선 장수들과 송여종.

VFX _Solution

1. A1 (송여종 판옥선)

C#5

안위 격군실 / 격군들 그룹쇼트

두려움과 공포에 얼어붙은 안위 격군실 격군들.

C#6

안위 격군실 격군들 TIGHT

두려움과 공포에 얼어붙은 안위 격군실 격군들.

C#7

안위의 판옥선 TIGHT F.S.

동시에 두려움으로 얼어붙은 안위의 격군들의 노질이 둔해진다.

VFX _Solution

1. B1(판옥선)
-노 젓기

C#8

안위의 격군실 격군 TIGHT
두려움과 공포에 얼어붙은 안위 격군실 격군들.

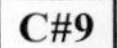
C#9

안위의 격군실 격군장 M.S.
손을 놓고 있는 격군장.

C#10

안위의 판옥선 O.S. 판옥선들
둔해진 노질에 11척의 판옥선이 거센 물살에 순식간에 뒤로 밀려나기 시작하는데.

VFX _Solution

1. A1(안위 판옥선)
2. A1(판옥선_2회 분리촬영)

C#11

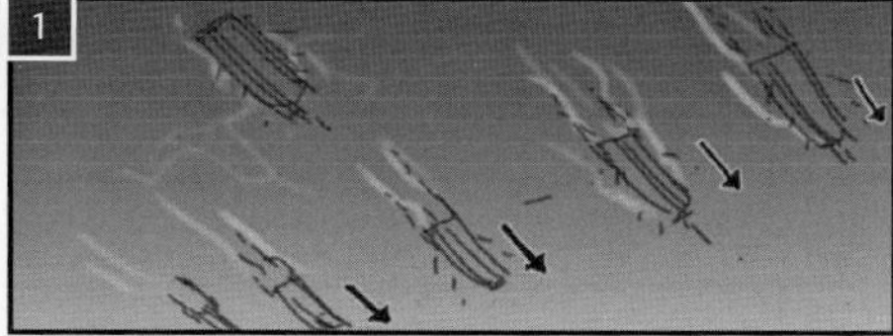

판옥선 앙각 F.S. / 수중컷
뒤로 밀리는 판옥선들(수중컷).

VFX _Solution

1. D(판옥선_레퍼런스 수중촬영)

S#52 대장선 격군실

얼어붙은 대장선 격군실 격군들과 김중걸 14 CUTS

EXT

DAY

OPEN SET

C#1

황보만 B.S.

대장군 격군장 황보만이 북을 울리며 노꾼들을 강하게 독려하고 있다.

C#2

격군들 O.S. 김중걸

노를 저으면서도 끊임없이 놋구멍 밖으로 눈알을 돌리는 김중걸.

C#3

대장선 격창 O.S. 판옥선 / 김중걸 P.O.V.

11척의 배가 뒤로 물러나는 것이 보인다.

VFX_Solution

1. SET(대장선 격군실)
2. B1(판옥선 소스)

C#4

김중걸 B.S.

김중걸 (깜짝 놀라, 놋구멍에 얼굴을 바싹 대고) 저… 저 뭐여? 뒤로 가네?

VFX_Solution

1. B1(대장선)

C#5

격군실 부관 TIGHT B.S.

격군실 부관 거기! 뭐해!

C#6

김중걸, 수봉이 2S / M.S.

김중걸 (다시 자세 잡고, 노를 저으며, 일그러지며) 수봉아… 우리가 배를 잘못 탔다.

수봉이 (열심히 노를 저으며) 대장선인지 몰랐어요?

C#7

김중걸 C.U.

김중걸 (울상으로) 그니까 대장선이 왜 맨 앞에 있냐고.

C#8

황보만 B.S.

황보만 (북을 치며 독려하다 멈추고는) 어서 노들을 저어!

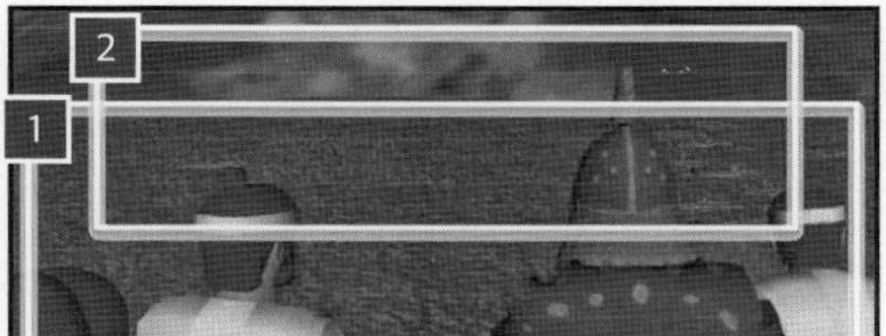

이회, 김 노인 O.S. 울돌목

(CUT TO)

산 능선을 타고 가던 김 노인의 얼굴이 사색.

VFX _Solution

1. 로케이션(크로마 인물 촬영)
2. C(울돌목_더미배_옥타콥터 촬영)

C#10

김 노인, 조문옹, 조태식 B.S. -> PAN

김 노인을 비롯한 조문옹, 조태식, 오극신, 오계적 부자 등 민초 무리들이 멈춰 서며 바다 쪽을 내려다본다.

PAN -> 오극신, 오계적 부자

김 노인을 비롯한 조문옹, 조태식, 오극신, 오계적 부자 등 민초 무리들이 멈춰 서며 바다 쪽을 내려다본다.

C#11

이회 B.S.

이회, 역시 바다 쪽을 내려다보다, 얼굴이 굳는다.

C#12

정씨 여인 발 C.U.

(CUT TO)

누군가, 긁히고 쓸리며 바다에 가장 인접해 보이는 절벽 쪽을 기어 올라가고 있다.

C#13

정씨 여인 WIDE F.S.

(CUT TO)

누군가, 긁히고 쓸리며 바다에 가장 인접해 보이는 절벽 쪽을 기어 올라가고 있다.

C#14

정씨 여인 B.S. / H.A.

정씨 여인이다.

S#53 초요기

초요기를 세우지 말라 명하는 이순신 12 CUTS

EXT DAY OPEN SET

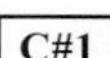
C#1

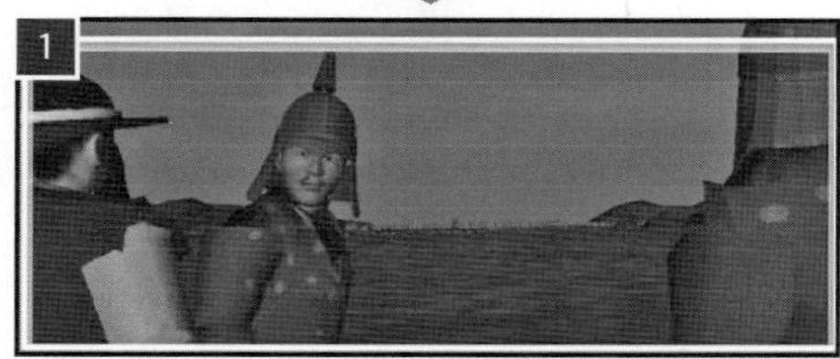

울돌목 WIDE F.S. -> TRACK OUT -> 김돌손 B.S.
사부 김돌손이 문득 뒤를 돌아보고는 흠칫 놀란다.

VFX_Solution
1. A1(대장선)
2. C(울돌목)

C#2

울돌목 WIDE F.S.
이미 두 마장(대략 1km) 이상 뒤로 물러나고 있는 11척의 판옥선.

VFX_Solution
1. B3(대장선)
2. C(울돌목)

C#3

조선 수군들 그룹쇼트
Tracking right top

Tracking right end
군사들이 그제야 혼자임을 깨닫고 더욱 두려워하며 동요.

VFX_Solution
1. A1(대장선)

C#4

송희립 B.S.

송희립 (뒤를 돌아보고는 황급히) 당장 초요기를 세워 다가오라 명하겠습니다!

VFX_Solution
1. A1(대장선)
2. C(울돌목_더미 배

C#5

이순신 B.S.

이순신 놔두어라.

VFX_Solution
1. A1(대장선)

C#6 1

송희립 B.S.

송희립 (당황) 예? 허나 장군!

VFX _Solution

1. A1(대장선)

C#7 1

이순신 O.S. 송희립

이순신 닻을 내리고 전투 준비를 서둘러라.

VFX _Solution

1. A1(대장선)

C#8 1

이순신 B.S.

이순신 닻을 내리고 전투 준비를 서둘러라.

VFX _Solution

1. A1(대장선)

C#9 1

이순신 O.S. 송희립

송희립이 이해되지 않는 명령에 파르르 떨며 이내 부복!

VFX _Solution

1. A1(대장선)

C#10 1

송희립 O.S. 이순신

송희립 전군! 전투 대열로! 닻을 내려라! 서둘러라!

VFX _Solution

1. A1(대장선)

C#11 1

닻 C.U. / 수중컷

좌르르… 바닷속으로 뻗어 내리는 닻.

VFX _Solution

1. D(수중촬영)

C#12 1

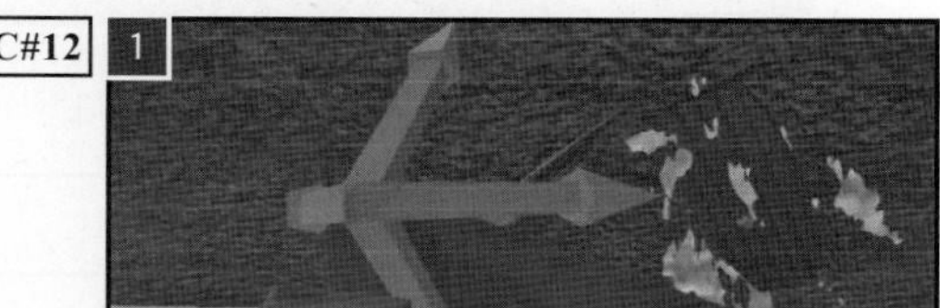

닻 C.U. / 수중컷

닻이 해저 암벽 속에 굳건히 박히고….

VFX _Solution

1. F(Full 3D)

S#54 기 싸움

기 싸움 22 CUTS

EXT

DAY

OPEN SET

C#1

이순신 C.U.
엄청난 적 선단을 담담하게 쳐다보는 이순신.

VFX_Solution
1. A1(대장선)

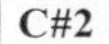

C#2

울돌목 WIDE F.S. / 이순신 P.O.V.
이순신의 시야로 선봉장 구루지마의 안택선이 보인다.

VFX_Solution
1. B1(안택선/세키부네 2척_옥타콥터 촬영)

C#3

구루지마 TIGHT F.S.
묵묵히 바라보는 이순신의 시선! VS 가면 속 구루지마의 무표정하고 차가운 눈빛! 그들의 눈빛이 화면을 가득 채우는데….

VFX_Solution
1. A4(구루지마 안택선)

C#4

이순신 O.S. 송희립 -> TRACKING -> 이순신 정면 C.U.
묵묵히 바라보는 이순신의 시선! VS 가면 속 구루지마의 무표정하고 차가운 눈빛! 그들의 눈빛이 화면을 가득 채우는데….

VFX_Solution
1. A1(대장선)

C#5

구루지마 C.U.
묵묵히 바라보는 이순신의 시선 VS 가면 속 구루지마의 무표정하고 차가운 눈빛! 그들의 눈빛이 화면을 가득 채우는데….

VFX_Solution
1. A4(구루지마 안택선)

C#6

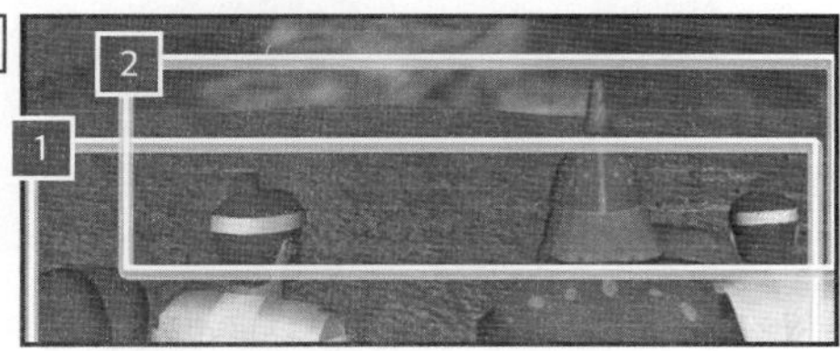

이회,김 노인 O.S. 울돌목
(CUT TO)
산 위, 이동하는 사람들의 시야로 뒤로 물러나는 11척의 판옥선이 보인다.

VFX_Solution
1. 로케이션(크로마 인물 촬영)
2. C(울돌목_더미 배)

C#7

이회, 김 노인 M.S. / 앙각
쏟아지는 절망스러운 탄식들.

C#8

김 노인 B.S.

김 노인 내가 헛것을 보고 있는 것은 아니제?

C#9

이회 B.S. / L.A.

이 회 (너무 의아) 헌데… 대장선에선 어찌 초요기가 서지를 않고,

이회의 눈에 뭔가 대단히 이상하다.

C#10 1

울돌목 WIDE F.S. / 도도 P.O.V.
(CUT TO)
후군 도도의 시점으로 수많은 왜선들 너머에 위태롭게 홀로 서 있는 대장선이 보인다.

VFX _Solution

1. B1(대장선/판옥선 소스 촬영)
- C#21 와 동시 진행

C#11 1

도도, 가토 M.S. / 암각
대장선을 남기고 11척의 판옥선이 천천히 뒤로 밀리는 모습을 보는 도도와 가토.

VFX _Solution

1. A4(도도 안택선)

C#12 1

도도 B.S. / H.A.

도 도 (한껏 여유로운)이순신이 딱하게 됐군.

VFX _Solution

1. A4(도도 안택선)

C#13 1

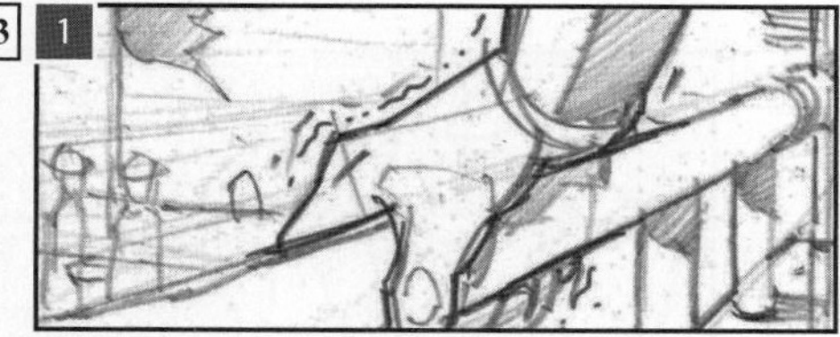

안위의 손 C.U.
(CUT TO)
부들부들 떨리는 안위의 손.

VFX _Solution

1. A1(안위 판옥선)

C#14 1

안위 B.S.
대장선에서 아무런 명령이 없자 당황하는 안위.

VFX _Solution

1. A1(안위 판옥선)

C#15 2 1

안위 O.S. 대장선
대장선을 바라보는 안위.

VFX _Solution

1. A1(안위 판옥선)
2. C(울돌목_더미 배)

C#16

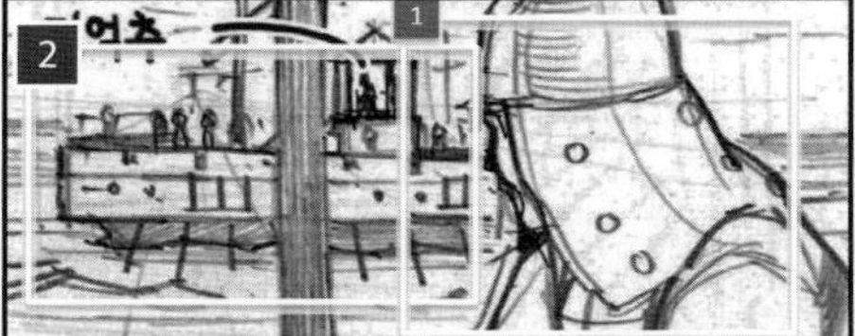

안위 O.S. 김억추

뒤를 돌아 김억추의 판옥선을 바라보는 안위.

VFX _Solution

1. A1(안위 판옥선)
2. B1(김억추 판옥선_분리촬영)

C#17

김억추 B.S.

안절부절못하고 있는 김억추, 한편 찝찝한데….

김억추 이거 뭐야. 초요기라도 서야 내빼든 어쩌든 마음을 먹지.

VFX _Solution

1. A1(김억추 판옥선)

C#18

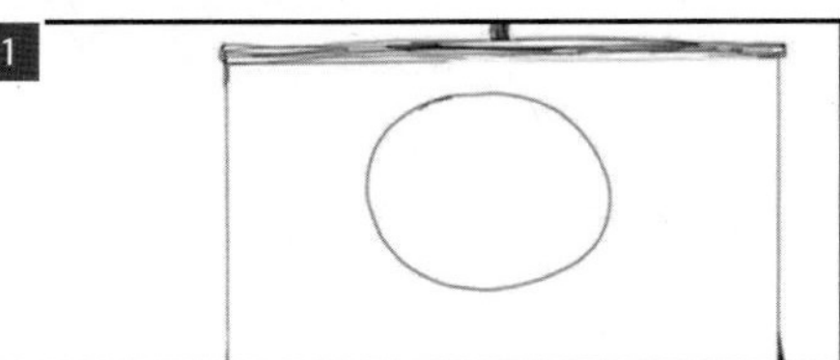

와키자카 안택선 깃발 -> BOOM DOWN -> 와키자카 F.S.

전방을 바라보는 와키자카.

VFX _Solution

1. A4(와키자카 안덕선)

C#19

와키자카 O.S. 구로다

와키자카 (이순신과 전투 경험이 있어. 뭔가 이상한) 어찌 이순신이 명령기를 세우지 않는 거지?

VFX _Solution

1. A4(와키자카 안택선)

C#20

구로다 B.S.

구로다 (냉소) 저기 보십시오. 명령기를 세운들 저자들이 명령을 듣겠습니까?

VFX _Solution

A4(와키자카 안택선)

C#21

대장선 F.S. / 와키자카 P.O.V. 느낌

와키자카의 눈에 매우 거슬리는 대장선.

VFX _Solution

1. B1(대장선)
- C#10 동시진행

C#22

와키자카 C.U.

와키자카의 눈에 매우 거슬린다.

VFX _Solution

1. A4(와키자카 안택선)

S#55 고군분투1(구루지마와 1차 격전)

고군분투1 (구루지마와 1차 격전) 148 CUTS  EXT  DAY  OPEN SET

C#1

구루지마 M.S. / 암각

안택선 위의 구루지마가 천천히 앞으로 나선다.

VFX _Solution

1. A4(구루지마 안택선)

C#2

구루지마 B.S.

구루지마 (나직이) 이순신… (특유의 목소리로) 제 1군 진격하라.

VFX _Solution

1. A4(구루지마 안택선)

C#3

나팔수 B.S.

(CUT TO)

요란한 나팔 소리와 함께 최전방에 있던 수십 척의 세키부네가 일제히 움직이기 시작한다. 마치 바다가 꿈틀거리는 것 같은 광경.

VFX _Solution

1. A4(구루지마 안택선)

C#4

나팔수 O.S. 울돌목

(CUT TO)요란한 나팔 소리와 함께 최전방에 있던 수십 척의 세키부네가 일제히 움직이기 시작한다. 마치 바다가 꿈틀거리는 것 같은 광경.

VFX _Solution

1. A4(구루지마 안택선)
2. B1(세키부네 2척)

C#5

세키부네 TIGHT F.S.

VFX _Solution

1. B1(세키부네 2척_분리촬영) -노 젓기

C#6

키잡이 왜군 O.S. 세키부네 장수

세키부네 장수 속도가 빨라진다! 키 조정에 신경 써라!

VFX _Solution

1. A2(세키부네)
2. B1(세키부네 2척_분리촬영)

C#7

키잡이 왜군 M.S.

키잡이 왜군이 키를 돌린다.

VFX _Solution

1. A2(세키부네)
2. B1(세키부네 2척_분리촬영)

울돌목 WIDE F.S. / H.A.
좁아드는 해협 목 때문에 더욱 속도가 붙으며 빠르게 바다를 가르며 들어오는 세키부네들.

VFX _Solution
1. B1(세키부네 2척_분리촬영)

조선 수군들 그룹쇼트 -> PAN UP 이순신 F.S.
적선들의 돌격에 당황하는 군사들. 한 군사는 입술이 파르르 떨린다.

VFX _Solution
1. A1(대장선)

C#10

이순신 O.S. 송희립 (FOCUS IN 송희립)
이순신을 바라보는 송희립.

VFX _Solution
1. A1(대장선)

C#11

송희립 O.S. 이순신 (FOCUS IN 이순신)
몰려오는 적선을 보는 이순신.

VFX _Solution
1. A1(대장선)

C#12

울돌목 WIDE F.S. / 적선들/ 이순신 P.O.V.
몰려오는 적선들.

VFX _Solution

1-1. C(울돌목_더미 배
1-2. B1(세키부네 소스 합성)

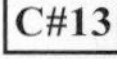

C#13

이순신 F.S. -> BOOM DOWN -> 송희립

이순신 좌현으로 틀어 함포를 준비하라.

재차 외치는 송희립.
갑판 아래의 나대용이 명령을 듣는다.

VFX _Solution

1. A1(대장선)

C#14

나대용 B.S.

나대용 좌현 화포 준비하라!

더불어 좌현 쪽에 화포들이 일제히 준비되는데.

VFX _Solution

1. A1(대장선)

C#15

격군실 F.S. / 부감
좌현으로 방향을 돌리는 격군실.

C#16

북꾼O.S 격군실 F.S.
좌현으로 방향을 돌리는 격군실.

C#17

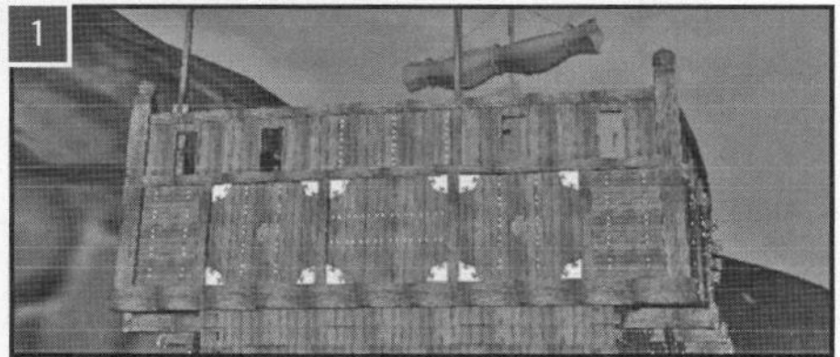

대장선 TIGHT F.S.
좌현으로 방향을 돌리는 대장선.

VFX _Solution

1. B1(대장선_좌현 회전)

C#18

조선 수군 그룹쇼트
좌현 쪽에 화포를 대는 조선 수군들.

VFX _Solution

1. A1(대장선)

C#19

대장선 선체 TIGHT F.S.
설치되는 화포.

VFX _Solution

1. A1(대장선)

C#20

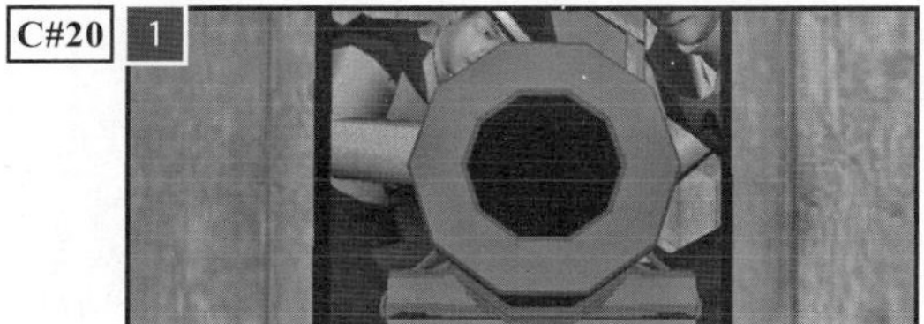

화포 C.U.

설치되는 화포.

VFX _Solution

1. A1(대장선)

C#21

세키부네 왜병들 SIDE F.S.

(CUT TO)

적선마다 여장에 달라붙어 있는 수십 개의 총구.

VFX _Solution

1. A2(세키부네_분리촬영)

C#22

왜병들 그룹쇼트

(CUT TO)

적선마다 여장에 달라붙어 있는 수십 개의 총구.

VFX _Solution

1. A2(세키부네)

C#23

조총수장 C.U.

조총수장 사격하라!

VFX _Solution

1. A2(세키부네)

C#24

왜병들 그룹쇼트

무수한 조총들이 갑자기 일제히 하늘로 들린다.

이내 동시사격!

탕탕탕탕탕….

VFX _Solution

1. A2(세키부네)

C#25

왜병들 O.S. 대장선

무수한 조총들이 일제히 하늘로 들린다. 이내 동시사격!

탕탕탕탕탕….

VFX _Solution

1. A2(세키부네)
2. C(울돌목_더미 배)

C#26

대장선 TIGHT F.S.

파바박! 몇몇 총탄이 대장선 선체에 박힌다.

(아직 거리가 있어 그다지 위협적이지 않다.)

VFX _Solution

1. B1(대장선)

-노 젓기

C#27

대장선 선체 C.U.

파바박! 몇몇 총탄이 대장선 선체에 박힌다.

(아직 거리가 있어 그다지 위협적이지 않다.)

VFX _Solution

1. A1(대장선)

C#28

김중걸 B.S.
허나 격군실의 김중걸, 총탄이 박히는 소리에 기겁하며 오금을 지리고.

C#29 1

대장선 조선 수군 그룹쇼트
총탄에 몸을 숨기는 조선 수군들.

VFX _Solution
1. A1(대장선)

C#30 1

조선 수군들 그룹쇼트
방패에 몸을 숨기는 조선 수군들.

VFX _Solution
1.A1(대장선)

C#31 1 2

조선 수군 O.S. 적선
총탄을 뿜으며 다가오는 적선들.

VFX _Solution
1. A1(대장선)
2. C(울돌목_더미 배)

C#32 1

조선 수군들 그룹쇼트
화포 앞 모든 장졸들이 긴장된 표정으로 이순신의 신호만 기다리고 있다.

VFX _Solution
1. A1(대장선)

C#33 1

조선 수군 O.S. 이순신.
화포 앞 모든 장졸들이 긴장된 표정으로 이순신의 신호만 기다리고 있다.

VFX _Solution
1. A1(대장선)

C#34 1

이순신 B.S.
묵묵히 적선을 바라보는 이순신.

VFX _Solution
1. A1(대장선)

C#35 1

나대용 B.S.
이순신의 명령을 기다리는 나대용.

VFX _Solution
1. A1(대장선)

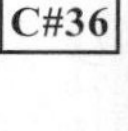

조선 군사 C.U.

애타게 신호만을 기다리는 한 군사의 목울대가 꿀꺽!

VFX _Solution

1. A1(대장선)

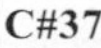

적선들 WIDE F.S.

마침내 적선들이 빠른 물살을 타고 좁은 해협 목을 빠져나오기 시작하면,

VFX _Solution

1-1. C(울돌목_더미 배)

1-2. B1(세키부네 소스)

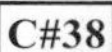

이순신 B.S.

묵묵히 적선을 바라보다가….

VFX _Solution

1. A1(대장선)

C#39 1

이순신 C.U.

이순신 (결연히)발포하라!

VFX _Solution

1. A1(대장선)

나대용 O.S. 이순신 F.S.

발포하라~! 송희립이 외치면, 발포하라~! 나대용 및 여러 군관들이 동시에 외친다.

VFX _Solution

1. A1(대장선)

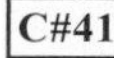

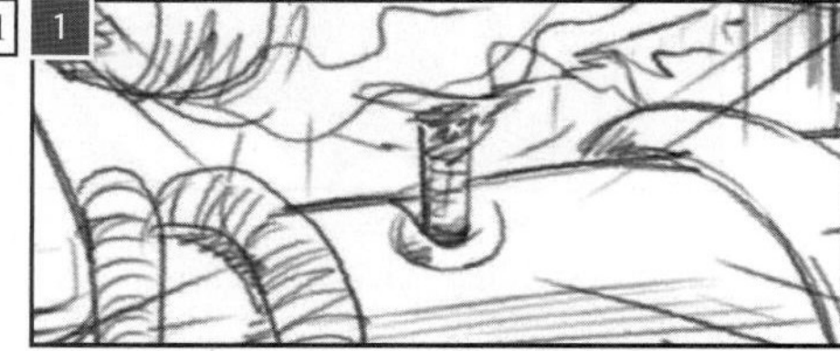

화포 C.U.

마침내 화포 심지에 일제히 불꽃들이 타들어가고….

VFX _Solution

1. A1(대장선)

C#42 1

화포 C.U.

펑펑펑! 우레와 같은 소리를 내며 대장선의 함포가 일제히 불을 뿜는다.

VFX _Solution

1. A1(대장선)

C#43 1

조선 수군 뒷부 F.S.

펑펑펑! 우레와 같은 소리를 내며 대장선의 함포가 일제히 불을 뿜는다.

VFX _Solution

1. A1(대장선)

C#44 1

화포 C.U. / 앙각

펑펑펑! 우레와 같은 소리를 내며 대장선의 함포가 일제히 불을 뿜는다.

VFX _Solution

1. A1(대장선)

C#45 2

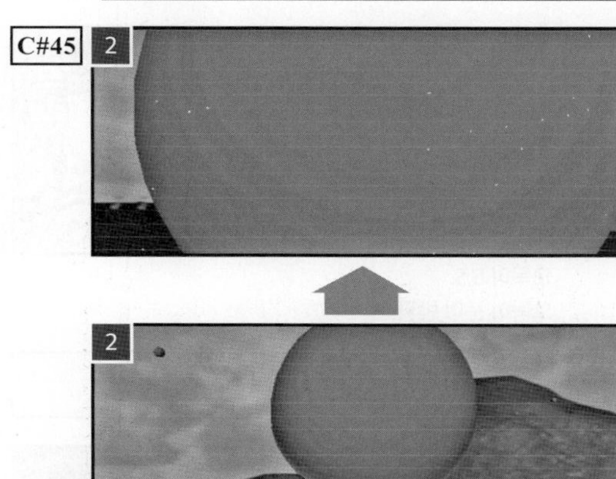

2

1

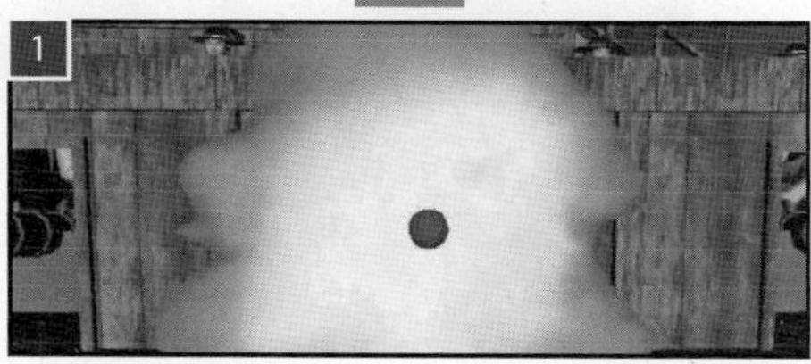

포탄 FOLLOW

쉬이잉! 앞서 오던 세키부네 두 척을 정통으로 강타하는 포탄!

VFX _Solution

1. B1(대장선_Zoom Out 촬영)
2. C(울돌목_더미 배_Zoom Out 촬영)

C#46 2

1

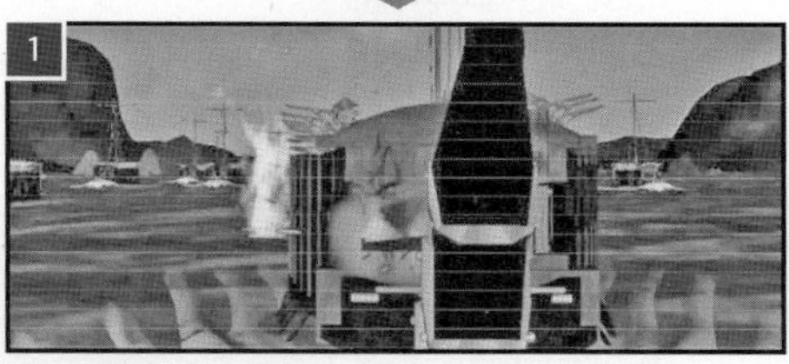

화포 FOLLOW

쉬이잉! 앞서 오던 세키부네 두 척을 정통으로 강타하는 포탄!

VFX _Solution

1. B1(세키부네_Zoom In 촬영)
2. C(울돌목_더미 배_Zoom In 촬영)

C#47

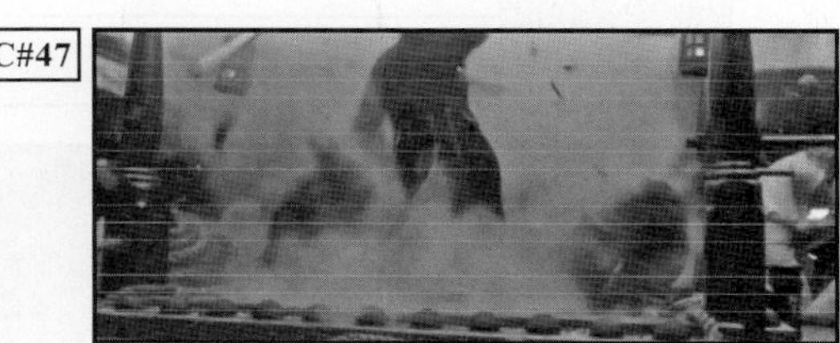

세키부네 F.S.

쉬이잉! 앞서 오던 세키부네 두 척을 정통으로 강타하는 포탄!

C#48 1

세키부네 F.S.

쉬이잉! 앞서 오던 세키부네 두 척을 정통으로 강타하는 포탄!

VFX _Solution

1. A2(세키부네)

C#49 1

대장선 WIDE F.S. / 부감

화포를 뿜는 대장선.

VFX _Solution

1. B1(대장선)

C#50 1

세키부네 WIDE F.S.
화포에 맞는 세키부네들.

VFX _Solution

1. B2(세키부네 2척_분리촬영)

C#51 1

세키부네 TIGHT F.S.
화포에 맞는 세키부네.

VFX _Solution

1. A2(세키부네)

C#52 1

세키부네 선체 C.U.
화포에 맞는 세키부네.

VFX _Solution

A2(세키부네)

C#53 1

세키부네 왜병들 F.S.
화포에 맞아 나뒹구는 왜병들.

VFX _Solution

1. A2(세키부네)

C#54 1

적선들 WIDE F.S.
화포에 맞는 적선들.

VFX _Solution

1-1. C(울돌목_더미 배)
1-2. B1(세키부네 소스)

C#55 1

오둑이 B.S.
오둑이 눈이 반짝!

VFX _Solution

1. A1(대장선)

C#56 1

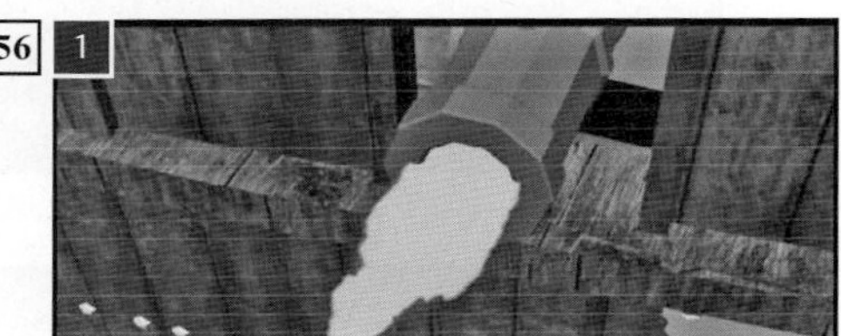

화포 C.U. / 부감
화포를 뿜는 대장선.

VFX _Solution

1. A1(대장선)

C#57 1

세키부네 F.S.
화포에 맞는 세키부네.

VFX _Solution

A2(세키부네)

C#58

왜병들 그룹쇼트

그러나 아랑곳하지 않고 돌격해오는 적선들.

VFX _Solution

1. A2(세키부네_분리촬영)

C#59

적선 WIDE F.S. / H.A.

그러나 아랑곳하지 않고 돌격해오는 적선들.

VFX _Solution

1. B1(세키부네 2척_분리촬영)

C#60

왜병들 그룹쇼트

그리고 이어지는 소낙비 같은 총탄들!

VFX _Solution

1. A2(세키부네)

C#61

대장선 O.S. 적선들 / L.A.

그리고 이어지는 소낙비 같은 총탄들!

VFX _Solution

1. A1(대장선)
2. C(울돌목_더미 배)

C#62

조선 수군 그룹쇼트 / 부감

조선 수군 머리 위로 날아오는 총탄들.

VFX _Solution

1. A1(대장선)

C#63

조선 수군 그룹쇼트 / H.A.

헉! 대장선의 천자포(砲) 부사수 하나가 총탄에 쓰러진다.

VFX _Solution

1.A1(대장선)

C#64

천자포 부사수 O.S. 군사

헉! 대장선의 천자포(砲) 부사수 하나가 총탄에 쓰러진다.

VFX _Solution

1.A1(대장선)

C#65

이순신 B.S.

이순신 !

VFX _Solution

1. A1(대장선)

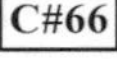

C#66

김돌손, 송희립, 나대용 3S / M.S.

길돌손이 허겁지겁 뛰어온다.

김돌손 (두 사람에게)물살의 속도가 예상치보다 빠르구만요.

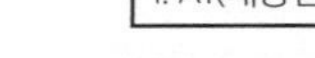

VFX _Solution

1. A1(대장선)

C#67

송희립, 나대용 B.S.

송희립/나대용 속도를 높여 배를 돌려라! 우현 화포 준비를 서둘러라!

VFX _Solution

1. A1(대장선)

C#68

조선 수군 그룹쇼트

화포를 준비하는 조선 수군.

VFX _Solution

1. A1(대장선)

C#69

대장선 TIGHT F.S.

대장선이 빠르게 180도 회전하는데,

VFX _Solution

B1(대장선_우현 회전)
-노 젓기

C#70

대장선 WIDE F.S. / 부감

대장선이 빠르게 180도 회전하는데,

VFX _Solution

1. B1(대장선_우현 회전)

C#71

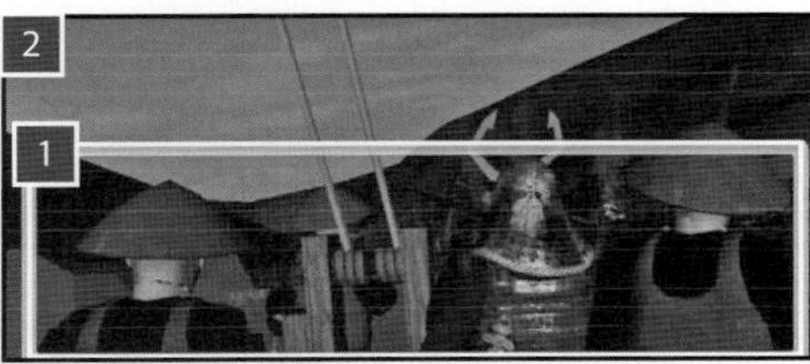

세키부네 O.S. 세키부네

쿠웅! 돌격하던 세키부네가 앞서서 빠른 물살로 인해 오히려 키 조정을 상실한 세키부네와 추돌한다.

VFX _Solution

1. A2(세키부네)
2. C(울돌목)

C#72

왜병들 그룹쇼트

쿠웅! 돌격하던 세키부네가 앞서서 빠른 물살로 인해 오히려 키 조정을 상실한 세키부네와 추돌한다.

VFX _Solution

1. A2(세키부네)
2. B1(세키부네 2척_분리촬영)

C#73

세키부네 O.S. 세키부네

울돌목 가장자리 쪽, 추돌한 두 척의 세키부네를 간신히 피하는 또 다른 세키부네. (빠른 물살은 세키부네의 방향 제어에서는 이번엔 약점을 드러낸다.)

VFX _Solution

1. A2(세키부네)
2. C(울돌목)

C#74 1

울돌목 WIDE F.S.
방향을 잃고 서로 부딪히는 세키부네들.

VFX _Solution

1-1. C(울돌목_더미 배)
1-2. B1(세키부네 소스)

C#75 1

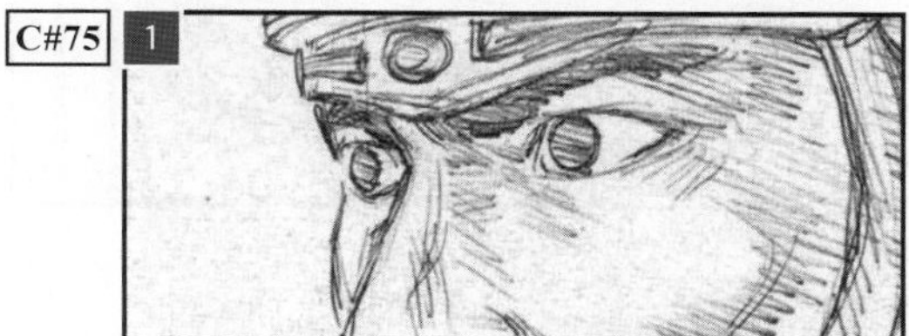

이순신 C.U.
좁은 해협 목 앞에서 적선들끼리 추돌하는 모습을 목격하는 이순신.

VFX _Solution

1.A1(대장선)

C#76 1

이순신 F.S.

이순신 나대용!

VFX _Solution

1. A1(대장선)

C#77 1

나대용 F.S. / 부감

나대용 (급히 달려와) 예, 장군!

VFX _Solution

1. A1(대장선)

C#78 1

나대용 O.S. 이순신

이순신 화포와 소신기전을 최대한 앞서 나오는 배들에 집중하게!

VFX _Solution

1. A1(대장선)

C#79 1

나대용 B.S.
나대용, 고개를 돌린다. 반파된 적선으로 인해 목을 빠져나는데 애를 먹는 적진을 파악,

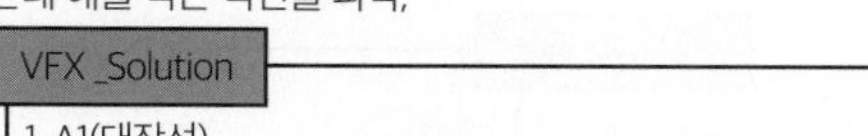

VFX _Solution

1. A1(대장선)

C#80 1

이순신 O.S. 나대용
이내 이순신의 의중을 알아차린다.

나대용 예! 장군!

VFX _Solution

1. A1(대장선)

C#81 1

나대용 F.S.

나대용 모든 포수들! 앞서 나온 적선에 집중적으로 발포하라!

VFX _Solution

1. A1(대장선)

C#82 1

화포 C.U.

펑펑펑! 깨지고 부서지는 세키부네… 왜병들이 아비규환에 휩싸인다.

VFX_Solution

1. B1(대장선)

C#83 1

울돌목 F.S.

펑펑펑! 깨지고 부서지는 세키부네… 왜병들이 아비규환에 휩싸인다.

VFX_Solution

1. B1(세키부네_분리촬영)

C#84 1

세키부네 F.S.

펑펑펑! 깨지고 부서지는 세키부네… 왜병들이 아비규환에 휩싸인다.

VFX_Solution

1. A2(세키부네)

C#85 1

세키부네 F.S.

펑펑펑! 깨지고 부서지는 세키부네… 왜병들이 아비규환에 휩싸인다.

VFX_Solution

1. B1(세키부네)

C#86 1

나대용, 화포 부사수 B.S. -> TILT DOWN

발포하라 명하는 나대용.

1

TILT DOWN -> **화포** C.U.

발포되는 화포.

VFX_Solution

1. A1(대장선)

C#87 1

울돌목 F.S.

격파된 세키부네 두 척이 다른 적선들의 진로를 막아서는 형국.

VFX_Solution

1. B1(세키부네_분리촬영)

C#88 1

세키부네 O.S. **세키부네**

돌격해가는 세키부네의 시점으로 앞선 세키부네의 측면과 다시 쾅! 크게 충돌!

VFX_Solution

1. A2(세키부네_분리촬영)

C#89

1

구루지마 B.S.

표정이 없는 구루지마의 얼굴.

VFX _Solution

1. A4(구루지마 안택선)

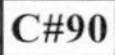
C#90

1

구루지마 O.S. 기무라

구루지마 2군을 보내 더욱 밀어붙여라.

기무라 예!

전장을 울리는 구루지마군의 쇠나팔 소리!

VFX _Solution

1. A4(구루지마 안택선)

C#91

1

도도, 가토 M.S. / 2S

후군 가토의 표정이 싸늘해진다.

가 토 (못마땅한) 구루지마가 무작정 밀어붙이고 있습니다.

도 도 물살에 도통한 자라 하지 않더냐. 두고 보자.

VFX _Solution

1. A4(도도 안택선)

C#92

1

와키자카 깃발 C.U. -> BOOM DOWN

중군의 와키자카가 표정 없이 전선을 관망하고 있는데….

1

BOOM DOWN -> 와키자카 B.S.

구로다 이순신이 앞선 배들만 골라서 공격하고 있습니다. 이요놈들이 서로 마구잡이로 충돌하고 있습니다.

VFX _Solution

1. A4(와키자카 안택선)

C#93

1

와키자카 C.U.

와키자카 (아랑곳하지 않고 후방 판옥선들만을 주시) …나서지도 않고 물러서지도 않고 있어. 도대체 뭘 기다리고 있는 것이냐.

VFX _Solution

1. A4(와키자카 안택선)

C#94

1

구로다 B.S.

구로다 그저 두려움에 떨고 있는 오합지졸입니다. 우리도 같이 합세해 계속 들이치는 게 어떻겠습니까?

VFX _Solution

1. A4(와키자카 안택선)

C#95

와키자카 B.S.

와키자카 (뭔가 두려운) 아니다… 두고 보자.

VFX _Solution

1. A4(와키자카 안택선)

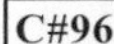

울돌목 F.S. / 와키자카 P.O.V. 느낌

와키자카, 빠르게 주변을 훑는다.

좁아지는 해협 목이 보이고 더불어 곳곳에 암초다. 대략 5~6 대의 배들만이 빠져나갈 수 있는 너비… 그러나 빠른 물살에 주목,

VFX _Solution

1. B2(세키부네 2척_분리촬영)

와키자카 C.U.

와키자카 아무리 우리가 한꺼번에 들이치지 못한다 한들 결국 네놈은 지칠 수밖에 없다.

VFX _Solution

1. A4(와키자카 안택선)

C#98

와키자카 C.U. / 측면

와키자카 이순신… 대체 무얼 기대하는 것이냐.

VFX _Solution

1. A4(와키자카 안택선)

C#99

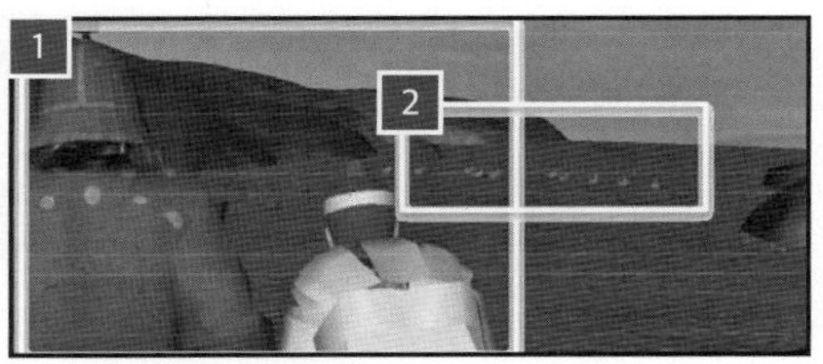

이회, 김 노인 O.S. 울돌목

바다 양쪽 조선과 일본 전선(戰船)들,

VFX _Solution

1. 로케이션(크로마 인물 촬영)
2. C(울돌목_더미 배_옥타콥터 촬영)

C#100

이회, 김 노인 B.S.

전장을 보는 김 노인과 이회,

C#101

울돌목 WIDE F.S. / 부감 / 이회 P.O.V. / 좌PAN

묘하게 마치 이순신의 대장선과 구루지마 선단의 싸움을 일정한 거리를 두고 양쪽 다 그저 관망하는 형국처럼 보이는데,

VFX _Solution

1. C(울돌목_더미 배_옥타콥터 촬영)

C#102

이회 C.U.

이런 이상한 광경에 이회의 눈빛이 가늘게 떨리고….

동시에 이회의 회상.

C#103

술잔 C.U. / 회상

술잔을 받아들고 있는 이회,

이순신이 술을 따라주고 있다.

C#104

이회 O.S. 이순신 / 회상

이 회 헌데 아버님께선 두려움을 어찌 이용하신단 말씀입니까?

C#105

이회, 이순신 2S / 회상

이순신 (무표정) 칠천량 패전 이후 두려움이 독버섯처럼 우리 병사들에게 퍼졌다. 허나, 저들도 지난 6년 동안 나로 인해 줄곧 당해온 두려움이 분명 남아 있다.

C#106

이순신 C.U. / 회상

이순신 그렇기 때문에 회야… 두려움은 필시 적과 아군을 구별치 않고 나타날 수 있다.

고개를 들어 이회를 무표정하게 쳐다보는 이순신의 눈빛.

C#107

이회 B.S. / LA

산 위의 이회가 서로 간의 두려운 듯, 관망하듯 펼쳐진 형국을 새삼 다시 지켜보며,

C#108

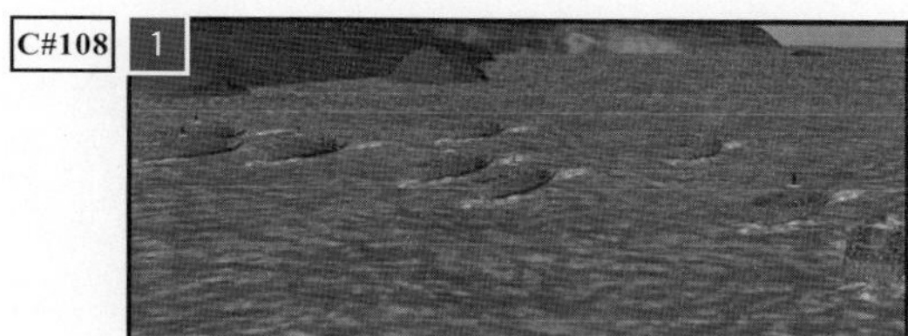

울돌목 WIDE F.S. / 부감 / 판옥선들 / 이회 P.O.V.

대장선 뒤로 물러나 있는 판옥선.

VFX _Solution

1. C(울돌목_더미 배_옥타콥터 촬영)

C#109

울돌목 WIDE F.S. / 부감 / 적선 F.S.

구루지마 본대 뒤로 물러나 있는 적선들.

VFX _Solution

1. C(울돌목_더미 배_옥타콥터 촬영)

C#110

이회 C.U.

산 위의 이회가 서로 간의 두려운 듯, 관망하듯 펼쳐진 형국을 새삼 다시 지켜보며,

이 회 (중얼) 적과 아군을 구별치 않고 나타난다….

C#111

이순신 O.S. 이회 / 회상

이 회 그뿐이옵니까? 그게 두려움을 이용하는 것이옵니까?

C#112

이순신 B.S. / 회상

이순신 만일… 그 두려움을 용기로 바꿀 수만 있다면 말이다.

C#113

이회 C.U. / 회상

더 이상 말을 잇지 않고 술잔을 내려놓는 이순신….

C#114

이순신 손 C.U. / 회상
더 이상 말을 잇지 않고 술잔을 내려놓는 이순신….

C#115

이순신 B.S. / 회상
더 이상 말을 잇지 않고 술잔을 내려놓는 이순신….

C#116

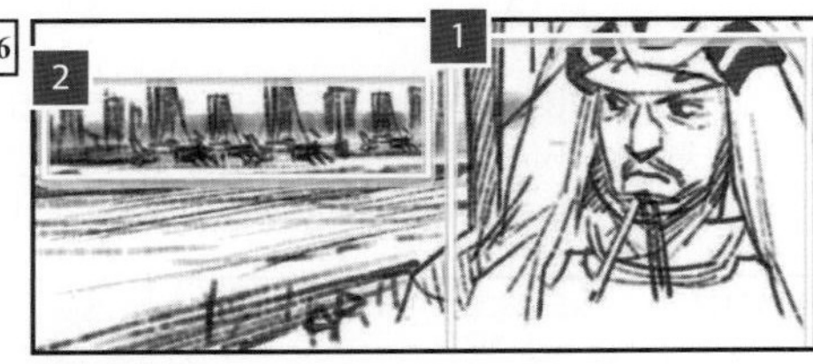

와키자카 B.S.
와키자카 중군의 그저 관망하는 형세를 흘낏 돌아보는 무표정한 구루지마.

VFX_Solution

1. A4(구루지마 안택선)
2. B1(세키부네_분리촬영)

C#117

와키자카 O.S. 기무라

기무라 (조바심) 뚫고 나갈 수 있겠습니까?

VFX_Solution

1. A4(구루지마 안택선)
2. B1(세키부네_분리촬영)

C#118

기무라 O.S. 와키자카

구루지마 (차가운 미소) 눈치가 없구나. 결국 물살은 우리 편이다. 더구나 2군은 에히메의 정예군이다.

VFX_Solution

1. A4(구루지마 안택선)

C#119

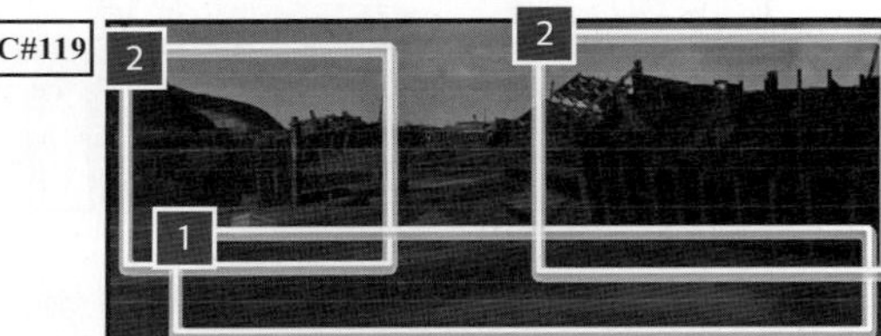

세키부네 TIGHT F.S.
더구나 거센 물살로 인해 앞을 가로막던 세키부네들이 차츰 거세게 쓸리며 온통 흘러나오기 시작한다.
(이번엔 거센 물살의 덕분이다.)

VFX_Solution

1. C(울돌목 물살)
2. A2(세키부네_부서진 잔해 소스)

C#120

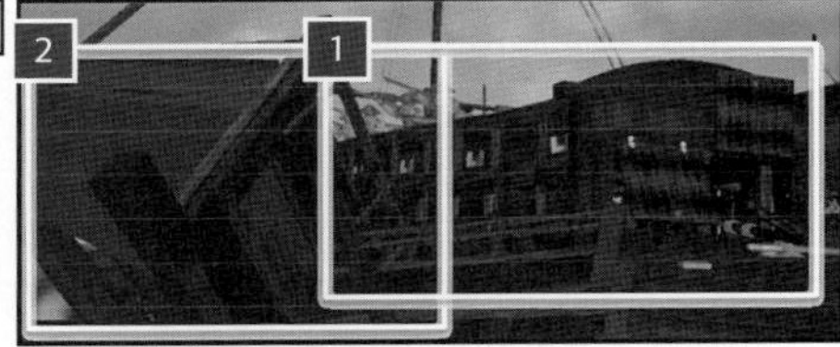

세키부네 TIGHT F.S.
더구나 거센 물살로 인해 앞을 가로막던 세키부네들이 차츰 거세게 쓸리며 온통 흘러나오기 시작한다.
(이번엔 거센 물살의 덕분이다.)

VFX_Solution

1. B1(세키부네)
2. A2(세키부네_부서진 잔해 소스)

C#121

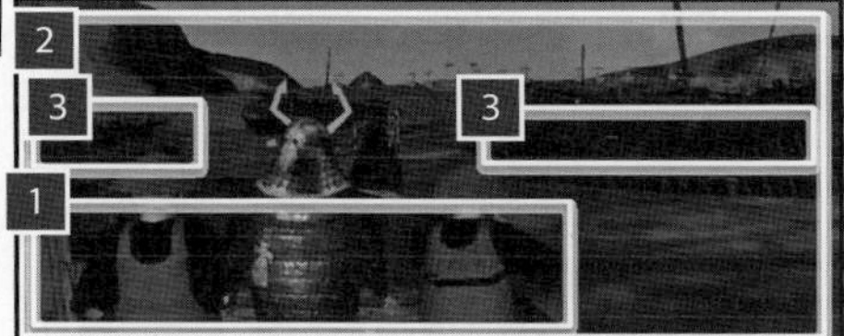

세키부네 O.S. 세키부네

더구나 거센 물살로 인해 앞을 가로막던 세키부네들이 차츰 거세게 쓸리며 온통 흘러나오기 시작한다.
(이번엔 거센 물살의 덕분이다.)

VFX _Solution

1. A2(세키부네)
2. C(울돌목)
3. A2(세키부네_부서진 잔해 소스)

C#122

구루지마 2군 WIDE F.S. PAN -> 부서진 1군 세키부네

세 척씩 조를 이룬 구루지마 2군들…
화포를 피하는 키 놀림들이 예사롭지 않다.

VFX _Solution

1. C(울돌목_더미 배)
2. B1(세키부네)

C#123

구루지마 2군 그룹쇼트

키를 조정하며 무섭게 다가오는 구루지마 2군.

VFX _Solution

1. A2(세키부네)

C#124

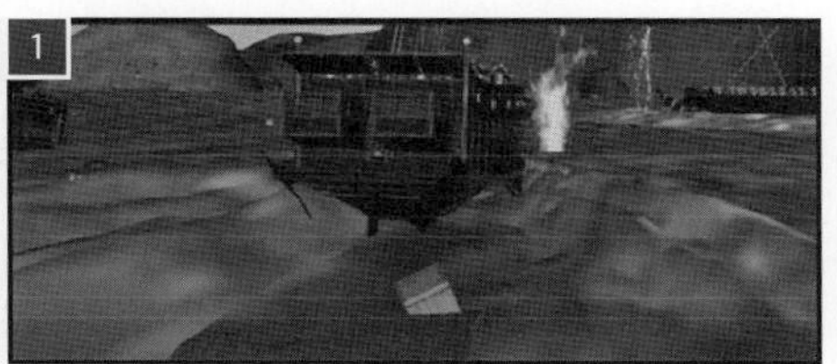

구루지마 2군 세키부네 F.S.

세 척씩 조를 이룬 구루지마2군들….
화포를 피하는 키 놀림들이 예사롭지 않다.

VFX _Solution

1. B1(세키부네_분리촬영)
-노 젓기

C#125

대장선 격군들 그룹쇼트

더불어 대장선의 노 젓는 움직임이 현저히 둔해졌다.
그로 인해 대장선이 제멋대로 흔들리며

C#126

대장선 노 C.U.

더불어 대장선의 노 젓는 움직임이 현저히 둔해졌다.
그로 인해 대장선이 제멋대로 흔들리며

VFX _Solution

1. B1(대장선)
-노 젓기

C#127

이순신 B.S.

대장선의 제멋대로 흔들리는 움직임을 보는 이순신.

VFX _Solution

1. A1(대장선)

대장선 닻 INSERT / 앙각
더불어 대장선의 노 젓는 움직임이 현저히 둔해졌다.
그로 인해 대장선이 제멋대로 흔들리며

VFX _Solution
1. D(대장선_수중촬영)

대장선 O.S. 적선
화포의 조준율도 많이 떨어졌다.

VFX _Solution
1. A1(대장선)
2. B1(세키부네_분리촬영)

이순신 B.S.
이순신, 상황을 지켜보다 결연히.

VFX _Solution
1. A1(대장선)

C#131

송희립 O.S. 이순신

이순신 닻을 끊어라! 그대로 물살을 타고 속히 피섬 쪽으로 배를 물려라!

VFX _Solution
1. A1(대장선)

송희립 B.S. / H.A.

송희립 예! 장군!

VFX _Solution
1. A1(대장선)

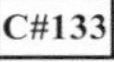

황보만 F.S. / 앙각

VFX _Solution
1. B1(대장선)

대장선 선체 TIGHT F.S.
좌르르~ 순식간에 풀려 내려가는 닻줄.

VFX _Solution
1. B1(대장선)

C#135

대장선 격군실 F.S.

황보만 우현 노를 더 강하게 저어라. 중앙 물살을 타야 한다.

C#136

대장선 격군실 F.S.
노를 힘차게 젓는 격군들.

C#137 1

대장선 WIDE F.S.
대장선이 방향을 틀어 목 중앙의 빠른 물살 쪽으로 힘겹게 이동한다.

VFX _Solution
1. C(울돌목_더미 배)

C#138

종 O.S. 격군실 F.S.
갑자기 대장선 격군실 벽에 붙은 좌, 우 두 개의 종들이 팽팽해지며 멈추고,

C#139

황보만 M.S.

황보만 다들 노 정지!

C#140

격군실 F.S.
노를 멈추며 모두가 헉헉.

C#141 1

대장선 F.S.
파아~ 빠른 순류의 물살. 피섬 쪽으로 빠르게 물살을 타고 이동하는 이순신의 대장선,

VFX _Solution
1. B1(대장선)
2. C(울돌목)

C#142 1

대장선 WIDE F.S.
파아~ 빠른 순류의 물살. 피섬 쪽으로 빠르게 물살을 타고 이동하는 이순신의 대장선

VFX _Solution
1. C(울돌목)
2. B1(대장선)

C#143

김중걸 TIGHT F.S.
아이구! 노를 내던지듯 내려놓으며 게거품을 물고 주저앉는 김중걸.

C#144

격군들 그룹쇼트
힘들어하는 조선 격군들.

C#145

격군실 F.S.
물통을 든 병사 몇몇이 빠르게 이동하며 물을 먹이기도 하고 끼얹어주기도 하며 분주하다.

C#146

격군들 그룹쇼트
물통 든 덩치 큰 군사도 헉헉거리며 힘들어하는데….

C#147

황보만 B.S.

황보만 (격군 사이를 걸으며 다그치는) 노를 헛저어라! 몸을 계속 움직여! 그렇지 않으면 다시 저을 때 온몸에 경련이 일어난다. 몸을 계속 움직이란 말이다!

C#148

격군실 F.S.
노를 헛젓는 격군들.

S#56 고군분투2(구루지마와 2차 격전)

고군분투2 (구루지마와 2차 격전) 31 CUTS

EXT  DAY  OPEN SET

C#1

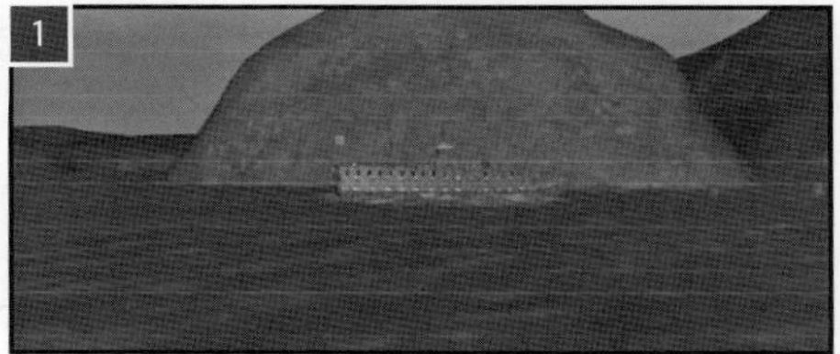

대장선 WIDE F.S. / 구루지마 P.O.V. 느낌
이순신이 배를 선회해 노를 중지시키고 물살만을 타자,

VFX _Solution
1. C(울돌목)
2. B1(대장선)

C#2

구루지마 B.S.
때를 잡았다는 듯 눈빛을 반짝이는 구루지마.

구루지마 (미소 차가운) 걸렸다!

VFX _Solution
1. A4(구루지마 안택선)

C#3

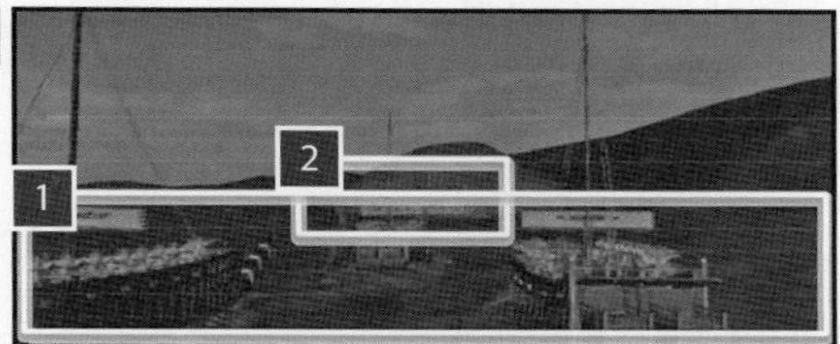

적선들 O.S. 대장선
다시 나팔 소리가 기세 좋게 울리고….
일사불란하게 3척씩 2조로 종대를 이루며 돌격해오는 적선들이 보인다.

VFX _Solution
1. B1(세키부네_분리촬영)
2. C(울돌목_더미 배

C#4

에히메 군사들 그룹쇼트
검은 쇠가면들을 포함한 제각각의 기괴한 기를 뿜어대는 정예 에히메 군사들.

VFX _Solution
1. A2(세키부네)

C#5

도도, 가토 2S / M.S.
전장을 보는 도도와 가토.

VFX _Solution
1. A4(도도 안택선)

C#6

가토 C.U. / 측면

가 토 (특유의 엷은 미소) 이순신이 결국 막다른 길에 몰린 거 같습니다.

VFX _Solution
1. A4(도도 안택선)

C#7

도도 B.S. / 양각

도 도 (여유) 그런 거 같군.

VFX _Solution
1. A4(도도 안택선)

C#8

이순신 O.S. 적선

피섬을 등지고 있는 이순신의 시야로, 부쩍 거리를 좁혀온 적선 무리가 보인다.

VFX _Solution

1. A1(대장선)
2. B1(세키부네_분리촬영)

C#9

이순신 O.S. 송희립

긴장하는 이순신.

송희립 (달려와) 당장 초요기를 세워야 합니다. 피섬을 등지고 싸운들 얼마 버티지 못할 겁니다.

VFX _Solution

1. A1(대장선)

C#10

이순신 O.S. 나대용

나대용 또한 다가온다.

VFX _Solution

1. A1(대장선)

C#11

적선 WIDE F.S. / 이순신 P.O.V. / PAN

피섬을 등에 지고 더 이상 이동할 곳이 없는 이순신의 시야로 3척씩 조를 이뤄 힘 있게 다가오는 적들의 모습이 보인다.

VFX _Solution

1-1. C(울돌목_더미 배)
1-2. B1(세키부네 소스 합성)

C#12

이순신 C.U. -> Focus 이동 -> 송희립

이순신 (차분히) 희립아. 포탄을 조란탄으로 바꾸고… 백병전을 준비하라.

송희립의 얼굴이 검게 상기된다.

VFX _Solution

1. A1(대장선)

C#13

나대용 B.S.

기어이 올 것이 왔다는 생각에 이를 악무는 나대용.

VFX _Solution

1. A1(대장선)

C#14

혜희, 옥형 F.S.

혜희가 옆에 있는 옥형에게 귓속말을 하자, 옥형이 급히 격군실로 달려간다.

VFX _Solution

1. A1(대장선)

C#15

혜희, 옥형 B.S.

혜희가 옆에 있는 옥형에게 귓속말을 하자, 옥형이 급히 격군실로 달려간다.

VFX _Solution

1. A1(대장선)

C#16 1

이순신 F.S.

김돌손 휘하 사부들이 우르르 이순신이 서 있는 장루 쪽으로 에워싸듯 몰려들고,

VFX _Solution

1. A1(대장선)

C#17 1

조선 수군들 그룹쇼트

군사들이 각궁과 화살, 긴 창과 긴 칼로, 갈고리를 챙겨들고 여장 (낭간) 앞으로 몸을 숙이며 붙는다.

VFX _Solution

1. A1(대장선)

C#18 1

준사 M.S.

준사, 또한 쌍칼을 빼어 들고 여장 쪽으로 다가서는데….

VFX _Solution

1. A1(대장선)

C#19 1

혜희 M.S. / 암각

혜희가 등에 메고 있던 언월도를 빼 든다.

VFX _Solution

1. A1(대장선)

C#20 1

조선 수군들 그룹쇼트

여장 뒤, 두려움에 강하게 휩싸여 있는 군사들. 긴 창을 든 한 군사가 덜덜덜….

VFX _Solution

1. A1(대장선)

C#21 1

김돌손, 오둑이 B.S.

김돌손 옆에선 오둑이 눈알이 더욱 크게 데굴데굴 돌아가고 있고….

VFX _Solution

1. A1(대장선)

C#22 2 1

안위 B.S.

장루 위의 안위, 백병전을 직감하며 크게 상기된 얼굴로 대장선을 보고 있다.

VFX _Solution

1. A1(안위 판옥선)
2. A1(판옥선_분리촬영)

C#23 1

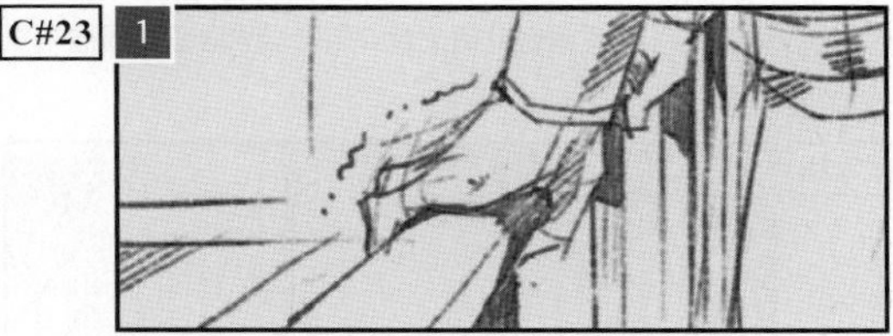

안위 손 C.U.

여전히 여장을 꽉 쥐고 부들부들 떨고 있는 안위,

VFX _Solution

1. A1(안위 판옥선)

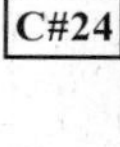
C#24

안위 B.S.
여전히 여장을 꽉 쥐고 부들부들 떨고 있는 안위,

VFX _Solution
1. A1(안위 판옥선)

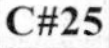
C#25

격군실 F.S.
대장선 격군실, 옥형이 격군실로 뛰어 내려와 승병들을 지휘한다.

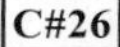
C#26

승병들 O.S. 옥형
대장선 격군실, 옥형이 격군실로 뛰어 내려와 승병들을 지휘한다.

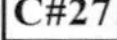
C#27

옥형 B.S.
대장선 격군실, 옥형이 격군실로 뛰어 내려와 승병들을 지휘한다.

C#28

격군실 F.S.
대장선 격군실, 옥형의 지휘 아래 우르르 몰려 나가는 승병들….

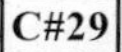
C#29

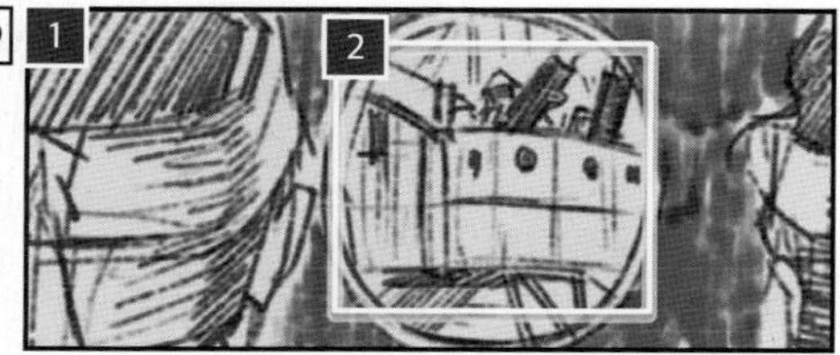

덩치 큰 군사 O.S. 격창

덩치 큰 군사 (노문에서 시선을 떼지 못하고) 백, 백병전이 벌어지겠구만. 지금껏 이런 적은 없었는디. 인자(이제) 다 틀렸어.

VFX _Solution
1. SET(대장선 격군실)
2. B1(세키부네)

C#30

격군들 B.S.
주위 격군들의 표정이 검게 사색이 된다.

C#31

김중걸, 수봉이 B.S.
김중걸, 딱딱딱… 이빨까지 떨리는데.

S#57 대장선 위기 1

대장선의 위기

91 CUTS

EXT

DAY

OPEN SET

C#1

왜병들 그룹쇼트

타타타탕! 빠르게 접근하며 조총을 난사하는 세키부네들!

VFX _Solution

1. A2(세키부네)

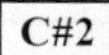
C#2

총탄 C.U.

수백 발의 총탄이 날아온다.

VFX _Solution

1. A2(세키부네)

C#3

대장선 선체 TIGHT F.S.

근접한 거리의 조총들은 훨씬 위압적이다.

대장선의 선체가 벌집을 만들듯 온통 구멍이 뚫린다.

VFX _Solution

1. B1(대장선)

C#4

조선 병사들 그룹쇼트

여장 앞 방패와 여장 밑에 꼭 붙어 숨을 죽이고 있는 조선 병사들….

VFX _Solution

1. A1(대장선)

C#5

조선 병사 B.S.

여장 앞 방패와 여장 밑에 꼭 붙어 숨을 죽이고 있는 조선 병사.

VFX _Solution

1. A1(대장선)

C#6

옥형 F.S. FOLLOW

옥형, 어두운 격군실 계단을 지나 문을 박차고 마침내 햇살이 내리쬐이는 갑판 위로 올라서면,

격렬한 조총 소리들과 일부 쓰러지는 군사들이 보이고,

VFX _Solution

1. A1(대장선)

C#7

옥형 F.S. / 부감

옥형 F.S.

VFX _Solution

1. A1(대장선)

C#8

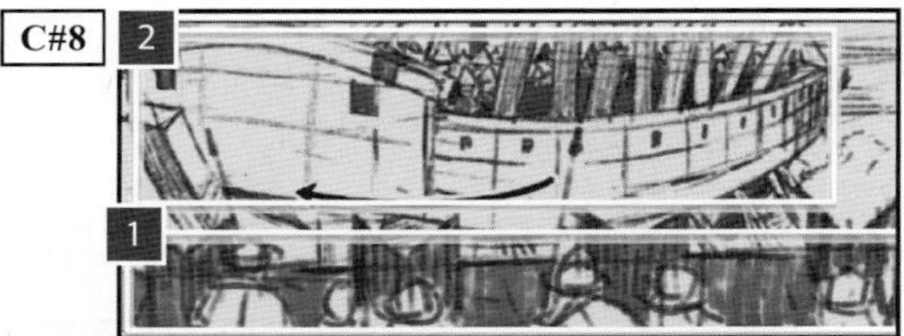

대장선 O.S. 세키부네

어느새 지근거리까지 육박해온 3척의 세키부네.

VFX _Solution

1. A1(대장선)
2. B1(세키부네 2대)

C#9

왜병들 그룹쇼트

가면 쓴 에히메 왜병들의 살기 가득한 표정들이 눈앞에 펼쳐지는데.

VFX _Solution

1. A2(세키부네)

C#10

조총 C.U.

조총수들이 백병전을 위해 다시 일제히 엄호사격을 하고.

VFX _Solution

1. A2(세키부네)

C#11

왜병들 그룹쇼트

갈고리를 돌리는 왜병들.

VFX _Solution

1. A3(대장선/세키부네)

C#12

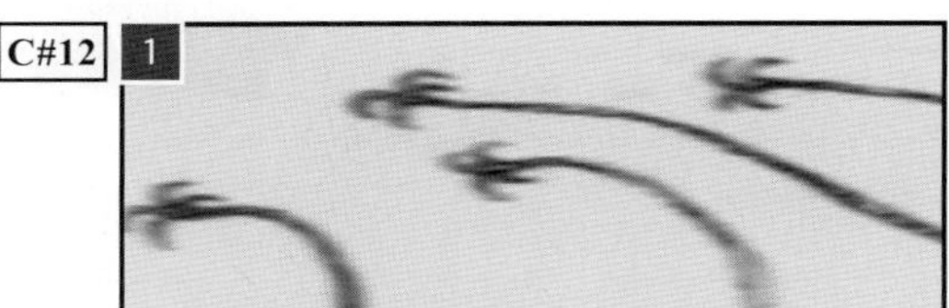

갈고리 C.U.

공중에 도는 갈고리.

VFX _Solution

1. A3(대장선/세키부네)

C#13

세키부네 O.S. 대장선

갈고리를 거는 왜병들.

VFX _Solution

1. A3(대장선/세키부네)

C#14

대장선 SIDE F.S.

대장선에 걸리는 갈고리.

VFX _Solution

1. A3(대장선/세키부네)

S#57 대장선 위기 1

대장선의 위기

91 CUTS

EXT

DAY

LOCATION

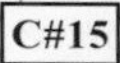
C#15 1

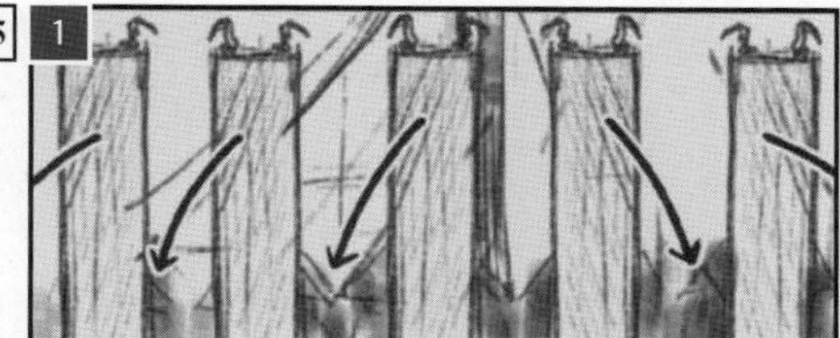

널판지 F.S. -> 세키부네 F.S.
방패 삼은 널판지가 떨어지고.

1

보여지는 세키부네에 탄 왜병들.

VFX _Solution

1. A3(대장선/세키부네)

C#16 1

나대용 TIGHT F.S.
화포를 준비시키고.

VFX _Solution

1. A3(대장선/세키부네)

C#17 1

나대용, 화포 부관 B.S.
이순신을 바라보는 나대용.

VFX _Solution

1. A3(대장선/세키부네)

C#18 1

이순신 B.S.
적선을 보는 이순신.

VFX _Solution

1. A3(대장선/세키부네)

S#57 대장선 위기 1

대장선의 위기 91 CUTS  EXT  DAY  OPEN SET

C#19 1

왜병들, 조선 수군 TIGHT F.S. / 이순신 P.O.V .
이순신 시점으로 보이는 월선하는 왜병들.

VFX _Solution
1. A3(대장선/세키부네)

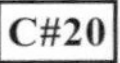 1

이순신 C.U.

이순신 지금이다!

VFX _Solution
1. A3(대장선/세키부네)

C#21 1

화포 C.U.
퍼엉! 갑자기 대장선 천자총통에서 작렬하는 조란탄!

VFX _Solution
1. A3(대장선/세키부네)

C#22 1

화포 C.U.
퍼엉! 갑자기 대장선 천자총통에서 작렬하는 조란탄!

VFX _Solution
1. A3(대장선/세키부네)

C#23 1

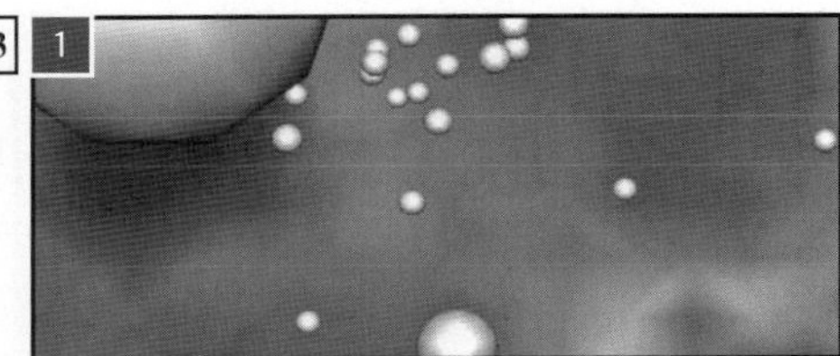

조란탄 C.U.
퍼엉! 갑자기 대장선 천자총통에서 작렬하는 조란탄!

VFX _Solution
1. F(Full 3D)

C#24 1

왜병 C.U.
놀라는 왜병.

VFX _Solution
1. A3(대장선/세키부네)

C#25 1

세키부네 O.S. 대장선
세키부네로 쏟아지기 시작하는 조란탄.

VFX _Solution
A3(대장선/세키부네)
**C#25.26.27.28 동시 진행

C#26 1

세키부네 F.S. / 부감 TRACKING
파바바박! 수천 발의 쇠구슬이 날아가 적선 위의 왜병들을 순식간에 벌집으로 만든다.

VFX _Solution
1. A3(대장선/세키부네)
**C#25,26,27,28 동시 진행

C#27

세키부네 F.S. / SIDE TRACKING
파바바박! 수천 발의 쇠구슬이 날아가 적선 위의 왜병들을 순식간에 벌집으로 만든다.

VFX _Solution

1. A3(대장선/세키부네)
**C#25,26,27,28 동시 진행

C#28

세키부네 F.S. / 왜병들 뒷부F.S. / TRACKING
파바바박! 수천 발의 쇠구슬이 날아가 적선 위의 왜병들을 순식간에 벌집으로 만든다.

VFX _Solution

1. A3(대장선/세키부네)
**C#25,26,27,28 동시 진행

C#29

조선 수군 그룹쇼트
더불어 일제히 일어나 화살을 쏘는 조선 수군들.

VFX _Solution

1. A3(대장선/세키부네)

C#30

조선군 O.S. 왜병들
더불어 일제히 일어나 화살을 쏘는 조선 수군들.

VFX _Solution

1. A3(대장선/세키부네)

C#31

왜병들 O.S. 대장선
나머지 월선을 준비하던 왜병들이 화살에 맞고 쓰러진다.

VFX _Solution

11. A3(대장선/세키부네)

C#32

화살을 쏘는 조선군들 -> TILT DOWN
화살을 쏘고

TILT DOWN -> 화포수들
화포를 준비하는 조선 군사들.

VFX _Solution

1. A3(대장선/세키부네)

C#33

세키부네 O.S. 대장선
쿠웅~ 완구(비격진천뢰를 쏘는 도구)에서 날아가는 비격진천뢰까지….

VFX _Solution

1. A3(대장선/세키부네)

C#34 1

세키부네 F.S. / 부감
콰앙~ 배 위에서 떨어지는 비격진천뢰.

VFX _Solution
1. A3(대장선/세키부네)

C#35 1

왜병들 B.S. / 앙각
놀라는 왜병들.

VFX _Solution
1. A3(대장선/세키부네)

C#36 1

세키부네 F.S.
콰앙~ 배 위에서 또르르 구르던 비격진천뢰가 터진다.

VFX _Solution
1. A3(대장선/세키부네)

C#37 1

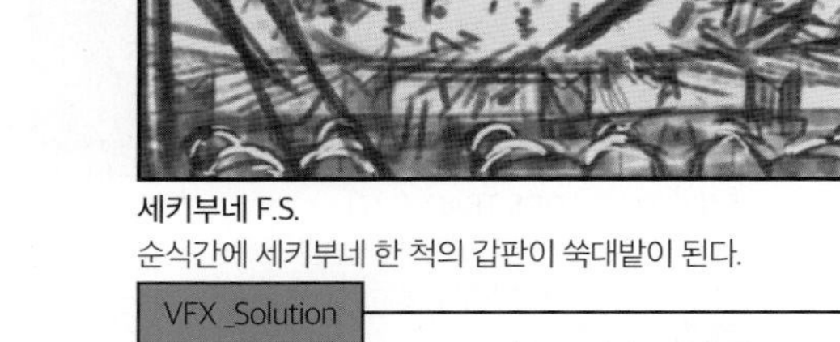

세키부네 F.S.
순식간에 세키부네 한 척의 갑판이 쑥대밭이 된다.

VFX _Solution
1. A3(대장선/세키부네)

C#38 1

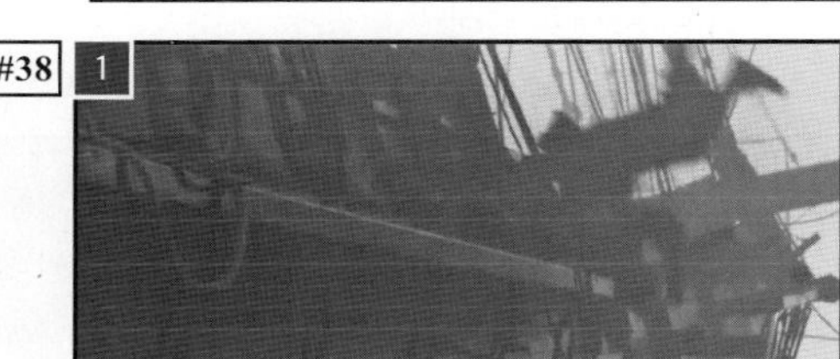

세키부네 F.S. / 앙각
순식간에 세키부네 한 척의 갑판이 쑥대밭이 된다.

VFX _Solution
1. B2(세키부네)

C#39

이순신 B.S.
적선의 상황을 보는 이순신.

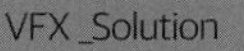

VFX _Solution
1. A3(대장선/세키부네)

C#40 1

대장선 O.S. 세키부네 / TRACING
순식간에 놓아지는 사다리 판대기 너머로 밀려오는 왜병들.
긴 칼과 낫으로 갈고리 줄을 끊어보지만 역부족!

VFX _Solution
1. A3(대장선/세키부네)

C#41 1

세키부네 O.S. 대장선/ 암각
다시 월선하는 왜병들.

VFX _Solution

1. A3(대장선/세키부네)

C#42 1

왜병 O.S. 준사
준사와 수군들이 선수(뱃머리)쪽 방어에 나서고,

VFX _Solution

1. A3(대장선/세키부네)

C#43 1

혜희, 왜병들 F.S. / 부감 TRACKING
혜희의 승병 부대가 좌현 쪽에서 왜병들과 맞선다.

VFX _Solution

1. A3(대장선/세키부네)

C#44 1

혜희 B.S.
혜희의 승병 부대가 좌현 쪽에서 왜병들과 맞선다.

VFX _Solution

1. A3(대장선/세키부네)

C#45 1

승병들 O.S. 왜병들
혜희의 승병 부대가 좌현 쪽에서 왜병들과 맞선다.

VFX _Solution

1. A3(대장선/세키부네)

C#46

이순신 M.S.

급기야 사부들과 더불어 활을 들어 쏘는 이순신….

VFX _Solution

1. A3(대장선/세키부네)

C#47

왜병들 그룹쇼트

이순신의 활에 왜병 하나가 쓰러진다.

VFX _Solution

1. A3(대장선/세키부네)

C#48

대장선, 세키부네 TIGHT F.S. / 암각

이순신의 활에 왜병 하나가 쓰러진다.

VFX _Solution

1. A3(대장선/세키부네)

C#49

세키부네, 대장선 F.S. / 부감

하지만 계속 달려드는 왜병들.

VFX _Solution

1. A3(대장선/세키부네)

C#50

조선군, 왜병들 그룹쇼트

에히메 군사들이 굶주린 하이에나처럼 거침없이 덤벼든다.

VFX _Solution

1. A3(대장선/세키부네)

C#51

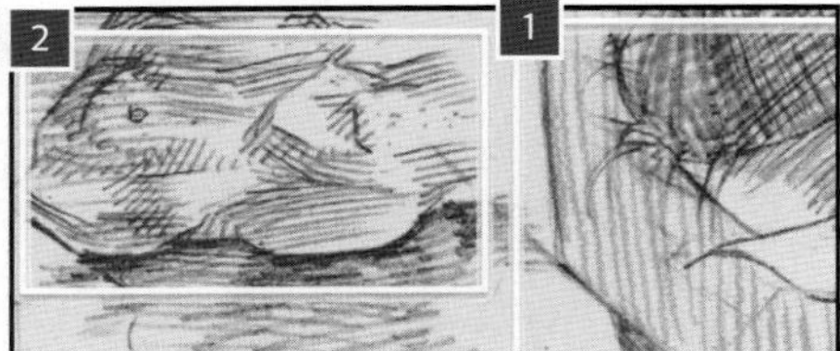

황보만 O.S. 암초

황보만 너머 보이는 암초.

VFX _Solution

1. SET(대장선 격군실)
2. 배경소스(암초)

C#52

황보만 F.S.

암초를 보는 황보만.

VFX _Solution

1. B1(대장선)

C#53

황보만 B.S.

황보만 기운 내! 노를 저어라! 암초까지 밀려서는 안 된다!

VFX _Solution

1. SET(대장선 격군실)
2. 배경소스(암초)

C#54

격군실 F.S.

어지러운 조총 소리와 함께 적선들이 붙자, 대장선이 무거워지며 대혼란에 휩싸이는 격군들.

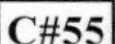

C#55

대장선 TIGHT F.S. / 수중

허나 엎친 데 덮친 격, 묵직해진 대장선은 피섬 근처의 암초까지 떠밀리며 위협에 빠지는데,

VFX _Solution

1. D(대장선_수중촬영)
-노 젓기

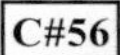

C#56

대장선 F.S. / 부감

그것들에 부딪치지 않으려 사력을 다해 노를 젓는 격군들.

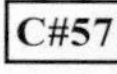

C#57

조선 격군 F.S. / LA

그것들에 부딪치지 않으려 사력을 다해 노를 젓는 격군들.

C#58

김중걸, 수봉이 M.S.

그것들에 부딪치지 않으려 사력을 다해 노를 젓는 김중걸과 수봉이.

C#59

황보만, 격군들 F.S.

암초를 밀어내는 황보만과 격군들.

VFX _Solution

1. B2(대장선)
2. 배경소스(암초)

C#60

대장선 TIGHT F.S. / 수중

격군들의 노가 암초에 부딪치며 마구 부러져나가며 가까스로 암초를 비켜나가는데.

VFX _Solution

1. D(대장선_수중촬영)
-노 젓기

C#61

대장선, 세키부네 WIDE F.S. / 부감

와아~ 마구 넘어오는 왜병들과 그들을 막아내는 수군들의 사투.

VFX _Solution

1. B1(대장선/세키부네 2척_분리촬영)

C#62

대장선 O.S. 세키부네

후미의 승병 부대가 짐승 같은 에히메 군사들을 야수처럼 막아내고.

VFX _Solution

1. A3(대장선/세키부네)

C#63 1

승병 부대, 왜병들 F.S. / TRACKING
승병 부대와 왜병 사이의 대결은 한마디로 야생의 대혈전!

VFX _Solution
1. A3(대장선/세키부네)

C#64 1

근접 거리에서 조총에 손목을 맞은 승병은 손목이 떨어져나간다.

VFX _Solution
1. A3(대장선/세키부네)

C#65 1

오둑이 B.S.
오둑이 심한 충격에 그대로 기절해버리고….

VFX _Solution
1. A3(대장선/세키부네)

C#66 1

조선군, 왜병들 그룹쇼트
선수 쪽 수군들이 열세를 면치 못하고 있다.

VFX _Solution
1. A3(대장선/세키부네)

C#67 1

혜희, 옥형 B.S.

혜 희 (역시 선수 쪽 상황을 보고, 옥형에게) 옥형! 뱃머리 쪽을 지원하게!

옥 형 예!

VFX _Solution
1. A3(대장선/세키부네)

C#68 1

대장선 F.S.
승병 몇 명을 데리고 선수로 달려가는 옥형.

VFX _Solution
1. A3(대장선/세키부네)

C#69 1

이순신 F.S.
장루에서 급히 내려온 이순신이 송희립, 준사와 함께 직접 지원에 나섰다.

VFX _Solution
1. A3(대장선/세키부네)

C#70 1

이순신 F.S.

장루에서 급히 내려온 이순신이 송희립, 준사와 함께 직접 지원에 나섰다.

VFX _Solution

A3(대장선/세키부네)

C#71 1

이순신 F.S.

하지만 선수 쪽이 여전히 강하게 밀린다. 이순신조차 위기다.

VFX _Solution

1. A3(대장선/세키부네)

C#72 1

왜병들 그룹쇼트

와아~ 이때 엎친 데 덮친 격으로 또 다른 적선이 좌측 후면 쪽으로 붙으며 갈고리를 걸어 당긴다.

VFX _Solution

1. A3(대장선/세키부네)

C#73 1

세키부네 O.S. 대장선

와아~ 이때 엎친 데 덮친 격으로 또 다른 적선이 좌측 후면 쪽으로 붙으며 갈고리를 걸어 당긴다.

VFX _Solution

1. A3(대장선/세키부네)

C#74 1

왜병들 그룹쇼트

동시에 일제히 대장선의 갑판 위로 떨어지는 왜병들의 포락들 (심지에 불붙인 일종의 수류탄)과

VFX _Solution

1. A3(대장선/세키부네)

C#75 1

왜병 O.S. 대장선

동시에 일제히 대장선의 갑판 위로 떨어지는 왜병들의 포락들 (심지에 불붙인 질종의 수류탄)과

VFX _Solution

1. A3(대장선/세키부네)

C#76 1

왜병들 그룹쇼트

연이어 쏘아지는 대통(조총의 5배 정도의 총구와 탄환)의 거대한 총알들….

VFX _Solution

1. A3(대장선/세키부네)

C#77 1

대장선 갑판 F.S.

순식간에 치솟는 연기와 화염이 대장선을 휩싼다.

VFX _Solution

1. A3(대장선/세키부네)

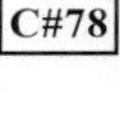

대장선 갑판 F.S.

순식간에 치솟는 연기와 화염이 대장선을 휩싼다.

VFX _Solution

1. A3(대장선/세키부네)

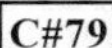

도도, 가토 O.S. 울돌목

가 토 구루지마가 승기를 잡았습니다. 이순신이 오래 버틴 겁니다.

VFX _Solution

1. A4(도도 안택선)
2-1. B1(세키부네_분리촬영 2회)
2-2. B1(세키부네/대장선 백병전 소스)

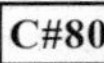

도도 B.S.

도 도 (관망하듯) 그런 것 같군.

VFX _Solution

1. A4(도도 안택선)

C#81

공황 병사 F.S.

공황에 빠진 한 병사가 울부짖으며 갑판 위를 휘적휘적….

병 사 다 죽을 거야. 다!

VFX _Solution

1. A3(대장선/세키부네)

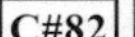

공황 병사 C.U.

휘익! 갑자기 왜군의 쇠갈고리가 공황 병사의 목을 잡아당긴다.

VFX _Solution

1. A3(대장선/세키부네)

공황 병사 TIGHT F.S.

공황 병사, 순식간에 딸려 넘어지며 화포용 횃불 통을 치고 나자빠지는데….

VFX _Solution

1. A3(대장선/세키부네)

C#84

공황 병사 F.S. / 부감

아뿔사! 주변엔 총통을 위한 화약과 질려통(조선식 수류탄)들까지 쌓여 있다.

VFX _Solution

1. A3(대장선/세키부네)

C#85

이순신 B.S.

이순신 (섬뜩)!

VFX _Solution

1. A3(대장선/세키부네)

C#86 1

준사,이순신 B.S.
준사가 빠르게 이순신을 감싸 안으며 갑판 위를 구른다.

VFX _Solution
1. A3(대장선/세키부네)

C#87 1

공황 병사 F.S.
콰쾅-! 하며 이내 큰 폭발을 일으키며 공황 병사가 흔적도 없이 사라지고

VFX _Solution
1. A3(대장선/세키부네)

C#88 1

대장선 갑판 TIGHT F.S.
좌측에 붙어 있던 적선조차 산산조각이 나고.
우리 수군과 왜군 몇몇이 불이 붙었다.

VFX _Solution
1. A3(대장선/세키부네)

C#89 1

이순신 C.U.
이순신의 귓가를 때리는 삐이~ 소리와 함께 도지는 현기증.

VFX _Solution
1. A3(대장선/세키부네)

C#90 1

대장선 갑판 F.S.
주변의 군사들 또한 모두 귀를 막고 괴로워하는데….

VFX _Solution
1. A3(대장선/세키부네)

C#91 1

구루지마 B.S.
구루지마 눈빛이 일순 크게 빛나고!

VFX _Solution
1. A4(구투지마 안택선)

S#58 후방 11척의 판옥선

대장선을 바라보는 후방 11척의 판옥선 11 CUTS

 EXT  DAY  OPEN SET

C#1

안위 O.S. 울돌목
후방 11척의 판옥선 시점,
대장선이 피섬과 화염에 둘러싸여 잘 보이지도 않는다.

VFX _Solution
1. A1(안위 판옥선)
2. A3(세키부네/대장선 백병전 소스)
3. C(울돌목)

C#2

안위 M.S. / L.A.

VFX _Solution
1. A1(안위 판옥선)

C#3

송여종 B.S.
묵묵히 그저 멍하니 지켜만 보고 있는 송여종.

VFX _Solution
1. A1 (송여종 판옥선)

C#4

김응함 B.S.
묵묵히 그저 멍하니 지켜만 보고 있는 김응함.

VFX _Solution
1. A1(김응함 판옥선)

C#5
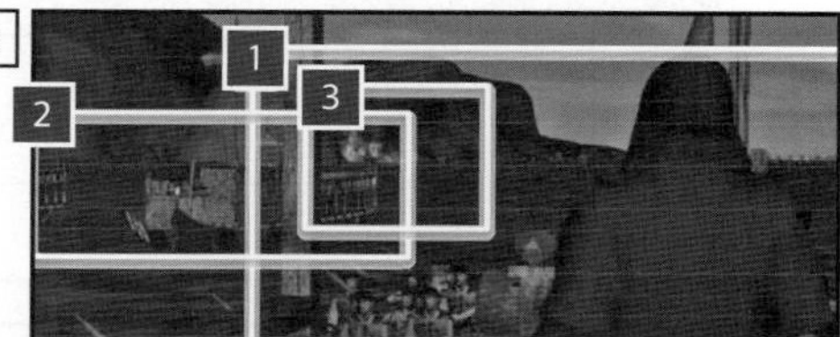

김억추 O.S. 울돌목
전방 판옥선을 바라보는 김억추의 뒷모습.

VFX _Solution
1. A1(김억추 판옥선)
2. B1(판옥선_분리촬영 2회)
3. A3(세키부네/대장선 백병전 소스)

C#6

김억추 B.S.
전전긍긍하던 김억추, 뭔가 결심한 듯 눈빛이 변한다.

VFX _Solution
1. A1(김억추 판옥선)

C#7

대장선, 세키부네 F.S. / 김억추 P.O.V.
김억추의 시점으로 보이는 대장선.

VFX _Solution
1. A3(세키부네/대장선 백병전 소스 촬영)

C#8

김억추 부장 O.S. 김억추

김억추 후퇴하자.

VFX _Solution
1. A1(김억추 판옥선)

C#9 1

김억추 O.S. 김억추 부장

김억추 부장 예? 다른 배들은 가만히 있는데요.

VFX _Solution

1. A1(김억추 판옥선)

C#10 1

김억추 O.S. 김억추 부장

김억추 더 볼 것도 없어. 끝났어.

VFX _Solution

1. A1(김억추 판옥선)

C#11 1

김억추 부장 B.S.

김억추 부장 …….

VFX _Solution

1. A1(김억추 판옥선)

S#59 대장선의 고육지책

좌현 쪽 화포를 집중시켜 세키부네를 폭파하는 대장선

43 CUTS

EXT DAY OPEN SET

C#1 1

이순신 B.S.

이순신, 애써 현기증을 추스르며 주변을 둘러보지만 이젠 사면이 모두 적들에게 포위.

VFX _Solution

1. A3(대장선/세키부네)

C#2 1

대장선 갑판 F.S. / 이순신 P.O.V.

이순신, 애써 현기증을 추스르며 주변을 둘러보지만 이젠 사면이 모두 적들에게 포위.

VFX _Solution

1. A3(대장선/세키부네)

C#3 1

이순신 B.S.

어디 한 곳 빠져나갈 틈이 보이지 않는다.

VFX _Solution

1. A3(대장선/세키부네)

C#4 1

화포 INSERT / 이순신 P.O.V.

절망스러운 이순신 눈앞에는 앞선 폭발로 인해 갑판 위 나뒹굴고 있는 화포들만이 보이는데.

VFX _Solution

1. A3(대장선/세키부네

C#5 1

이순신 C.U.

불현듯 그 화포들을 보며 뭔가 영감을 받는 이순신.

VFX _Solution

1. A3(대장선/세키부네)

C#6 1

이순신 M.S. / FOLLOW

이순신 (힘겹게 고함) 나대용! 나대용 어디 있는가!

전방에서 맹렬히 싸우고 있는 나대용의 모습, 듣지 못한다.

VFX _Solution

1. A3(대장선/세키부네)

C#7 1

힘겹게 다가가 나대용을 돌려세우는 이순신.

VFX _Solution

1. A3(대장선/세키부네

C#8 1

나대용, 이순신 2S M.S.

나대용 !

VFX _Solution

1. A1(대장선/세키부네)

C#9 1

나대용 O.S. 이순신

이순신 갑판 위 화포들을 모조리 격군실 좌노 쪽으로 옮겨 집중하려 한다. 그대 생각은 어떠한가? 되겠는가?

VFX _Solution

1. A3(대장선/세키부네)

C#10 1

이순신 O.S. 나대용

나대용, 잠시 멍해 있다가 문득 백병전 뒤편 어지러이 널린 화포들을 훑어보며,

나대용 (난색 주저) 그, 그러다 다 죽을 수도….

VFX _Solution

1. A3(대장선/세키부네)

C#11 

나대용 O.S. 이순신

이순신 (단호) 된다고 말하게!

VFX _Solution

1. A3(대장선/세키부네)

C#12 

이순신 O.S. 나대용

나대용 (결연) 예! 해보겠습니다!

VFX _Solution

1. A3(대장선/세키부네)

C#13 

화포 INSERT
(CUT TO)
콰앙!.계단 밑으로 우르르 쏟아져 내려오는 화포들!

C#14 

격군들 그룹쇼트
놀란 격군들이 돌아본다.

C#15 

나대용 M.S.
이어 격군실로 다짜고짜 내려오는 나대용과 군사들

나대용 (격군들에게) 즉시 좌측 놋구멍에 화포를 놓아라!

C#16 

김중걸, 수봉이 M.S.
모두 어리둥절! 나대용이 다시 고함을 지른다.

C#17 

나대용 M.S.

나대용 왼쪽 놋구멍에 화포들을 박아 넣으란 말이다! 어서!

C#18 

격군들 그룹쇼트 / 뒤 FOLLOW
화들짝 격군들, 허겁지겁 화포들을 옮기기 시작한다.

C#19 

병사들 O.S. 나대용

나대용 뒤를 단단히 받쳐라!

C#20 

군사들 그룹쇼트
화포의 뒤에 배 밑창을 하나 뜯어내고 버팀목을 끼워 넣어 단단하게 고정시키는 군사들.

C#21 

군사 TIGHT B.S.
화포의 뒤에 배 밑창을 하나 뜯어내고 버팀목을 끼워 넣어 단단하게 고정시키는 군사들.

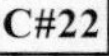

화포 C.U.

화포의 뒤에 배 밑창을 하나 뜯어내고 버팀목을 끼워 넣어 단단하게 고정시키는 군사들.

C#23

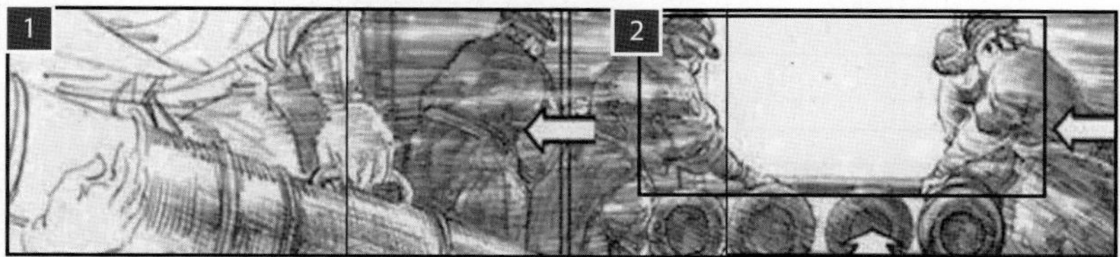

군사들 그룹쇼트 / TRACKING

좌노 쪽의 격군실 창을 좀 더 크게 뜯어내며 화포를 설치하는 군사들.

VFX _Solution

1. SET(대장선 격군실)
2. F(세키부네 합성)

C#24

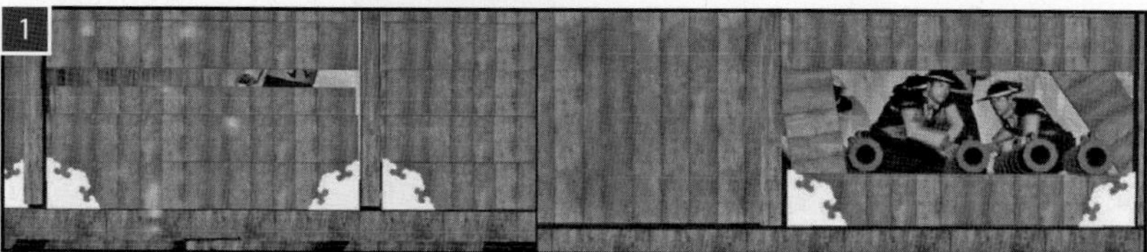

격군실 선체 TIGHT F.S. / TRACKING

좌노 쪽의 격군실 창을 좀 더 크게 뜯어내며 화포를 설치하는 군사들.

VFX _Solution

1. B1(대장선)

C#25

군사들 그룹쇼트

(CUT TO)

격군실 안 무기고, 포탄과 화약들을 마구 쓸어 담는 군사들….

C#26

격군실 문 앞 TIGHT F.S.

(CUT TO)

이순신 이하 송희립과 준사가 장루 밑 격군실 문 앞까지 밀렸다.

VFX _Solution

1. A3(대장선/세키부네)

C#27

송희립 B.S.
(CUT TO)
이순신 이하 송희립과 준사가 장루 밑 격군실 문 앞까지 밀렸다.

VFX _Solution
1. A3(대장선/세키부네)

C#28

준사 F.S. / 부감
(CUT TO)
이순신 이하 송희립과 준사가 장루 밑 격군실 문 앞까지 밀렸다.

VFX _Solution
1. A3(대장선/세키부네)

C#29

이순신 M.S. / L.A.

이순신 버텨야 한다!

VFX _Solution
1. A3(대장선/세키부네)

C#30

준사 M.S.
쌍칼의 준사와 이를 앙다문 송희립의 활약이 눈부신데….

VFX _Solution
1. A3(대장선/세키부네)

C#31

이순신 M.S.
고전하는 이순신.

VFX _Solution
1. A3(대장선/세키부네)

C#32

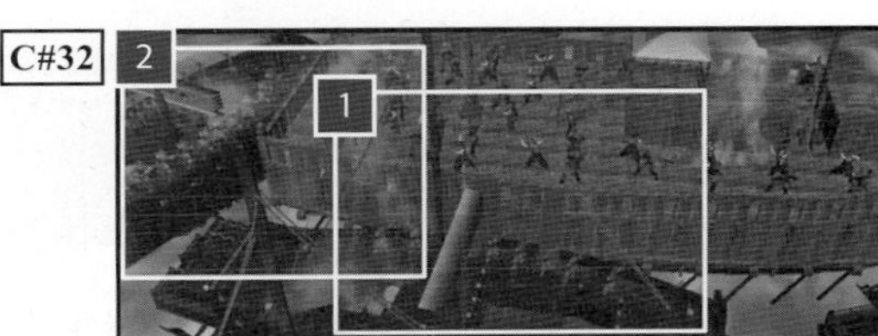

대장선 WIDE F.S.
(매우 느린 화면으로) 와아아~ 삼면에서 한꺼번에 몰려드는 무수한 적들이 마치 조선역 해전도의 한 장면처럼 꿈틀거리며 펼쳐지는데,

VFX _Solution
1. B1(대장선/세키부네)
2. B1(대장선/세키부네_분리촬영)

C#33

나대용 M.S.

나대용 (정속화면, 갑자기 격군실 밑에서 고함) 장군! 발포합니다!

C#34

이순신 M.S.

이순신 ! 모두 엎드려라!

VFX _Solution
1. A3(대장선/세키부네)

C#35 1

송희립 B.S.

이순신 ! 모두 엎드려라!

VFX _Solution

1. A3(대장선/세키부네)

C#36 1

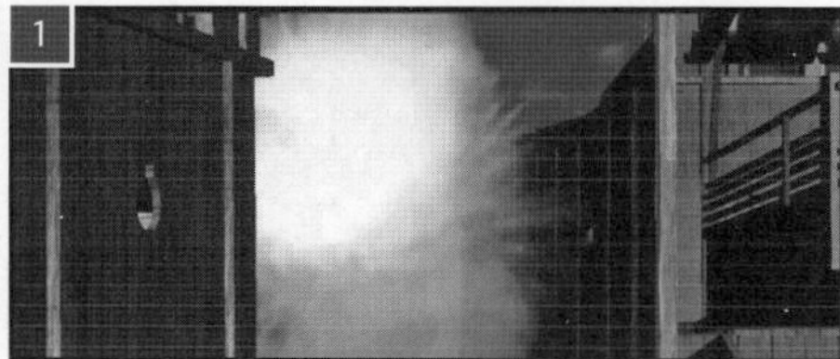

대장선 선체 TIGHT F.S.

퍼-펑! 격군실 좌현 쪽에서 일제히 발사되는 천자총통포들!

VFX _Solution

1. A3(대장선/세키부네)
2. B1(대장선 화포 소스)

*** C# 38,39,40,42 동시 진행

C#37 1

대장선 선체, 세키부네 갑판 TIGHT F.S.

퍼~펑! 격군실 좌현 쪽에서 일제히 발사되는 천자총통포들!

VFX _Solution

1. A3(대장선/세키부네)

*** C# 38,39,40,42 동시진행)

C#38

대장선, 세키부네 WIDE F.S.

대장선이 좌측 적선을 완전히 박살 내는 동시에 그 반동으로 우측으로 튕겨 나간다.

VFX _Solution

1. A3(대장선/세키부네)
2. A3(대장선/세키부네_분리촬영)

*** C# 38,39,40,42 동시진행

C#39

세키부네 격군실 F.S.

세키부네 격군실 안쪽에서 폭파가 밀려 들어온다.

C#40

대장선, 세키부네 WIDE F.S. / 부감

쿠웅! 순식간에 우측에 있던 적선을 여지없이 들이받는 대장선.

VFX _Solution

1. A3(대장선/세키부네)
2. A3(대장선/세키부네_분리촬영)

*** C# 38,39,40,42 동시진행

C#41 2

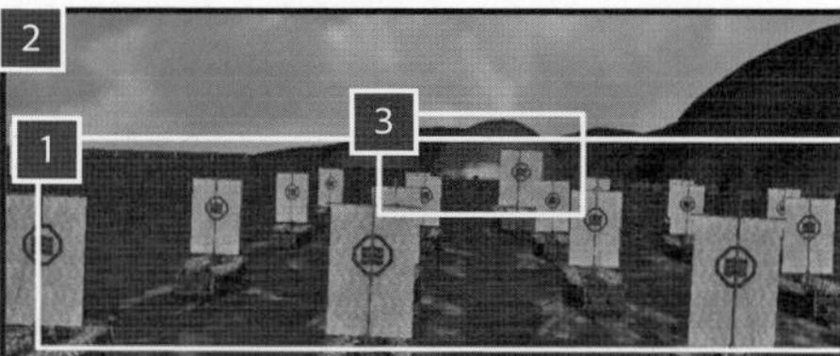

세키부네 O.S 대장선 WIDE F.S. / H.A.

멀리 피섬 쪽에서 강한 폭발과 연기가 가득 일어나고 천지를 울리는 폭발음.

VFX _Solution

1. B1(안택선/세키부네_분리촬영)
2. C(울돌목_옥타콥터 촬영)
3. A3(대장선/세키부네 소스)

C#42 1

와키자카 B.S.

(CUT TO)

와키자카가 자리에서 벌떡!

VFX _Solution

1. A4(와키자카 안택선)

C#43 1

도도, 가토 M.S.
(CUT TO)

도 도/가 토 !

VFX _Solution

1. A4(도도 안택선)

S#60 대장선의 위기 탈출

대장선의 위기 탈출 66 CUTS  EXT  DAY  OPEN SET

C#1

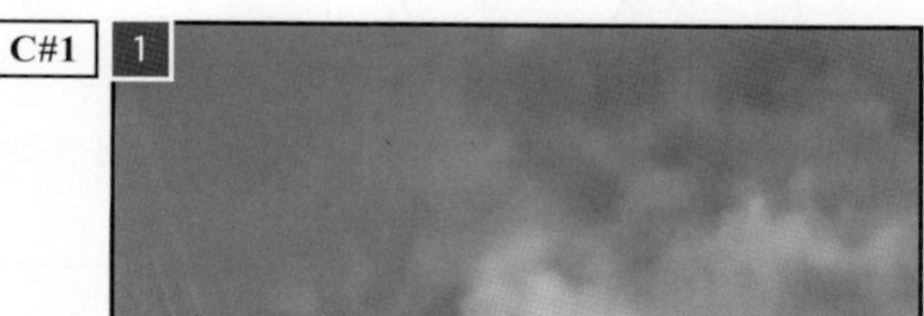

대장선 F.S. / 연기 속 대장선
자욱한 연기 속….
바다 위 떠다니는 파편들만 난무하고 아무것도 보이지 않는다.

VFX _Solution

1. A3(대장선/세키부네)

C#2

이회, 김 노인 B.S.

이 회 (탄식) 아버님….

C#3

와키자카 B.S.

와키자카 (허탈한) 이렇게… 끝난 건가….

VFX _Solution

1. A4(와키자카 안택선)

C#4

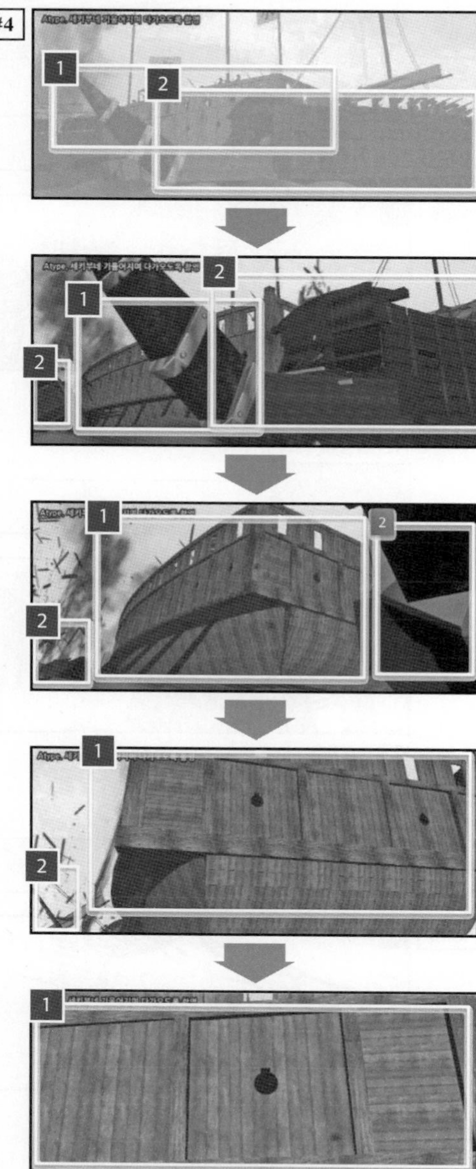

대장선 TIGHT F.S.
자욱한 연기 사이에서 갑자기 불타는 적선 한 척이 튕겨 나온다. 뒤이어 대장선이 파도 위로 출렁! 다시 나타난다!

VFX _Solution

1. A1(대장선_카메라 Moving으로 움직임 구현)
2. A2(세키부네_분리촬영)

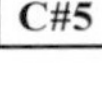

C#5 1

장졸들 그룹쇼트

순간, 후방 11척의 판옥선에서 모든 장졸들이 멍한 표정으로 쳐다보고 있다.

VFX _Solution

1. A1 (판옥선_분리촬영)

C#6 1

도도,가토 M.S.

(CUT TO)

멍한 얼굴의 도도와 가토.

VFX _Solution

1. A4(도도 안택선)

C#7 1

와키자카 B.S.

(CUT TO)

놀란 얼굴로 쳐다보는 와키자카,

VFX _Solution

1. A4(와키자카 안택선)

C#8 1

이순신 손 C.U.

(CUT TO)

연기 속에서… 누군가의 손이 꿈틀거린다.

VFX _Solution

1. A1(대장선)

C#9 1

이순신 눈 E.C.U.

(CUT TO)

연기 속에서… 누군가의 눈빛이 꿈틀! 살아 있음을 증명하는데,

VFX _Solution

1. A1(대장선)

C#10 1

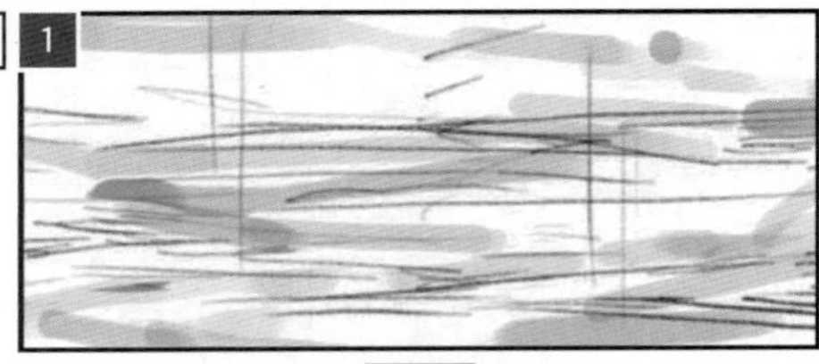

이순신 F.S.

차츰 드러나는 이순신의 얼굴!

VFX _Solution

1. A1(대장선)

C#11 1

김억추 M.S. / L.A.
입을 쩍 벌린 채 다물지 못하는 김억추.

VFX _Solution
1. A1(김억추 판옥선)

C#12 1

안위 B.S.
거의 울 것 같은 안위의 얼굴.

VFX _Solution
1. A1(안위 판옥선)

C#13 1

안위 판옥선 장루 F.S. -> BOOM DOWN
놀라 있는 안위와 병사들.

BOOM DOWN -> 안위 판옥선 격군실 외부
보이는 안위 격군실 격군들.

안위선 격군 1 (고함) 보인다! 보여! 대장선이 보인다! 대장선이 살아 있어!

VFX _Solution
1. B1(안위 판옥선)

C#14

안위 격군실 격군들 그룹쇼트
와아~! 격군들이 자신들도 모르게 모두 함성들을 내지른다!

C#15 1

대장선 갑판 군사들 그룹쇼트
(CUT TO)
대장선 위, 연기가 걷히며 제각각 주저앉아 있는 군사들의 면면이 보인다.

VFX _Solution
1. A1(대장선)

C#16 1

대장선 갑판 군사들 그룹쇼트
갑판 위에 태반의 왜군들이 떨어져나가고 그나마 있는 적들도 갈피를 못 잡고 있다.

VFX _Solution
1. A1(대장선)

C#17 1

송희립 O.S. 왜병
잔병들을 해치우는 송희립.

VFX _Solution
1. A1(대장선)

C#18 1

송희립 B.S.

송희립 (불끈) 남은 적들을 소탕하라!

VFX _Solution
1. A1(대장선)

C#19

대장선 군사들 그룹쇼트 / TRACKING

와아~! 남은 적들을 일거에 갑판에서 소탕해나가는 조선 군사들.
어느새 깨어난 오둑이 맨 앞장서고 있고….

VFX _Solution

1. A1(대장선)

C#20

산 위 민초들 뒷부 WIDE F.S. / 부감

(CUT TO)

산 위, 민초들의 표정이 달라졌다.

VFX _Solution

1. 로케이션(민초 산 위 촬영)
2-1. A1(대장선 소스촬영)
2-2. A2(세키부네 잔해 소스 촬영)

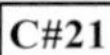
C#21

조태식 B.S.

절름발이 조태식이 부들부들… 주먹을 불끈!

C#22

조태식, 민초들 B.S.

맨 먼저 보자기에서 낫을 빼 들고 산 아래로 절뚝대며 뛰어 내려간다.

C#23

오계적 B.S.

곱추 오계적 역시 부들부들… 낫을 들고 뒤따라 뛰어 내려가고….

C#24

이회 O.S. 민초들

그 뒤를 마치 약속이라도 한 듯 조문용, 오극신 등 늙은 민초들까지 줄줄이 뛰어 내려간다.

C#25

이회 B.S.

산 아래로 내달려 내려가는 백성들을 보며 놀라는 이회의 얼굴.

C#26

안위 O.S. 안위 부장

(CUT TO)

안위의 부장이 갑자기 상기된 표정으로 외친다.

안위 부장 장군! 물살이 잦아듭니다! 물살이 바뀌려 하고 있습니다!

VFX _Solution

1. A1(안위 판옥선)

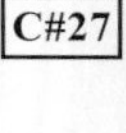
C#27

안위 B.S. / L.A.
안위, 바다를 보면 역류를 준비하는 물살이 크게 잦아들었다.

VFX _Solution
1. A1 (안위 판옥선)

C#28

바다의 물살 C.U. / 안위 P.O.V.
안위, 바다를 보면 역류를 준비하는 물살이 크게 잦아들었다.

VFX _Solution
1. B3(안위 판옥선)

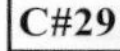
C#29

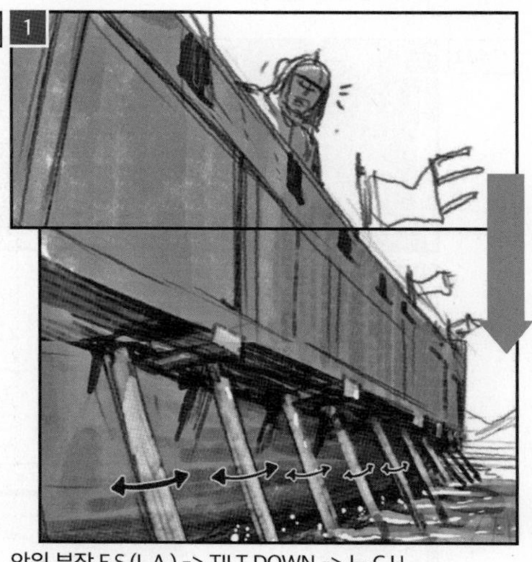

안위 부장 F.S.(L.A.) -> TILT DOWN -> 노 C.U.

안위 부장 (갑자기 놀라며) 장군! 그런데 우리 배가!

카메라 안위 부장 얼굴에서 TILT DOWN 되면 보이는 안위 판옥선의 저어지는 노.

VFX _Solution
1. B1(안위 판옥선)
-노 젓기

C#30

안위 B.S.
배가 뜻밖에 스스로 전진하고 있다. 놀라는 안위.

VFX _Solution
1. A1(안위 판옥선)

C#31

안위 격군실 / 안위의 격군 1 B.S.
맨 처음 환호했던 안위선 격군 1이 힘차게 노를 젓고 있다.

C#32

안위 격군실 / 격군들 C.U. / 앙각
안위의 배 격군들이 누구랄 것도 없이 스스로 노를 젓고 있다.

C#33

종 C.U.
격군실 종소리가 요란하게 울린다.

C#34

안위 격군실 격군장 B.S.
흘깃! 종을 올려다보는 안위 격군장.

C#35

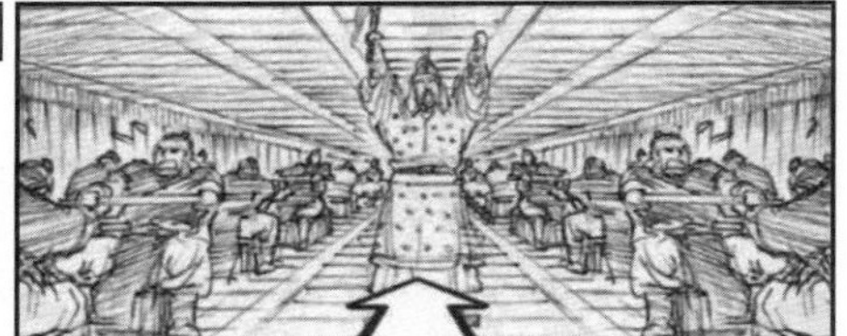

안위 격군실 F.S.
격군장, "어야 어야!" 힘차게 구령을 붙인다.

C#36

안위 격군실 격군들 그룹쇼트
힘차게 노를 젓는 안위 격군실의 격군들.

C#37

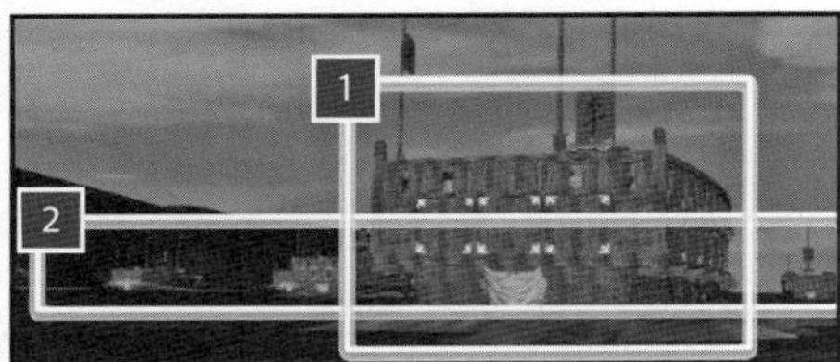

안위의 판옥선 F.S.
앞으로 나아가는 안위의 배.

VFX _Solution
1. B1(안위 판옥선 노 젓기)
2. B1(판옥선_분리촬영 2회)

C#38 1

안위의 손 C.U.
안위, 불끈! 여장을 쥐는 자신의 손에 본능적으로 힘이 들어감을 느낀다. 이제 손이 더 이상 떨리지 않는다.

VFX _Solution
1. A1(안위 판옥선)

C#39 1

안위 O.S. 안위 부장
손을 움켜잡는 안위.
격군실로 달려가려는 안위 부장을 부른다.

VFX _Solution
1. A1(안위 판옥선)

C#40 1

안위 부장 O.S. 안위
격군실로 달려가려는 부장에게 그대로 놔둘 것을 지시하는 안위.

VFX _Solution
1. A1(안위 판옥선)

C#41 1

안위 부장 C.U.
끄덕이는 안위 부장.

VFX _Solution
1. A1(안위 판옥선)

C#42 1

안위 O.S. 김응함
(안위의 옆으로 프레임인하는 김응함)
김응함이 안위에게 강한 교감의 시선을 던진다.

VFX _Solution
1. A1(안위 판옥선)
2. A1(김응함 판옥선)

C#43 1

김응함 B.S.
김응함이 안위에게 강한 교감의 시선을 던진다.

VFX _Solution
1. A1(김응함 판옥선)

C#44 1

안위 B.S.
김응함을 바라보는 안위.

VFX _Solution

1. A1(안위 판옥선)

C#45 1

안위 부장 O.S. 안위

안 위 (더욱 결연히 속도를 높여라!

안위 부장 (복창하며) 속도를 높여라!

VFX _Solution

1. A1(안위 판옥선)

C#46 1

안위의 판옥선 F.S. / 김응함의 판옥선 fr.in
이내 질세라 속도를 높이는 김응함의 판옥선, 두 척의 판옥선이 마침내 출렁이며 힘차게 나아간다.

VFX _Solution

1. B2(판옥선_분리촬영)
-노 젓기

C#47

이회 B.S. / ZOOM IN
(CUT TO)
눈시울이 뜨거워져 있는 이회….

C#48

회상/이회 O.S. 이순신
(CUT TO) 이회 회상, 대장선 숙실,

이순신 만일… 두려움을 용기로 바꿀 수만 있다면 말이다.

C#49

이순신 O.S. 이회

이 회 (상기된) …….

C#50

이순신 C.U.

이순신 그 용기는 백배 천배, 큰 용기로 배가되어 나타날 것이다.

C#51

이회 C.U.

이 회 (고개를 절레절레) 허나 아버님… 극한 두려움에 빠진 저들을 어떻게 그런 용기로 바꿀 수 있단 말입니까.

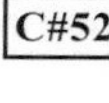

이순신 B.S.

이순신 …죽어야겠지. 내가.

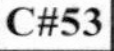

이순신 O.S. 이회

갑자기 묵직이 내뱉는 이순신의 말에 감히 말을 잇지 못하는 이회….

이순신 눈 E.C.U.

마주한 아버지의 괴물 같은 표정에 눈빛만이 떨릴 뿐인데….

C#55

이회 측면 C.U.

(CUT TO) 현재, 산꼭대기.

이 회 (절로 터져 나오는) 아, 아버님!

C#56

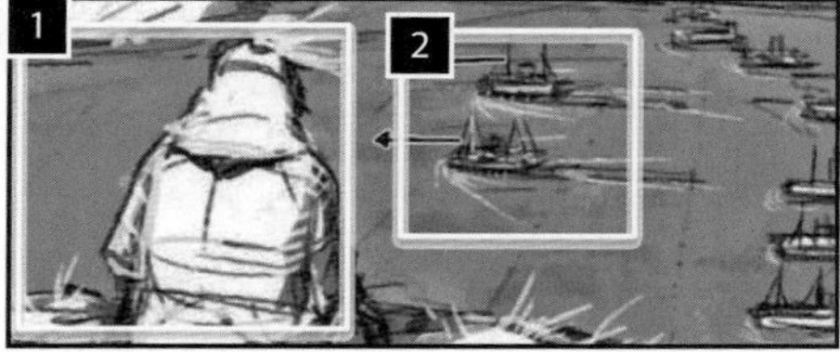

이회 O.S. 울돌목

전장을 바라보는 이회.

VFX _Solution

1. 로케이션(크로마 인물 촬영)
2. C(울돌목_더미 배)

C#57

이회 F.S. / 암각

주체할 수 없이 밀려오는 감정에 털썩! 무릎을 꿇는 이회.

C#58

도도, 가토 M.S.

(CUT TO)

도도와 가토의 표정이 싸늘하게 굳어졌다.

VFX _Solution

1. A4(구루지마 안택선)

C#59

대장선 O.S. 안위,김응함 판옥선

그들 눈에 조선 판옥선 두 척이 이순신의 대장선으로 다가오는 것이 보인다.

VFX _Solution

1. B1(대장선_소스 촬영)
2. C(울돌목_더미 배)

C#60

구루지마, 기무라 B.S.

(CUT TO)

구루지마의 안택선, 기무라 분투를 삼키며 어쩔 줄 모르고 있는데,

기무라 fr.out

VFX _Solution

1. A4(구루지마 안택선)

기무라 B.S.
기무라 fr.in

기무라 장군! 물살이 바뀌고 있습니다!

VFX _Solution

1. A4(구루지마 안택선)
2. B1(세키부네)
-노 젓기

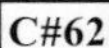

구루지마 C.U.
구루지마만은 오히려 차가운 미소를 띤다.

구루지마 알고 있다.

VFX _Solution

1. A4(구루지마 안택선)

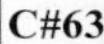

GK 구루지마 B.S.

구루지마 앞서 출동한 배들을 불러들이고 진열을 재정비해라!

VFX _Solution

1. A4(구루지마 안택선)

C#64

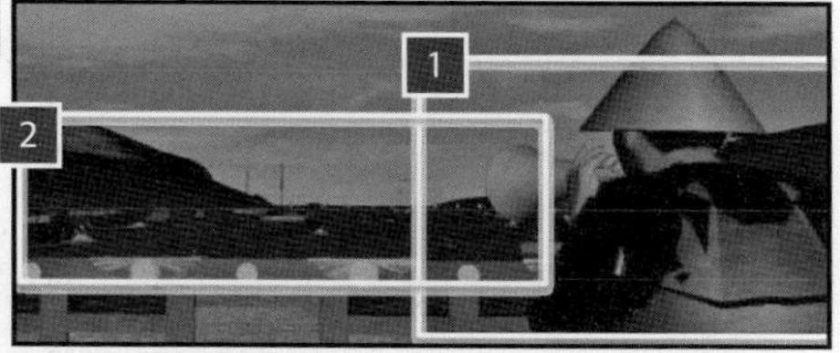

나팔수 O.S. 대장선
이어지는 짧게 반복되는 쇠나팔 소리와 깃발!
앞서 살아남은 배들이 빠르게 구루지마 본선 주위로 몰려들며 재차 진열을 갖추기 시작하는데….

VFX _Solution

1. A4(구루지마 안택선)
2. B1(세키부네_분리촬영 2회)

C#65

구루지마 O.S. 하루

구루지마 (나직이 하루에게) 네가 나서줘야겠다.

VFX _Solution

1. A4(구루지마 안택선)

C#66

하루 O.S. 구루지마
하루가 마침내 빠르고 조용히 지휘실을 빠져나간다.

VFX _Solution

1. A4(구루지마 안택선)
2. B1(세키부네_분리촬영)

S#61 세워지는 초요기

세워지는 초요기 48 CUTS  EXT DAY  OPEN SET

C#1

돛대 O.S. 태양
돛대 너머 태양으로 시간을 가늠하는 이순신.

VFX_Solution
1. A1(대장선)

C#2

적선들 WIDE F.S.
뿌우~ 다시 긴 쇠나팔 소리.
적들이 겹겹이 재차 진열을 갖추고 돌격해 들어온다.

VFX_Solution
1. A1(대장선)
2. B1(안택선/세키부네_분리촬영)

C#3

이순신 B.S.
갑판 위, 차갑게 적진을 쳐다보고 있는 이순신….

VFX_Solution
1. A1(판옥선)

C#4

이순신 F.S. / 송희립 fr.in
송희립이 다급히 뛰어온다.

송희립 장군… 격군실에 급보입니다.

VFX_Solution
1. A1(대장선)
2. B1(안택선/세키부네_분리촬영)

C#5

이순신 O.S. 송희립

송희립 조금 전 충격으로 배에 물이 차올라 기동력이 많이 떨어질 거라 하옵니다.

VFX_Solution
1. A1(대장선)

C#6

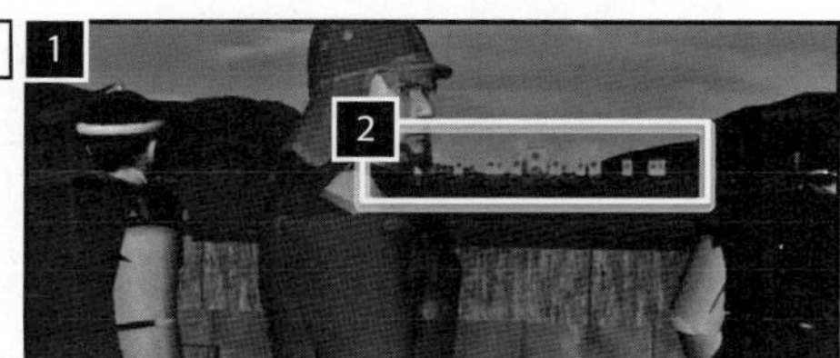

이순신 B.S.
이순신, 뒤를 돌아본다. 두 척의 판옥선이 다가오고 있다.

VFX_Solution
1. A1(대장선)
2. B1(안택선/세키부네_분리촬영)

C#7

울돌목 WIDE F.S. / 판옥선들 F.S. / 이순신 P.O.V.
이순신, 뒤를 돌아본다. 두 척의 판옥선이 다가오고 있다.

VFX_Solution
1. B1(안위/김응함 판옥선_분리촬영)
2. C(울돌목_더미 배)

C#8

송희립 O.S. 이순신

이순신 (마침내) 초요기를 세워라!

VFX_Solution
1. A1(대장선)

C#9 1

이순신 O.S. 송희립
예! 장군! 송희립이 직접 장루 쪽으로 뛰어간다.

VFX _Solution
1. A1(대장선)

C#10 1

송희립 O.S. 이순신
fr.out 송희립.

VFX _Solution
1. A1(대장선)

C#11 1

송희립 B.S.
장루 쪽으로 뛰어가는 송희립.

VFX _Solution
1. A1(대장선)

C#12 1

Tilt down

Tilt down

초요기 C.U. -> TILT DOWN -> 송희립 B.S.
그런데…
탕! 헉! 갑자기 어깨를 맞고 깃발을 놓칠 뻔하는 송희립.

VFX _Solution
1. A1(대장선)

C#13 1

초요기 INSERT
급하강하는 초요기.

VFX _Solution
1. A1(대장선)

C#14 1

송희립 O.S. 군사들
놀라는 사람들….

VFX _Solution
1. A1(대장선)

C#15 1

이순신 B.S.
놀라는 이순신.

VFX _Solution
1. A1(대장선)

C#16 1

병사 F.S.
송희립에게 달려가다 하루의 총탄에 맞고 쓰러지는 병사.

VFX _Solution
1. A1(대장선)

C#17 1

병사 TIGHT F.S.
송희립에게 달려가다 하루의 총탄에 맞고 쓰러지는 병사.

VFX _Solution
1. A1(대장선)

C#18 1

이순신 B.S.
장루 천자포 앞에서 빠르게 적진을 살피는 이순신.

VFX _Solution
1. A1(대장선)

C#19 1

left pan end

Panning

1

1

하루 FOLLOW / 하루 B.S.
안택선 2층 누각 안 하루다.
하루가 새로운 조총을 받아들고 시야를 좀 더 깨끗하게 확보하기 위해 옆으로 이동.

VFX _Solution
1. A4(구루지마 안택선)

C#20 1

하루 B.S.
햇살이 비추는 양지 쪽 다시 조준하는 하루의 시선 속,

VFX _Solution
1. A4(구루지마 안택선)

C#21 2

총구 O.S. 대장선

VFX _Solution
1. A4(구루지마 안택선)
2. C(울돌목)
3. B1(대장선 소스 촬영)

C#22 1

송희립 B.S.
송희립이 다시 초요기를 올리고 있다.

VFX _Solution
1. A1(대장선)

C#23 1

노리쇠 C.U.
탁! 하루, 다시 방아쇠를 당겨 노리쇠에 불이 붙는데,

VFX _Solution
1. A4(구루지마 안택선)

C#24

회오리 INSERT
문득 작은 회오리 하나가 구루지마 선단 밑을 파고들듯 스쳐 지나간다.

VFX _Solution
1. B1(구루지마 안택선)
-노 젓기

C#25 1

하루 B.S.
배가 흔들! 조준 중인 하루의 총구(긴 총열의 조총)가 살짝 흔들리며 다시 자세를 잡고 타앙 발사.

VFX _Solution
1. A4(구루지마 안택선)

C#26 1

송희립 허벅지 C.U.
퍼억! 송희립의 허벅지에 총탄이 박힌다.

VFX _Solution
1. A1(대장선)

C#27 1

송희립 M.S.
헉! 휘청하지만 계단 난간을 잡고 기어이 버티는 송희립.

VFX _Solution
1. A1(대장선)

C#28 1

이순신 C.U.
그 순간 이순신, 멀리 적의 대장선인 안택선 2층 누각 쪽에서 반짝이는 뭔가를 발견했다.

VFX _Solution
1. A1(대장선)

C#29 1 2

안택선 WIDE F.S.

VFX _Solution
1. A1(대장선)
2. B1(안택선/세키부네_분리촬영)

C#30 1

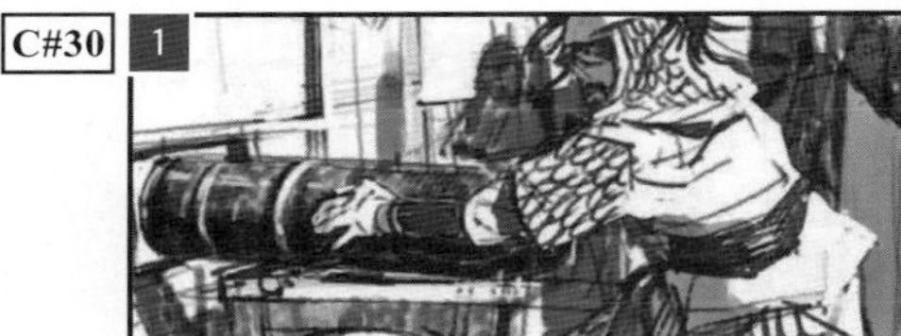

이순신 M.S.
이순신, 급히 천자포 하나를 직접 조작해 방향을 돌린다.

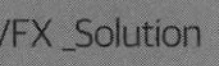

VFX _Solution
1. A1(대장선)

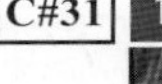

C#31 1

이순신 O.S. 나대용

나대용 !

VFX _Solution
1. A1(대장선)

C#32 1

송희립 F.S. / 하루 P.O.V.
하루의 조준 시야로 송희립이 또렷이 드러난다.

VFX _Solution
1.A1(대장선)

C#33 1

하루 C.U.
조준하는 하루.

VFX _Solution
1. A4(구루지마 안택선)

C#34 1

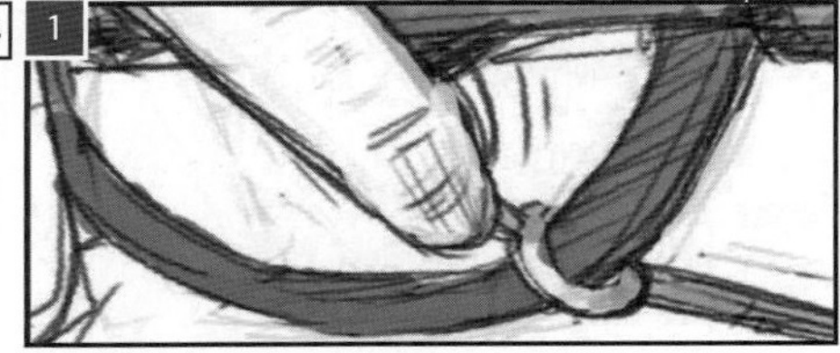

하루 손 C.U.
하루의 검지가 방아쇠를 당기는 찰나!

VFX _Solution
1. A4(구루지마 안택선)

C#35 1

하루 시점 / 포탄 C.U.
펑! 일순 근처 바다로 떨어진 포탄의 물결이 치솟아 하루의 시야를 가로막는다.

VFX _Solution
1.A1(대장선)

C#36 1 2

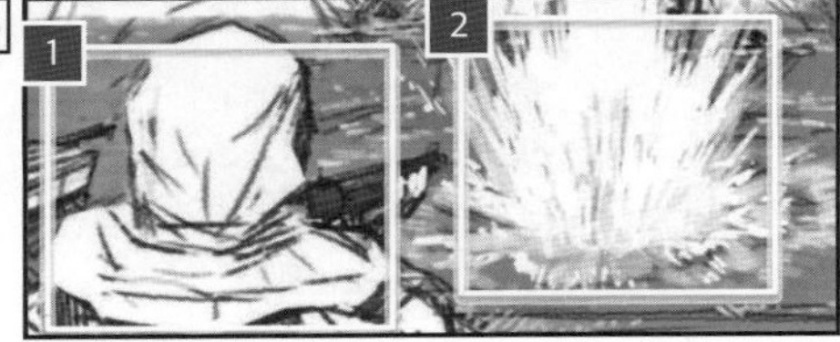

하루 O.S. 울돌목
펑! 일순 근처 바다로 떨어진 포탄의 물결이 치솟아 하루의 시야를 가로막는다.

VFX _Solution
1. A4(구루지마 안택선)
2. 물기둥 소스

C#37 1

하루 B.S.

하 루 (일그러지는 표정) !

VFX _Solution
1. A4(구루지마 안택선)

C#38 1

이순신 F.S.
이순신이 천자포를 쏘았다.
포를 쏜 이순신이 장루 쪽을 쳐다보면,

VFX _Solution
1. A1(대장선)

C#39 1

송희립 F.S.
송희립이 장루 위에 초요기를 거는 데 성공했다.

VFX _Solution
1. A1(대장선)

C#40 1

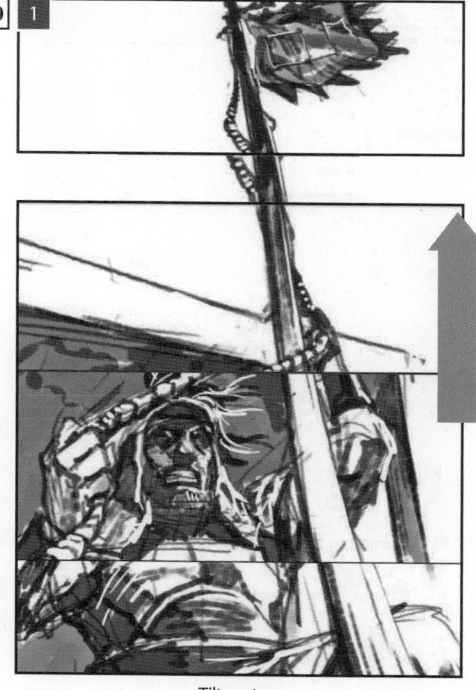

송희립 B.S. -> TILT UP -> 초요기 C.U.
송희립이 장루 위에 초요기를 거는 데 성공했다.

VFX _Solution
1. A1(대장선)

C#41 1

하루 B.S.
상기된 표정의 하루가 빠르게 창가를 빠져나와 누각을 딛고 어딘가로 다시 이동한다.

VFX _Solution
1. A4(구루지마 안택선)

C#42 1

하루 B.S.
상기된 표정의 하루가 빠르게 창가를 빠져나와 누각을 딛고 어딘가로 다시 이동한다.

VFX _Solution
1. A4(구루지마 안택선)

C#43 1

하루 F.S.
상기된 표정의 하루가 빠르게 창가를 빠져나와 누각을 딛고 어딘가로 다시 이동한다.

VFX _Solution
1. A4(구루지마 안택선)

C#44 2 1

하루 B.S.
상기된 표정의 하루가 빠르게 창가를 빠져나와 누각을 딛고 어딘가로 다시 이동한다.

VFX _Solution
1. A4(구루지마 안택선)
2. B1(세키부네_분리촬영)

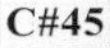

C#45

하루 F.S.
지붕 위로 올라가는 하루.

VFX_Solution

1. A4(구루지마 안택선)

C#46

김 노인 B.S.
산 위의 김 노인 표정이 잔뜩 상기되어 있다.

C#47

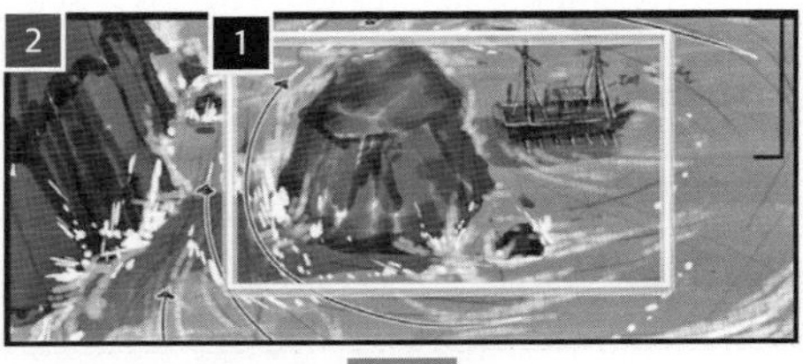

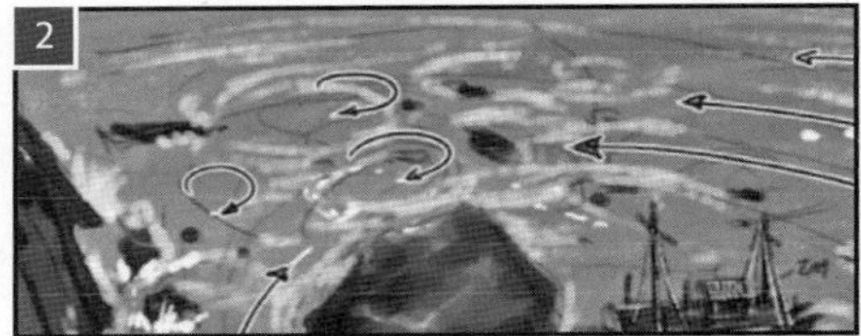

울돌목 WIDE F.S.
그런데 그의 시선이 배가 아닌 물살에 집중되어 있는데, 그의 시선 속,

VFX_Solution

1. C(울돌목 더미배_옥타콥터 촬영)
2. C(울돌목_옥타콥터 촬영)

C#48

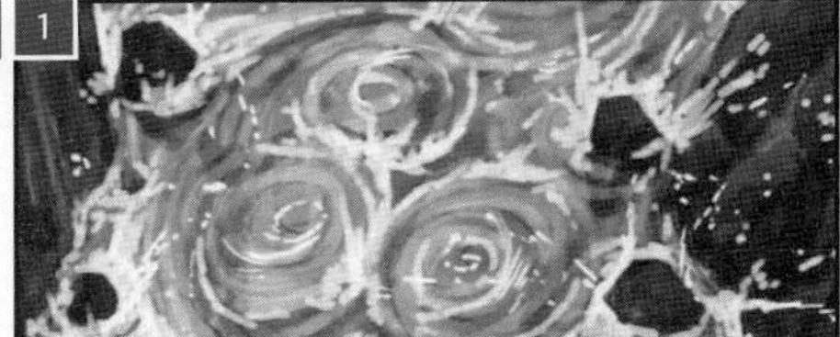

회오리 INSERT
회오리.

VFX_Solution

1. C(울돌목_옥타콥터 촬영)

S#62 안위의 활약

안위의 활약

88 CUTS

EXT  DAY  OPEN SET

C#1

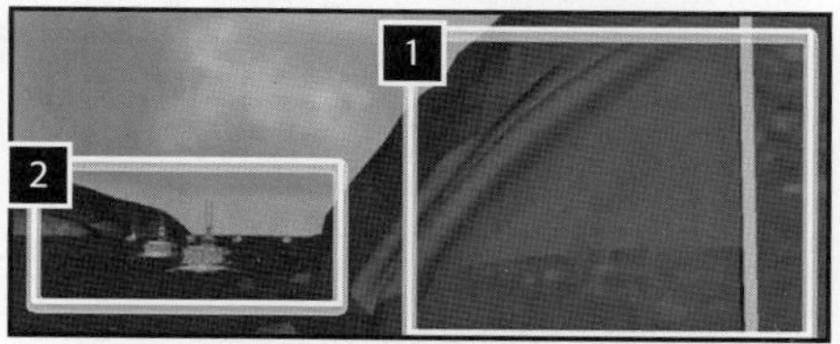

초요기 O.S. 안위의 판옥선
바뀌어 빨라지고 있는 물살을 타고 바다를 가로지르고 있는 안위의 배.

VFX _Solution

1. A1(대장선)
2. C(울돌목_더미 배_옥타콥터 촬영)

C#2

안위 B.S. / 측면
초조함에 눈빛이 흔들리는 안위.

VFX _Solution

1. A1(안위 판옥선)

C#3

1 2

초요기 C.U. -> TILT DOWN -> 송희립 -> PAN UP -> 구루지마 안택선
안위의 시선에, 대장선 위 펄럭이는 초요기와 그 밑에서 주저앉은 송희립이 보인다.
그리고 문득 적진 안택선 지붕 위에서 뭔가 번쩍이는 게 보인다.

VFX _Solution

1. A1(대장선)
2. B1(안택선/세키부네_분리촬영)

C#4 1

안택선 F.S.

자세히 보면 누군가 안택선, 지붕 맨 위로 기어오르고 있다.

VFX_Solution

1. A4(구루지마 안택선)

C#5

안위 F.S.

안 위 (초조) 속도를 더 높여라!

VFX_Solution

1. A1(안위 판옥선)
2. A1(판옥선)

C#6

종 O.S. 격군들

빠르게 울리는 방울 소리.

격군실의 격군들이 비지땀을 흘리며 격하게 노를 젓는데….

C#7 1

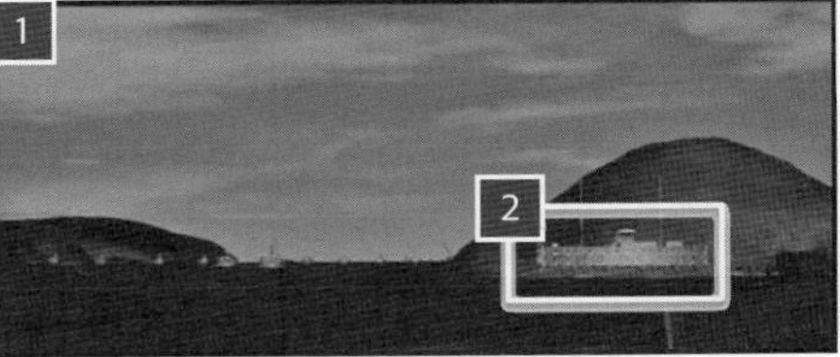

울돌목 WIDE F.S.

구루지마의 시야로 좌우로 크게 너울대며 이순신의 배로 다가오는 안위와 김응함의 배가 보인다.

(점차 커져가는 회오리들이 소용돌이치며 돌아다니는데, 대장선 근처만이 상대적으로 고요하다)

VFX_Solution

1. C(울돌목_더미 배)
2. B1(대장선)

C#8 1

구루지마 B.S.

구루지마 (나직이) 네놈이 그곳에서 버티고 있는 이유가 있었구나.

VFX_Solution

1. A4(구루지마 안택선)

C#9 1

기무라 B.S. -> TRACKING -> 구루지마 C.U.

기무라 소용돌이가 제멋대로 돌아다니고 있습니다. 전투가 어렵게 됐습니다.

구루지마 네 눈엔 그리 보이느냐. 나에겐 더욱 집중할 곳이 보인다.

VFX_Solution

1. A4(구루지마 안택선)

C#10 1

기무라 O.S. 구루지마

구루지마 (어리둥절 기무라에게) 이순신의 배로 최대한 속도를 높여 진격하라.

VFX_Solution

1. A4(구루지마 안택선)

C#11 1

구루지마 선단 O.S. 대장선

다시 울리는 쇠나팔 소리.

구루지마의 선단이 다시 밀고 나간다.

VFX_Solution

1. C(울돌목_더미 배)
2. B1(대장선)

C#12

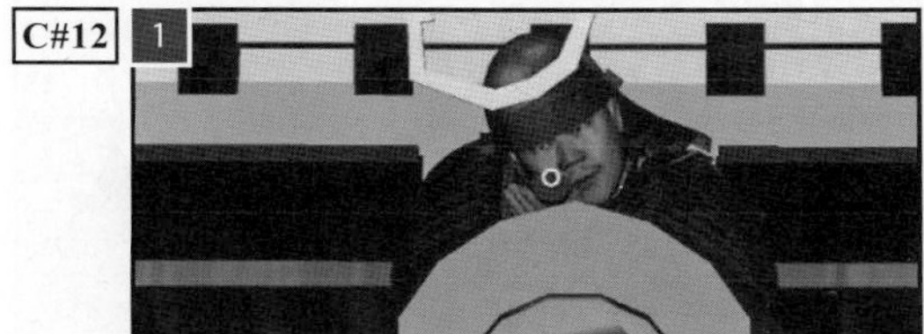

하루 B.S.
안택선 지붕 맨 위, 조준을 하고 있는 하루.

VFX _Solution
1. A4(구루지마 안택선)

C#13

조총 O.S. 대장선/하루 P.O.V.
조총 너머 보이는 대장선.

VFX _Solution
1. A4(구루지마 안택선)
2. B1(대장선)

C#14

하루 C.U.
조준하는 하루.

VFX _Solution
1. A4(구루지마 안택선)

C#15

이순신, 송희립 F.S. / 하루 P.O.V.
다시 하루의 조준 시야 속.

VFX _Solution
1. A1(대장선)

C#16

이순신 손 -> TILT UP 이순신 B.S.
갑판 위, 이순신이 직접 갑옷을 열어젖히고 안감을 찢어 송희립의 부상을 치료하고 있다.

VFX _Solution
1. A1(대장선)

C#17

이순신 O.S. 송희립
힘겨워하는 송희립.

VFX _Solution
1. A1(대장선)

C#18

갑판 위 사수들이 겹겹이 방패로 막아섰지만 상호 간의 거리가 가까워져감에 따라 하루의 시야 확보가 점차 좁아져간다.

VFX _Solution
1. A1(대장선)

C#19

하루 B.S.
조준하는 하루.

VFX _Solution
1. A4(구루지마 안택선)

C#20

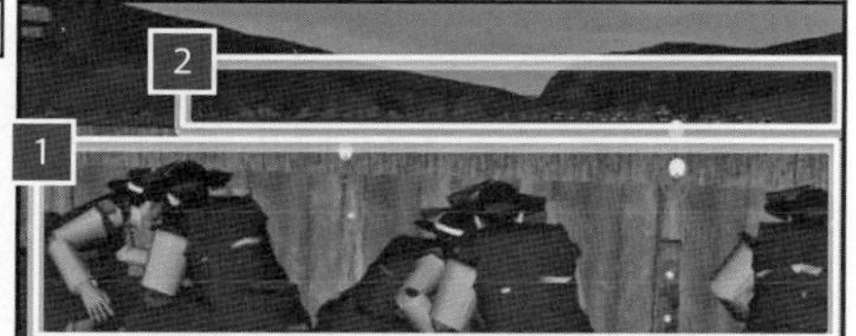

대장선 O.S. 적선

퍼엉~직포 사거리에 들자 이순신의 대장선에서 포탄이 다시 작렬한다.

VFX _Solution

1. A1(대장선)
2. B1(안택선/세키부네_분리촬영)

C#21

세키부네 F.S.

다시 벌어지는 치열한 공방전.

와아~ 앞선 세키부네 쪽에선 맞받아 조총 소리들이 작렬하고,

VFX _Solution

1. A1(대장선)

C#22

세키부네 F.S.

세키부네 앞으로 떨어지는 화포들.

VFX _Solution

1. A2(세키부네)

C#23

이순신, 송희립 F.S.

이순신 대장선 우현 갑판 위 사부들이 조총에 맞아 쓰러지는 것이 보인다.

VFX _Solution

1. A1(대장선)

C#24

이순신 사부 B.S.

덕분에 하루의 시야가 마침내 송희립을 치료하고 있는 이순신을 깨끗하게 확보한다.

VFX _Solution

1. A1(대장선)

C#25

하루 B.S.

조준하는 하루.

VFX _Solution

1. A4(구루지마 안택선)

C#26

하루 C.U.

조준하는 하루.

VFX _Solution

1. A4(구루지마 안택선)

C#27

이순신, 송희립 B.S.

조준 시야 속 보이는 이순신과 송희립.

VFX _Solution

1. A1(대장선)

C#28

하루 C.U.

하 루 (마침내 나직이) 이순신….

VFX _Solution

1. A4(구루지마 안택선)

C#29

이순신, 송희립 B.S.

조준 시야 속 보이는 이순신과 송희립.

VFX _Solution

1. A1(대장선)

C#30

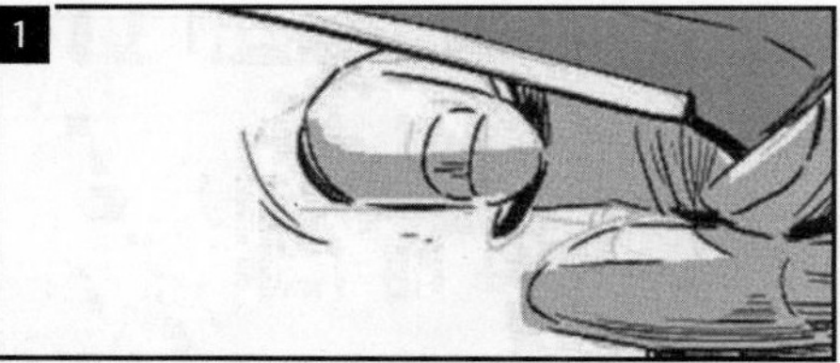

하루 손 C.U.

탁! 마침내 방아쇠를 당기는 하루.

VFX _Solution

1. A4(구루지마 안택선)

C#31

조총 C.U.

격발자가 닫히며 발갛게 불이 살아 있는 작은 심지가 뇌관에 닿는 순간,

VFX _Solution

1. A4(구루지마 안택선)

C#32

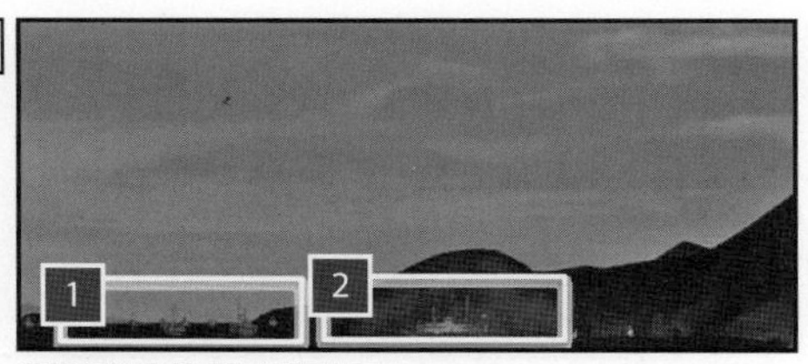

울돌목 WIDE F.S. / 하루 P.O.V.

쉬익! 문득 10시 방향에서 뭔가 빠르게 날아온다!

VFX _Solution

1. C(울돌목_더미 배)
2. B1(대장선 합성)

C#33

하루 C.U.

하 루 !

VFX _Solution

1. A4(구루지마 안택선)

C#34

하루 B.S.

그대로 하루의 눈에 박히는 화살!

VFX _Solution

1. A4(구루지마 안택선)

C#35

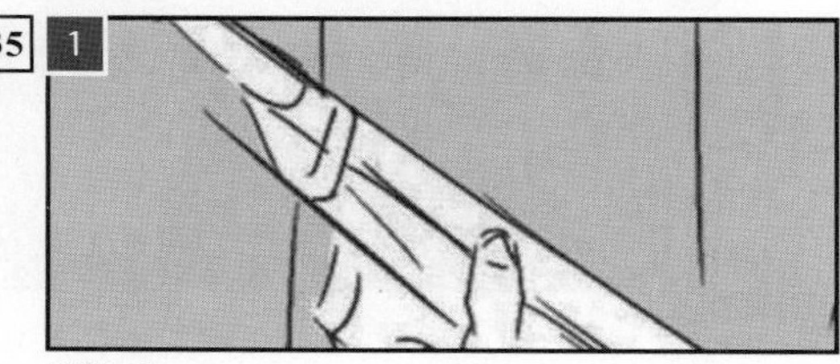

조총 B.S.

아악! 탕!

VFX _Solution

1. A4(구루지마 안택선)

C#36 1

이순신, 송희립 B.S.
이순신을 스치며 뒤에 가서 박히는 총탄.

VFX _Solution
1. A1(대장선)

C#37 1

이순신 C.U.
이순신의 투구를 지나치며 벽에 맞는 총탄.

VFX _Solution
1. A1(대장선)

C#38 1

총탄 C.U.
벽에 박히는 하루의 총탄.

VFX _Solution
1. A1(대장선)

C#39 1

이순신 C.U.
이순신을 고개를 들면.

VFX _Solution
1. A1(대장선)

C#40 1

안택선 F.S.
멀리 적의 대장선 지붕 위에서 누군가 몸부림 치고 있다.

VFX _Solution
1. A4(구루지마 안택선)

C#41 1

하루 C.U.
아악! 눈에 화살이 박힌 채, 비명을 지르며 괴로워하는 하루.

VFX _Solution
1. A4(구루지마 안택선)

C#42 1

하루 F.S. -> FOLLOW
몸부림치다 그대로 바다로 떨어진다.

VFX _Solution
1. B1(구루지마 안택선)

C#43

구루지마 C.U. / 측면
차갑게 굳는 구루지마의 눈빛.

VFX _Solution
1. A4(구루지마 안택선)

C#44

안위 O.S. 대장선
대장선 옆으로 각궁(조선)을 내리며 다가서는 안위와 그의 배가 보인다.

VFX _Solution
1. A1(대장선)
2. B1(안위 판옥선)

C#45

대장선, 안위의 판옥선 TIGHT F.S.
달라붙는 대장선과 안위의 판옥선.

VFX _Solution
1. B2(대장선/안위 판옥선_분리촬영)

C#46

안위 M.S.

안 위 (고개를 조아리며) 장군….

VFX _Solution
1. A1(안위 판옥선)

C#47

이순신 M.S.

이순신 안위야! 내 너를 엄히 군법으로 다스려야 하나, 지금은 전세가 시급하니 죽기를 각오하고 싸워라! 너는 반드시 여기 피섬을 막아내야 한다! 알겠느냐!

VFX _Solution
1. A1(대장선)

C#48

안위 M.S.

안 위 (결연한) 예, 장군!

VFX _Solution
1. A1(안위 판옥선)

C#49

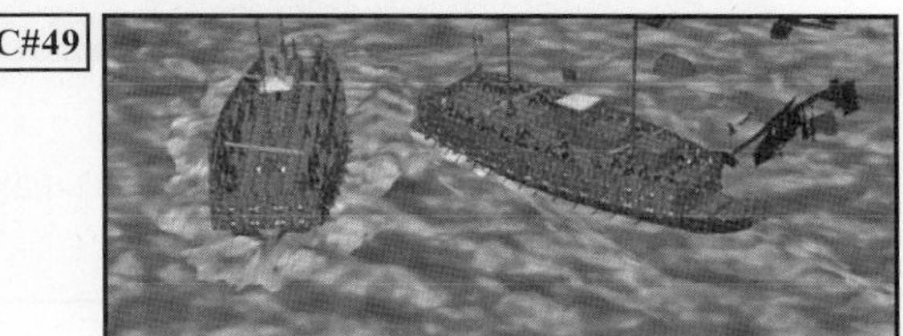

대장선, 안위의 판옥선 F.S. / 부감
바뀐 물살을 타고 결연하게 앞서 나아가는 안위의 배.

VFX _Solution
1. B1(대장선/안위 판옥선_분리촬영)

C#50

이순신 O.S. 송희립

이순신 우리는 속히 목 중앙으로 이동한다.

송희립 예, 장군!

VFX _Solution
1. A1(대장선)

C#51

송희립 F.S. / 암각

송희립 (외치며) 중앙으로 이동하라~! 이동하라~!

VFX _Solution

1. A1(대장선)

C#52

대장선 선체 TIGHT F.S. PAN

이순신의 배가 크게 선회하며,
이때 또 한 척의 배가 김응함이 숙연한 표정으로 다가오는 게 보인다.

VFX _Solution

1. B2(대장선)
-노 젓기

C#53

이순신 O.S. 김응함

묵묵히 김응함을 쳐다보는 이순신.

VFX _Solution

1. A1(대장선)
2. B1(김응함 판옥선)

C#54

이순신 O.S. 김응함

이순신에게 인사를 하는 김응함.

VFX _Solution

1. A1(대장선)
2. B1(김응함 판옥선)

C#55

이순신 C.U.

묵묵히 김응함을 쳐다보는 이순신.

VFX _Solution

1. A1(대장선)

C#56

구루지마, 기무라 2S

대장선을 바라보는 구루지마.

VFX _Solution

1. A4(구루지마 안택선)

C#57

안위 판옥선, 대장선, 김응함 판옥선 F.S. / PAN

구루지마 쪽 시선,

이순신의 배가 다시 순류로 바뀐 물살을 타고 빠르게 피섬 쪽에서 바다 중앙으로 이동하는 것이 보인다.

VFX _Solution

1. C(울돌목_더미 배)
2. B1(판옥선_분리촬영

C#58

구루지마 O.S. 기무라

기무라 이순신이 이동하고 있습니다. 따라붙겠습니다!

VFX _Solution

1. A4(구루지마 안택선)

C#59

구루지마 B.S.

구루지마 아니다! 저건 미끼다. 저 앞에 회오리들을 봐라. 이순신 쪽으로 다가가기가 쉽지 않다. 그러다 오히려 화포에 당할 수 있지. 모든 함선은 그대로 저 섬 쪽 배를 집중 공격한다.

VFX _Solution

1. A4(구루지마 안택선)

C#60

구루지마 O.S. 기무라

기무라 이순신을 그냥 놓아줄 요량이십니까!

VFX _Solution

1. A4(구루지마 안택선)

C#61

구루지마 눈 E.C.U.

매서워지는 구루지마의 눈빛.

VFX _Solution

1. A4(구루지마 안택선)

C#62

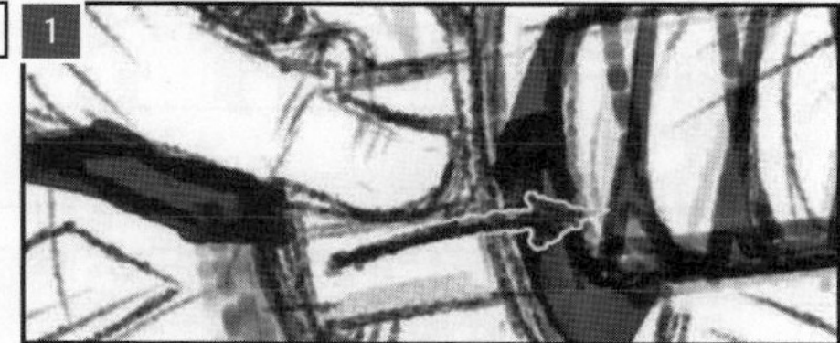

구루지마 칼 C.U.

꺼내지는 구루지마의 칼.

VFX _Solution

1. A4(구루지마 안택선)

C#63

기무라 O.S. 구루지마 / 앙각

칼을 꺼내는 구루지마.

VFX _Solution

1. A4(구루지마 안택선)

C#64

구루지마 칼 C.U.

자신의 옆 벽면에 칼을 꽂는 구루지마.

VFX _Solution

1. A4(구루지마 안택선)

C#65

기무라 O.S. 구루지마 / 앙각

VFX _Solution

1. A4(구루지마 안택선)

C#66

기무라 B.S.

등골이 오싹해진 기무라.

VFX _Solution

1. A4(구루지마 안택선)

C#67

구루지마 B.S.

구루지마 네놈 눈엔 저 섬이 예사 섬으로 보이느냐? 섬을 등진 덕에 물살이 잔잔해져 놈들의 포격이 용이해진 게 안 보이느냐.

VFX _Solution

1. A4(구루지마 안택선)

C#68

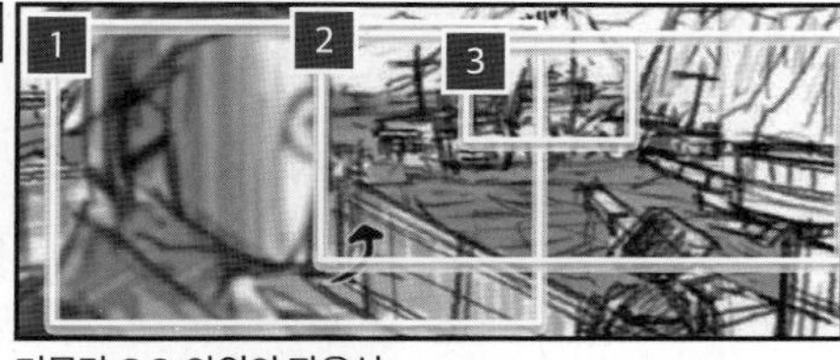

기무라 O.S. 안위의 판옥선

기무라, 돌아보면, 안위 배의 함포에 깨져나가는 아군 배들이 여럿 보인다.

VFX _Solution

1. A4(구루지마 안택선)
2. B1(세키부네_분리촬영)
3. B1(안위 판옥선)

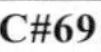

C#69

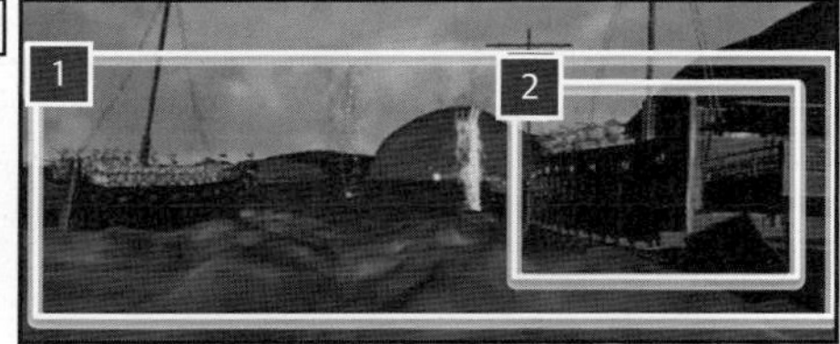

울돌목 WIDE F.S.

VFX _Solution

1. C(울돌목_더미 배)
2. A2(세키부네 타격 소스 촬영)

C#70

구루지마 B.S.

구루지마 더구나 저곳만 움켜쥐면 바다든 육지든 꼼짝할 수가 없어 전투는 끝난다. 저 섬 뒤로 포구가 보이느냐. 상륙해 포진만 한다면 조선 배 1백 척이 와도 우릴 이길 수 없다.

VFX _Solution

1. A4(구루지마 안택선)

C#71

구루지마 O.S. 기무라

기무라 (떨며) …죄송합니다. 주군.

VFX _Solution

1. A4 (구루지마 안택선)

C#72 1

구루지마 B.S.

구루지마 (칼을 거두며 차갑게) 저 배를 우선적으로 잡아라. 이순신이 어찌 나오는지 두고 보자.

VFX _Solution

1. A4(구루지마 안택선)

C#73 1

구루지마 O.S. 기무라

기무라 (부복) 예! 주군!

VFX _Solution

1. A4(구루지마 안택선)

C#74 1

구루지마 C.U.
해적왕다운 차가운 구루지마의 눈빛 위로,
이내 명령을 전달하는 쇠나팔 소리!

VFX _Solution

1. A4(구루지마 안택선)

C#75 1

도도 O.S. 가토

가 토 쇼군! 구루지마가 뭣 때문인지 이순신을 버리고

VFX _Solution

1. A4(도도 안택선)

C#76 1

가토, 도도 2S

가 토 주력선을 저 작은 섬 쪽으로 집중시키고 있습니다.

VFX _Solution

1. A4(도도 안택선)

C#77 1

도도 C.U.

도 도 …….

VFX _Solution

1. A4(도도 안택선)

C#78 1

안위의 판옥선 F.S.
안위 배에 달라붙는 세키부네 2척.

VFX _Solution

1. A3(안위 판옥선/세키부네 2척)

C#79 1

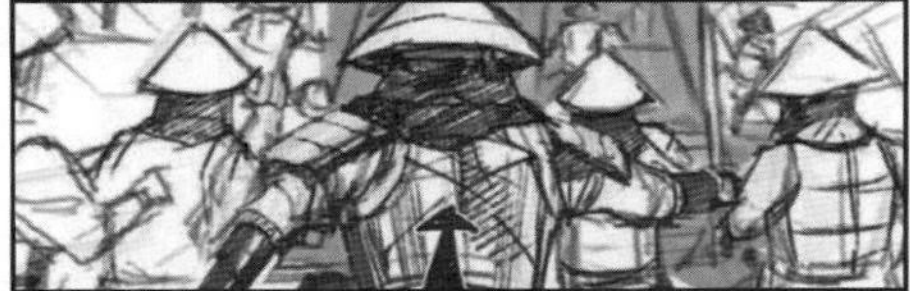

왜병 FOLLOW
와아~! 안위 배로 마구 넘어가는 왜병들….
문득 왜병 하나가 누군가 강하게 휘두르는 칼에 베어져 넘어지는데.

VFX _Solution
1. A3(안위 판옥선/세키부네)

C#80 1

안위 M.S.
안위의 칼이다. 가쁜 숨을 토해내고 있는 안위.

VFX _Solution
1. A3(안위 판옥선/세키부네)

C#81 1

안위 B.S.

안 위 (고함) 한 놈도 넘어오게 해서는 안 된다!

VFX _Solution
1. A3(안위 판옥선/세키부네)

C#82 1

안위의 판옥선 SIDE F.S.
갈고리를 끊으려 달려가던 군사들 앞으로 난데없이 왜병들이 던지는 포락이 떨어져 불길이 치솟는다.

VFX _Solution
1. A3(안위 판옥선/ 세키부네)

C#83 1

안위 O.S. 군사들
온몸에 불이 붙으며 쓰러지는 군사들.

VFX _Solution
1. A3(안위 판옥선/세키부네)

C#84

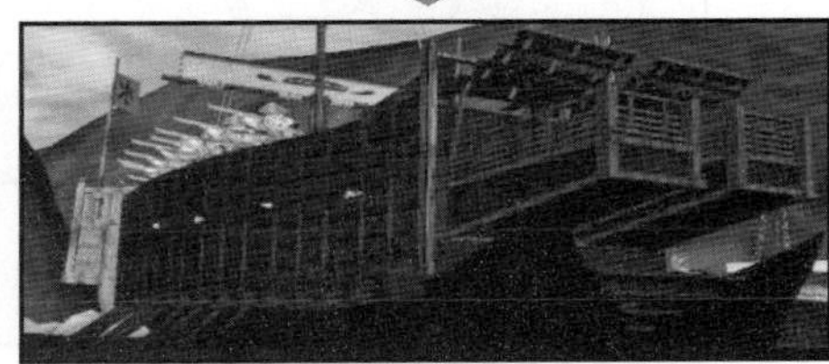

세키부네 O.S. 안위의 판옥선.
쿵! 연이어 한 척의 세키부네가 안위의 배를 들이받는다.

VFX _Solution
1. B2(안위 판옥선/세키부네)

C#85 1

안위 B.S.

안위의 눈에 적의 주력이 자신을 목표로 몰려들고 있음을 직감한다.

VFX _Solution

1. A3(안위 판옥선/세키부네)

C#86 1

안위 O.S. 판옥선들

두려움에 온몸이 다시 떨려오는 안위, 본능적으로 뒤쪽 판옥선들을 돌아보며,

VFX _Solution

1. A3(안위 판옥선/세키부네)

C#87 1

안위 B.S.

안 위 (중얼) 통제공께서 어인 심정이셨을지 이제 알겠구나.

VFX _Solution

1. A3(안위 판옥선/세키부네)

C#88 1

안위 B.S.

안위, 다시 고함을 지르며 칼을 치켜들고 다시 달려드는 적진으로 뛰어드는데,

VFX _Solution

1. A3(안위 판옥선/세키부네)

S#63 안위를 구하는 이순신

안위를 구하는 이순신 238 CUTS

EXT

DAY

OPEN SET

C#1

이순신 B.S.
본능적으로 안위 쪽을 돌아보는 이순신, 아뿔싸!

VFX _Solution
1. A1 (대장선_촬영)

C#2

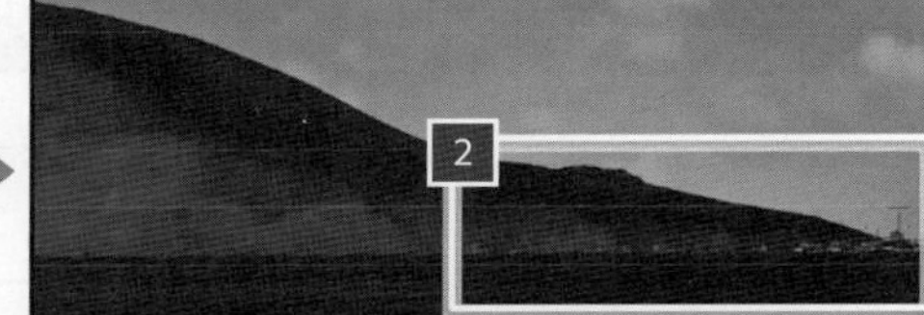

안위의 판옥선 F.S. -> PAN -> 적선들 F.S.
그의 시야로 해남 쪽 피섬 근처에서 적선 3척과 맞붙어 치열하게 백병전을 벌이고 있는 안위의 배가 보인다. 안위의 배가 위기에 처했다!
더불어 적의 본대가 덮칠 듯 안위 배 쪽으로 향하고 있다.
당혹스러운 이순신, 구루지마가 자신의 배를 미끼로 물지 않았음을 간파한다.

VFX _Solution
1. A3 (안위 판옥선/세키부네 소스)
2. C(울돌목_더미 배)

C#3

이순신 M.S. / 암각
당혹스러운 이순신, 구루지마가 자신의 배를 미끼로 물지 않았음을 간파한다.

VFX _Solution
1. A1 (대장선)

C#4

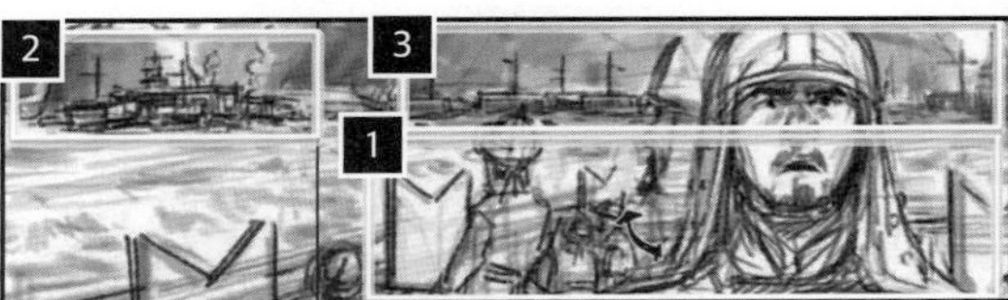

안위의 판옥선 F.S. -> PAN -> 나대용
나대용이 그런 이순신의 표정을 간파한다.

나대용 (낭패스러운 혼잣말) 장군의 노림수를 어찌 적들이….

VFX _Solution
1. A1(대장선)
2. A3(안위 판옥선/세키부네 소스)
3. C(울돌목_더미 배

C#5

이순신 B.S.
이때 이순신이 멀리 진도 쪽을 흘낏!

VFX _Solution

1. A1(대장선)

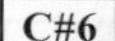

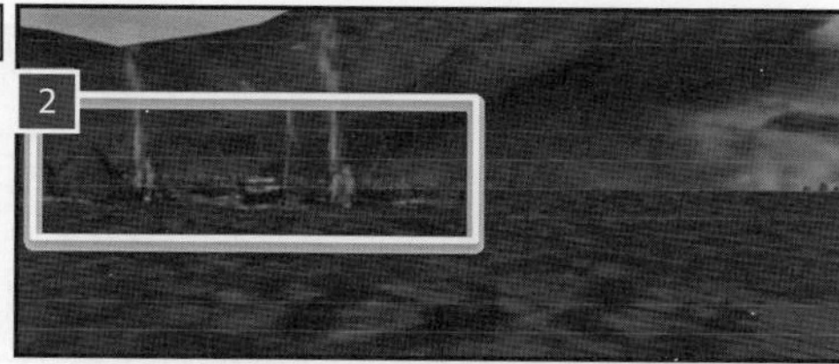

PAN

대장선 O.S. 김응함 판옥선 -> PAN -> 적선들 F.S.
김응함의 배는 그럭저럭 적선들과 잘 교전하고 있다.

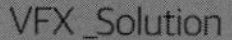

1. A1(대장선)
2. C(울돌목_더미 배)

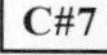

송희립, 나대용 O.S. 이순신

이순신 (결연히) 배를 돌려라! 안위를 구해야 한다! 저 피섬이 뚫리면 물살이 바뀐 너른 바다를 온전히 막아 낼 수 없다.

VFX _Solution

1. A1(대장선)

C#8

송희립 B.S.

송희립 (고함) 배를 돌려라! 피섬 쪽으로 즉시 이동한다!

VFX _Solution

1. A1(대장선)

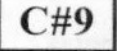

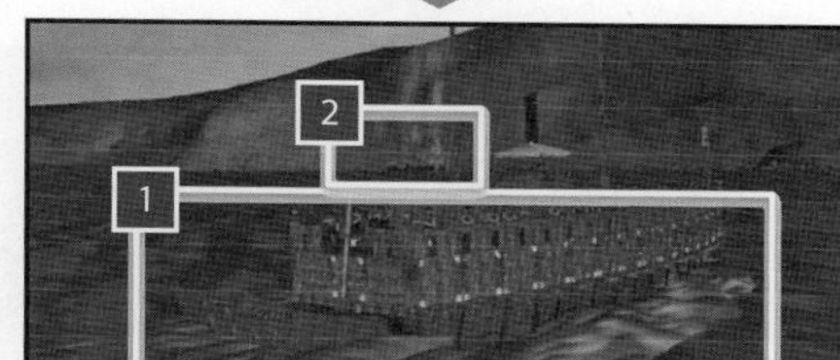

대장선 F.S.
안위 쪽으로 방향을 돌리는 대장선.

VFX _Solution

1. B1(대장선)
-노 젓기
2. A3(안위 판옥선/세키부네 소스)

C#10

이순신 B.S.

이순신 화포를 이동하는 놈들의 주력 선단으로 집중시켜라! 빗맞아도 좋다! 안위의 배로 쉬이 접근하지 못하도록 하라!

VFX_Solution

1. A1 (대장선_촬영)

C#11

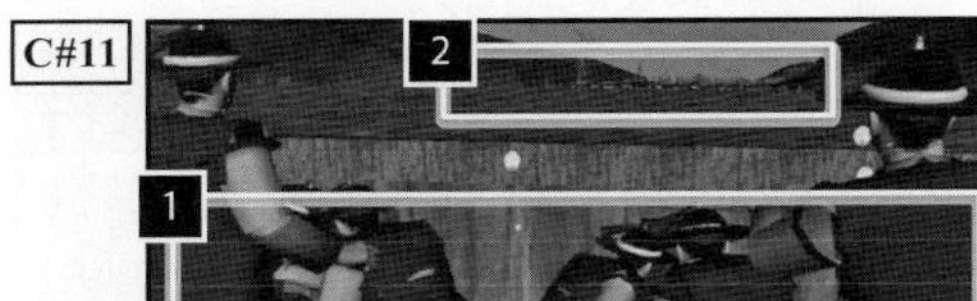

대장선 O.S. 울돌목

거칠게 화포를 쏟아내기 시작하는 이순신 대장선.

VFX_Solution

1. A1(대장선)
2. B1(세키부네 소스 합성)

C#12

세키부네 F.S.

계속해서 돌진하는 세키부네.

VFX_Solution

1-1. C(울돌목_더미 배)
1-2. B2(안택선/세키부네 소스 촬영)

C#13

이순신 C.U.

거칠게 화포를 쏟아내기 시작하는 이순신 대장선.
긴박한 이순신의 얼굴.

VFX_Solution

1. A1(대장선)

C#14

김돌손, 오둑이 M.S. / 뒤 FOLLOW
(CUT TO)

들것을 들고 정신없이 격군실 무기고로 달려오는 두 사람.
김돌손과 오둑이.

C#15

대장군전 INSERT

그런데 텅 빈 무기고!
땡그랑~ 대장군전(大將軍) 1발만이 바닥에 흩어져 나뒹군다.

C#16

김돌손, 오둑이 B.S.

식겁한 두 사람… 서로를 황망히 쳐다만 보고….

C#17 1

이순신 O.S. 나대용/ 나대용 fr.in
(CUT TO)
안위 쪽을 초조하게 바라보는 이순신.
나대용과 김돌손이 함께 사색이 되어 이순신에게 달려온다.

1

나대용 장군! 무기고에 포탄이… 대장군전 하나밖에는….

VFX _Solution

1. A1(대장선)

C#18 1

나대용 O.S. 이순신

이순신 (긴장감이 감돈다) …….

VFX _Solution

1. A1(대장선)

C#19 1

안위 M.S.
(CUT TO)
안위의 배, 안위가 죽을 각오로 칼을 휘두르고 있다.
여기저기 적들의 피로 물들어 있는 안위의 갑옷,

VFX _Solution

1. A3(안위 판옥선/세키부네)

C#20 1

조선 수군 그룹쇼트
수적으로 열세인 조선 수군들이 왜병들에게 밀린다.

VFX _Solution

1. A3(안위 판옥선/세키부네)

C#21 1

안위 M.S.
안위가 왜병 하나를 더 칼로 베고 주변을 둘러본다.

VFX _Solution

1. A3(안위 판옥선/세키부네)

C#22 1

조선 수군 O.S. 왜병들
와아~ 왜병들이 다시 몰려든다. 거의 패배가 확실한 형국.

VFX _Solution

1. A3(안위 판옥선/세키부네)

C#23

안위의 격군들 그룹쇼트 / PAN
안위의 배에서 격군들 7, 8명까지 자진해서 물로 뛰어들고 있다.

C#24

안위의 격군들 그룹쇼트
안위의 배에서 격군들 7, 8명까지 자진해서 물로 뛰어들고 있다.

VFX _Solution

1. B2(안위 판옥선)

C#25 1

안위 B.S.

안위의 얼굴이 안타깝게 일그러지며 마지막 칼 쥐는 손에 힘이 들어가는데,

VFX _Solution

1. A3(안위 판옥선/세키부네)

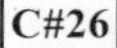

C#26 1

안위의 갑판 TIGHT F.S.

그 순간, 함포 소리와 함께 몰려드는 왜병 한가운데 포탄이 작렬.

VFX _Solution

1. A3(안위 판옥선/세키부네)

C#27 1

안위 C.U.

순간 안위가 돌아보면 대장선이 돌진해오고 있다.

VFX _Solution

1. A3(안위 판옥선/세키부네)

C#28

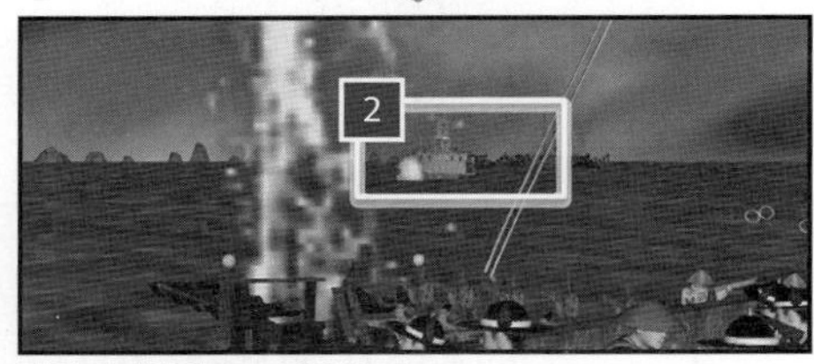

안위의 판옥선 O.S. 대장선

안위 쪽 적선을 공격하는 이순신.

VFX _Solution

1. A3(안위 판옥선/세키부네)
2. C(울돌목_더미 배_디지털 줌)

C#29 1

이순신 B.S.

이순신 갑판 위 남은 포탄들을 모두 쏟아부어라! 반드시 안위 배를 구해야 한다!

VFX _Solution

1. A1(대장선)

C#30 1

대장선 선체 TIGHT F.S.

다시 작렬하는 대장선의 천자포와 지자포의 화포들.

VFX _Solution

1. B1(대장선)

C#31

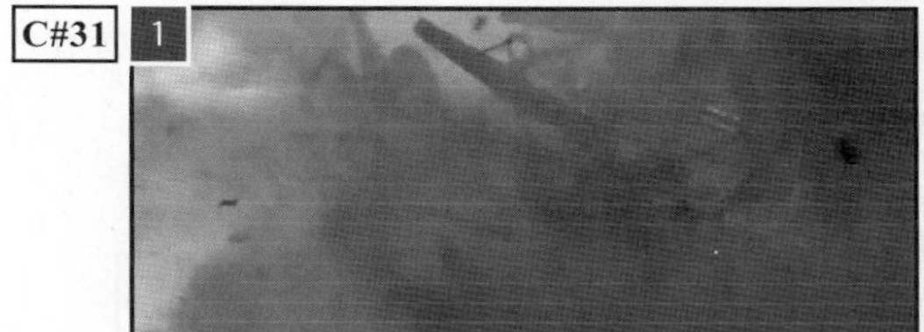

세키부네 F.S.

적선 두 척이 연달아 깨져나간다.

VFX _Solution

1. B2(세키부네)

C#32

세키부네 F.S.

적선 두 척이 연달아 깨져나간다.

VFX _Solution

1. A2(세키부네)

C#33

세키부네 F.S.

적선 두 척이 연달아 깨져나간다.

VFX _Solution

1. A2(세키부네_분리촬영)

C#34

안위 C.U.

안 위 (감격) 장군….

VFX _Solution

1. A3(안위 판옥선/세키부네)

C#35

안위 M.S. / L.A.

안 위 적들을 남김없이 섬멸하라!

VFX _Solution

1. A3(안위 판옥선/세키부네)

C#36

안위의 판옥선 WIDE F.S. / 부감

힘을 얻은 안위 갑판 위 군사들이 다시 왜군들을 밀어붙이는데,

VFX _Solution

1. A3(안위 판옥선/세키부네)

C#37

구루지마 B.S.

대장선 쪽을 바라보는 구루지마.

VFX _Solution

1. A4(구루지마 안택선)

C#38

구루지마 안택선 O.S. 대장선

(CUT TO)

구루지마의 시야로, 멀리 안위 쪽으로 다가가는 이순신의 대장선이 보인다.

VFX _Solution

1. A4(구루지마 안택선)
2. A3(안위 판옥선/세키부네 소스)
3. C(울돌목)

C#39 1

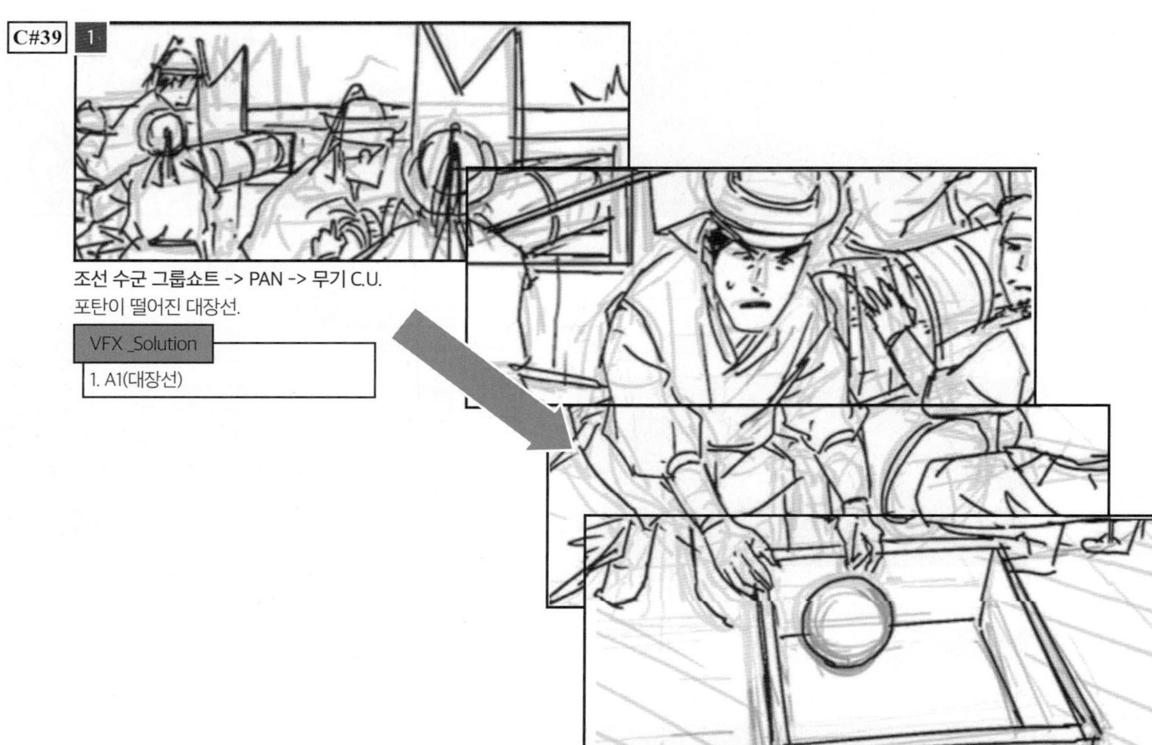

조선 수군 그룹쇼트 -> PAN -> 무기 C.U.
포탄이 떨어진 대장선.

VFX _Solution

1. A1(대장선)

C#40 1

대장선 TIGHT F.S.
포격의 수가 현저히 줄어들다 마침내 멈추고 만다. 또한 배의 기동력이 현저히 떨어졌다.

VFX _Solution

1. B1(대장선)

C#41 1

구루지마, 기무라 2S

구루지마 기무라 준비해둔 그 배를 써먹을 때다. 조용히 내보내라.

기무라 예! 주군!

VFX _Solution

1. A4(구루지마 안택선)

C#42 3

내반검 O.A. 화폭선
대장선을 향하는 화폭선.

VFX _Solution

1. A4(구루지마 안택선)
2. B1(화폭선)
3. C(울돌목)

C#43 1

이순신 M.S.
(CUT TO)
안위 배를 바라보는 안타까운 표정의 이순신,

VFX _Solution

1. A1(대장선)

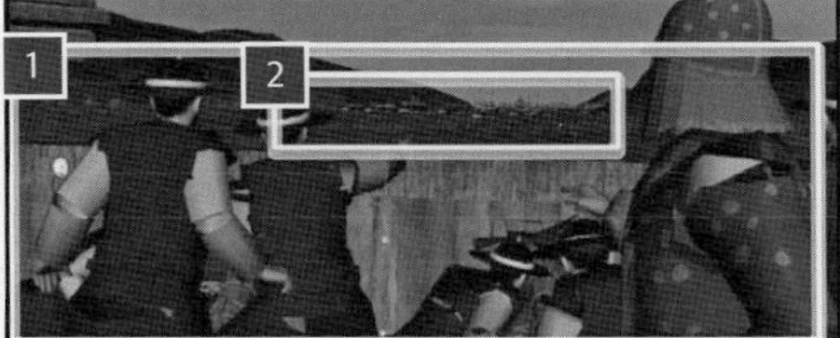

이순신 O.S. 세키부네
그런데, 문득 대장선 쪽을 향해 곧바로 돌격해 들어오는 한 의 세키부네를 발견한다.

VFX _Solution

1.A1(대장선)
2. B1(세키부네_분리촬영)

C#45

이순신 B.S.
이순신, 느낌이 섬뜩!

VFX _Solution

1. A1 (대장선 촬영)

C#46

자폭선 F.S. / 부감
다가오는 배의 갑판 위에 사람은 없고
물기에 축축이 젖은 짚 더미들만 잔뜩 쌓여 있다.

VFX _Solution

1. B1(화폭선_옥타콥터 촬영)

C#47

이순신 M.S.

이순신 (짚 더미 배를 가리키며) 나 군관! 저 배를 즉각 포격하라!

VFX _Solution

1. A1(대장선)

C#48 1

이순신 O.S. 송희립

나대용 장군! 송구하지만 포탄이… (바닥났습니다.)

VFX _Solution

1. A1(대장선)

C#49 1

송희립 O.S. 이순신

안위의 배를 돌아보는 이순신.

VFX _Solution

1. A1(대장선)

C#50 1

안위의 판옥선 WIDE F.S. / 이순신 P.O.V.

이순신 시선, 적선에 둘러싸여 고군분투하고 있는 안위.

VFX _Solution

1. A3(안위 판옥선/세키부네)

C#51 1

이순신 M.S. / 암각

이순신 (상기되어) 사부(射夫)들을 위치시켜라.

VFX _Solution

1. A1(대장선)

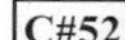

C#52 1

사부들 그룹쇼트

사부들이 자리를 위치해 불화살을 쏜다.

VFX _Solution

1. B1(대장선)

C#53

화폭선 O.S. 대장선

(CUT TO)

빠르게 불화살들이 허공을 가르며 날아간다.

하지만 물에 축축이 젖은 짚 더미 덕에 배엔 불이 붙지 않는다.

VFX _Solution

1. A2(화폭선)
2. B1(대장선)

C#54

송희립 O.S. 이순신

이순신 (급히 부르며) 송 군관! 저 배를 피할 수 있겠는가?

VFX _Solution

1. A1(대장선)
2. B1(화폭선)

C#55 1

이순신 O.S. 송희립

송희립 (난색) 장군, 송구하지만 배에 물이 많이 차올라 기동력이 많이 떨어졌습니다.

VFX _Solution

1. A1(대장선)

C#56

격군실 지하 F.S. / 부감
INS) 물이 들어차고 있는 격군실 지하,
황보만이 물을 퍼 올리는 군사들을 독려하고 있다.

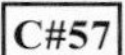

C#57

격군실 지하, 군사들 그룹쇼트
INS) 물이 들어차고 있는 격군실 지하,
황보만이 물을 퍼 올리는 군사들을 독려하고 있다.

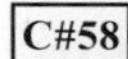

C#58

군사들 그룹쇼트
INS) 물이 들어차고 있는 격군실 지하,
황보만이 물을 퍼 올리는 군사들을 독려하고 있다.

C#59

군사를 M.S. / LOW
물을 퍼 올리는 군사들.

C#60

군사들 F.S. / 극부감
물을 퍼 올리는 군사들.

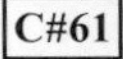

C#61 1

이순신 C.U.

이순신 (낭패스러운) …….

VFX _Solution
1. A1(대장선)

C#62 1

이순신 B.S.

이순신 나 군관!

VFX _Solution
1. A1(대장선)

C#63 1

이순신 O.S. 나대용

나대용 (달려와) 예!

VFX _Solution
1. A1(대장선)

C#64 1

나대용 O.S. 이순신

이순신 마지막 남은 대장군전으로 저 배를 잡아라. 절대 놓쳐서는 아니 된다!

VFX _Solution
1. A1(대장선)

C#65 1

이순신 O.S. 나대용

나대용 (긴장된) …….

VFX _Solution

1. A1(대장선)

C#66 1

구루지마 O.S. 기무라

(CUT TO)

멀찍이… 기무라가 냉소를 띠며 구루지마에게 말한다.

기무라 참으로 절묘한 시점에 보내셨습니다. 폭발력이 엄청날 겁니다. 이순신은 다 잡은 거나 다름없습니다.

VFX _Solution

1. A4(구루지마 안택선)

C#67 1

구루지마 C.U.

구루지마가 차가운 표정으로 흥미롭게 지켜보고 있다.

VFX _Solution

1. A4(구루지마 안택선)

C#68 1

화폭선 갑판 -> BOOM DOWN

(CUT TO)

짚 더미 배 안, 짚 더미 속 화약 더미가 수북이 쌓여 있다.
화면, 그런 갑판을 뚫고 그대로 하강하면 보이는 적선의 격군실.

조선인 포로들이 긴 쇠사슬에 굴비 엮듯이 목에 목갑이 채워진 채로 힘겹게 노를 젓고 있다.

2

BOOM DOWN ->

2

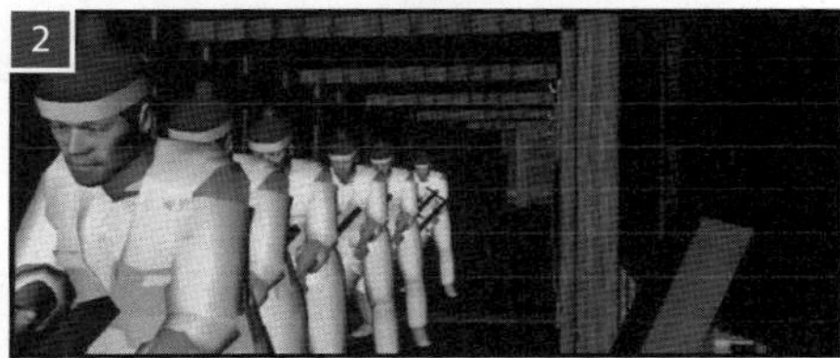

화폭선 격군실 F.S.

VFX _Solution

1. A2(화폭선)
2. SET(화폭선 격군실)

C#69

왜군 격군장 뒤 FOLLOW

왜군 격군장 (중앙 통로를 걸으며 마구 채찍질) 더 빨리 저어라! 게으름 피우는 놈은 가만두지 않겠다!

C#70

임준영 B.S.
왜군 격군장이 채찍을 휘두르며 지나쳐 가면 보이는 한 조선인 포로.
탐망꾼 임준영이다!

C#71

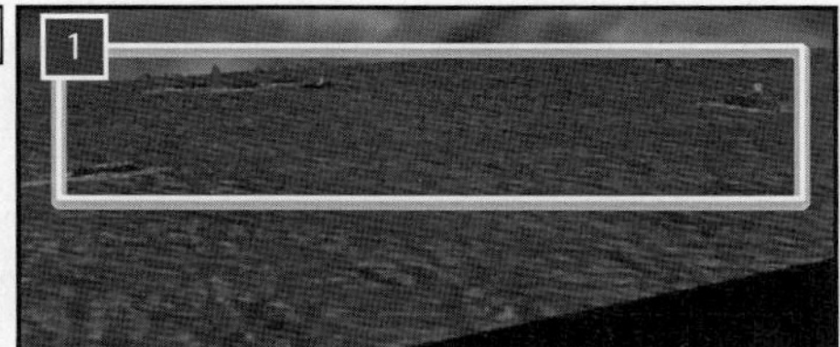

울돌목 WIDE F.S. / 정씨 여인 P.O.V.

VFX _Solution
1. C(울돌목_더미 배_옥타콥터 촬영)

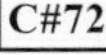

C#72

정씨 여인 B.S.
장군님이 위험하다!
정씨 여인이 본능적인 위기감에 어찌할 바를 모르는데,

C#73

이회, 김 노인 B.S.
(CUT TO)
이회와 김 노인 또한 위기감 속에 크게 상기되어 지켜보고,

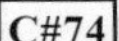

C#74

이순신 B.S. -> TRACK OUT 나대용 B.S.
(CUT TO)
이순신과 휘하 장졸들이 모두 숨죽이고 지켜보는 가운데 오둑이 눈알만 데굴데굴….
대장군전을 세밀히 조준하고 있는 나대용의 긴장된 얼굴.

VFX _Solution
1. A1(대장선)

C#75

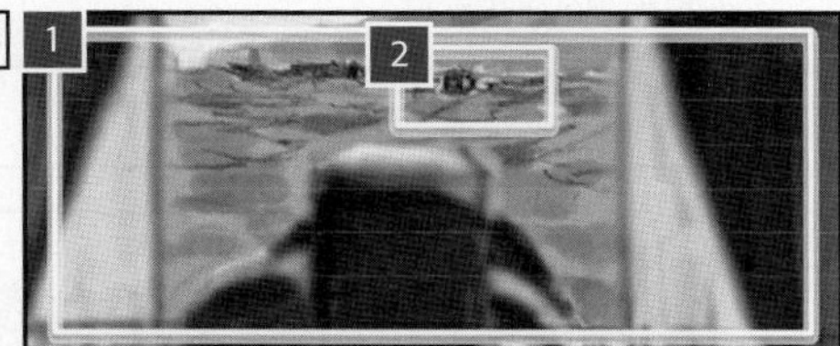

나대용 손 O.S. 화폭선
화포의 각도를 재는 손이 떨린다.
나대용, 이순신이 그런 나대용의 손을 잡아준다.

VFX _Solution
1. A1(대장선)
2 B1(화폭선)

C#76

부사수 B.S.
화포의 각도를 재는 손이 떨린다.
나대용, 이순신이 그런 나대용의 손을 잡아준다.

VFX _Solution
1. A1(대장선)

C#77 1

나대용 O.S. 이순신
이순신, 엷은 미소… 조용히 고개를 끄덕이면,
나대용, 역시 고개로 응대.

VFX _Solution
1. A1(대장선)

C#78 1

이순신 O.S. 나대용
이순신, 엷은 미소… 조용히 고개를 끄덕이면,
나대용, 역시 고개로 응대.

VFX _Solution
1. A1(대장선)

C#79 1

이순신, 나대용 F.S. / 측면
조준하는 나대용 독려하는 이순신.

VFX _Solution
1.A1(대장선)

C#80 1

총통 C.U.
마침내 총통의 심지에 불이 붙고 펑! 대장군전 발사!

VFX _Solution
1. A1(대장선)

C#81 1

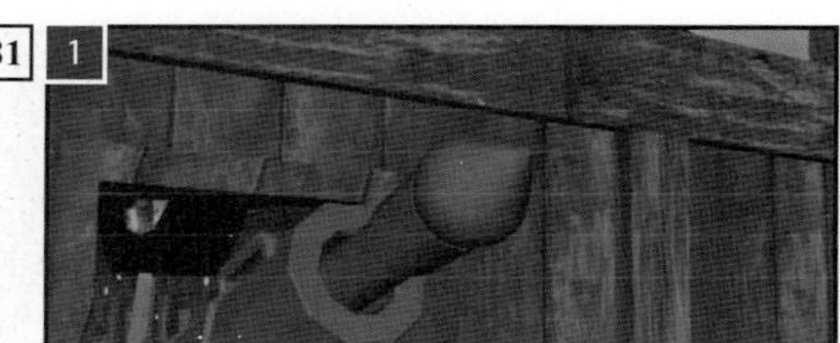

대장군전 C.U.
마침내 총통의 심지에 불이 붙고 펑! 대장군전 발사!

VFX _Solution
1. A1(대장선)

C#82 1

대장선 F.S. / 부감
마침내 총통의 심지에 불이 붙고 펑! 대장군전 발사!

VFX _Solution
1. B1(대장선)

C#83 3 2 1

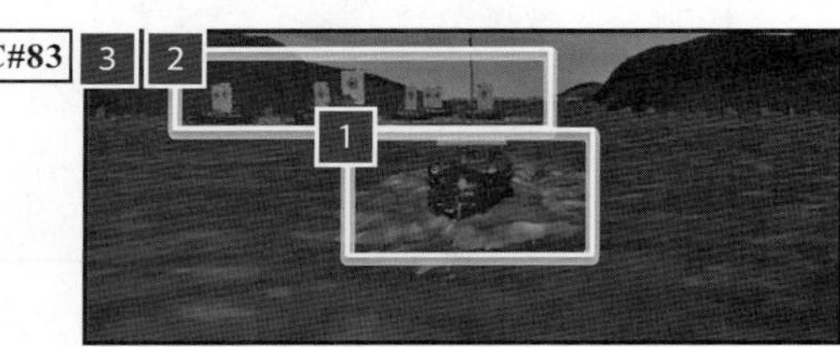

자폭선 F.S. / 대장군전 FOLLOW
날아가는 대장군전의 시야로,
빠르게 화면이 짊 더미 배로 날아간다.

VFX _Solution
1. B1(화폭선_옥타콥터 촬영)
2. B1(세키부네/안택선 소스)
3. C(울돌목)

C#84

자폭선 격군실 F.S.
(CUT TO)
쿵! 하는 벼락 소리와 함께 천장과 벽을 동시에 꿰뚫는 대장군전! 왜군 격군장이 맞아 흔적도 없이 사라져버리고.

C#85

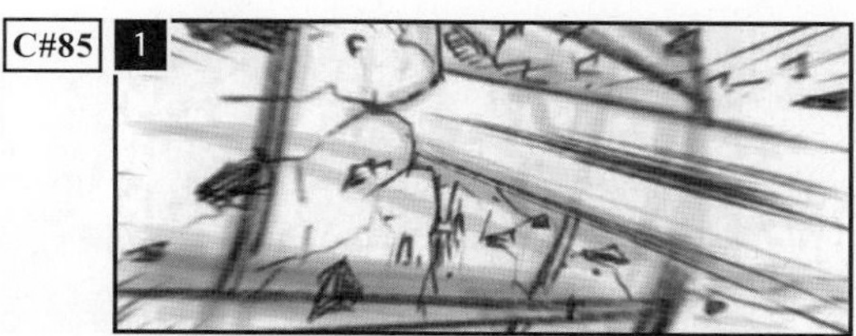

자폭선 선체 C.U.

폭파되는 벽면과 휘청이는 화폭선 외부 타이트샷.

VFX _Solution

1. B1(화폭선)

C#86

임준영 C.U.

폭파에 쓰러져 목갑에 매달린 임준영.

C#87

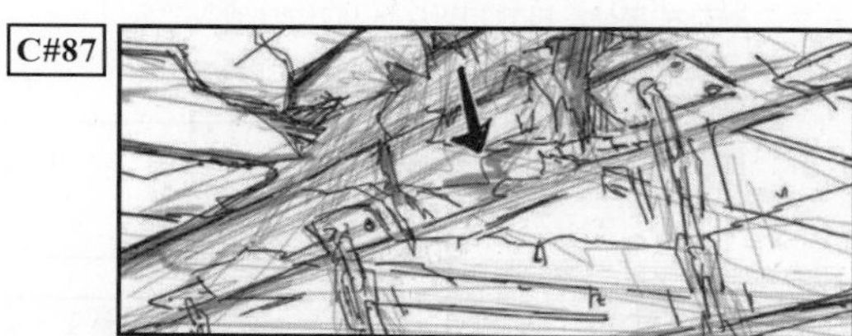

목갑 천장 C.U.

뜯겨져나가는 목갑 천장.

C#88

임준영 O.S. 화약 더미

뜯겨진 천장으로 쏟아지는 화약 폭탄 더미.

C#89

자폭선 격군실 F.S.

뚫린 천장 쪽에서 짚 더미와 화약들이 마구 쏟아져 내린다.

C#90

조선 포로 1 B.S.

조선포로 1 (고함) 쇠사슬이 끊어졌다!

C#91

대장선 격군실 F.S.

대장군전 덕에 목갑 사슬이 풀린 조선 포로들이 몇몇 왜군들과 치고받으며 아우성!

C#92

대장선 격군실 F.S.

대장군전 덕에 목갑 사슬이 풀린 조선 포로들이 몇몇 왜군들과 치고받으며 아우성!

C#93

임준영 M.S.

더불어 목갑이 풀린 임준영,
쏟아져 내린 엄청난 화약들을 보며 놀란다.

C#94

화약 더미 O.S. 임준영

문득 벽에 난 구멍으로 밖이 훤히 내다보인다.

C#95

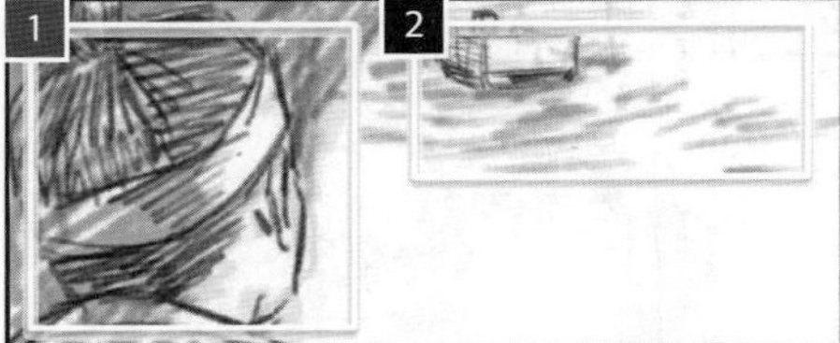

임준영 O.S. 대장선

임준영, 구멍 너머로 이순신의 대장선을 발견한다.

VFX _Solution

1. SET(화폭선 격군실)
2. B1(대장선)

C#96

임준영 B.S.

동시에 대장선에 타고 있는 준사와 눈이 마주치는 임준영.

C#97

대장선 F.S.

동시에 대장선에 타고 있는 준사와 눈이 마주치는 임준영.

VFX _Solution

1. A1(대장선)
2. SET(화폭선 격군실)

C#98

임준영 M.S.

임준영, 사력을 다해 준사에게 이 배의 정체를 알린다.

C#99

준사 B.S.

준 사 뭐라? 화약을 실은 자폭…선?

VFX _Solution

1. A1(대장선)

C#100

준사, 이순신 25

준사가 이순신에게 달려가 다급하게 보고한다. 심각한 표정으로 듣고 있는 이순신과 송희립.

VFX _Solution

1. A1 (대장선_촬영)

C#101

대장선 O.S. 자폭선

빠르게 물살을 타고 다가오는 세키부네에 사부들이 활들만 올렸다 내렸다 전전긍긍,

VFX _Solution

1. A1(대장선)
2. B1(화폭선)

C#102

조선 수군(사부) 그룹쇼트

빠르게 물살을 타고 다가오는 세키부네에 사부들이 활들만 올렸다 내렸다 전전긍긍,

VFX _Solution

1. A1(대장선)

C#103

이순신, 송희립 2S / 측면

이순신 희립아… 중군장 김응함에게 신호를 보내거라.

VFX _Solution

1. A1(대장선)

C#104

송희립 B.S.

송희립 예? 허나 중군장의 배는 너무 멀어….

VFX _Solution

1. A1(대장선)

C#105

송희립 O.S. 이순신.

이순신 그 수밖에 없다. 속히 시행하라!

VFX _Solution

1. A1(대장선)

C#106

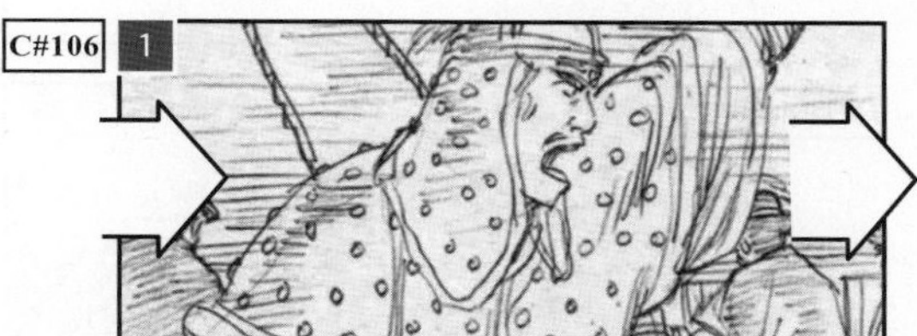

송희립 B.S.

송희립 (잔뜩 상기되어) 기라졸은 듣거라!

송희립이 뛰어 내려간다.

VFX _Solution

1. A1(대장선)

C#107

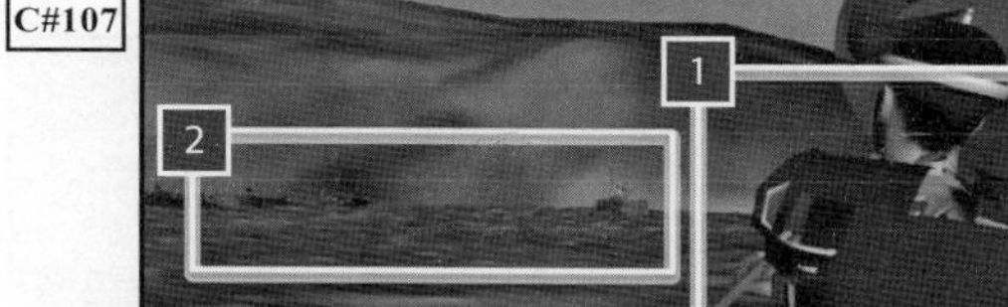

기라졸 O.S. 김응함의 판옥선

(CUT TO)

아뿔사! 기라졸, 아무리 수신호를 보내도 김응함의 배가 응답이 없다.

VFX _Solution

1. A1(대장선)
2. C(울돌목_더미 배)

C#108

기라졸 O.S. 송희립

기라졸 장군! 너울이 너무 심해….

VFX _Solution

1. A1(대장선)
2. C(울돌목_더미 배)

C#109

송희립 B.S.

송희립 (난감한) …….

VFX _Solution

1. A1 (대장선 촬영)

C#110

임준영 O.S. 대장선

(CUT TO)

눈치 빠른 임준영이 대장선의 수신호를 파악했다.

VFX _Solution

1. SET(화폭선 격군실)
2. B1(대장선)

C#111

임준영 B.S.

(CUT TO)

눈치 빠른 임준영이 대장선의 수신호를 파악했다.

C#112

김응함의 판옥선 WIDE F.S. / 임준영 P.O.V.
임준영, 김응함의 배를 쳐다보면,
멀리 보였다 사라졌다 그저 너울대고 있기만 한 김응함의 배.

VFX _Solution
1. C(울돌목_더미 배)

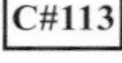

임준영 B.S.

조선 포로 1 (뚫린 구멍 쪽 임준영에게) 뭐하고 있당가. 어여 탈출혀야재.

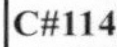

임준영, 조선 수군들 그룹쇼트
조선 포로들이 격군실 뚫린 구멍을 통해 임준영을 지나 마구 바다로 뛰어내린다.

C#115

임준영 B.S.
임준영, 망설이다 뛰어내리는 대신

C#116

임준영 M.S. / 부감
뚝뚝 물이 떨어지는 짚 더미가 덮인 갑판 위로 올라간다.

VFX _Solution
1. A2(화폭선)

C#117

임준영 B.S.
(CUT TO)
갑판 위, 아무도 없다.

VFX _Solution
1. A2(화폭선)

C#118

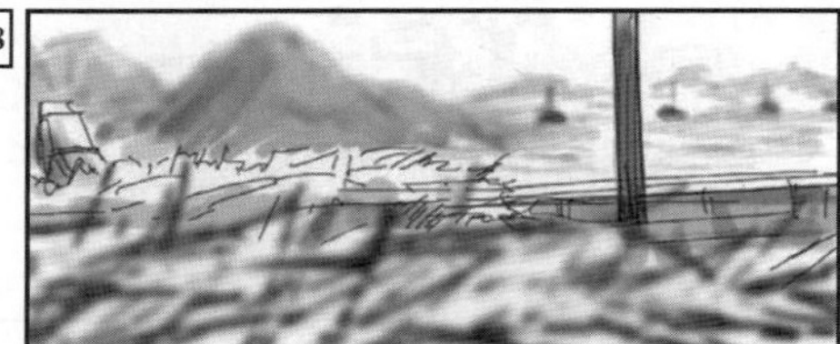

자폭선 갑판 TIGHT F.S. / 임준영 P.O.V.
(CUT TO)
갑판 위, 아무도 없다.

VFX _Solution
1. A2(화폭선)

C#119

임준영 B.S.
(CUT TO)
갑판 위, 아무도 없다.

VFX _Solution
1. A2(화폭선)

C#120

임준영 B.S.
(CUT TO)
갑판 위, 아무도 없다.

VFX _Solution
1. A2(화폭선)

C#121

자폭선 O.S. 대장선 / 임준영 P.O.V.

임준영의 시선 속

자폭선이 빠르게 대장선으로 가까워지고 있다. 약 150여 보 앞 거리.

VFX _Solution

1. A2(화폭선)
2. B1(대장선)

C#122

임준영 F.S.

임준영이 후미 키 쪽으로 이동한다.

VFX _Solution

1. A2(화폭선)

C#123

임준영 O.S. 키

키가 있는 쪽으로 가는 임준영.

VFX _Solution

1. A2(화폭선)

C#124

키 O.S. 임준영

키 쪽으로 다가오는 임준영.

VFX _Solution

1. A2(화폭선)
2. B1(대장선)

C#125

가츠라 O.S. 임준영

그런데, 그곳에 키잡이 가츠라가 횃불을 치켜들고 막 화약통 심지에 불을 붙이려고 서 있는 게 보인다.

VFX _Solution

1. A2(화)

C#126

임준영 B.S.

긴장된 시선 속 두 사람,

VFX _Solution

1. A2(화폭선)

C#127

가츠라 B.S.

긴장된 시선 속 두 사람,

VFX _Solution

1. A2(화폭선)

C#128

임준영 B.S.

임준영이 횃불을 든 가츠라에게 순식간에 달려든다.

VFX _Solution

1. A2(화폭선)

C#129 1

1

가츠라 O.S. 임준영

허나 순식간에 심지에 불을 붙이고 마는 가츠라.

VFX _Solution

1. A2(화폭선)

C#130 1

임준영, 가츠라 2S

가츠라. 심지가 타들어간다.
이내 벌어지는 두 사람의 혈투!

VFX _Solution

1. A2(화폭선)

C#131 1

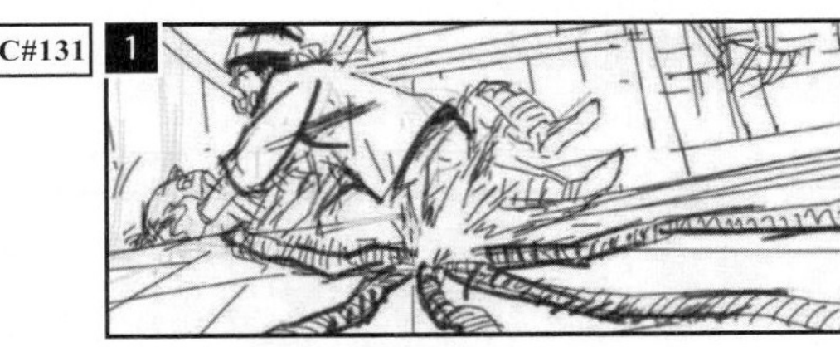

심지 O.S. 임준영, 가츠라

심지가 타들어간다. 이내 벌어지는 두 사람의 혈투!

VFX _Solution

1. A2(화폭선)

C#132 1

임준영, 가츠라 F.S. / 부감 / 정씨 여인 P.O.V.

정씨 여인 시야로 보이는 임준영.

VFX _Solution

1. A2(화폭선)

C#133

정씨 여인 B.S.

(CUT TO)
절벽 위 정씨 여인이 그런 임준영을 알아봤다!

C#134

정씨 여인 F.S.

순간, 미끄러지듯 절벽을 내달아 샛길을 타고 뛰어 내려가는 정씨 여인.

C#135

정씨 여인 M.S. / 부감

순간, 미끄러지듯 절벽을 내달아 샛길을 타고 뛰어 내려가는 정씨 여인.

C#136

정씨 여인 B.S.

순간, 미끄러지듯 절벽을 내달아 샛길을 타고 뛰어 내려가는 정씨 여인.

C#137 1

임준영, 가츠라 F.S.

(CUT TO)
두 사람의 혈투 속, 마침내 임준영이 가츠라를 갑판에서 떨어뜨리는 데 성공한다.

VFX _Solution

1. A2(화폭선)

C#138

키 O.S. 임준영

다급히 키로 달려가는 임준영,
하지만 자폭선의 키가 쇠사슬로 묶여 있어 배를 돌릴 수가 없다.

VFX _Solution

1. A2(화폭선)

C#139

임준영 B.S.

쇠사슬을 풀려고 고전하는 임준영.

VFX _Solution

1. A2(화폭선)

C#140

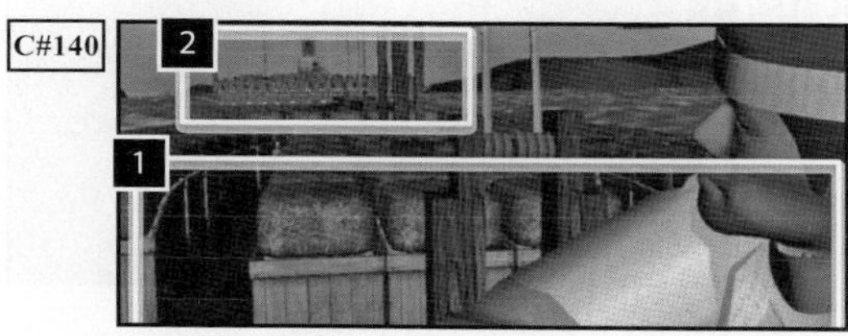

임준영 O.S. 대장선

쇠사슬을 풀려고 고전하는 임준영.

VFX _Solution

1. A2(화폭선)
2. B1(대장선)

C#141

임준영 B.S.

쇠사슬을 풀려고 고전하는 임준영.

VFX _Solution

1. A2(화폭선)

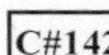

이순신 M.S.

(CUT TO)
그런 임준영을 이순신과 대장선 사람들,
그리고 산 위 이회가 안타깝게 지켜보고 있는데,

VFX _Solution

1. A1(대장선)

이회 B.S.

(CUT TO)
그런 임준영을 이순신과 대장선 사람들,
그리고 산 위 이회가 안타깝게 지켜보고 있는데,

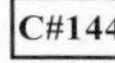

정씨 여인 F.S.

(CUT TO)
거친 호흡을 토해내며 이때 수풀 사이에서 뛰어나와 해안가 막다른 바위 끝에 다다른 정씨 여인,

정씨 여인 M.S.

가쁜 숨을 몰아쉬며 처음 듣는 날카롭고 괴상한 괴성을 내지른다.

C#146

정씨 여인 B.S.

가쁜 숨을 몰아쉬며 처음 듣는 날카롭고 괴상한 괴성을 내지른다.

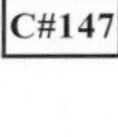
C#147

임준영 M.S.
임준영이 돌아본다. 정씨 여인과 임준영의 교차하는 시선.

VFX _Solution
1. A2(화폭선)

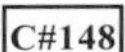
C#148

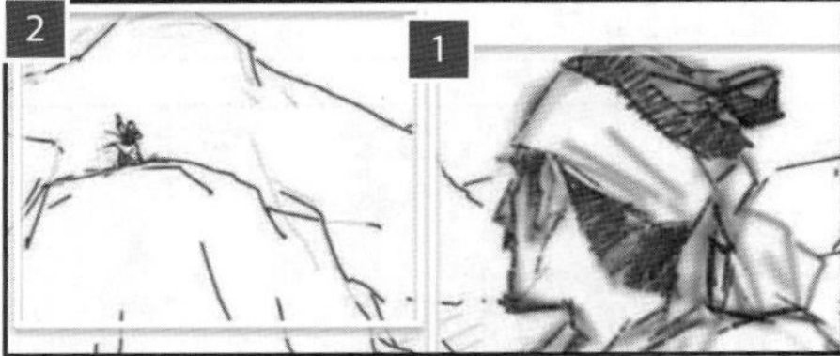

임준영 O.S. 정씨 여인
임준영이 돌아본다. 정씨 여인과 임준영의 교차하는 시선.

VFX _Solution
1. A2(화폭선)
2. 로케이션(울돌목 옆 산)

C#149

임준영 B.S.
임준영이 돌아본다. 정씨 여인과 임준영의 교차하는 시선.

VFX _Solution
1. A2(화폭선)

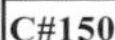
C#150

정씨 여인 B.S.
안타깝고 황망하기 그지없는 두 사람.

C#151

임준영 B.S.
안타깝고 황망하기 그지없는 두 사람.

VFX _Solution
1. A2(화폭선)

C#152

임준영 O.S. 정씨 여인
안타깝고 황망하기 그지없는 두 사람.

VFX _Solution
1. A2(화폭선)
2. 로케이션(울돌목 옆 산)

C#153

임준영 B.S.
안타깝고 황망하기 그지없는 두 사람.

VFX _Solution
1. A2(화폭선)

C#154

자폭선 F.S. / 부감
속도를 내며 나아가는 자폭선.

VFX _Solution
1. B1(화폭선)

C#155

가츠라 F.S.
이때 바다로 떨어진 줄 알았던 가츠라가 갑판을 기어 올라 온다.

VFX _Solution
1. A2(화폭선)

C#156

정씨 여인 B.S.

놀라는 정씨 여인.

C#157 1

임준영, 가츠라 M.S.

이때! 바다로 떨어진 줄 알았던 가츠라가 갑판을 기어 올라와 임준영의 등에 칼을 꽂는다.

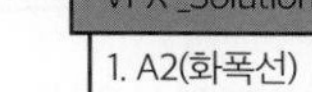

VFX _Solution

1. A2(화폭선)

C#158 1

임준영 C.U.

우욱! 휘청하며 나뒹구는 임준영.

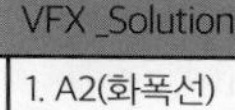

VFX _Solution

1. A2(화폭선)

C#159

정씨 여인 C.U.

눈이 휘둥그레지며 놀라는 정씨 여인.

C#160 1

임준영 O.S. 가츠라

그때 대장선에서 이순신이 쏜 화살에 가츠라 가슴이 꿰뚫린다.

VFX _Solution

1. A2(화폭선)

C#161 1

이순신 M.S.

그때 대장선에서 이순신이 쏜 화살에 가츠라 가슴이 꿰뚫린다.

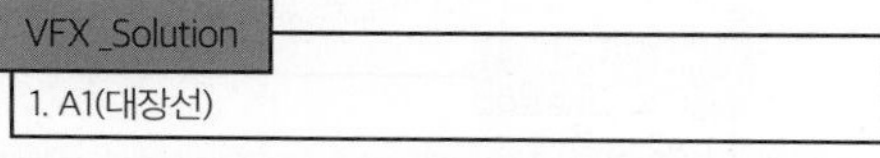

VFX _Solution

1. A1(대장선)

C#162 1

가츠라 F.S. / 부감

마침내 가츠라가 바다로 나가 떨어진다.

VFX _Solution

1. B1(화폭선)

C#163 1

임준영 TIGHT F.S.

(CUT TO)

피를 철철 흘리며 힘이 빠진 임준영,
도저히 묶인 쇠사슬을 어찌할 수가 없다.

VFX _Solution

1. A2(화폭선)

C#164

정씨 여인 C.U.

애달프고 너무나 안타까운 표정의 정씨 여인.

C#165 1

임준영 TIGHT F.S.

임준영이 문득 자신의 피 묻은 칼로 김응함의 배를 가리킨다.

VFX _Solution

1. A2(화폭선)

C#166

정씨 여인 M.S.

정씨 여인 !

C#167 1

임준영 TIGHT F.S.

(CUT TO)

임준영 다시 한번 크게 칼을 휘둘러 김응함의 배를 가리킨다.

VFX _Solution

1. A2(화폭선)

C#168 1

임준영 C.U.

임준영 (애타는 시선) 임자! 알아묵겄제. 결단코… 이 배는 절대로 장군께 가면 안 되네.

VFX _Solution

1. A2(화폭선)

C#169

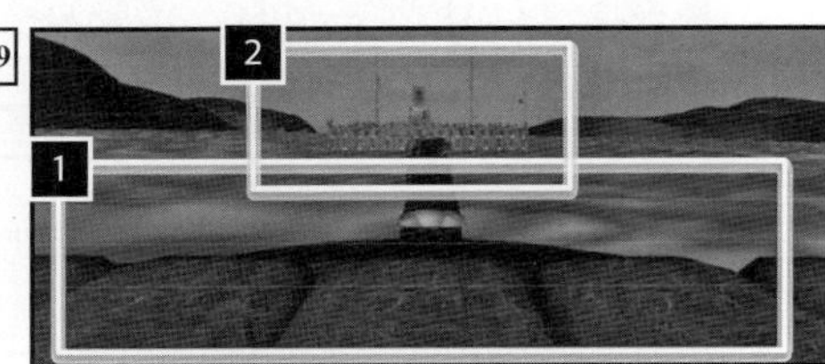

자폭선 O.S. 대장선

자폭선이 물살을 따라 이미 대장선과 1백여 보 앞까지 다가 왔다.

VFX _Solution

1. A2(화폭선)
2. B1(대장선)

C#170 1

화약통 INSERT

화약통의 심지가 거의 타들어가고 있다.

VFX _Solution

1. A2(화폭선)

C#171 1

임준영 C.U.

임준영, 마지막까지 있는 힘을 다해
다시 한번 칼을 휘두르며 김응함의 배를 가리킨다.

임준영 (정씨 여인을 향해서 고통스러운) 임자! 얼른! 저 짝 배… 저 짝 배가 볼 수 있게 얼른 뭐라도 흔들란 말일세!

VFX _Solution

1. A2(화폭선)

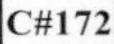

정씨 여인 B.S.
(CUT TO)
정씨 여인이 마구 눈물을 쏟아내며 자신의 치마를 찢는다.
그리고 흔들기 시작하는데,

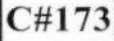

정씨 여인 TIGHT F.S. / L.A.
(CUT TO)
정씨 여인이 마구 눈물을 쏟아내며 자신의 치마를 찢는다.
그리고 흔들기 시작하는데,

C#174

정씨 여인 WIDE F.S. / L.A.
치마를 흔드는 정씨 여인.

C#175

임준영 B.S. / H.A.

임준영 (피 흘리며 반색) 그렇지! 바로 그거네! 그거!

VFX _Solution
1. A2(화폭선)

C#176

정씨 여인 M.S.
정씨 여인이 날카로운 괴성을 질러대며 더욱 크게 흔들기 시작하는데,

C#177

이회, 이순신 B.S.
(CUT TO)
산 위, 이회와 김 노인 또한 절절하게 이 광경을 지켜보고 있다.

C#178

민초들 O.S. 이회

이 회 어서! 우리도 함께 흔듭시다! 모두들! 어서!

C#179

민초들 그룹쇼트
민초들 반응….

C#180

민초들 그룹쇼트
산 위, 아낙들, 아이들까지 합세해 모두 옷을 벗어 흔들기 시작한다.

C#181

산 위 민초들 WIDE F.S.
더불어 크게 함성까지 질러대는 산 위 사람들….

C#182

이순신, 대장선의 장졸들 그룹쇼트
INS) 이순신 이하 대장선 갑판 위 장졸들은 초조하고 안타깝기 그지없는데,

VFX _Solution
1. A1(대장선)

C#183

김응함 부장 B.S.
(CUT TO)
화포를 재장전하라며 외치며 갑판을 뛰어다니던 김응함의 부장,
갑자기 눈이 휘둥그레진다.

VFX _Solution
1. A1(김응함 판옥선)

C#184

김응함 O.S. 김응함 부장

김응함 부장 장군 저길 보십시오!

VFX _Solution
1. A1(김응함 판옥선)

C#185

민초들 WIDE F.S. / 김응함 P.O.V.
장루 위 김응함의 시야로,
멀리 절벽 위에서 모든 사람들이 옷을 휘젓고 있는 것이 보인다.

VFX _Solution
1. A1 (김응함 판옥선)
2. 로케이션(울돌목 옆 산)

C#186

김응함 C.U.

김응함 저들이 왜 옷을 흔들고 있느냐.

VFX _Solution
1. A1(김응함 판옥선)

C#187

김응함 O.S. 김응함 부장

김응함 부장 (곤혹스러운) 글쎄옵니다. 저도 잘… (문득 다시 눈이 휘둥글) 장군! 저기!

VFX _Solution
1. A1(김응함 판옥선)

C#188

민초들 WIDE F.S. -> TILT DOWND
산 위 사람들 밑으로 웬 아낙이 중간치의 절벽에서 붉은 치마를 휘젓고 있는 게 보인다.

TILT DOWN -> 정씨 여인 F.S.

C#189

김응함 B.S.

김응함 웬 아낙이… (퍼뜩) 우리에게 뭔가 신호를 보내는 거 같지 않느냐.

VFX _Solution
1. A1(김응함 판옥선)

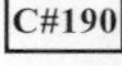

C#190

김응함 O.S. 김응함 부장

김응함의 부장이 급히 장루 위로 뛰어 올라온다.

VFX _Solution

1. A1(김응함 판옥선)

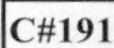

C#191

김응함 부장 B.S.

김응함 부장 (유심히 뭔가를 살피다) 장군! 너울이 심해 잘 보이진 않지만 대장선 쪽에서도 뭔가 신호를 보내고 있습니다.

VFX _Solution

1. A1 (김응함 판옥선)

C#192

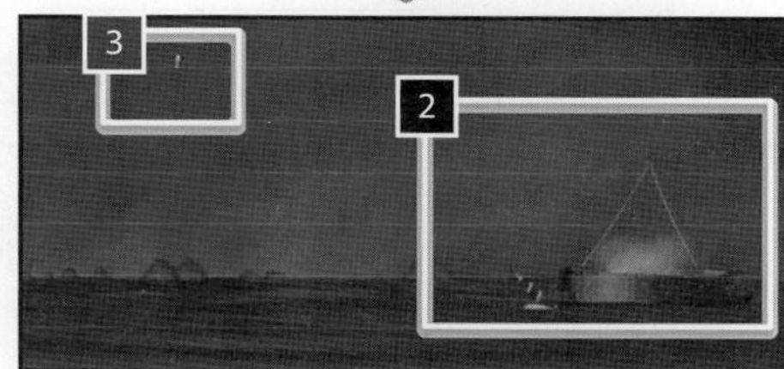

대장선 WIDE F.S. -> 자폭선 WIDE F.S.

부장의 시선이 대장선의 어렴풋한 신호를 따라 앞쪽으로 주욱 훑어가면,

웬 불타는 배가 너울대며 대장선을 향해 가고 있음이 보인다.

VFX _Solution

1. B1(대장선)
2. B1(화폭선)
3. LOCATION(민초산)

C#193

김응함, 김응함 부장 2S

김응함 부장 장군! 아무래도 저기… 저 불타는 배를 타격해야 할 거 같습니다. 저 아낙이 좋은 기준점이 될 듯합니다.

VFX _Solution

1. A1(김응함 판옥선)

C#194

김응함 부장 O.S. 김응함

김응함 웬 아낙이 돕는구나. 속히 준비하라!

VFX _Solution

1. A1(김응함 판옥선)

C#195

김응함 부장 F.S. / 앙각

김응함 부장 (고함) 좌현 화포들은 저 여인을 기준으로 좌로 두 치 빗겨 조준!

VFX _Solution

1. A1(김응함 판옥선)

C#196

이순신 B.S.

(CUT TO)

이순신과 대장선의 장졸들이 이 모든 상황을 긴장된 표정으로 지켜보고 있다.

VFX _Solution

1. A1(대장선)

C#197 1

김응함 부장 B.S.
(CUT TO)
김응함의 배, 고정된 정씨 여인을 중심으로 좌로 살짝 빗겨선 화포의 조준 시야!

VFX _Solution
1. A1(김응함 판옥선)

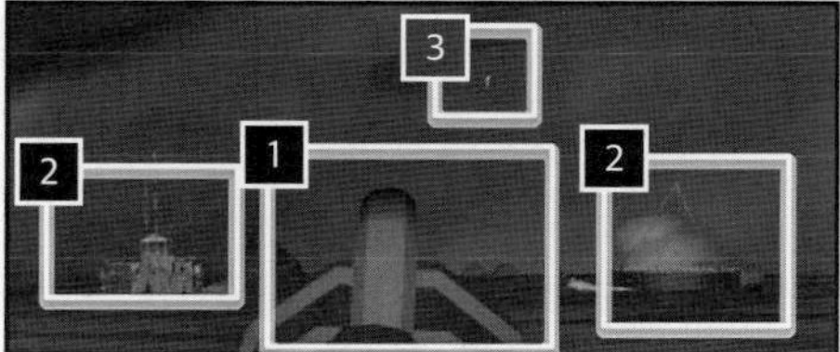

대장선, 자폭선 WIDE F.S.
(CUT TO)
김응함의 배, 고정된 정씨 여인을 중심으로 좌로 살짝 빗겨선 화포의 조준 시야!

VFX _Solution
1. A1(김응함 판옥선)
2. B1(대장선/화선 분리촬영)
3. 로케이션(울돌목 옆 산)

김응함 부장 B.S.
김응함의 부장이 마침내 고개를 끄덕이면,

VFX _Solution
1. A1(김응함 판옥선)

C#200 1

김응함 B.S.

김응함 발포하라!

VFX _Solution
1. A1(김응함 판옥선)

C#201 1

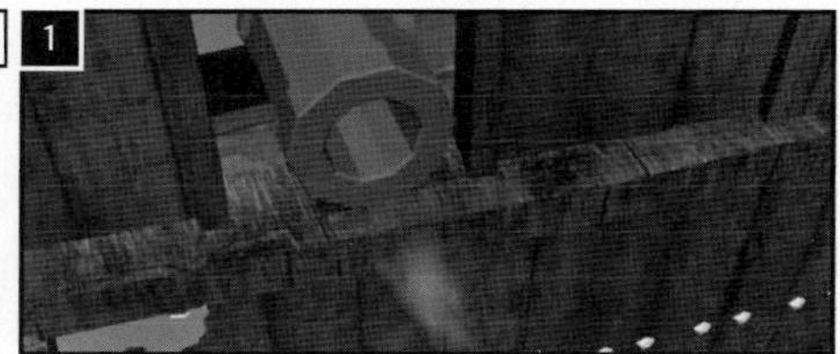

김응함 판옥선 화포 C.U.
펑펑펑!

VFX _Solution
1. B1(김응함 판옥선)

C#202 1

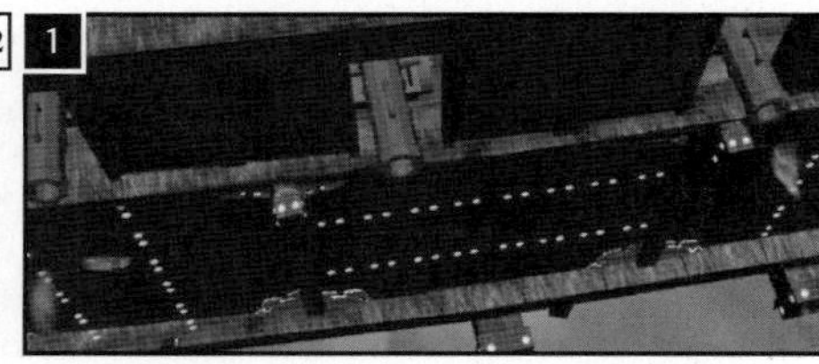

화포 C.U. / 부감
펑펑펑!

VFX _Solution
1. B1(김응함 판옥선)

C#203 1

자폭선 WIDE F.S.
일제히 발사된 포탄이 포물선을 그리며 날아간다.
펑! 펑! 그런데 포탄들이 제대로 영점조준이 안 되어 한참을 빗맞아 바다로 떨어진다.

VFX _Solution
1. B1(화폭선)

C#204 1

김응함 부장 B.S.

김응함 부장 (난색) 이거 원… 어찌 조준점을 잡아야 할지….

VFX _Solution
1. A1(김응함 판옥선)

C#205

정씨 여인 F.S.
갑자기 정씨 여인이 울부짖으며 옆으로 내달리기 시작한다.

C#206

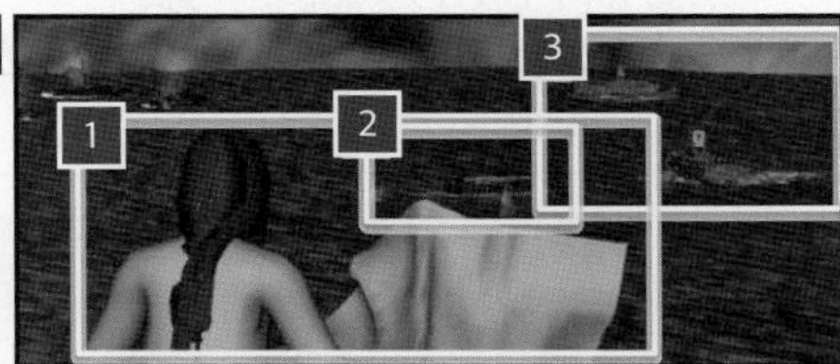

정씨 여인 O.S. 울돌목
자폭선을 내려다보며 종종 멈춰서 연신 치마를 흔들며 조준점을 계속 유도한다.

VFX_Solution

1. 로케이션(인물 크로마 촬영)
2. C(울돌목_더미 배)
3. B1(판옥선_분리촬영)

C#207

정씨 여인 TIGHT F.S.
마침내 인근 높은 바위까지 기어이 기어 올라가 다시 세차게 치마를 흔드는 정씨 여인….

C#208 1

김응함 부장 B.S.
김응함의 부장이 난감한 표정으로 화포를 조준하고 있다. 문득 눈을 떼며 놀라.

김응함 부장 대체 저 여인이 어찌 조준 체계를….

VFX_Solution

1. A1(김응함 판옥선)

C#209 1

김응함 부장 O.S. 김응함

김응함 실로 천운이구나. 속히 화포를 저 여인을 따라 정조준하라!

VFX_Solution

1. A1(김응함 판옥선)

C#210 2

정씨 여인 WIDE F.S.

김응함 부장 조준!

VFX_Solution

1. A1(김응함 판옥선)
2. 로케이션(울돌목 옆 산)

C#211 1

김응함 부장 C.U.

김응함 부장 조준!

VFX_Solution

1. A1(김응함 판옥선)

C#212 1

포탄 C.U.
콰쾅! 마침내 자폭선 가까이 맞아 떨어지기 시작하는 포탄들,

VFX_Solution

1. A1(김응함 판옥선)

C#213

자폭선 WIDE F.S.

콰광! 마침내 자폭선 가까이 맞아 떨어지기 시작하는 포탄들,

VFX _Solution

1. B1(화폭선)

C#214

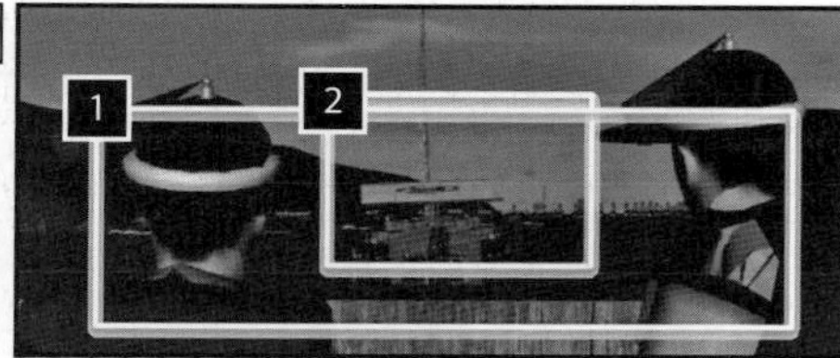

대장선 O.S. 자폭선

(CUT TO)

자폭선이 대장선 앞 20보 앞까지 가까워졌다.

VFX _Solution

1. A1(대장선)
2. B1(화폭선)

C#215

대장선 조선군 그룹쇼트

어서… 대장선 사람들,

산 위 사람들 모두가 초조하게 염원.

VFX _Solution

1. A1(대장선)

C#216

이회, 김 노인 B.S.

어서… 대장선 사람들,

산 위 사람들 모두가 초조하게 염원.

C#217

대장선, 조선 수군들 손 C.U.

어서… 대장선 사람들,

산 위 사람들 모두가 초조하게 염원.

VFX _Solution

1. A1(대장선)

C#218

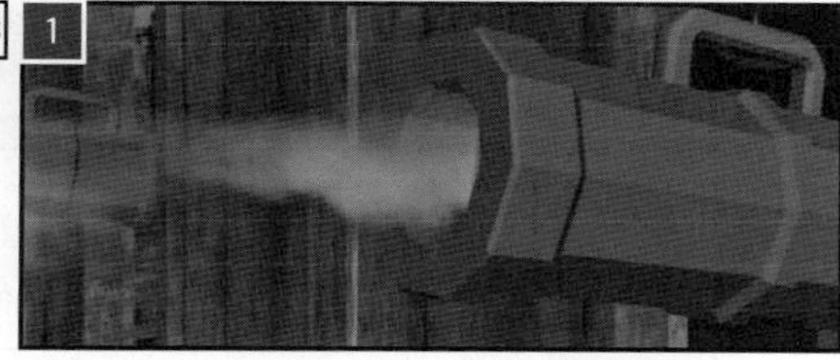

포탄 C.U.

슈웅! 다시 날아오는 포탄 하나.

주저앉아 있던 임준영이 그 포탄을 본다.

VFX _Solution

1. A1(김응함 판옥선)

C#219

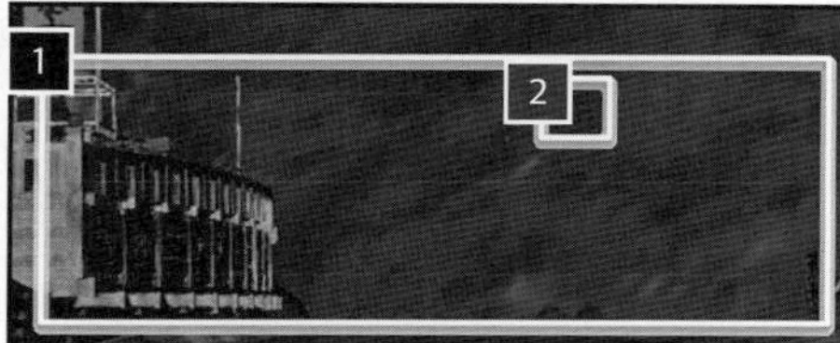

대장선 O.S. 정씨 여인

VFX _Solution

1. B1(대장선/화폭선_분리촬영)
2. 로케이션(울돌목 옆 산)

C#220

임준영 O.S. 포탄

슈융! 다시 날아오는 포탄 하나. 주저앉아 있던 임준영이 그 포탄을 본다.

VFX _Solution

1. A2(화)

C#221

임준영 B.S.
임준영, 마침내 뭔가를 직감하고 정씨 여인을 보며 웃는다.

임준영 (중얼) 역시 화포장 따님이시네. 잘했네. (미소) 자네꺼정 이리 보고, 나 맘 편히 가네.

VFX _Solution
1. A2(화폭선)

C#222

정씨 여인 WIDE F.S.
콰앙! 기어이 포탄이 자폭선에 명중한다.

C#223

콰앙! 기어이 포탄이 자폭선에 명중한다.

VFX _Solution
1. M(화선 미니어처 폭파 소스)

C#224
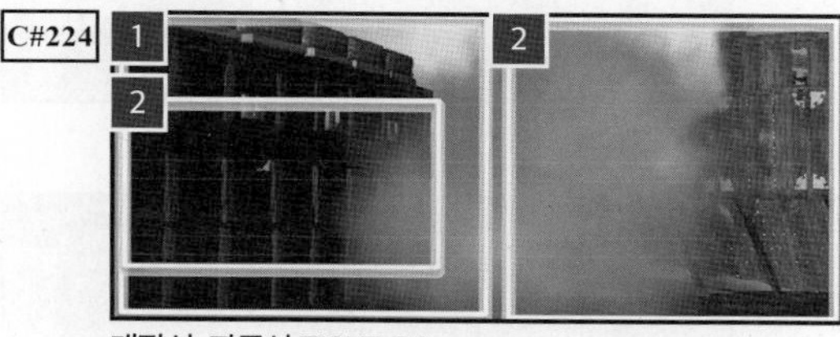

대장선, 자폭선 TIGHT F.S.
또한 폭발력은 대장선까지도 크게 영향을 미쳐 대장선 측면 중앙에 크게 구멍을 내고 만다.

VFX _Solution
1-1. B1(화폭선)
1-2. M(화폭선 미니어처 폭파 소스)
2. B1(대장선)

C#225

격군실 F.S.
격군실 내부에서 폭발의 영향으로 벽이 뜯겨져 나가는 샷.

C#226
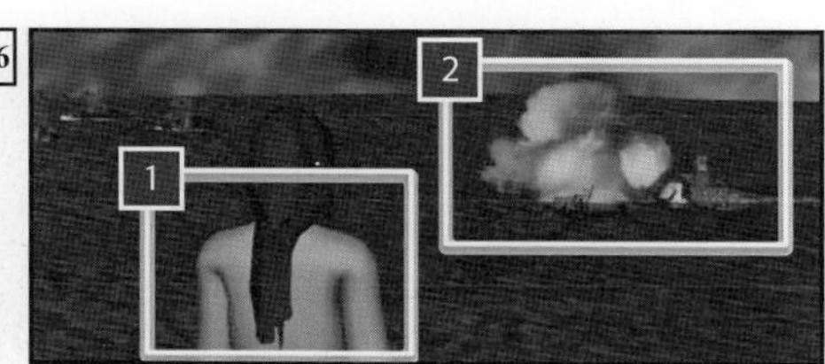

정씨 여인 O.S. 울돌목
엄청난 폭발과 함께 산산이 부서져서 격침되는 임준영의 자폭선.

VFX _Solution
1. 로케이션(크로마 인물 촬영)
2-1. M(화폭선 미니어처 폭파 소스)
2-2. B1(대장선)

C#227

정씨 여인 WIDE F.S.
임준영의 흔적은 어디에도 없다.

VFX _Solution
1. 로케이션(울돌목 옆 산)
2. M(화선 미니어처 잔해 소스)

C#228

정씨 여인 B.S.
눈물과 함께 바닥으로 무너져 내리는 정씨 여인….

C#229

구루지마 C.U.
INS) 구루지마가 꿈틀! 그의 시선이 차갑게 구멍 뚫린 이순신 배에 모아지는데 - C.U.

VFX _Solution
1. A4(구루지마 안택선)

C#230

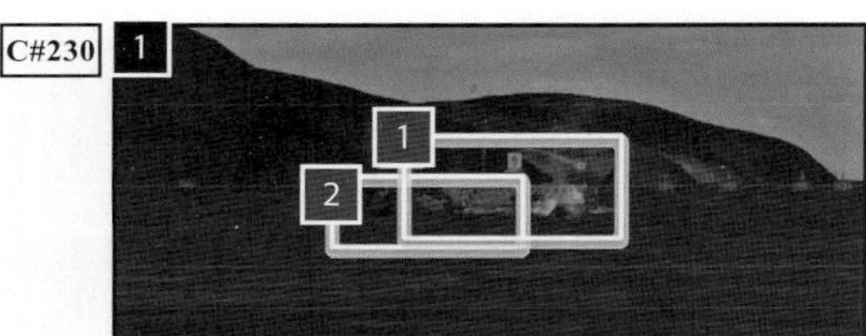

대장선 WIDE F.S. / 구루지마 P.O.V.

INS) 구루지마가 꿈틀! 그의 시선이 차갑게 구멍 뚫린 이순신 배에 모아지는데.

VFX _Solution

1. B1(대장선)
2. M(화폭선 미니어처 잔해 소스)

C#231

송희립 B.S.

송희립 (다급히) 장군! 적의 본대입니다!

VFX _Solution

1. A1(대장선)

C#232

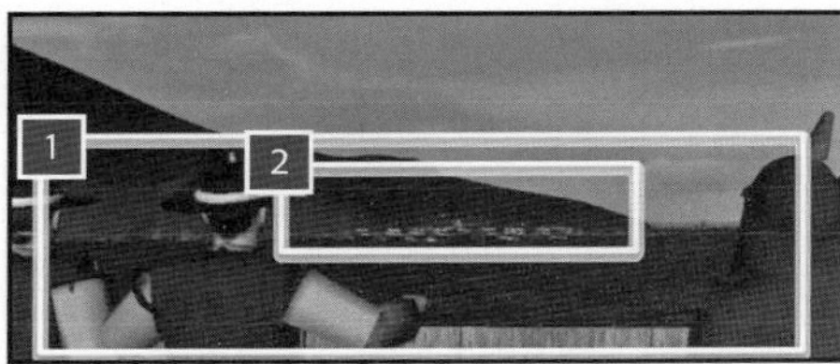

송희립 O.S. 이회.

급기야 구루지마가 본대를 안위 쪽에서 이순신 쪽으로 급선회했다.

VFX _Solution

1. A1(대장선)
2. B1(안택선/세키부네_분리촬영)

C#233

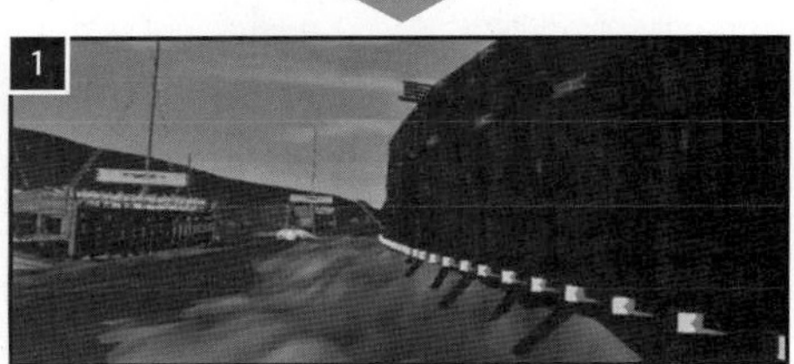

구루지마 안택선 WIDE F.S.

이순신 쪽으로 덮칠 듯 다가오는 구루지마 함대.

VFX _Solution

1-1. C(울돌목_더미 배)
1-2. B2(안택선/세키부네 소스)

C#234

구루지마 N.S. -> C.U.

(CUT TO)

맹수처럼 이빨을 번뜩이며 노려보는 해적왕 구루지마!
구루지마의 눈엔 이젠 이순신밖에 보이지 않는듯하다.

VFX _Solution

1. A4(구루지마 안택선)

C#235 1

와키자카 C.U.

INS) 와키자카의 눈빛이 흔들린다.

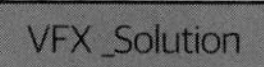

VFX _Solution

1. A4(와키자카 안택선)

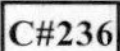

C#236 1

가도, 도도 25

INS) 당황한 가토, 더욱 냉정히 예의주시하는 도도,

VFX _Solution

1. A4(도도 안택선)

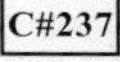

C#237 1

이순신 M.S.

(CUT TO)

이순신 (밀려오는 구루지마 선단에 시선 고정) 모두 전투 대열로!

VFX _Solution

1. A1(대장선)

C#238 1

조선 수군들 그룹쇼트

이미 갈라 터진 목소리의 송희립이 재차 고함친다.

VFX _Solution

1. A1(대장선)

S#64 대장선의 위기 2 (회오리 바다)

대장선의 위기 2(회오리 바다) 276 CUTS  EXT  DAY  OPEN SET

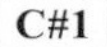

C#1

왜병들 그룹쇼트

와아~! 서로 간의 함성들!

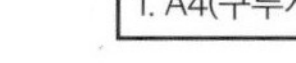

VFX_Solution

1. A4(구루지마 안택선)

C#2

조선 수군 그룹쇼트

와아~! 서로 간의 함성들!

VFX_Solution

1. A1(대장선)

C#3

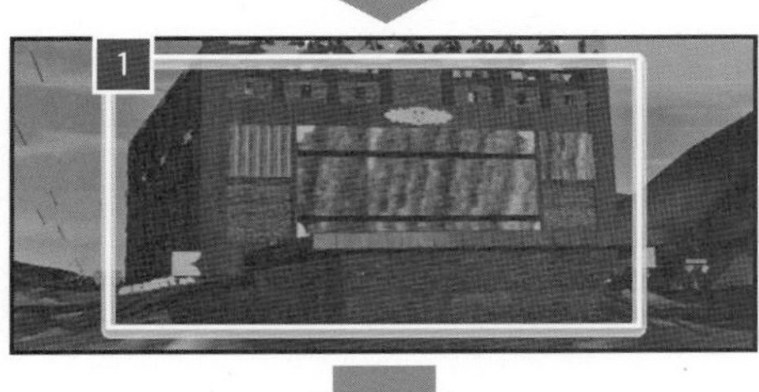

구루지마 안택선 F.S.

구루지마 선단의 모든 조총들이 일제히 불을 뿜기 시작하고,

VFX_Solution

1. B2(구루지마 안택선/세키부네 2척)

C#4

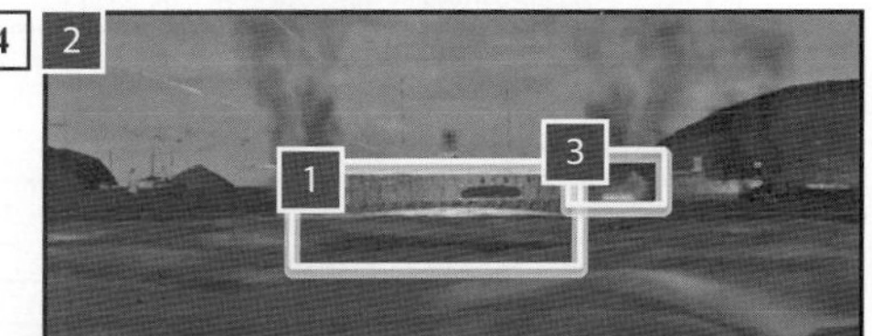

대장선 WIDE F.S.

구루지마 선단의 모든 조총들이 일제히 불을 뿜기 시작하고,

VFX_Solution

1. B1(대장선)
2. C(울돌목)
3. A2(세키부네_부서진 잔해 소스)

C#5

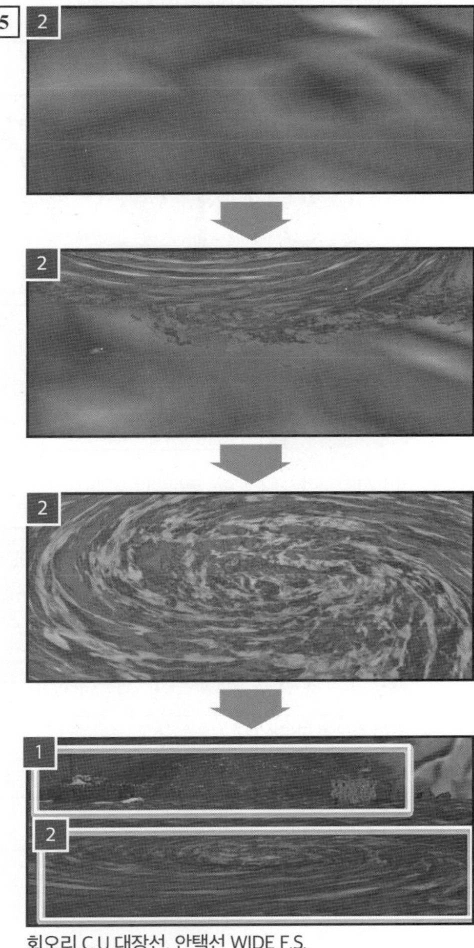

회오리 C.U 대장선, 안택선 WIDE F.S.

VFX_Solution

1-1. C(독목_안택선 더미 배_옥타콥터촬영)
1-2. B1(대장선)
2. F(회오리바다 FULL 3D)

C#6

대장선 O.S. 적선

김돌손 이하 사부들이 맹렬히 화살을 날린다.

VFX _Solution

1. A1(대장선)
2. B1(안택선/세키부네_분리촬영)

C#7

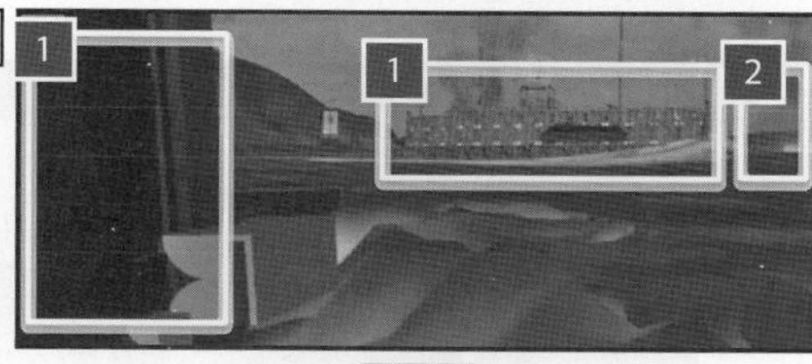

적선 O.S. 대장선

그런데 구루지마의 안택선이 정확히 어딘가를 노리고 달려들고 있다.

VFX _Solution

1-1. B2(대장선)
1-2. B2(구루지마 안택선)
2. A2(세키부네_부서진 잔해 소스 촬영)

C#8

대장선 격군실 F.S.

(CUT TO)

물을 퍼내느라 여념이 없는 대장선 격군실.

C#9

황보만 B.S.

황보만의 독려가 너무 안타깝다 못해 처절한데,

C#10

격군 1 O.S. 적선

저, 저기! 한 격군이 놀란 눈으로 외친다.

뚫린 구멍 너머 적의 안택선이 정확히 파손된 그곳을 노리며 치달려 오고 있다.

VFX _Solution

1. SET(대장선 격군실)
2. B1(안택선/세키부네 2척)

C#11

황보만 B.S.

황보만 ! 모두 노를 잡아라!

C#12

구루지마 C.U.

INS) 구루지마가 짧게 그로테스크한 미소를 날린다.

VFX _Solution

1. A4(구루지마 안택선)

C#13

이순신 C.U.

이순신 !

VFX _Solution

1. A1(대장선)

C#14

황보만, 격군들 B.S.

황보만과 격군들의 몸부림!

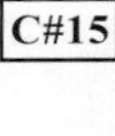

C#15

김중걸, 수봉이 M.S.
황보만과 격군들의 몸부림!

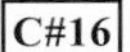

C#16

대장선, 구루지마 안택선 TIGHT F.S .
대장선은 전혀 움직일 기미가 보이지 않고!

VFX _Solution
1. B2(대장선)
-노 젓기
2. B2(구루지마 안택선)

C#17

이순신 C.U.
이순신 VS 구루지마!

VFX _Solution
1. A1(대장선)

C#18

구루지마 C.U.
이순신 VS 구루지마!

VFX _Solution
1. A4(구루지마 안택선)

C#19

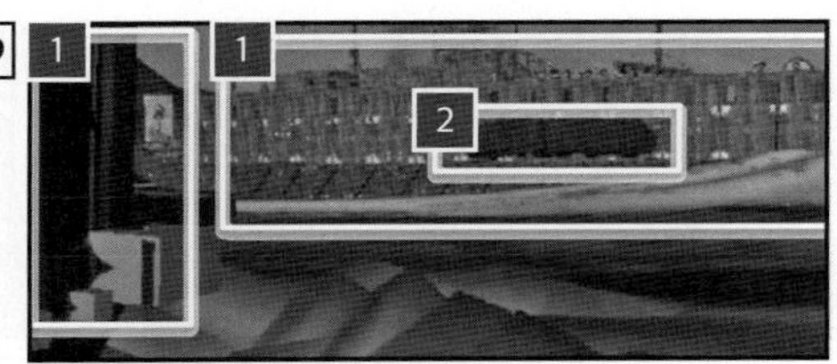

구루지마 안택선 O.S. 대장선
그들 사이의 거리는 불과 한 호흡!

VFX _Solution
1-1. B2(대장선)
1-2. B2(구루지마 안택선)
2. SET(대장선 격군실 내부 소스)

C#20

구루지마 안택선 TIGHT F.S.
구루지마 안택선이 마침내 이순신의 대장선에 세차게 부딪히는 찰나!
(안택선, 세키부네가 나란히가 아닌 종열의 형태로 배열)

VFX _Solution
1. SET(대장선 격군실)
2. B1(구루지마 안택선/세키부네 2척)

C#21

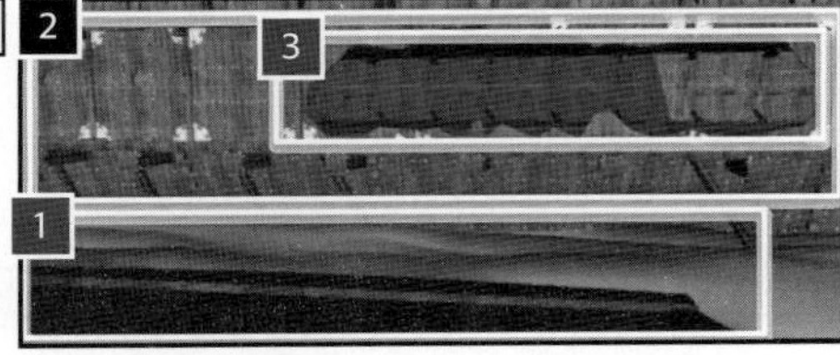

대장선 선체 TIGHT F.S.
구루지마 안택선이 마침내 이순신의 대장선에 세차게 부딪히는 찰나!

VFX _Solution
1. A4(구루지마 안택선)
2. B1(대장선)
-노 젓기 (파손 부분 제외)
3. SET(대장선 격군실 내부 소스)

C#22 1

도도 C.U.

도 도 (마침내 벌떡!) 이순신은 이제 끝이다!

VFX _Solution

1. A4(도도 안택선)

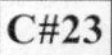

C#23 1

구루지마 안택선, 대장선 TIGHT F.S.

(CUT TO)

갑자기 이순신의 대장선 밑바닥에서 거세게 치솟으며 올라서는 물결!

VFX _Solution

1. B1(구루지마 안택선)

C#24 1

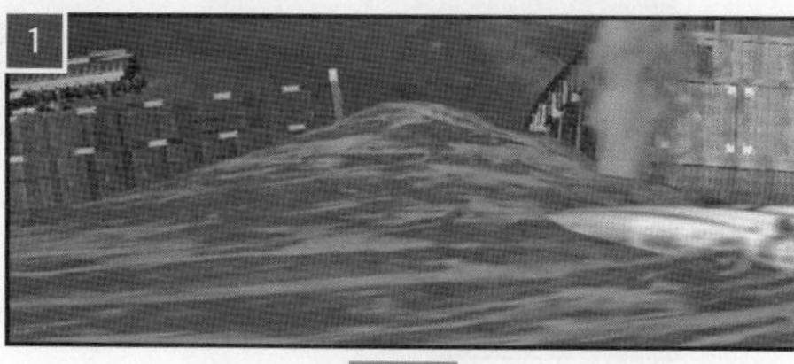

1

왜병들 그룹쇼트

양쪽 배의 군사들이 모두 쓰러진다.

VFX _Solution

1-1. A1(대장선_워터캐논)

1-2. A4(구루지마 안택선)

C#25 1

왜병들 그룹쇼트

양쪽 배의 군사들이 모두 쓰러진다.

VFX _Solution

1. A4(구루지마 안택선)

C#26 1

조선 수군 그룹쇼트

양쪽 배의 군사들이 모두 쓰러진다.

VFX _Solution

1. A1(대장선)

C#27 1

구루지마 안택선, 대장선 WIDE F.S.

순식간에 다른 회오리들이 합쳐지며 크기와 에너지가 몇 배로 불어난 회오리 바다!

VFX _Solution

1-1. A1(대장선)

1-2. A4(구루지마 안택선)

C#28

이회, 김 노인 B.S.

이회와 김 노인!

C#29

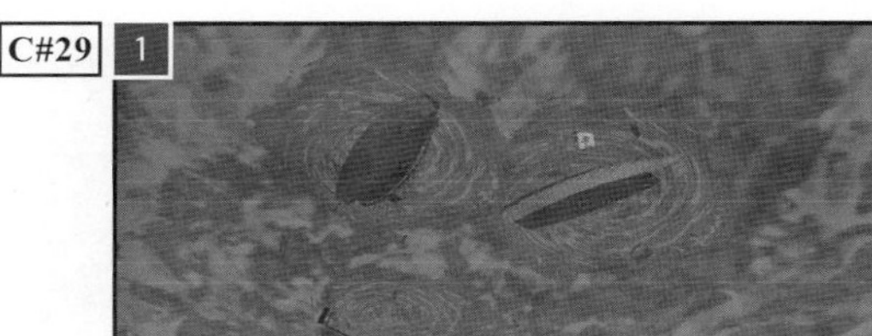

구루지마 안택선, 대장선 WIDE F.S. / 앙각 / 수중촬영

VFX _Solution

1. D(판옥선/세키부네/안택선_레퍼런스 수중촬영)

C#30

대장선 갑판 TIGHT F.S.

대장선이 크게 요동치며 다수의 군사들이 바닥으로 쓰러진다.

VFX _Solution

1. A1(대장선)

C#31

대장선 격군실 격군들 그룹쇼트

격군실 격군들도 거의 모두 노를 놓치고 쓰러진다.

C#32

이순신 TIGHT F.S.

이순신조차도 누각에 나뒹구는데.

VFX _Solution

1. A1(대장선)

C#33

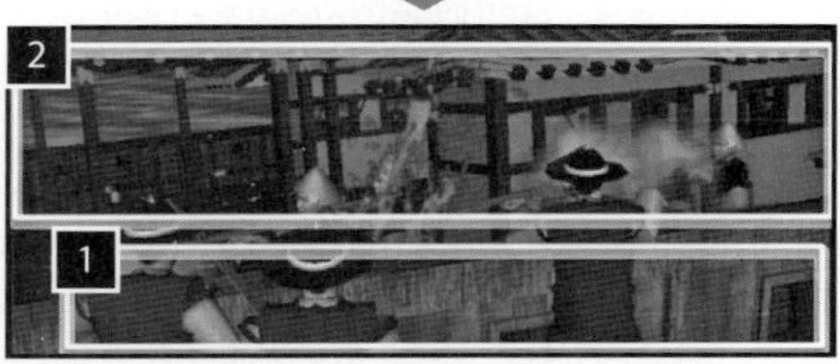

대장선 O.S. 구루지마 안택선

회전하는 대장선의 좌측면을 쓸듯이 스치고 지나가는 구루지마의 안택선.

VFX _Solution

1. A1(대장선_워터캐논/에어캐논)
2. A4(구루지마 안택선)

C#34

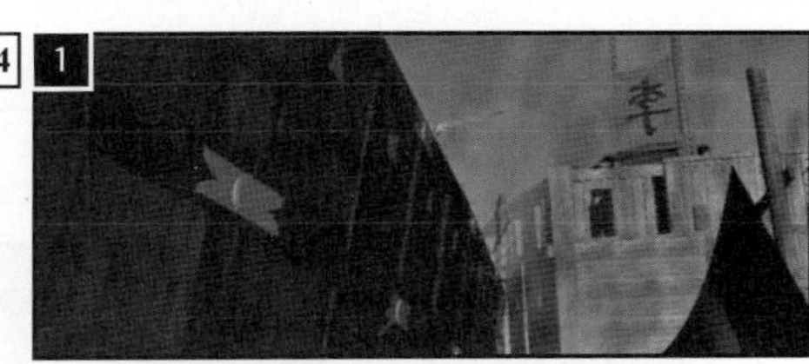

대장선, 구루지마 안택선 TIGHT F.S. / 암각

회전하는 대장선의 좌측면을 쓸듯이 스치고 지나가는 구루지마의 안택선.

VFX _Solution

1-1. A1(대장선)
1-2. A4(구루지마 안택선_에어캐논)

C#35 1

1

1

1

1

구루지마 안택선. 대장선 WIDE F.S.

구루지마의 안택선이 대장선 측면에서 들어서던 세키부네를 들이받는다.

VFX _Solution

1-1. A1(대장선_옥타콥터 촬영)
1-2. A4(안택선_옥타콥터 촬영)
1-3. A2(세키부네_옥타콥터 촬영)

C#36 1

구루지마 C.U.

구루지마 (고함) 어서 배를 돌려!

VFX _Solution

1. A4(구루지마 안택선)

C#37 1

구루지마 TIGHT F.S.

격분한 구루지마가 마침내 칼을 빼 들고 갑판으로 뛰어내려온다.

VFX _Solution

1. A4(구루지마 안택선)

C#38 1

구루지마 안택선 O.S. 대장선

안택선이 회오리의 힘으로 천천히 돌더니,
마주 돌던 이순신의 대장선과 쿵! 다시 거세게 충돌한다.

VFX _Solution

1-1. A4(구루지마 안택선_워터캐논/에어캐논)
1-2. A2(대장선)

C#39 1

왜병들 그룹쇼트

양쪽 배의 군사들이 모두 쓰러진다.

VFX _Solution

1. A4(구루지마 안택선)

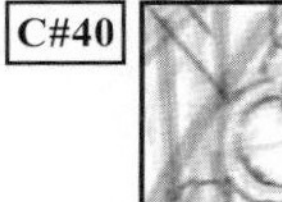

C#40

조선 수군 그룹쇼트

양쪽 배의 군사들이 모두 쓰러진다.

VFX _Solution

1. A1(대장선)

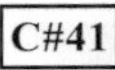

C#41

대장선, 구루지마 안택선 WIDE F.S. / 부감

모든 배들이 얽히고설키며 한마디로 진영이 엉망이 되어버렸다.

회오리 속, 제멋대로 회전하고 있던 이순신의 대장선과 구루지마의 안택선.

VFX _Solution

1-1. A1(대장선)

1-2. A4(구루지마안택선)

1-3. A2(세키부네)

2. F(회오리바다 Full 3D)

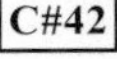

C#42

이순신 B.S.

이순신 백병전이다!

VFX _Solution

1. A1(대장선)

C#43

구루지마 B.S.

구루지마 (칼을 치켜들고) 돌격해!

VFX _Solution

1. A4(구루지마 안택선)

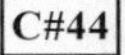

C#44

구루지마 안택선, 대장선 F.S. / 부감

(느린 화면) 와아아~ 맞닿아 있는 뱃머리로 개미 떼처럼 넘어가는 에히메 왜병들.

VFX _Solution

1. B1(대장선/구루지마 안택선_옥타콥터 촬영)

2. F(회오리바다 Full 3D)

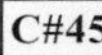

C#45

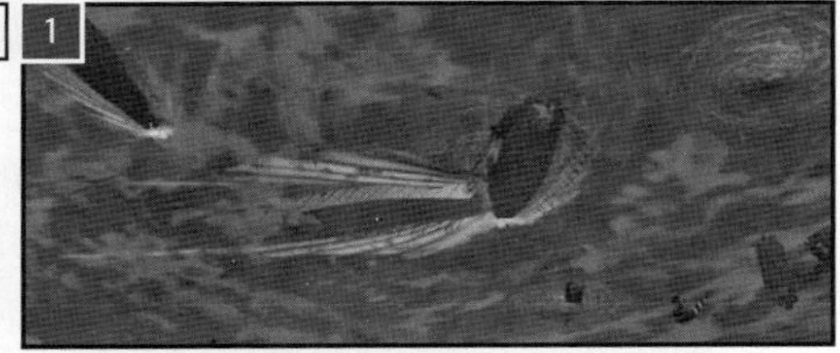

구루지마 안택선, 대장선 WIDE F.S. / 암각 / 수중컷

회오리 수중 컷

VFX _Solution

1. D(판옥선/안덕션_레퍼런스 수중촬영)

C#46

와키자카 B.S.

(CUT TO)

중군의 와키자카가 벌떡!

VFX _Solution

1. A4(와키자카 안택선)

C#47

구로다 B.S.

구로다 (급히 알아채고) 지원할까요?

VFX _Solution

1. A4(와키자카 안택선)

C#48

와키자카 B.S.
와키자카, 갑자기 명령을 내리던 손을 부들부들…
애써 힘주며 접는다.

와키자카 (애써 다시 자리에 앉으며) 아니다. 아니야. 좀 더 지켜보자.

VFX _Solution
1. A4(와키자카 안택선)

C#49

구로다 C.U.

구로다 …?

VFX _Solution
1. A4(와키자카 안택선)

C#50

도도, 가토 2S B.S.
(CUT TO)
도도와 가토가 일어서서 미동도 없이 지켜보고 있다.

VFX _Solution
1. A4(도도 안택선)

C#51

가토 B.S.

가 토 (조심스레) 지원해야 되지 않을까요?

VFX _Solution
1. A4(도도 안택선)

C#52

도도 C.U.
도도가 대답을 하지 않고,
급기야 피식피식 웃기 시작하는데…
더 이상 말을 잇지 못하는 가토.

VFX _Solution
1. A4(도도 안택선)

C#53

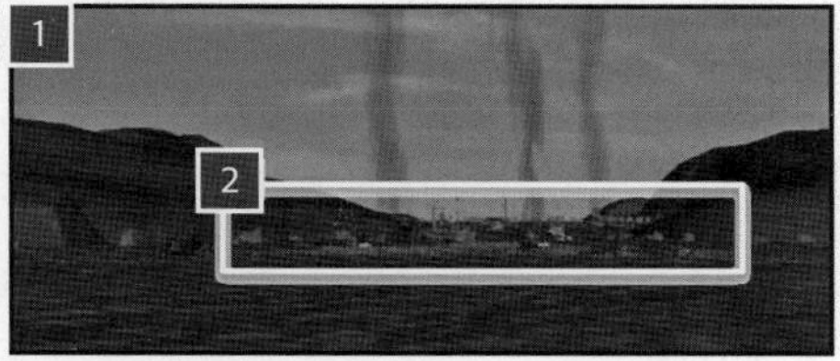

울돌목 WIDE F.S. / 송여종 P.O.V.
(CUT TO)
그저 멍한 송여종의 시선으로,
멀리 뿌연 연기 속에서 마구 엉키고 섞인 배들이 보인다.

VFX _Solution
1. C(울돌목_더미 배)
2. A2(세키부네_부서진 잔해 소스)

C#54

송여종 B.S.
사색이 된 송여종, 문득 이상한 느낌에 시선을 돌리면

VFX _Solution
1. A1(송여종 판옥선)

C#55

송여종 O.S. 장졸들
모든 장졸들이 뚫어지게 대장선이 아닌 바로 자신을 쳐다보고 있다.

VFX _Solution
1. A1(송여종 판옥선)

C#56

대장선 격군실 천장 INSERT
(CUT TO)
대장선 격군실, 천장 위로 갑판 위 군사들의 비명 소리와 발 소리가 공포스럽게 들린다.

C#57

김돌손 F.S.
콰앙! 땀과 피에 절은 김돌손이 격군실로 뛰어 들어온다.

C#58

김중걸, 수봉이, 격군실 B.S.
김중걸이 화들짝!

C#59

김돌손 B.S.

김돌손 (다급하게) 수가 부족하구만! 어여 모두 갑판 위로! 백병전을 지원하랑께!

C#60

격군들 그룹쇼트
우당탕! 어수선! 이젠 모든 격군들까지 노와 창을 주워들고 갑판 위로 올라간다.

C#61

격군들 그룹쇼트 -> TRACKING -> 김중걸 B.S.
우당탕! 어수선! 이젠 모든 격군들까지 노와 창을 주워들고 갑판 위로 올라간다.

C#62

김중걸 TIGHT B.S.
그 와중에도 눈치를 살피며 뒤로 빠지는 김중걸.

C#63

격군실 F.S. / 암각
갑판 위로 뛰어오르는 격군들.

C#64

격군실 벽 TRACKING -> 김중걸 F.S.
텅 빈 격실에 덩그러니 서서 안절부절못하는 김중걸.

C#65

김중걸 B.S.
퍼뜩! 수봉이 생각이 난다.
수봉아! 수봉이를 찾지만 안 보인다.

C#66

김중걸 O.S 천장.
수봉아… 수봉아… 거의 울다시피 수봉이를 부르는 김중걸.

C#67

김중걸 B.S. / H.A.

수봉아… 수봉아… 거의 울다시피 수봉이를 부르는 김중걸.

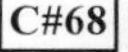

C#68 1

대장선 갑판 F.S.

(CUT TO)

갑판의 상황은 그야말로 아비규환!

VFX _Solution

1. A1(대장선)

C#69 1

수봉이 B.S.

그 속에 수봉이가 있다.

거친 호흡을 뿜어대며 내달리고 있는 수봉이….

아버지의 갑옷이 반쯤 찢겨나가 있고,

수봉이 누군가에게 쫓기고 있다.

VFX _Solution

1. A1(대장선)

C#70 1

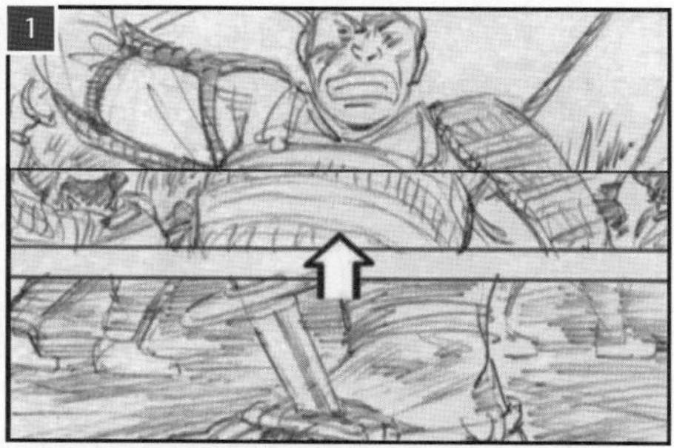

왜군관 발 -> TILT UP -> 왜군관 얼굴

절뚝거리며 수봉이를 쫓고 있는 왜군관,

수봉이의 단도가 발등에 찍혀 있다.

VFX _Solution

1. A1(대장선)

C#71 1

수봉이 B.S.

쫓기던 수봉이가 몇몇 병사들에 치이다 난간으로 몸을 나뒹군다. 더 이상 달아날 곳이 없다.

VFX _Solution

1. A1(대장선)

C#72 1

수봉이 왜군관 1 F.S. / 측면

수봉이 기다시피 피해보려 하지만… 기어이 쫓아온 왜군관 1.

VFX _Solution

1. A1(대장선)

C#73 1

수봉이 C.U.

수봉이, 위기다!

VFX _Solution

1. A1(대장선)

C#74 1

수봉이 O.S. 왜군관 1

왜군관 1 (격분) 이 쥐새끼 같은 놈!

칼을 높이 치켜드는데,

VFX _Solution

1. A1(대장선)

C#75 1

왜군관 1 TIGHT B.S.

퍼억! 왜군관 1의 얼굴을 올려치는 노 한 자루!

왜군관 1. 그대로 등 뒤 여장을 넘어서 바다로 떨어진다.

VFX _Solution

1. A1(대장선)

C#76 1

왜군관 1 F.S. / 암각

퍼억! 왜군관 1의 얼굴을 올려치는 노 한 자루!

왜군관 1. 그대로 등 뒤 여장을 넘어서 바다로 떨어진다.

VFX _Solution

1. A1(대장선)

C#77 1

오둑이 O.S. 수봉이

오둑이다.

수봉이 …?

VFX _Solution

1. A1(대장선)

C#78 1

수봉이 O.S. 오둑이 / 김중걸 fr.in

오득이 (한마디 쿡) 살아 돌아가자우.

순식간에 사라지는 오둑이….

그 뒤로 허겁지겁 김중걸이 나타난다.

VFX _Solution

1. A1(대장선)

C#79 1

수봉이, 김중걸 2S / B.S.

김중걸 (수봉이를 잡고) 괜찮어? 수봉아!

VFX _Solution

1. A1(대장선)

C#80 1

김중걸 O.S. 수봉이

수봉이가 부들부들 떨며 김중걸을 다부지게 쳐다본다.

VFX _Solution

1. A1(대장선)

C#81 1

수봉이 O.S. 수봉이

김중걸 (털썩 나앉아 수봉이를 꽉 움켜잡으며) 너 인마! 다음 생에는 꼭 양반으로 태어나라! 그래서 꼭 장군 돼라. 이놈이 이거 나라를 구할 놈 아니여?

VFX _Solution

1. A1(대장선)

C#82 1

김중걸, 수봉이 2S / B.S.

와락! 수봉을 껴안는 김중걸.

VFX _Solution

1. A1(대장선)

C#83 1

김중걸, 수봉이 2S / B.S.

급기야 수봉과 함께 노를 치켜들고 일어서는 김중걸.

그의 표정이 매섭게 변해 있다.

VFX _Solution

1. A1(대장선)

C#84 1

이순신 B.S. / L.A.

이순신이 가쁜 호흡을 뱉어내며 뒤쪽 판옥선들을 쳐다보고 있다.

VFX _Solution

1. A1(대장선)

C#85 1 2

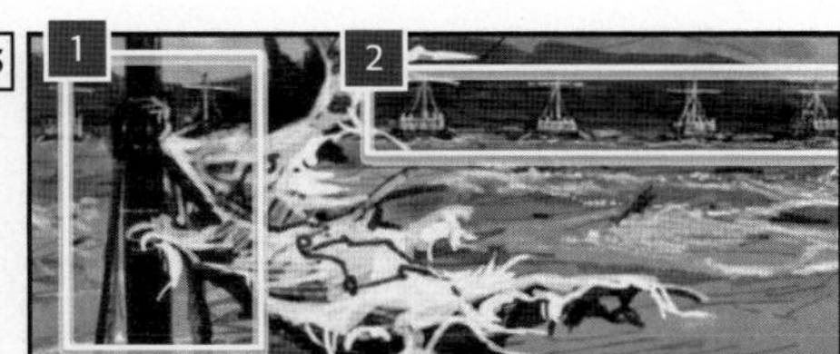

초요기 O.S. 판옥선들

(CUT TO)

이미 형체를 알아보기 힘들게 찢겨져나간 초요기.

VFX _Solution

1. A1(대장선)

2. C(울돌목_더미 배)

C#86 1

이순신 B.S.

이순신 (뒤를 보며 안타깝게 되뇌는) …오지 않고 뭘 하느냐… 내가… 회오리가… 구선을 대신하고 있지 않느냐.

VFX _Solution

1. A1(대장선)

C#87 1

판옥선들 WIDE F.S.

INS) 멀리 파도에 출렁이며 여전히 꿈쩍하지 않는 판옥선들….

VFX _Solution

1-1. C(울돌목_더미 배

1-2. B1(판옥선_소스)

C#88 1

구루지마 B.S.

(CUT TO)

포효하며 앞을 막고 있는 다른 왜병들을 뚫고 대장선으로 달려가는 구루지마.

구루지마 비켜라! 길을 열어!

VFX _Solution

1. A4(구루지마 안택선)

C#89 1

구루지마 뒤 FOLLOW
왜병들이 구루지마를 보고 기겁하며 비켜선다.

VFX _Solution
1. A4(구루지마 안택선)

C#90 1

구루지마.기무라 TIGHT F.S.
주군! 주군! 기무라가 구루지마를 따라붙으며 뭔가 호소하고 있다.

VFX _Solution
1. A4(구루지마 안택선)

C#91 1

구루지마 C.U.
그러나, 아랑곳하지 않고

구루지마 이순신 기다려라!

VFX _Solution
1. A4(구루지마 안택선)

C#92 1

구루지마 B.S.
앞에서 걸리적거리는 왜병마저 베어내며 구루지마가 뱃머리로 뛰어올라 대장선으로

VFX _Solution
1. A4(구루지마 안택선)

C#93 1

구루지마 M.S.
넘어가려는 순간

VFX _Solution
1-1. A4(구루지마 안택선)
1-2. A1(대장선)

C#94 1

안택선 TIGHT F.S.
펑~

VFX _Solution
1. A4(구루지마 안택선)

C#95 1

구루지마 F.S.
펑~

VFX _Solution
1-1. A4(구루지마 안덕선)
1-2. A4(구루지마 안택선_무너지는 장루_분리촬영)

C#96 1

구루지마 발 C.U.
구루지마가 흔들! 순간 균형을 잃는데,

VFX _Solution
1. A4(구루지마 안택선)

C#97

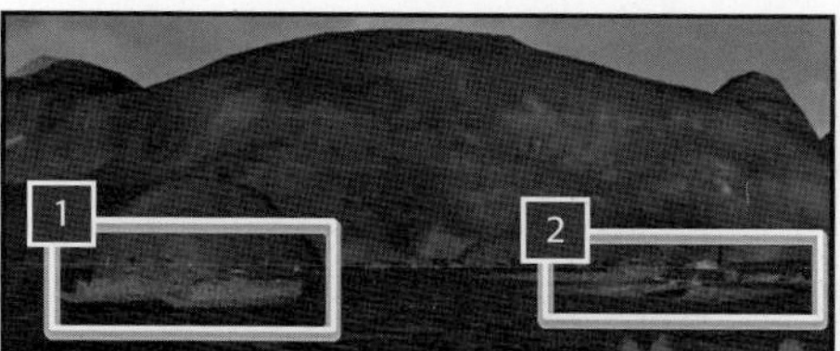

울돌목 WIDE F.S.
놀랍게도 송여종의 배가 한 마장 밖에 다가와 함포를 쏘았다.

VFX _Solution

1. C(울돌목_더미 배 촬영)
2. B1(대장선/구루지마 안택선 소스)

C#98

이순신 C.U.
이순신의 눈빛이 강하게 살아난다.

VFX _Solution

1. A1(대장선)

C#99

기무라 O.S. 구루지마

구루지마 기무라! 어서 저놈들을 따라붙어라!

VFX _Solution

1. A4(구루지마 안택선)

C#100

구루지마 O.S. 기무라

기무라 (좌절하며) 주군…우리 배들이 이미….

VFX _Solution

1. A4(구루지마 안택선)

C#101

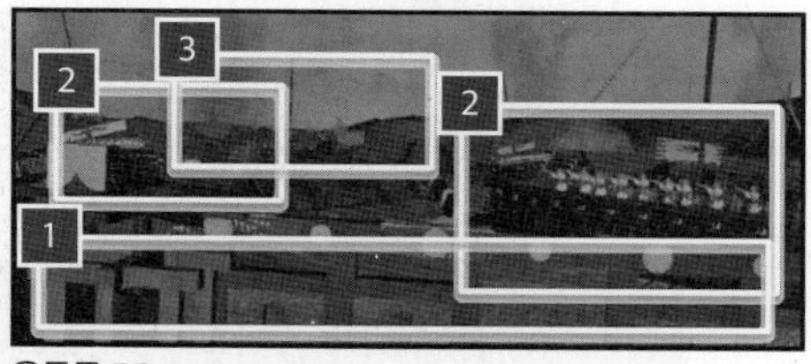

울돌목 F.S.
거센 회오리에 이미 그의 선단이 모두 붕괴되고 엉켜버렸다!

VFX _Solution

1. A4(구루지마 안택선)
2. A2(세키부네_분리촬영)
3. B1(대장선 소스)

C#102

기무라 O.S. 구루지마
아차! 싶은 구루지마.
충격적인 듯 구루지마의 입술이 파르르 떨린다.

VFX _Solution

1. A4(구루지마 안택선)

C#103

구루지마 O.S. 기무라

기무라 주군… 시, 시급히 지원을 요청하심이….

VFX _Solution

1. A4(구루지마 안택선)

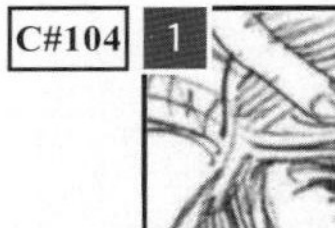

C#104

기무라 O.S. 구루지마

구루지마 (냉소) 네놈은 아직도 눈치가 없구나. 올 테면 진작 왔을 것.

VFX _Solution

1. A4(구루지마 안택선)

C#105

송여종 판옥선 화포 C.U.

화포를 뿜어대는 송여종 판옥선의 화포.

VFX _Solution

1. A1(송여종 판옥선)

C#106

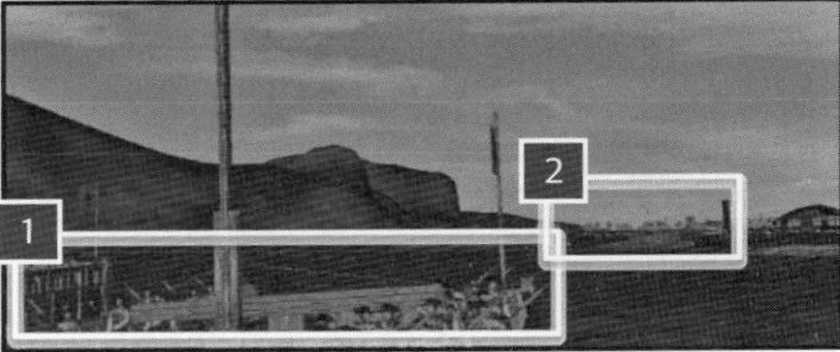

송여종 판옥선 O.S. 대장선, 구루지마 안택선

(CUT TO)

다시 연이어 (회오리를 다소 빗겨난 거리의) 송여종과 정응두의 판옥선에서 함포가 마구 쏟아진다!

VFX _Solution

1. A1(송여종 판옥선/정응두 판옥선_분리촬영)
2. B1(대장선/구루지마 안택선 소스)

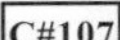

C#107

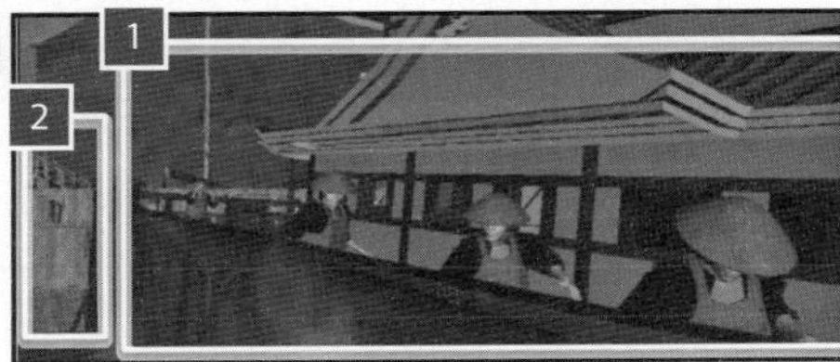

구루지마 안택선 TIGHT F.S.

구루지마의 안택선 또한 측면 중앙에 포탄 여러 발이 차례로 꽂히고.

VFX _Solution

1. A4(구루지마 안택선)
2. B2(대장선)

C#108

구루지마 안택선 격군실 F.S.

구루지마 안택선의 격군실 한쪽 벽이 완전히 박살 난다.

C#109

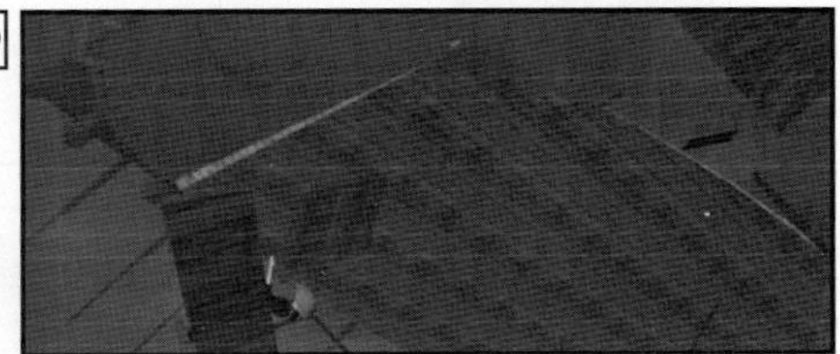

대장선 TIGHT F.S. / 암각 / 수중

우우웅~ 이때 다시 느리게 일어서기 시작하는 회오리….

VFX _Solution

1-1. D(대장선_수중촬영)

1-2. 수조세트(잔해/인물 소스 촬영)

C#110

김 노인 B.S.

김 노인 (글) 구, 구선이… 부활했어. (휘적거리며 걸어 나오며 알 수 없는 외침) 구선이 부활했다~ 구선이 부활했어~~!

C#111

김 노인 B.S.

김 노인 (글) 구, 구선이… 부활했어. (휘적거리며 걸어 나오며 알 수 없는 외침) 구선이 부활했다~! 구선이 부활했어~~!

C#112

울돌목 옆 산 위 WIDE F.S. / 부감

앞으로 다가오는 김 노인.

C#113

이회, 김 노인 C.U.
이회가 김 노인이 외치는 소리에 바다를 쳐다보는데,

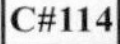

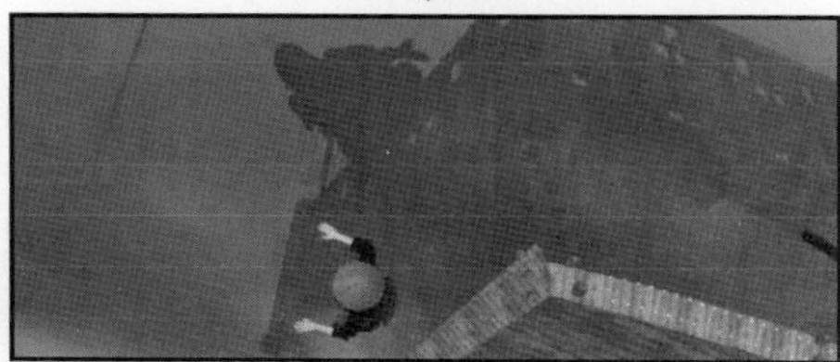

대장선 TIGHT F.S.(수중) / TRACKING
일렁이는 수중 속 화면에서 마치 이순신의 대장선이 구선의 환영이 되어 적선들을 돌파하며 넘나드는 듯하다.

VFX _Solution

1-1. D(대장선_수중촬영)
1-2. 수조세트(잔해/인물 소스 촬영)

C#115

구루지마 안택선 TIGHT F.S.
끼이이 측면이 너덜너덜해진 구루지마의 안택선이 회오리의 힘을 버티지 못하고 침몰하고 있다.

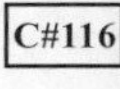

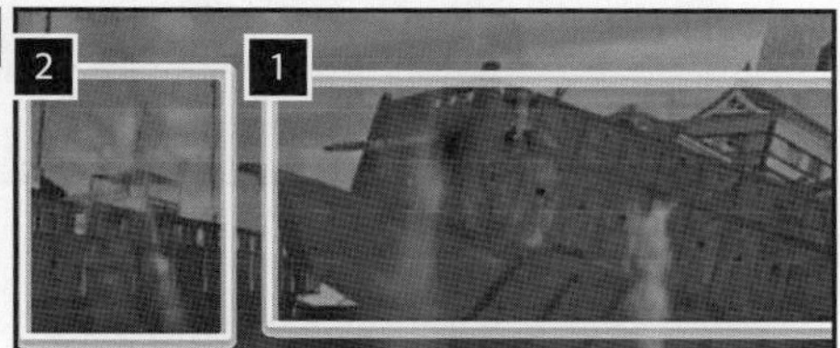

대장선, 구루지마 안택선 TIGHT F.S.
끼이이~ 측면이 너덜너덜해진 구루지마의 안택선이 회오리의 힘을 버티지 못하고 침몰하고 있다.

VFX _Solution

1. A4(구루지마 안택선_워터캐논/에어캐논)
2. A1(대장선)

C#117

이회 C.U.
(CUT TO)
이회, 부들부들… 김 노인의 외침을 온전히 이해하고 역시 눈시울이 뜨거워지는데.

C#118

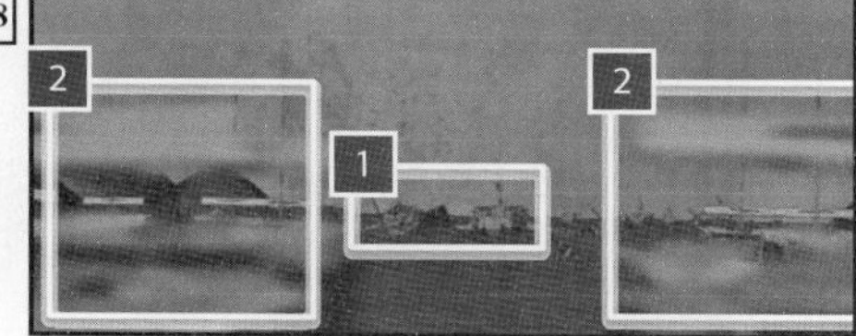

울돌목 WIDE F.S. / 도도 P.O.V.
도도 P.O.V.
침몰하는 안택선이 보인다.

VFX _Solution

1-1. A1(대장선)
1-2. A4(구루지마 안택선)
2. B2(세키부네)

C#119

도도 C.U.

(CUT TO)

도도가 홀린 듯 그저 멍하니 바라보고 있다.

VFX _Solution

1. A4(도도 안택선)

C#120

도도, 가토 B.S.

가토 역시 홀린 듯 사라져가는 구루지마의 안택선만을 바라볼 뿐.

VFX _Solution

1. A4(도도 안택선)

C#121

구루지마 O.S. 대장선, 세키부네 / TRACKING

(CUT TO)

구루지마 (특유의 쉰 듯 거친 목소리로 포효) 이순신!

VFX _Solution

1. A4(구루지마 안택선)
2. A1(대장선)
3. B1(세키부네 소스)

C#122

구루지마 C.U.

(CUT TO)

구루지마 (특유의 쉰 듯 거친 목소리로 포효) 이순신!

VFX _Solution

1. A4(구루지마 안택선)

C#123

구루지마 F.S. / 암각

대장선으로 월선하는 구루지마.

VFX _Solution

1. A4(구루지마 안택선_낙하지점에 판옥선 대체 구조물 설치)
2. A1(대장선)

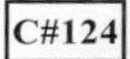

C#124

기무라 O.S. 대장선

월선하는 구루지마를 바라보는 기무라.

VFX _Solution

1. A4(구루지마 안택선_낙하지점 판옥선 대체 구조물 설치)
2. A1(대장선)

C#125

기무라 B.S.

따라 나가는 기무라.

VFX _Solution

1. A4(구루지마 안택선)

C#126

조선 수군들 그룹쇼트

쉬이익! 날아드는 화살들.

VFX _Solution

1. A1(대장선)

C#127

구루지마. 기무라 F.S.

같이 뛰어오르던 기무라가 화살을 통째로 맞고 바다로 떨어진다.

VFX _Solution

1-1. A1(대장선)
1-2. A4(구루지마 안택선)

C#128

기무라 F.S. / 앙각

같이 뛰어오르던 기무라가 화살을 통째로 맞고 바다로 떨어진다.

VFX _Solution

1. A1(대장선)

C#129

구루지마 M.S.

구루지마 …!

VFX _Solution

1-1. A1(대장선)
1-2. A4(구루지마 안택선)

C#130

구루지마 B.S.

쉬익! 다시 구루지마를 향해 날아오는 화살.

VFX _Solution

1. A1(대장선)

C#131

구루지마 TIGHT F.S.

구루지마가 칼을 휘두르면,
화살들이 두 동강이 나서 떨어지는데.

VFX _Solution

1-1. A1(대장선)
1-2. A4(구루지마안덕선)

C#132

구루지마 B.S. / 앙각

이번엔 더욱 무수한 화살이 구루지마에게 덮치듯 날아든다.

VFX _Solution

A1(대장선)

C#133

구루지마 TIGHT F.S.

두두룩….
수많은 화살들이 구루지마에게 꽂힌다.

VFX _Solution

1-1. A1(대장선)
1-2. A4(구루지마안택선)

C#134

송희립 F.S.
송희립이 주도하는 사부들의 화살들이다.

VFX _Solution
1. A1(대장선)

C#135

구루지마 B.S.
싸늘하게 상황을 보는 구루지마.

VFX _Solution
1-1. A1(대장선)
1-2. A4(구루지마안택선)

C#136

조선군, 왜병들 그룹쇼트
대장선 위, 마지막 남은 왜군들의 안쓰러운 몸부림이 보이다 사라진다.

VFX _Solution
1. A1(대장선)

C#137

구루지마 C.U.
이순신을 찾는 구루지마.

VFX _Solution
1. A1(대장선)

C#138

이순신 N.S.
구루지마를 바라보는 이순신.

VFX _Solution
1. A1(대장선)

C#139

구루지마 B.S.
이순신에게 달려가는 구루지마.

VFX _Solution
1. A1(대장선)

C#140 1

구루지마 TIGHT F.S. / FOLLOW
(느린 화면) 쌍칼을 쥔 준사가 천천히 구루지마 앞에 모습을 드러낸다.

VFX _Solution
1. A1(대장선)

C#141 1

준사 C.U.

준 사 …….

VFX _Solution
1. A1(대장선)

C#142 1

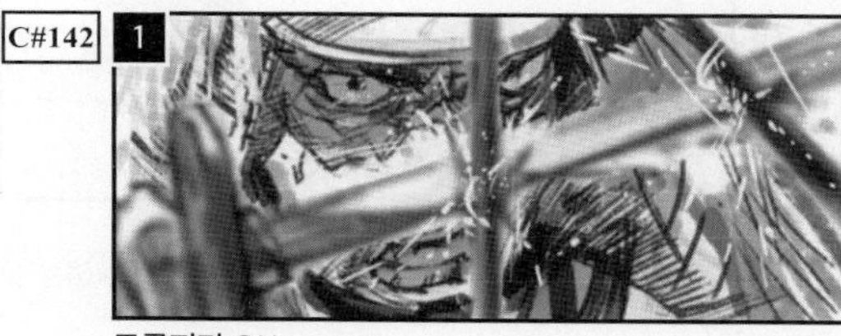

구루지마 C.U.

구루지마 …너, 너는 대체….

VFX _Solution
1. A1(대장선)

C#143 1

구루지마. 준사 TIGHT F.S. / 암각
목을 베기 위해 쌍칼을 크게 벌리는 준사.

VFX _Solution
1. A1(대장선)

C#144 1

구루지마 C.U.

구루지마 왜놈이냐. 조선 놈이냐!

VFX _Solution
1. A1(대장선)

C#145 1

구루지마. 준사 B.S.
갑자기 포효하는 구루지마.

VFX _Solution
1. A1(대장선)

C#146 1

구루지마, 준사 F.S.
준사가 포효하며 내려치는 구루지마의 칼을 막아서다 옆으로 튕겨 나가고….

VFX _Solution
1.A1(대장선)

C#147 1

이순신 B.S.

이순신 !

VFX _Solution

1. A1(대장선)

C#148 1

구루지마 M.S.

구루지마 그대로 다시 이순신에게 돌진한다.
온몸에 화살이 박힌 채 돌진하는 그의 괴력이 놀랍다!

VFX _Solution

1. A1(대장선)

C#149 1

구루지마 C.U.

다시 한번 이순신! 구루지마! 구루지마! 이순신!

VFX _Solution

1. A1(대장선)

C#150 1

이순신 B.S.

다시 한번 이순신! 구루지마! 구루지마! 이순신!

VFX _Solution

1. A1(대장선)

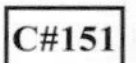

1

구루지마 B.S.

다시 한번 이순신! 구루지마! 구루지마! 이순신!

VFX _Solution

1. A1(대장선)

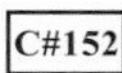

1

이순신 B.S.

다시 한번 이순신! 구루지마! 구루지마! 이순신!

VFX _Solution

1. A1(대장선)

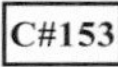

1

핏줄기 INSERT

느닷없이… 파란 하늘 위로 난(蘭)잎처럼 그려지는 붉은 핏줄기!

VFX _Solution

1.A1(대장선)

1

이순신의 투구 INSERT

떨어지는 이순신의 투구.

VFX _Solution

1. A1(대장선)

C#155 1

구루지마의 투구 INSERT

텅! 구루지마의 도깨비 투구가 바닥으로 떨어져 구른다.

VFX _Solution

1. A1(대장선)

 1

구루지마 O.S. 이순신

머리가 없는 구루지마의 몸통이 이순신 앞으로 털썩 무릎을 꿇는다.

VFX _Solution

1-1. A1 (대장선_구루지마만 촬영)
1-2. A1(대장선)
*카메라는 FIX / 배의 움직임은 후반에서 조정

C#157 1

송희립, 나대용 B.S.

모두가 조용하다.

VFX _Solution

1. A1(대장선)

C#158 1

안위 B.S.

모두가 조용하다.

VFX _Solution

1. A1(안위 판옥선)

C#159 1

도도, 가토 B.S.

모두가 조용하다.

VFX _Solution

1. A4(도도 안택선)

C#160 1

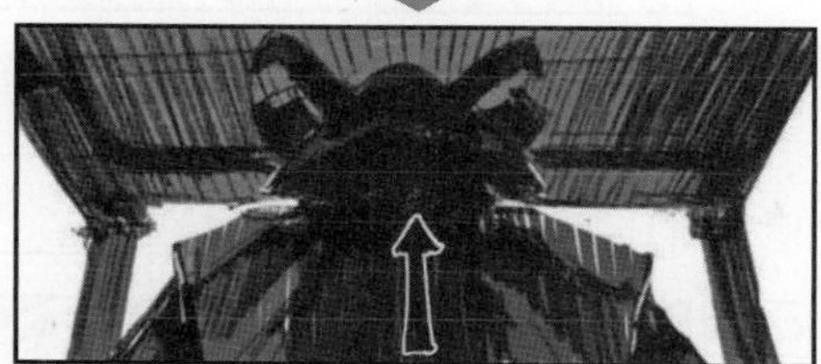

와키자카 손 C.U. -> TILT UP -> 와키자카 B.S.

INS) (느린 화면) 서서히 자리를 박차고 일어서는 누군가…
와키자카다.

VFX _Solution

1. A4(와키자카 안택선)

C#161 1

와키자카 F.S.

천천히 일어서는 그의 표정이 사뭇 비장하다.

VFX _Solution

1. A4(와키자카 안택선)

C#162

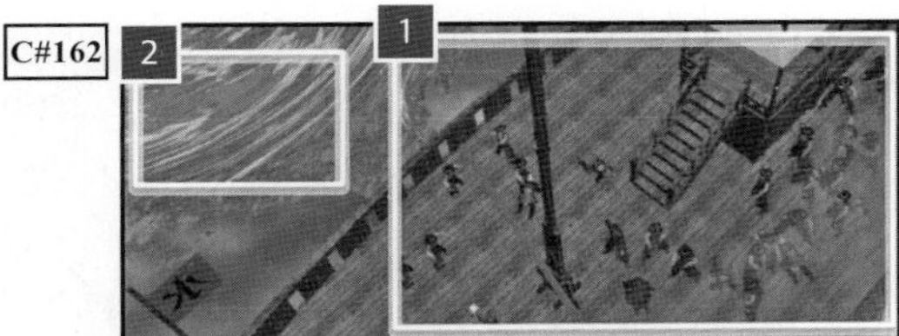

대장선 TIGHT F.S. / 부감

(정속화면) 쿠우웅!

순간 다시 회오리에 휩쓸리며 크게 요동치는 대장선!

VFX _Solution

1. A1(대장선)
2. F(회오리 바다 Full 3D)

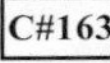

C#163

이순신 B.S.

급히 난간을 붙잡는 이순신. 이내 표정이 싸늘해지는데,

VFX _Solution

1. A1(대장선)

C#164

대장선 O.S. 세키부네들

뿌우~

때마침 들려오는 낯익고도 기분 나쁜 긴 쇠나팔 소리…,

VFX _Solution

1. A1(대장선)
2. B1(안택선/세키부네 소스)

C#165

조선 수군 그룹쇼트

모두가 얼어붙는다! 새로운 적들이 몰려들고 있다는 신호다.

VFX _Solution

1. A1(대장선)

C#166

이순신 B.S.

주변을 돌아보는 이순신.

VFX _Solution

1. A1(대장선)

C#167

울돌목 WIDE F.S. / 이순신 P.O.V.

이순신 주변을 돌아보면, 구루지마의 잔선들이 이미 송여종, 정응두의 판옥선들과 들러붙어 치열한 각개전을 벌이느라 여력이 없다.

VFX _Solution

1. B1(판옥선/세키부네_분리촬영)
-대장선/안위 판옥선 백병전 소스 확보
2. C(울돌목_더미 배)

C#168

격군실 F.S.

(CUT TO)

격군실 안, 격군들과 황보만의 사투에도 불구하고,

이순신의 대장선이 파손된 부위에 물이 더욱 밀려들며 꼼짝을 하지 못하고 있다.

계속 들려오는 쇠나팔 소리….

C#169

격군들 그룹쇼트

(CUT TO)

격군실 안, 격군들과 황보만의 사투에도 불구하고,

이순신의 대장선이 파손된 부위에 물이 더욱 밀려들며 꼼짝을 하지 못하고 있다.

계속 들려오는 쇠나팔 소리….

C#170

김중걸 B.S.

김중걸 (초췌해져) 정말 씨발… (눈물 뚝뚝) 끝이 없구나. 끝이 없어….

C#171

이순신 B.S.
(CUT TO)
마침내 이순신이 천천히 갑판 위 병사들을 쳐다보면,

VFX _Solution
1. A1(대장선)

C#172

이순신 O.S. 송희립
송희립이 부들부들 떨며 이순신을 쳐다보고 있다.
아니, 모두가 이순신만을 바라보고 있다.

VFX _Solution
1. A1(대장선)

C#173

이순신 B.S.
이순신, 묵묵히 사람들을 스쳐지나 맨 앞 선수 쪽으로 다가가서면,

VFX _Solution
1. A1(대장선)

C#174

이순신 O.S. 적선
와키자카의 중군 선단이 열을 지어 압도적으로 몰려오고 있음이 보인다.

VFX _Solution
1. A1(대장선)
2. C(울돌목_더미 배)

C#175

이순신 B.S.
갑판 위를 다시 둘러보는 이순신,

VFX _Solution
1. A1(대장선)

C#176

갑판 TIGHT F.S.
포탄이 바닥났다. 화살이 바닥이 났다.
모든 쓸 수 있는 무기가 바닥났다.

VFX _Solution
1. A1(대장선)

C#177

이순신 B.S.
갑자기 대장선이 기우뚱! 엎친 데 덮친 격으로 새로 발생한 회오리가 대장선을 끌고 들어가고 있다.

VFX _Solution
1. A1(대장선)

C#178 1

대장선 갑판 TIGHT F.S.
갑자기 대장선이 기우뚱 엎친 데 덮친 격으로
새로 발생한 회오리가 대장선을 끌고 들어가고 있다.

VFX _Solution
1. A1(대장선)

C#179 1

이순신 B.S.
갑자기 대장선이 기우뚱 엎친 데 덮친 격으로 새로 발생한 회오리가 대장선을 끌고 들어가고 있다.

VFX _Solution
1. A1(대장선)

C#180 1

와키자카 M.S. / 암각

와키자카 (미소) 천우신조의 기회가 아닌가. 저들은 무기마저 떨어지고 전혀 진열을 갖추지 못하고 있어.

VFX _Solution
1. A1(와키자카 안택선)

C#181 1

와키자카 C.U.

와키자카 이순신… 네놈이 더 이상 할 수 있는 것은 아무것도 없다!

VFX _Solution
1. A4(와키자카 안택선)
2. B1(세키부네_분리촬영)

C#182 2

적선을 WIDE F.S. / 측면
돌아보는 와키자카의 시야로 좌우로 벌려 선 자신의 20여 척의 선군이 보인다.

VFX _Solution
1. A2(와키자카 안택선)
2. B2(세키부네_분리촬영)

C#183 1

와키자카 B.S.
뒤를 돌아보는 와키자카.

VFX _Solution
1. A4(와키자카 안택선)

C#184

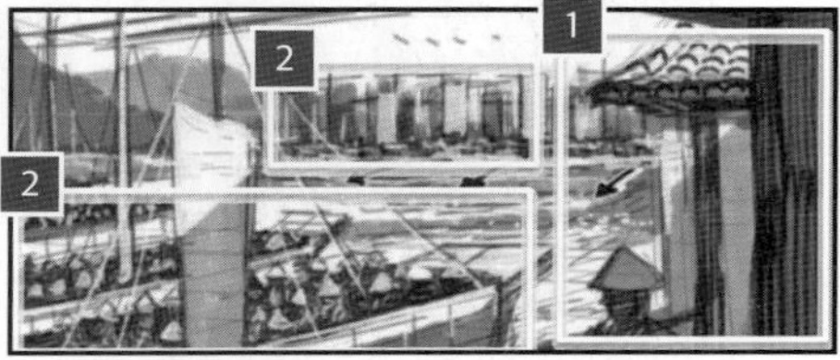

적선들 WIDE F.S.
뒤를 돌아보면 30여 척이 함께 돌진해오고 있다.

VFX _Solution
1. A4(와키자카 안택선)
2. B2(세키부네_분리촬영)

C#185

와키자카 O.S. 구로다 (FOCUS PLAY)
뒤쪽 자신의 안택선에선 구로다가 화포 준비가 끝났다는 신호를 보내온다.

VFX _Solution

1. A4(와키자카 안택선)

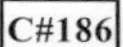

C#186

와키자카 C.U. / 암각
요시! 와키자카의 얼굴에 자신감이 넘쳐흐른다.

와키자카 모두 한꺼번에 몰살시켜주마. 조금만 더! 내 기필코 한산의 빚을 갚아주리라!

VFX _Solution

1. A4(와키자카 안택선)

C#187

대장선 갑판 TIGHT F.S.
회오리에 흔들거리는 대장선 갑판.
군사들이 중심을 잡지 못하고 휘청거린다.

VFX _Solution

1. A1(대장선)

C#188

대장선 갑판 TIGHT F.S.
회오리에 흔들거리는 대장선 갑판.
군사들이 중심을 잡지 못하고 휘청거린다.

VFX _Solution

1. A1(대장선)

C#189

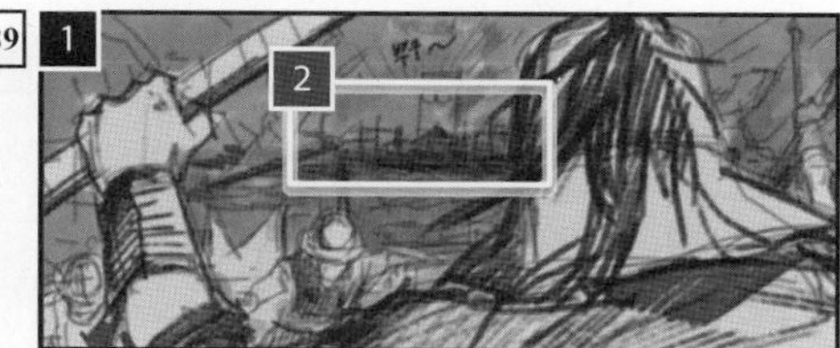

나대용 O.S. 적선들
적선들을 바라보는 나대용.

VFX _Solution

1. A1(대장선)
2. B1(안택선/세키부네_분리촬영)

C#190

나대용 B.S.
갑판 위, 나대용이 온몸이 굳은 듯 칼을 내려놓는다.

VFX _Solution

1. A1(대장선)

C#191

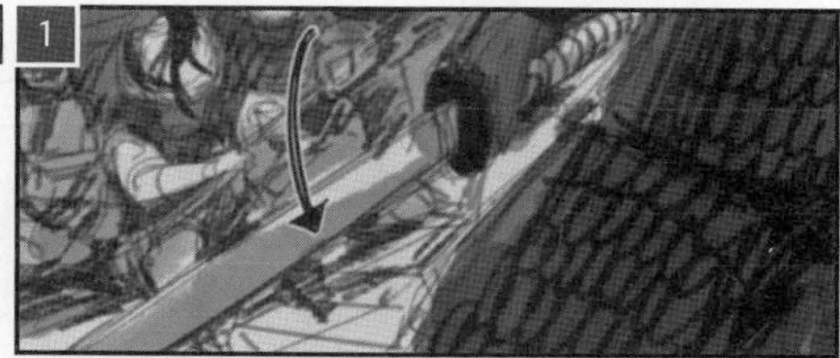

나대용 칼 C.U.
갑판 위, 나대용이 온몸이 굳은 듯 칼을 내려놓는다.

VFX _Solution

1. A1(대장선)

C#192

이순신 O.S. 나대용

나대용- (착 가라앉은 목소리) 장군… 적의 중군 대선단(大船團)입니다. 송구하지만 이젠 더 이상….

VFX _Solution

1. A1(대장선)

C#193

나대용 O.S. 이순신

그의 목소리가 여느 때와 다르다.
이순신, 그의 얼굴을 쳐다본다.

VFX _Solution

1. A1(대장선)

C#194

이순신 O.S. 조선 수군들

이순신, 본능적으로 주위를 돌아보면,
갑판 위, 모든 장졸들이 그를 쳐다보고 있다.
모두가 죽음을 예견하고 있다.

VFX _Solution

1. A1(대장선)

C#195

이순신 B.S. -> PAN UP -> 몰려오는 적선들

적선들의 파고 가르는 소리가 크게 들려온다.
그런데 이때 이순신의 시야에 놀라운 일이 벌어진다.

VFX _Solution

1.A1(대장선)
2. B1(세키부네/안택선_분리촬영)

C#196

송희립 B.S.

모두가… 장수와 병사들 모두가… 오둑이도 웃고 있다. 송희립이 빙긋이 웃는다.

VFX _Solution

1. A1(대장선)

C#197

송희립 O.S. 이순신

장수들을 쭈욱 훑는 이순신.

VFX _Solution

1. A1(대장선)

C#198

조선 수군 그룹쇼트 / TRACKING

모든 장졸들이 빙긋이 웃으며 그를 쳐다보는 듯하다.
정말 잘 싸웠다고…
정말 후회 없이 싸우다 죽게 되어 장군께 감사드린다고….

VFX _Solution

1. A1(대장선)

C#199 1

장졸들 O.S. 이순신
장졸들을 보는 이순신.

VFX _Solution
1. A1(대장선)

C#200 1

대장선 TIGHT F.S.
대장선이 점점 회오리에 말려들며 더욱 기울어간다.

VFX _Solution
1. A1(대장선)

C#201 1

이순신 M.S.

이순신 (먹먹) …….

VFX _Solution
1. A1(대장선)

C#202 1

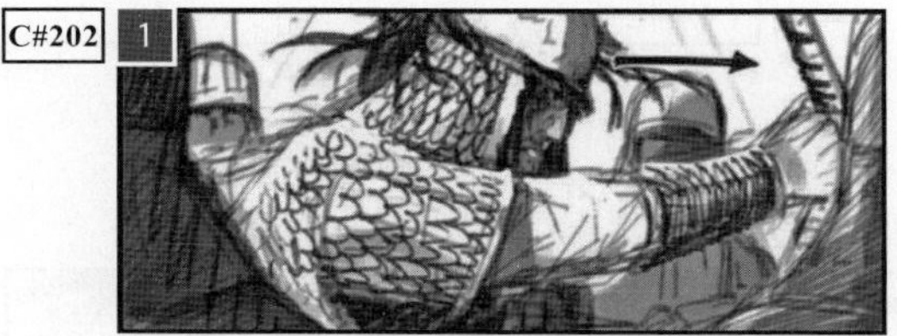

이순신 B.S.
(느린 화면) 이순신, 묵묵히 그들을 스쳐 지나간다.

VFX _Solution
1. A1(대장선)

C#203 1

이순신 B.S.
장군… 송희립이 나직이 부른다.

VFX _Solution
1. A1(대장선)

C#204 1

이순신 O.S. 김돌손
장군 참말로 후회 없이 싸웠소.
고맙소이… 김돌손이 말한다.

VFX _Solution
1. A1(대장선)

C#205

이회 WIDE F.S.
해안가에 이회가 눈물을 흘린다.

C#206

이회, 김 노인 B.S.

이 회 (굵은 눈물) 아버님… 여기까지 온 것도 실로 기적이었습니다.

C#207

민초들 그룹쇼트
산 위의 김 노인도 눈물을 흘린다. 모두가 눈물을 흘린다.

C#208

정씨 여인 B.S.

눈물을 흘리는 정씨 여인.

C#209

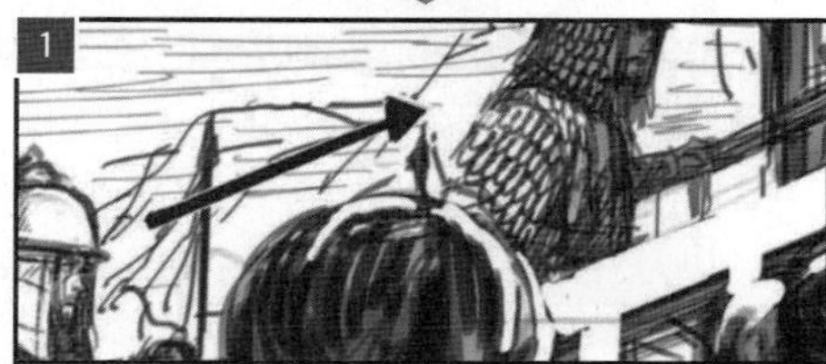

이순신 M.S.

이순신이 묵묵히 장루 위에 올라선다.

VFX _Solution

1. A1(대장선)

C#210

이순신 M.S. / H.A.

이순신이 묵묵히 장루 위에 올라선다.

VFX _Solution

1. A1(대장선)

C#211

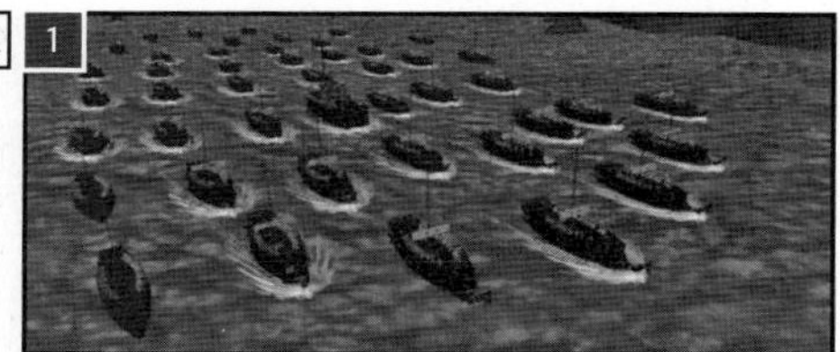

적선 WIDE F.S. / 부감

거대한 적의 함대가 이순신의 대장선을 깨부술 듯 다가오고 있다.

VFX _Solution

1. B(안택선/세키부네_옥타콥터 분리촬영)

C#212

왜병들 그룹쇼트

적의 모든 배들이 일제히 함성을 지르며 조총을 겨누고 이순신을 향해 달려들고 있다.

VFX _Solution

1. A2(세키부네_분리촬영)

C#213

조선 수군 O.S. 이순신

모두가 이순신의 마지막 말을 기다리고 있다.

VFX _Solution

1. A1(대장선)

C#214

수군들 그룹쇼트 / TRACKING

VFX _Solution

1. A1(대장선)

C#215 1

이순신 C.U.

이순신 모두… (목이 꽉 막혀온다) 모….

VFX _Solution

1. A1(대장선)

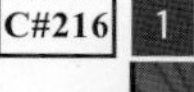

C#216 1

이순신 C.U.

이순신 모두… (목이 꽉 막혀온다) 모….

VFX _Solution

1. A1(대장선)

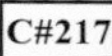

C#217 1

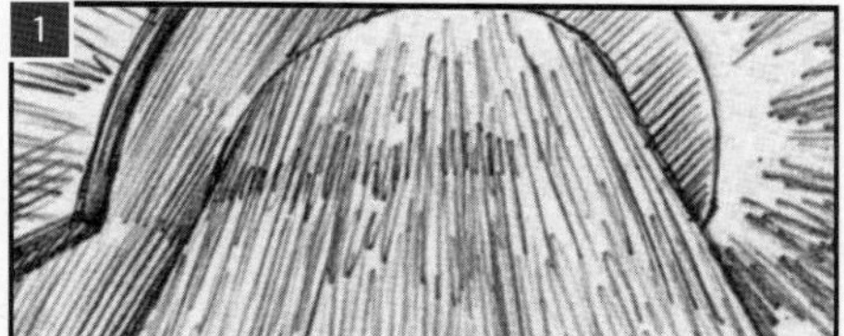

갈고리 INSERT

이때 대장선 좌측 여장(전선 낭간)쪽으로 턱턱턱! 내걸리는 수십 개의 갈고리들!

VFX _Solution

1. A1(대장선)

C#218 1

대장선 여장 C.U.

이때 대장선 좌측 여장(전선 남간)쪽으로 턱턱턱! 내걸리는 수십 개의 갈고리들!

VFX _Solution

1. A1(대장선)

C#219 1

조선 군사들 그룹쇼트

허걱! 갈고리를 돌아보고 기겁하는 군사들….

VFX _Solution

1. A1(대장선)

C#220 1

송희립 B.S.

그런데! 여장 너머를 초연히 내려다보던 송희립이 부들부들….

VFX _Solution

1. A1(대장선)

C#221 1

송희립 B.S.

송희립 (아래를 가리키며) 자, 장군….

VFX _Solution

1. A1(대장선)

C#222 1

이순신 B.S.

이순신이 처연한 표정으로 내려다보면,

VFX _Solution

1. A1(대장선)

C#223 1

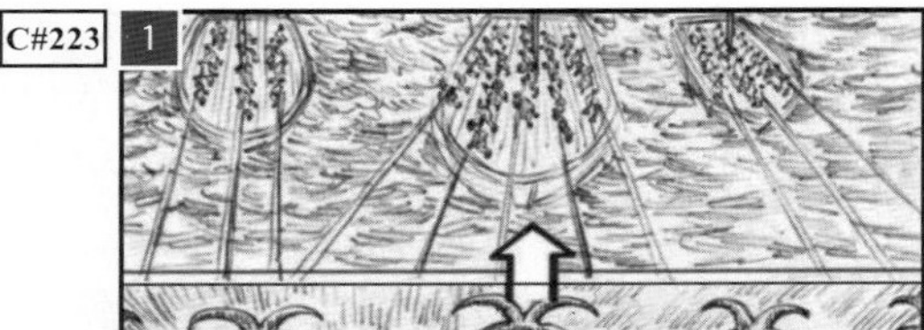

어선 WIDE F.S.
놀랍게도 우리 어선들이다!

VFX _Solution
1. B3(대장선/민초어선)

C#224 1

조태식 B.S.

조태식 장군님~! 저희가 끌겠습니다요!

VFX _Solution
1. 수조세트(민초어선)

C#225 1

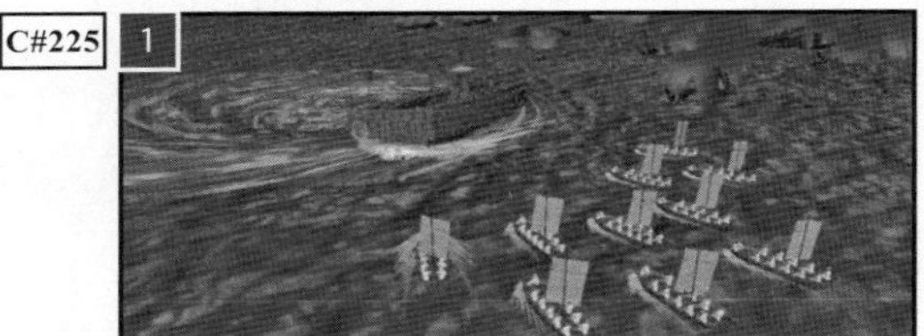

울돌목 WIDE F.S. / 부감
전혀 기대하지 않았던 백성들이다! (다른 음악 시작)

VFX _Solution
1-1. B1(대장선/민초어선_분리촬영)
1-2. A1(대장선 소스)

C#226 1

어선 WIDE F.S.
전혀 기대하지 않았던 백성들이다! (다른 음악 시작)

VFX _Solution
1. 수조세트(민초어선)

C#227 1

백성들 그룹쇼트
전혀 기대하지 않았던 백성들이다! (다른 음악 시작)

VFX _Solution
1. 수조세트(민초어선)

C#228 1

이순신 C.U.

이순신 (붉은 눈시울, 일갈) 모두 전투 위치로!

VFX _Solution
1. A1(대장선)

C#229 1

이순신 M.S. / 앙각

이순신 (붉은 눈시울, 일갈) 모두 전투 위치로!

VFX _Solution
1. A1(대장선)

C#230 1

이순신 C.U.

이순신 (붉은 눈시울, 일갈) 모두 전투 위치로!

VFX _Solution
1. A1(대장선)

C#231 1

송희립 C.U.
송희립의 눈이 번쩍 뜨인다.

VFX _Solution

1. A1(대장선)

C#232 1

조선 수군들 O.S. 송희립

송희립 (고함) 모두 전투 위치로!

VFX _Solution

1. A1(대장선)

C#233 1

송희립 O.S. 조선 수군들
우르르! 모두가 갑자기 최면에서 깬 듯 깨진 수마석, 몽둥이, 칼들을 마구 치켜들고

VFX _Solution

1. A1(대장선)

C#234 1

오둑이 B.S.
반대편 여장 쪽으로 달려간다.
오둑이 양쪽 손에 수마석을 묵직이 챙겨들고 있고….

VFX _Solution

1. A1(대장선)

C#235 1

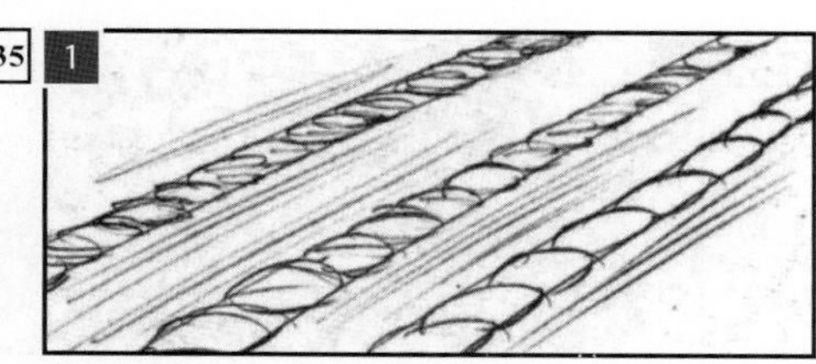

갈고리 줌 C.U.
(CUT TO)
팽팽하게 당겨진 갈고리 줄들!
(깨진 구멍 덕에) 격군실에도 갈고리 줄들이 걸렸다.

VFX _Solution

1. B1(대장선/민초어선)

C#236 1

백성들 그룹쇼트
어선 위의 백성들이 있는 힘을 다해서 노를 젓는다.

VFX _Solution

1. 수조세트(민초어선)

C#237 1

백성들 그룹쇼트
어선 위의 백성들이 있는 힘을 다해서 노를 젓는다.

VFX _Solution

1. 수조세트(민초어선)

C#238 1

백성을 그룹쇼트
어선 위의 백성들이 있는 힘을 다해서 노를 젓는다.

VFX _Solution

1-1. 수조세트(민초어선)
1-2. A1(대장선)

C#239

대장선 여장 TIGHT F.S. / 암각

대장선 위에선 더 이상 쓸모없어진 화포들을 바다로 내던지고 있다.

VFX _Solution
1. A1(대장선)

C#240

오둑이, 김돌손 B.S.

오둑이 김돌손과 함께 젖 먹던 힘까지 쓰고 있고,

VFX _Solution
1. A1(대장선)

C#241

격군실 F.S.

(CUT TO)

난장판의 격군실이 후끈 달아올랐다.

피가 범벅인 손으로 힘차게 노를 젓고 있는 격군들.

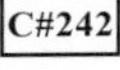

C#242

노 -> TILT UP -> 수봉이, 김중걸 B.S.

수봉이와 김중걸의 손도 피범벅.

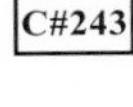

C#243

황보만 B.S.

황보만 (통로를 횡단하며) 간다! 간다! 잘하고 있어!

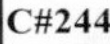

C#244

대장선 선체 TIGHT F.S.

INS) 회오리에 딸려 들어가던 대장선이 아주 서서히 멈추기 시작한다.

VFX _Solution
1. A1(대장선)

C#245

산 위 WIDE F.S.

(CUT TO)

산 위, 이회가 이 광경을 지켜보고 있다.

C#246

이회 C.U.

말로 형언할 수 없는 그의 표정….

C#247

와키자카 O.S. 울돌목

(CUT TO)

초조한 표정으로 지켜보고 있는 와키자카.

VFX _Solution
1. A4(와키자카 안택선)
2-1. A1(대장선 소스)
2-2. 수조세트(민초어선 소스)

C#248 1

와키자카.구로다 B.S.

와키자카 더 속도를 내지 않고 뭐하는가! 놈들이 진열을 갖추기 전에 몰아붙여야 한다!

VFX _Solution

1. A4(와키자카 안택선)

C#249 1

와키자카 O.S 구로다.

구로다 장군! 물살이 바뀌어서….

VFX _Solution

1. A4(와키자카 안택선)

C#250 1

와키자카 C.U.

와키자카 (버럭) 누가 그걸 모르는가!

VFX _Solution

1. A4(와키자카 안택선)

C#251

격군들 그룹쇼트
(CUT TO)
더욱 힘을 짜내는 격군들.
격군들도 그야말로 혼신의 힘을 짜내고 있다.

C#252

격군들 손 C.U.
(CUT TO)
더욱 힘을 짜내는 격군들.
격군들도 그야말로 혼신의 힘을 짜내고 있다.

C#253

격군들 그룹쇼트 / 암각
(CUT TO)
더욱 힘을 짜내는 격군들.
격군들도 그야말로 혼신의 힘을 짜내고 있다.

C#254

대장선, 어선 WIDE F.S.
(CUT TO)
더욱 힘을 짜내는 민초들.
격군들도 그야말로 혼신의 힘을 짜내고 있다.

VFX _Solution

1. A1(대장선)
2. 수조세트(민초어선_분리촬영)

C#255 1

민초들 그룹쇼트
(CUT TO)
더욱 힘을 짜내는 민초들.
격군들도 그야말로 혼신의 힘을 짜내고 있다.

VFX _Solution

1. 수조세트(민초어선_분리촬영)

C#256 1

조태식 배 -> TILT UP -> 얼굴
배 밑에서 칼이 솟구쳐 조태식의 배를 찌른다.

VFX _Solution
1. 수조세트(민초어선)

C#257 1

기무라 C.U.
기무라다.

VFX _Solution
1. 수조세트(민초어선)

C#258 1

조태식 F.S.
바다로 고꾸라지는 조태식.
그틈을 타 왜군들 어선에 들러붙는다.

VFX _Solution
1. 수조세트(민초어선)

C#259 1

조문옹 B.S.
부들부들 떠는 조문옹.

VFX _Solution
1. 수조세트(민초어선)

C#260 1

기무라 C.U.
어선으로 올라타는 기무라.

VFX _Solution
1. 수조세트(민초어선)

C#261 1

기무라 O.S. 조문옹
아비 조문옹이 울부짖으며 왜장을 낫을 들어 찍어내는데,

VFX _Solution
1. 수조세트(민초어선)

C#262 1

와키자카 안택선, 세키부네 F.S.
(CUT TO)
거센 역류 속, 와키자카의 선단이 힘겹게 속도를 내고 있다.

VFX _Solution
1-1. B1(안택선/세키부네_분리촬영)
1-2. C(울돌목_더미 배

C#263 1

와키자카 안택선, 세키부네 F.S.
부서진 배들의 파편과 떠내려오는 시체들도 와키자카의 선단을 힘들게 한다.

VFX _Solution
1. B1(안택선/세키부네_분리촬영)

C#264

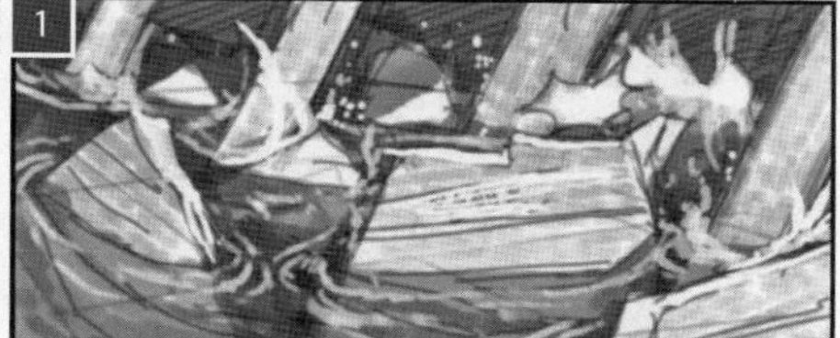

세키부네 C.U.

부서진 배들의 파편과 떠내려오는 시체들도 와키자카의 선단을 힘들게 한다.

VFX _Solution

1. B2(세키부네)
-잔해물 세팅

C#265

와키자카 B.S.

와키자카 (잔뜩 초조한 표정) 속도야 속도! 속도만이 필승의 길이다!

VFX _Solution

1. A4(와키자카 안택선)

C#266

와키자카 O.S. 세키부네

신경질적으로 전장을 쳐다보다 와키자카, 중형의 세키부네들이 자신의 안택선보다 빨리 치고 나가는 것이 보인다.

VFX _Solution

1. A4(와키자카 안택선)
2. B1(세키부네_분리촬영)

C#267

와키자카, 구로다 2S / M.S.

와키자카 (다짜고짜) 세키부네를 타고 내가 앞장서야겠다. 넌 속히 화포들을 준비시켜라.

구로다 예! 장군!

VFX _Solution

1. A4(와키자카 안택선)

C#268

어선 O.S. 대장선

(CUT TO)

쿠우욱! 마침내 대장선에서 회오리가 빠져나간다.

VFX _Solution

1-1. 수조세트(민초어선)
1-2. A1(대장선)

C#269

판옥선, 어선 WIDE F.S.

어선, 왜군 잔병, 판옥선이 뒤엉킨 회오리 바다.

VFX _Solution

1. A1(판옥선)
2-1. 수조세트(민초어선)
2-2. A1(대장선)

C#270

후방 판옥선 장수 B.S.

후방의 판옥선들.

VFX _Solution

1. A1(판옥선_분리촬영)

C#271

어선 F.S.

바다 위에서 위기에 빠진 민초들.

VFX _Solution

1. 수조세트(민초어선_분리촬영)

C#272 1

민초들 그룹쇼트

바다위에서 위기에 빠진 민초들.

VFX _Solution

1. 수조세트(민초어선_분리촬영)

C#273 1

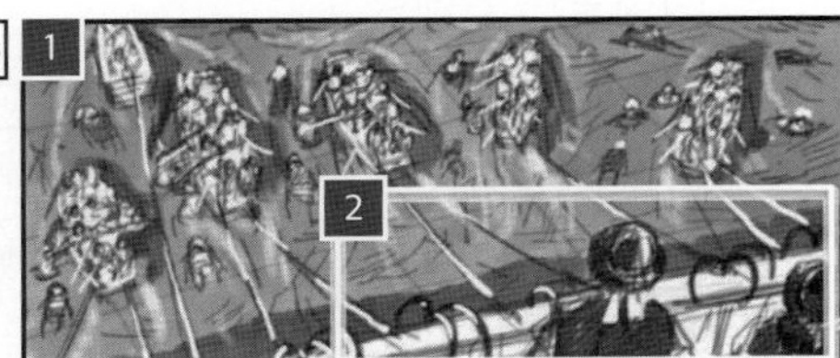

대장선, 어선 F.S. / 부감

대장선 장루에서 내려다보이는 아비규환.

VFX _Solution

1. 수조세트(민초어선 분리촬영)
2. A1(대장선)

C#274 1

이순신 B.S.

이순신이 끈질긴 잔적들을 보고 외친다.

VFX _Solution

1.A1(대장선)

C#275 1

송희립 O.S. 이순신

이순신 (결연) 희립아! 놈들의 대장의 수급을 초요기에 내걸어라!

VFX _Solution

1. A1(대장선)

C#276 1

이순신 O.S. 송희립

송희립 예! 장군!

VFX _Solution

1. A1(대장선)

S#65 구루지마 효시

구루지마의 효시 18 CUTS

 EXT  DAY  OPEN SET

C#1 1

와키자카 B.S. / H.A. / ZOOM IN

세키부네를 타고 전진하던 와키자카, 얼굴이 굳는다.

VFX _Solution

1. A2(세키부네)

C#2 1

초요기 INSERT

이순신의 대장선 높은 곳에 세워져 펄럭이고 있는 초요기….

VFX _Solution

1. A1(대장선)

C#3 1

구루지마 수급 INSERT

놀랍게도 그 창끝에 구루지마의 수급이 꽂혀 있다.

VFX _Solution

1. A1(대장선)

C#4 1

조문옹 TIGHT ->TILT UP -> 기무라 B.S.

잔류해 싸우던 기무라가 싸늘하게 굳어 급격히 전투력을 상실했다.

VFX _Solution

1. 수조세트(민초어선)

C#5 1

조문옹, 기무라 2S / M.S.

그 사이 기무라의 목을 베는 조문옹.

VFX _Solution

1. 수조세트(민초어선)

C#6 1

1

잔병 B.S.

잔류해 싸우던 구루지마 병사들이 싸늘하게 굳어 급격히 전투력을 상실했다.

VFX _Solution

1. 수조세트(민초어선)

C#7

민초들 그룹쇼트

바다 위에서 민초들의 활약이 단단히 한몫을 하고 있다.

VFX _Solution

1. 수조세트(민초어선_분리촬영)
2. A1(대장선)

C#8

와키자카 C.U.

애써 싸늘하게 미소 짓는 와키자카.

VFX _Solution

1. A2(세키부네)

C#9

와키자카 B.S.

와키자카 동요하지 마라! 이제부턴 우리가 선봉이다! 승리의 영광이 반드시 우리에게 있다!

VFX _Solution

1. A2(세키부네)

C#10

적선 WIDE F.S.

뿌우~ 일제히 쇠나팔과 북을 치며 다시 기세 좋게 치고 나가는 와키자카 선단.

VFX _Solution

1. B2(세키부네_분리촬영)

C#11

적선 WIDE F.S.

뿌우~ 일제히 쇠나팔과 북을 치며 다시 기세 좋게 치고 나가는 와키자카 선단.

VFX _Solution

1. B2(세키부네_분리촬영)

C#12

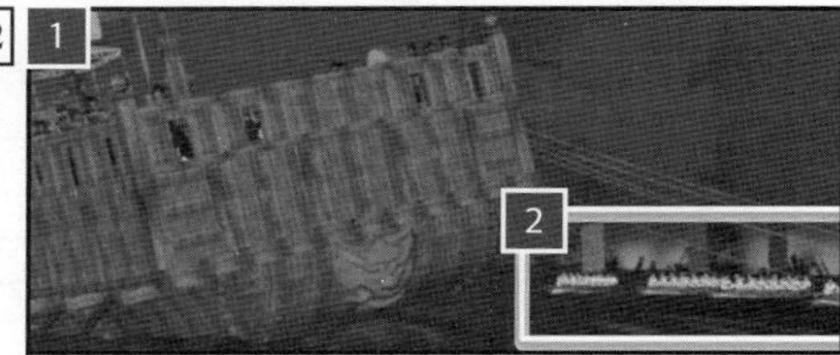

대장선, 어선 WIDE F.S.

(CUT TO) 쿠우욱! 마침내 대장선에서 회오리가 빠져나간다.

VFX _Solution

1. A1(대장선)
2. 수조세트(민초어선_분리촬영)

C#13

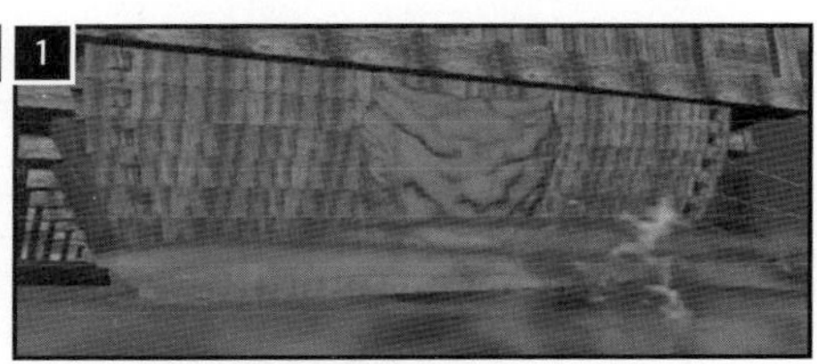

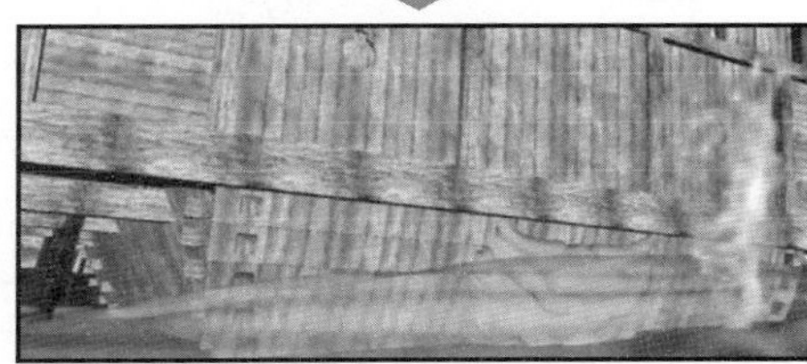

대장선 TIGHT F.S.

동시에 기울어졌던 대장선이 탄력이 붙으며 용수철처럼 수평을 유지하며 튕겨 오른다!

VFX _Solution

1.A1(대장선)

C#14

격군들 그룹쇼트
격군들이 두 손을 번쩍 들고 환호한다.

C#15

민초들 그룹쇼트
바다 위 백성들과 갑판 위의 군사들이 환호한다.

VFX _Solution

1. B2(대장선/민초어선_분리촬영)
2. 수조세트(민초어선)

C#16

군사들 그룹쇼트
갑판 위의 군사들이 환호한다.

VFX _Solution

1. A1(대장선)

C#17

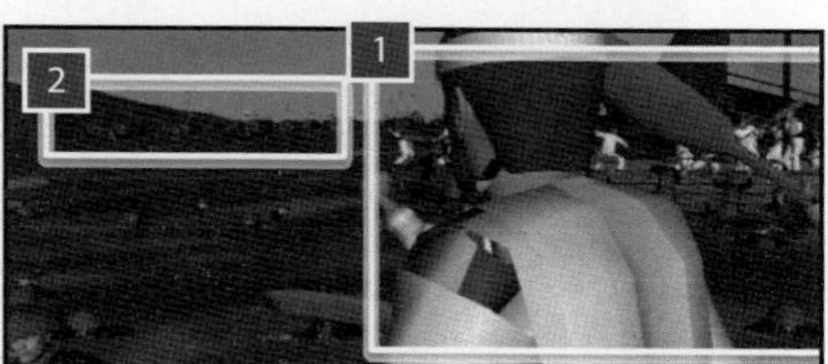

민초들 O.S. 적선들
하지만 환호도 잠시(환호하던 민초가 보고 놀란다)
바로 코앞으로 다가온 와키자카 선단.

VFX _Solution

1. 수조세트(민초어선_분리촬영)
2. B1(세키부네/안택선_분리촬영)

C#18

민초들 그룹쇼트
하지만 환호도 잠시(환호하던 민초가 보고 놀란다)
바로 코앞으로 다가온 와키자카 선단.

VFX _Solution

1. 수조세트(민초어선)

S#66 나머지 판옥선의 가세

나머지 판옥선들의 가세

28 CUTS

EXT

DAY

OPEN SET

C#1

김돌손 B.S.
기진맥진해 돌진해오는 적 선단을 바라보고 있던 사부 김돌손이 갑자기 눈이 번뜩!

VFX _Solution
1. A1(대장선)

C#2

이순신 O.S. 김돌손

김돌손 장군! 우리 배, 배들이 오고 있습니다!

VFX _Solution
1. A1(대장선)

C#3

이순신 B.S.
돌아보는 이순신.

VFX _Solution
1. A1(대장선)

C#4

장졸들 그룹쇼트
나머지 장졸들도 급히 고개를 돌리면,

VFX _Solution
1. A1(대장선)

C#5

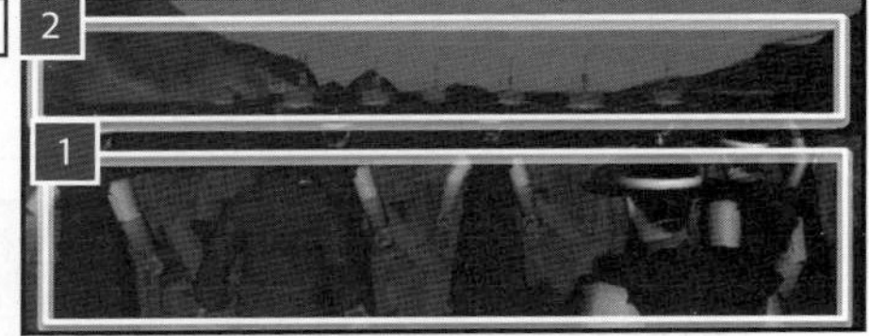

대장선 O.S. 나머지 판옥선들
마침내 나머지 판옥선 7척이 다가오는 것이 보인다.

VFX _Solution
1. A1(대장신)
2-1. C(울돌목_더미 배
2-2. B1(판옥선 소스)

C#6

나머지 판옥선 WIDE F.S.
마침내 나머지 판옥선 7척이 다가오는 것이 보인다.

VFX _Solution
1. B1(판옥선_분리촬영)

C#7

김억추 B.S.
어째 맨 후미의 김억추의 표정은 안 좋은데….

VFX _Solution
1. A1(김억추 판옥선)

C#8 1

이순신 C.U.

이순신 …….

VFX _Solution

1. A1(대장선)

C#9 1

도도, 가토 M.S.
(CUT TO)
후군 쪽 총대장 도도와 가토의 안색이 잔뜩 상기되어 있다.

가 토 나머지 배들이 가세하고 있습니다.

VFX _Solution

1. A4(도도 안택선)

C#10 1

도도 C.U.

도 도 (무언가 홀린 듯) 저게 흑… 놈의 전술이었느냐?

VFX _Solution

1. A4(도도 안택선)

C#11 1

도도 O.S. 가토

가 토 (말을 하지 못하고) …….

VFX _Solution

1. A4(도도 안택선)

C#12

도도 B.S.

도 도 (애써 태연하게) 속히 후군을 보내라. 후군을 보내서 와키자카를 지원하라.

VFX _Solution

1. A4(도도 안택선)

C#13 1

도도 O.S. 가토

가 토 예, 쇼군.

VFX _Solution

1. A4(도도 안택선)

C#14 1

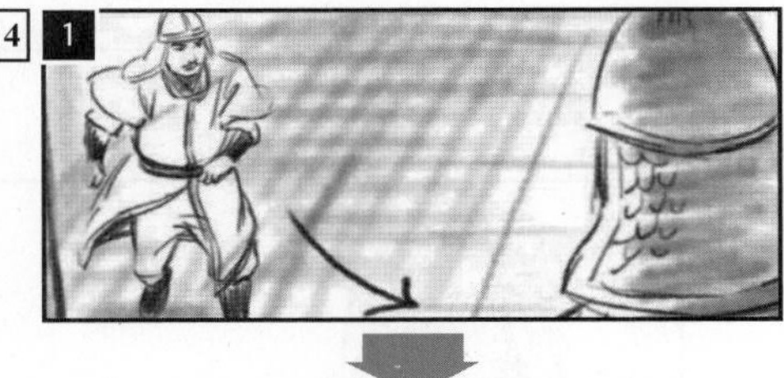

1

이순신 O.S. 송희립
(CUT TO)
송희립이 황급히 이순신에게 다가온다.

송희립 장군! 우리 함선들이 적의 잔병들과 백성들까지 마구 뒤엉켜 있습니다. 속히 배들을 뒤로 물려 나머지 배들과 함께 진열을 갖추시는 게….

VFX _Solution

1. A1(대장선)

C#15

이순신 B.S.

이순신 아니다. 우리가 물러서면 저들은 어찌 되겠느냐.

VFX _Solution

1. A1(대장선)

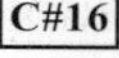

울돌목 WIDE F.S.
바다 위 잔적들을 소탕하는 조태식, 오계적 등,
어선들의 활약이 돋보이는데….

VFX _Solution

1. A1(대장선)
2. 수조세트(민초어선_분리촬영)

C#17

이순신 O.S. 송희립

송희립 장군! 아니면 우리와 백성들 모두가 몰살입니다. 우린 이제 막 구사일생으로 사지(死地)를 벗어났습니다.

VFX _Solution

1. A1(대장선)

C#18

이순신 C.U.
순신, 묵묵부답….

VFX _Solution

1. A1(대장선)

C#19

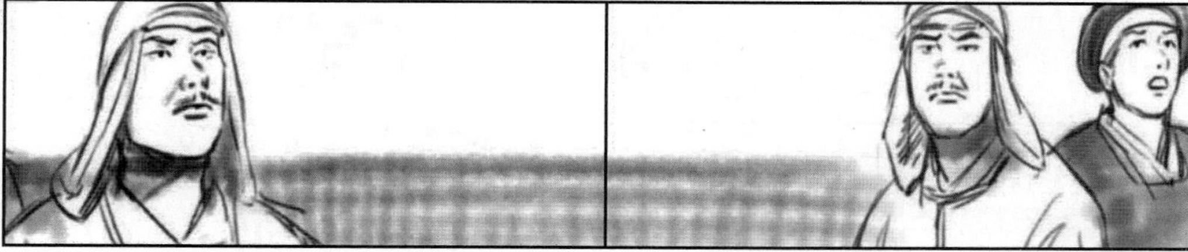

송희립 -> TRACKING -> 나대용
장군! 이번엔 나대용이 다가와 어찌할 것인지 묻는다.
장군! 다시 이번엔 김돌손 이하 병사들까지 어찌할 것인지
이순신을 쳐다본다.

VFX _Solution

1. A1(대장선)

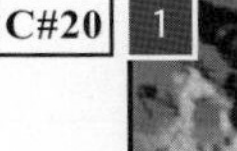

C#20

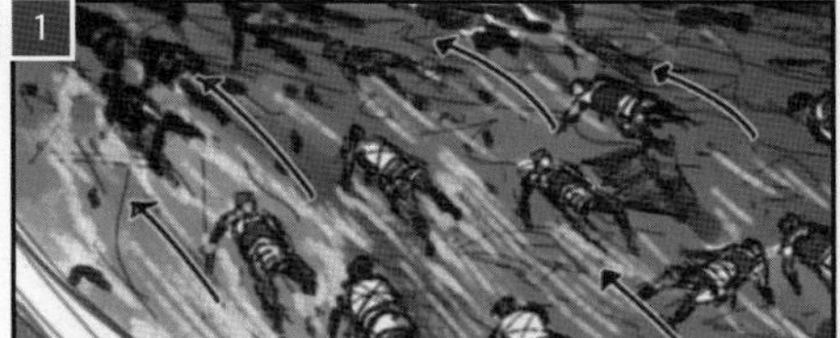

시체들 INSERT
온전히 일어선 물살에 빠르게 죽어 떠 있는 수많은 시체와 잔해들이 휩쓸려 가고 있다.

VFX _Solution
1. 수조세트(더미/잔해물 소스)

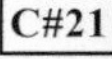

C#21

이순신 B.S.
물살을 파악하는 이순신.

VFX _Solution
1. A1(대장선)

C#22

적선들 F.S.
이순신, 다가오는 적선들과 뒤에서 또한 다가오는 5척의 아군 판옥선들을 번갈아 쳐다본다.

VFX _Solution
1. B1(세키부네/안택선_분리촬영)

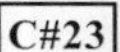

C#23

이순신 B.S.
이순신, 다가오는 적선들과 뒤에서 또한 다가오는 5척의 아군 판옥선들을 번갈아 쳐다본다.

VFX _Solution
1. A1(대장선)

C#24

대장선 O.S. 적선
이순신, 다가오는 적선들과 뒤에서 또한 다가오는 5척의 아군 판옥선들을 번갈아 쳐다본다.

VFX _Solution
1. A1(대장선)
2-1. C(울돌목_더미 배
2-2. B1(판옥선 소스 합성)

C#25

산 위 F.S.
이회가 막다른 절벽 앞까지 달려와 외친다.

C#26

이회 B.S.

이 회 (고함) 어서 배들을 빼내야 돼! 아버님!

C#27

이순신 B.S. / H.A.

VFX _Solution
1. A1(대장선)

C#28

이순신 F.S.

이순신 (고함) 모든 함선에 전하라! 황보만! 황보만에게 전하라!

VFX _Solution
1. A1(대장선)

S#67 충파

충파 62 CUTS    
EXT DAY OPEN SET

C#1

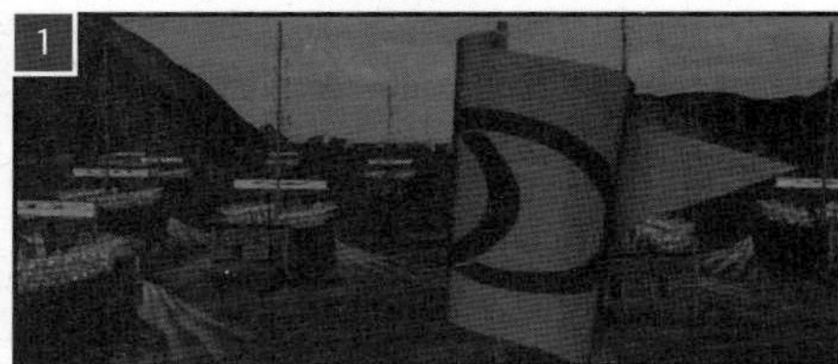

적선 WIDE F.S.
판옥선들과 민초들이 뒤엉켜 싸우고 있는 전장 가까이 돌진해 들어온 와키자카.

VFX _Solution
1. B1(세키부네_분리촬영)

C#2

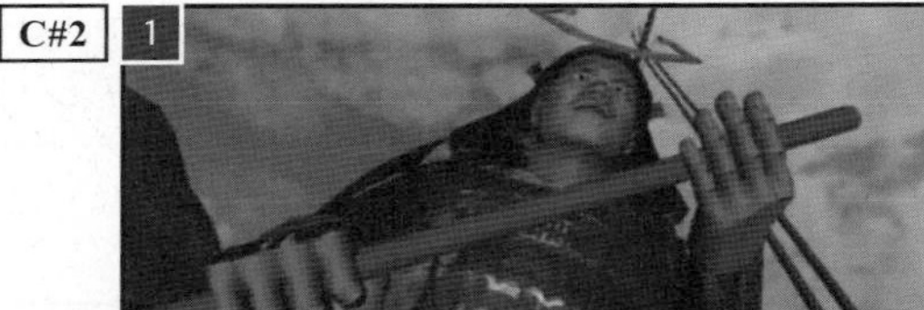

와키자카 B.S. / 앙각

와키자카 (중얼) 이렇듯 가까이 화포에 저항도 받지 않다니. 이순신 네놈이 문제가 있어도 뭔가 단단히 있는 모양이구나.

VFX _Solution
1. A2(세키부네)

C#3

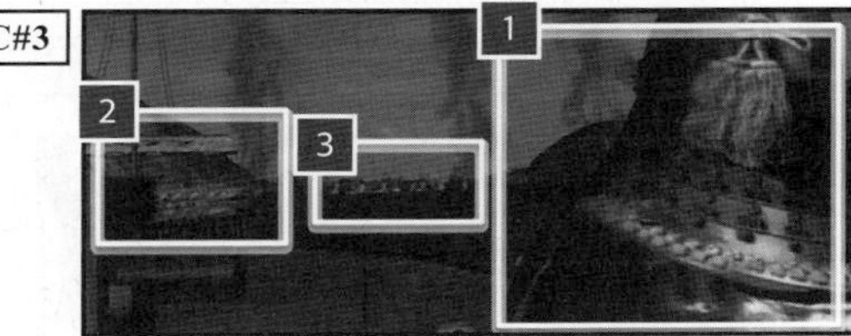

와키자카 O.S. 울돌목
어찌 된 일인지 화포 한 방을 쏘지 않고 있는 이순신의 선단.

VFX _Solution
1. A2(세키부네)
2. B1(세키부네_분리촬영)
3-1. B(판옥선 소스)
3-2. 수조세트(민초어선 소스)

C#4

와카지카 C.U.
와키자카의 얼굴에서 강한 회심의 미소가 번진다.

VFX _Solution
1. A2(세키부네)

C#5

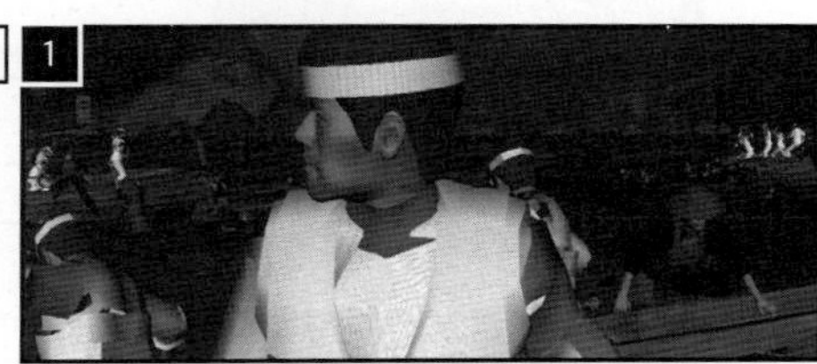

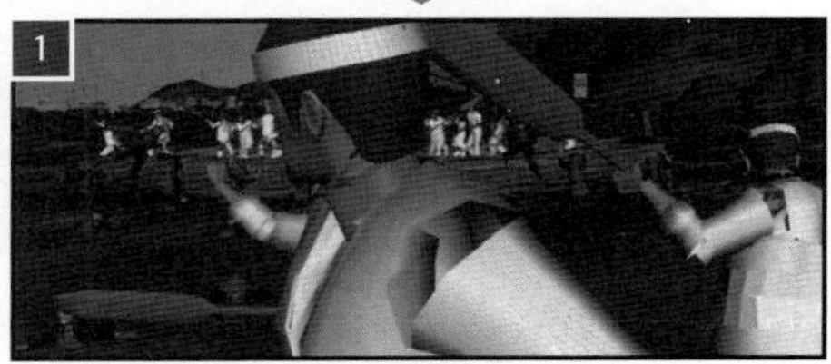

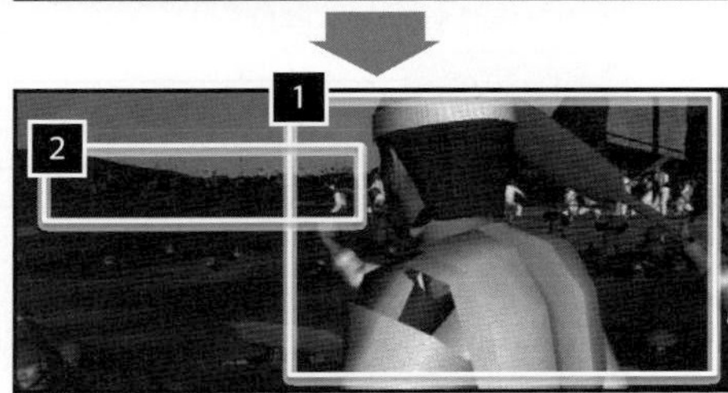

민초 O.S. 적선 / TRACKING
거의 1백여 보까지 가까워진 서로의 거리.

VFX _Solution
1. 수조세트(민초어선_분리촬영)
2. B2(세키부네/안태선_분리촬영)

C#6 1

민초들 그룹쇼트

어머어마한 양의 적선을 보고 겁을 먹는 민초들.

VFX _Solution

1. 수조세트(민초어선_분리촬영)

C#7 1

이순신 B.S.

묵묵히 바라보는 이순신.

VFX _Solution

1. A1(대장선)

C#8 1

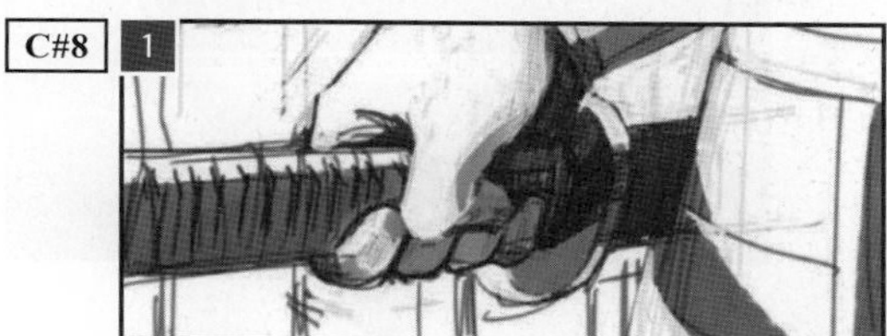

이순신 칼 C.U.

칼을 쥔 손에 힘이 들어가는 이순신.

VFX _Solution

1. A1(대장선)

C#9 1

와키자카 M.S. / 앙각

와키자카 지금이다. 조총을 퍼붓고 속도를 높여라!

VFX _Solution

1. A2(세키부네)

C#10 1

와키자카 O.S. 왜군관 1

왜군관 허나 장군… 아직 저기 우리 함선들도….

VFX _Solution

1. A2(세키부네)

C#11 1

1

와키자카 F.S. -> 와키자카 M.S.

와키자카 저것들은 해적들이다. 개의치 말고 사격하라!

VFX _Solution

1. A2(세키부네)

C#12 1

적선 WIDE F.S. / 측면

일제히 사격 태세에 들어가는 와키자카 선단!

호기롭게 대통까지 다시 선보이는데,

VFX _Solution

1. B1(세키부네_분리촬영)

C#13

와키자카 C.U.

와키자카 (마침내 싸늘한 미소)잡았다! 이순신!

VFX _Solution

1. A2(세키부네)

C#14

적선들 F.S.
(CUT TO)
맨 선두의 대통 부대….

VFX _Solution

1. A2(세키부네_분리촬영)

C#15

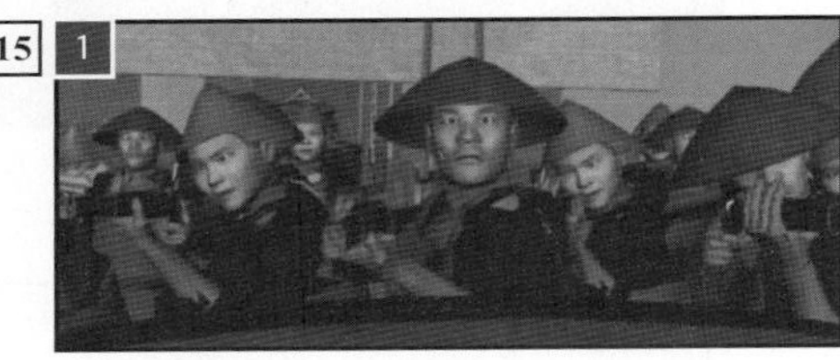

왜병 그룹쇼트
대통을 조준하고 있던 왜병이 별안간…
조준관에서 얼굴을 뗀다.

VFX _Solution

1. A2(세키부네)

C#16

왜병 C.U.
그러다… 서서히 공포에 휩싸이며 동공이 확장하는 왜병.

VFX _Solution

1. A2(세키부네)

C#17

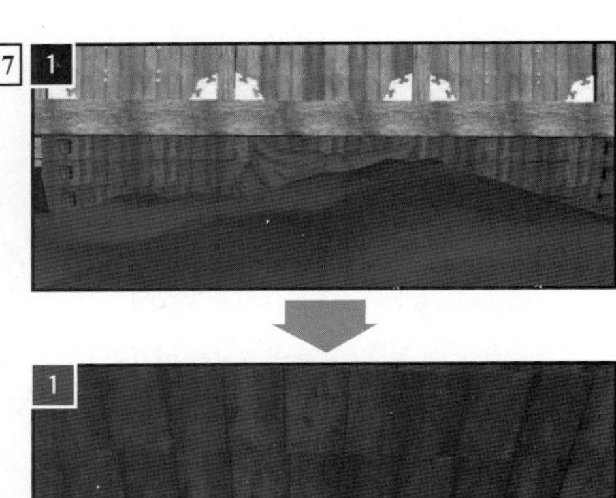

대장선 선체 TIGHT F.S.
대장선 뱃머리의 도깨비(치우천황)상이 C.U. 되어 치고 들어온다.

VFX _Solution

1. B2(대장선)
-노 젓기

C#18

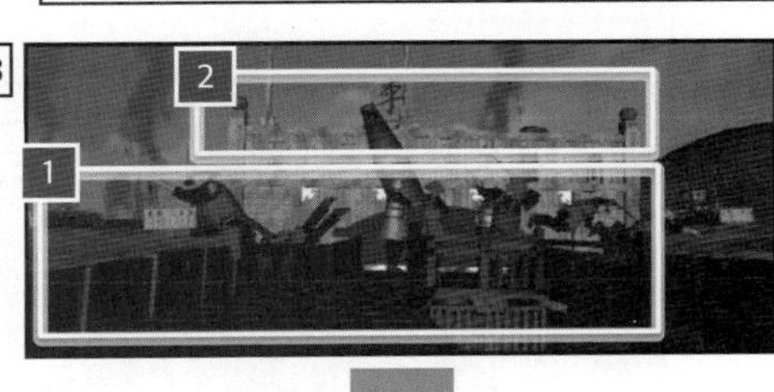

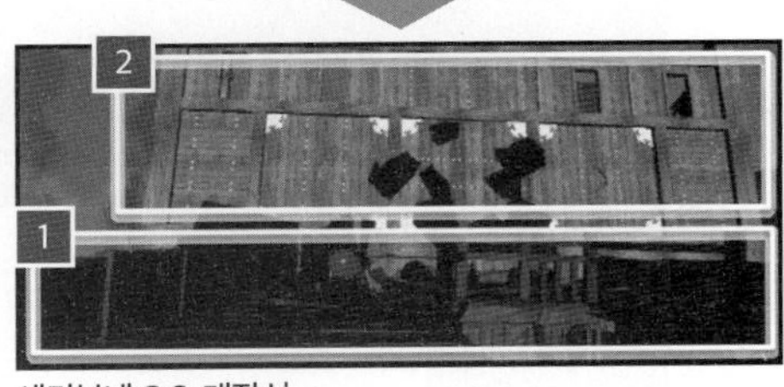

세키부네 O.S. 대장선
쿠쿠궁!
그 왜병을 그대로 때리며 화면 안으로 밀고 들어오는 이순신의 대장선.

VFX _Solution

1-1. M(세키부네 미니어처 소스)
1-2. 인물(소스촬영)
2. A1(대장선)

C#19

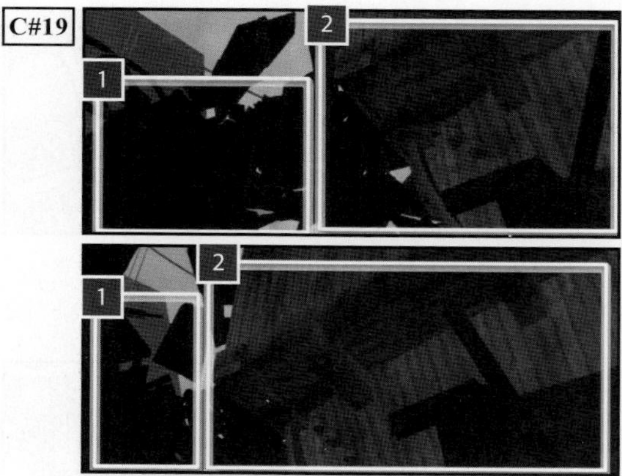

대장선, 세키부네 TIGHT F.S.

VFX _Solution

1-1. M(세키부네 미니어처 소스)
1-2. B2(세키부네 소스)
2. A1(대장선)

C#20

판옥선 WIDE F.S.

12척의 판옥선이 어선 위 민초들을 뒤로하고 물살의 탄력을 받으며 일제히 돌진해 들어오고 있다.

VFX _Solution

1. B3(세키부네_분리촬영)
2. B1(대장선_분리촬영)
3. F(충파 Full 3D)

C#21

와키자카 C.U.

와키자카 추, 충파…! 저, 저것들이! 다 같이 죽자는 것이냐!

VFX _Solution

1. A2(세키부네)

C#22

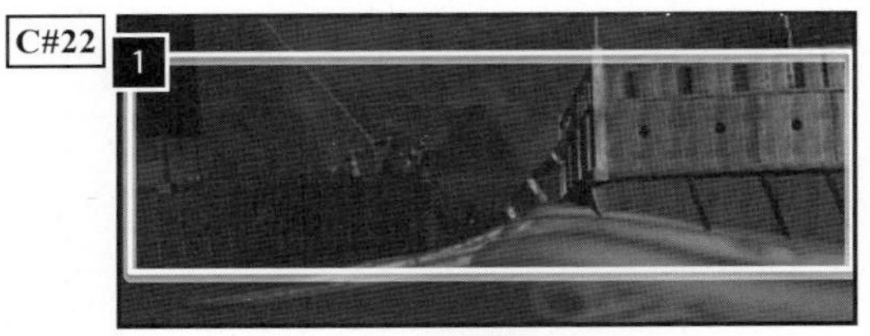

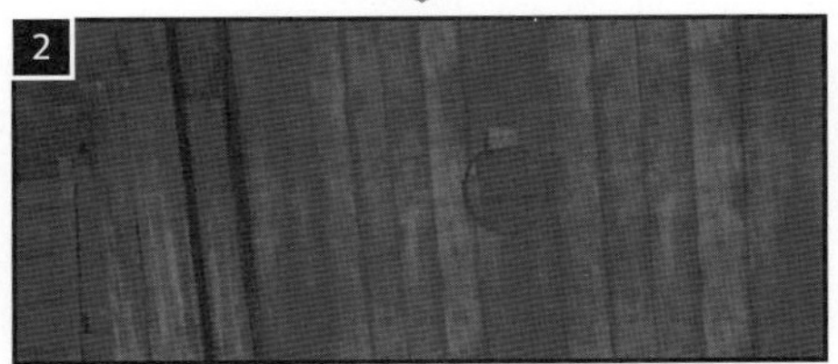

판옥선, 적선 F.S.

콰콰쾅! 판옥선들이 일제히 적선들을 들이받는다.

VFX _Solution

1-1. A1(판옥선 소스)
1-2. A2(세키부네 소스)
1-3. 인물(소스촬영)
2-1. B1(판옥선 소스)
2-2. B1(세키부네 소스)

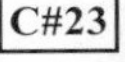

C#23

김 노인 B.S.

부들부들… 김 노인의 뜨거운 시선….

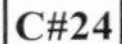

C#24

이회 F.S.

이회의 주저앉음….

C#25

민초들 그룹쇼트

산 위 민초들의 안타까운 울부짖음….

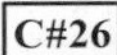

C#26

격군실 F.S.

(CUT TO)

대장선 격군실 안이 통째로 흔들린다.

C#27

오둑이, 병사들 F.S.

갑판 위 이순신과 오둑이, 병사들이 함께 갑판 위를 나뒹군다.

VFX _Solution

1. A1(대장선)

C#28

이순신 F.S.

갑판 위 이순신과 오둑이, 병사들이 함께 갑판 위를 나뒹군다.

VFX _Solution

1. A1(대장선)

C#29

조선 수군 그룹쇼트

굴러떨어지는 화포들에 손발, 몸이 짓이겨지는 병사도….

VFX _Solution

1. A1(대장선)

C#30

대장선 O.S. 세키부네
대장선 이물이 적선을 짓이기며 올라탄다.

VFX _Solution
1-1. A1(대장선)
1-2. A2(세키부네)
2. B1(세키부네_분리촬영)

C#31 1

이순신 F.S.
충격에 투구마저 날아가버린 이순신.

VFX _Solution
1. A1(대장선)

C#32

격군실 문 INSERT
대장선 격군실 문이 부서져나간다.

C#33

격군들 그룹쇼트
김중걸이 노를 젓다 튕겨 나간다.

C#34

수봉이, 김중걸 B.S.
수봉이… 온몸으로 노를 잡고 버틴다.
버텨라. 버텨라… 제발 판옥선아….

C#35 1

안위의 판옥선 지자포 C.U.
문득 안위의 판옥선에서 지자포가 작렬한다.

VFX _Solution
1. A1(안위 판옥선)

C#36 1

안위 C.U.
문득 안위의 판옥선에서 지자포가 작렬한다.

안 위 발포하라!

VFX _Solution
1. A1(안위 판옥선)

C#37 1

안위의 판옥선 지자포 C.U.
포를 뿜는 안위의 판옥선.

VFX _Solution
1. A1(안위 판옥선)

C#38 1

와키자카 B.S.

와키자카 저, 저것들이!

VFX _Solution

1. A2(세키부네)

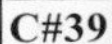

C#39 1

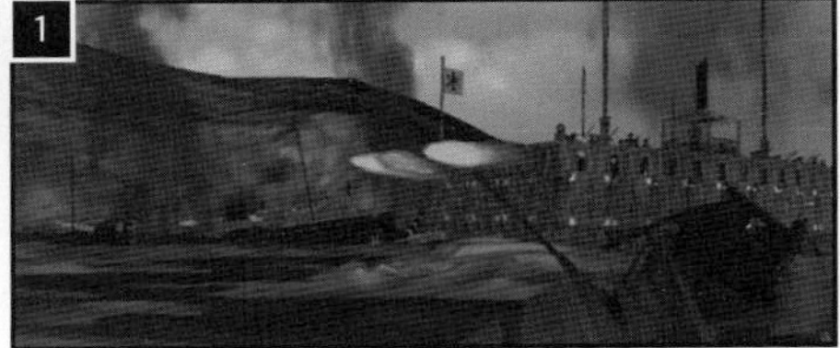

울돌목 WIDE F.S.

동시에 일제히 모든 판옥선에서 쏟아지는 비격진천뢰와 지자포의 포성!

VFX _Solution

1-1. B2(판옥선_분리촬영)

1-2. C(울돌목_더미 배)

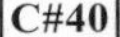

C#40 1

구로다 B.S.

안택선 위 구로다가 미동도 못 한 채
그저 멍한 표정으로 하늘만을 바라보고 있는데….

VFX _Solution

1. A4(와키자카 안택선)

C#41 1

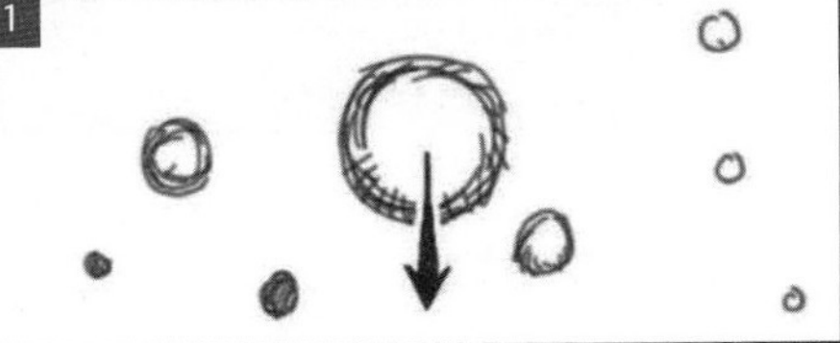

천자총통 포탄 C.U.

VFX _Solution

1-1. F(천자총통 포탄_Full 3D)

1-2. 포탄 소스 촬영

C#42 1

구로다 F.S. / 부감

VFX _Solution

1. A4(와키자카 안택선)

C#43 1

천자총통 포탄 C.U.

VFX _Solution

1. F(천자총통 포탄_Full 3D)

C#44

울돌목 F.S.

이어 자욱한 포연 속에 통째로 가려져버리는 전장…
포탄 소리만이 난무하고….

VFX _Solution

1-1. A4(와키자카 안택선)

1-2. 인물(소스촬영)

C#45

이회 B.S.

(CUT TO)

이회와 산 위의 백성들,
포연 속에 가려져버린 전장을 애타게 지켜보는데,

C#46

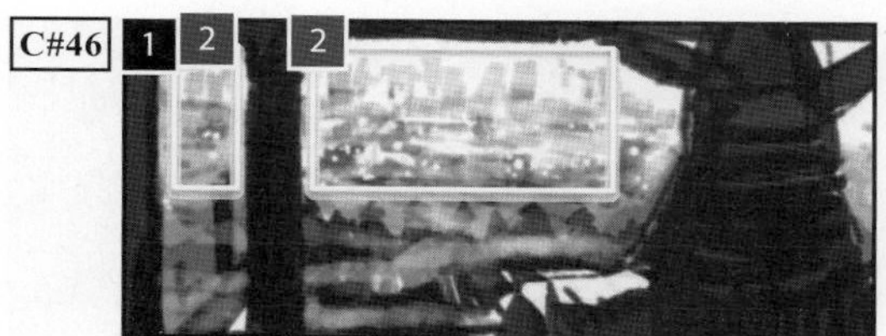

도도 O.S. 전장
(CUT TO)
자욱한 포연 속.

VFX _Solution

1. A4(도도 안택선)
2-1. B1(판옥선 소스)
2-2. B1(세키부네 소스)

C#47

도도 C.U.
후군의 도도가 시선을 뗄 줄 모르고….

VFX _Solution

1. A4(도도 안택선)

C#48

울돌목 WIDE F.S. / 부감
(CUT TO)
포연이 자욱한 명량 바다… 이내 바람이 분다…
바람에 포연이 걷히며 선명하게 열리는 전장의 풍경…
눈앞에 펼쳐진… 도저히 믿을 수 없는 광경.

VFX _Solution

1-1. C(울돌목_더미 배_옥타콥터 촬영)
1-2. F(Full 3D)

C#49

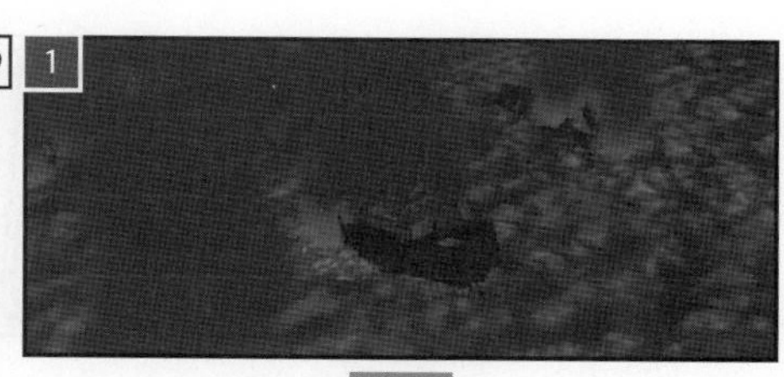

와키자카 안택선 WIDE F.S. / 부감
와키자카의 안택선은 화포 한 방 쏘아보지 못하고 부서져 있고,

VFX _Solution

1-1. A4(안택선 소스)
1-2. F(Full 3D)

C#50

구로다 투구 INSERT
갑판 위엔 구로다의 투구만이 나뒹굴고 있다.

VFX _Solution

1. A4(와키자카 안택선)

C#51

민초들 그룹쇼트
산 위의 모든 사람들이 그저 그렁그렁한 눈빛으로 쳐다볼 뿐인데….

C#52

이회 B.S
산 위의 모든 사람들이 그저 그렁그렁한 눈빛으로 쳐다볼 뿐인데….

도도 B.S.
멍하니 쳐다보던 도도가 갑자기 움찔!
그 옆으로까지 포탄이 떨어졌다.

VFX _Solution

1. A4(도도 안택선_워터캐논)
2. B1(세키부네_분리촬영)

도도 안택선 F.S.
도도의 안택선 옆으로 떨어지는 포탄,

VFX _Solution

1. B1(도도 안택선/세키부네_분리촬영)

C#55

도도 B.S.

도 도 (중얼) 이순신… (퍼렇게 질린 채 마침내) …후퇴하라.

VFX _Solution

1. A4(도도 안택선)

C#56

도도 F.S.
들어가는 도도.

VFX _Solution

1. A4(도도 안택선)

C#57

가토 B.S.

가 토 (할 말을 잃은) …….

VFX _Solution

1. A4(도도 안택선)

C#58

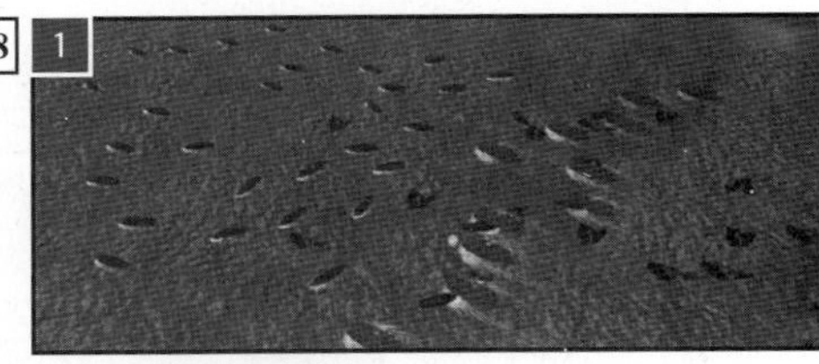

울돌목 WIDE F.S. / 부감
(CUT TO)
적진에 길게 울려 퍼지는 후퇴의 쇠나팔 소리.

VFX _Solution

1-1. C(울돌목_더미 배_옥타콥터 촬영)
1-2. F(Full 3D)

C#59

적선 WIDE F.S.
미처 뱃머리를 돌릴 겨를도 없이 뒤로 그대로 달아나는 적선이 태반이다.

VFX _Solution

1. B2(세키부네_분리촬영)

C#60 1

와키자카 F.S. / 부감

와키자카가 바다에 빠져 허우적거리고 있다.
간신히 패주하는 적선에 올라타는 와키자카….

VFX _Solution

1. B3(세키부네)

C#61 1

와키자카 B.S.

와키자카가 바다에 빠져 허우적거리고 있다.
간신히 패주하는 적선에 올라타는 와키자카….

VFX _Solution

1. B3(세키부네)

C#62 2 1

대장선 O.S. 세키부네

도주하는 적선을 함포로 계속 격파해나가는 판옥선.

VFX _Solution

1. A1(대장선)
2. B1(세키부네_분리촬영)

S#68 승리

승리 50 CUTS 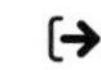 EXT  DAY  OPEN SET

C#1

백성들 그룹쇼트
만세~! 만세~! 만세 소리와 함께 감격의 눈물을 흘리는 바다와 산 위의 백성들.

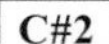

백성들 그룹쇼트
만세~! 만세~! 만세 소리와 함께 감격의 눈물을 흘리는 바다와 산 위의 백성들.

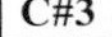

백성들 그룹쇼트
만세~! 만세~! 만세 소리와 함께 감격의 눈물을 흘리는 바다와 산 위의 백성들.

이회 C.U.
깊이를 알 수 없는 눈물을 끝없이 흘리는 이회.

C#5

김 노인 TIGHT F.S.
주체할 수 없는 울음과 함께 주저앉아 버리는 김 노인.

C#6

김 노인, 이회 O.S. 울돌목
패주하는 적들을 맹렬히 몰아붙이는 판옥선들.

VFX _Solution
1. 로케이션(인물 크로마 촬영)
2. F(충파 Full 3D)

C#7

울돌목 WIDE F.S.
대장선 장루에 선 이순신의 시야로 저만치 패주하기 바쁜 적선들이 보인다.

VFX _Solution
1. A1(대장선)
2. B1(세키부네/안택선_분리촬영)
3-1. A2 세키부네 잔해 합성
3-2. A4 안택선 잔해 합성

C#8

이순신 F.S.
등 뒤에서는 아직도 왜병들의 비명 소리들이 들려온다.
물살과 함께 묵직하게 전진해가던 이순신.

VFX _Solution
1. A1(대장선)
2. B1(판옥선_분리촬영)

C#9 1

이순신 C.U.

이순신 (문득) 멈추어라! 배를 돌려라!

VFX _Solution

1. A1(대장선)

C#10 1

나대용 B.S.

나대용 예서 멈추시렵니까?

VFX _Solution

1. A1(대장선)

C#11 1

이순신 B.S.

이순신 마침 물살이 다시 돌아섰으니….

VFX _Solution

1.A1(대장선)

C#12 1

북치는 군사 B.S.

둥둥~ 둥~ 길게 북을 치는 군사.

마침내 12척의 판옥선이 일제히 뱃머리를 돌린다.

VFX _Solution

1.A1(대장선)

C#13 1

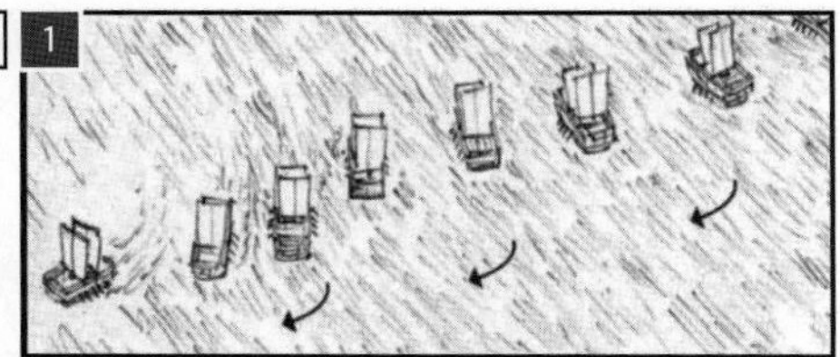

울돌목 F.S. / 부감

뱃머리를 돌리자 다시 고요해진 바다 위,

VFX _Solution

1. B1(판옥선_분리촬영)

C#14 1

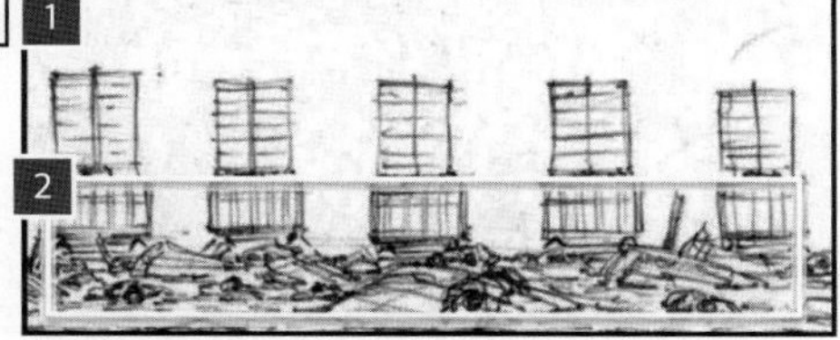

울돌목 WIDE F.S.

판옥선이 지나온 바다 위에 떠 있는 수많은 파괴된 적선들과 죽은 왜병들의 시신들이 가득하다.

VFX _Solution

1. B2(판옥선_분리촬영)

2. 수조세트(더미/잔해 소스)

C#15 1

조선군 그룹쇼트

각 전선마다 부장들이 갑판 위를 뛰어다니며 두 손을 치켜들어 사방측량을 한다.

VFX _Solution

1. A1(대장선)

C#16 1

조선 수군 손 O.S. 시체들

사방측량을 하는 김돌손.

VFX _Solution

1. 수조세트(더미/잔해 소스)

C#17 1

조선 수군 그룹쇼트

사방측량을 하는 조선 수군들.

VFX _Solution

1. A1(대장선)

C#18 1

김돌손 B.S.

김돌손 역시 사방 측량을 하다,
문득 곁에 오둑이가 없음을 알아차리고 두리번.

VFX _Solution

1. A1(대장선)

C#19 1

오둑이 투구 INSERT

오둑이의 찢겨진 모자만이 갑판 위에 나뒹굴고 있고….

VFX _Solution

1. A1(대장선)

C#20 1

나대용, 이순신 25

나대용 (감회에 젖어) 죽은 적을 헤아리는… 사방측량이옵니다. 실로 오랜만에 보는 풍경 아니옵니까?

이순신 그렇구나….

VFX _Solution

1. A1(대장선)

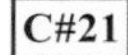

C#21 1

혜희, 승려들 F.S.

이때 어디선가 묵묵한 목탁 소리가 들려온다.
혜희가 목탁을 치며 조용하게 염불을 외고 있다.

VFX _Solution

1. A1(대장선)

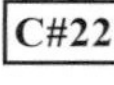

C#22 1

송희립, 이순신 2S / B.S.

혜희를 제지하려 나서는 송희립, 이순신이 만류한다.

VFX _Solution

1. A1(대장선)

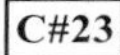

C#23 1

구루지마의 효시 C.U.

창 끝에 걸려 있는 구루지마의 효시….
해적왕 구루지마의 머리카락이 쓸쓸히 바람에 나부낀다.

VFX _Solution

1. A1(대장선)

C#24 1

이순신 B.S.

이순신 (담담히) 적장의 수급을 내려주고, 돛을 올려라!

VFX _Solution

1. A1(대장선)

C#25 1

대장선 돛 C.U.
만신창이가 된 대장선의 부러지지 않은 돛 하나가 경쾌한 소리를 내며 펼쳐진다.

VFX _Solution
1. B3(대장선)

C#26 1

대장선 F.S.
기워진 꽃이 인상적이다.

VFX _Solution
1. B1(대장선)

C#27

격군들 그룹쇼트
격군실의 격군들이 노를 놓고 앉아서,
혹은 누워서 휴식을 취하고 있다.

C#28

격군들 그룹쇼트
서로 마주 보고 껄껄껄~ 웃는 격군들 저마다 잡담들.

C#29

격군들 그룹쇼트
나중에 우리 후손 아그들이 우리가 이리 개고생한 것을 알까?
모르면 참말로 호로자슥들이재~!
그들의 수다가 의미심장한데….

C#30 1

이순신 M.S.
저무는 석양 속.
이순신이 뱃머리로 걸어 나가 산과 하늘을 쳐다본다.

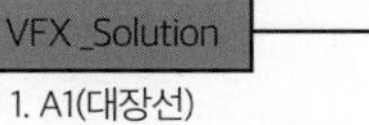

VFX _Solution
1. A1(대장선)

C#31 2

이순신 O.S. 정씨 여인
멀리 바닷가, 물가에서 무언가를(그녀가 준 나무 부적) 주워 들고 울고 있는 정씨 여인이 보인다.

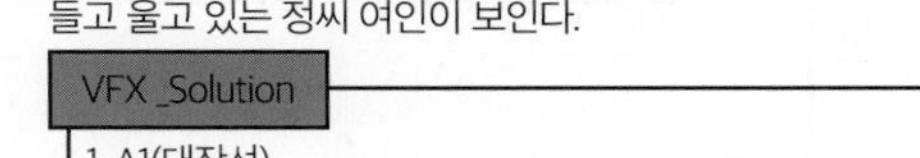

VFX _Solution
1. A1(대장선)
2. 로케이션(울돌목 옆 산)

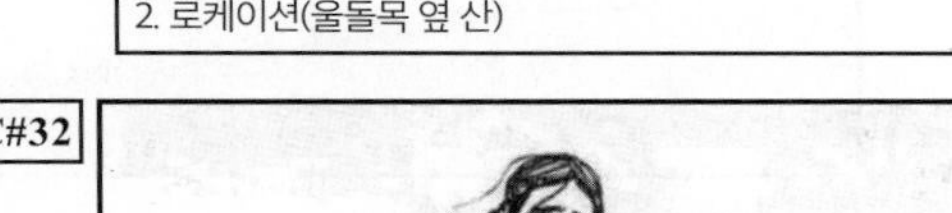

C#32

정씨 여인 M.S.
멀리 바닷가, 물가에서 무언가를(그녀가 준 나무 부적) 주워 들고 울고 있는 정씨 여인이 보인다.

C#33 1

이순신 눈 E.C.U.

이순신 …….

VFX _Solution
1. A1(대장선)

C#34

이회 B.S.
이순신 착잡한 시선을 돌리면, 멀리 해안 절벽 위.
말없이 고개 숙여 절하는 아들 회가 보인다.

C#35 1

울돌목 WIDE F.S. / 부감
석양의 햇살이 반사되어 보이는 명량.

VFX _Solution
1. C(울돌목_더미 배_옥타콥터 촬영)

C#36

산 위 WIDE F.S. / 암각
장군 장군~ 멀리 산 위에서,
바다 위에서 감격에 젖어 마구 손을 흔드는 백성들이 보인다. 큰절을 올리는 백성들의 무리도 보이는데….

C#37 1

이순신 C.U.
이순신 문득 울돌목이, 아니 이 모든것이 마치 꿈과 같다.
천천히 눈을 감는 이순신….
다시 이 모든 걸 소리로 깊이 느껴본다.

VFX _Solution
1. A1(대장선)

C#38 1

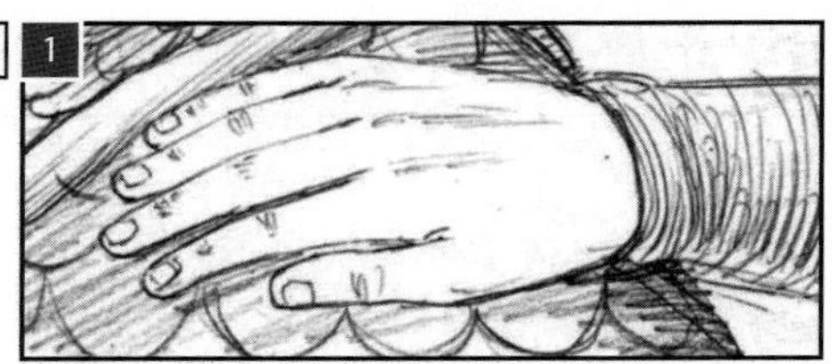

수봉이 손 C.U.
쿡! 누군가 이순신의 등을 건드리는 손.

VFX _Solution
1. A1(대장선)

C#39 1

수봉이 O.S. 이순신
이순신이 돌아보면 수봉이가 서 있다.
수봉이 허리춤에서 쪄놓은 토란을 꺼내 내민다.

VFX _Solution
1. A1(대장선)

C#40 1

이순신, 수봉이 2S
이순신이 돌아보면 수봉이가 서 있다.
수봉이 등 뒤 봇짐에서 쪄놓은 토란을 꺼내 내민다.

VFX _Solution
1. A1(대장선)

C#41 1

이순신 B.S.
토란을 받아서 한 입 먹는 이순신.

이순신 먹을 수 있어… 좋구나.

VFX _Solution
1. A1(대장선)

C#42 1

수봉이 B.S.
수봉이 씨익 웃으며,
이번엔 찌그러진 이순신의 투구를 앞에 내민다.

VFX _Solution
1. A1(대장선)

C#43 1

김돌손 B.S.

김돌손이 오둑이 모자를 부여잡고 흐느끼고 있다.
그런데 누군가 툭! 누군가 손을 내민다.

VFX _Solution

1. A1(대장선)

C#44 1

김돌손 O.S. 오둑이

바로 눈알 부리부리 오둑이다. 모자를 달라 한다.
급격히 화색이 도는 김돌손의 얼굴.

VFX _Solution

1. A1(대장선)

C#45 1

김돌손 B.S.

바로 눈알 부리부리 오둑이다. 모자를 달라 한다.
급격히 화색이 도는 김돌손의 얼굴.

VFX _Solution

1. A1(대장선)

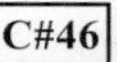

C#46 2

울돌목 WIDE F.S.

이순신과 12척의 판옥선이 저마다 영광의 상처를 간직한 채 종렬의 대형을 유지하며 석양이 짙게 물든 서쪽을 향해서 조용히 나아간다.

VFX _Solution

1. C(울돌목_더미 배)
2. 로케이션(석양소스)

C#47 2

이순신 B.S.

문득 수봉에게… 일체의 미동도 없이 장루에 앉아 있는 이순신에게서 깊은 피로감이 느껴진다.

VFX _Solution

1. A1(대장선)
2. 로케이션(석양소스)

C#48 2

이순신, 수봉이 25

조용히 그의 곁으로 가 앉는 수봉이….

VFX _Solution

1. A1(대장선)
2. 로케이션(석양 소스)

C#49 2

이순신 O.S. 수봉이

이순신이 바라보는 곳을 따라보면,

VFX _Solution

1. A1(대장선)
2. 로케이션(석양소스)

C#50

울돌목 WIDE F.S.

붉게 물든 태양이 저물고 있다.

S#69 나주 영산포 구선 건조장

천행에 대해서 이야기하는 이회와 이순신

11 CUTS

 EXT  DAY  LOCATION

C#1

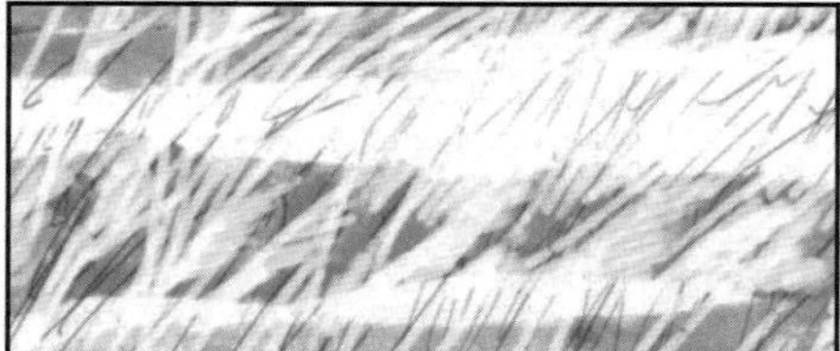

갈대 BOOM UP -> 이순신, 이회 F.S.

무언가 분주히 일이 벌어지고 있는 강변을 걷고 있는 이순신과 이회….

C#2

이회 B.S.
이회의 느낌이 왠지 깊어졌다.

C#3

이순신, 이회 2S / B.S.

이 회 (문득) 울돌목의 회오리를 이용하실 생각을 어찌 하셨습니까?

C#4

이회 O.S. 이순신

이순신 (딴 데 정신을 빼앗겨 미처 듣지 못하고) …뭐라 했느냐?

C#5

이순신 O.S. 이회

이 회 절체절명의 순간에 놈들을 휘몰아친 회오리 말입니다. 그 회오리가 아니었으면….

C#6

이회 이순신 2S / B.S.

이순신 …천행이었다.

이 회 예? 그렇다면… 아주 낭패를 볼 수도 있지 않았습니까?

C#7

이순신 B.S. / 측면

이순신 그래. 그랬지. 백성들이 그 순간에 날 구해주지 않았으면….

C#8

이회 B.S.

이 회 백성을 두고 천행이라 하신 겁니까? 회오리가 아니고요?

C#9

이회 O.S. 이순신

이순신 (엷은 미소) 네 생각엔 무엇이 더 천행이었겠느냐?

C#10

이회, 이순신 2S / B.S.
이순신이 앞서 걸어 나간다.
이회가 잠시 생각에 빠진다.

C#11

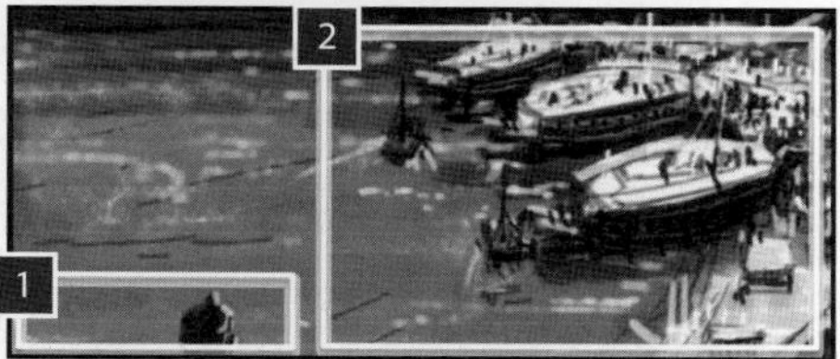

이순신, 이회 F.S -> CRANE UP -> 나주 영산포 F.S.
화면이 이순신과 안위를 따라 갈대밭 쪽으로 멀어지면,
황혼의 황금빛으로 물든 갈대밭 너머….

VFX _Solution

1. 로케이션(순천_인물 크로마 촬영)
2-1. 로케이션(고흥_벽파진 소스)
2-2. 수조세트(인부들 크로마 소스 촬영)

S#70 에필로그 한산-용(龍)의 출현

용의 출현 | 4 CUTS | EXT DAY  OPEN SET

C#1

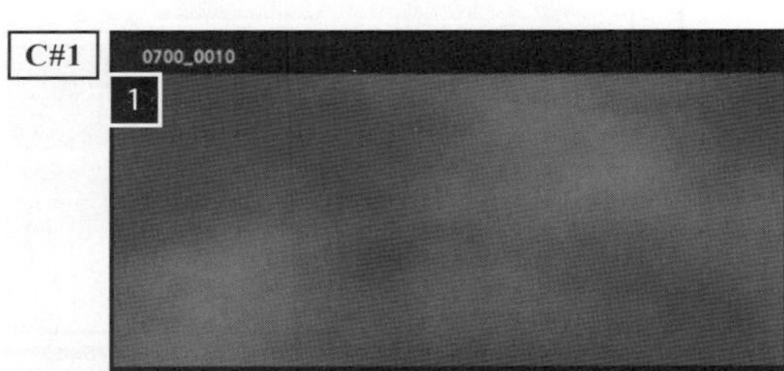

바다 INSERT
짙게 안개가 드리운 바다.

VFX _Solution
1. B(판옥선_옥타콥터 촬영)

C#2

왜장수 저, 저것이 무엇이냐!

VFX _Solution
1. A4(안택선)

C#3

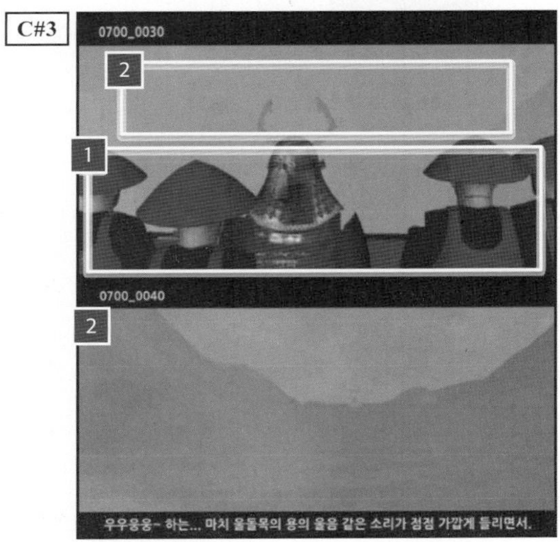

왜병들 O.S. 바다
우우우웅~ 하는…
마치 울돌목의 용의 울음 같은 소리가 점점 가깝게 들리면서,

VFX _Solution
1. A4(안택선)
2. B1(판옥선)

C#4-1

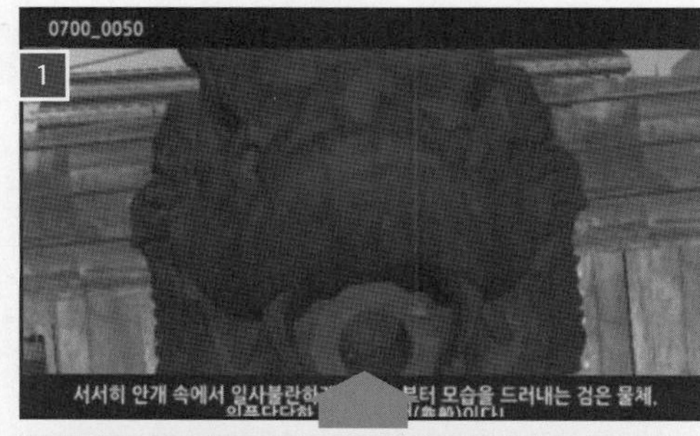

노 -> CRANE UP -> 구선 머리 C.U.

서서히 안개 속에서 일사불란하게 젓는 노부터 모습을 드러내는 검은 물체.

위풍당당한 모습의 구선이다!

VFX _Solution

1-1. B2(판옥선)
-노 젓기
1-2. F(구선 Full 3D)

C#4-2

구선의 입 C.U.

구선의 입에서 터져 나오는 천자포의 위력이 화면을 압도하면

급박한 CUT OUT

음악과 함께 FINE

VFX _Solution

1-1. A1(판옥선)
1-2. F(구선 Full 3D)

2

한산

2022

한산: 용의 출현

프로덕션 노트

평창 올림픽 경기장 하나를 통으로 빌렸다!

대한민국 해상 VFX 역사를 바꿀 새로운 도전!

〈한산: 용의 출현〉은 430년 전 조선의 운명을 바꾸었던 전략과 전술로 세계 해전사에 길이 남은 '한산대첩'을 대한민국 영화 사상 최초로 스크린에 구현하기 위해 모든 배우와 스태프가 각고의 노력을 다했다. 제작진의 철저한 노력과 새로운 시도를 통해 완성된 〈한산: 용의 출현〉의 한층 업그레이드된 비주얼은 대한민국 해상 VFX 역사를 바꿀 역대급 스케일과 함께 영화가 끝나도 잊지 못할 짜릿한 카타르시스를 동시에 선사할 것으로 기대를 모으고 있다.

실제 강릉 스피드스케이트 경기장을 주요 세트로 활용한 〈한산: 용의 출현〉 팀은 철저한 사전 준비를 통해 물이 없는 공간에서 '한산대첩'의 핵심인 해전 촬영을 생생하게 구현했다. 바다가 영화의 주 배경인 만큼 정성진, 정철민 VFX 슈퍼바이저는 실제 바다 못지않게 수많은 자료 수집 과정을 거쳐야 했다.

바다에서 치는 파도와 바람은 실제 자연환경을 CG로 만들어내야 하는 최상급 난이도의 작업인 만큼 물속에서 배가 지니는 무게감, 물거품이 움직이는 속도 등 실제 물에 가까운 느낌을 만들어내기 위해 유기체에 영향을 주는 모든 요소들을 철저히 계산해 수많은 시뮬레이션을 거쳐 한층 더 스펙터클한 해전의 볼거리를 완성했다.

특히 이와 같은 작업을 완성을 하기 위해서 〈한산: 용의 출현〉은 사전 시각화 작업인 프리비즈Pre-Visualization 시스템을 적극 활용해 리얼함과 현장감을 극대화했다. 여기에 비장의 한 수를 더한 것은 바로 최첨단 기술인 버추얼 프로덕션이다. 버추얼 프로덕션 작업은 촬영할 장면을 미리 영상으로 완벽하게 시뮬레이션 구현함으로써 배우와 스태프 모두 실제 바다에서의 상황보다 더욱 집중할 수 있는 분위기를 제공, 디테일을 완성하는 기반이 되었다. 이렇듯 장면 하나하나 수많은 시간과 데이터가 요구되는 정교한 작업을 거쳐 작은 디테일 하나조차도 놓치지 않은 제작진들의 노고 덕분에 〈한산: 용의 출현〉으로 탄생할 한산대첩은 보는 이로 하여금 절로 감탄을 자아내게 할 것이다.

38년 장인의 손에 의해 탄생한 〈한산: 용의 출현〉 의상
전투복에 영혼을 담았다!

〈명량〉, 〈최종병기 활〉을 통해 김한민 감독과 함께 호흡을 맞췄으며 명실공히 대한민국 최고의 실력을 자랑하는 권유진 의상감독이 '명량해전'에 이어 '한산대첩'에 등장하는 전투복 디자인에 참여했다.

권유진 의상감독은 〈명량〉과 〈최종병기 활〉은 물론 〈광해, 왕이 된 남자〉로 시대적 미(美)와 캐릭터의 개성 모두를 담아낸 의상을 38년간 선보여온 장인. 그는 "〈명량〉에 이어 〈한산: 용의 출현〉까지 참여한 만큼 임진왜란 초기의 시대상을 잘 담아내고자 했다"고 전하며 시대 구현은 물론 조선군, 왜군의 확연히 대비되는 갑옷 의상 및 캐릭터마다의 특징 그 어느 것 하나 놓치지 않는 섬세함으로 완성도를 높였다.

권유진 의상감독은 임진왜란 초기라는 시대적 요소와 함께 각 진영의 주요 전술적 요소까지 반영해 조선군과 왜군의 갑옷 의상을 준비했다. 먼저 조선군은 장수부터 병사까지 '두정갑'을 준비해 당시 조선군의 주요 전투복을 효과적으로 표현했다. '두정갑'은 안에 철판을 덧댄 형태로, 당시 전투의 주 무기였던 활에 압도적으로 강했던 조선군 갑옷을 생생하게 재현해낸 것. 반면, 근접 전투를 주요 전술로 사용했던 왜군의 갑옷은 칼에 강한 '도세이구소쿠'로 제작했다. 이는 실제 고증에 기반을 둔 것은 물론, 영화적 재미를 살릴 수 있는 창작 요소를 가미해 완성한 의상들로, 조선군과 왜군 캐릭터의 대비되는 의상을 알아갈 수 있는 또 다른 재미를 더한다.

이처럼 권유진 의상감독의 디테일한 노력으로 탄생한 〈한산: 용의 출현〉의 의상은 영화의 또 다른 볼거리를 제공하는 것은 물론, 당시의 상황을 완벽하게 대변하는 비주얼로 시선을 압도할 것이다.

영화 속 서사를 따라 흐르는 용의 소리!
지장(智將) 이순신과 해상 전투를 비추는 전율과 감동의 OST 예고!

〈명량〉의 장엄한 사운드로 관객들을 영화 속에 빠져들게 했던 김태성 음악감독이 〈한산: 용의 출현〉에도 투입됐다. 김태성 음악감독은 전투의 기승전결과 장수들의 싸움을 자세하게 묘사하고 129분을 촘촘히 채울 수 있게 사전에 음악의 콘셉트를 철저하게 잡았다. 김태성 음악감독은 "현대의 전략전의 콘셉트를 가지고 천천히 그 인물이 지닌 지장의 면모를 부각할 수 있는 음악들로 구성했다"고 밝혔다.

특히 〈명량〉 OST는 전쟁의 장엄함을 일깨우는 오케스트라 사운드가 메인이었다면 〈한산: 용의 출현〉은 젊은 장수들의 싸움답게 오케스트라 선율에 현대적인 악기를 더해 개성 있는 음악을 완성했다. '용의 출현'이라는 부제에서 느껴지는 본능적인 느낌, 야생의 느낌, 뭔가 꿈틀대는 느낌은 영화 속에 '용의 소리'로 이어졌다. 영화 초반부터 존재감 있게 등장하는 용의 소리는 이순신의 출현과 거북선의 출현에 맞닿아 있다.

특히 거북선이 등장할 때는 수십 개의 고무공을 문지르는 효과음을 구상했다. 왜군 진영에서 느끼는 거북선의 소리와 조선군이 바라보는 거북선의 소리를 다르게 표현한 것도 주목할 만하다. 왜군 입장에선 거북선을 '복카이센(전설 속의 해저 괴물)'이라 불렀던 만큼 두려움을 느낄 만한 소리로 표현했다. 이에 반해 조선군에게 있어 승리의 신호와도 같았던 거북선의 느낌은 수호신의 소리로 표현했다.

〈명량〉에 이어 〈한산: 용의 출현〉, 〈노량: 죽음의 바다〉까지 이순신 3부작 프로젝트의 여정을 함께한 김태성 음악감독의 전율과 감동의 음악을 스크린을 통해 만나볼 차례다.

한산: 용의 출현

스토리보드

S#02 부산포 왜군 본영

1592년 6월 부산포 왜성, 선창의 군막으로 향하는 와키자카와 삼총사 33 CUTS/20 SET-UPS  EXT  DAY  OPEN SET

타이틀 사라진 무지의 화면 위로 긴장감 도는 반복적 비트음 작게 들려오고 그 위로 들리는 선명한 일본어 목소리.

와키자카 저 와키자카… 수적 열세 속에서 조선의 삼남 지역 근왕군을 격퇴해 북진 중인 우군들의 염려를 덜고 조선 수도 한양을 온전히 보존해냈습니다. 이는 가히 명국(明國)으로의 진군에 청신호가 켜졌다 할 것입니다. 다만, 조선 남쪽 해안에 수군으로 보이는 적들이 종종 출몰한다 하니, 태합전하께서 명국(明國)으로 가시는 바닷길에 다소의 장애가 될까 저어되어, 소장이 지금 그들을 소탕하러 가옵니다. 전하께서는 가히 염려 마시고 조선으로의 출행(出行)을 예정대로 준비하소서….

분로쿠 초년 아와지의 와키자카 올림.

C#1

여수 오픈세트

반복적인 비트음 조금씩 커지며 화면 밝아지면, 흡사 일본의 한 도시를 그대로 옮겨놓은 듯한 부산포 왜성의 전경.

부산포, 왜군 본영 (1592년 6월)

부산포 전경 E.L.S, HIGH ANGLE, ARC RIGHT

C#2

선창에는 크고 작은 전함과 보급선 수백 척이 정박되어 있다.

선창 E.L.S, HIGH ANGLE, ARC LEFT

C#3

저벅저벅 포구를 향해 걸어오는 누군가의 뒷모습….

와키자카 칼 C.U., EYE-LEVEL, FOLLOWING TRACK & BOOM UP

이제 막 당도한 보급선에서 내려지는 조총들, 화약들, 그리고 군량미들… 그 양이 엄청나다.

그 사이로 조선인 포로들과 왜군들이 마구 뒤섞여 물자들을 바삐 운반한다.

와키자카 후면 B.S., EYE-LEVEL, FOLLOWING TRACK

계속 저벅저벅 걸어가는 화려한 투구와 갑옷 차림의 그 누군가의 뒤로, 또 다른 3명의 장수들이 화면으로 함께 들어서면, 광교산의 그 네 장수의 뒷모습들이다.

삼총사 F.I. → **와키자카 & 삼총사 후면** M.F.S, FOLLOWING TRACK

C#4

선창의 조선 포로들과 왜병들, 하던 일마저 멈추고 바라보는데, 그중 한 사람, 구릿빛 피부의 알 수 없는 표정의 조선인 포로 하나 (임준영) 긴장한 채 바라보고….
임준영 L.S., EYE-LEVEL, TRACK IN

사헤에 F.I. → 사헤에 너머 임준영 M.F.S, PAN LEFT & TILT DOWN

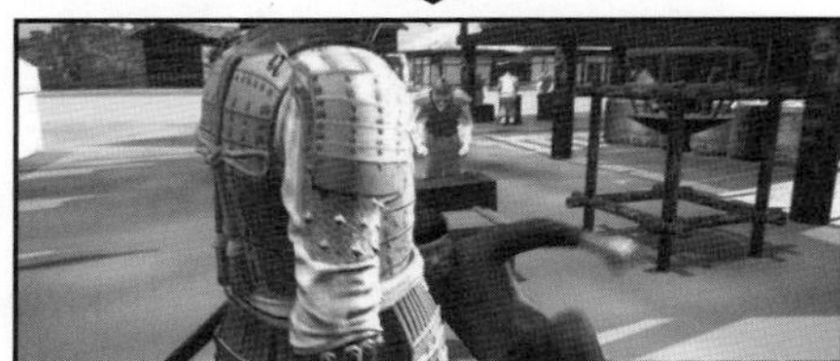

거침없이 그를 밀치며 쏘아보는 왜장수.

C#5

와키자카 사헤에다.
임준영 너머 사헤에 M.F.S, LOW ANGLE, FIX

C#6

놀라는 임준영.
임준영 정면 C.S., HIGH ANGLE, FIX

C#7

칼을 잡는 사헤에.
임준영, 엉거주춤 물러서다 넙죽 엎드리는데….
[C#5 동일] 임준영 너머 사헤에 M.F.S, LOW ANGLE, FIX

C#8

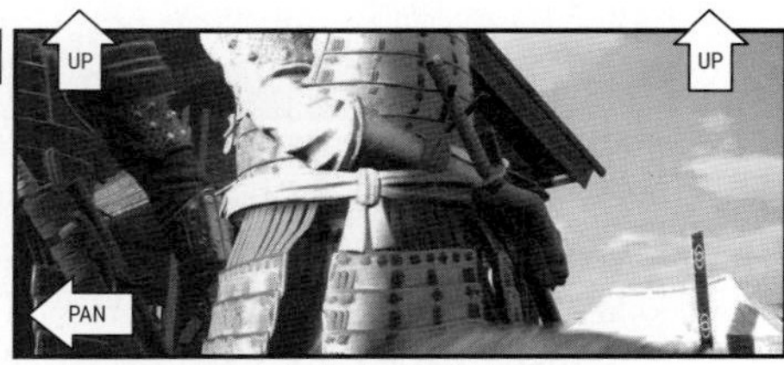

와타나베가 칼을 잡아 쥔 사헤에를 제지한다.
사헤에 손 C.U., TILT UP & PAN LEFT

사헤에 & 와타나베 정면 B.S 2, LOW ANGLE

C#9

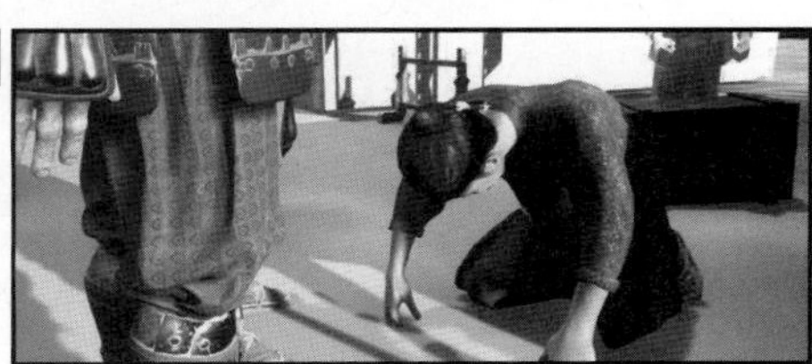

엎드린 임준영.
와타나베 너머 임준영 M.F.S, SLIGHT HIGH ANGLE, FIX

C#10

칼을 뽑으려던 손을 거두는 사헤에,
[C#5 동일] 임준영 너머 사헤에 & 와타나베 M.F.S,
LOW ANGLE, FOLLOWING PAN

다시 걸음을 뗀다.
사헤에 & 와타나베 WALK OUT

C#11

그러자 슬며시 고개를 드는 임준영.
삼총사 다리 너머 임준영 L.S., EYE-LEVEL, FIX

삼총사 F.O.

C#12

군막들을 가로지르는 왜장수들.
임준영 P.O.V., 와키자카 & 삼총사 후면 L.S.,
SLIGHT LOW ANGLE, FIX

C#13

왜장수들의 뒷모습을 지켜본다.
임준영 ¾ C.L. M.S., EYE-LEVEL, FIX

C#14

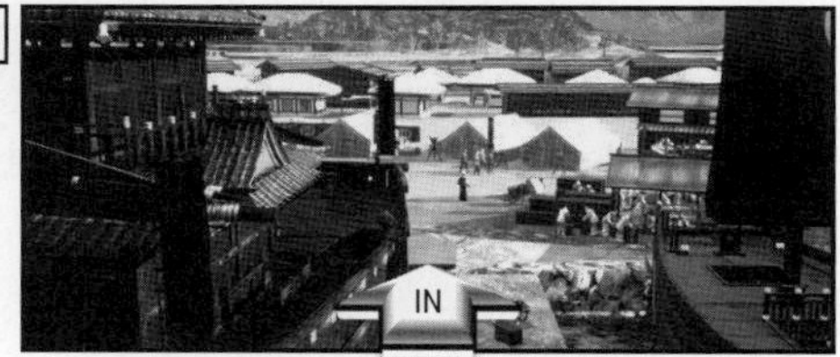

이내 선창 쪽에 세워진 반파된 안택선을 지나, 근처 군막 안으로 들어서는 누군가와 세 장수(이하 삼총사로 명명).
안택선 너머 군막 L.S., HIGH ANGLE, PUSH IN

패잔병에게 이순신과 구선에 대해 듣는 와키자카

33 CUTS/20 SET-UPS  INT  DAY  SET

C#15

부산 실내세트

군막 내부

CUT TO
군막 안, 초췌한 몰골의 패잔병들 10여 명, 우걱우걱 주먹밥을 정신없이 먹고 있다.

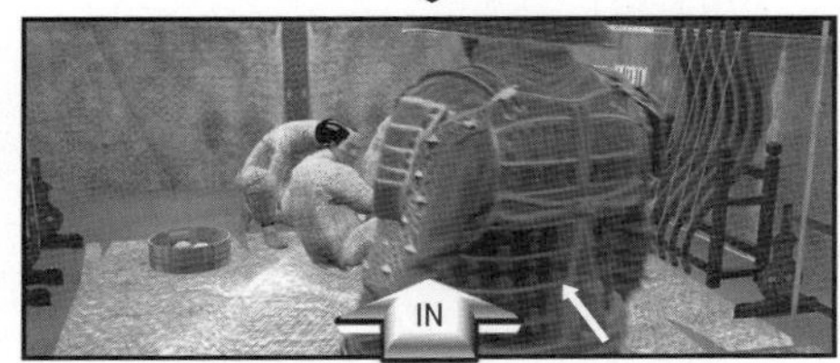

누군가가 들어서,
와키자카 F.I., TRACK IN

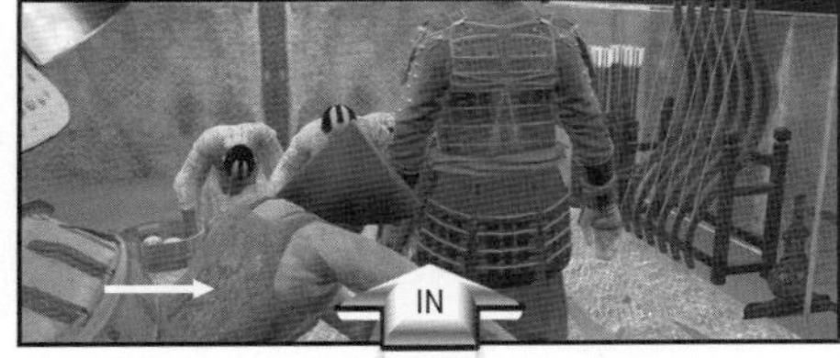

간이 의자에 앉아 그들을 멀거니 쳐다본다.
TRACK IN

삼총사가 마치 병풍처럼 그를 둘러싸며 도열해 서는데,
사헤에 & 와타나베 F.I.

C#16

누군가 (다짜고짜) 복카이센(沐海僭, 해저 괴물)?

패잔병들 너머 와키자카 정면 F.S.,
SLIGHT LOW ANGLE, FIX

C#17

패잔병 무리들 중 우두머리로 보이는 패잔병 1이 나선다.

패잔병 1 예, 도노! 그 이순신이란 자가 새로 만든 배라고 하는데… 제가 보기엔 마치 전설 속 괴물 복카이센 같았습니다.

와키자카 너머 패잔병 1 정면 M.F.S,
SLIGHT HIGH ANGLE, TRACK IN

C#18

패잔병 1의 밥그릇을 든 손이 잠시 떨리는데,
패잔병 1 손 M.S., EYE-LEVEL, BOOM UP

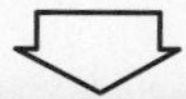

패잔병 1 도저히 조총이 먹혀들질 않고, 용처럼 생긴 머리에서

패잔병 1 ¾ C.R. B.S.

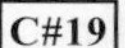

C#19

패잔병 1 (OFF SCREEN SOUND) 불까지 뿜어대는데….

비로소 간이 의자에 앉아 있는 누군가의 얼굴이
처음 그 모습을 드러내는데…
바로 와키자카의 얼굴이다.
와키자카 정면 C.S., EYE-LEVEL, TRACK IN

C#20

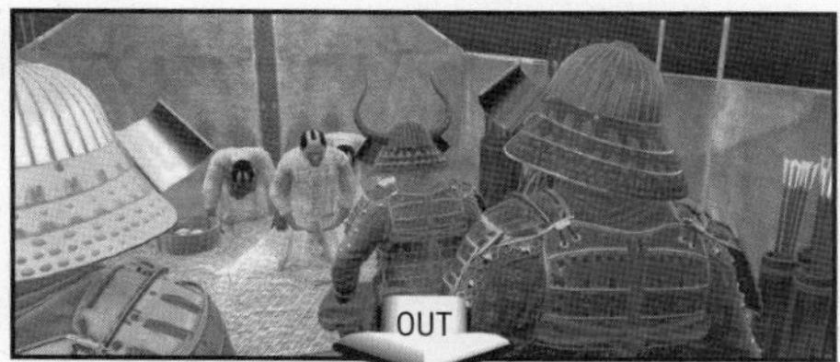

패잔병 1 그냥 머리가 하얘졌습니다.

생각만 해도 치가 떨린다는 듯 고개를 절레절레 젓는 패잔병 1.
와키자카 & 삼총사 너머 패잔병들 L.S., SLIGHT HIGH ANGLE, TRACK OUT

C#21

패잔병들의 모습을 묵묵히 바라만 보며, 반응이 없는 와키자카.
와키자카 측면 C.L. C.U., SLIGHT LOW ANGLE, FOLLOWING TILT

와키자카 (나직이) 복카이센….

C#22

와키자카, 일어서며
패잔병들 너머 와키자카 & 삼총사 L.S., SLIGHT HIGH ANGLE, FIX

C#23

뒤돌아본다. 사헤에와 마나베에게 나직이,
와키자카 & 삼총사 후면 M.S., SLIGHT LOW ANGLE, FIX

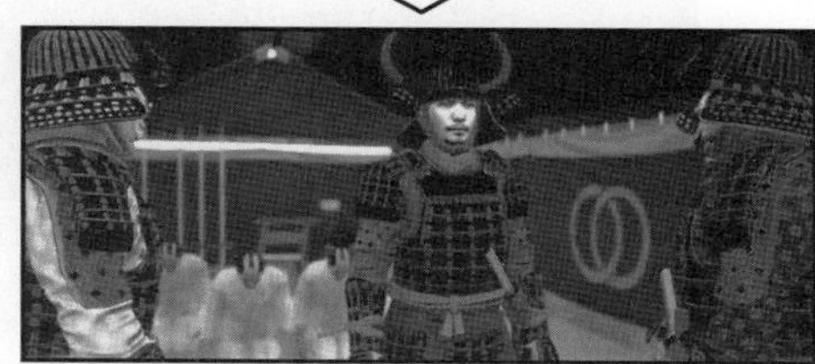

와키자카 두려움은 전염병이다. 조용히 처리하라.

사헤에/마나베 (끄덕) …….

와키자카 군막을 나가면 조용한 칼 바람 소리들…
군막 안 작은 외마디 비명만 터져 나오는데,
와키자카 & 와타나베 F.O.

S#02 부산포 선창 - 부서진 안택선

격군실의 부서진 선체 면을 만져보는 와키자카, 용의 이빨을 발견한다 33 CUTS/20 SET-UPS

INT

DAY

SET

C#24

강릉 세트

부서진 안택선 내부.
CUT TO
와키자카의 눈에 선체 측면에 커다란 구멍이 뚫린 채 반파되어 선창에 서 있는 안택선이 들어온다.
와키자카 그 안택선에 들어서면,
와키자카 & 와타나베 정면 L.S., LOW ANGLE, FIX

C#25

와타나베 사천 바다에서 표류하고 있던 것을 끌고 왔답니다.

와키자카 & 와타나베 B.S. 2, EYE-LEVEL, FIX

C#26

부서진 선체 면을 손으로 만지며 천천히 격군실로 들어서는 와키자카,
와키자카 & 와타나베 후면 F.S.,
LOW ANGLE, FOLLOWING TRACK

C#27

포 구멍 쪽으로 다가가는 와키자카.
※C#27~30 : 시나리오에는 삭제되었으나 VP에 남아 있음
포 구멍 너머 와키자카 & 와타나베 F.S., HIGH ANGLE, FIX

C#28

포 구멍을 바라보다가,
와키자카 후면 B.S., EYE-LEVEL, FIX

돌아보는 와키자카.

C#29

와키자카가 충파 당시의 상황을 상상하며 머릿속으로 구성해본다.
와키자카 너머 구멍 L.S., EYE-LEVEL, TRACK IN

INS. 와키자카 상상
사천해전에서 안택선을 뚫고 들어오던 용두.
DISSOLVE, 용두 F.I. CG

C#30

다시 들어왔던 뚫린 구멍으로 다가서는 와키자카.
와키자카 & 와타나베 정면 L.S. HIGH ANGLE, FIX

C#31

부서진 선체 중앙 위쪽 대들보에서 무언가를 발견한다.
와키자카 & 와타나베 F.S., HIGH ANGLE, FOLLOWING TILT

C#32

INS. 용두 이빨 & 와키자카 손
사람 손만 한 크기, 무쇠 조각으로 보이는 시커먼 이빨 같은 것이 박혀 있는데….

C#33

와키자카 (혼잣말) 충파인가….
와키자카 정면 C.S., HIGH ANGLE, FIX

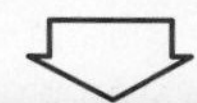

호기심 있게 빼내 쳐다보는 와키자카….
RACK FOCUS → 용두 이빨

S#03 사천 바다

안택선에 낀 용두를 빼려는 나대용의 노력, 이순신의 엄호, 준사의 목도

80 CUTS/0 SET-UPS

EXT

DAY

SET

C#1

쿠쾅!
용두 C.U., SLIGHT LOW ANGLE, TRACK OUT

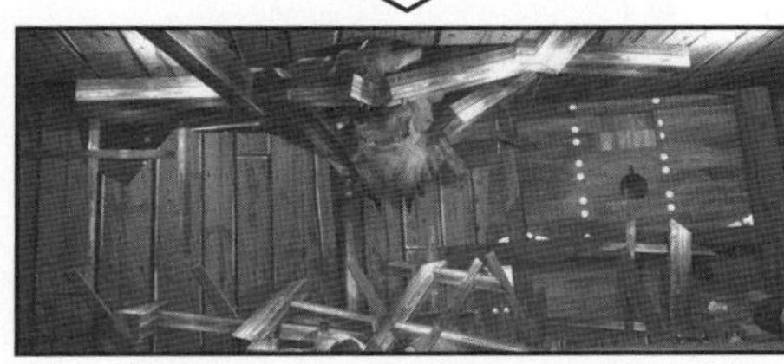

엄청난 굉음과 함께 왜군 안택선을 뚫고 나오는 구선의 용두.
용두 낀 안택선 내부벽 L.S., SLIGHT LOW ANGLE

C#2

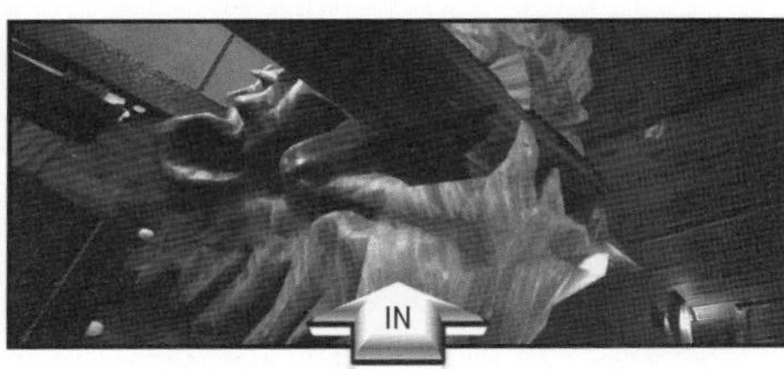

콰지직! 드드득! 무쇠로 된 용두(구선 머리)가 안택선 한복판까지 깊숙이 밀고 들어간다.
용두 C.U., LOW ANGLE, PUSH IN

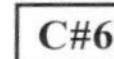

C#3

그 충격에 선수가 반파되고, 갑판 위 층루도 맥없이 무너져 내린다.
안택선 갑판 위 L.S., LOW ANGLE, PUSH IN

아비규환! 왜병들의 비명들이 마구 터져 나오는데, 안택선의 대들보에 끼어버린 용두.

C#4

한 달 전 경상 땅 사천
ARC LEFT & BOOM UP

C#5

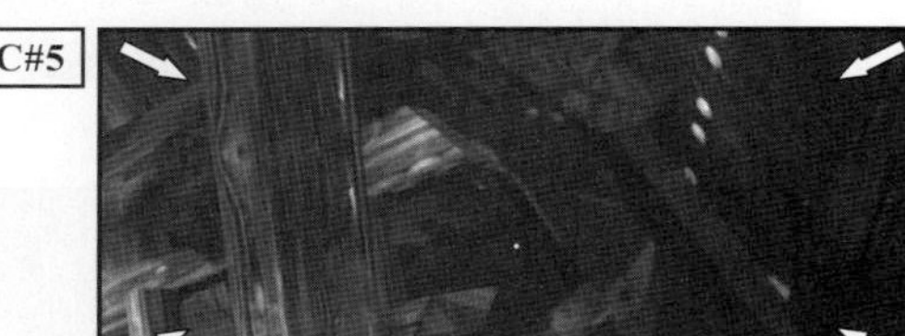

구선 선수(船首) 쪽 문이 콰앙! 열리며
이언량 F.S., HIGH ANGLE, H.H, QUICK ZOOM

이내 군관 하나가 튀어나온다.
이언량 M.F.S, HIGH ANGLE, H.H

C#6

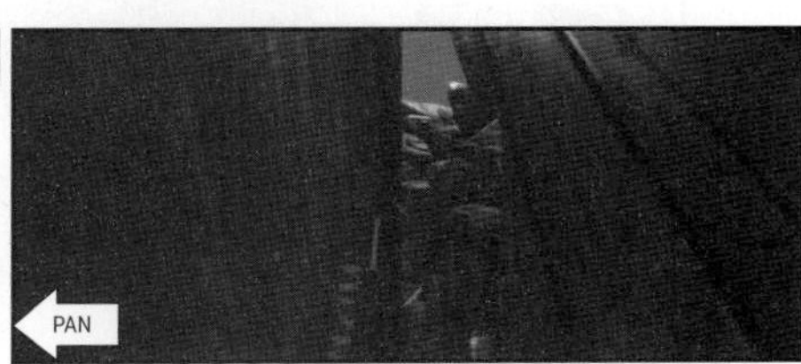

끼어버린 용두.
이언량 P.O.V., H.H, PAN LEFT

C#7

용두 상태를 확인하고 다시 들어가는 군관.
나대용 M.S., HIGH ANGLE, H.H, 나대용 F.O.

C#8

어지러운 조총과 화포 소리. 용두의 상황을 확인하고 안쪽으로 소리치는 군관.

이언량 뒤로 저어라! 빠져 나가야 한다!

군관 이언량

이언량 F.I., **이언량** B.S., SLIGHT LOW ANGLE, H.H

C#9

계단을 통해 급히 위층으로 올라가는 이언량.

이언량 측면 B.S. - **후면** M.F.S, PAN LEFT & FOLLOWING TRACK, H.H

C#10

위층 화포실 안,

PAN RIGHT & FOLLOWING TRACK, H.H

이언량 후면 B.S., EYE-LEVEL, H.H

C#11

또 다른 군관 한 명이 고개를 돌려 언량을 본다.

이내 이언량이 고개를 가로젓는 것을 보고,

재촬영 체크 필요

나대용 너머 이언량 M.F.S, H.H.

C#12

군관 나대용

나대용 정면 B.S., EYE-LEVEL, PUSH IN, H.H

C#13

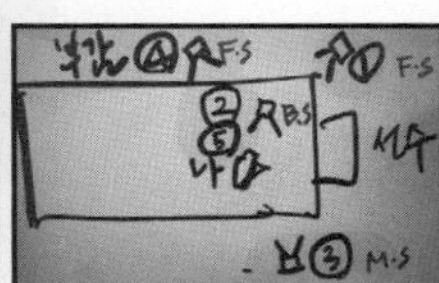

나대용 (화포수들에게) 용두와 선수 쪽 화포들을 일제히 퍼부어라!

나대용 B.S., EYE-LEVEL, H.H

C#14

"콰앙!"

용두와 선수 쪽에서 일제히 발사되는 서너 발의 총통들!

나대용 너머 병사들 F.S., SLIGHT HIGH ANGLE, H.H

C#15

"콰앙!"

용두와 선수 쪽에서 일제히 발사되는 서너 발의 총통들!

안택선 갑판 위 용두 L.S., HIGH ANGLE

C#16

안택선 내부 벽에서 보이는 용두.

포가 발사되면서 왜군들이 일제히 쓰러진다.

용두 L.S., EYE-LEVEL

C#17

그 반동으로 간신히 맞물려 있던 잔해들을 부수며

구선, 안택선 L.S., LOW ANGLE

C#18

조금씩 뒤로 밀려나던 구선,

C#19

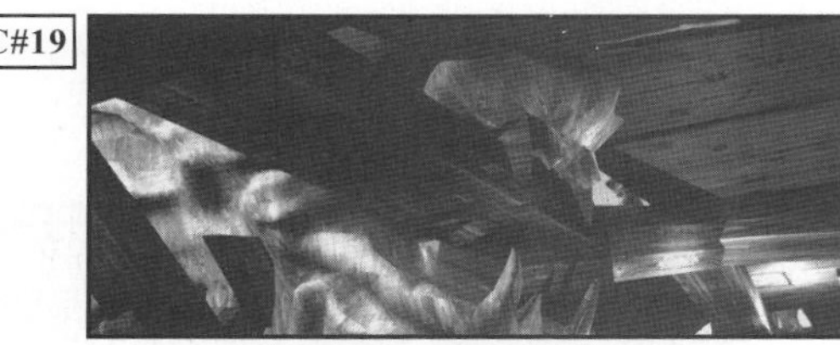

다시 잔해에 걸려 움직이지 못하는데,
LOW ANGLE

C#20

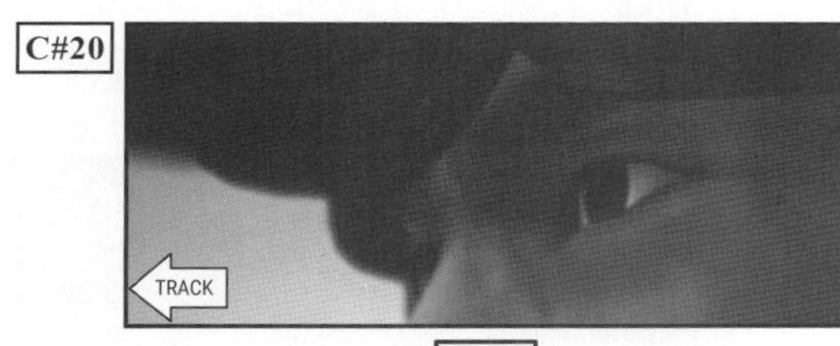

조선 장수 갑옷 투구의 눈빛 하나가(C.U - 젊은 이순신) 멀리서 그 광경을 뚫어지게 지켜보고 있고,
이순신 눈 E.C.U, SLIGHT LOW ANGLE, TRACK LEFT

C#21

그때 적선인 세키부네들이 빠르게 구선 측면을 향해 달려온다.
순신 P.O.V., QUICK ZOOM & PAN LEFT

C#22

나대용 다시 재장전하라!
(※ VP 작업 시 추가된 대사)
나대용 C.S., LOW ANGLE, H.H

C#23

나대용 서둘러라!
(※ VP 작업 시 추가된 대사)
병사들 너머 나대용 M.F.S, SLIGHT LOW ANGLE, H.H

C#24

용두 쪽으로 화염과 함께 발사되는 포.
용두 C.U., EYE-LEVEL

C#25

안택선 내부.
용두에서 발사된 포가,
안택선 내부 L.S., LOW ANGLE, QUICK PAN RIGHT

벽면을 뚫고 나간다.

C#26

이어 안택선 갑판 위를 부수며 지나가는 화포.
안택선 갑판 L.S., HIGH ANGLE, ARC RIGHT

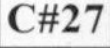

C#27

구선을 향해 다가오는 세키부네들.
구선과 왜선들 E.L.S, HIGH ANGLE, PUSH IN

C#28

3층형 구선을 향해 난사하는 세키부네 위 왜군들.
왜군들 너머 구선 L.S., EYE-LEVEL

C#29

3층형 구선이 받아내는 무수한 적의 총탄들!
구선 측면 L.S., EYE-LEVEL

C#30

구선을 향해 조총을 쏘는 왜군들.
왜군 조총병들 B.S., LOW ANGLE

C#31

쉴 새 없이 발사 중인 왜군 조총병들.
왜군 조총병들 M.S., LOW ANGLE

C#32

구선에 쉴 새 없이 날아드는 총탄.
구선 측면 L.S., LOW ANGLE

C#33

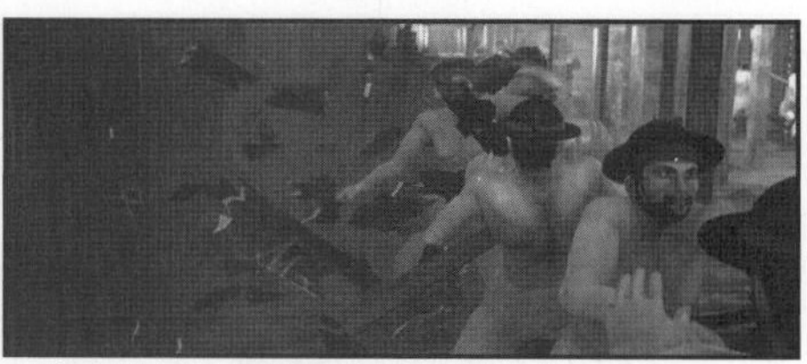

구선 안에선 격군들이 쓰러지기 시작한다.
격군들 L.S., SLIGHT HIGH ANGLE

C#34

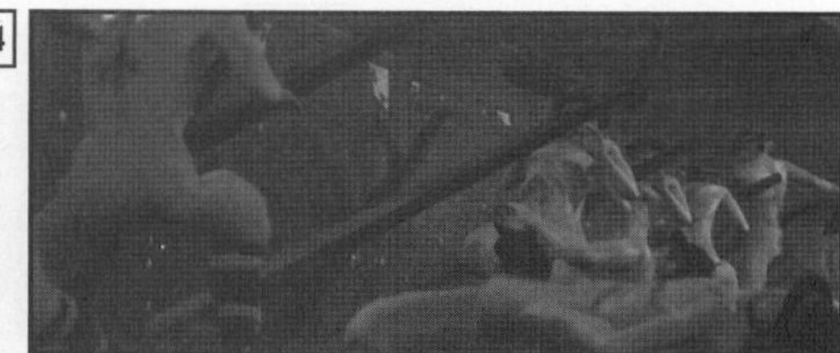

쓰러지는 격군들.
격군들 L.S., SLIGHT LOW ANGLE

C#35

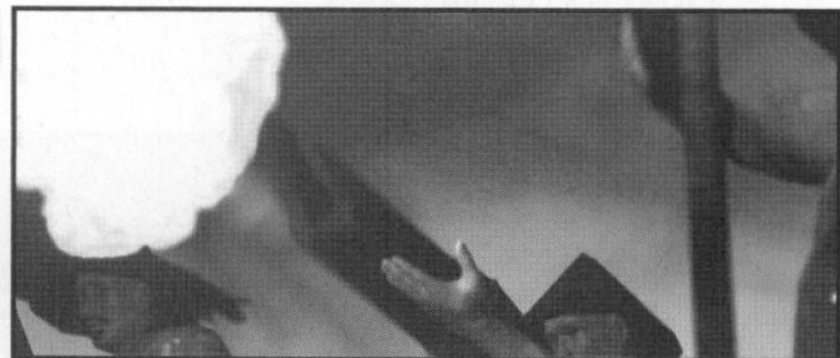

댓뻐까지 가세하고,
댓뻐 든 왜군 B.S., LOW ANGLE

C#36

측면에 구멍이 뚫리기 시작한다.
화포병들이 쓰러지며 더욱 움직이지 못하는 구선!
SLIGHT LOW ANGLE, QUICK PAN LEFT

QUICK PAN LEFT

나대용 !
나대용 B.S., LOW ANGLE

C#37

나대용이 뛰어가는데,
나대용 F.I., HIGH ANGLE, FOLLOWING TRACK

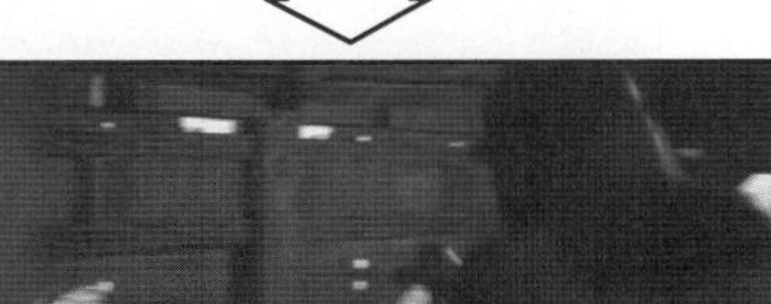

나대용 FOLLOWING TRACK

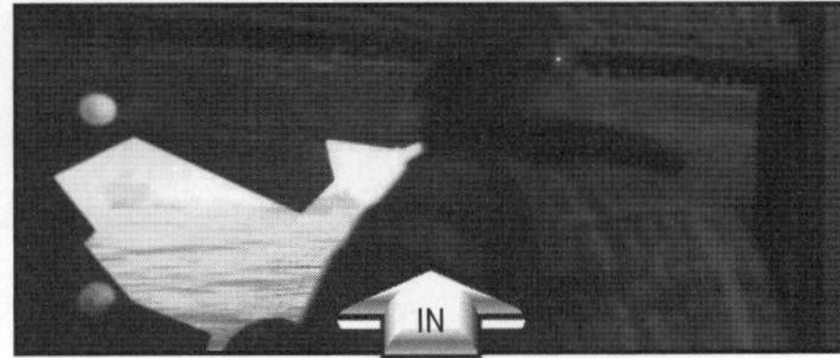

나대용, 뚫린 측면을 통해 바라보면
나대용 FOLLOWING TRACK

근접해 사격하고 있던 세키부네가 문득 포격에 박살이 난다.
QUICK ZOOM IN

멀리 순신의 대장선 쪽에서 포탄들을 날렸다.

C#38

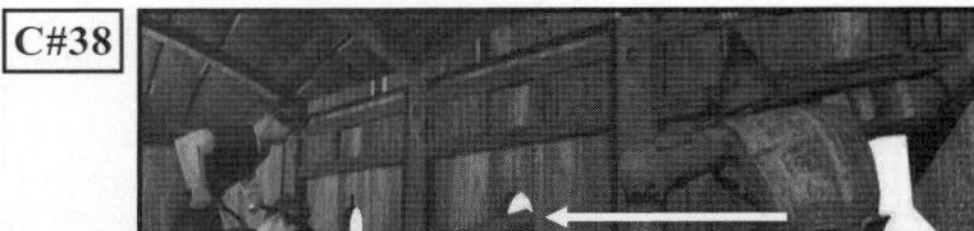

다시 일어나는 나대용,
나대용 F.O., SLIGHT LOW ANGLE, FIX

C#39

용두 옆 창문으로 뛰어가서
나대용 M.S., EYE-LEVEL, FOLLOWING TRACK

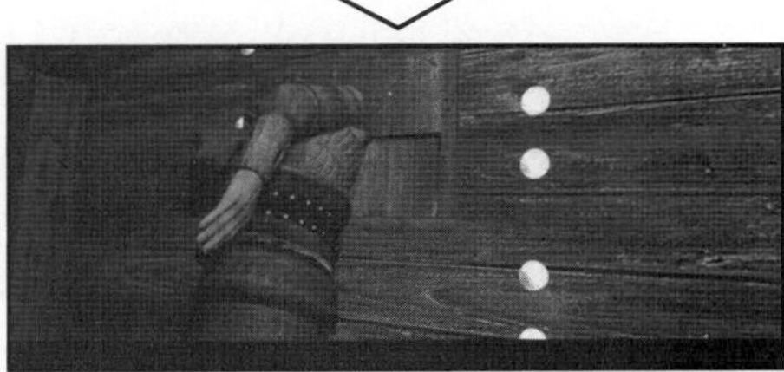

창밖으로 머리를 내민다.

C#40

용두를 살펴보는 나대용.
용두 너머 나대용 M.S., SLIGHT LOW ANGLE, TRACK LEFT

C#41

여전히 대들보에 걸려 있는 용두.
나대용 P.O.V., LOW ANGLE, H.H

C#42

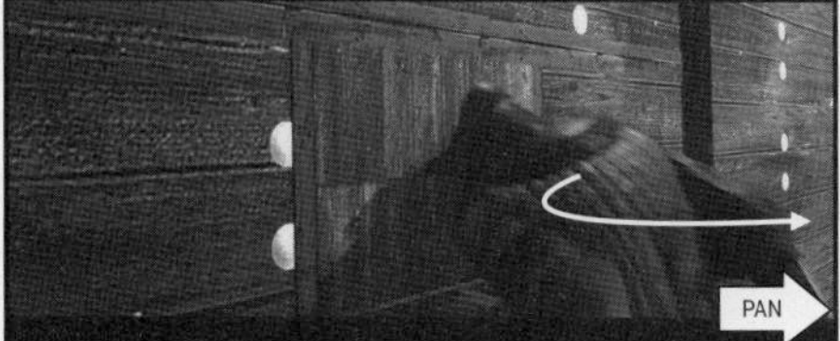

창문에서 다시 몸을 빼내 뛰기 시작하는 나대용.
PAN RIGHT

PAN RIGHT

나대용 FOLLOWING TRACK

C#43

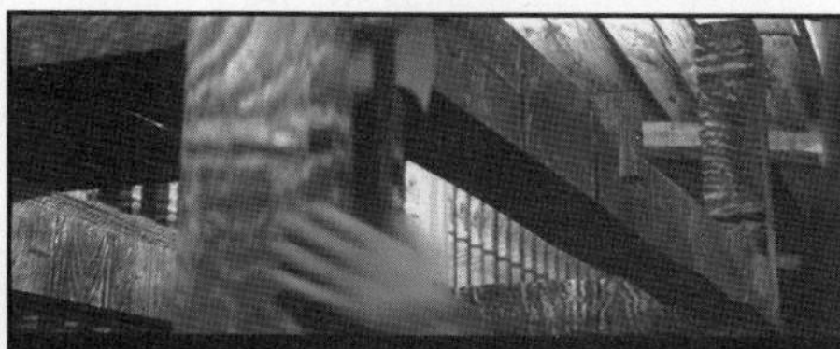

달려가며 재빨리 도끼를 뽑는 나대용의 손.
나대용 F.I.-F.O., LOW ANGLE, H.H

C#44

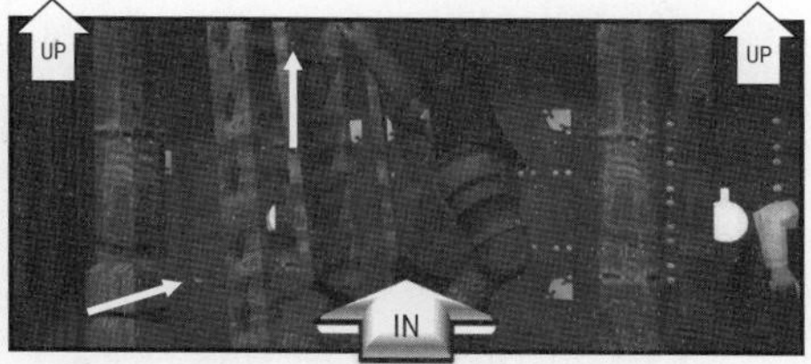

나대용이 도끼를 든 채 다시 위층으로 뛰어나간다.
나대용 F.I., 나대용 M.S., EYE-LEVEL,
FOLLOWING TRACK & TILT UP

C#45

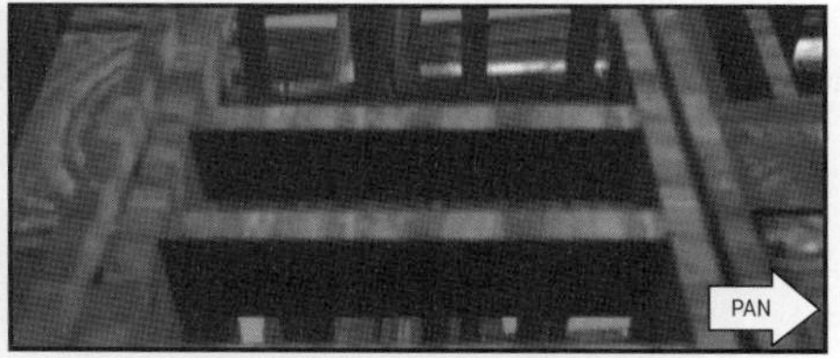

위층으로 가는 사다리를 올라가서, 오른쪽으로 향하면,
나대용 P.O.V., PAN RIGHT

구선 등 위로 올라가는 사다리를 빠르게 타고
PAN RIGHT

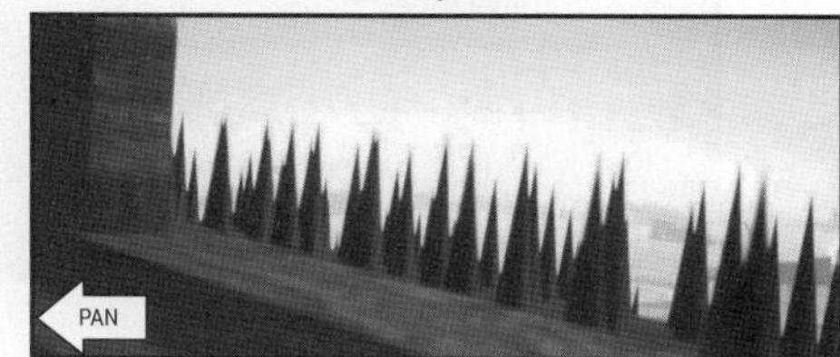

고개를 돌려 바깥을 보는 나대용의 시선
PAN LEFT

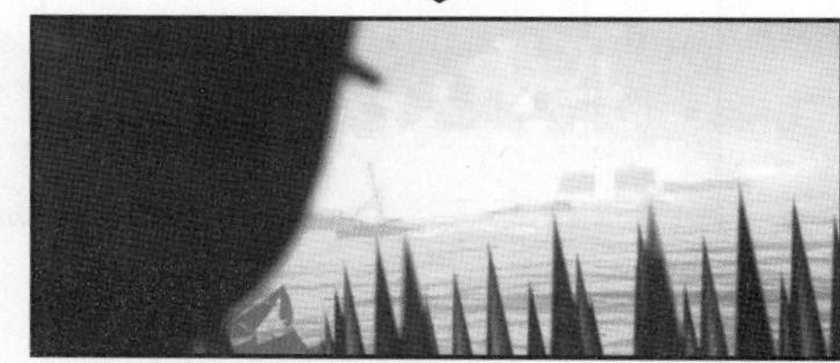

주위는 온통 뿌연 포연들로 자욱하고….
나대용 너머 바다 E.L.S, EYE-LEVEL .

C#46

타다당!
나대용이 날아오는 탄환에 몸을 잠시 숙인다.
나대용 너머 , EYE-LEVEL, H.H

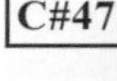

사방에서 날아드는 수십, 수백 발의 탄환들!
구선의 등 위, 등쪽 문을 열고 과감히 몸을 내미는 나대용.
나대용 정면 L.S., EYE-LEVEL, H.H

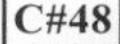

방패로 총알을 피하며,
나대용 B.S., EYE-LEVEL, H.H

앞을 바라보면,
나대용 정면 B.C.U, EYE-LEVEL,

C#50

멀리 순신의 대장선이 다가오고 있다.
나대용 P.O.V., QUICK ZOOM IN

C#51

순신의 대장선에서 화포가 발사된다.
화포 M.S., SLIGHT LOW ANGLE

C#52

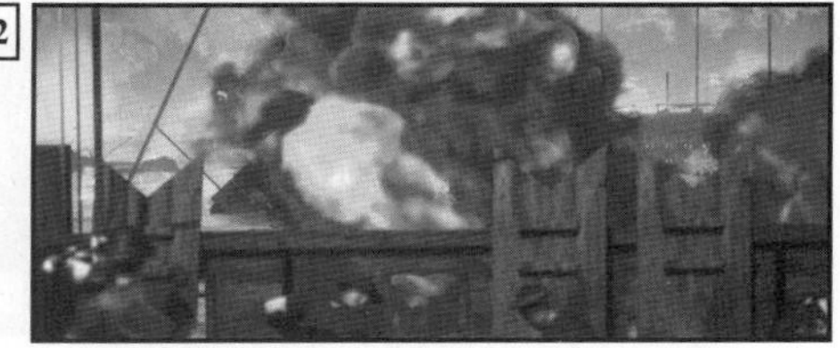

대장선 갑판 위에서 발포하는 조선 수군들.
갑판 위 병사들 M.S., EYE-LEVEL

C#53

순신의 대장선에서 쏜 화포에 맞아 부서지는 세키부네.
구선, 안택선 L.S., HIGH ANGLE

C#54

나대용이 순신의 엄호를 확인하고 다시 달리기 시작한다.
나대용 너머 순신 대장선 E.L.S, 나대용 F.O.

C#55

좁은 십자로(十字) 위로 과감히 튀어나오는 나대용.
이순신 P.O.V.

C#56

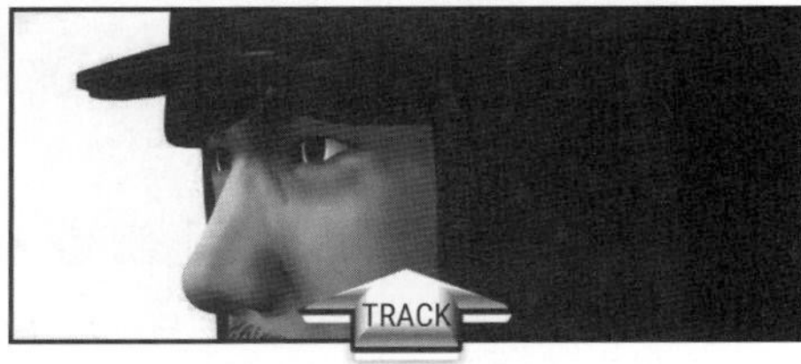

나대용을 지켜보는 순신의 눈빛.
순신 측면 C.L. E.C.U, EYE-LEVEL, TRACK IN

C#57

순신의 시선이 달려가는 나대용을 따라가다,
이순신 P.O.V., QUICK PAN RIGHT

반대편, 구선에 처박힌 안택선 위 병사들을 독려하던 왜군관(준사) 하나를 포착한다.
준사, 왜군 조총병 L.S., EYE-LEVEL

C#58

강릉 VFX세트

준사가 문득 나대용을 발견하고 조총을 들고 달려온다.
준사 정면 F.S., HIGH ANGLE

C#59

나대용이 과감히 구선의 좁은 등 위의 길을 타고 선수 쪽으로 뛰기 시작한다. 끊임없이 날아오는 총탄들.
나대용 F.S., SLIGHT LOW ANGLE, PULL BACK

C#60

준사가 총을 겨눈다.
준사, 왜군들 측면 F.S., SLIGHT LOW ANGLE, PUSH IN

C#61

선수를 향해 달려오는 나대용과 그를 조준하고 있는 준사.
준사, 왜군 너머 나대용 L.S., EYE-LEVEL

C#62

순신이 나대용을 엄호하기 위해 활을 들어 쏘려고 한다.
※안택선 VFX촬영
순신 손 C.U., EYE-LEVEL, RACK FOCUS 손 → 안택선

순신의 활 너머로 보이는 안택선.

-추가 : 화살 전달받는 순신
(또는 통에서 화살 뽑는 것 타이트)

순신 손 너머 안택선 L.S., EYE-LEVEL

C#63

신중하게 조준 중인 준사.
준사 측면 M.S. - B.S., LOW ANGLE, ZOOM IN

C#64

선수를 향해 가까워지는 나대용의 시선.
나대용 P.O.V., PUSH IN

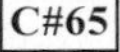

C#65

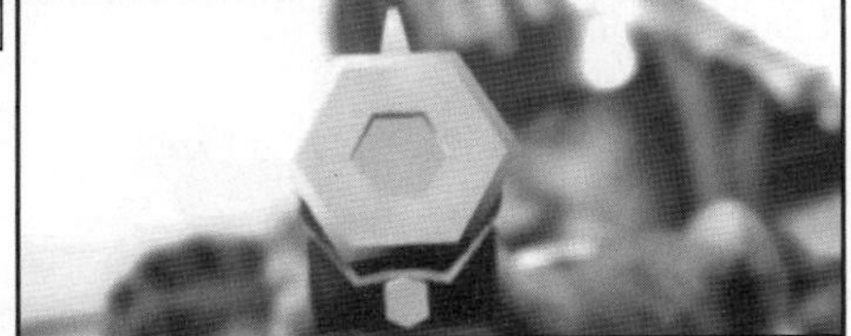

타앙!
준사의 조총 총구 정면 E.C.U, SLIGHT LOWANGLE

C#66

"아악!" 비명을 지르며 쓰러지는 나대용….
나대용 정면 F.S., LOW ANGLE

C#67

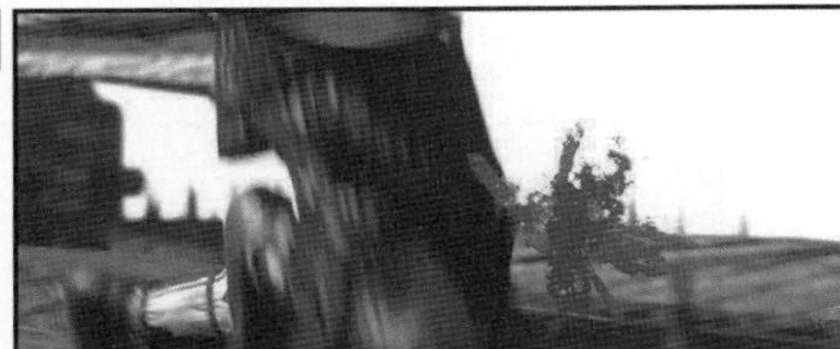

조총 한 발이 구선 위 나대용의 허벅지를 뚫는다.

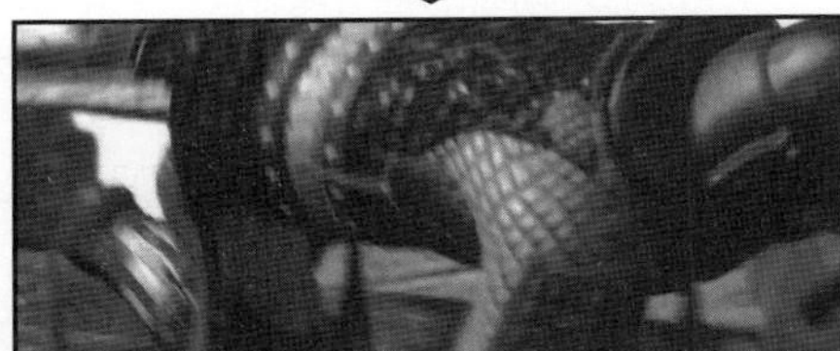

나대용 허벅지 C.U., EYE-LEVEL

C#68

안택선 위의 왜군관이 총을 내린다.
이때 화살을 맞고 쓰러지는 왜군관 옆 병사 하나.
CAM MOVING

C#69

쓰러진 왜병을 바라보다,
준사 정면 B.S., EYE-LEVEL, ZOOM IN

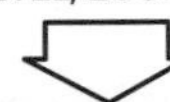

고개를 들어 화살의 방향을 살피는 왜군관,
준사다.
준사 C.S., EYE-LEVEL

C#70

나대용을 엄호하기 위해 순신이 활을 쏘고 있다.
준사 P.O.V., 대장선 장루 L.S., EYE-LEVEL

C#71

갑판 바닥 쪽으로 몸을 숙이는 준사.
준사 정면 M.S., ZOOM IN, 준사 F.O.

C#72

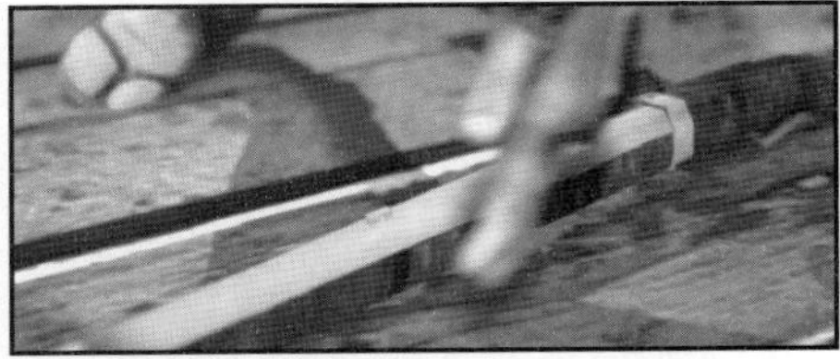

갑판 바닥 위 조총을 드는 준사의 손.
준사 손 F.I. - F.O.

C#73

왜군관(준사)이 이번엔 순신을 노린다.
준사 정면 M.S., HIGH ANGLE

C#74

다시 빠르게 활시위를 당기는 순신.
장루 위 이순신 L.S., LOW ANGLE

C#75

준사의 조총이,
※준사 - 순신 분리촬영
준사 너머 조총 C.U., EYE-LEVEL, RACK FOCUS
준사 총 → 순신

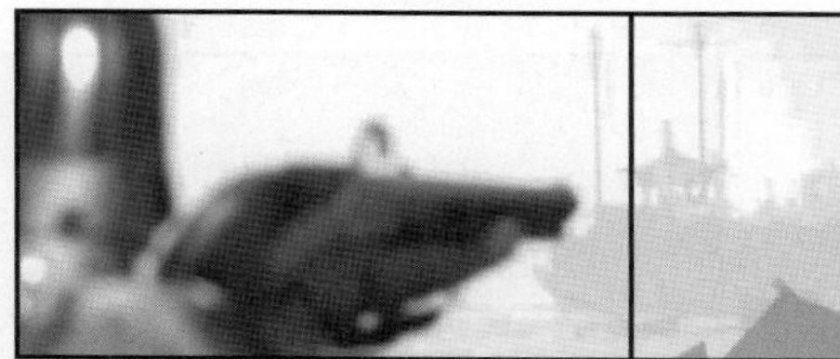

순신을 향해 있다.
조총 너머 장루 위 순신 E.L.S, EYE-LEVEL

C#76

대장선 장루 위의 순신에게 집중하는 준사의 시선.
준사 P.O.V., ZOOM IN

C#77

순신을 겨눈 총구와
총구 E.C.U, EYE-LEVEL, ZOOM IN, RACK FOCUS
총구 → 준사 얼굴 정면

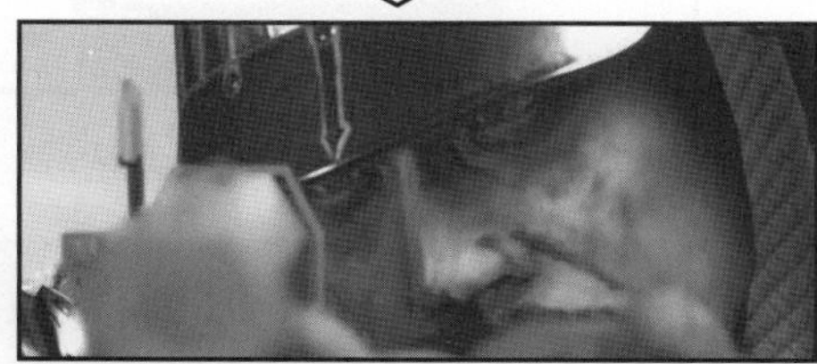

준사의 눈빛.
준사 정면 E.C.U, EYE-LEVEL

C#78

순신이 화살을 쏜다.
준사 P.O.V., 장루 위 순신 L.S., EYE-LEVEL

C#79

왜군관의 투구에 화살이 스치며 이내 방아쇠를 당기는 왜군관.
준사 정면 B.C.U, EYE-LEVEL

C#80

허억! 순신마저 왼쪽 어깨를 관통당하고 쓰러진다!
이순신 후면 M.S., SLIGHT LOW ANGLE

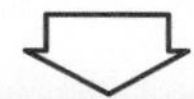

FADE OUT

S#04 좌수영 이순신의 처소

이순신을 찾아와 패배한 용인 전투에 관한 서찰을 전달하는 어영담

55 CUTS/29 SET-UPS  INT  DAWN  OPEN SET

C#1

여수 오픈세트

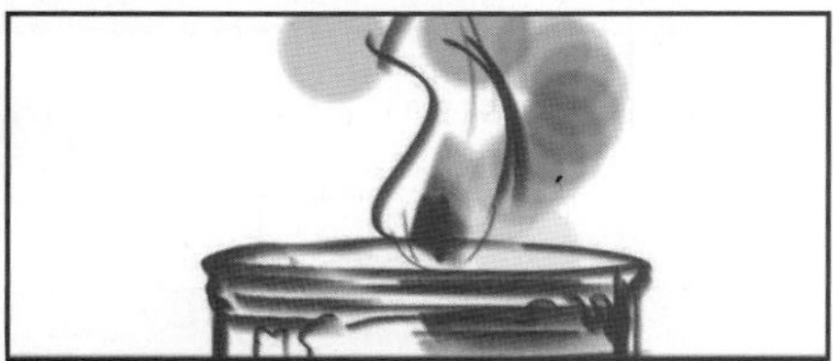

INS. 촛불

후드득 지나가는 바람에 흔들리는 촛불.

C#2

앉아 있는 누군가의 뒷모습….

비트음 완전히 사라지면,

3차 출동 5일 전

이순신 후면 M.S., LOW ANGLE, FIX

C#3

촛불 너머로 뭔가를 생각 중인 누군가의 모습이 보인다.

촛불 너머 이순신 ¾ C.L. C.S., EYE-LEVEL, FIX

쓰윽 고개를 돌리며 바닥에 흩어진 종이들을 쳐다보는데…

젊은 순신이다. (비로소 얼굴이 온전히 보인다.)

RACK FOCUS → 이순신

C#4

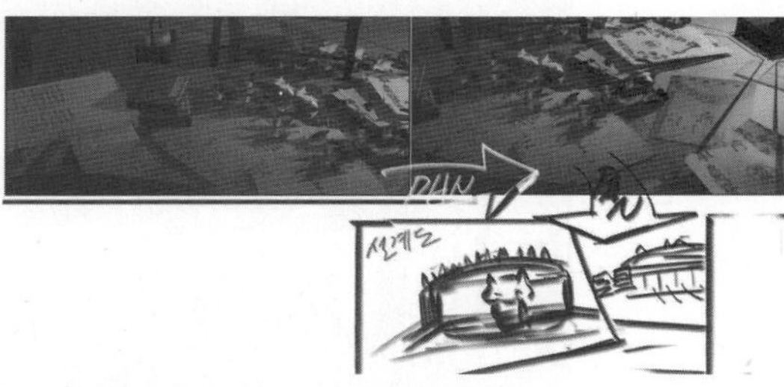

진법도(陣法圖)들이 바닥에 어지러이 널려 있다.

이순신 P.O.V., 진법도들 C.U.,

PAN RIGHT & TILT DOWN → 구선 설계도

C#5

순신 가만히 드러난 왼쪽 어깨를 추스르는데, 부상을 당한 듯 상처를 싸맨 왼쪽 팔이 살짝 떨리고 있다.

이순신 (진법도들을 쳐다보다 가볍게 한숨) 구선….

순신, 두통이 있는 듯 관자놀이를 지그시 누르며 잠시 인상을 찡그리는데,

이순신 정면 B.S., SLIGHT LOW ANGLE, FIX

C#6

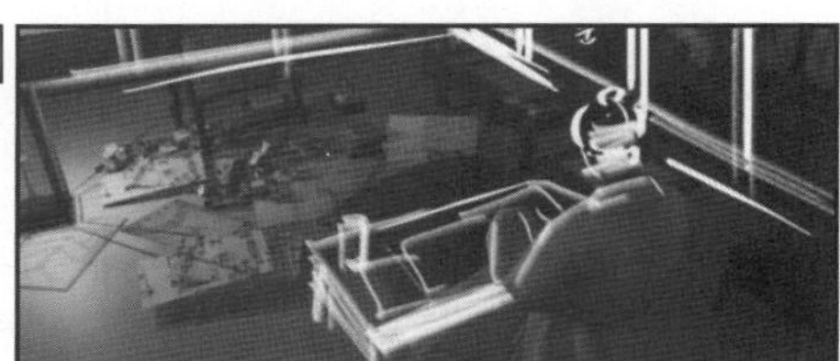

누군가 (밖에서) 좌수사 영감… 안에 계십니까?

이순신 후면 M.F.S, HIGH ANGLE, FIX

C#7

순신이 일어나 문을 열면, 문 앞에 온화한 표정의 60대 선비 복장의 한 노인이 서 있다.

어영담 후면 M.S., EYE-LEVEL, FIX

이순신 향도 어른.

어영담 너머 이순신 정면 F.S.

C#8

이순신 벌써 다녀오신 겁니까.

광양 현감 어영담

물길을 잘 알아 향도向道라 불림

이순신 너머 어영담 정면 M.F.S, SLIGHT HIGH ANGLE, FIX

C#9

어영담 상황이 급박하니 바로 돌아왔습니다.

어영담 정면 B.S., SLIGHT HIGH ANGLE, FIX

C#10

이순신 어서 안으로 드시지요.

[C#7 동일] 어영담 너머 이순신 정면 F.S., EYE-LEVEL, FIX

C#11

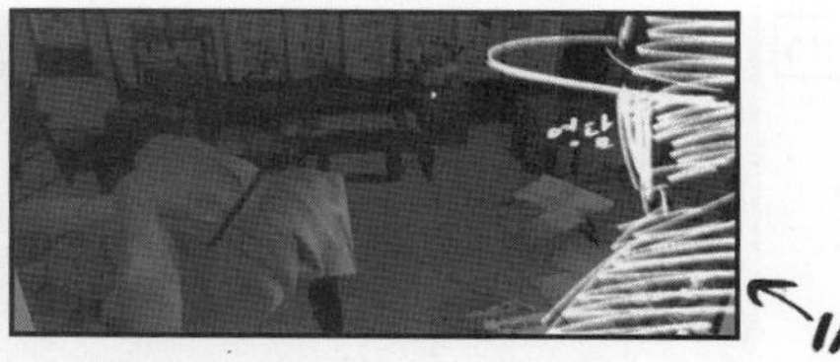

어지러이 널린 진법도들을

이순신 후면 F.S., HIGH ANGLE, FIX, 어영담 F.I.

C#12

묵묵히 쳐다보는 어영담,

어영담 정면 M.S., SLIGHT LOW ANGLE, FIX

C#13

순신이 이내 주변을 정리하고 자리에 앉아 어영담을 바라보면,

이순신 너머 어영담 F.S., LOW ANGLE, FIX

C#14

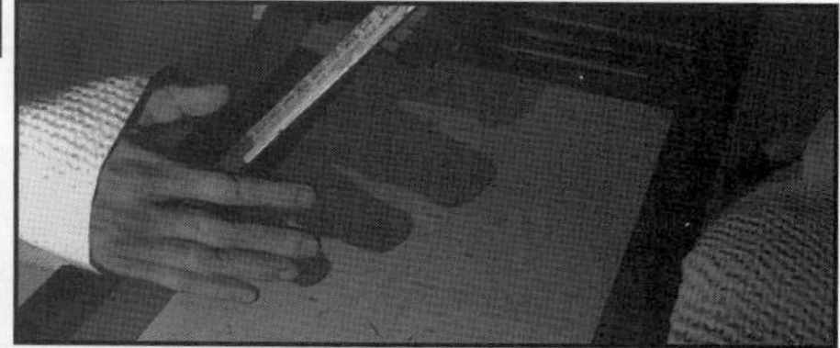

INS. 서찰을 전하는 영담 손

어영담이 품에서 서찰을 꺼내들어 순신에게 전한다.

C#15

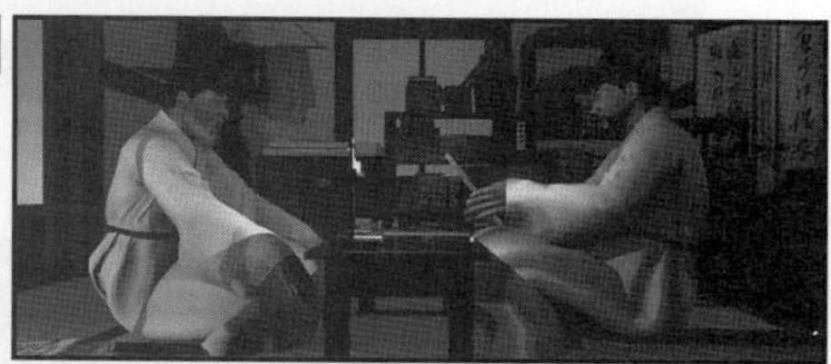

책상을 사이에 두고 마주 앉은 순신과 어영담,

어영담 순찰사 이광 대감의 서찰입니다.

이순신 & 어영담 측면 F.S. 2, EYE-LEVEL, FIX

C#16

어영담 패배한 장수에게 광교산 상황을 복기시키는 게 쉽지는 않았습니다.

이순신 너머 어영담 정면 B.S., EYE-LEVEL, FIX

C#17

순신, 이내 꼼꼼히 서찰을 살피는데….
이순신 정면 B.S., SLIGHT LOW ANGLE, FIX

C#18

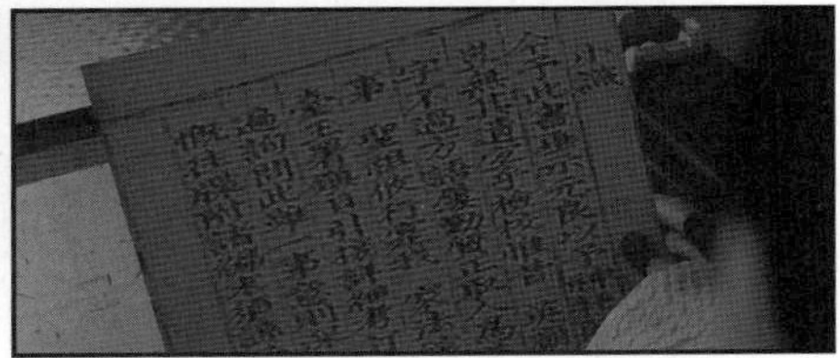

INS. 서찰
서찰에는 이광이 패배한 용인 전투의 상황이 거친 그림과 함께 자세하게 쓰여 있다.

C#19

어영담 협판안치 이자는

어영담 측면 C.R. B.S., EYE-LEVEL, TRACK RIGHT

(어영담의 목소리와 함께 그때의 전투 상황 이미지들이 틈틈이 보이는데)
→ 이순신 측면 C.L. B.S., DISSOLVE → 와키자카 정면 C.U.

S#04 좌수영 이순신의 처소

이순신을 찾아와 패배한 용인 전투에 관한 서찰을 전달하는 어영담 55 CUTS/29 SET-UPS EXT DAWN LOCATION

C#20

고성 화암사 부지

어영담(V.O.) 이광 대감의 5만 우리 근왕병이 몰려온다는 소식에도

말 탄 와키자카 정면 C.U., EYE-LEVEL, FOLLOWING TRACK

C#21

어영담(V.O.) 수성이 쉬운 수원성에 얽매이지 않고

수원성 지도 C.U.

C#22

산길 와키자카 기병대 L.S., EYE-LEVEL, TILT UP

C#23

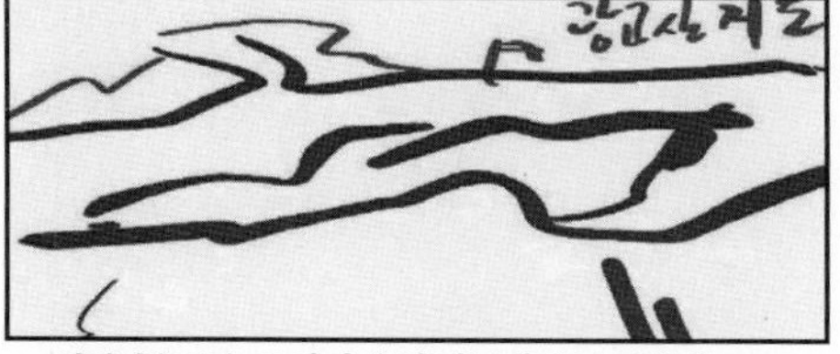

어영담(V.O.) 도리어 용인 광교산으로 나와서

광교산 지도 C.U.

C#24

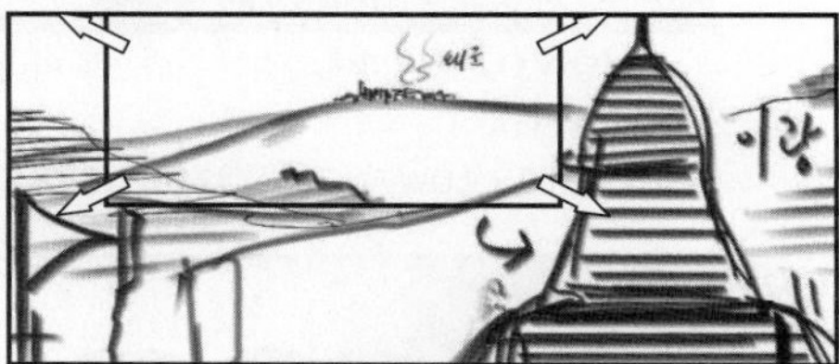

어영담(V.O.) 우리 군사들을 피로케 하며 산 쪽으로 유인해 들어갔습니다.

왜군 병영 L.S., ZOOM OUT → 이광 후면 B.S., EYE-LEVEL, FIX

이광 돌아보며 정면 B.S.

C#25

어영담(V.O.) 절대적 숫자에서 우세한지라 날이 지고 우리 근왕군들이 방심하며

조선군들 L.S., HIGH ANGLE, TRACK RIGHT

C#26

조선군들 & 말 F.S., EYE-LEVEL, TRACK RIGHT

C#27

고성 화암사 부지

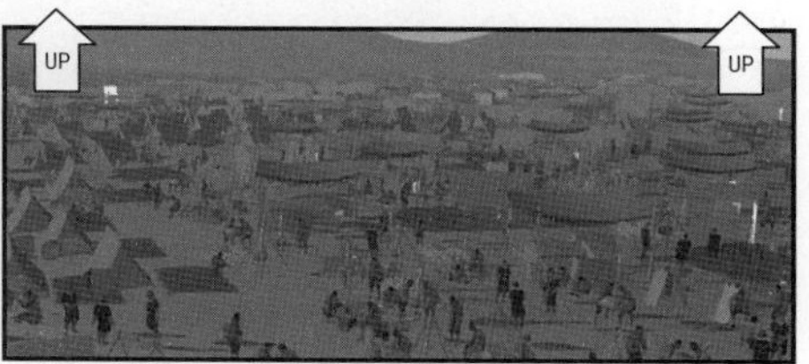

어영담(V.O.) 광교산 아래 벌판서 숙영하던 차,

조선 숙영지 E.L.S, HIGH ANGLE, BOOM UP

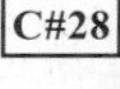
C#28

어영담(V.O.) 새벽녘에 과감한 기습으로 아군을 궤멸시켰습니다.

기병대 측면 F.S., LOW ANGLE, FOLLOWING TRACK

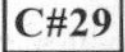
C#29

숙영지 L.S., HIGH ANGLE, PUSH IN

C#30

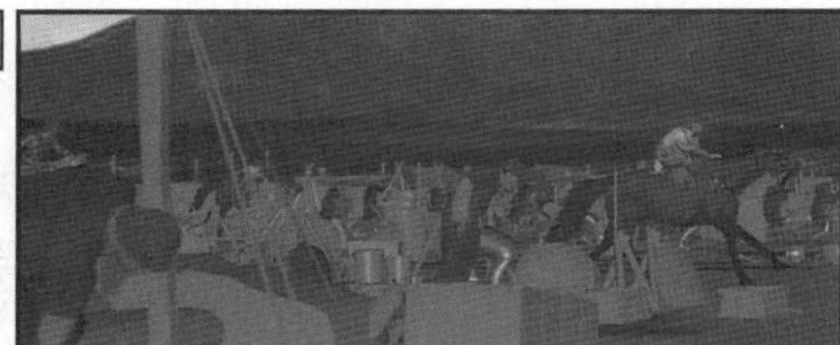

와키자카 기병대 & 조선군 L.S., EYE-LEVEL, TRACK RIGHT

C#31

조선 장수1 너머 와키자카 정면 F.S., SLIGHT LOW ANGLE

와키자카 F.O.

C#32

와타나베 측면 C.R. M.F.S, LOW ANGLE, FOLLOWING TRACK

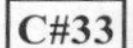
C#33

도망치는 조선군들 정면 GROUP SHOT, EYE-LEVEL

C#34

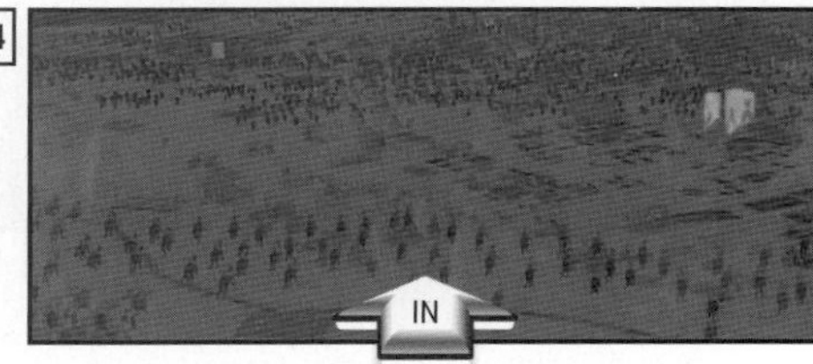

숙영지 E.L.S, HIGH ANGLE, PUSH IN

C#35

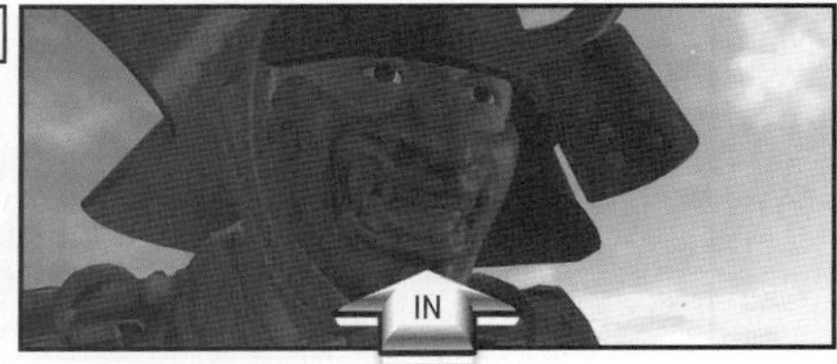

어영담(V.O.) 협판안치는

와키자카 ¾ C.R. C.U., SLIGHT LOW ANGLE, TRACK IN

S#04 좌수영 이순신의 처소

이순신을 찾아와 패배한 용인 전투에 관한 서찰을 전달하는 어영담 55 CUTS/29 SET-UPS

 INT  DAWN  OPEN SET

C#36

여수 오픈세트

어영담 수성을 하지 않고도 실질적으로 수성에 성공한 셈이지요.

협판안치 (와키자카 야스하루)

이순신 측면 C.L. B.S., EYE-LEVEL, TRACK LEFT

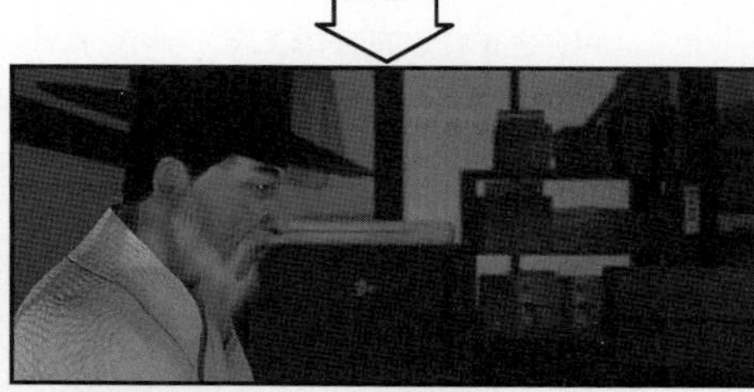

어영담 측면 C.R. B.S.

C#37

이순신 (잠시 생각) 이런 적장의 기질이라면

이순신 정면 C.S., EYE-LEVEL, FIX

C#38

이순신 이제 자신의 주특기인 해전(海戰)에다

이순신 너머 어영담 정면 B.S., EYE-LEVEL, FIX

C#39

이순신 충분한 배와 병력까지 가지고 있으니…

이순신 ¾ C.L. C.S., SLIGHT LOW ANGLE, FIX

C#40

이순신 (OFF SCREEN SOUND) 분명 선제공격을 해올 것입니다.

어영담 그건 좌수사께서도 선호하는 방식 아닙니까?

어영담 정면 B.S., EYE-LEVEL, FIX

C#41

이순신 …….

[C#39 동일] 이순신 ¾ C.L. C.S., SLIGHT LOW ANGLE, FIX

C#42

어영담 역시 이럴수록 우리가 먼저 부산포로 움직여야 하겠습니다.

[C#38 동일] 이순신 너머 어영담 정면 B.S., EYE-LEVEL, FIX

C#43

어영담 (OFF SCREEN SOUND) 결국 누가 먼저

[C#39 동일] 이순신 ¾ C.L. C.S., SLIGHT LOW ANGLE, FIX

C#44

어영담 선제타격 하느냐가 관건 아니겠습니까.

어영담이 순신을 뚫어지게 바라본다.

이순신 (단호히) 아닙니다.

[C#16 동일] 이순신 & 어영담 측면 F.S., EYE-LEVEL, FIX

C#45

이순신 지금 판옥전선들만으론 넓은 부산 바다에서는 속도가 빠른 적에게 당하기 십상입니다.

[C#39 동일] 이순신 ¾ C.L. C.S., SLIGHT LOW ANGLE, FIX

C#46

어영담 허면… 어떤 방법이….

이순신 너머 어영담 M.F.S, EYE-LEVEL, FIX

C#47

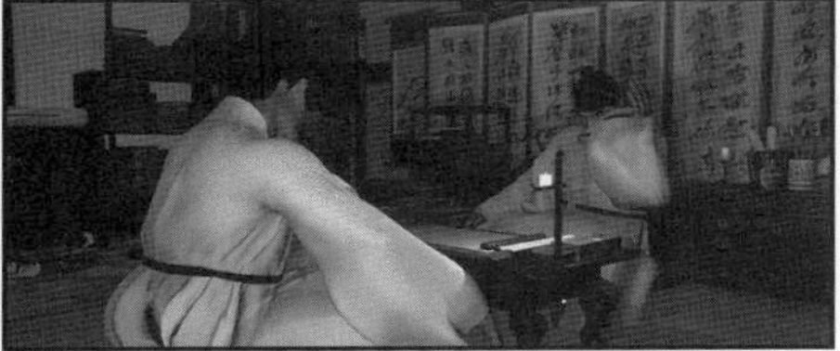

답이 없는 순신… 이내 관자놀이만 지그시 누르는데….

어영담 너머 이순신 M.F.S, EYE-LEVEL, FIX

C#48

어영담이 말없이 순신을 쳐다보는데, 밖에서 인기척.

송희립 (OFF SCREEN SOUND) 장군.

[C#38 동일] 이순신 너머 어영담 정면 B.S., EYE-LEVEL, FIX

C#49

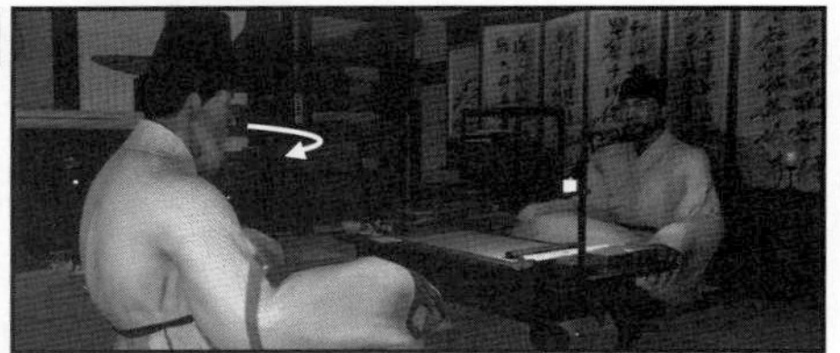

송희립 (OFF SCREEN SOUND) 소장 희립입니다.

[C#47 동일] 어영담 너머 이순신 M.F.S, EYE-LEVEL, FIX

C#50

송희립 준비는 다 마치었습니다.

이순신 (OFF SCREEN SOUND) 채비할 테니

송희립 & 시종 아이 후면 L.S., SLIGHT LOW ANGLE, FIX

C#51

이순신 (OFF SCREEN SOUND) 시종 아이를 들이거라.

송희립 예. 장군.

송희립 & 시종 아이 정면 M.S. 2, EYE-LEVEL, FIX

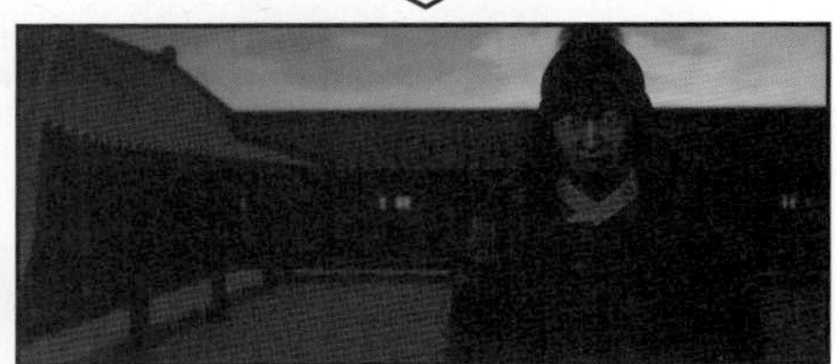

군관 송희립

시종 아이 F.O.

C#52

시종 아이가 들어서자, 일어서는 순신….
이순신 & 어영담 측면 M.F.S, EYE-LEVEL, FIX,
시종 아이 F.I.

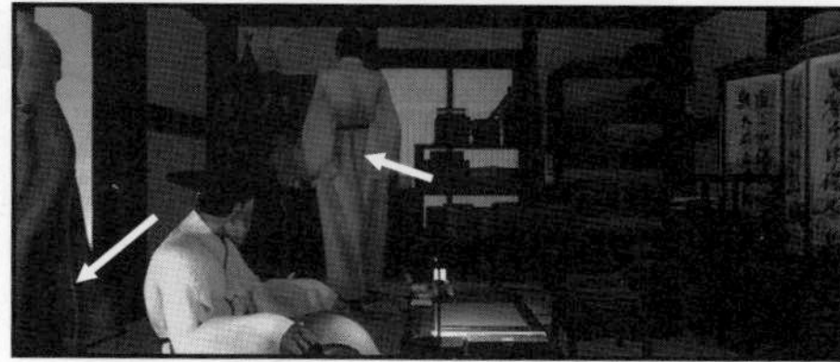

시종 아이 F.O.

C#53

어영담 조금 더 쉬시는것도….
이순신 너머 어영담 측면 C.L. M.F.S, EYE-LEVEL, FIX

C#54

이순신 (이내) 먼 길 고생 많으셨습니다.
어영담 너머 이순신 정면 M.F.S, LOW ANGLE, FIX

C#55

어영담 (말없이 쳐다보며) …….
어영담 ¾ C.R. B.S., EYE-LEVEL, FIX

S#05 좌수영 선창 (진해루)

진해루를 지나 선창에 이르는 길을 송희립, 정운과 함께 걷는 이순신　　6 CUTS/5 SET-UPS

EXT

DAY

OPEN SET

C#1

통영 통제영

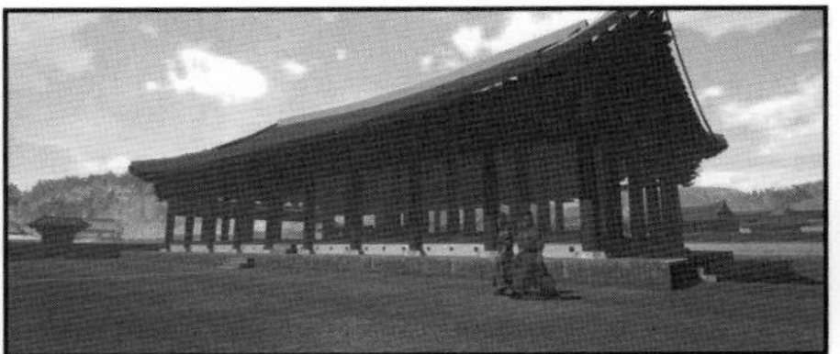

온전히 갑옷을 차려입은 순신이 송희립을 대동하고 걷고 있다. 진해루를 지나 선창에 이르는 길, 녹음(綠陰)이 한창이다.
이순신 & 송희립 L.S., SLIGHT LOW ANGLE, TRACK LEFT

C#2

그를 기다리고 있던 진해루 앞 녹도 만호 정운이 목례를 한다.
정운 너머 이순신 & 송희립 정면 F.S., EYE-LEVEL, FIX

C#3

녹도 만호 정운

정 운 장군! 구선은 역시 훈련에서 제외시켰습니다.

구선 거북선
이순신 & 송희립 너머 정운 정면 M.S., EYE-LEVEL, FIX

C#4

이순신 (말없이 고개만 끄덕) …….

[C#2 동일] 정운 너머 이순신 & 송희립 정면 F.S., EYE-LEVEL, FIX

C#5

통영 통제영

여수 오픈세트

이내 순신 송희립과 정운을 좌우로 위시해 함께 걷는데, 화면이 그들 너머 올라가며 바다로 펼쳐지면
이순신 & 송희립 & 정운 후면 L.S., HIGH ANGLE, ARC RIGHT & BOOM UP

좌수영 성문 밖 선창엔 질서정연한 군사들과 스물네 척의 판옥선이 위용을 뽐내며 서 있다….
→ 진해루 대문 너머 좌수영 선창 & 바다 E.L.S

C#6

여수 오픈세트

천천히 바다로 나아가기 시작하는 판옥선들….
- 음악 시작
좌수영 선창 E.L.S, HIGH ANGLE, FIX

6A

S#06 좌수영 앞바다

삼첩진과 첨자진을 오가며 진법 훈련을 하는 이순신 함대

23 CUTS/18 SET-UPS  EXT  DAY  OPEN SET

C#1

바다로 향하는 판옥선들.

판옥선들 L.S., HIGH ANGLE, FIX

C#2

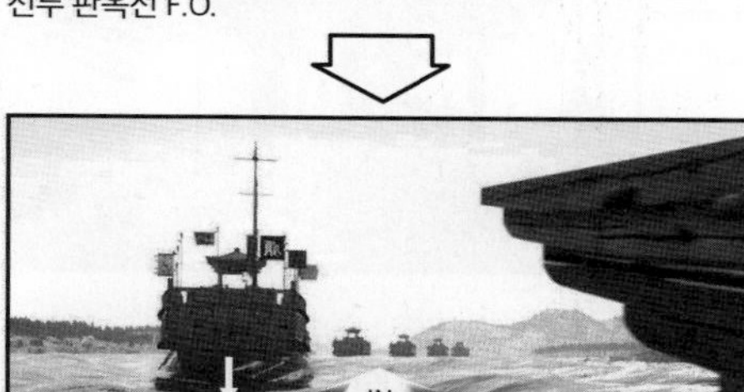

힘차게 움직이는 노들 .

판옥선 하단부 M.S., LOW ANGLE, PUSH IN,

선두 판옥선 F.O.

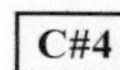

힘차게 물살을 가르는 20여 척의 판옥선들이 보인다.

판옥선 정면 L.S., LOW ANGLE

C#3

일렬로 움직이는 20여 척의 판옥선들.

판옥선들 L.S., HIGH ANGLE, BOOM DOWN

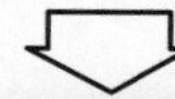

전라 좌수사 현판 아래로,

현판 M.S., BOOM DOWN

대장선 장루 위에 묵묵히 서 있는 순신….

순신 정면 B.S., EYE-LEVEL

C#4

그를 따르는 판옥선에 전라 좌수영의 여러 장수들의 모습이 보이는데….

순천 부사 권준,

순천 부사 권준

권준 ¾ C.R. B.S., SLIGHT HIGH ANGLE, ARC RIGHT

C#5

사도 첨사 김완,

사도 첨사 김완

김완 ¾ C.R. B.S., SLIGHT HIGH ANGLE, BOOM DOWN

C#6

낙안 군수 신호.

낙안 군수 신호

신호 정면 B.S., SLIGHT LOW ANGLE, ARC RIGHT

C#7

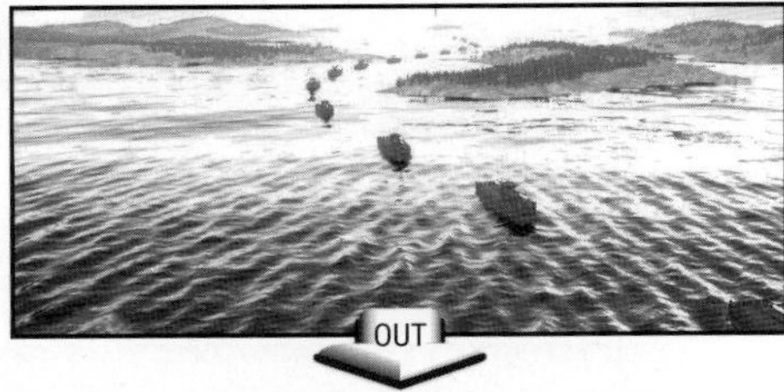

순신의 대장선을 따라 일렬의 장사진(長蛇陣)을 이루며 움직이는 경쾌한 판옥선들.

부감으로 보자 마치 거대한 용처럼 느껴지기도 하는데….

장사진 E.L.S, HIGH ANGLE, PULL BACK

C#8

CUT TO

제법 파고가 있는 훈련 바다… 멀리 갈매기들이 끼룩거리며 배들을 따라 창공을 날고 있고,

여수 전라 좌수영 앞바다 / 사시(巳時 오전 9시경)

판옥선들 측면 L.S., LOW ANGLE, TRACK LEFT

C#9

좌선의 갑판 병사 1이 소리친다.

탐망병 1 (문득 소리 높여) 온다!

일제히 한곳을 바라보면,

바다 E.L.S, EYE-LEVEL, TRACK OUT

C#10

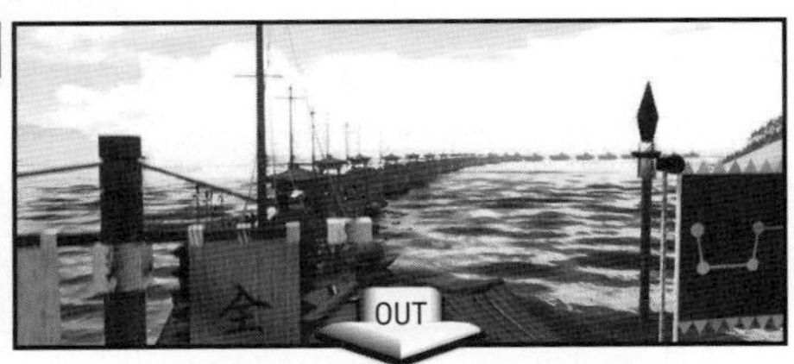

일자진으로 들어서고 있는 24척의 전선들.

다가오는 배들엔 全羅右水軍(전라 우수군)이란 깃발이 펄럭인다.

PULL BACK & BOOM DOWN

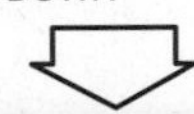

맨 앞 우수군 대장선 위 선풍옥골(仙風玉骨) 풍모의 젊은 장수가 서 있다.

전라 우수군

장루 위 이억기 정면 L.S., SLIGHT HIGH ANGLE

C#11

장루 위 순신.

대장선 장루 L.S., SLIGHT LOW ANGLE, PUSH IN

C#12

순신이 그들을 바라보면….

순신 C.S., SLIGHT LOW ANGLE, FIX

C#13

순신 너머로 다가오는 이억기의 판옥선.

순신 너머 억기 판옥선 L.S., EYE-LEVEL, TRACK IN

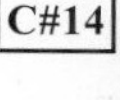

상호 일자(一字) 대형으로 서로를 마주한 채 늘어 서는 전선들.
판옥선들 L.S., HIGH ANGLE, FIX

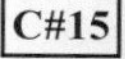

대장선 위의 순신을 향해 다가서며 목례를 하는 젊은 장수.
전라 우수사 이억기
이억기 정면 M.S., SLIGHT LOW ANGLE,
ARC RIGHT & TRACK IN

C#16

순신도 반갑게 답례한다.

이순신 잘 오시었소. 이 수사.

순신, 희립 M.S. 2, SLIGHT LOW ANGLE, TILT UP

C#17

이억기 별말씀을요. 합동훈련이 그 어느 때보다
이억기 정면 B.S., SLIGHT LOW ANGLE, FIX

C#18

이억기 (OFF SCREEN SOUND) 중요한 때 아닙니까.

이순신 (그저 머리만 끄덕) …….

순신, 희립 정면 B.S. 2, SLIGHT HIGH ANGLE, FIX

C#19

이억기 근데 원 수사는 아직인가요?

원 수사 (경상 우수사 원균)
이억기 ¾ C.R. C.S., SLIGHT LOW ANGLE, FIX

C#20

순신이 별말이 없자,
순신 ¾ C.L. C.S. LOW ANGLE, FIX

C#21

이억기, 혹시나 싶어 동쪽 바다를 다시 살핀다.
억기, 억기 부장 C.S. 2, EYE-LEVEL, PAN LEFT

억기 너머 보이는 텅 빈 바다.
억기 너머 바다 E.L.S, EYE-LEVEL

C#22

이억기 좀 더 기다려볼까요?

-이억기 - 이순신 분리촬영
순신 너머 억기 L.S., LIGHT HIGH ANGLE, FIX

C#23

이순신 아닐세. 우리끼리 시작하지.

순신, 희립 B.S. 2, EYE-LEVEL, FIX

6B

S#06 좌수영 앞바다

삼첩진과 첨자진을 오가며 진법 훈련을 하는 이순신 함대

5 CUTS/5 SET-UPS

EXT

DAY

OPEN SET

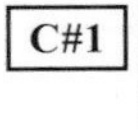
C#1

CUT TO
큰 부감 화면 펼쳐지면, 함대와 다섯 마장 (2km)
거리에 3척의 붉은 깃발을 단 뗏목들이 출현해 있고,
뗏목 L.S., HIGH ANGLE, BOOM UP & TILT DOWN

C#2

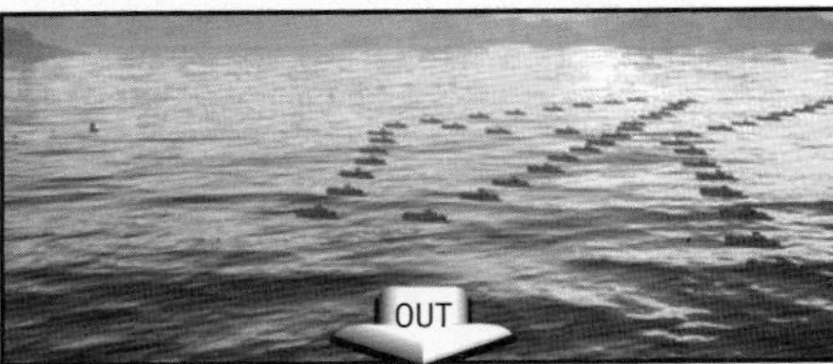

언덕 위
함대는 첨자진(尖子陣)을 이루고 있다.
함대 E.L.S, HIGH ANGLE, PULL BACK

목발을 짚고 서 있는 누군가의 뒷모습.
언덕에서 훈련을 지켜보고 있다.
나대용 너머 함대 E.L.S

C#3

둥 둥 둥! 북소리와 세 번의 짧은 나발 소리 들려오며…
북 치는 병사 M.F.S, LOW ANGLE, TRACK RIGHT

C#4

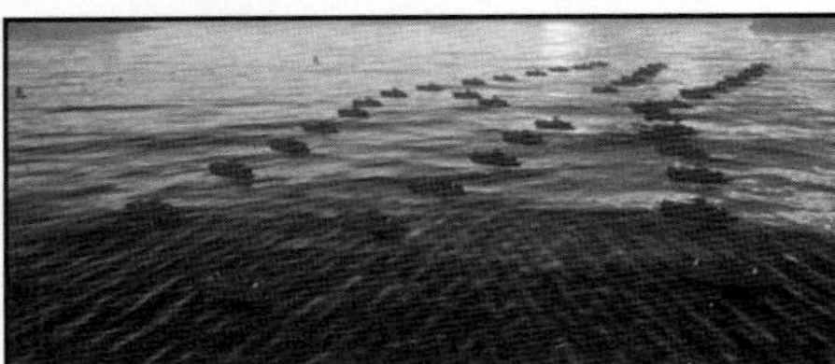

배들이 석 삼 자 진을 펼치고 있다.
첨자진 → 삼첩진 E.L.S, HIGH ANGLE, FIX

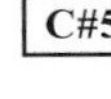
C#5

누군가 (나직이) 삼첩진이군.
삼첩진 (三疊陣, 三자 형태의 진법)
나대용 측면 C.L. C.U., EYE-LEVEL, FIX

6C

S#06

좌수영 앞바다

삼첩진과 첨자진을 오가며 진법 훈련을 하는 이순신 함대

15 CUTS/13 SET-UPS   

EXT DAY OPEN SET

C#1

김 완 삼첩진이라….

김완 정면 B.S., EYE-LEVEL, TRACK IN

C#2

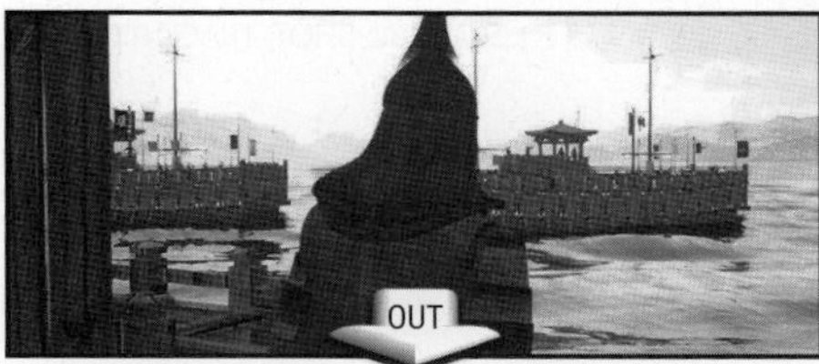

인기척에 뒤를 돌아보는 김완.

김완 후면 B.S., EYE-LEVEL, TRACK OUT

기라졸이 김완에게 진법도를 건네면, 이를 펼치는 김완.

F.I., 김완, 김완 부장 후면 M.S. 2, EYE-LEVEL

C#3

진법도를 펼치고 의자에 앉는 김완.

김완, 김완 부장 M.S. 2, EYE-LEVEL, TRACK IN

C#4

김 완 어이 해 잘 쓰지 않으시던 진법을….

김완 C.R. C.S., SLIGHT LOW ANGLE, FIX

C#5

신 호 왜 이런 수비 대형을…

신호 ¾ C.L. B.S., EYE-LEVEL, TRACK LEFT

C#6

OUT

신 호 (OFF SCREEN SOUND) 결국 수성인가….

삼첩진 대형으로 이동하는 판옥선들.

판옥 함대 E.L.S, HIGH ANGLE, PULL BACK

C#7

화포를 재는 병사들.

화포수들 L.S., EYE-LEVEL, FIX

C#8

화포를 넣는 병사의 손.

화포 C.U., FIX

C#9

무표정한 대장선의 순신의 얼굴이 보인다.

이순신 1열 발포하라!

순신 ¾ C.L. B.S., SLIGHT LOW ANGLE, TRACK IN

C#10

송희립 1열 발포하라!

희립, 순신 F.S., LOW ANGLE, FIX

C#11

퍼퍼벙!
판옥선들의 측면 화포들이 일제히 발포된다.
판옥 함대 L.S., LOW ANGLE, TRACK IN

C#12

불을 뿜는 화포들.
측면 화포 M.S., LOW ANGLE, TRACK RIGHT

C#13

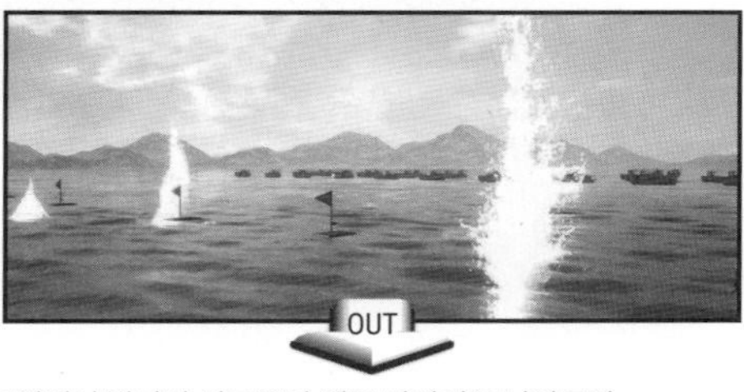

1열에서 발사한 화포들이 뗏목 가까이로 날아든다.
뗏목들 너머 판옥 함대 E.L.S, HIGH ANGLE, PULL BACK

C#14

이순신 2열 발포하라!

순신 ¾ C.L. C.S., SLIGHT LOW ANGLE, FIX

C#15

2열에서 일제히 발사하는 화포들.
판옥 함대 E.L.S, AERIAL SHOT, TRACK RIGHT

6D

좌수영 앞바다

삼첩진과 첨자진을 오가며 진법 훈련을 하는 이순신 함대 2 CUTS/2 SET-UPS

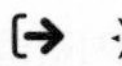

C#1

언덕 위
다시 언덕 위 시점, 퍼퍼벙!
대열이 갖춰진 3열 중 1열과 2열이 포를 발포한다.
누군가 목발을 짚은 채 더 다가가 쳐다보는데.
나대용 너머 함대 E.L.S, HIGH ANGLE, FIX

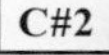
C#2

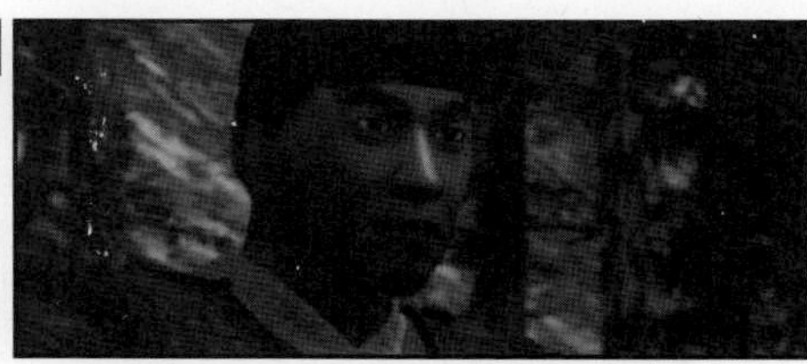

나대용이다.

나대용 …….

나대용 ¾ C.R. C.S., EYE-LEVEL, FIX

6E

S#06 좌수영 앞바다

삼첩진과 첨자진을 오가며 진법 훈련을 하는 이순신 함대

16 CUTS/13 SET-UPS  EXT  DAY  OPEN SET

C#1

이순신 3열 다시 돌진하라.

이순신 ¾ C.L. B.S., SLIGHT LOW ANGLE, FIX

C#2

송희립 (다소 당황) 화포도 운영치 않고 말씀이십니까.

송희립 정면 M.F.S, HIGH ANGLE, H.H

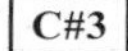

C#3

이순신 …….

이순신 ¾ C.L. C.U., SLIGHT LOW ANGLE, FIX

C#4

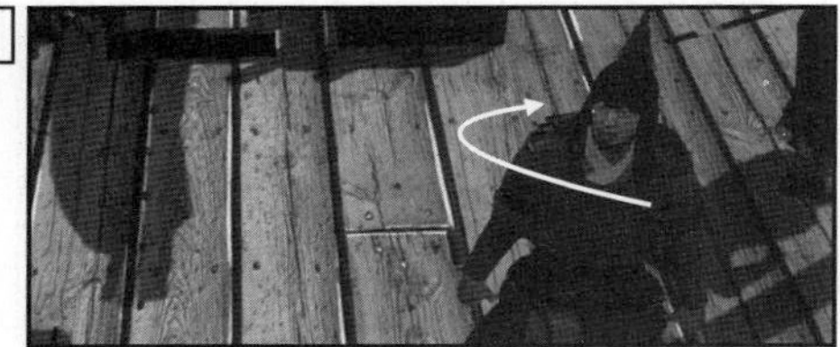

송희립 알겠습니다!

송희립 정면 M.S., HIGH ANGLE, H.H

C#5

송희립 돌진하라!

송희립 정면 M.S., LOW ANGLE, FIX

C#6

긴 나발 소리와 함께 다시 북소리.
좌선(대장선)의 다시 3열의 돌격 신호다.
병사들 F.S., HIGH ANGLE, TRACK IN & TILT DOWN

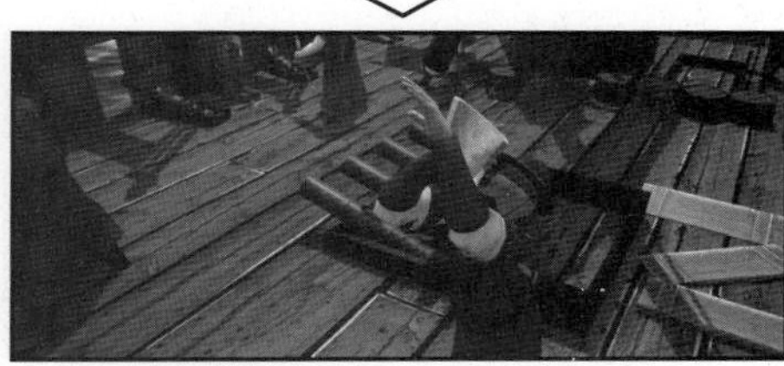

길게 나팔을 부는 병사.
나팔병 M.S., HIGH ANGLE

C#7

정 운 (의외인 듯) 돌진?

정운, 정운 부장 정면 M.S. 2, SLIGHT LOW ANGLE, TRACK OUT

C#8

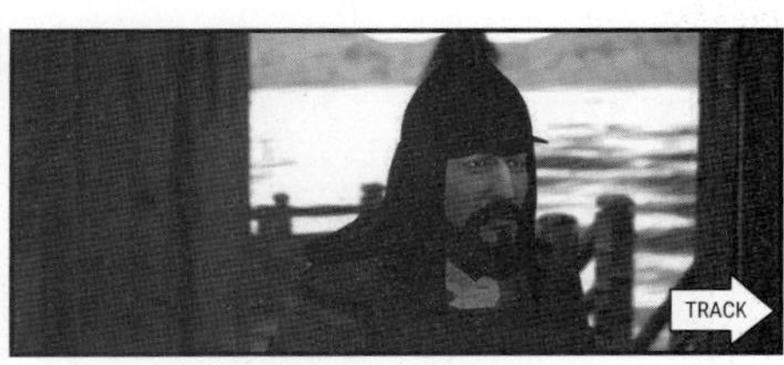

권 준 (역시 의외인 듯) 돌진이라….

권준 B.S., EYE-LEVEL, RACK RIGHT

C#9

김 완 구선이 없으니 우리라도 대신하라는 겐가?

김완, 김완 부장 M.S. 2, EYE-LEVEL, FIX

C#10

김 완 우리 사도함이지. 돌진하라! 우리가 맨 앞에 서야 한다!

김완 측면 김완 부장 B.S. 2, EYE-LEVEL, FIX

C#11

김완 판옥선 격군실
힘차게 움직이는 노.
노 M.S., SLIGHT LOW ANGLE, ARC LEFT & BOOM UP

힘쓰는 김완의 격군들.
격군들 L.S., ARC LEFT & BOOM UP

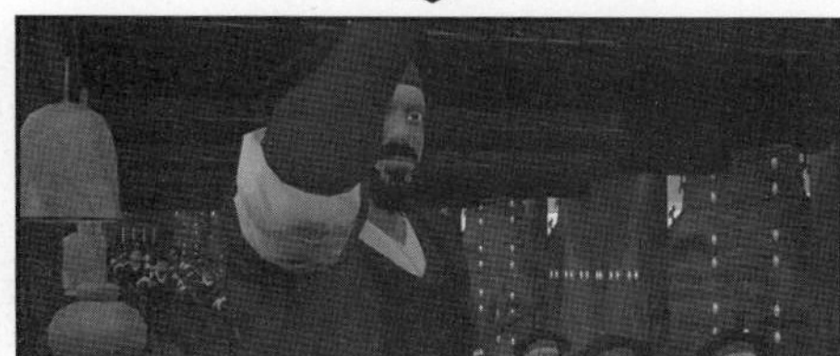

격군장 노를 강하게 저어라!

격군장 B.S., SLIGHT LOW ANGLE

C#12

힘 쓰는 격군들의 모습.
격군들 정면 M.S., SLIGHT LOW ANGLE, TRACK LEFT

C#13

2열의 우수영 함대 역시 선수를 앞쪽으로 하며 배를 돌리자 3열 좌수영 함대가 빠져 나가며 돌진하기 시작하는데,
판옥선들 L.S., HIGH ANGLE, PULL BACK

판옥선들 L.S., HIGH ANGLE

C#14

부딪히는 1열과 2열의 판옥선들.
판옥선들 L.S., HIGH ANGLE, FIX

C#15

배가 부딪히며 출렁이는 선체.
뒤로 넘어지는 수군들.
판옥선 측면 L.S., SLIGHT HIGH ANGLE, FIX

C#16

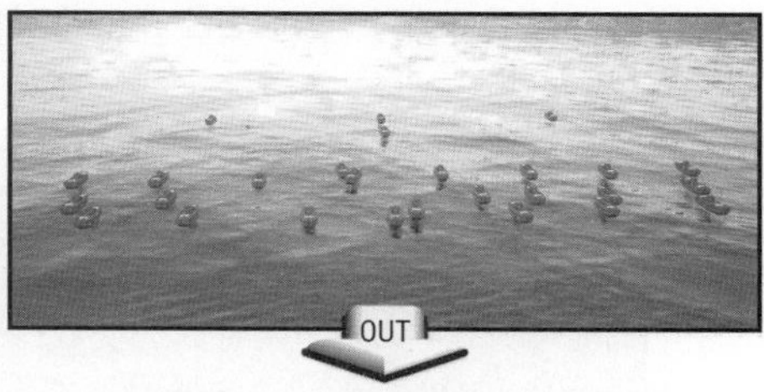

좌수영 함대 10여 척이 미처 배를 돌리지 못한 2열과 1열에 부딪히며 흐트러진다. 김완의 사도선은 잘 빠져나가 맨 앞에서 돌진하고 있고.
훈련 바다 E.L.S, AERIAL SHOT, PULL BACK

6F

S#06 좌수영 앞바다

삼첩진과 첨자진을 오가며 진법 훈련을 하는 이순신 함대

2 CUTS/2 SET-UPS

 EXT  DAY  LOCATION

C#1

언덕 위
언덕 시점, 3열 함대가 일제히 배를 돌려 돌진한다.
함대 E.L.S, HIGH ANGLE, FIX

C#2

나대용, 유심히 더 지켜보는데….
나대용 측면 C.R. C.S., EYE-LEVEL, FIX

6G

S#06 좌수영 앞바다

삼첩진과 첨자진을 오가며 진법 훈련을 하는 이순신 함대

2 CUTS/2 SET-UPS

 EXT  DAY  OPEN SET

C#1

이순신 다시 첨자진으로 돌려라.
순신 ¾ C.L. B.S., SLIGHT LOW ANGLE, TRACK IN

C#2

송희립 예! 장군!
순신, 희립 정면 M.S. 2, SLIGHT LOW ANGLE, ARC RIGHT

6H

S#06 좌수영 앞바다

삼첩진과 첨자진을 오가며 진법 훈련을 하는 이순신 함대

2 CUTS/2 SET-UPS

 EXT  DAY  LOCATION

C#1

언덕 위
나대용이 이내,
나대용 너머 함대 E.L.S, HIGH ANGLE, FIX

C#2

낮은 바위 위에 앉아 진지한 표정으로 지켜본다.
나대용 정면 F.S., LOW ANGLE, FIX

S#06 좌수영 앞바다

삼첩진과 첨자진을 오가며 진법 훈련을 하는 이순신 함대

18 CUTS/17 SET-UPS  EXT DAY  OPEN SET

C#1

이순신 3열 다시 돌진하라.

송희립 ~~(다소 당황) 화포도 운영치 않고 말씀이십니까.~~

이순신 ~~…….~~

순신, 송희립 정면 B.S. 2, slight LOW ANGLE, FIX

C#2

송희립 알겠습니다!

송희립 측면 C.L C.U., SLIGHT LOW ANGLE, FIX

C#3

긴 나발 소리와 함께 다시 북소리.
좌선(대장선)의 다시 3열의 돌격 신호다.
판옥선들 L.S., HIGH ANGLE, FIX

C#4

정 운 (의아) 어찌 화포도 운용치 않고….

정운 ¾ C.R. B.S., EYE-LEVEL, FIX

C#5

김 완 이번에도 우리가 앞선다! 속도를 높여라!

김완 C.S., EYE-LEVEL, ARC LEFT

C#6

어느 덧 지는 해.
일몰 L.S., HIGH ANGLE, FIX, TIME LAPSE

C#7

아슬아슬하게 서로를 비켜나가는 판옥선들.
판옥선들 L.S., HiGH ANGLE, FIX

C#8

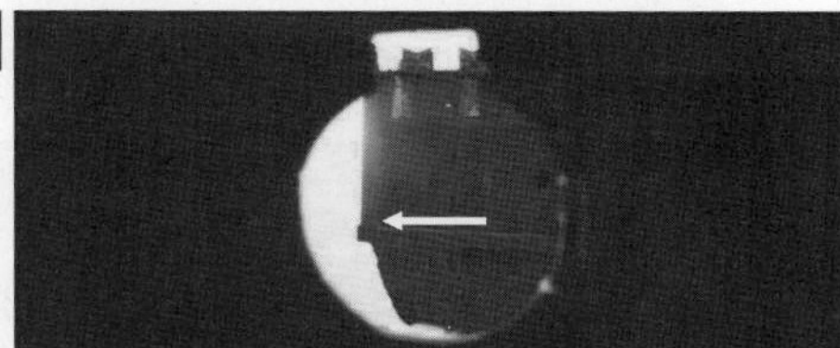

정운 판옥선 격군실

CUT TO
정운 격군실 안. 화포 구멍 너머로 보이는 판옥선의 움직임.
격군장 P.O.V.

C#9

격군장이 창밖을 신중히 내다보다 돌아보며 격군들에게 외친다.
격군장 측면 B.S., EYE-LEVEL, FIX

격군장 좌(左)로 너무 쏠린다! 너무 빠른 선회는 제어가 힘들다!

격군장 정면 B.S., EYE-LEVEL

C#10

격군장 (OFF SCREEN SOUND) 타수는 격군들과 호흡을 맞춰라!

격군들 M.S., SLIGHT LOW ANGLE, TRACK LEFT

C#11

격군장 (OFF SCREEN SOUND) 우(右)로! 우로! !

격군들 M.S., SLIGHT LOW ANGLE,
FOLLOWING PAN RIGHT

C#12

정운 부장 (놀라며) 어! 어!

쿠웅! 장수들, 앞다투어 먼저 나서려다 처음부터 자기들끼리 부딪히고 만다.

정운 부장 너머 판옥선 M.S., EYE-LEVEL, FIX

C#13

김완 판옥선 장루
충격에 흔들리는 김완과 병사들.
김완, 병사들 L.S., SLIGHT LOW ANGLE, FIX

C#14

중심을 다시 잡고 일어서는 김완.
김완 정면 M.F.S, SLIGHT LOW ANGLE, FIX

C#15

가까스로 충돌을 피한 전선들도 급히 뱃머리를 틀다가 이내 방향을 잃고 헤맨다.
파고에 쓸려나가고 360도 뱅그르 돌다 심지어 순신의 좌선에 부딪히는 배까지 등장.
판옥선들 L.S., SLIGHT HIGH ANGLE, FIX

C#16

송희립 (놀라며) 이것들이!

순신, 희립 DUTCH, LOW ANGLE, FIX

C#17

이순신 …….

순신 정면 B.C.U, SLIGHT LOW ANGLE, FIX

C#18

태양 속 계속 위치를 바꿔가며 첨자진과 삼첩진을 오가는 전선들.
훈련 바다 E.L.S, BOOM UP & PULL BACK

훈련 바다 E.L.S

6J

S#06 좌수영 앞바다

삼첩진과 첨자진을 오가며 진법 훈련을 하는 이순신 함대

3 CUTS/2 SET-UPS

EXT DAY LOCATION

C#1

언덕 위
유심히 지켜보던 나대용, 목발을 탁! 되짚는데 뭔가를 깨달았다는 표정!
눈물을 글썽거리기까지….
나대용 측면 C.R. C.S., EYE-LEVEL, FIX

C#2

자리에서 일어나는 나대용.
나대용 ¾ C.R. F.S., EYE-LEVEL, FIX

C#3

목발을 쥐며 휭휭히 어디론가 사라지는 나대용.
나대용 너머 함대 E.L.S, HIGH ANGLE, PUSH IN

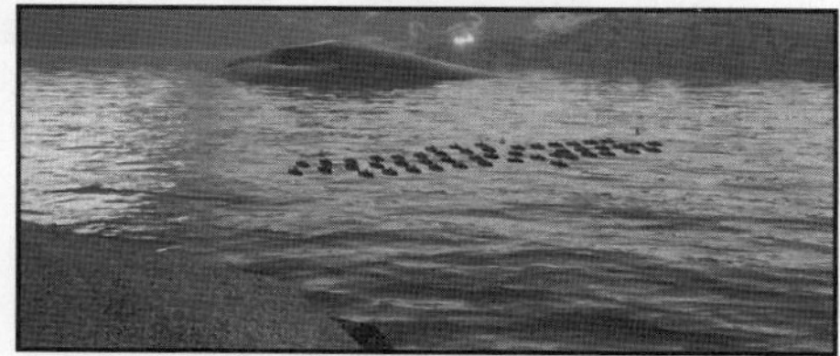

나대용 F.O.

S#07 좌수영 선창

이순신의 훈련 의도를 궁금해하는 장수들, 원균이 휘하 장수들과 찾아온다. 15 CUTS/10 SET-UPS  EXT  DAY OPEN SET

C#1

여수 오픈세트

어둑해진 사위(四圍), 훈련을 마친 전선들이 선창에 들어와 서 있다.

선창 E.L.S, HIGH ANGLE, FIX

C#2

선창에는 병사들이 줄줄이 쓰러져 있고 걸어가던 부장들 몇몇은 얼마 걷지 못하고 토를 해댄다.

격군들 L.S., SLIGHT HIGH ANGLE, FIX

C#3

판옥선 격군실 안

어느 격군실 안, 격군들이 온통 땀에 젖어 널브러져 있다.

격군실 L.S., EYE-LEVEL, PAN RIGHT

C#4

좌수영 선창

COVERAGE SHOT, 선창 풍경 L.S.

C#5

선창 인근 남문 앞으로 모여들며 불만을 토로하고 있는 장수들.

정 운 (불만) 대체 오늘 훈련의 목적이 뭐요?

정운 & 신호 정면 L.S. 2, LOW ANGLE, FIX

C#6

신 호 보면 모르시겠소? 다짜고짜 삼첩진부터 펼치지 않았소. 본영을 수성하기 위한 것이 아니겠습니까.

정 운 (발끈, 걸음을 멈추고) 수성이라니? 부산포를 공략하기로 중지가 모아진 것 아니었소?

정운 & 신호 M.S. 2, EYE-LEVEL, FOLLOWING TRACK

신 호 상황이 바뀌질 않았습니까. 용인서 우리 근왕병들을 무참히 부순 바로 그자가 부산포에 왔다 하지 않습니까. 배들도 무수히 집결하고 있답니다.

권 준 (OFF SCREEN SOUND) 맞습니다.

정운 & 신호 B.S. 2

C#7

권 준 구선도 참여치 않고 삼첩진을 꺼내드신 걸 보면, 장군께서도 이곳을 지키는 게 최선이라 판단하신 것 아니겠습니까?

정 운 허나 화포도 운용치 않고 계속 진법 전개만 하는 건 대체 무슨 의미요?

정운, 신호 & 김완, 권준 M.F.S,

SLIGHT LOW ANGLE, FOLLOWING PAN

C#8

김 완 (너스레) 그거야! 구선도 운영치 못하는 마당에 우리 좌수영 배들이 떼거지로 돌진해 구선을 대신하라 뭐 그런 거 아니겠습니까?

김완 & 권준 B.S. 2, EYE-LEVEL, FIX

C#9

정 운 뭐요?

[C#7 동일] 정운, 신호 & 김완, 권준 M.F.S, SLIGHT LOW ANGLE, FOLLOWING TRACK

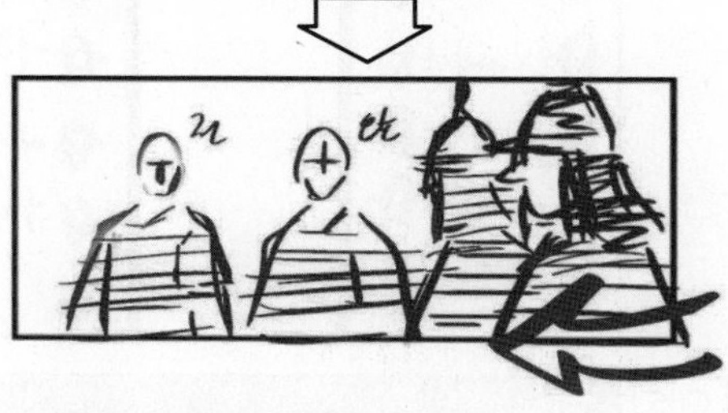

김 완 그저 내 짐작이요… 흐흠….

그 누구도 이순신의 정확한 의도는 알지 못하고….

C#10

잠자코 듣고만 있는 우수사 이억기!

이억기 정면 M.F.S, SLIGHT HIGH ANGLE, FIX

C#11

고개를 돌려,

이억기 M.S., EYE-LEVEL, FIX

C#12

묵묵히 좌선(대장선) 위의 순신을 바라본다.

이억기 정면 B.S., EYE-LEVEL, FIX

C#13

장루 위에 서 있는 순신과 희립.

이억기 P.O.V., 이순신 L.S., LOW ANGLE, FIX

C#14

이순신 대장선 장루 위

송희립 장군, 원 수사의 배들입니다.

이순신 …….

이순신 & 송희립 정면 M.S., SLIGHT LOW ANGLE, FIX

C#15

좌수영의 동쪽 소포 쪽에서 반짝이는 불빛!

3척의 판옥전선이 좌수영으로 진입하고 있다.

이순신 P.O.V., 원균 함대 L.S., EYE-LEVEL, FIX

S#08 좌수영 진해루

선제공격을 주장하는 정운에게 발끈하며 수성을 해야 한다는 원균　　24 CUTS/11 SET-UPS　　 INT　NIGHT　SET

C#1

멀리 진해루 너머 좌수영 선창에 판옥선들이 달빛에 반사되어 넘실거리는 게 보이는데,
※0506 시나리오 추가

C#2　고양 세트

이내 鎭海樓 (진해루 - 수군 야전 작전 회의실) 이라는 현판이 크게 보이고, 진해루 안에는 순신, 원균, 이억기, 그리고 20여 명의 장수들이 모여 있다.

원 균 뭐라?

진해루 외관 L.S., SLIGHT LOW ANGLE, TRACK RIGHT

C#3

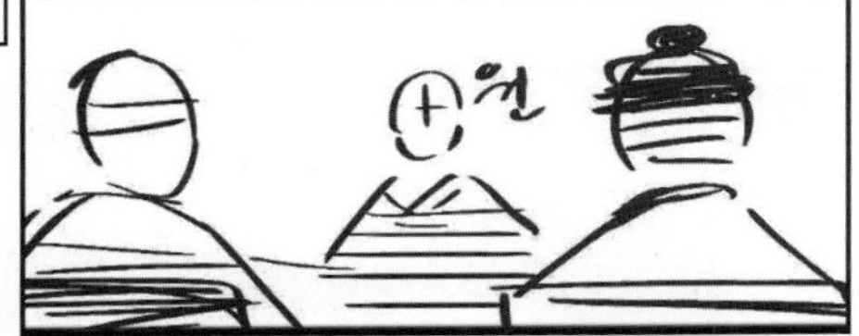

원 균 (눈이 휘둥그레져 고함) 선제공격? 진정 이자가 미쳤나!

단단하고 고집스러워 보이는 한 장수(원균)가 정운을 쳐다보며 기가 막힌 표정을 짓고 있다.

장수들 너머 원균 정면 M.S., EYE-LEVEL, FIX

C#4

이순신 …….

정 운 (지지 않고) 이럴 때일수록 부산포 공략을 더 이상 미뤄선 안 됩니다!

이순신 후면 B.S., EYE-LEVEL, FIX

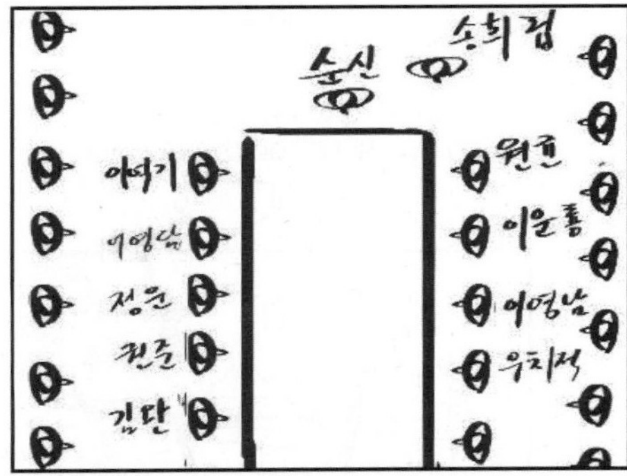

C#5

정 운 적들은 도리어 지금 자신들의 병력을 믿고 방심하고 있을 것입니다.

원균 너머 정운 정면 M.S., EYE-LEVEL, FIX

C#6

정 운 (OFF SCREEN SOUND) 그러니 우리가 먼저 움직여 타격해야 합니다.

이순신 ¾ C.R. C.S., EYE-LEVEL, FIX

C#7

정 운 연안에 흩어진 잔적들을 아무리 부숴봤자, 적들의 본거지를 끝내 치지 못한다면….

[C#5 동일] 원균 너머 정운 정면 M.S., EYE-LEVEL, FIX

C#8

원 균 이거야 원~

정운 너머 원균 정면 M.S., EYE-LEVEL, FIX

C#9

원 균 시답잖은 승전 몇 번 했다고 다들 치기가 넘치는 거야 뭐야!

원균 제법 말이 걸다.

원균 너머 순신 정면 B.S., EYE-LEVEL, FIX

C#10

좌수영 몇몇 장수들이 발끈하며 원균을 노려보는데,

원균 너머 장수들 GROUP SHOT, EYE-LEVEL, FIX

C#11

원 균 (아랑곳하지 않고) 적의 수괴가 용인 싸움의 바로 그자네.

이순신 너머 원균 측면 C.R. B.S., EYE-LEVEL, FIX

C#12

조마조마한 표정으로 이순신과 원균의 눈치만 살피는 경상우수영 장수들….

원 균 기습이 장기인 적들에게 전라 순찰사 이광 영감이 섣불리 움직였다 어찌 되었나?

이순신 정면 L.S., EYE-LEVEL, FIX

C#13

원 균 도리어 기습을 당해 궤멸했어! 대역죄인으로 곧 의금부로 압송될지도 모른단 말일세! 전쟁에는 전세라는 게 있네!

이순신 너머 원균 측면 C.R. M.S., EYE-LEVEL, FIX

C#14

원 균 시방 우리는 공세가 아닌 수세야!

원균, 거침이 없다. 묵묵히 듣고만 있는 순신,

이순신 ¾ C.L. C.S., EYE-LEVEL, FIX

C#15

원 균 (이순신에게) 말해보게! 진정 자네도 그러한 생각인가. 아님 자네 똘마니들만이 시방 미친 치기를 부리고 있는 것인가!

원균 측면 C.R. C.S., EYE-LEVEL, FIX

C#16

"뭐요! 똘마니!" 순간 동요하는 기색이 역력한 몇몇 장수들. 순신은 여전히 말이 없다.

원균 너머 이억기 & 장수들 M.F.S, SLIGHT HIGH ANGLE, FIX

C#17

전라 우수사 이억기가 비로소 나선다.

이억기 그럼 원 수사께선 다른 방도가 있으신 겝니까?

이순신 너머 이억기 측면 C.L. B.S., EYE-LEVEL, FIX

C#18

획! 하니 고개를 돌려 이억기를 바라보는 원균, 그렇게 물어주길 마치 기다렸다는 듯,

원 균 수성이네!

이순신 너머 원균 측면 C.R. B.S., EYE-LEVEL, FIX

C#19

이억기 ?

원 균 철옹성 같은 수성! 바다에 굵은 철책을 두르고,

이순신 정면 M.F.S, EYE-LEVEL, FIX

C#20

원 균 이곳 좌수영을 철통같이 방어하는 것이야! 어떠한가?

몇몇의 얼굴엔 실망의 기색이 어리지만, 고개를 끄덕이며 동조하는 장수들도 있다. 그중엔 신호 등 좌수영 장수도 있다. 조방장 향도 어영담은 미동도 없고.

이순신 너머 장수들 GROUP SHOT, EYE-LEVEL, FIX

C#21

원 균 (거침없이) 내 돌아가는 대로 임시 우수영을 불태우고 이곳으로 합류하겠네.

순간, 놀란 얼굴로 원균을 바라보는 휘하 장수 이운룡과 이영남.

원균 & 운룡 & 영담 ¾ C.R. B.S., EYE-LEVEL, FIX

C#22

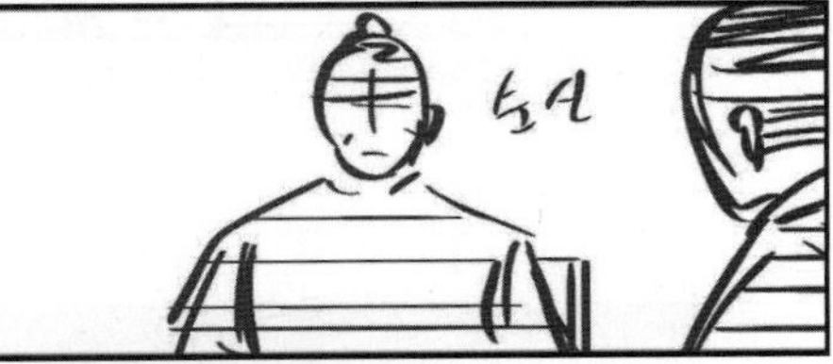

원 균 자네와 내가 힘을 합쳐

원균 너머 이순신 정면 B.S., EYE-LEVEL, FIX

C#23

원 균 적의 공격에 대비한다면 여기가 바로 철옹성이 지 않겠는가. 아니 그런가?

원균 정면 C.S., EYE-LEVEL, FIX

C#24

대답 없이, 비로소 물끄러미 원균을 바라보는 순신의 얼굴!

이순신 정면 C.S., EYE-LEVEL, FIX

S#09 좌수영 선창

원균이 못마땅한 표정으로 배에 오르고, 작별 인사 나누는 영담과 운룡 13 CUTS/5 SET-UPS

EXT

NIGHT
OPEN SET

C#1

여수 오픈세트

원균이 아주 못마땅한 표정으로 성큼 배에 오르고 있다.
그 뒤로 이영남, 우치적 등 경상 우수군 소속 장수들이 눈치 만 살피고 있는데,
원균 정면 M.F.S, EYE-LEVEL, FIX, 원균 F.O.

C#2

이운룡만이 향도 어영담과 아쉬운 듯 작별 인사를 나눈다.

이운룡 연세도 높으신 분께서

선창 L.S., HIGH ANGLE, PUSH IN

C#3

이운룡 군이 여기까지 배웅을 나오십니까.

어영담 너머 이운룡 정면 M.S., EYE-LEVEL, FIX

C#4

어영담 품계가 높아졌다고 스승을 찾지 않는 제자가 있으니
이운룡 너머 어영담 정면 M.S., EYE-LEVEL, FIX

C#5

어영담 가는 길이라도 못내 아쉬워

[C#3 동일] 어영담 너머 이운룡 정면 M.S., EYE-LEVEL, FIX

C#6

어영담 배웅하는 것이 스승된 도리 같아 이러는 거 아니겠습니까.

[C#4 동일] 이운룡 너머 어영담 정면 M.S., EYE-LEVEL, FIX

C#7

이운룡 (웃으며) 여전히 농을 잘 치시는 걸 보니, 아주 건강하신 듯합니다.

어영담 너머 이운룡 정면 B.S., EYE-LEVEL, FIX

C#8

어영담 건강할 리가요?

이운룡 너머 어영담 정면 B.S., EYE-LEVEL, FOLLOWING PAN

어영담 (한 걸음 다가가 나직이) 지독한 상관을 만나 고생 좀 하고 있지요.

C#9

어영담 뭐~ 우리 제자님도 고약한 상관을 만나

[C#7 동일] 어영담 너머 이운룡 정면 B.S., EYE-LEVEL, FIX

C#10

어영담 고생하는 건 서로 비슷하다 할 수 있겠습니다만.

[C#8 동일] 이운룡 너머 어영담 정면 B.S., EYE-LEVEL, FIX

C#11

마침내 굳어 있던 주변 장수들도 웃음을 짓는데….

어영담 너머 이운룡 & 부장들 M.S.

C#12

이운룡 (예를 갖춰 인사하며) 그럼 소장은 이만.

어영담 & 이운룡 L.S., EYE-LEVEL, FIX

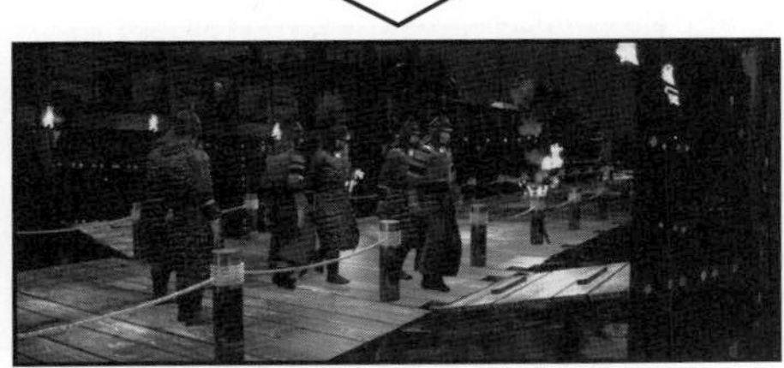

이운룡 & 부장들 WALK OUT

C#13

배에 올라타는 이운룡. 어영담이 지켜본다.

이운룡 너머 어영담 M.F.S, EYE-LEVEL, FIX

이운룡 F.O. → 어영담 정면 M.F.S

S#10 좌수영 진해루

돌아가는 경상 우수영 함대, 진법 훈련과 나대용의 말을 떠올리는 순신 13 CUTS/7 SET-UPS

INT NIGHT SET

C#1

좌수영 진해루, 멀리 섬을 돌아 나가는 경상 우수영 함대를 지켜보는
진해루 지붕 너머 경상 우수영 함대 E.L.S,
HIGH ANGLE, TRACK OUT

C#2

고양 세트

순신, 이내 숨을 고르고 회의 탁자 앞에서
이순신 ¾ C.R. B.S., EYE-LEVEL, FIX

C#3

두 눈을 지그시 감고,
※선창 쪽을 바라보던 순신 고개를 돌린다.
이순신 정면 L.S., EYE-LEVEL, TRACK IN

C#4

오늘 훈련을 생각한다.
이순신 ¾ C.R. M.S., EYE-LEVEL, TRACK IN

C#5

VFX세트

좌수영 앞바다
회상1) 삼첩진 속 앞으로 돌진하다 부딪치며 뒤엉키는 판옥선들.
[S#6] 진법훈련 E.L.S, HIGH ANGLE, ARC LEFT

C#6

고양 세트

다시 진해루의 순신.
이순신 정면 M.S., EYE-LEVEL, TRACK IN

C#7

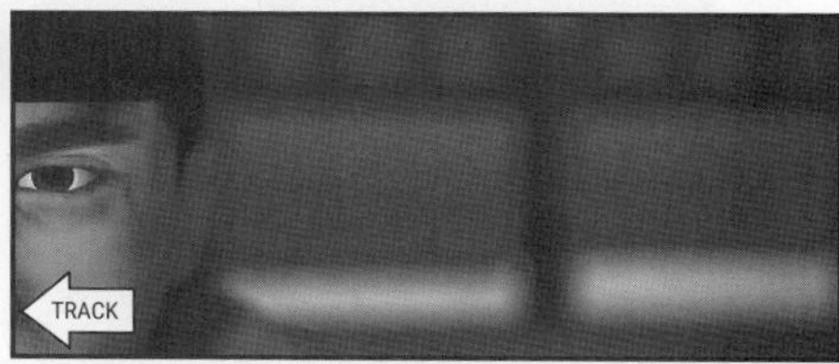

이순신 …….
이순신 정면 B.C.U, EYE-LEVEL, TRACK LEFT

C#8

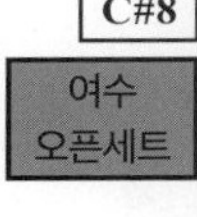

순천부 선소 구선 내부
회상2)

나대용 장군. 어떤 진법이든 돌격선인 구선은 이제 우리 수군에겐 필수적이 됐습니다.

나대용 정면 C.S., EYE-LEVEL, FIX

C#9

고양 세트

순신, 잠시 생각에 잠기는데….
이순신 ¾ C.L. C.S., SLIGHT LOW ANGLE, TRACK IN

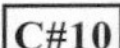

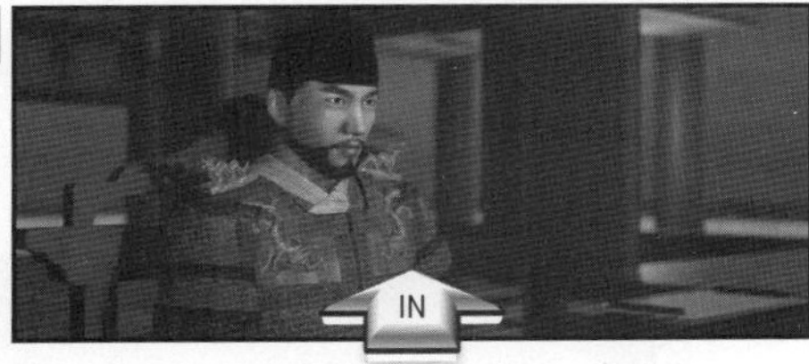

이억기 (OFF SCREEN SOUND) 좌수사 영감!

이순신 ¾ C.R. B.S., EYE-LEVEL, TRACK IN

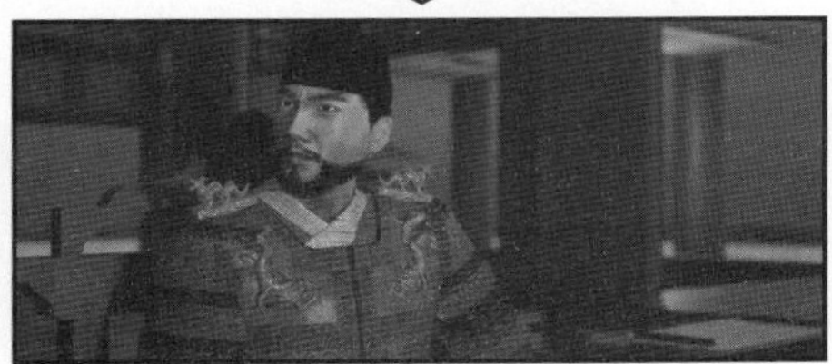

진해루 밖에서 들려오는 이억기의 목소리에 돌아본다.

C#11

이내 순신에게 다가오는 이억기.
이순신 & 이억기 L.S., EYE-LEVEL, TRACK IN

이억기 (떨리는 목소리) 평양의 상감께서….

이순신 너머 이억기 정면 M.F.S, SLIGHT HIGH ANGLE, FIX

C#13

이순신 ?

이억기 너머 이순신 B.S., EYE-LEVEL, FIX

S#11 좌수영 운주당

임금이 의주로 향한다는 공문을 보고 논의하는 이순신과 장수들 31 CUTS/11 SET-UPS 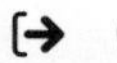  

EXT NIGHT OPEN SET

C#1

여수 오픈세트

좌수영 운주당의 마당을 서둘러 가로질러,

운주당 외부 어영담 L.S., HIGH ANGLE, FIX

C#2

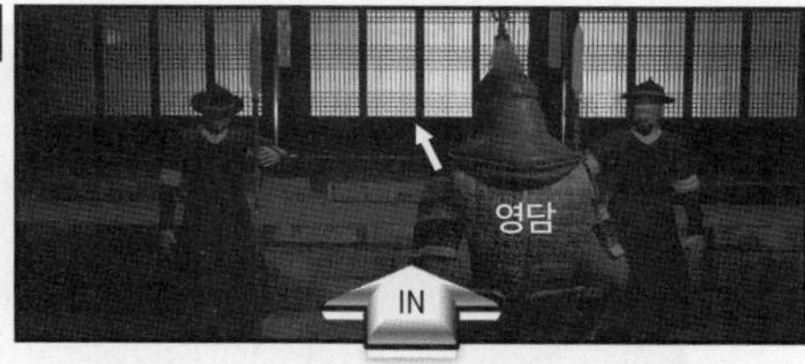

향도 어영담이 운주당으로 급히 들어선다.

어영담 후면 M.S., EYE-LEVEL, FOLLOWING TRACK

다른 장수들은 보이지 않고 순신과 이억기만이 심각한 표정으로 앉아 있는데….

어영담 너머 이순신 & 이억기 M.F.S

C#3

어영담 (짐짓) 어인 일이신지요?

순신이 희립에게 눈짓을 주자 희립이 공문 하나를 어영담에게 내민다.

송희립 평양에서 도착한 공문입니다.

이순신 너머 어영담 정면 F.S., EYE-LEVEL, FIX

※이미지라인 확인 필요

S#11 좌수영 운주당

임금이 의주로 향한다는 공문을 보고 논의하는 이순신과 장수들

31 CUTS/11 SET-UPS

EXT

NIGHT

OPEN SET

C#4

공문에는 '御駕義州行' 이라는 글씨가 선명하다.
어가 의주행 (임금의 행차, 의주를 향하다)

어영담 (당황하며) 그럼, 평양성은?

공문 C.U., TILT UP & PAN LEFT → 어영담 ¾ C.R. B.S.

C#5

어영담 설마 평양성을 그냥 내주었단 말입니까?

이순신 너머 어영담 정면 M.F.S, SLIGHT LOW ANGLE, FIX

C#6

이순신 지금은 평양성이 문제가 아닙니다. 문제는,

이순신 정면 B.S., EYE-LEVEL, FIX

C#7

이순신 상감께서 의주로 파천하신 이유가

[C#5 동일] 이순신 너머 어영담 정면 M.F.S,
EYE-LEVEL, FIX

C#8

이순신 무엇이냐겠지요⋯.

[C#6 동일] 이순신 정면 B.S., EYE-LEVEL, FIX

C#9

이억기 (애써 추스르며) 파발수 말로는 도원수 김명원 대감은 평양성을 버리더라도 수성이 좀 더 쉬운

이순신 너머 이억기 정면 M.S., EYE-LEVEL, FIX

C#10

이억기 (OFF SCREEN SOUND) 함경도로 향하자 했으나

[C#6 동일] 이순신 정면 B.S., EYE-LEVEL, FIX

C#11

이억기 무슨 연유에서인지 의주로 향하셨다 합니다.

어영담 너머 이억기 정면 M.S., EYE-LEVEL, FIX

C#12

어영담 (순신의 표정을 살피며 떨리는) 설마⋯ 상감께서 명국(明國)으로 귀부(歸附)를 생각하시고?

귀부(歸附) - 그 땅으로 들어가 귀속됨
[C#5 동일] 이순신 너머 어영담 정면 M.F.S,
EYE-LEVEL, FIX

C#13

어영담 (한 걸음 다가오며) 아니 됩니다. 만에 하나 그리 된다면 민심은 더욱 무너질 것이고 이 땅의 운명은….

[C#4 동일] 어영담 측면 C.R. B.S., EYE-LEVEL, FIX

C#14

어영담, 떨리는 목소리로 더 이상 말을 잇지 못하는데, 순신, 다시 두통이 몰려오는 듯 관자놀이를 지그시 누른다.

이순신 …좀 앉으시지요, 향도 어른.

이억기 너머 이순신 ¾ C.R. B.S., EYE-LEVEL, FIX

C#15

송희립이 의자를 빼주면 어영담이 다가와 앉는다.
운주당 내부 L.S., HIGH ANGLE, FIX

C#16

어영담 (앉으며) 만에 하나 상감이 명국으로 귀부한다면…

이순신 너머 어영담 정면 M.S., EYE-LEVEL, TRACK LEFT

C#17

어영담 우리의 운명을 종국에 명국에 맡기는 꼴이 되는것입니다.

어영담 너머 이순신 정면 B.S., EYE-LEVEL, FIX

C#18

어영담 만일 지금처럼 기세등등한 왜적들에게

어영담 너머 이순신 & 이억기 M.S., EYE-LEVEL, FIX

C#19

어영담 명국이 우리 땅을 담보 삼아 협상이라도 벌인다면 어찌 되겠습니까.

어영담 ¾ C.R. B.S., EYE-LEVEL, FIX

C#20

순신, 어영담을 바라보다 서찰 하나를 더 꺼낸다.

이순신 (진지) 여기…

장수들 GROUP SHOT, EYE-LEVEL, FIX

C#21

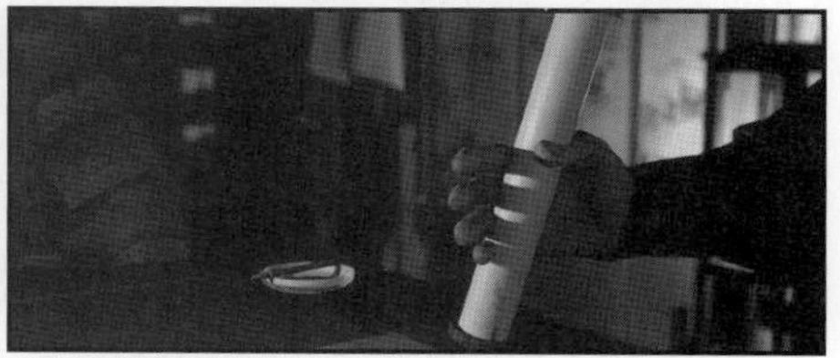

INS. 류승룡 서찰

이순신 영의정 류성룡 대감의 개인 서찰이 와 있습니다.

C#22

어영담 !

어영담이 서찰을 급히 읽고 떨리는 눈빛으로 순신을 쳐다보면,

이순신 (OFF SCREEN SOUND) 향도께서 우려한 대로

어영담 ¾ C.R. M.S., EYE-LEVEL, FIX

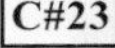

C#23

이순신 상감께선 모든 희망을 버리신 듯하다 합니다.

[C#17 동일] 어영담 너머 이순신 정면 B.S., EYE-LEVEL, FIX

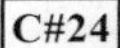

C#24

어영담 (어두운) …….

[C#19 동일] 어영담 ¾ C.R. B.S., EYE-LEVEL, FIX

C#25

이억기 상감이 변변찮은 싸움도 없이

이순신 너머 이억기 정면 M.S., EYE-LEVEL, FIX

C#26

이억기 또다시 의주로 파천했다는 것이 실로 믿기지 가 않습니다.

어영담 너머 이순신 & 이억기 M.F.S, HIGH ANGLE, FIX

C#27

이억기 정말 상감이 명국으로 귀부라도 한다 치면….

이순신 너머 이억기 ¾ C.L. B.S., SLIGHT LOW ANGLE, FIX

C#28

이순신 (담담히) 설사 종국에 이 전쟁이 불행한 처지에 이른다 해도 이 땅에 임금과 신하된 자라면 마땅히 이 땅 안에서 함께 죽어야 하네.

이순신 ¾ C.R. B.S., EYE-LEVEL, FIX

C#29

이억기 …….

어영담, 떨리는 손으로 서찰을 다시 순신에게 내밀며,

어영담 필히 이 전쟁의 첫 큰 승전보를 의주로 가져와 달라고 쓰여 있군요.

[C#18 동일] 어영담 너머 이순신 & 이억기 M.S., EYE-LEVEL, FIX

C#30

어영담 그리해야 임금을 설득해볼 수 있다고 말입니다.

[C#19 동일] 어영담 ¾ C.R. B.S., EYE-LEVEL, FIX

C#31

이순신 …….

송희립 …….

이순신 ¾ C.L. C.S., EYE-LEVEL, FIX

S#12 좌수영 선소 나대용 작업실 2층

설계도를 두고 이기남과 입씨름 벌이는 나대용, 자라를 주고가는 이봉수 25 CUTS/13 SET-UPS INT NIGHT OPEN SET 

C#1

여수 오픈세트

2층 작업실, 창틀 너머 곡선의 방파제로 둘러싸인 선소 안, 한참 측면 수리중인 3층형 구선 두 척이 보이고,

좌수영 선소 구선 제조소

구선 너머 선소 L.S., EYE-LEVEL, PUSH IN

C#2

잔뜩 인상을 찌푸리며 앉아 있는 나대용.
※이기남 앉아서 대화
(0515 액션 리허설 시 변경)
나대용 B.S., EYE-LEVEL, FIX

C#3

그 앞 탁자 위 설계도를 앞에 두고 눈이 동그래져 서 있는 돌격장 이기남.

이기남 뭐라굽쇼? 구선의 머리를 떼면 그걸 구선이라 할 수 있습니까요?

구선 돌격장 이기남

나대용 너머 이기남 정면 M.F.S, EYE-LEVEL, FIX

C#4

듣기 싫은 듯 고개를 반쯤이나 돌리고 앉아 있는 나대용.

나대용 (퀭한 얼굴) …….

이기남 (뺀질대듯) 차라리 덮개도 떼고 그냥 판옥선에

나대용 & 이기남 F.S. 2, SLIGHT HIGH ANGLE, FIX

C#5

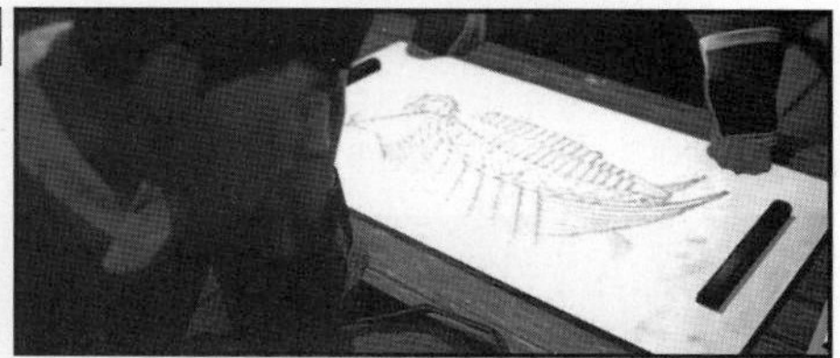

이기남 창칼을 덧대어

나대용 너머 구선 설계도 C.U., HIGH ANGLE, FIX

C#6

이기남 위협적인 창칼선(船)으로 만드는 게 낫겠습니다.

나대용 도발하지마라.

[C#3 동일] 나대용 너머 이기남 정면 M.F.S, EYE-LEVEL, FIX

C#7

나대용 나도 힘들다. 시간도 없는데 어서 문제를 보완하고 출정해야지!

이기남 너머 나대용 정면 M.S., EYE-LEVEL, FIX

C#8

이기남 순천부 선소에 새로 건조하는 구선이 있잖습니까?

[C#3 동일] 나대용 너머 이기남 정면 M.F.S, EYE-LEVEL, FIX

C#9

나대용 새 거든 헌 거든 문제점은 똑같다.

[C#7 동일] 이기남 너머 나대용 정면 M.S., EYE-LEVEL, FIX

C#10

이기남 아무래도 이 사안은 좌수사 영감께 직접 보고를 드릴 수밖에 없겠습니다.

나대용 너머 이기남 정면 B.S., SLIGHT LOW ANGLE, FIX

C#11

나대용 (버럭) 시간이 없다니까! 좌수사께는 사후 보고하면 돼.

[C#7 동일] 이기남 너머 나대용 정면 M.S., EYE-LEVEL, FIX

C#12

이기남, 아니라는 듯 고개를 절레절레 저으며
[C#10 동일] 나대용 너머 이기남 정면 B.S.,
SLIGHT LOW ANGLE, FIX

C#13

밖으로 나가버린다.
나대용 & 이기남 F.S. 2, EYE-LEVEL, FIX

C#14

나대용 저, 저런 괘씸한 놈을 봤나….

※05/15 조선군 액션 리허설 시 대사 변경
나대용 ¾ C.L. M.S., SLIGHT LOW ANGLE, FIX

C#15

창밖을 물끄러미 바라보는 나대용….
선소 외부, 나대용 정면 L.S., EYE-LEVEL, FIX

C#16

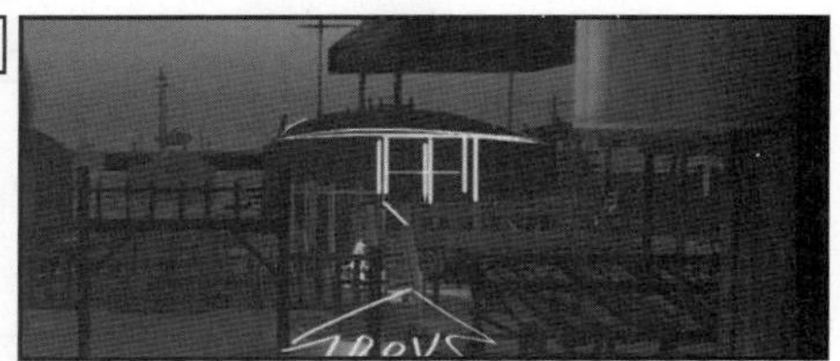

이미 용두를 제거한 구선 한 척.
나대용 P.O.V., 용두 없는 구선 L.S., TRACK IN

C#17

이때 왜소한 체구에 반쯤 뜬 눈을 애써 치켜뜬 사내 하나가 다가온다.

이봉수 소식 들었습니까? 이번에 부산포에 들어온 적들은 그 위세가 대단하다는데.

나대용 (끊으며) 좌수사께서 시킨 건 어찌하고 있는가?

이봉수 그것이… 민초들을 통해서 염초들을 최대한 구하고는 있는데, 구선은 또 오죽 많이 처먹습니까요? 화약 처먹는 귀신 아닙니까.

나대용 & 이봉수 F.S. 2, EYE-LEVEL, ARC RIGHT

C#18

나대용 알았네. 어찌 됐건 장군의 출전 허락을 다시 받아내려면 그 또한 서둘러야 하네. (다시 쾌한) 돌격선이 돌격만 할 순 없잖은가. 화포도 쏘아야지.

이봉수 너머 나대용 정면 M.S., EYE-LEVEL, FIX

C#19

이봉수 (나대용을 안쓰럽게 보다가) 알겠습니다.

이봉수 사라지다 문득 돌아서며,
나대용 너머 이봉수 M.F.S, SLIGHT LOW ANGLE,
TILT DOWN

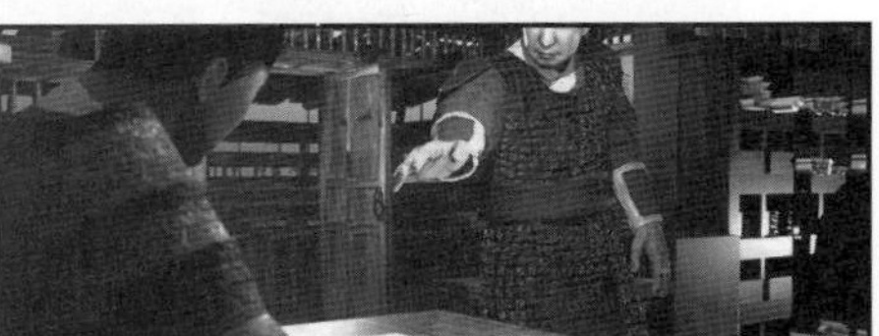

이봉수 참. 요거나 받으시오.

툭! 나대용 앞에 놓이는 한 물체… 꿈틀거리는데…
보면 자라다.
→ 나대용 너머 자라

C#20

나대용 뭐냐 이거.

이봉수 자라 아니요.

[C#18 동일] 이봉수 너머 나대용 정면 M.S., EYE-LEVEL, FIX

C#21

이봉수 요 앞에서 한 마리 잡았는디, 울적하거나 한없이 외로울 적에 갖고 놀라고, 하하하!

나대용 너도 도발이냐.

나대용 & 이봉수 측면 M.F.S 2, EYE-LEVEL, FIX

이봉수 WALK OUT

C#22

이봉수 (나가며 뒤도 돌아보지 않고) 아님 푹 고아 몸보신이라도 하시든가.

이봉수가 허리를 돌리며 씨익 웃으며 사라지자, 이봉수 너머 나대용 F.S., SLIGHT HIGH ANGLE, FIX

나대용 저런 괘씸한 놈을 또 봤나!

※05/15 조선군 액션 리허설 시 대사 변경

이봉수 F.O.

C#23

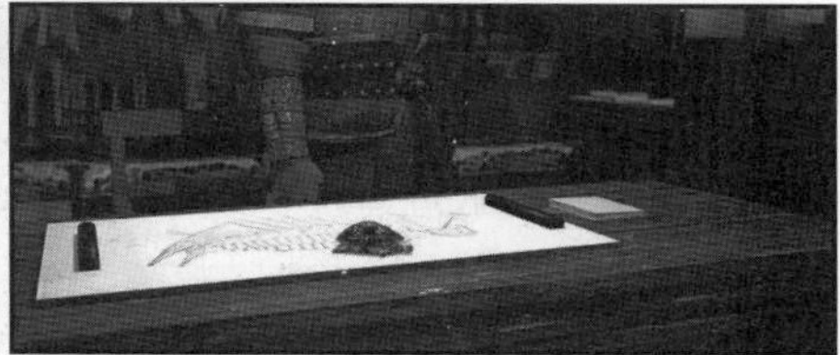

나대용, 자라를 한쪽으로 툭 쳐서 밀어버리며 눈만 대룩대룩….

자라 C.U., EYE-LEVEL, TILT UP

나대용 정면 M.S., SLIGHT LOW ANGLE

C#24

창 너머 보이는 구선들.

구선들 L.S., EYE-LEVEL, TRACK IN

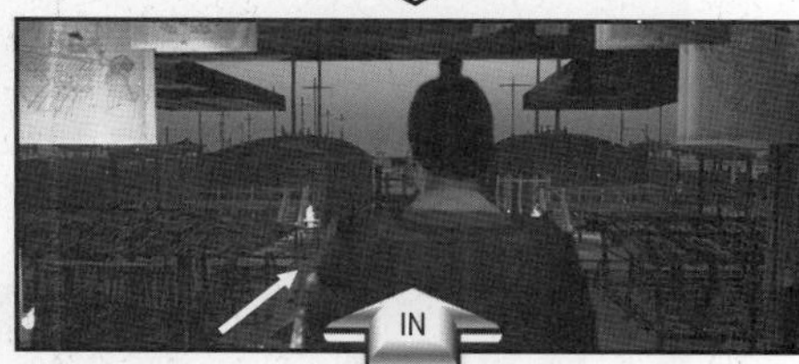

창 쪽으로 다가가는 나대용. 바깥 구선을 쳐다보며,

나대용 F.I. → 나대용 후면 B.S., EYE-LEVEL, TRACK IN

C#25

나대용 (혼잣말) 필히 다시 출정해야 한다….

나대용 정면 C.S., EYE-LEVEL, TRACK IN

S#13 좌수영 선창

선창을 거닐며 다가올 전투에 대해 대화하는 이순신과 이억기 23 CUTS/10 SET-UPS

EXT NIGHT OPEN SET

여수 오픈세트

밤바다, 파도 소리가 가까이 들리고 달빛 아래 판옥선 함대가 어둠 속에서 그 위용을 드러내고 있다.

이순신 & 이억기 L.S., EYE-LEVEL, FIX

순신, 횃불을 들고 묵묵히 배 밑을

이순신 너머 구선, SLIGHT HIGH ANGLE, FIX

C#3

들여다보고 있다.

이순신 측면 C.R. B.S., EYE-LEVEL, FIX

C#4

순신을 보는 이억기.

이순신 정면 너머 이억기 정면 M.F.S, SLIGHT HIGH ANGLE, FIX

C#5

돌아보는 순신.

이순신 정면 B.S., EYE-LEVEL, FIX, 이순신 F.O.

C#6

잠시 후 초병에게 횃불을 돌려주며,

이순신 배 밑에 이끼가 많이 끼었다. 조방장에게 모두 제거하라 일러라.

초병 예. 장군.

이순신 & 횃불병사 F.S., EYE-LEVEL, FOLLOWING TRACK

다시 걷기 시작하는 순신. 함께한 이억기가 문득 묻는다.

이억기 만에 하나 상감을 이쪽으로라도 모셔야 한다면, 경솔히 싸움에 나서는 것보다

이순신 & 이억기 정면 M.S., FOLLOWING TRACK

C#7

이억기 원 수사의 말처럼 이곳을 잘 지켜야 하지 않겠습니까.

순신, 말없이 이억기를 지나쳐 앞서가는데,

이억기 낮에 펼친 삼첩진 말입니다.

이순신 & 이억기 측면 C.R. M.S., EYE-LEVEL, FOLLOWING TRACK

C#8

순신이 돌아본다.

이억기 너머 이순신 정면 M.F.S, EYE-LEVEL, FIX

C#9

이억기 소장이 보기엔 필시 수성만을 염두에 둔 진법은 아니었습니다.

이순신 너머 이억기 정면 M.F.S, EYE-LEVEL, FIX

C#10

이순신 그렇게 보였는가? 자네 눈엔?

[C#8 동일] 이억기 너머 이순신 정면 M.F.S, EYE-LEVEL, FIX

C#11

이억기 (한 걸음 다가와) 영감께선 화포의 운영보단 돌격에 더 신경을 쓰셨습니다.

이순신 너머 이억기 정면 M.S., EYE-LEVEL, FIX

C#12

이억기 여전히 공성을 생각하시는 게지요? 틀렸습니까?

이억기 정면 C.S., EYE-LEVEL, FIX

C#13

이순신 (그저 옅은 미소, 다가서며) 그럴 수도 있겠지… 허나 원 수사의 말대로 시방 우리는 수세에 처해 있네. 부산포 공성은 더욱 신중해질 수밖에 없어.

이억기 너머 이순신 정면 C.S., EYE-LEVEL, FIX

C#14

이억기 그렇다면 수성을?

[C#12 동일] 이억기 정면 C.S., EYE-LEVEL, FIX

C#15

이순신 허나 어떤 전쟁도

[C#13 동일] 이억기 너머 이순신 정면 C.S., EYE-LEVEL, FIX

C#16

이순신 수성만으로는 결코

이순신 너머 이억기 정면 C.S., EYE-LEVEL, FIX

C#17

이순신 전세를 뒤집지는 못하지….

이순신 정면 C.S., EYE-LEVEL, FIX

C#18

이억기 (답답, 다가오며) 공성도 아니다, 수성도 아니다. 대체 영감께선 어찌 하려 하십니까?

이억기 정면 C.S., EYE-LEVEL, FIX

C#19

이순신 (진지) 어쩌면… 다가올 우리의 전투가 이 전쟁의 운명을 결정지을지도 모르겠네.

※대사 위치 05/15 조선군 액션리허설 시 변경됨.

[C#17 동일] 이순신 정면 C.S., EYE-LEVEL, FIX

C#20

순신, 이내 말없이 어딘가를 바라보면,

이순신 & 이억기 측면 L.S., SLIGHT LOW ANGLE, FIX

C#21

한창 구선을 수리 중인 선소(船所)다.

선소 안, 구선들이 보인다.

구선 너머 이순신 & 이억기 L.S., HIGH ANGLE, FIX

C#22

측면 수리 중에 있는 용두 없는 구선 한 척과 용두가 그대로 붙어있는 구선 한 척.

이순신 & 이억기 너머 구선 L.S., SLIGHT LOW ANGLE, FIX

C#23

이억기가 다가와 함께 구선을 바라본다.

이순신 & 이억기 ¾ C.L. B.S., EYE-LEVEL, FIX

순신을 바라보는 이억기.

이억기 고개 돌리며 RACK FOCUS → 순신

S#14 부산포 왜성 와키자카 처소 3층

훈련결과를 보고하는 삼총사,
와키자카가 사헤에에게 좌수영에 다녀오라 한다

23 CUTS/10 SET-UPS  INT  NIGHT  SET

FULL CG

C#1

부산포 앞바다를 비추는 반달의 달빛,
수많은 검은 배들이 너울대고 있는데….
왜성 너머 부산포 전경 L.S., HIGH ANGLE, TRACK LEFT

C#2

부산 실내세트

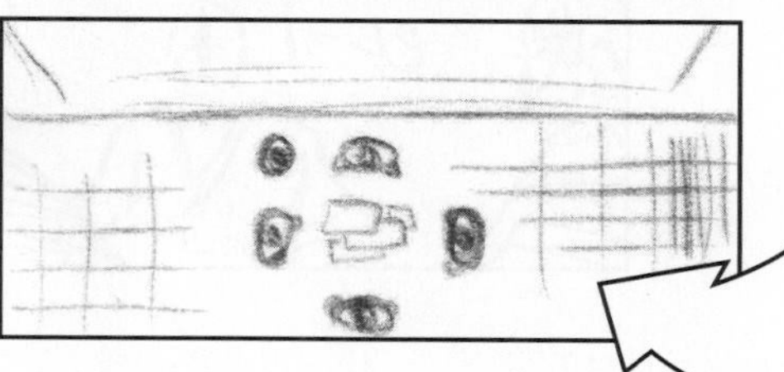

탁자 위 조선 배와 화포들에 대한 그림들이 여럿 놓여 있는데, 와키자카가 앉아 있고 삼총사들이 훈련 결과들을 보고하고 있는데,

와타나베 포로들을 통해 훈련해본 결과,

와키자카 & 삼총사 L.S., HIGH ANGLE,
ROTATE(시계) & SLOW BOOM DOWN

C#3

와타나베 조선 수군의 화포 최대 사거리는 약 천 보 정도이나 위력을 가지는 것은 5백 보 안쪽… 그나마 정확한 조준은 직사포로 1백 보 안에서만 가능하다고 판단됩니다.

조선 기생 하나(보름)가 묵묵히 차를 따른다.
와키자카 너머 삼총사 정면 F.S.,
SLIGHT HIGH ANGLE, TRACK LEFT

C#4

INS. 용의 이빨을 팔걸이에 톡톡 치고 있는 와키자카 손

와키자카 직사포로 1백 보 안이라….

C#5

차를 따른 보름은 일어나 나간다.

와타나베 헌데 특이한 건 적들의 재장전 방식이었습니다.

와키자카 무슨 말이냐.

와타나베 재장전 대신 아예 배를 돌려 맞은편 포를 발포하는 방식을 선호한다 합니다.

와키자카 재밌구나.

와키자카 측면 C.L. M.S., EYE-LEVEL, ARC LEFT, 보름 F.O.

C#6

와타나베 허나 배를 선회해 재장전 시간을 단축한다 해도 2백 보부터는 우리 배들이 속도만 가해준다면 충분히 근접해 월선이 가능할 것으로 보입니다.

와키자카 이백 보 안에 월선….

사헤에 너머 와키자카 정면 M.F.S, ARC LEFT

마나베 주군! 당장 출정하시지요! 이번 역시 기습 선제공격이 중요하지 않겠습니까.

와키자카 허나 그 월선이 만일 막힌다면….

와키자카 너머 삼총사 정면 F.S., ARC LEFT

C#7

와키자카, 문득 손에 들고 있는 이전에 주운 검은색 무쇠 덩어리를 뚫어지게 바라본다.

와키자카 너머 용의 이빨 C.U., HIGH ANGLE, FIX

C#8

마침내 팔걸이에 탁 내려놓더니.

와키자카 아무래도 찜찜한 것을 들어내야겠다!

와키자카 손 & 이빨, EYE-LEVEL, TILT UP →
와키자카 ¾ C.L. C.S.

C#9

놀라는 삼총사.

와키자카 & 삼총사 L.S., SLIGHT HIGH ANGLE, FIX

C#10

와타나베 (눈치 빠른) 복카이센, 아니 메쿠라부네(盲船)를 말씀하시는 건지요?

와키자카 너머 와타나베 ¾ C.L. B.S.,
SLIGHT LOW ANGLE, FIX

C#11

와키자카 메쿠라부네? 장님 배라… 복카이센(해저괴물선)보단 그 말이 불리기엔 더 낫구나. (웃음)

와타나베 너머 와키자카 측면 F.S.,
SLIGHT LOW ANGLE, ARC RIGHT

와키자카 그 메쿠라부네가 출정한 건 지금까지 단 한 차례다! 왜일까…?

와타나베 & 사헤에 너머 와키자카 정면 M.S.

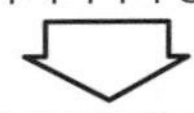

와키자카 복카이센이라고까지 불리는 그런 물건을 가지고….

와키자카 & 와타나베 M.S. 2

C#12

와키자카 (생각하더니) 사헤에!

와키자카 정면 B.S., EYE-LEVEL, FIX

C#13

사헤에 (와키자카를 본다) …….

사헤에 정면 B.S., EYE-LEVEL, FIX

C#14

와키자카 이틀을 줄 테니 조선말에 능통한 네가 직접 좌수영에 다녀오너라.

사헤에 너머 와키자카 정면 B.S., EYE-LEVEL, FIX

C#15

와키자카 아무래도 메쿠라부네에 대해 알아 와야겠다.

와키자카 너머 사헤에 정면 B.S., EYE-LEVEL, FIX

C#16

와키자카 그리고… 이순신에 대해서도.

[C#12 동일] 와키자카 정면 B.S., EYE-LEVEL, FIX

C#17

사헤에 예, 도노.

사헤에가 고개를 숙이며 나간다.
와키자카 너머 사헤에 L.S., SLIGHT LOW ANGLE, FIX,
사헤에 WALK OUT

C#18

나가는 사헤에.
사헤에 F.O. → 와키자카 & 와타나베 & 마나베 L.S.,
SLIGHT HIGH ANGLE, FIX

C#19

와키자카 와타나베.

와키자카 정면 B.S., EYE-LEVEL, FIX

C#20

와타나베 (와키자카를 보면) …….

와키자카 너머 와타나베 정면 B.S., EYE-LEVEL, FIX

C#21

와키자카 현재 전주성 인근에 금산성을 공략하고 있는 6군 고바야카와 말이다….

와타나베 너머 와키자카 정면 B.S., EYE-LEVEL, FIX

C#22

와타나베 ?

와타나베 정면 B.S., EYE-LEVEL, FIX

C#23

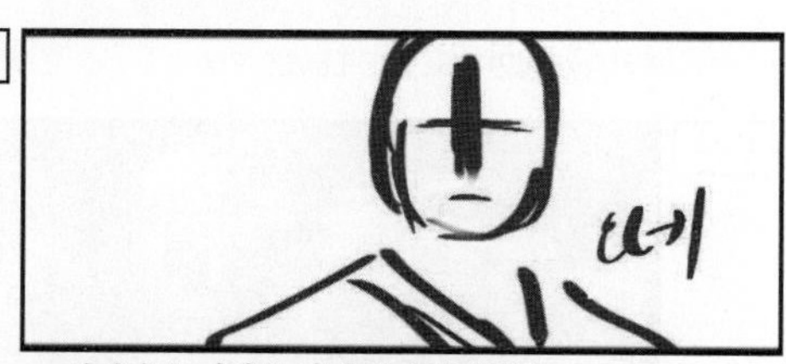

와키자카 서찰을 하나 준비해야겠다.

와타나베 …?

와키자카 정면 C.S., EYE-LEVEL, FIX

S#15 부산포 왜성 본영 전체 회의실 2층

좌수영을 선제공격하겠다는 와키자카,
칸베에에게 가토를 설득해달라 부탁한다

27 CUTS/8 SET-UPS  INT  NIGHT  SET

부산 실내세트

C#1

넓은 2층의 공간, 와키자카, 그중에 크게 펼쳐진 조선과 왜국, 명나라가 모두 보이는 동아시아 지도를 물끄러미 들여다보고 있는데!

와키자카 측면 C.R. C.S., LOW ANGLE, FIX

C#2

누군가의 목소리가 들려오고,

누군가 장군을 향한 태합전하의 기대가 아주 크신 듯 하오.

50대의 특유의 미소를 띤 토요토미의 군사(軍師) 칸베에.

와키자카 후면 L.S., EYE-LEVEL, FIX, 칸베에 F.I.

C#3

칸베에를 보자 밝아지는 와키자카의 얼굴….

와키자카 어서 오시오, 군사.

와키자카 정면 B.S., EYE-LEVEL, FIX

C#4

특유의 인상 좋은 미소를 띠며 와키자카에게 다가서는 칸베에.
구로다 칸베에 (흑전효고, 히데요시의 군사)

칸베에 정면 M.S., EYE-LEVEL, FIX

C#5

엷게 웃으며 다가와 들고 온 두루마리 교지 하나를 와키자카에게 내민다.

칸베에 다행히 육군을 지원한 것에 대한 우려했던 질책은 없었소.

와키자카 & 칸베에 측면 M.F.S 2, EYE-LEVEL, FIX

C#6

칸베에 그저 이제 다시 수군 장수로서 자네 본연의 임무를 다하라 하시오!

와키자카 너머 칸베에 정면 B.S., EYE-LEVEL, FIX

C#7

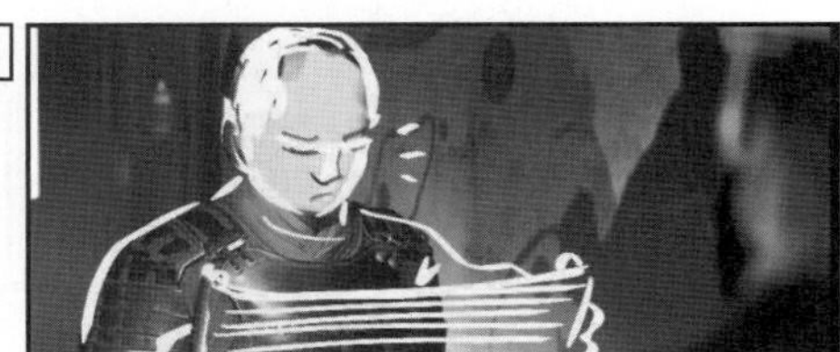

다소 긴장이 누그러지며 두루마리를 펼쳐 내용을 확인하는 와키자카,

칸베에 너머 와키자카 정면 B.S., EYE-LEVEL, FIX

C#8

칸베에 (웃으며) 밖에 군사들이 바쁩디다. 다행히 태합전하의 교지는 내렸다지만 너무 서두르시는 거 아닌가.

[C#6 동일] 와키자카 너머 칸베에 정면 B.S, EYE-LEVEL, FIX

C#9

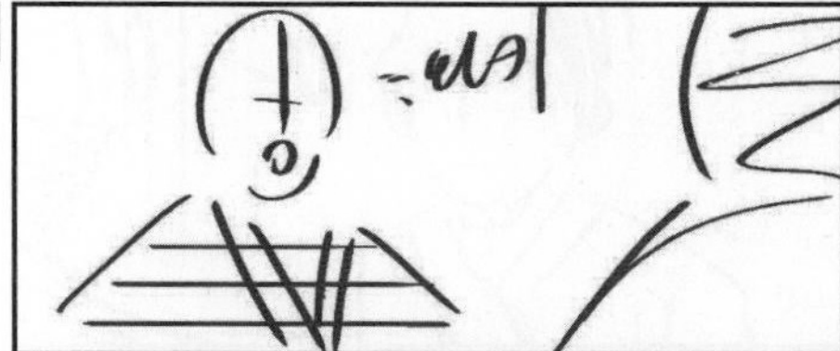

와키자카 (진지) 광교산 전투에서 말입니다. 2천도 안 되는 군사로 5만의 적들을 궤멸시킨 비결이 뭔지 아십니까?

[C#7 동일] 칸베에 너머 와키자카 정면 B.S., EYE-LEVEL, FIX

C#10

칸베에 그야… 적들이 방심하는 사이 자네가 적에게 기습 선제공격을…

와키자카 & 칸베에 측면 M.S. 2, EYE-LEVEL, TRACK IN

C#11

"흠!" 그제야 와키자카의 의중을 깨달은 칸베에,

칸베에 정면 C.S., EYE-LEVEL, FIX

C#12

고개 끄덕이며 한 걸음 앞으로 다가가,

칸베에 너머 와키자카 측면 C.R. B.S., EYE-LEVEL, FIX

C#13

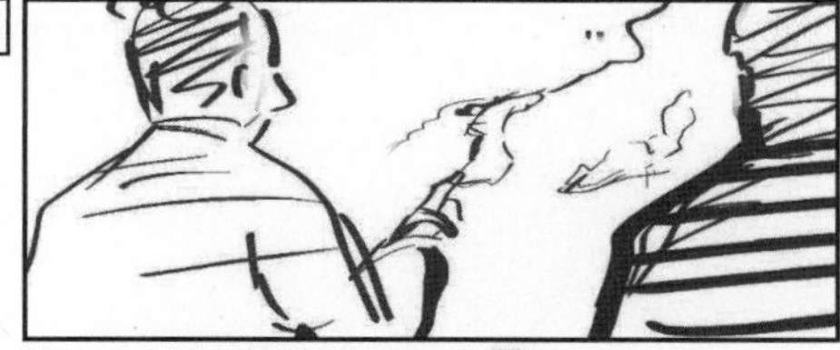

지도 위의 한 지점을 지목하는 와키자카,

와키자카 & 칸베에 너머 지도, EYE-LEVEL, FIX

C#14

INS. 지도 내 좌수영을 가리키는 와키자카 손

바로 전라도 남쪽 좌수영이 있는 여수다.

C#15

와키자카 (거침없이) 곧바로 이순신의 본거지를 칠 것입니다. 그리고….

칸베에 그리고?

칸베에의 눈빛이 호기심으로 반짝인다.

[C#13 동일] 와키자카 & 칸베에 측면 B.S. 2, EYE-LEVEL, FIX

C#16

와키자카 속히 평양의 고니시를 지원해야지요. 그리하면 조선 정벌은 완료될 것입니다.

칸베에 너머 와키자카 정면 C.S., EYE-LEVEL, FIX

C#17

칸베에 역시! 칠본창의 와키자카야! 고니시가 자네에게 절이라도 해야겠네 그래.

와키자카 너머 칸베에 정면 M.F.S, SLIGHT LOW ANGLE, FIX

C#18

칸베에 (웃으며 떠보듯) 난 또 자네도 다른 장수들처럼 앞다투어 곧장 명국으로 내달린다 할 줄 알고 내심 긴장했네! 자네 또한 어찌 그런 마음이 없겠는가만.

와키자카 너머 칸베에 정면 C.S., EYE-LEVEL, FIX

C#19

와키자카 …….

와키자카 정면 C.S., EYE-LEVEL, FIX

C#20

칸베에 허나 난 자네의 단독 출정은 불허하고 싶네.

칸베에 정면 C.S., EYE-LEVEL, FIX

C#21

칸베에 (OFF SCREEN SOUND) 작금의 형세는 그리 무리할 이유가 없어.

[C#19 동일] 와키자카 정면 C.S., EYE-LEVEL, FIX

C#22

칸베에 한번에 제대로 치고 나가는 게 중요하지.

[C#20 동일] 칸베에 정면 C.S., EYE-LEVEL, FIX

C#23

와키자카 (끄덕) 잘 알고 있습니다. 허여 청코자 하는 게 있습니다.

칸베에 … 가토 일이겠지?

[C#10 동일] 와키자카 & 칸베에 측면 M.S. 2, EYE-LEVEL, TRACK IN

C#24

와키자카 (끄덕) 그렇습니다. 가토가 쓰시마에서 미적거리고 있습니다. 같은 시즈카타케 전투의 칠본창으로서

[C#16 동일] 칸베에 너머 와키자카 정면 C.S., FIX

C#25

와키자카 저의 지휘를 받으려니 자존심이 상하겠지요.

[C#18 동일] 와키자카 너머 칸베에 정면 C.S., EYE-LEVEL, FIX

C#26

와키자카 이러하니 (눈빛을 빛내며) 군사께서 친히 한번 다녀와주시면 어떻겠습니까?

[C#16 동일] 칸베에 너머 와키자카 정면 C.S., FIX

C#27

칸베에 …….

[C#18 동일] 와키자카 너머 칸베에 정면 C.S., EYE-LEVEL, FIX

S#16 좌수영 선소 나대용 작업실 마당

술잔을 나누는 이순신과 나대용, 이언량, 이기남

34 CUTS/12 SET-UPS  EXT  NIGHT OPEN SET

C#1

여수 오픈세트

선소, 초병들이 횃불을 들고 멀리 서 있고…
구선 너머 작업실 L.S., SLIGHT HIGH ANGLE, PUSH IN

C#2

순신과 세 사람 (나대용, 돌격장 이기남, 돌격장 이언량)이 헐렁한 술잔들을 나누고 있다.
작업실 마당 L.S., HIGH ANGLE, TRACK RIGHT

C#3

이기남은 문어 등 좌수영 수산물들을 구워 내어오고,
순신 너머 나대용 정면 M.F.S, EYE-LEVEL, FIX

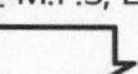

뭔가 심각해 보이는 나대용은 목발을 짚고 앉아 있다.
다들 제법 얼큰해져 있는데,

나대용 (풀죽어) 사천의 그날만 생각하면… 소장 너무 송구하고 또 송구스러워서….

INS. 음식, COVERAGE SHOT

C#5

이순신 거참. 난 아무렇지도 않대도 그러는구만! 보겠는가?

팔을 들어 돌려보는 순신,
나대용 너머 이순신 정면 M.S., EYE-LEVEL, FIX

C#6

이순신 어떤가?

팔을 들어 돌려보는 순신은 표정 하나 변하지 않는데, '아플텐데?' 하는 이기남, 이언량의 표정.
허나 나대용만은 물끄러미 진지한데….

나대용 외람되지만… (진지) 오른쪽이 아니라

GROUP F.S. 4, EYE-LEVEL, FIX

C#7

나대용 왼쪽 어깨 아니셨습니까?

순신 오른쪽 어깨를 돌리다 멈추며,
순신 너머 나대용 정면 M.F.S, EYE-LEVEL, FIX

C#8

이순신 그랬던가?

순신, 이번엔 슬며시 왼쪽 어깨를 돌려보다…
'흐억!' 하고 얼굴을 찡그리며 비명을 지르면,
[C#5 동일] 나대용 너머 이순신 정면 M.S., EYE-LEVEL, FIX

C#9

세사람 (눈이 휘둥그레) 장군!

좌우에 있던 이언량과 이기남이 순신에게 달려들고,
나대용도 급 실색! 역시 달려들고,
이순신 너머 나대용 정면 F.S., EYE-LEVE, FIX

C#10

이순신 (급반색) 놀라긴, 농이었네.

[C#5 동일] 나대용 너머 이순신 정면 M.S., EYE-LEVEL, FIX

C#11

언량/기남 (실색하며 앉는다.) 장군!

이순신 많이들 놀랐는가?

이순신 & 나대용 측면 M.S., EYE-LEVEL, FIX

C#12

이순신 그런가? 내가 좀 취해서. 미안들허이….

[C#5 동일] 나대용 너머 이순신 정면 M.S., EYE-LEVEL, FIX

C#13

이언량 (도리어 당황) 아… 아닙니다.

이순신 근데 말이야….

이순신 & 나대용 측면 F.S., EYE-LEVEL, FIX

C#14

이순신 (무거운 얼굴의 나대용을 보곤) 자네야말로 아무렇지도 않은 모양이네.

나대용 너머 이순신 정면 M.F.S, SLIGHT HIGH ANGLE, FIX

C#15

나대용 ?

그러고 보니 나대용 목발도 짚지 않은 채 다가와 있다.
이순신 너머 나대용 정면 M.F.S, EYE-LEVEL, FIX

C#16

이기남과 이언량이 웃지만,
여전히 무거운 표정의 나대용.
머쓱해하는 나대용에게 이기남이 목발을 건네주면,
나대용 다리 & 목발 M.S., EYE-LEVEL, BOOM UP

나대용 너머 이순신 정면 M.F.S, HIGH ANGLE

C#17

나대용 (절뚝거리며 돌아가 앉으며 진지) 송구하지만 저도 많이 취했나 봅니다.

이순신 너머 나대용 정면 M.F.S, SLIGHT LOW ANGLE, FOLLOWING TILT

도리어 머쓱해하는 이언량과 이기남….

이순신 너머 나대용 정면 M.F.S, EYE-LEVEL

C#18

이내 썰렁한 분위기….

이순신 (나대용을 보며) 근심이 큰가?

이순신 & 나대용 측면 L.S., EYE-LEVEL, FIX

C#19

이순신 내 여기 이기남의 보고는 받았네. 용두를 들어 내겠다고? 그럼 충파 시 문제가 해결되는 것인가?

나대용 너머 이순신 정면 M.S., EYE-LEVEL, FIX

C#20

나대용 소장 어제 진법 훈련을 지켜봤습니다. 역시 장군께는 반드시 구선이 필요하단 생각에 잠을 설쳤습니다. 허나… 현재로서는 그 수밖에 없을 듯합니다.

이순신 너머 나대용 정면 M.S., EYE-LEVEL, FIX

C#21

이순신 머리가 없는 구선이라….

나대용 송구합니다.

이순신 & 나대용 측면 M.S., EYE-LEVEL, FIX

C#22

이순신 그리되면 구선의 속도 문제 또한 풀리는 것인가?

[C#19 동일] 나대용 너머 이순신 정면 M.S., EYE-LEVEL, FIX

C#23

나대용 (진지) 그렇습니다.

[C#20 동일] 이순신 너머 나대용 정면 M.S., EYE-LEVEL, FIX

C#24

이순신 순천부 구선은 언제 완성되는가?

나대용 너머 이순신 정면 B.S., EYE-LEVEL, FIX

C#25

나대용 며칠이면 완성될 듯합니다.

[C#20 동일] 이순신 너머 나대용 정면 M.S., EYE-LEVEL, FIX

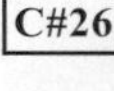

순신이 술을 한 잔 들이켜고 술잔을 탁! 놓으며,

이순신 (이내 진지) 구선은 돌격선이네. 빠른 기동과 충파가 그 본질이야. 내 승낙을 하긴 하네만, 실전에선 다시 그 용도에 부합하기를 바랄 뿐이네.

[C#24 동일] 나대용 너머 이순신 정면 B.S., EYE-LEVEL, FIX

C#27

이기남 (화색) 장군! 구선을 다시 출정시킬 요량이십니까?

이순신 & 이언량 너머 나대용 & 이기남 정면 M.S., EYE-LEVEL, FIX

C#28

이순신 …….

[C#24 동일] 나대용 너머 이순신 정면 B.S., EYE-LEVEL, FIX

C#29

나대용 (순신의 대답이 없자) 송구합니다. 장군.

이언량, 이순신 너머 나대용 정면 M.S., EYE-LEVEL, FIX

C#30

이순신 거 송구하단 소리 이제 그만 듣고 싶으니 내 이만 일어남세.

나대용 너머 이순신 정면 M.F.S, EYE-LEVEL, FOLLOWING TILT

자리에서 일어나는 순신.

C#31

이순신 잘들 마셨네.

네 사람 F.S., EYE-LEVEL, FIX, 이순신 F.O.

C#32

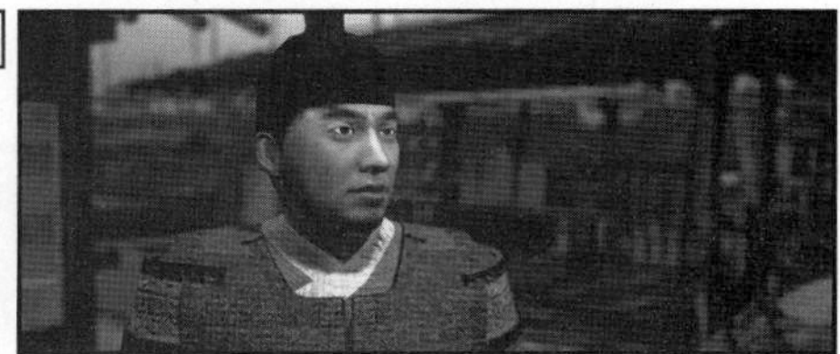

그런 순신을 바라보는 나대용.
나대용 정면 C.S., EYE-LEVEL, FIX

C#33

왠지 예민해진 순신과 왠지 무겁기만 한 나대용.
두 사람의 분위기에 괜스레 눈치를 보게 되는 이언량과 이기남.
세 사람 너머 이순신 후면 L.S., EYE-LEVEL, FOLLOWING PAN

나대용 이내 목발까지 집어 던지고 그냥 절뚝거리며 작업실로 들어가버리는데….
나대용 WALK OUT

다시 자리에 앉는 이언량과 이기남.
이언량 & 이기남 F.S.

C#34

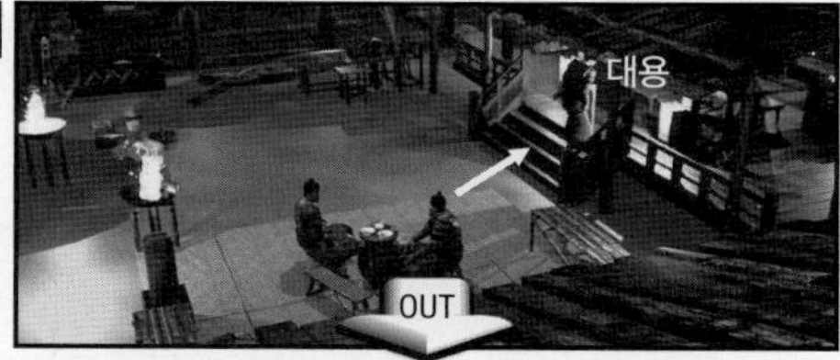

이언량/이기남 우리끼리라도?

이언량과 이기남 썰렁… 한 잔씩 들이켠다.
마당 L.S., HIGH ANGLE, PULL BACK

S#17 산속 고갯길

피난민들의 행렬, 그 사이에 섞여 있는 사혜에 무리들

22 CUTS/9 SET-UPS  EXT  DAY  LOCATION

C#1

여수 흥국사 뒷길

산속 길, 피난민들의 행렬이 가득하다.
매우 어수선하다.
피난민들 후면 L.S., SLIGHT HIGH ANGLE, FIX

C#2

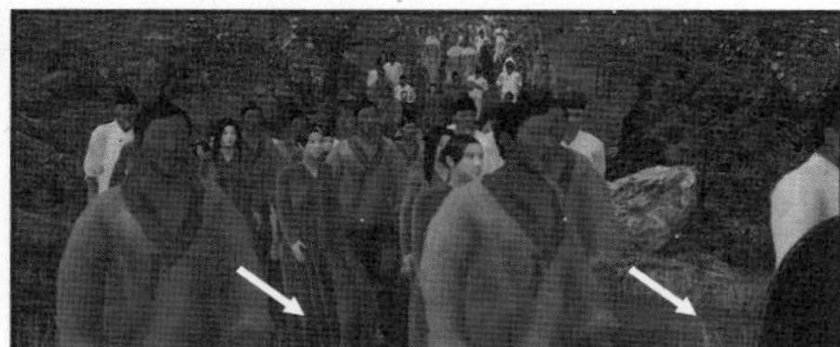

서로 정보를 교환하다 어디로 가야 할지 한숨을 내쉬기도 하며 다시 이동하는 피난민들,
피난민들 정면 M.S., EYE-LEVEL, FIX

C#3

그들 틈에 섞여 걸어가는 여러 짚신 발들….
피난민들 후면 M.S., EYE-LEVEL, FIX

C#4

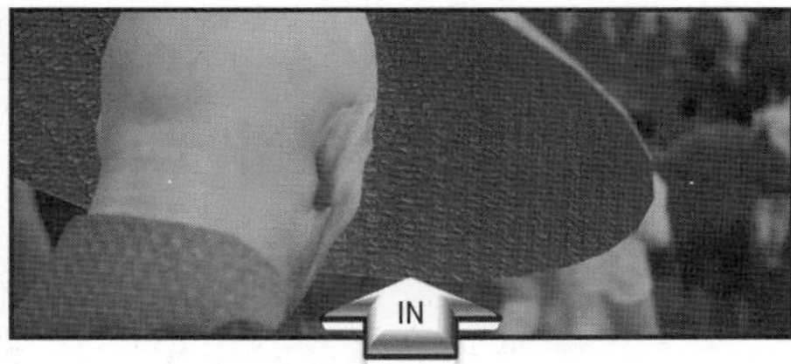

거기엔 변복했지만 낯익은
사혜에 후면 C.S., EYE-LEVEL, FOLLOWING TRACK

C#5

사혜에 무리 후면 M.S., EYE-LEVEL, FIX

C#6

사혜에가 보이는데….
사혜에 무리 정면 L.S., EYE-LEVEL, FIX

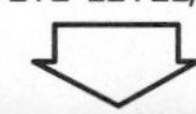

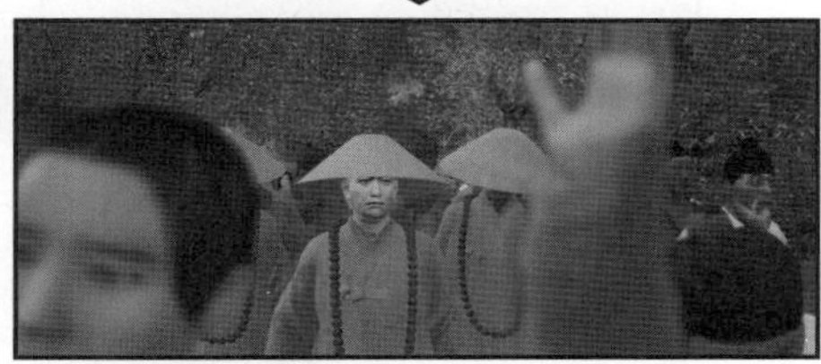

사혜에 다가오며 정면 M.S.

C#7

여수 흥국사

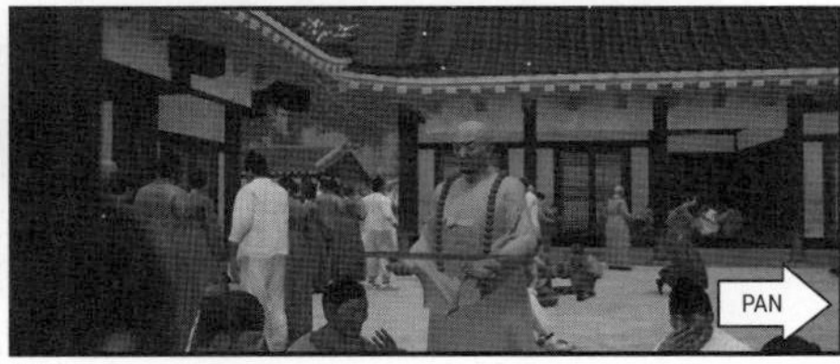

사찰
CUT TO
전쟁을 피해 피신해 있는 조선 백성들로 가득한 절.
절 내부 L.S., EYE-LEVEL, PAN RIGHT

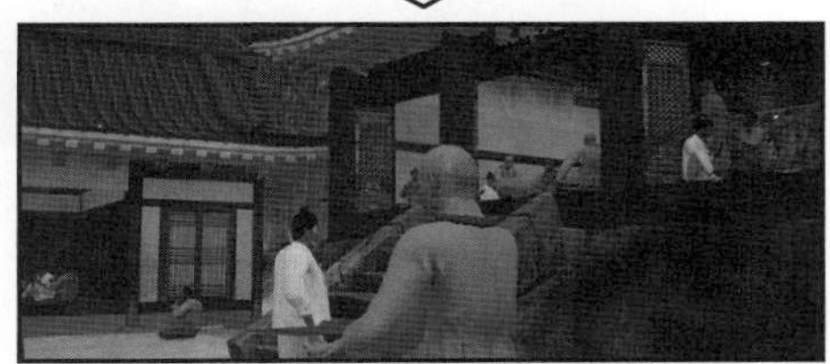

스님과 조선인 복장으로 변장한 사혜에와 첩보대가 대웅전 안에 앉아 있다.
사혜에 무리 L.S.

C#8

특유의 날카로운 눈빛으로 사람들을 훑어보는 사혜에.
스님들이 주먹밥을 가지고 왔다.
주먹밥에 마구 몰려드는 백성들….

스님 1 스님들, 요기 좀 하시지요.

사혜에 무리 F.S., EYE-LEVEL, FIX

S#17 사찰

피난민들 사이에 섞여 있는 사혜에 무리들, 세작들을 만나는 임준영

22 CUTS/9 SET-UPS

EXT

DAY

LOCATION

C#9

절 내의 스님이 주먹밥을 건네자 합장을 하고 밥을 받아드는 사혜에 무리.
주먹밥을 먹던 사혜에가 무표정하게 창밖으로 시선을 던지고,
사혜에 정면 M.F.S, EYE-LEVEL, FIX

C#10

문득 지친 얼굴로 들어서는 임준영을 발견한다.
몇몇 남자들이 임준영을 맞이하고,
임준영 정면 L.S., SLIGHT HIGH ANGLE, FIX

C#11

사혜에 P.O.V., 임준영 M.F.S, EYE-LEVEL,
FOLLOWING PAN

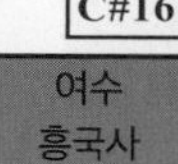

임준영 & 세작들 WALK OUT

C#12

임준영의 얼굴이 왠지 익숙한 사혜에,
순간 그의 얼굴을 기억해낸다.
[C#9 동일] 사혜에 정면 M.F.S, EYE-LEVEL, FIX

C#13

여수
오픈세트

INS. 부산포, 임준영을 밀치는 도깨비 가면의 사혜에.
[S#2] 부산포 / 임준영 F.S., 사혜에 F.I. FOLLOWING TRACK

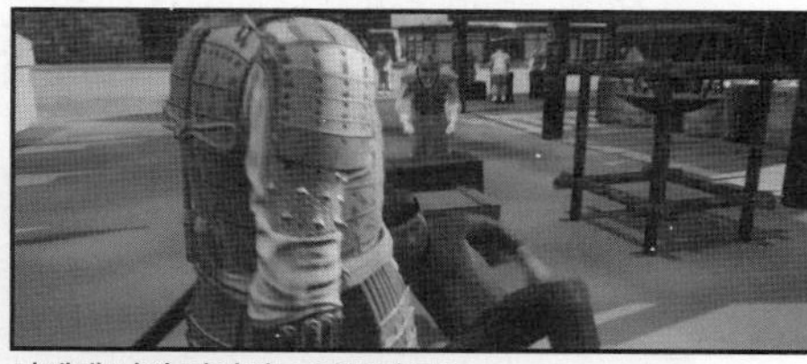

사혜에 너머 넘어지는 임준영 F.S.

C#14

[S#2] 부산포 / 임준영 너머 사혜에 정면 M.F.S,
LOW ANGLE, FIX

C#15

[S#2] 부산포 / 임준영 M.F.S, EYE-LEVEL, FIX

C#16

여수
흥국사

사혜에 저 놈은 부산성에 왔을 때… 재밌는 상황이군….
사혜에 정면 B.S., EYE-LEVEL, FIX

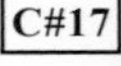

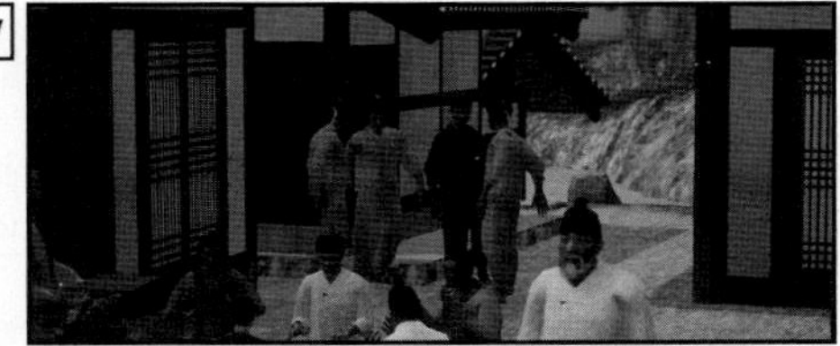

진지하게 남자들과 이야기 중인 임준영.
임준영 & 세작들 L.S., EYE-LEVEL, FIX

C#18

임준영 아무래도 적들이 뭔가를 더 기다리는 듯하오. 내부에도 우리 사람이 있으니 좀 더 두고 봅시다.

임준영 무리 너머 사헤에 L.S., EYE-LEVEL, FIX

C#19

이내 임준영, 피란민들이 들어오는 방향을 거슬러 사라지는데,
사헤에 너머 임준영 L.S., EYE-LEVEL, FIX

C#20

멀리서 뚫어지게 쳐다보고 있는 사헤에….
사헤에 정면 B.S., EYE-LEVEL, TRACK IN

S#17 해안가 어느 길

빠르게 사라지는 임준영, 사혜에 첩보대가 임준영을 쫓는다 22 CUTS/9 SET-UPS

EXT  DAY  LOCATION

C#21

여수 로케

해안가 어느 길
CUT TO
어느 해안가를 걷고 있는 임준영,
임준영 정면 L.S., SLIGHT LOW ANGLE, FIX

빠르게 어딘가로 사라져 가는데,
임준영 F.O. → 첩보대 1 F.I.

C#22

사혜에 첩보대 1 하나가 은밀히 따라붙었다.
첩보대 너머 임준영 후면 L.S., SLIGHT HIGH ANGLE, FIX

S#18 대마도 아소만 가토 병영

출정을 거절하는 가토를 설득하는 칸베에, 마침내 출정을 결심하는 가토　　27 CUTS/14 SET-UPS

EXT

NIGHT

SET

INS. 대마도(쓰시마) 아소만의 전경이 배들과 함께 펼쳐진다.
대마도 전경 E.L.S, BOOM DOWN

대마도 아소만 가토 요시아키 병영.
가토 성 L.S.

가토 성 입구 L.S., SLIGHT LOW ANGLE, FIX

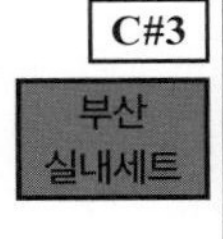

군사 칸베에가 상석에 앉아 있고, 가토가 수하들과 고개를 숙이고 마주 앉아 있는데….

칸베에 겨우 자존심 때문에 태합전하의 명을 어기겠다는 것인가?

가토와 수하들 너머 칸베에 정면 L.S., HIGH ANGLE, FIX

C#4

가 토 그것은 아닙니다!

가토 측면 C.L. M.S., EYE-LEVEL, FIX

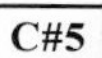

S#18 대마도 아소만 가토 병영

출정을 거절하는 가토를 설득하는 칸베에, 마침내 출정을 결심하는 가토 27 CUTS/14 SET-UPS

 INT  NIGHT  SET

C#5

칸베에 결국 겨우 3만 석 다이묘 따위의 지휘는

가토와 수하들 너머 칸베에 정면 L.S., SLIGHT HIGH ANGLE, FIX

C#6

칸베에 받고 싶지 않다는 것 아닌가?

칸베에 정면 B.S., EYE-LEVEL, FIX

C#7

가 토 …….

가토 측면 C.L. B.S., EYE-LEVEL, FIX

C#8

칸베에, 품 안에서 지도 한 장을 꺼내어 가토에게 던진다.

칸베에 & 가토 측면 L.S., EYE-LEVEL, FIX

C#9

INS. 지도를 펼치는 가토 손

C#10

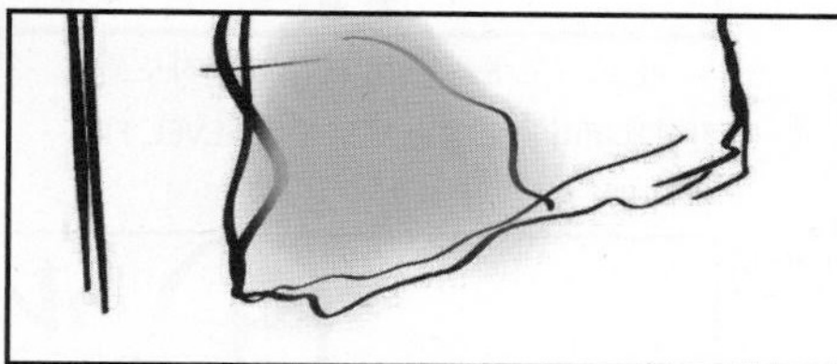

INS. 지도 내 전라도 표시

지도에 황토빛으로 칠해진 전라도의 지도….

칸베에 (OFF SCREEN SOUND) 전라도는

C#11

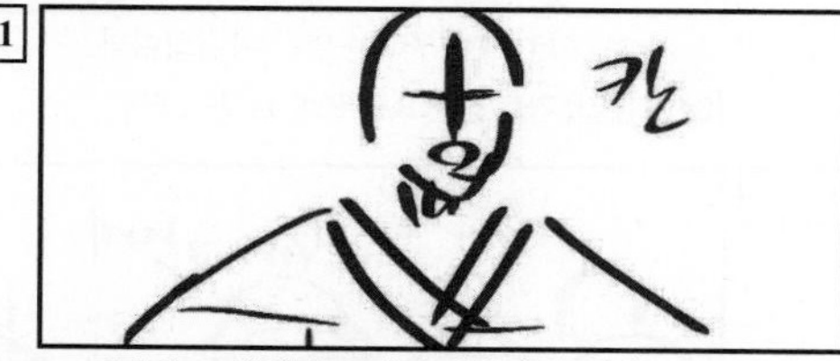

칸베에 조선에서도 가장 비옥한 곳이다!

칸베에 정면 C.S., EYE-LEVEL, FIX

C#12

칸베에 열도와는 전혀 다른 곳이지!

[C#5 동일] 가토와 수하들 너머 칸베에 정면 L.S., SLIGHT HIGH ANGLE, FIX

C#13

칸베에 (OFF SCREEN SOUND) 태합전하의 부산성이 나 지키는 성지기가 될 텐가?

가토 정면 B.S., EYE-LEVEL, FIX

C#14

칸베에 아니면 전라도를 얻고 칠본창 최고의 다이묘가 될 텐가?

[C#11 동일] 칸베에 정면 C.S., EYE-LEVEL, FIX

C#15

가 토 (고개를 들며) 허나 그 전라도를

칸베에 너머 가토 정면 M.S., EYE-LEVEL, FIX

C#16

가 토 와키와 나누라는 말씀 아니십니까?

[C#13 동일] 가토 정면 B.S., EYE-LEVEL, FIX

C#17

칸베에 8백 년 전쯤이었지? 우리 헤이안(平安) 시대에 그곳에 해신(海神)이라 불리는 사람이 있었다.

가토 너머 칸베에 정면 L.S., EYE-LEVEL, ARC RIGHT

C#18

칸베에 그곳 섬 하나를 청해진이라 칭하고 그곳 섬 하나로 산동과 열도를 지배했지.

칸베에 너머 가토 정면 F.S., EYE-LEVEL, ARC LEFT

C#19

칸베에 화려했던 당(唐)과 찬란했던 우리 헤이안쿄(平安京-교토)를 연결했던 곳.

[C#17 동일] 가토 너머 칸베에 정면 M.F.S, EYE-LEVEL, ARC RIGHT

C#20

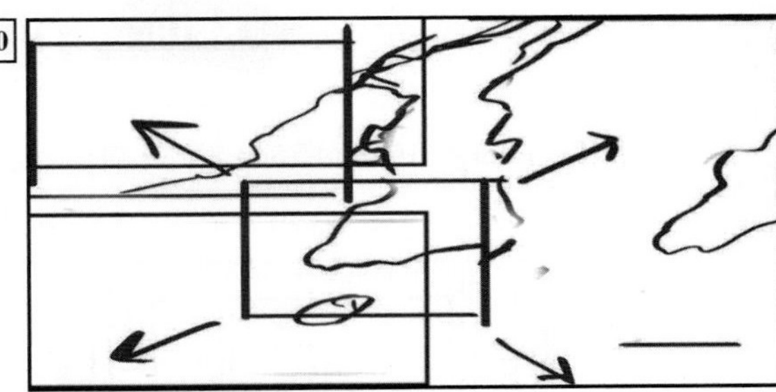

INS. 전라도 지도 C.U., TRACK OUT → 동아시아

칸베에 (OFF SCREEN SOUND) 열도에서는 절대 가질 수 없는 몇백만 석의 쌀이 나는 곳.

C#21

칸베에 (OFF SCREEN SOUND) 그곳이 바로 전라도다.

가토 측면 C.R. B.S., EYE-LEVEL, TRACK LEFT

C#22

칸베에 그런 곳을 다른 이들과 더 나눠 갖지 않는 게 오히려 다행인 듯싶은데….

칸베에, 말을 끊고 지그시 가토를 쳐다본다.

칸베에 정면 C.S., EYE-LEVEL, FIX

C#23

역시 가토는 말이 없고.

[C#13 동일] 가토 정면 B.S., EYE-LEVEL, FIX

C#24

칸베에 또한! 내가 와서 부탁하고 있다. 이 정도면 출정할 명분은 되지 않겠는가?

가 토 …….

[C#22 동일] 칸베에 정면 C.S., EYE-LEVEL, FIX

C#25

가토, 뭔가를 생각하는 듯하더니… 마침내, 넙죽 엎드리며,
칸베에 & 가토 측면 L.S., EYE-LEVEL, FIX

C#26

가 토 제 생각이 짧았습니다. 군사! 출정하겠습니다!

가토 측면 C.R. C.S., EYE-LEVEL, FIX

C#27

칸베에 …….

칸베에 측면 C.L. C.S., EYE-LEVEL, FIX

부산포

임준영이 고바야카와 전령이 들어오는 것을 본다. 임준영을 놓치는 첩보대. 32 CUTS/16 SET-UPS

EXT

DAY
OPEN SET

C#1

여수 오픈세트

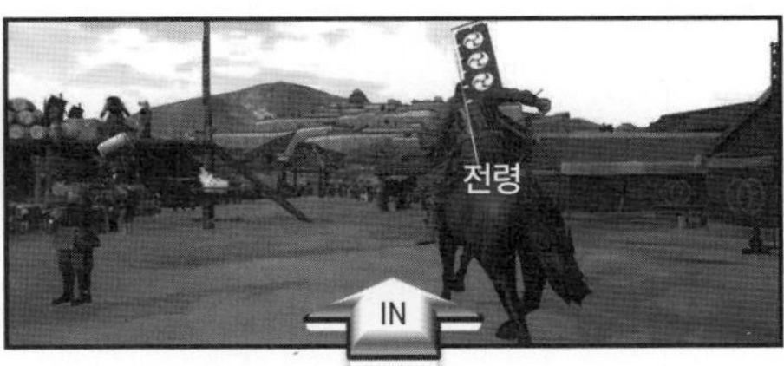

왜성 밖에서 빠르게 깃발을 든 전령이 말을 몰고 들어온다.
태풍문양의 깃발…
6군 고바야카와의 전령이다.
고바전령 후면 F.S., SLIGHT LOW ANGLE, FOLLOWING TRACK

C#2

노역 중 왜성 쪽을 주시하던 임준영이
임준영 정면 L.S., EYE-LEVEL, FIX, 전령 F.I. → F.O.

C#3

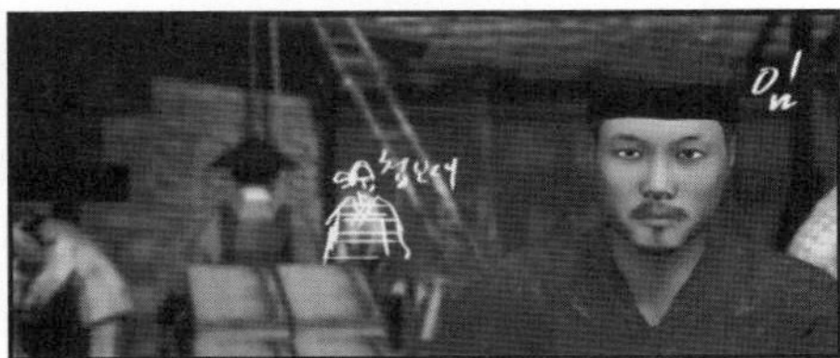

그것을 놓치지 않는다.
임준영 너머 첩보대 정면 L.S., EYE-LEVEL, FIX

C#4

그런 그를 또한 지켜보는 사헤에 첩보대 1.
사헤에 첩보대 너머 임준영 L.S., EYE-LEVEL, FIX

C#5

인력꾼들에 휩쓸려 임준영이 사라진다.
첩보대 P.O.V., 사라진 임준영

S#19 부산포 왜성 본영 전체 회의실 2층

고바야카와군에 좌수영을 협공하자고 제안하는 와키자카

32 CUTS/16 SET-UPS  INT  DAY  SET

부산 실내세트

C#6

두리번거리며 임준영을 찾는 첩보대.

첩보대 정면 B.S., SLIGHT LOW ANGLE, FIX

C#7

CUT TO

와키자카의 2층 회의실, 고바야카와의 전령이 부복하고 있고 와키자카와 두 부하들, 와타나베와 마나베가 함께 앉아 있다. 무릎을 꿇고 고바야카와의 서신을 대신 읽어주는 일본 중 하나가 보인다.

일본중 서신은 잘 받았다. 제안은 고마우나,

전령 너머 와키자카 정면 L.S., HIGH ANGLE, TRACK RIGHT

C#8

일본중 나 고바야카와 디카카게의 제 6군은 예정대로 전주성 공략에 집중하겠다. 이곳 금산성의 민병 토벌도 완료되었으니 곧 출정할 것이다.

마나베 & 와타나베 너머 일본중 정면 F.S., EYE-LEVEL, TRACK RIGHT → 와키자카 측면 F.S.

C#9

와키자카가 묵묵히 듣다 일어선다.

와키자카 측면 C.L. B.S., EYE-LEVEL, FIX

C#10

와키자카 받아 적어라.

와키자카 후면 L.S., EYE-LEVEL, FIX

C#11

일본 중이 머리를 조아리고 받아쓸 준비를 마치면,

일본 중 ¾ C.L. M.S., EYE-LEVEL, FIX

C#12

와키자카 만일 6군이 전주성을 우회하여… 이순신의 좌수영을 노려준다면, 나 와키자카는 전라도에서의 내 몫을

전령 너머 와키자카 정면 L.S., LOW ANGLE, TRACK LEFT

C#13

와키자카 모두 그대에게 할애하겠다.

놀라는 와타나베와 마나베….

일본중 너머 와타나베 & 마나베 정면 F.S., SLIGHT LOW ANGLE, TRACK RIGHT

C#14

와키자카 이 전쟁의 승패는 전주성보다는 좌수영에 달려 있다. 속히 좌수영을 함께 협공하여 태합전하를 기쁘게 해드리자.

와키자카 측면 C.L. C.S., LOW ANGLE, FIX

C#15

CUT TO

INS. 전령통

C#16

자신의 인장(印章)을 찍은 전령통을 주자 황급히 받아 나가는 전령.

와키자카 너머 회의실 L.S., HIGH ANGLE, FIX 전령

C#17

와타나베 주군! 고바야카와에게 정말 전라도를 내주실 생각입니까?

마나베 육군의 도움 없이도 이순신 따위는 잡을 수 있습니다!

와키자카 & 와타나베 & 마나베 M.S. 3, EYE-LEVEL, FIX

C#18

두 사람의 반대에 돌아보는 와키자카.

와키자카 …따위? 그래 그 이순신 따위를 어떻게 잡을 것이냐?

와타나베 & 마나베 너머 와키자카 B.S., EYE-LEVEL, FIX

C#19

마나베 먼저 기습 선제공격을 퍼부어야지요. 정신 차릴 틈조차 갖지 못하도록! 저 광교산처럼 말입니다.

와키자카 & 와타나베 & 마나베 B.S. 3, EYE-LEVEL, FIX,
와키자카 F.O.

C#20

와키자카 (끊으며) 한 수를 더 보도록 하자. 놈을 육지에서도 잡는 것이다. 그것이 그는 갖지 못했고 나는 가진 필승의 전략이다.

와키자카 정면 B.S., EYE-LEVEL, FIX

C#21

마나베가 와키자카 쪽으로 이동하며,

마나베 도노, 하지만 우리는 이미!

와키자카 너머 와타나베 & 마나베 F.S., HIGH ANGLE, FIX

C#22

와키자카 조선과는 곧 전쟁이 끝난다! 관건은 이제 명국과의 싸움이다.

[C#20 동일] 와키자카 정면 B.S., EYE-LEVEL, FIX

C#23

와키자카 우리가 먼저 명에 가게 된다면 우린 더 큰 걸 가지게 될 것이다.

와키자카 너머 마나베 정면 M.S., LOW ANGLE, FIX

C#24

와키자카 전라도 따위가 문제가 아니다. 왜 그걸 모른단 말이냐!

와키자카 정면 C.S., EYE-LEVEL, FIX

C#25

마나베 …….

와타나베 (차분한) 헌데 가토의 군대가 우리 때에 맞춰 와주겠습니까?

와키자카 너머 마나베 & 와타나베 정면 M.F.S, EYE-LEVEL, FIX

C#26

와키자카 칸베에 군사는 믿을 만한 사람이다. 분명 그리해줄 것이다!

와키자카 정면 C.S., EYE-LEVEL, FIX

C#27

와타나베 이틀 남았습니다. 태풍이 오기 전 출정하기로 한 날짜입니다. 그게 가능하겠습니까.

와키자카 너머 와타나베 정면 M.S., SLIGHT LOW ANGLE, FIX

C#28

와키자카 와타나베….

[C#26 동일] 와키자카 정면 C.S., EYE-LEVEL, FIX

C#29

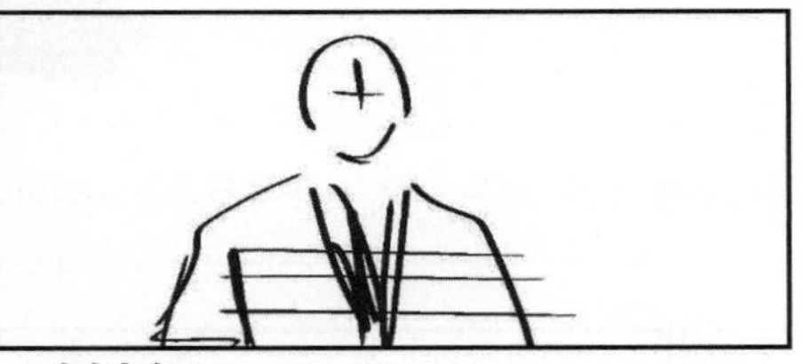

와타나베 …….

와타나베 정면 B.S., EYE-LEVEL, FIX

C#30

와키자카 언제든 출정할 수 있도록 만전을 기해둬라. 네가 유념할 것은 단지 그것이다.

[C#26 동일] 와키자카 정면 C.S., EYE-LEVEL, FIX

C#31

와타나베 송구합니다. 도노!

와타나베 정면 C.S., EYE-LEVEL, FIX

C#32

와키자카 …….

[C#26 동일] 와키자카 정면 C.S., EYE-LEVEL, FIX

S#20 좌수영 서문

피란민들을 검문하는 정운, 사헤에 무리를 유심히 쳐다본다

16 CUTS/5 SET-UPS  EXT  DAY  OPEN SET

C#1

여수 오픈세트

성문 안으로 피란민들이 꾸역꾸역 끝없이 몰려들고 있다. 성 안 좌우 검문대에선 피란민들과 짐들을 검사하며 들여보내느라 죽을 지경들이다.

서문 정면 L.S., EYE-LEVEL, FIX

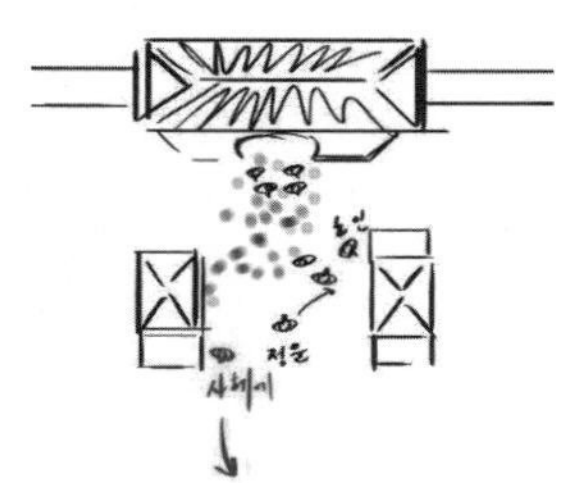

C#2

피란민들 L.S., SLIGHT HIGH ANGLE, FIX

C#3

녹도 만호 정운이 검문을 책임지고 있다.
※정운이 부장을 대동하고 걸어오고 있다.

피란민들 너머 정운 M.F.S, EYE-LEVEL, FIX

C#4

노인에게 다가가는 정운.

정운 F.I. → 정운 너머 검문소 노인 L.S., EYE-LEVEL, FIX

C#5

정 운 (검문받고 있는 노인에게) 어디서 오는 길인가.

노인 너머 정운 정면 B.S., EYE-LEVEL, FIX

C#6

노 인 진주서 옵니다요.

정운 너머 노인 정면 M.S., EYE-LEVEL, FIX

C#7

정 운 그곳은 왜적들을 잘 막아내고 있지 않는가.

[C#5 동일] 노인 너머 정운 정면 M.S., EYE-LEVEL, FIX

C#8

노 인 (고개를 도리도리) 나으리, 곧 나라가 망한다는 소문이 파다합니다요.

[C#6 동일] 정운 너머 노인 정면 M.S., EYE-LEVEL, FIX

C#9

정 운 뭐라?

노인 너머 정운 정면 C.S., EYE-LEVEL, FIX

C#10

노 인 허나 이곳 사또 나리는 다르다 해서 찾아왔습니다요. 제발 들여보내주십시오.

노인 정면 B.S., EYE-LEVEL, FIX

C#11

정 운 …….

[C#9 동일] 노인 너머 정운 정면 C.S., EYE-LEVEL, FIX

C#12

정운이 노인을 보내준다.

정운 너머 노인 정면 M.F.S, EYE-LEVEL, FIX

노인 F.O.

C#13

휭휭히 사라지는 노인 너머 한 무리의 스님들과 짐꾼들이 보인다.

사헤에 무리다. 역시 검문을 마친 듯 짐들을 지고 사라지는데,

정운 P.O.V., 노인 후면 L.S., EYE-LEVEL, PAN RIGHT → 사헤에 무리 L.S.

C#14

유심히 쳐다보는 정운.

정운 정면 B.S., EYE-LEVEL, FIX

C#15

사람들에 뒤섞여 멀어지는 사헤에 무리.

※검문 시에 사헤에 삿갓 목 뒤로 걸쳐져 있다가 다시 쓰면서 멀어진다.

정운 P.O.V., 사헤에 후면 B.S., EYE-LEVEL, FIX

C#16

유심히 보던 정운도 곧 시선을 거둔다.

[C#14 동일] 정운 정면 B.S., EYE-LEVEL, FIX

S#21 좌수영 자당

좌수영 마을로 몰려드는 피란민들을 바라보는 순신과 순신의 어머니 21 CUTS/8 SET-UPS

EXT

DAY

OPEN SET

C#1

여수 오픈세트

피란민들 상황이 한눈에 보이는 근처 자당 언덕 평상,
그곳에 순신이 앉아 있다.
이순신 L.S., HIGH ANGLE, BOOM DOWN

C#2

성문 쪽을 바라보는 이순신.
평상 위에 앉아 있는 이순신 정면 L.S., LOW ANGLE, TRACK IN

C#3

여전히 피란만들이 좌수영 안으로 몰려들고 있는데….
이순신 너머 피란민들 E.L.S, HIGH ANGLE, TRACK IN

C#4

성문에서 검문을 통과하고 있는 피란민들.
피란민들 L.S., HIGH ANGLE, FIX

C#5

순신, 그들을 쳐다보며 심각한 표정으로 생각에 잠겨 있다.
이순신 측면 ¾ C.R. C.S., EYE-LEVEL, TRACK IN

C#6

웬 노인네가 직접 씻은 과일을 쟁반에 챙겨 내어 나온다.
순신 후면 F.S., EYE-LEVEL, FIX, 초계 변 씨 F.I.

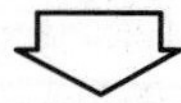

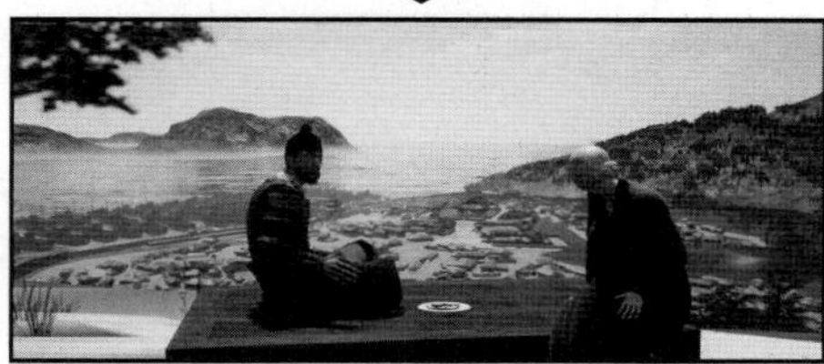

몸을 돌려 앉는 이순신.
이순신 & 초계 변 씨 측면 F.S. 2

C#7

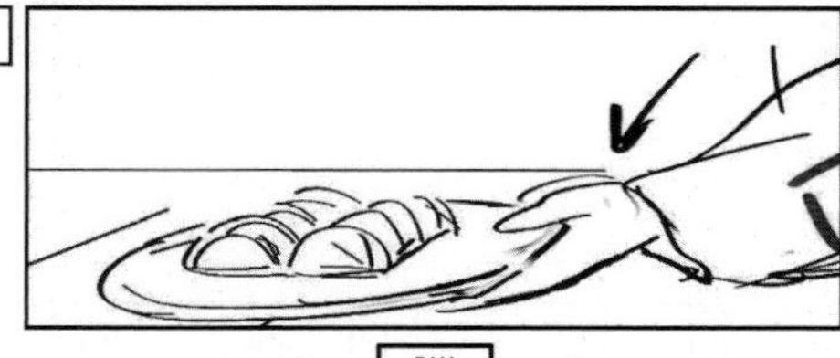

노인, 심각한 순신의 얼굴을 물끄러미 쳐다보며,
초계 변 씨 (이순신 어머니)
과일 접시, TILT UP & PAN RIGHT → 초계 변 씨 정면 C.S.

C#8

어머니 신아. 온 나라를 네 손으로 다 지킬 수는 없는 노릇 아니냐. 너의 입장에서 최선을 다하면 된다.

이순신 너머 초계 변 씨 정면 M.S., EYE-LEVEL, FIX

C#9

이순신 하지만 어머니. 임금의 어가가 국경 끝 의주에 이르렀습니다. 만일 이렇게 전쟁이 끝난다면⋯.

초계 변 씨 너머 순신 정면 M.S., EYE-LEVEL, FIX

C#10

어머니 (차분히) 그것이 분하고 억울하냐.

이순신 이렇게 전쟁이 끝나버리면 저는 어찌해야 될지⋯.

초계 변 씨 & 이순신 측면 F.S. 2, EYE-LEVEL, FIX

C#11

어머니 너는 장수된 자의 충(忠)이 어디를 향해야 한다고 보느냐.

초계 변 씨 정면 C.S., EYE-LEVEL, FIX

C#12

이순신 (주저) 그건⋯.

이순신 정면 B.S., EYE-LEVEL, FIX

C#13

어머니 지금 보고 있지 않느냐.

[C#11 동일] 초계 변 씨 정면 C.S., EYE-LEVEL, FIX

C#14

이순신 ?

[C#12 동일] 이순신 정면 B.S., EYE-LEVEL, FIX

C#15

어머니 저기, 오늘도 네게로 수많은 백성들이 몰려들고 있다.

이순신 너머 초계 변 씨 정면 B.S., EYE-LEVEL, FIX

C#16

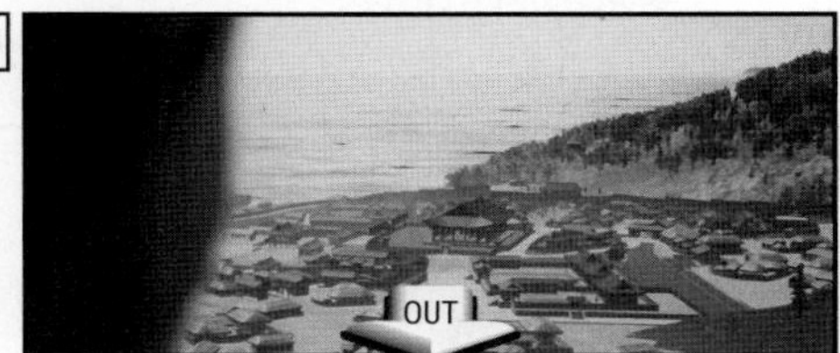

이순신 ⋯⋯.

이순신 너머 피란민들 L.S., EYE-LEVEL, TRACK OUT

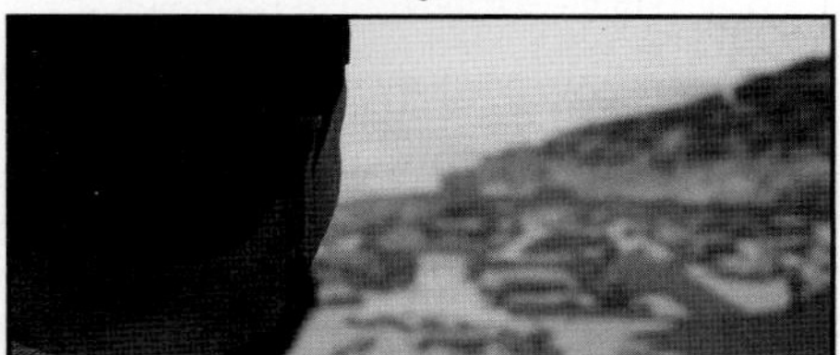

RACK FOCUS → 이순신 후면 C.U.

C#17

어머니 저들은 누굴 믿고 여기까지 왔겠느냐.

초계 변 씨 너머 이순신 정면 C.S., EYE-LEVEL, TRACK OUT

C#18

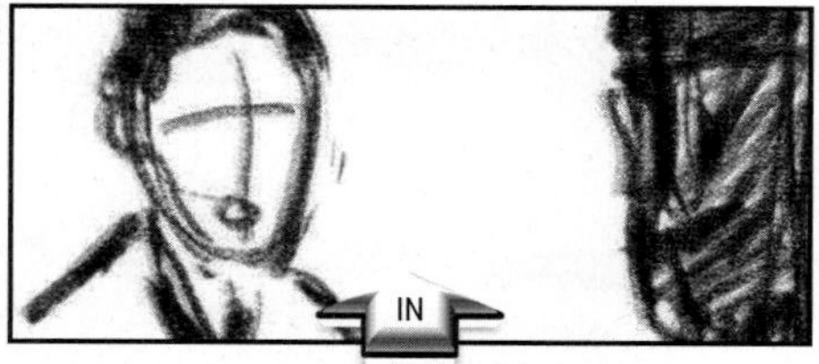

어머니 넌 지금껏 잘 해왔다! 앞으로도 그럴 것이다!

이순신 너머 초계 변 씨 정면 C.S., EYE-LEVEL, TRACK IN

C#19

이순신 어머니….

순신의 머리를 가만히 쓰다듬는 순신의 어머니.

어머니 이제 보니,

이순신 & 초계 변 씨 측면 M.F.S 2, EYE-LEVEL, FIX

C#20

어머니 우리 아들 머리에도 하얀 서리가 내리는구나.

이순신 송구합니다. 어머니. 소자 미처 단장을 하지 못했습니다.

[C#17 동일] 초계 변 씨 너머 이순신 C.S.

C#21

엷은 미소를 띠며 순신을 바라보고 있는 어머니 변 씨.

[C#18 동일] 이순신 너머 초계 변 씨 C.S., EYE-LEVEL, FIX

S#22 **좌수영 감옥 - 고문장**

고문당하는 왜군 포로들, 이순신의 상처 입은 어깨에 박치기를 하는 준사　29 CUTS/15 SET-UPS

EXT　NIGHT　OPEN SET

C#1

여수 오픈세트

감옥 고문장
으아아아! 감옥에서 들리는 비명 소리들….
인두 너머 포로들 M.F.S, EYE-LEVEL, ARC LEFT

으아아아! 벽면을 타고 횃불에 비친 그림자들이 발버둥 치며 일렁이는데,
포로 너머 순신 정면 L.S.

C#2

순신이 무표정하게 지켜보고 있다.
순신 앞에는 노획물인 듯 왜색 짙은 황금 부채 하나가 놓여 있다. 가운데 형틀에 묶여 고문당하는 왜군 포로들….
이순신 너머 포로들 L.S., SLIGHT HIGH ANGLE, TRACK RIGHT

C#3

그 사이 고통을 이겨내며 눈빛만이 살아 있는 왜군관(준사)의 모습도 보이는데,
준사 측면 C.R. M.S., SLIGHT LOW ANGLE, FIX

C#4

포로들을 보는 순신.
이순신 정면 B.S., SLIGHT LOW ANGLE, FIX

C#5

역 관 (일본어) 왜 사천의 육군 별동대가 충청 땅 금산성으로 합류하려 했느냐?
포로들 너머 역관 정면 L.S., LOW ANGLE, FIX

C#6

역 관 금산성을 넘어 전라도 전주성을 치려는 것 아니냐? 그날이 언제더냐?
준사 너머 이순신 정면 L.S., EYE-LEVEL, FIX

C#7

으아아! 다시 비명. 포로들이 고통 속에 애원하듯 소리치며 비명을 지른다.

왜군 포로 저는 아무것도 모릅니다. 정말 모릅니다. 저는 그저 밑에 하급 무사일 뿐….
이순신 너머 포로 정면 M.F.S, HIGH ANGLE, FIX

C#8

왜군 포로 (OFF SCREEN SOUND) 제발 살려주시오!
왜군 포로들의 고문을 무표정하게 지켜보고 있는 순신….
[C#4 동일] 이순신 정면 B.S., SLIGHT LOW ANGLE, FIX

C#9

(원하는 대답이 아닌 듯 역관이 순신에게 고개만 가로젓는데.) 갑자기 순신에게 또렷한 조선말로 소리치는 형형한 눈빛의 왜군관 준사.

준 사 (웃음을 터뜨리며, 조선말로) 이 어리석은 것들아! 전주성이 문제가 아니니다!
준사 측면 C.R. B.S., EYE-LEVEL, FIX

C#10

준 사 (OFF SCREEN SOUND) 우리 군사들이 부산에 태산처럼 집결하고 있다!

언뜻 황금 부채 쪽으로 고개를 돌려,
이순신 정면 M.F.S, LOW ANGLE, FIX

C#11

INS. 황금 부채, PAN LEFT
부채 속 명국을 넘어 크게 열린 바다 지도를 보는 순신.

준 사 (OFF SCREEN SOUND) 곧 모조리 너희를 쓸어 버리고 명을 넘어

C#12

준 사 인도까지 갈 것이다!

[C#9 동일] 준사 측면 C.R. C.S., EYE-LEVEL, FIX

C#13

준 사 살려달라고 목숨이나 구걸하는 게 어떠하냐!

[C#4 동일] 이순신 정면 B.S., SLIGHT LOW ANGLE, FIX

C#14

준 사 하하하하!

역관이 당황한다. 그런 준사를 말없이 바라보는 순신….
이순신 너머 준사 정면 M.F.S, SLIGHT HIGH ANGLE, FIX

C#15

순신, 일어나 준사에게 다가가는데….
준사 너머 이순신 정면 L.S., EYE-LEVEL, FIX

C#16

이순신 너는 누구냐.

준사 너머 이순신 정면 C.S., LOW ANGLE, FIX

C#17

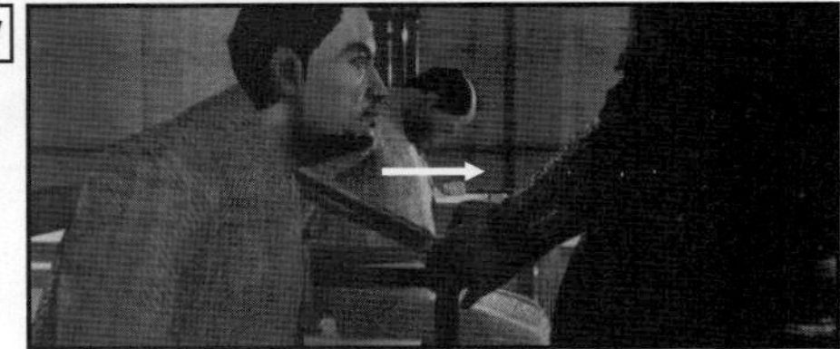

준사 비릿하게 웃더니 갑자기 순신의 상처 입은 어깨에 박치기를 한다.
이순신 & 준사 측면 B.S., EYE-LEVEL, FIX

C#18

헛! 순신이 뒤로 주춤!
준사 너머 이순신 정면 M.F.S,
SLIGHT LOW ANGLE, TRACK IN

C#19

바닥에 엎어지는 준사,
이내 병사들에게 죽을 듯 맞지만
고문장 L.S., HIGH ANGLE, FIX

C#20

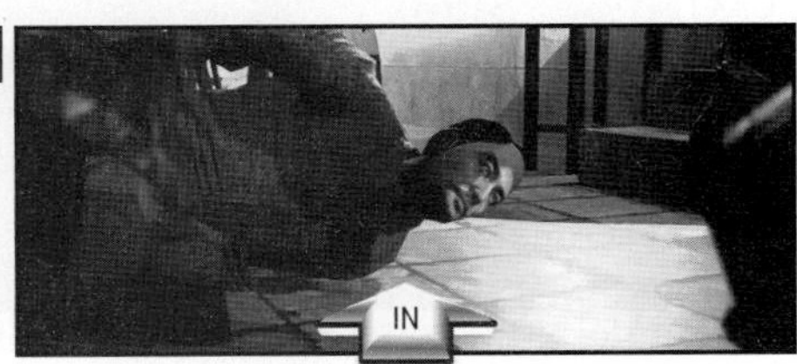

오히려 광인처럼 미친 듯 웃어댄다.
준사 M.F.S, EYE-LEVEL, TRACK IN

S#22 좌수영 감옥 - 별실

반쯤 정신을 잃은 준사를 감옥에 처넣는 조선 병사들

29 CUTS/15 SET-UPS  INT  NIGHT OPEN SET

C#21

감옥 별실
CUT TO
어둠이 깔린 좌수영의 감옥,
벽의 그림자 F.S., TRACK OUT → 감옥 복도 L.S.

문득 어수선한 여러 발걸음 소리가 들리며 모퉁이에서 돌아나오는 횃불들!
횃불을 든 병사 둘 뒤로 조선 병사 두 명이 반쯤 의식을 잃은 준사를 질질 끌고 감옥 복도로 들어선다.
준사 & 병사들 F.I., FOLLOWING TRACK

C#22

준사가 끌려가는 것을 목창살을 통해 안타깝게 보는 왜군 포로들….
왜군 포로 정면 B.S., EYE-LEVEL, FIX

C#23

어느 감옥의 문이 열리고,
준사를 감옥에 처넣는 조선 병사들!
준사 M.F.S, EYE-LEVEL, FIX

C#24

조선병사1 독한 새끼!

포로들 너머 준사 F.S., HIGH ANGLE, FIX

C#25

옆방의 왜군 포로 1이 벽에 바짝 붙어서 준사에게 말을 건다.

왜군포로2 도노 같은 분이 있어 우리가 버팁니다!

왜군포로3 도노는 우리의 영웅이십니다!

왜군 포로들 정면 B.S., EYE-LEVEL, PAN LEFT

C#26

준사, 그대로 바닥에 풀썩하고 감옥 천장을 바라보는데,
준사 F.S., HIGH ANGLE, BOOM DOWN

C#27

INS. 회상) 자신에게 다가오는 순신.
이내 "너는 누구냐."
이순신 정면 M.S., LOW ANGLE, FIX

C#28

순신을 떠올리는 준사.
준사 정면 M.S., HIGH ANGLE, FIX

C#29

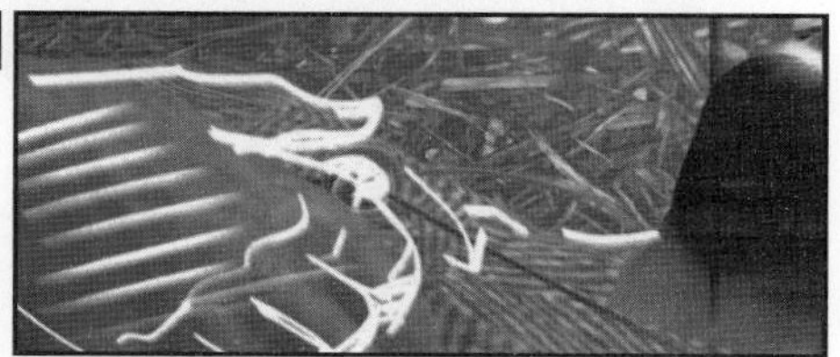

가만히 목에 매달려 있는 도깨비 문양의 목걸이를 손으로 쥐고 눈을 감는 준사….
※목걸이를 옷 속으로 집어넣는다.
도깨비 목걸이 C.U., EYE-LEVEL, FIX

S#23 녹둔도 벌판 - 꿈

순신을 향해 다가오는 여진족이 거대한 성벽으로 바뀌고,
화살들이 날아든다

30 CUTS/17 SET-UPS  EXT  DAY  LOCATION

C#1

군산 새만금 간척지

한겨울, 벌판 위를 달리는 여진족 무리와 그들을 쫓는 조선군.
여진족 후면 E.L.S, EYE-LEVEL, PUSH IN

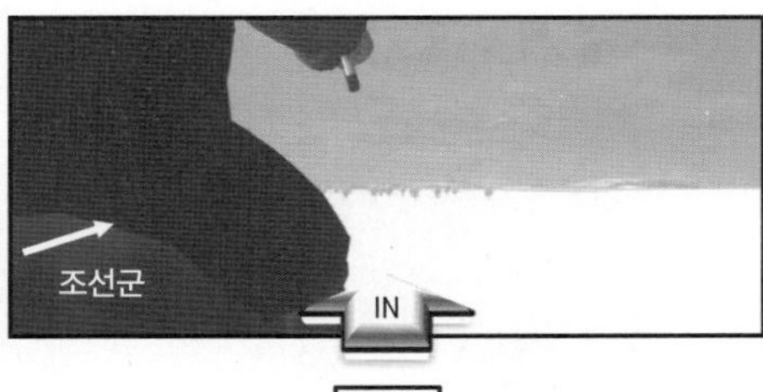

조선군 양쪽으로 F.I., PUSH IN

C#2

여진족 무리를 쫓는 조선군.
여진족 측면 L.S., EYE-LEVEL,
FOLLOWING TRACK & PAN RIGHT

조선군 측면 L.S.

C#3

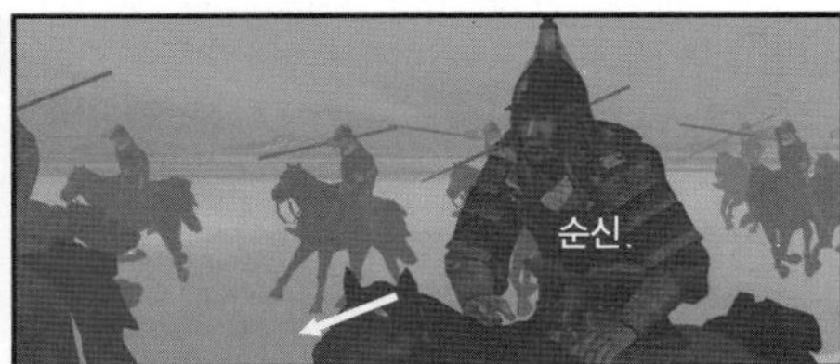

동복 갑옷의 젊은 순신이 말 탄 부하들과 함께 말 탄 한 무리의 여진족들을 쫓고 있다.
화살을 날리며 뒤쫓고 있는 순신, 비 오듯 땀을 흘리며 힘겨워 보이는데,
이순신 ¾ C.L. M.S., EYE-LEVEL, FOLLOWING TRACK

이순신 ¾ C.L. B.S

C#4

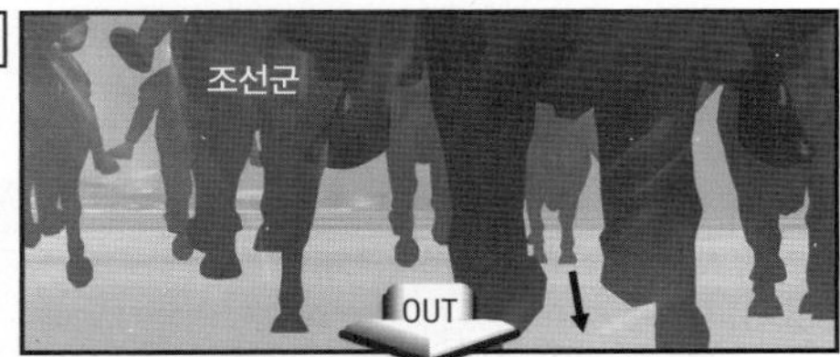

빠른 속도로 달리는 말.
말 다리 정면 M.S., EYE-LEVEL, PULL BACK

C#5

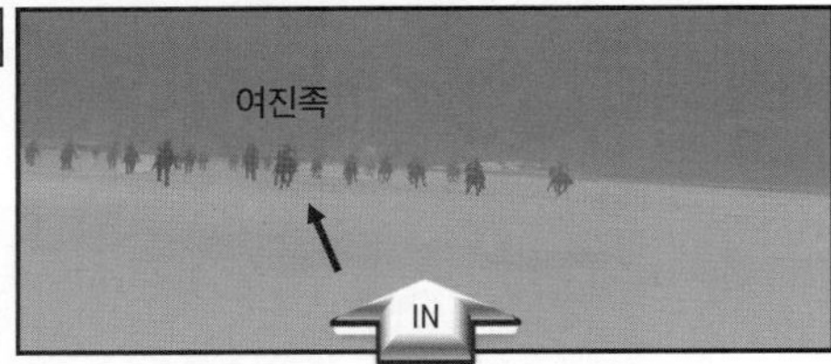

흙먼지를 내며 내달리는 여진족 무리.
여진족 무리 후면 L.S., EYE-LEVEL, PUSH IN

C#6

일순 휙! 여진족 족장인 듯한 한 사내가 화살을 피하며 뒤돌아본다.
여진족 족장 M.S., SLIGHT LOW ANGLE, PUSH IN

C#7

쫓아오는 순신의 무리.
여진족 족장 너머 조선군 정면 L.S., EYE-LEVEL, PULL BACK

C#8

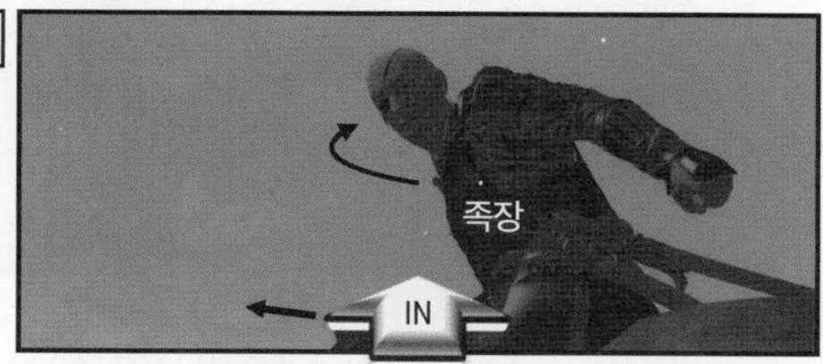

여진족 족장이 더욱 속도를 낸다.
여진족 족장 M.F.S, LOW ANGLE, PUSH IN

채찍을 휘두르며 박차를 가한다.
여진족 족장 후면 F.S., PUSH IN

속도를 내며 멀어지는 여진족 무리.
여진족 후면 L.S.

C#9

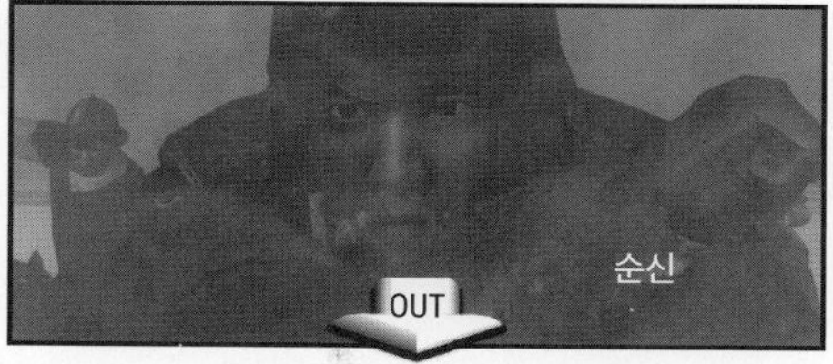

쫓아라! 순신 또한 부하들을 독려하며 박차를 가하는데,
이순신 정면 C.S., EYE-LEVEL, PULL BACK

C#10

점점 멀어지다가
이순신 P.O.V., 여진족 후면 E.L.S, EYE-LEVEL, PUSH IN

시야에서 사라지는 여진족.

C#11

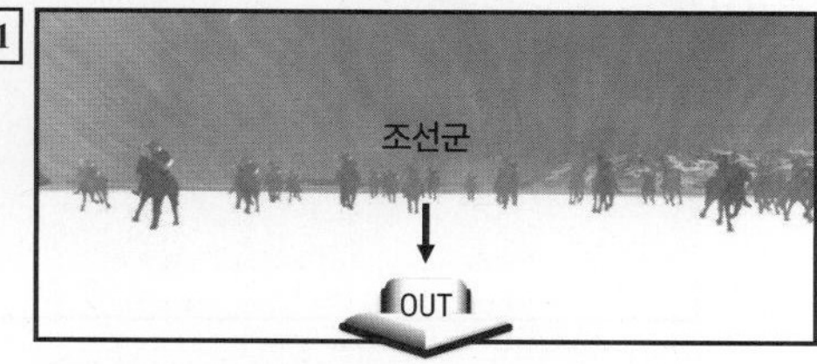

조선군들은 계속 쫓아가는데,
조선군 정면 L.S., SLIGHT LOW ANGLE, PULL BACK

C#12

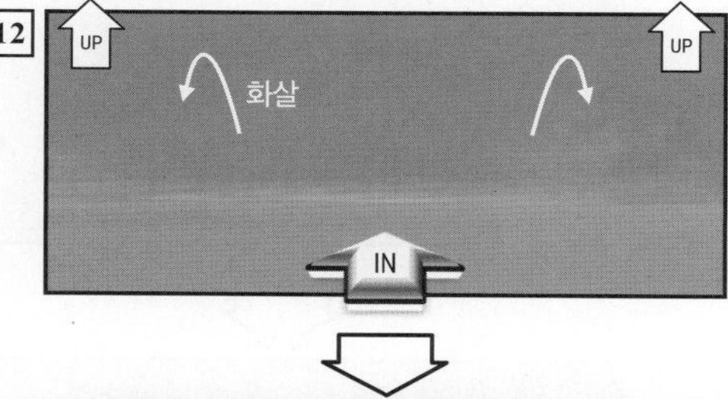

갑자기 사방에서 날아오는 화살들!
[C#12 동일] 이순신 P.O.V., EYE-LEVEL, PUSH IN & TILT UP

C#13

화살을 발견하고 위를 쳐다보는 순신.
이순신 정면 M.S., EYE-LEVEL, PULL BACK

C#14

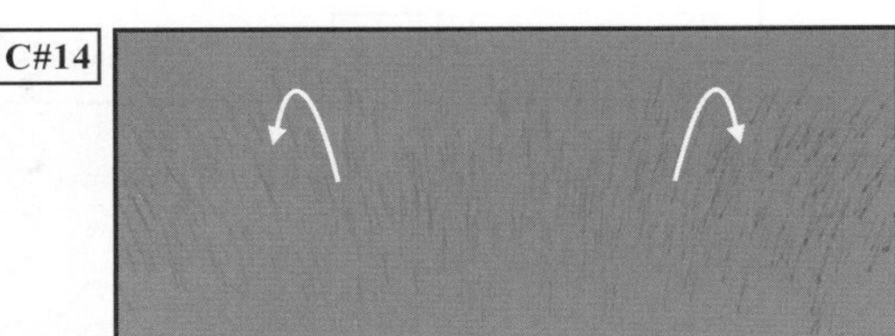

무수한 화살들이 날아온다.
이순신 P.O.V., 화살들

C#15

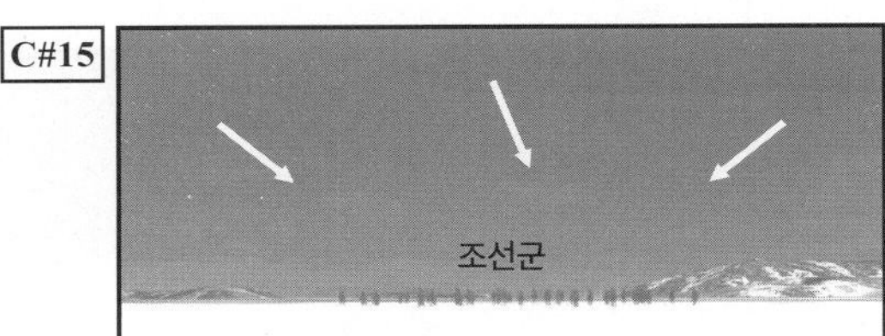

화살이 달려오던 조선군들을 향하고,
조선군 정면 E.L.S, EYE-LEVEL, TILT DOWN

C#16

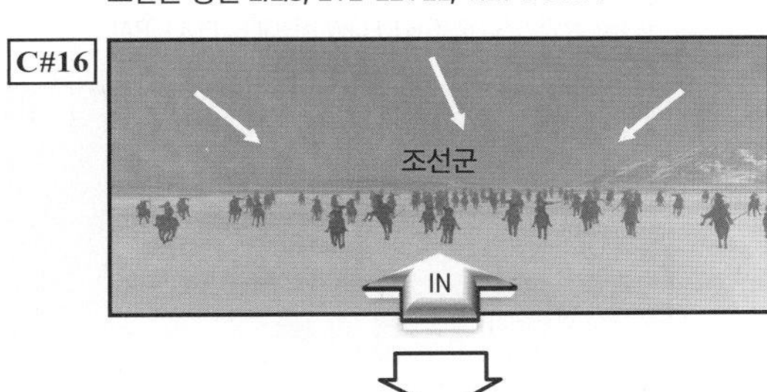

순신의 부하들이 마구 쓰러진다.
조선군 정면 L.S., HIGH ANGLE, PUSH IN

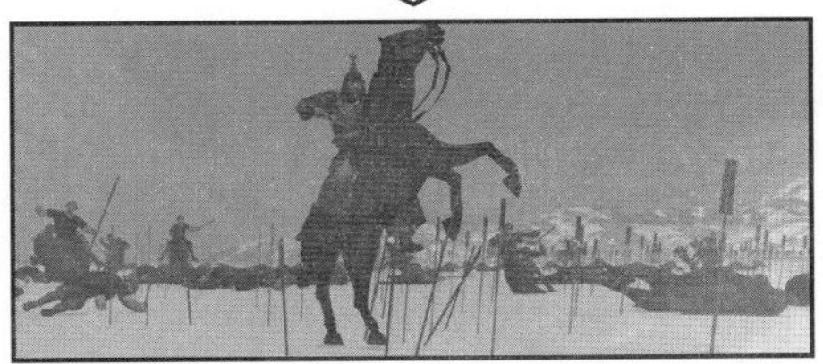

모든 부하들이 여진족의 화살에 쓰러지고 혼자 남는 순신.
고속촬영, 이순신 정면 F.S., LOW ANGLE

C#17

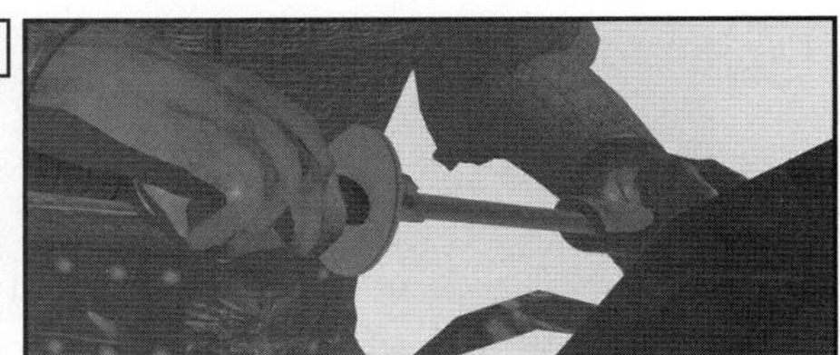

순신, 급하게 멈춰 서며 강하게 자신의 칼을 움켜쥐는데,
고속촬영, 이순신 손 C.U., EYE-LEVEL, FIX

C#18

칼을 뽑아드는 순신.
고속촬영, 이순신 정면 M.F.S, SLIGHT LOW ANGLE, FIX

C#19

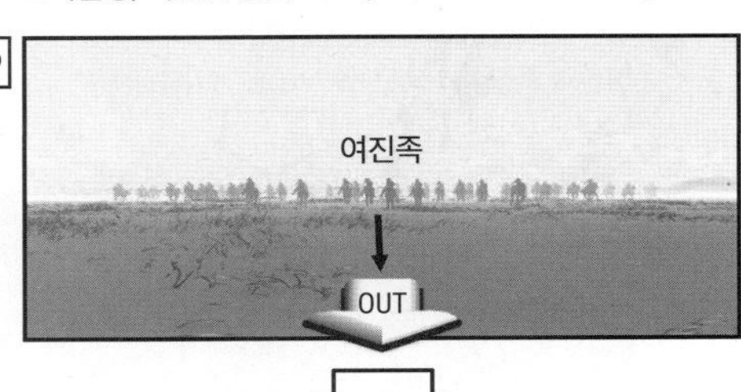

어느새 앞쪽 사방에서 등장해 반월형으로 순신을 옥죄어오는 여진족들.
고속촬영, 여진족 정면 L.S., EYE-LEVEL, PULL BACK

C#20

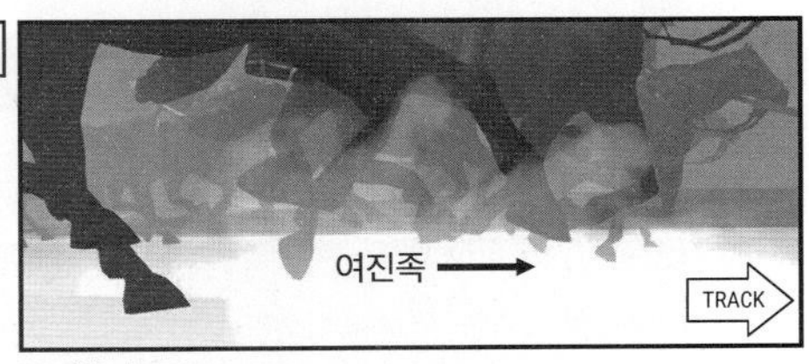

무서운 속도.
고속촬영, 말 다리 측면 M.S., EYE-LEVEL, FOLLOWING TRACK

C#21

자신을 둘러싸고 달려오는 여진족들의 말들이

고속촬영, 여진족 정면 L.S., SLIGHT LOW ANGLE, ZOOM IN & TRACK OUT

C#22

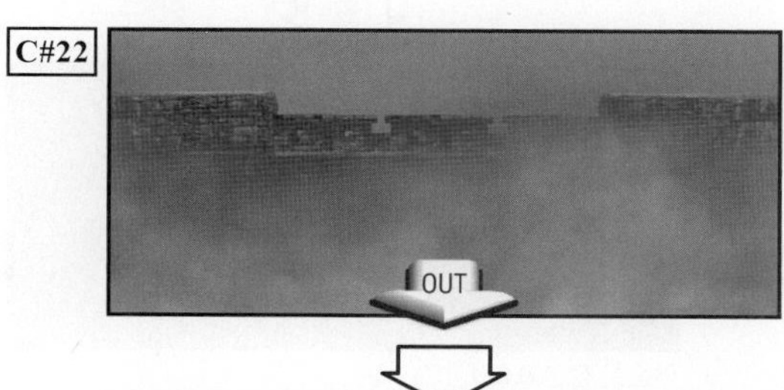

어느새 반월형의 거대한 목책 성벽으로 바뀐다.

고속촬영, 성벽 L.S., PULL BACK

C#23

순신, 순간 어쩔 줄을 모르고

고속촬영, 이순신 정면 C.S., EYE-LEVEL, PULL BACK & BOOM UP

C#24

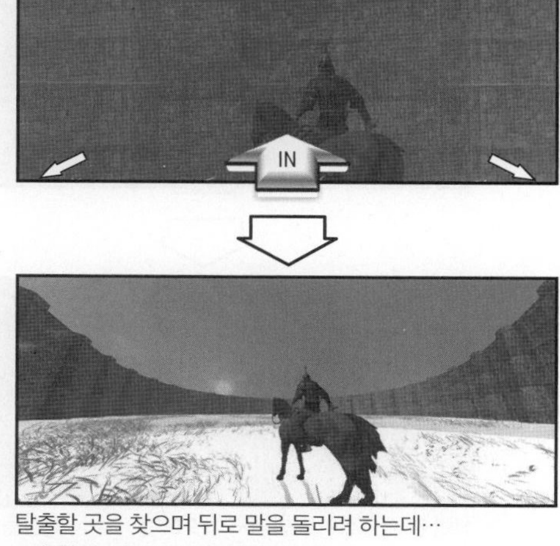

탈출할 곳을 찾으며 뒤로 말을 돌리려 하는데…

고속촬영, 이순신 너머 성벽 L.S., SLIGHT LOW ANGLE, ZOOM OUT & TRACK IN

C#25

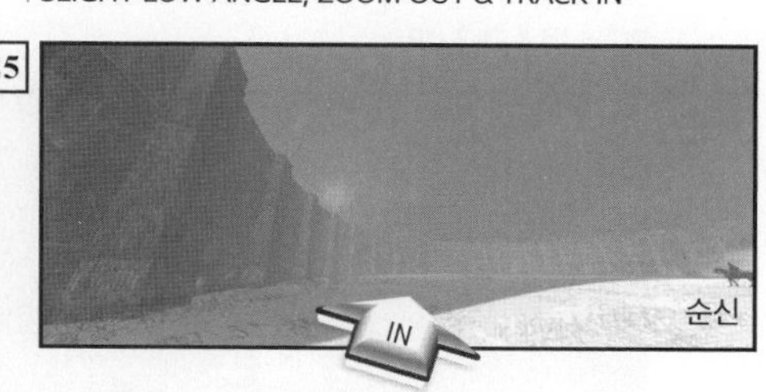

거대한 성벽에 압도당하는 순신,

고속촬영, 성벽 & 이순신 L.S., LOW ANGLE, PUSH IN

C#26

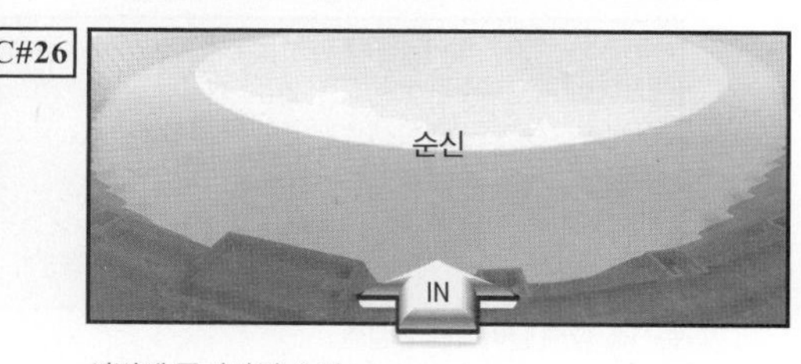

성벽에 둘러싸인 순신.

고속촬영, 성벽 너머 이순신 E.L.S, HIGH ANGLE, PUSH IN

C#27

무언가에 놀란다.

고속촬영, 이순신 정면 C.U., EYE-LEVEL, FIX

C#28

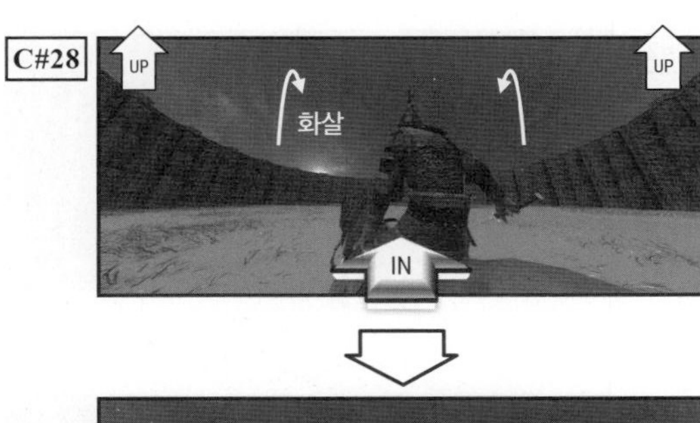

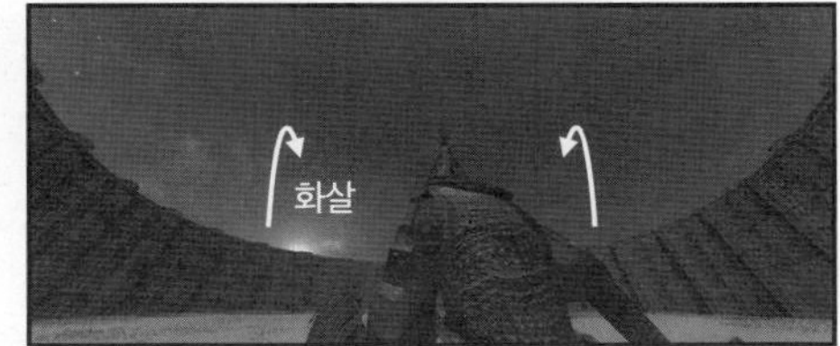

성벽 위 횃불들이 사방에서 치솟으며, 무수한 화살들이 순신에게 날아든다!

고속촬영, 이순신 너머 성벽 L.S., LOW ANGLE, PUSH IN & TILT UP

C#29

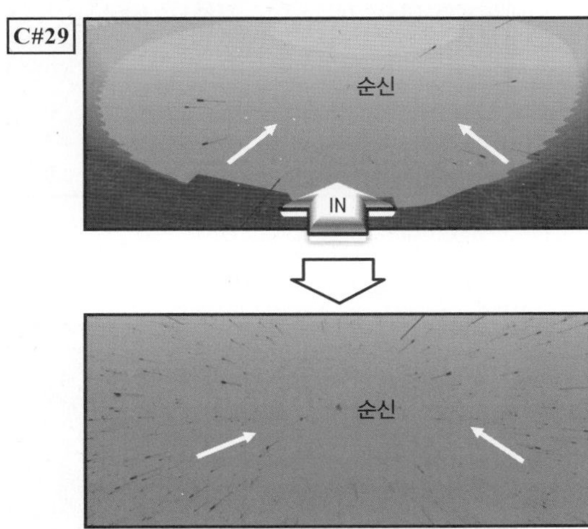

순신을 향해 날아가는 화살들.

고속촬영, 이순신 E.L.S, HIGH ANGLE, PUSH IN

C#30

날아드는 화살을 바라만 보는 순신.

고속촬영, 이순신 정면 M.F.S, HIGH ANGLE, ZOOM IN

이순신 정면 C.U., ZOOM IN

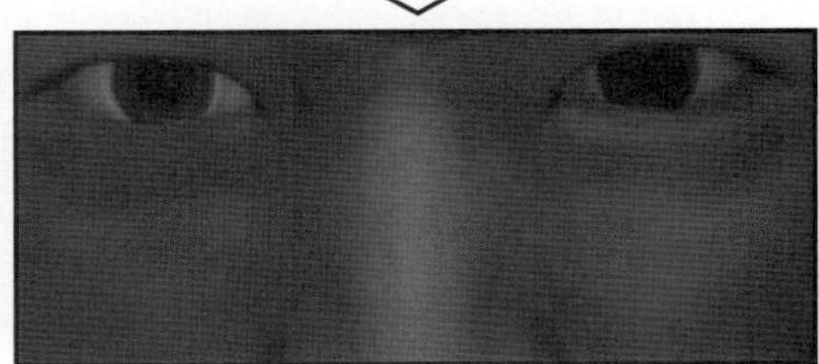

이순신 정면 B.C.U

S#24 좌수영 이순신의 처소

꿈에서 깨어난 순신, 이광의 서찰을 다시 읽는다

9 CUTS/7 SET-UPS  INT  DAWN  OPEN SET

C#1

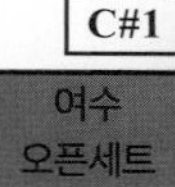

허헉! 벌떡 일어나 땀을 한 바가지 쏟아내고 있는 순신,

이순신 측면 B.C.U, EYE-LEVEL, FIX

C#2

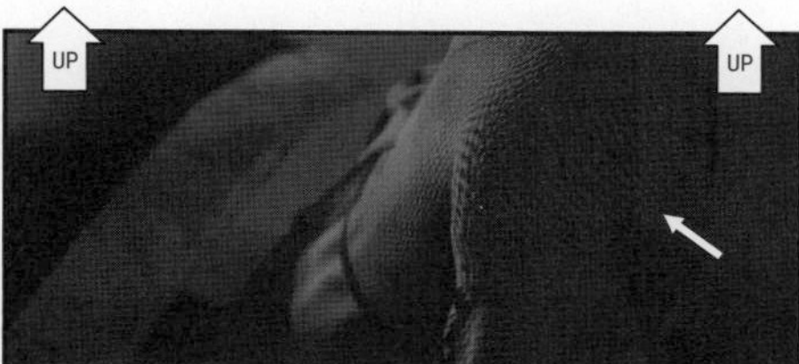

부항과 뜸의 흔적 속… 몸의 떨림이 서서히 멈추고, 어깨에 난 총탄 상처 자리…

붕대가 풀려 상처가 훤히 내보인다.

이순신 어깨 M.S., HIGH ANGLE, TILT UP

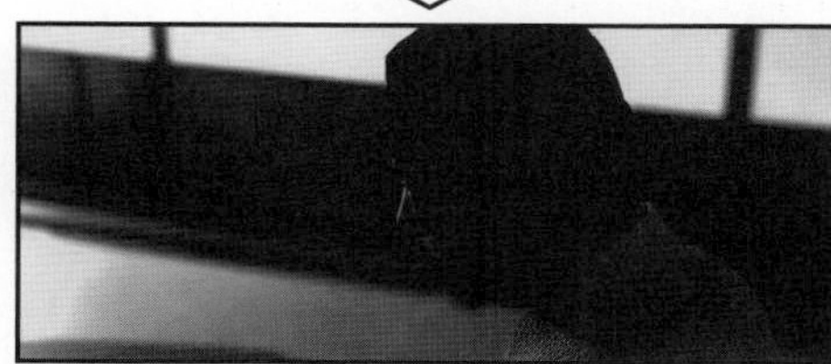

이순신 어찌해 이런 꿈을….

이순신 측면 C.L. C.S., HIGH ANGLE

C#3

순신, 흐트러진 진법도들을 보면 여러 진법도들이 어수선하게 펼쳐져 있고, 촛불에 불을 밝히는 순신.

이순신 후면 L.S., HIGH ANGLE, FIX

C#4

표정이 어두워지는 순신, 탁자 쪽으로 돌아본다.

이순신 ¾ C.L. B.S., EYE-LEVEL, FIX

C#5

문득 진법도 옆 어영담이 전해줬던 이광의 서찰에 눈이 가는데….

이순신 후면 F.I. → **이순신 너머 이광 서찰** C.U., SLIGHT HIGH ANGLE, FIX

C#6

서찰을 다시 읽다가 고개를 드는 순신.

어영담(V.O.) 협판안치는 수성을 하지 않고도 실질적으로 수성에 성공한 셈이지요.

이순신 정면 M.S., SLIGHT LOW ANGLE, TRACK IN

C#7

여수
오픈세트

부안 새만금
홍보관 근처

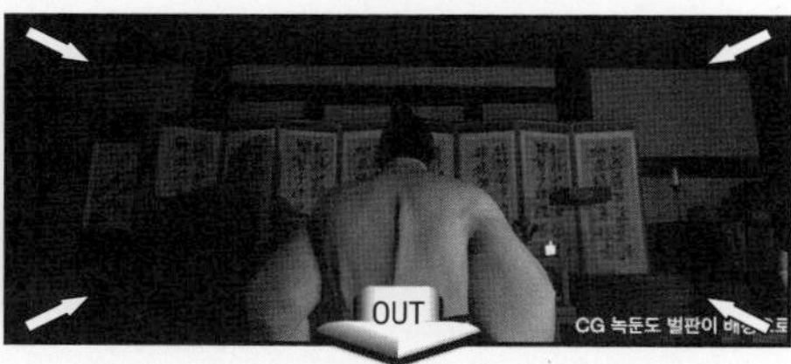

더불어 떠오르는 조금 전의 꿈, 자신을 둘러싼 채 달려오는 여진족들의 말들이 반월형의 거대한 목책 성벽으로 바뀌는 모습.

이순신 후면 M.S., **배경 녹둔도 벌판** CG, SLIGHT LOW ANGLE, ZOOM IN & TRACK OUT

C#8

부안 새만금
홍보관 근처

녹둔도 벌판
거대한 성벽에 압도당하는 순신.
[S#23] 고속촬영, 성벽 L.S., LOW ANGLE, PUSH IN

C#9

여수
오픈세트

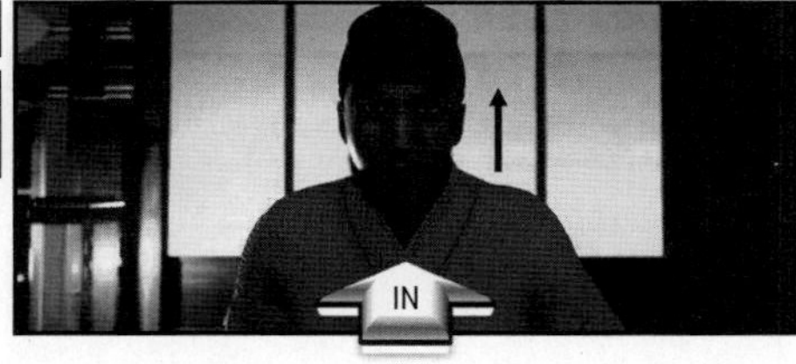

이순신 !
(뭔가 영감을 받은 듯 황급히 관복을 챙겨 입기 시작하는데,)
[C#6 동일] 이순신 정면 B.S., EYE-LEVEL, TRACK IN

S#25 당포 근처 바다 - 협선 위

어영담과 함께 탐망을 나선 이순신. 원균함이 다가온다

41 CUTS/21 SET-UPS  EXT  DAWN  OPEN SET

C#1

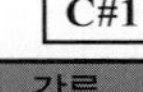
강릉 VFX세트

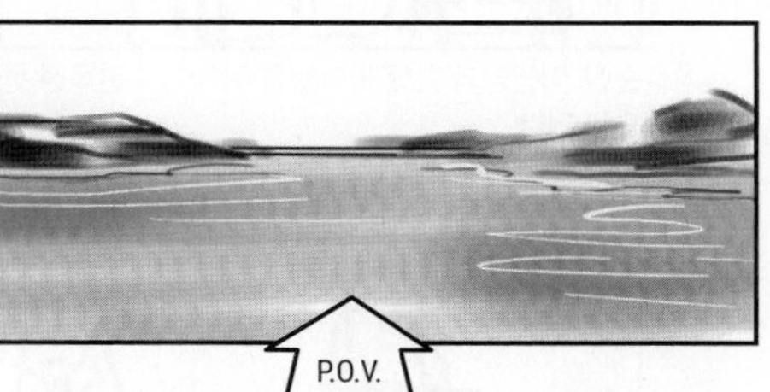

P.O.V.

섬들이 그 윤곽을 또렷이 드러내고 있는 동 트기 전 아침…

이순신 P.O.V., 바다 L.S., EYE-LEVEL, PUSH IN

C#2

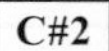

협선을 타고 어딘가로 이동 중인 순신의 모습이 보인다.

어영담 너머 이순신 정면 C.S., EYE-LEVEL, FIX

C#3

송희립이 순신의 뒷모습을 물끄러미 보며 대동하고 있고 배의 선수에는 어영담이 길을 잡고 있다.

※돛이 걷힌다.

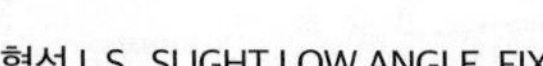

협선 L.S., SLIGHT LOW ANGLE, FIX

C#4

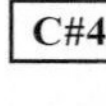

P.O.V PAN

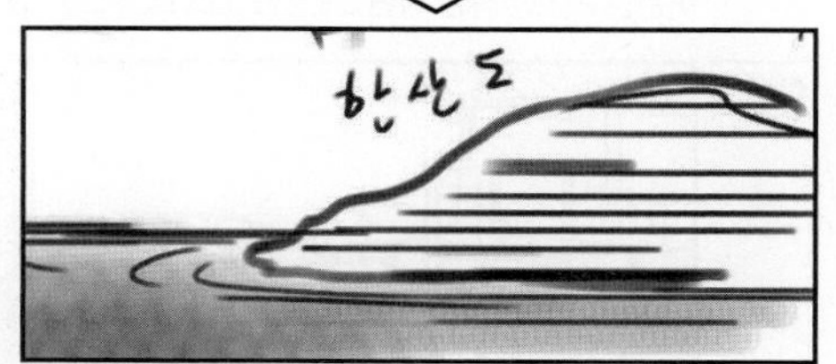

이순신 P.O.V., 견내량 → 한산도, PAN RIGHT

C#5

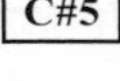

신중히 살피는 순신.

이순신 정면 C.S., EYE-LEVEL, FIX

C#6

어영담 (순신을 돌아보며) 저기가 당포입니다. 그 너머 견내량을 타고 들어가면 바로 부산포로 향하는 길이지요. 이 시간이면 물살도 그리 흐르니 더 속도가 날 겁니다.

이순신 너머 어영담 M.F.S, EYE-LEVEL, FIX

C#7

송희립 장군. 더는 위험합니다. 돌아가시지요. 적들이 언제 출몰할지 모릅니다.

순신, 대꾸 없이 선수의 어영담에게 다가간다.

어영담 너머 이순신 & 송희립 정면 M.S., EYE-LEVEL, FIX

이순신 기세 좋은 부산포의 적장 말입니다.

이순신 다가오며 정면 B.S.

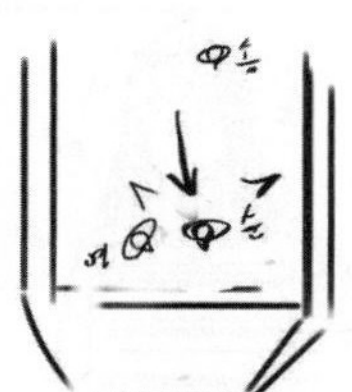

C#8

이순신 필시 선제적으로 움직이려 하겠지요?

어영담 너머 이순신 측면 C.R. B.S., EYE-LEVEL, FIX

C#9

어영담 그래서 그때가 언제인지를 아는 것이 무엇보다 중요하지 않겠습니까.

이순신 너머 어영담 정면 B.S., EYE-LEVEL, FIX

C#10

이순신 허면… 우리가 이곳에 와,

[C#8 동일] 어영담 너머 이순신 측면 C.R. B.S., EYE-LEVEL, FIX

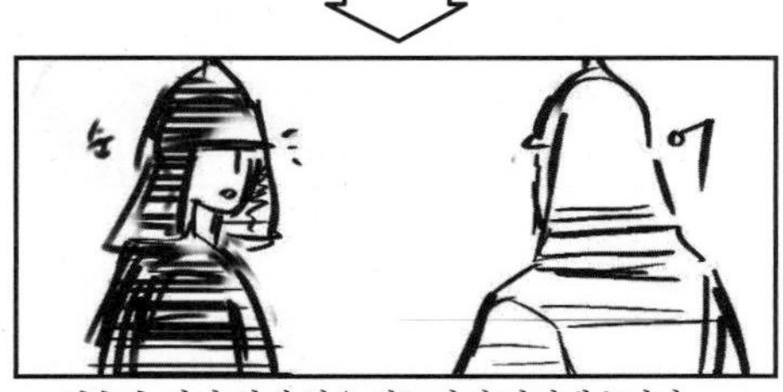

이순신 바다 위에 성을 쌓는다면 어떻겠습니까.

C#11

어영담 ? 무슨 말씀이신지….

[C#9 동일] 이순신 너머 어영담 정면 B.S., EYE-LEVEL, FIX

C#12

이순신 …….

장군! 문득 송희립이 뭔가를 가리키며 순신을 부른다.

[C#8 동일] 어영담 너머 이순신 정면 B.S., EYE-LEVEL, FIX

C#13

순신, 어영담과 함께 돌아보면 뒤쪽에서 판옥선 한척이 다가오고 있다.

송희립 너머 원균함 L.S., EYE-LEVEL, FIX

C#14

판옥선을 바라보는 순신과 어영담.

이순신 & 어영담 정면 B.S. 2, EYE-LEVEL, FIX

C#15

CUT TO

판옥선 갑판 위,

이순신 협선 & 원균함 L.S., EYE-LEVEL, FIX

C#16

P.O.V

원균이 수하 장수들과 함께 호기로운 표정으로 순신을 맞이한다.

원 균 이곳 경상 우수영 구역까지 납시다니

이순신 P.O.V., 원균 정면 L.S, EYE-LEVEL, PUSH IN

C#17

원 균 그대의 공무가 참으로 다사(多事)하네그려.

갑판 위 L.S., SLIGHT HIGH ANGLE, FIX

S#25 당포 근처 바다 - 원균함

순신은 원균에게 수성을 하겠다고 말하며 우수영 유지를 청한다

41 CUTS/21 SET-UPS

EXT

DAWN

OPEN SET

C#18

이순신 …….

원균 너머 이순신 정면 M.F.S, LOW ANGLE, FIX

C#19

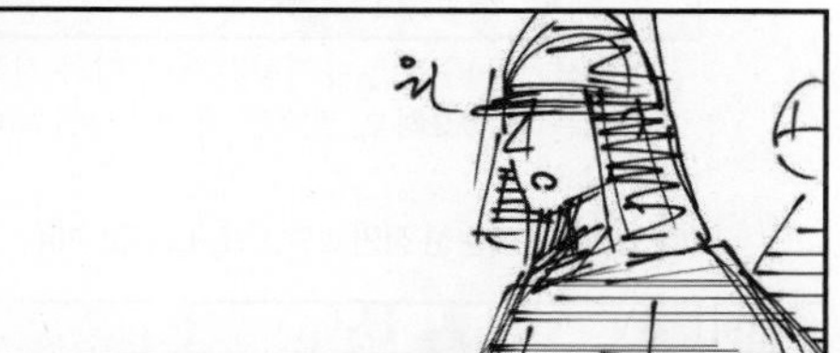

원 균 (이내 속내를 알겠다는 듯 냉소) 여전히 무모한 부산포 공격을

원균 측면 C.L. B.S., EYE-LEVEL, FIX

C#20

원 균 감행하려 한다면 하는 수 없네.

원균 너머 이순신 정면 B.S., EYE-LEVEL, FIX

C#21

원 균 우리 경상 우수군은 빠질 것이네!

이순신 너머 원균 정면 B.S., EYE-LEVEL, FIX

C#22

원 균 (긴장감… 원균은 한 치의 양보도 없을 듯한데) 내 말을 정녕 자네가 헛되이 듣는다면….

이순신 & 원균 측면 M.F.S 2, LOW ANGLE, FIX

C#23

이순신 (담담) 원 수사의 뜻대로 하겠소이다.

이순신 정면 C.S., EYE-LEVEL, FIX

C#24

모두들 (의아) !

이순신 너머 송희립 & 어영담 M.S., SLIGHT LOW ANGLE, FIX

C#25

원 균 (역시 의아) 수성을 하겠단 말인가?

원균 & 이운룡 3/4 C.L. M.S. 2, EYE-LEVEL, FIX

C#26

이순신 그렇소.

[C#20 동일] 원균 너머 이순신 정면 B.S., EYE-LEVEL, FIX

C#27

원 균 (반색) 그렇지! 수성이지! 이제야 상황을 제대로 보는구먼!

이순신 너머 원균 정면 M.S., LOW ANGLE, FIX

C#28

원 균 성을 쌓아야지! 바다에 철책도 치고!

원균 너머 이순신 정면 M.S., LOW ANGLE, FIX

C#29

원 균 좌수영의 성을 더 견고하게 쌓아 방비해야지!

원균 정면 B.S., EYE-LEVEL, FIX

C#30

가만히 듣고 있는 순신.
이순신 정면 B.S., EYE-LEVEL, FIX

C#31

원 균 그럼 나도 이만 돌아가서 임시 우수영을 정리하고 서둘러 좌수영으로 이동하겠네!

이동하려 하는 원균.
[C#27 동일] 이순신 너머 원균 정면 M.S., LOW ANGLE, FIX

C#32

이순신 (뒤돌아보며) 아니오.

원균 F.O. → 이순신 C.S., EYE-LEVEL, FIX

C#33

원 균 (걸음을 멈추고) …?

원균 뒤돌며 정면 C.S., EYE-LEVEL, FIX

C#34

이순신 (우)수영은 유지하시지요. 적의 시선을 분산시키는 건 중요하오. 필요할 때 연합하면 되니 그리하시지요.

[C#32 동일] 이순신 정면 C.S., EYE-LEVEL, FIX

C#35

원 균 크흠… 그건 뭐… 그리하지. (뭔가 찝찝한데)

이순신 너머 원균 정면 M.S., SLIGHT LOW ANGLE, FIX

S#25 당포 근처 바다 - 협선 위

순신에게 수성을 하겠다는 말이 진실이냐고 묻는 송희립

41 CUTS/21 SET-UPS

EXT

DAWN

OPEN SET

C#36

CUT TO 이순신 협선 위
순신이 협선으로 옮겨 타면,
송희립 P.O.V., 원균 판옥선 L.S., EYE-LEVEL,
PAN RIGHT → 이순신 후면 M.S.

C#37

곁에 송희립이 순신에게 조심스레 되묻는데….

송희립 (다가오며) 장군… 진실이신지요?

이순신 너머 송희립 정면 B.S., EYE-LEVEL, FIX

C#38

이순신 ?

송희립 너머 이순신 측면 C.L. B.S., EYE-LEVEL, FIX

C#39

송희립 수성을 하겠다 하셨던 말씀 말입니다.

[C#37 동일] 이순신 너머 송희립 정면 B.S., EYE-LEVEL, FIX

C#40

이순신 (끄덕) 상황이 그렇지 않느냐. 적은 분명히 거세게 공격을 해올 것이고, 그렇다면 원 수사의 말대로 더더욱 성을 쌓아야 되지 않겠느냐.

[C#38 동일] 송희립 너머 이순신 정면 B.S., EYE-LEVEL, FIX

C#41

송희립 ?

어영담 …….

이순신 너머 송희립 정면 C.S., PAN LEFT →
송희립 너머 어영담 정면 B.S.

S#26 훈련 바다 - 훈련장

학익진 훈련을 반복적으로 하지만 익숙해지지 않는 수군 연합 함대 73 CUTS

EXT  DAY  OPEN SET

C#1

파도치는 너른 바다 위, 빠르게 타고 들어오는 적선 세키부네 5척이 보이는데,

세키부네 L.S., SLIGHT LOW ANGLE, FOLLOWING TRACK RIGHT

C#2

가장 앞선 세키부네 위, 포로 준사가 타고 있다. 준사 뒤쪽으로 몇몇 조선 군관들이 아래쪽 노를 젓는 왜군 포로로들을 독려하고,

준사 B.S., EYE-LEVEL, ARC LEFT

맞은편 첨자진을 펼친 판옥선들이 보이고,

준사 너머 판옥선들 L.S., EYE-LEVEL,

C#3

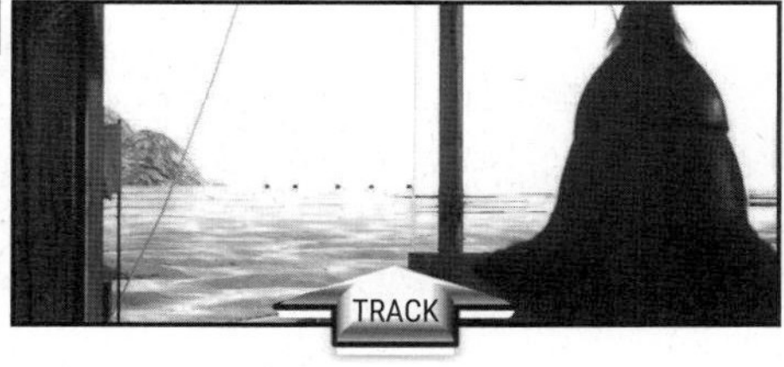

빠르게 다가오는 세키부네들.

순신 너머 세키부네 5척 L.S., EYE-LEVEL, TRACK IN

C#4

순신이 찬찬히 파고 치는 바다를 살핀다.

순신 C.L. 측면 너머 바다 L.S., EYE-LEVEL, TRACK IN

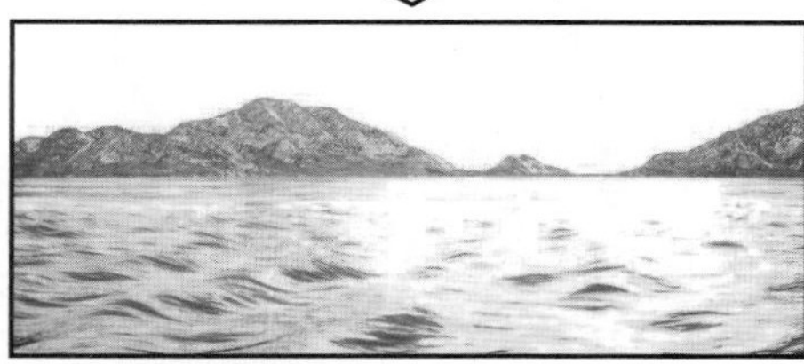

바다 물살 L.S., EYE-LEVEL

C#5

첨자진을 이루고 있는 판옥 함대.

판옥선들 E.L.S, BOOM DOWN & TILT UP & ARC RIGHT

그중 김완의 판옥선이 보이고,

BOOM DOWN & TILT UP & ARC RIGHT

김완 부장 (침 꿀꺽) 아무리 나포한 배들이라지만

BOOM DOWN & TILT UP & ARC RIGHT

C#6

김완 부장 저리 기동하니 정말 실전 같습니다요.

김 완 (순신 쪽 좌선을 흘깃) 장군의 눈빛이 심상치 않다. 오늘도 역시 예감은 좋지 않다. 다들 각오하자!

김완, 김완 부장 ¾ C.L. M.S. 2, EYE-LEVEL, FIX

C#7

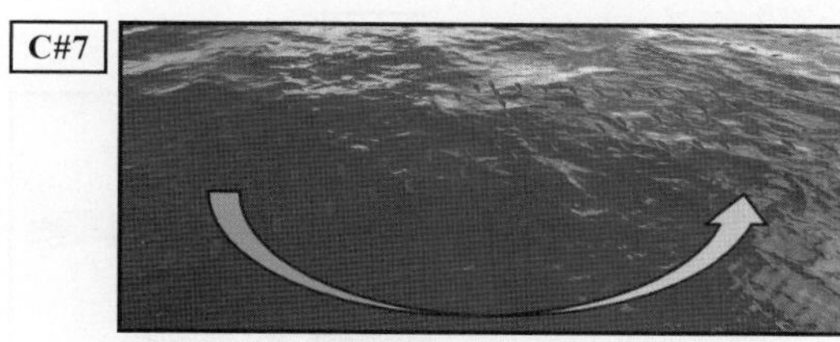

3차 출동 3일 전

훈련 바다 E.L.S, HIGH ANGLE, ARC RIGHT

C#8

순신, 희립 정면 C.S., EYE-LEVEL, TRACK RIGHT

희립 너머 장루 L.S., EYE-LEVEL, RACK FOCUS

C#9

권 준 (역시 순신 눈빛을 보고 부장들에게) 오늘 진법 훈련이 최종진이 될 가능성이 높다. 다들 힘내자!

권준, 권준 부장 정면 B.S. 2, EYE-LEVEL, FIX

C#10

권준 부장 아마도 삼첩진을 완성하려 하지 않겠습니까.

권준 부장 ¾ C.L. C.S., EYE-LEVEL,

C#11

권 준 (작게 끄덕) …….

권준 정면 C.U., EYE-LEVEL, FIX

C#12

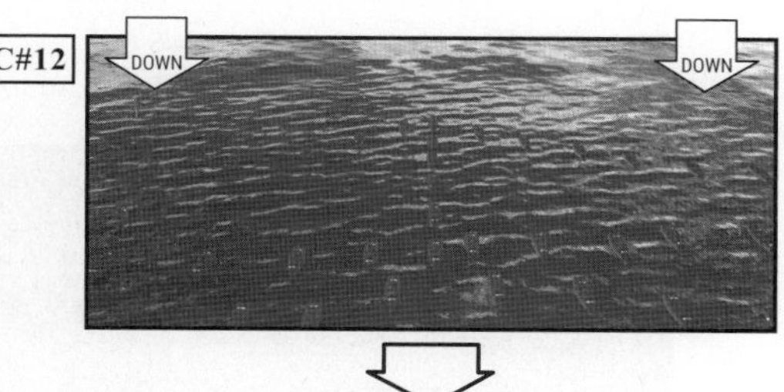

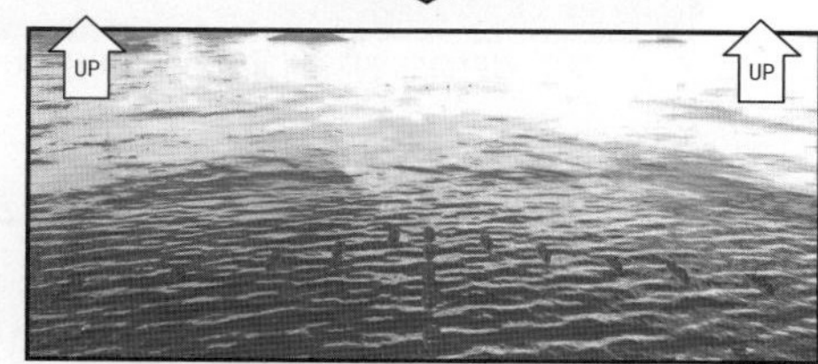

첨자진을 이루고 빠르게 물살을 가르며 나오고 있는 50여 척의 삼도 수군 함대가 보인다.

E.L.S, HIGHT ANGLE, BOOM DOWN & TILT UP

C#13

판옥선들을 향해 다가오는 세키부네 5척.
E.L.S, EYE-LEVEL, QUICK PAN LEFT

이억기를 비롯 원균조차 순신의 좌선(대장선)을 주목하고 있는데…
이억기 측면 C.U., EYE-LEVEL, RACK FOCUS

순신이 한층 결연하고 진지한 표정으로 바다를 쳐다보고 있고….
억기 너머 장루 위 순신, 희립 L.S., EYE-LEVEL

C#14

이순신 (마침내) 학익진(鶴翼陣)을 펼쳐라!

송희립 (상기) 학익진 말씀이십니까?

더는 말이 없는 이순신,
순신 ¾ C.L. C.U. EYE-LEVEL, FIX

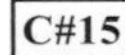

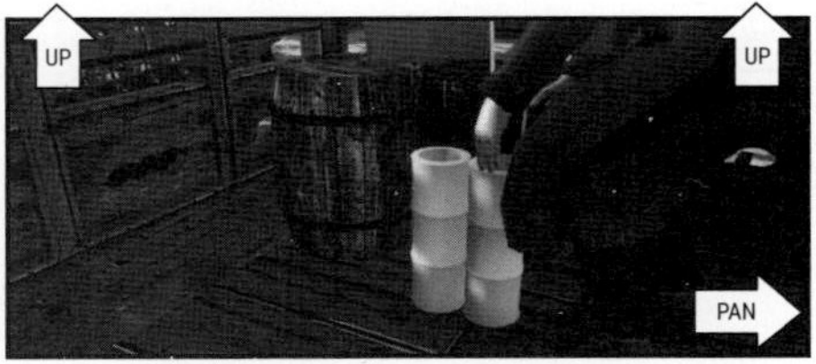

~~송희립 뜻을 알았다는 듯 장루 계단을 뛰어 내려가며 외치면!~~

송희립 (OFF SCREEN SOUND) 학익진을 펼쳐라!

신호기 M.S., SLIGHT HIGH ANGLE,
FOLLOWING PAN RIGHT & TILT UP

깃발을 뽑아 신호를 보내는 병사.
신호수 후면 M.S., SLIGHT LOW ANGLE

C#16

북소리와 함께 하늘 높이 솟아 오르는 신호 방패연.
순신 판옥선 너머 하늘 L.S., LOW ANGLE,
BOOM UP & TILT DOWN

대장선에서 나발과 북소리가 울리고 방패연이 뜨자 이내 흩어지는 삼도 수군의 판옥선들.
순신 판옥선 장루 L.S., EYE-LEVEL

C#17

~~좌선에서 올라오는 깃발을 보고 의외라는 표정의 권준을 비롯한 좌수영 장수들….~~
~~일제히 거라졸어 가져다주는 진법도를 챙겨보기 시작하는 장수들….~~

권 준 학익진이라….

권준 정면 M.S., EYE-LEVEL, FIX

C#18

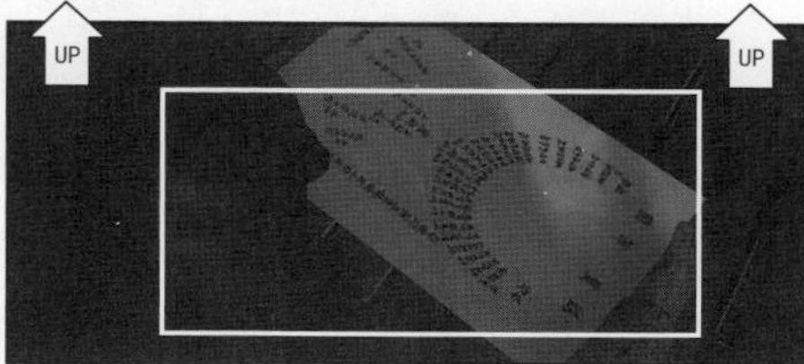

CUT TO
학익진도를 유심히 보고 있는 원균.

원 균 이게

원균 너머 학익진도, BOOM UP

C#19

원 균 수성의 진법이냐? 공성의 진법이냐?

원균, 운룡, 부장 M.S. 3, LOW ANGLE, FIX

C#20

이운룡 (망설이다) 바다 위에 마치… 성을 놓는 수성의 진법 아니겠습니까.

운룡 정면 B.S., EYE-LEVEL, BOOM DOWN & TRACK LEFT

원 균 바다 위에 성?

원균 정면 B.S., SLIGHT LOW ANGLE

C#21

이운룡 (왜선 세키부네들을 가리키며) 저기 보십시오. 왜선들이 쳐들어오는 것을 가정하고 있지 않습니까.

원균, 운룡 너머 바다 L.S., EYE-LEVEL, FIX

C#22

판옥선 너머 세키부네들이 보인다.
원균 P.O.V., 판옥선 너머 세키부네들 L.S., EYE-LEVEL, FIX

C#23

원 균 (의심스러운) 흠… 우린 좌측 날개로 움직인다.

원균 정면 B.S., SLIGHT LOW ANGLE,
BOOM UP & TRACK RIGHT

이운룡 예! 장군!

운룡 B.S., EYE-LEVEL

C#24

훈련 바다 E.L.S, HIGH ANGLE, BOOM UP

C#25

CUT TO

(※ 시나리오 앞부분 삭제)

이내 순신을 지그시 쳐다보는 이억기.

이억기 (혼잣말) 영감의 최종 진이

이억기 B.S., EYE-LEVEL, FIX

C#26

이억기 (OFF SCREEN SOUND) 혹여 이것입니까. 허나….

더 이상 말이 없는 이억기.

이억기 P.O.V., 장루 위 신 L.S., EYE-LEVEL, PULL BACK

C#27

CUT TO

김 완 격군을 보강해 더 빨리 저어라!

김완 너머 부장 M.F.S. 2, EYE-LEVEL, TRACK OUT

C#28

김 완 우리가 가장 중요한 좌측 날개 끝이다!

김완 ¾ C.L. C.S., SLIGHT LOW ANGLE, FIX

C#29

세키부네들이 빠르게 이동하고,

세키부네들 L.S., EYE-LEVEL,TRACK LEFT

그 맞은편으로 판옥선들이 보인다.

판옥선들 L.S., EYE-LEVEL

C#30

속도가 빠른 세키부네들이 바짝 월선 사다리를 들고 접근해 오고 있고,

판옥선들 너머 세키부네들 E.L.S, AERIAL SHOT, ARC LEFT & BOOM DOWN

C#31

앞을 보고 있다가,

이순신 측면 C.R. C.S., EYE-LEVEL, FIX

학익진의 우측 날개를 바라보는 순신.

C#32

학익진을 펼치는 판옥선들.

판옥선들 측면 L.S., HIGH ANGLE, FIX

C#33

이순신 …….

이순신 측면 C.R. C.U., EYE-LEVEL, FIX RACK FOCUS

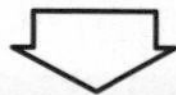

좌측 날개의 원균 쪽을 바라보는 순신.

순신 너머 판옥선들 L.S., EYE-LEVEL

C#34

상대적으로 다른 수군들에 비해서 느린 경상 함대,

판옥선들 E.L.S, HIGH ANGLE, TILT UP

C#35

심지어 배들끼리 충돌할 뻔한다.

판옥선들 L.S., HIGH ANGLE, FIX

C#36

이운룡 (고함) 거제 배는 더 좌측으로 물려라!

이운룡 L.S., SLIGHT LOW ANGLE, FIX

C#37

이운룡 우리 배가 날개 중앙으로 가야 한다!

이운룡 정면 M.S., SLIGHT LOW ANGLE, FIX

C#38

명령을 전달한 이운룡이 앞을 돌아보면,

이운룡 후면 B.S., EYE-LEVEL, ARC LEFT

운룡 너머 가까이 다가오는 세키부네 5척이 보인다.

운룡 너머 세키부네들 L.S., EYE-LEVEL

C#39

판옥 함대를 향해 빠른 속도로 다가가는 세키부네들.

세키부네들 후면 L.S., HIGH ANGLE,
FOLLOWING PUSH IN

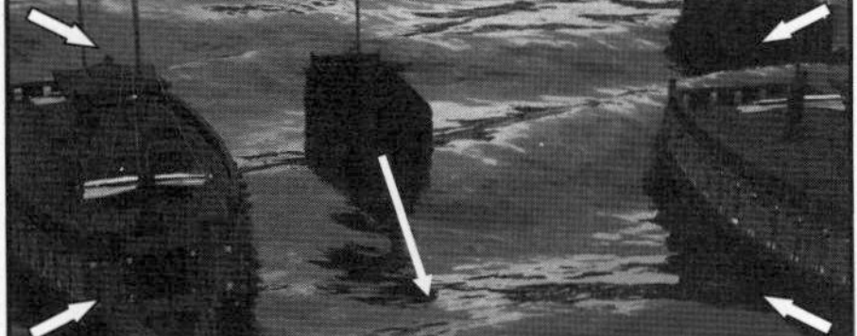

판옥선들 사이로 빠르게 지나가는 세키부네.

세키부네 F.S., HIGH ANGLE, PUSH IN

C#41

판옥선 사이로 나오는 세키부네들.

세키부네 측면 L.S., EYE-LEVEL, TRACK RIGHT

C#42

순신의 좌선을 중심으로 말의 편자형 U자 모양을 갖추기 시작하는 수군 함대!

그러나 세키부네들이 이미 빠르게 조선 함대 사이를 속속히 파고들며 스쳐 지나쳐간다.

학익진 E.L.S, HIGH ANGLE, FIX

C#43

판옥선들을 지나친 준사가 가쁜 호흡을 내쉬며 돌아본다.

준사 B.S., EYE-LEVEL, FIX

C#44

세키부네 갑판 위, 항왜 병사들과 조선 수군 부장, 그리고 준사가 보인다.

세키부네 갑판 위 준사 M.F.S, SLIGHT HIGH ANGLE, FIX

C#45

이순신 판옥선

다시 원위치를 명령하는 북소리와 나발 소리가 울려 퍼진다.

갑판 위 병사들 L.S., LIGHT LOW ANGLE, FIX

C#46

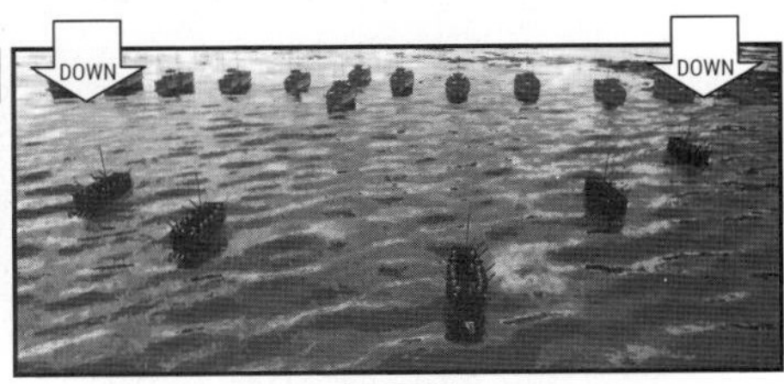

~~이억기 쪽은 겨우 날개를 펼친 상태이고 좌측 날개를 돌아보면, 원균 쪽의 함선들은 아직 더 엉망인 상태다.~~

빠르게 지나가는 세키부네들.

E.L.S, HIGH ANGLE, BOOM DOWN & TILT UP

C#47

순신이 장루 뒤 기라졸 영역에서 통문을 펼쳐 새로운 대열의 위치를 붓으로 그려 넣고 있다.

송희립 (다가서며) 장군. 아무래도 다섯 마장 내에서는 무리인 듯싶습니다.

다섯 마장 2 킬로미터

순신, 희립 후면 M.F.S, EYE-LEVEL, FIX

C#48

송희립 더욱이 훈련도 부족한 원 수사의 함대까지 데리고서는….

이순신 아니다.

순신, 희립 M.S 2, EYE-LEVEL, FIX

C#49

이순신 원 수사는 그대로 두어라.

순신 B.S. HIGH ANGLE, PAN RIGHT

이순신 원 수사는 그대로 두어라. (통문을 주며) 그리고 이걸 이 수사에게 전하거라.

순신, 희립 B.S. 2, HIGH ANGLE

C#50

송희립 예! 장군!

순신, 희립 M.F.S 2, EYE-LEVEL, FIX

C#51

통문 화살을 재는 병사.

병사 ¾ C.R. B.S., SLIGHT LOW ANGLE, FIX

C#52

화살을 쏘는 병사.

병사 후면 B.S., SLIGHT LOW ANGLE, FIX

C#53

CUT TO

통문 화살이 이억기함에 날아든다.

기라졸 손 F.I. - F.O.

C#54

기라졸이 억기 부장에게 전하면,

기라졸 너머 억기 부장 F.S.,

LOW ANGLE BOOM UP & TILT DOWN,

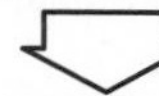

억기 부장이 이억기에게 통문을 전달한다.

이억기, 순신을 쳐다보며 염려스러운 표정을 짓는데,

억기 부장 너머 이억기 정면 M.F.S, EYE-LEVEL, TRACK IN

C#55

이억기 함선 위치를 변경한다!

이억기 판옥선 L.S., HIGH ANGLE, ARC RIGHT

C#56

(※ VP에는 억기 부장 대사 없음)

이억기 (OFF SCREEN SOUND) 목포와 어란포 함대의 위치를 교체한다.

~~**억기 부장** 예! 장군! (돌아서면)~~

다시 북소리와 함께 움직이는 삼도의 함대들.

HIGH ANGLE, ARC RIGHT & BOOM DOWN

C#57

이운룡 이번에는 실수해서는 안 된다! 더 빨리 저어야 한다!

이운룡 측면 M.S., LOW ANGLE,
ARC LEFT & BOOM DOWN

이운룡 더 빨리 저어야 한다!

~~**원 균** …….~~

(※ VP에는 원균 반응 없음)

이운룡 ¾ C.L. M.S., LOW ANGLE

C#58

신음이 흐르는 각 함대의 격군실.
점점 힘이 빠져가는 격군들….
격군들 L.S., SLIGHT LOW ANGLE, FIX

C#59

CUT TO
빠르게 다가오지만 아직 지나치지 않은 준사의 세키부네들을 쳐다보고 있는 순신 마침내,
순신 너머 세키부네 5척 L.S., EYE-LEVEL, FIX

C#60

판옥선들을 향해 다가오는 세키부네 5척.
훈련 바다 E.L.S, HIGH ANGLE, FIX

C#61

이순신 선회(旋回)하라! 배를 돌려라!

(※ VP 시 대사 변경)
순신 정면 B.S., EYE-LEVEL, FIX

C#62

송희립 선회하라! 배를 돌려라!

(※ VP 시 대사 변경)
송희립 정면 M.S., EYE-LEVEL, FIX

C#63

이순신 판옥선 격군실

격군장 선회! (또는 "배를 돌려라!")

격군실, 좌선 격군장이 복창하며 소리치면,
격군장 ¾ C.L. B.S., SLIGHT LOW ANGLE, FIX

C#64

일제히 천장의 종들이 울린다.
종 M.S., SLIGHT LOW ANGLE, FIX

C#65

노를 젓는 격군들.
격군들 측면 F.S., SLIGHT LOW ANGLE,
FOLLOWING PAN R → L

C#66

노를 젓는 격군들.
격군들 ¾ C.R., M.S., SLIGHT LOW ANGLE, PAN LEFT

격군들 정면 M.F.S, SLIGHT LOW ANGLE

C#67

배들의 움직임을 지켜보는 순신.
순신 정면 C.S., EYE-LEVEL, FIX

C#68

함대들이 일제히 수직에서 수평으로 배를 돌린다.
판옥선들, 세키부네들 E.L.S, HIGH ANGLE, FIX

C#69

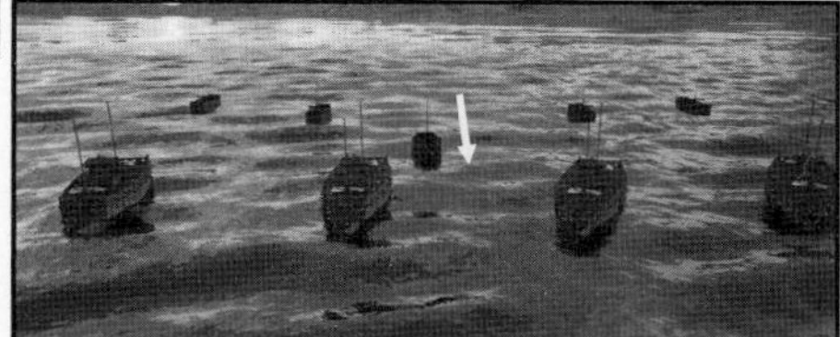

허나 준사와 세키부네들은 빠르게 판옥선들을 지나쳐 가고,
훈련 바다 E.L.S, HIGH ANGLE, TILT DOWN

C#70

함대들 일부가 급격한 회전을 제어 못 해 아예 빙글빙글 돌고 있기까지 하다.
판옥선들, 세키부네들 L.S., HIGH ANGLE, PUSH IN

C#71

이기남 (고함) 좌우 노를 계속해 어긋나게 저어서는 안 된다!

이기남 정면 B.S., SLIGHT LOW ANGLE, FIX

C#72

이기남 선회는 조타병과 격군들의 호흡이 중요하다 내 몇 번을 일렀느냐! (※ 시나리오 대사)

조타 제어 또한 격군들과 호흡이 중요하다! 조타병은 명심하라! (※ VP상 대사)

격군들 너머 이기남 정면 M.F.S, EYE-LEVEL, FIX

C#73

송희립 (곤혹스러운) …….

이순신 …….

다시 이어지는 나발 소리와 북소리….
선회다! 선회! 선회하라! 이제 학익진은 다가오는 세키부네들에 맞춰 선회 연습에 집중되고 있다.
순신 정면 B.S., EYE-LEVEL, TRACK IN

좌수영 인근 해안 절벽

이순신 함대의 훈련 모습을 관찰하고 기록하는 사헤에

13(A) 16(B) CUTS/5 SET-UPS   

EXT DAY LOCATION

C#1A

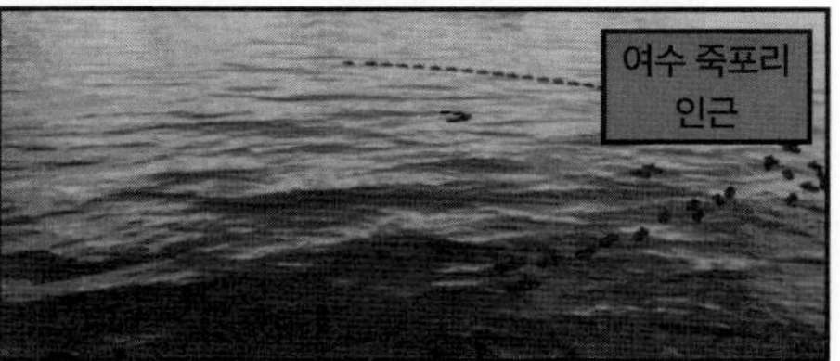

절벽 위, 숲속에 사헤에와 수하들이 숨어
조선 함대 E.L.S, HIGH ANGLE,
PULL BACK & BOOM DOWN

절벽 위 사헤에 너머 종이 C.U.

C#2A

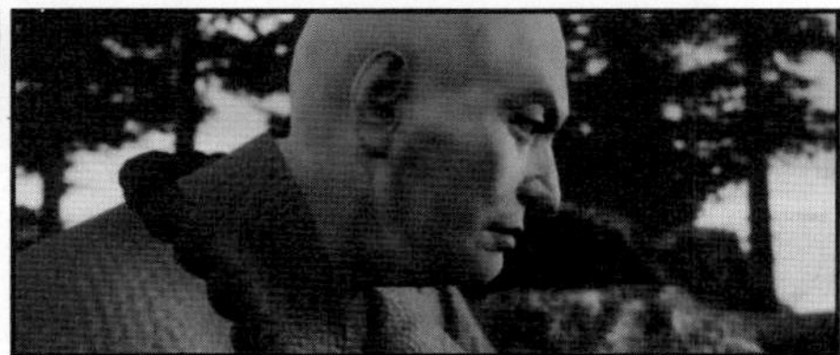

일제히 선회하는 판옥선 함대를 지켜보고 있다.
사헤에 측면 C.R. C.S., EYE-LEVEL, FIX

C#3A

말없이 세세히 기록만 하고 있는 사헤에.
사헤에 정면 M.S., SLIGHT LOW ANGLE, FIX

A안 - B안 중
선택예정 → 이후 7컷부터 동일

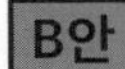
B안

S#27 좌수영 인근 해안 절벽

이순신 함대의 훈련 모습을 관찰하고 기록하는 사헤에

13(A) 16(B) CUTS/5 SET-UPS

EXT

DAY

LOCATION

C#1B

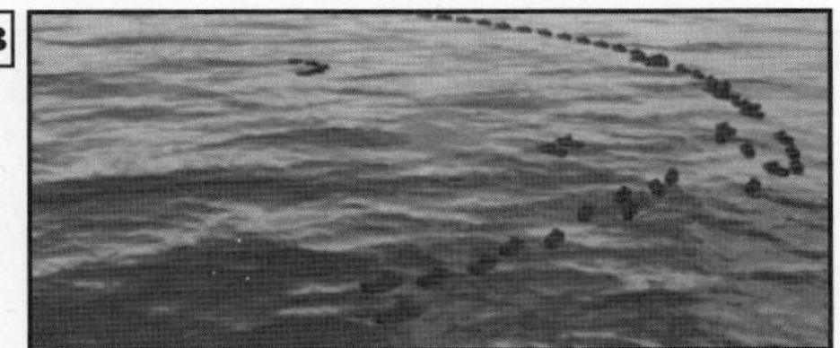

훈련 중인 조선 함대.

조선 함대 E.L.S, HIGH ANGLE, FIX

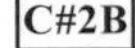
C#2B

INS. 사헤에 종이

C#3B

절벽 위, 숲속에 사헤에와 수하들이 숨어

사헤에 측면 C.R. B.C.U, EYE-LEVEL, FIX

C#4B

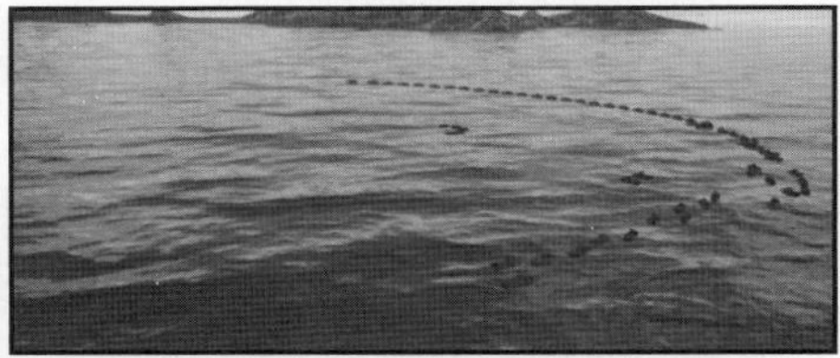

일제히 선회하는 판옥선 함대를 지켜보고 있다.

조선 함대 E.L.S, HIGH ANGLE, FIX

C#5B

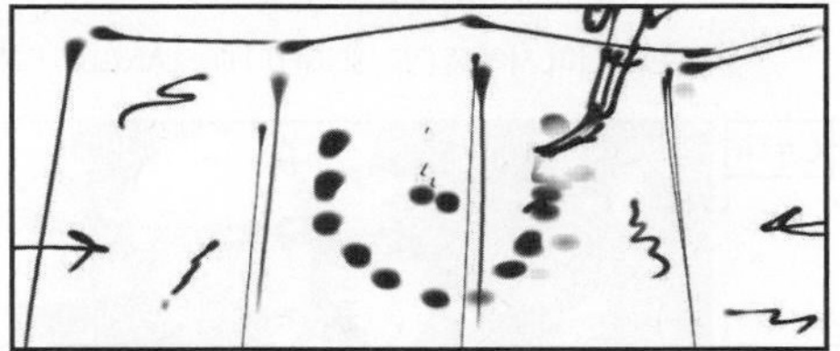

INS. 사헤에 종이

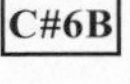
C#6B

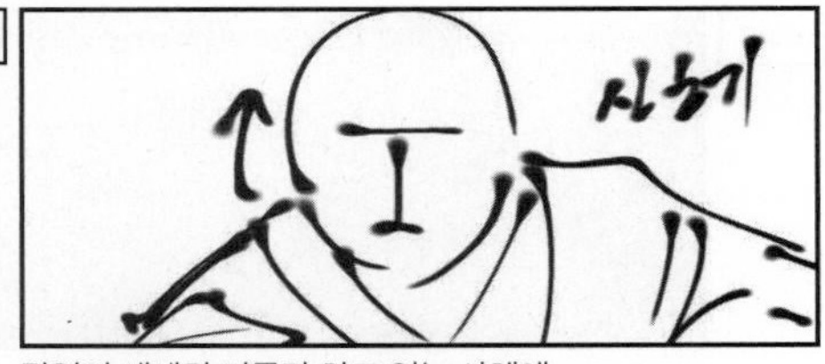

말없이 세세히 기록만 하고 있는 사헤에.

사헤에 정면 C.S., EYE-LEVEL, FIX

S#27 좌수영 인근 해안 절벽

이순신 함대의 훈련 모습을 관찰하고 기록하는 사헤에

13(A) 16(B) CUTS/5 SET-UPS  EXT  DAY  LOCATION

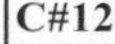

C#7

일제히 선회하는 판옥선 함대.

사헤에 무리 너머 조선 함대 E.L.S

C#8

그때 부스럭- 소리를 내며 뒤에서 다가오는 첩보대 수하 하나.

사헤에 무리 L.S., LOW ANGLE, FIX, 첩보대 F.I.

C#9

첩보대를 일제히 바라보는 사헤에 무리.

첩보대 너머 사헤에 무리 M.S., SLIGHT HIGH ANGLE, FIX

C#10

첩보대 2 보고합니다! 사천 이후 메쿠라부네는 훈련에 한 번도 나오지 않았다 합니다!

사헤에 너머 첩보대 2 M.F.S, EYE-LEVEL, FIX

C#11

고개를 돌려,

사헤에 측면 C.R. B.S., EYE-LEVEL, FIX

C#12

다시 훈련 중인 조선 함대를 뚫어지게 쳐다보는 사헤에.

사헤에 정면 M.F.S, SLIGHT LOW ANGLE, FIX

C#13

한창 훈련 중인 조선 함대.

사헤에 P.O.V., 조선 함대 E.L.S, HIGH ANGLE, FIX

C#14

바다를 아무 말 없이 지켜보는 사헤에.

사헤에 ¾ C.R. C.S., EYE-LEVEL, FIX

C#15

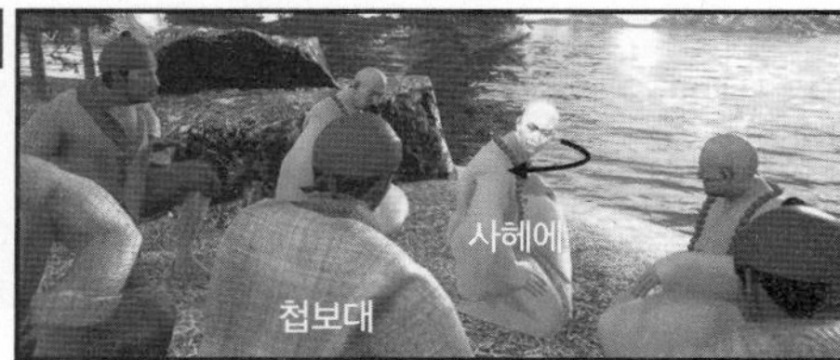

사헤에 (돌아보며) 분명 메쿠라부네에 무슨 문제가 있다. 그걸 알아내야만 한다.

첩보대 너머 사헤에 F.S., SLIGHT HIGH ANGLE, FIX

C#16

사헤에 (돌아 앉으며) 아무래도 안으로 직접 침투해 봐야겠다. 가자!

첩보대 2 예! 도노!

자리에서 일어나는 수하들.

사헤에 정면 C.S., EYE-LEVEL, FIX

28A

S#28 좌수영 본영 주변

좌수영에 불을 지른 사헤에가 구선 설계도를 훔쳐 준사와 함께 도망친다

22 CUTS/18 SET-UPS (무술 콘티 제외)  EXT  NIGHT OPEN SET

C#1

여수 오픈세트

밤이다. 진중이 고된 훈련 뒤라 병영이 조용한데…

좌수영 E.L.S, HIGH ANGLE, FIX

C#2

감옥 쪽에서 연기가 피어오른다.

감옥 L.S., HIGH ANGLE, FIX

C#3

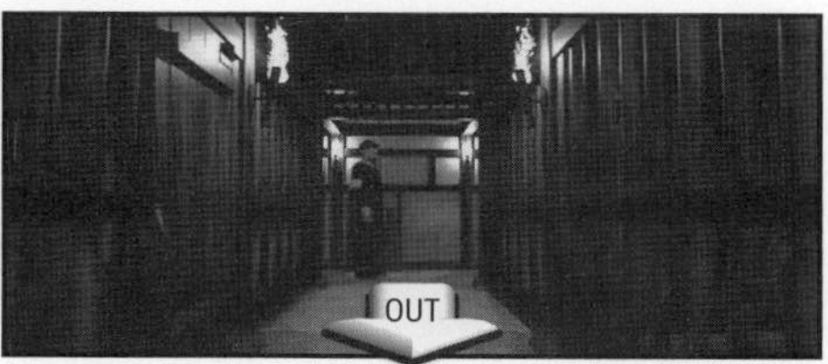

좌수영 감옥 별실

웬놈들이냐! 문득 날아든 수리검에 보초들이 쓰러진다.

감옥 안 L.S., LOW ANGLE, TRACK OUT

감옥의 포로들이 잠을 깬다.

사헤에 첩보대들 F.I.

C#4

준사도 깨어나는데, 사헤에 첩보대들이 빠르게 감옥 문을 열고 포로들을 빼내기 시작한다.

왜군 포로 누구요? 당신들은?

첩보대 너머 준사 정면 M.F.S, EYE-LEVEL, FIX

C#5

준 사 !

준사 정면 M.S., EYE-LEVEL, FIX

28B

S#28 좌수영 본영 주변

좌수영에 불을 지른 사헤에가 구선 설계도를 훔쳐
준사와 함께 도망친다

22 CUTS/18 SET-UPS (무술 콘티 제외) EXT NIGHT OPEN SET

C#1

여수 오픈세트

나대용 작업실
CUT TO
불이다! 불을 꺼라! 포로들이 도망친다! 잡아라!
혼란 속, 작업실 앞 구선 쪽 보초들마저 이동하기 시작한다.
작업실 마당 L.S., HIGH ANGLE, BOOM DOWN

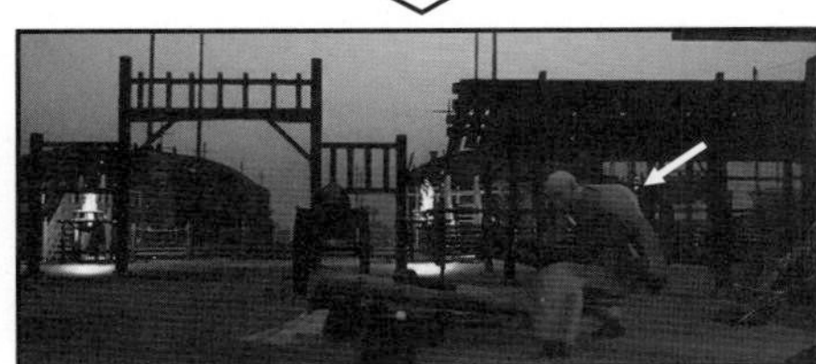

선소 옆 나대용 작업실로 조용히 잠입하는 누군가…
사헤에다.
사헤에 F.I.

C#2

이내 조심스럽지만 빠르게 움직이는 사헤에,
사헤에 후면 M.S., EYE-LEVEL, FOLLOWING TRACK

C#3

1층을 뒤지다
사헤에 측면 M.F.S, EYE-LEVEL, FIX

C#4

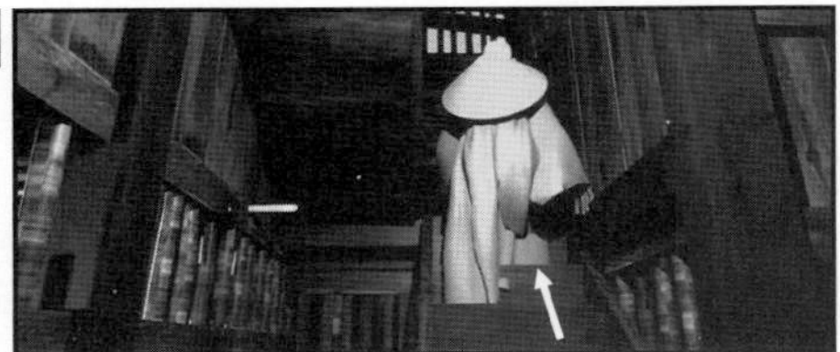

2층으로 올라서는 사헤에.
사헤에 후면 F.S., LOW ANGLE, FIX

C#5

2층도 여기저기 뒤지기 시작하는 사헤에.
사헤에 정면 L.S., EYE-LEVEL, FIX

C#6

무언가를 발견하고 멈춘다.
사헤에 M.S., EYE-LEVEL, TRACK RIGHT

C#7

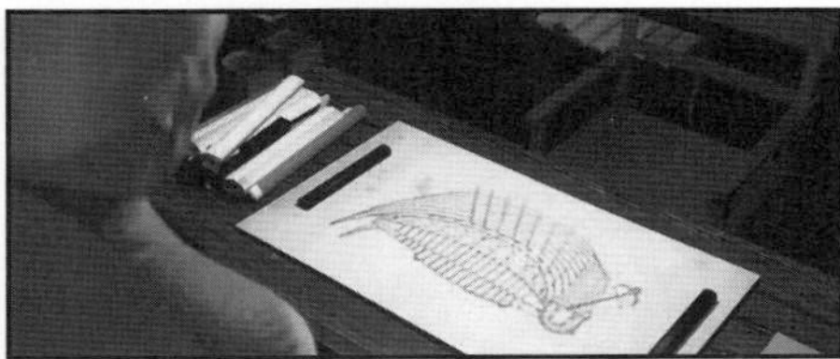

언뜻 구선의 설계도로 보이는 종이들이 눈에 띄자
사헤에 너머 설계도, HIGH ANGLE, FIX

C#8

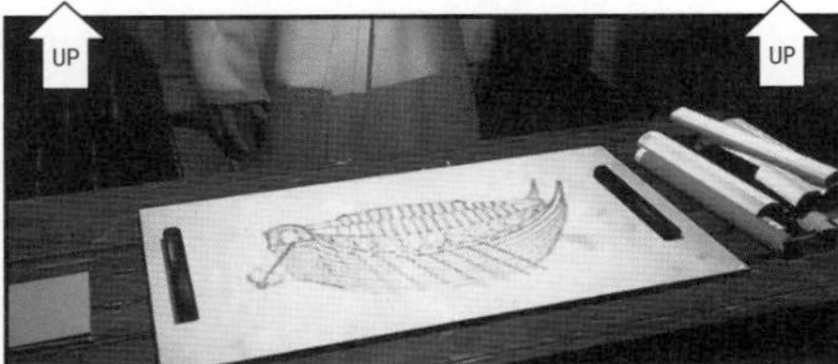

설계도 C.U., HIGH ANGLE, TILT UP

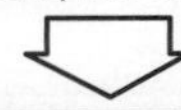

가슴팍에 빠르게 쑤셔 넣는데….
사헤에 정면 M.S.

C#9

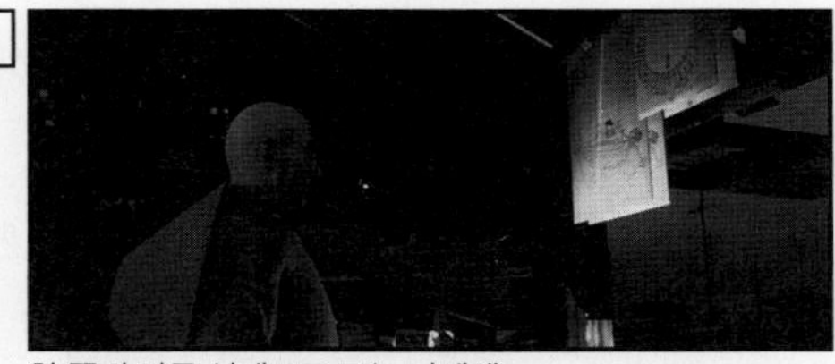

창 쪽의 다른 설계도도 보는 사헤에.
사헤에 측면 B.S., LOW ANGLE, FIX

C#10

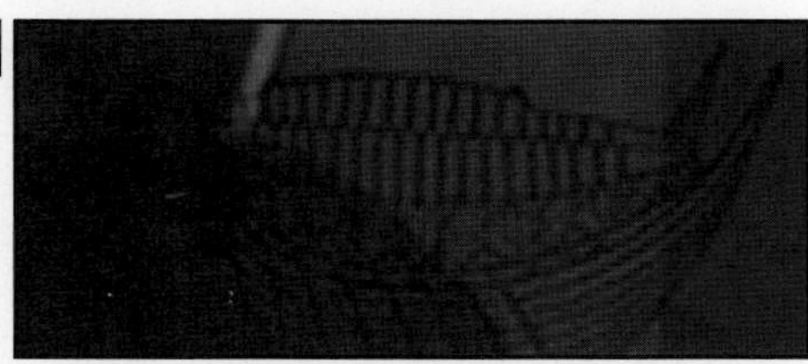

이때 그를 향해 다가오는 거대한 그림자,
설계도 C.U., 그림자 IN

S#28 좌수영 본영 주변

좌수영에 불을 지른 사헤에가 구선 설계도를 훔쳐 준사와 함께 도망친다

22 CUTS/18 SET-UPS (무술 콘티 제외) EXT NIGHT OPEN SET

무술 콘티

이내 사헤에를 향해 겨누는 검의 빛!
재빨리 옆으로 몸을 비키며 수리검을 던지는 사헤에,
하지만 그것을 가볍게 쳐내고 앞에 있는 책상을 그대로 밀어붙이며 직진하는 그림자!
사헤에가 품 안의 단도를 빼 들며 방어하지만 상대의 강력한 힘에 창가로 몰리는데,
바로 녹도 만호 정운이다.

정 운 웬 땡중이 살기(殺氣)가 넘친다 했더니 첩자였느냐.

이때 창밖으로 크게 일렁거리는 불길.
동시에 창틀이 부서져나가며 마당으로 떨어지는 두 사람….
마당 안팎엔 이미 이기남의 돌격대와 사헤에 첩보대와 왜군 포로들 간의 치열한 싸움이 벌어지고 있다.
불이야! 구선에 불이 났다!
누군가, 외친다. 구선에까지 불이 일렁거리고 있다.
일순 더욱 어수선. 힘겹게 일어서는 사헤에….
정운의 칼이 사헤에의 머리를 향해 내려칠 찰나!
어디선가 날아온 수리검이 정운의 손에 꽂힌다.
사헤에 정운을 밀어젖히며 허겁지겁 빠져나오는데!
조선군 돌격대 하나가 사헤에를 향해 달려온다.
허나 이내 목에 수리검이 꽂히며 쓰러지고,
그 뒤로 준사가 서 있다.

28C

S#28 좌수영 본영 주변

좌수영에 불을 지른 사헤에가 구선 설계도를 훔쳐
준사와 함께 도망친다

22 CUTS/18 SET-UPS (무술 콘티 제외) EXT NIGHT OPEN SET

C#1

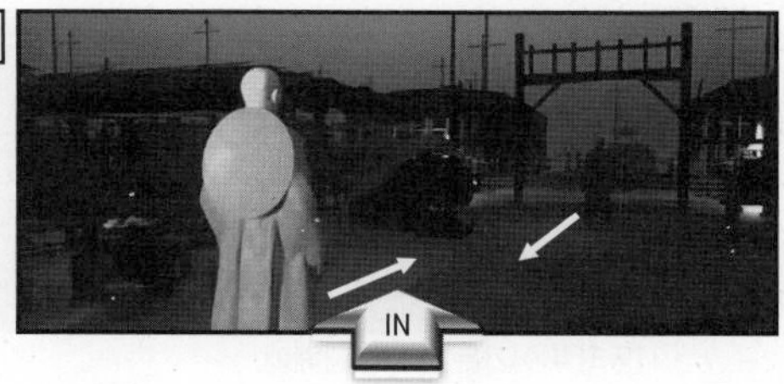

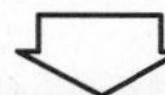

사헤에 !

사헤에 너머 준사 정면 L.S.,
EYE-LEVEL, FOLLOWING TRACK

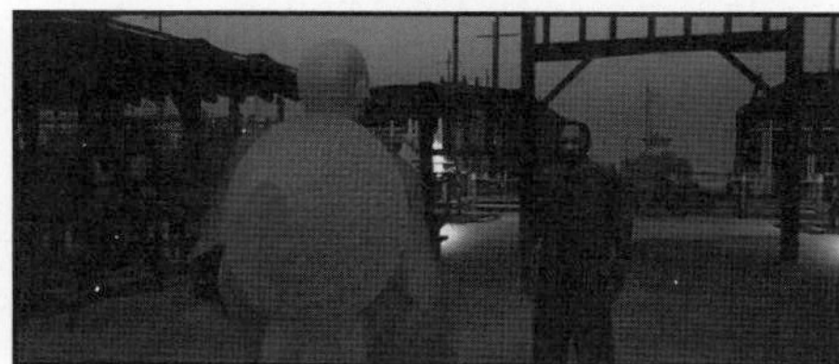

사헤에 너머 준사 정면 M.F.S

C#2

준사의 손에 들린 수리검을 보는 사헤에.
준사 너머 사헤에 정면 M.F.S, LOW ANGLE, FIX

C#3

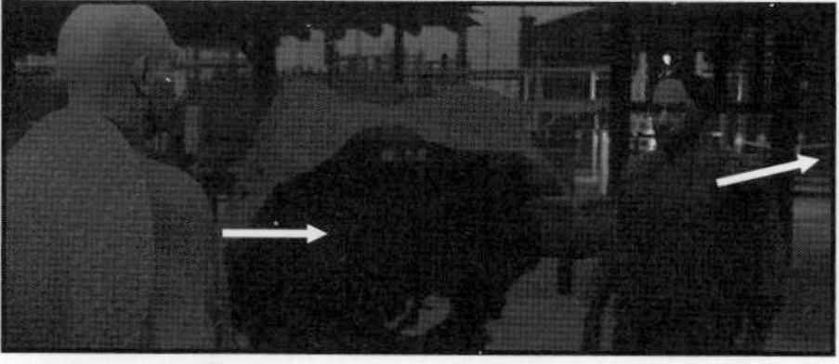

준 사 이쪽으로!

사헤에 너머 준사 M.S., EYE-LEVEL, FIX, F.O.

무술 콘티

격렬한 칼싸움 속, 첩보대와 포로들,
대부분 죽음을 맞이하는데…
끝까지 사헤에를 찾는 정운.

28D

S#28 좌수영 본영 주변

좌수영에 불을 지른 사헤에가 구선 설계도를 훔쳐
준사와 함께 도망친다.

22 CUTS/18 SET-UPS (무술 콘티 제외)

C#1

부안 로케

좌수영 근처 언덕
CUT TO
멀리 연기로 뒤덮인 좌수영이 보이는 언덕길,
동이 트고 있다. 가까스로 좌수영을 벗어나는 데 성공하는
준사와 사헤에. 포로 둘이 함께하고 있다.
준사 & 사헤에 정면 L.S., HIGH ANGLE, FIX

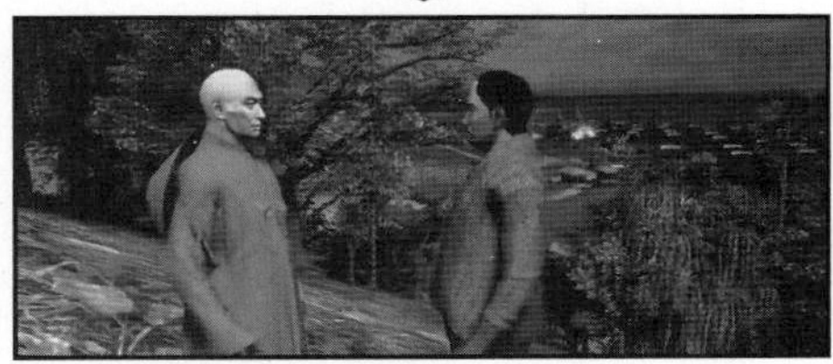

준사 & 사헤에 측면 M.S. 2

C#2

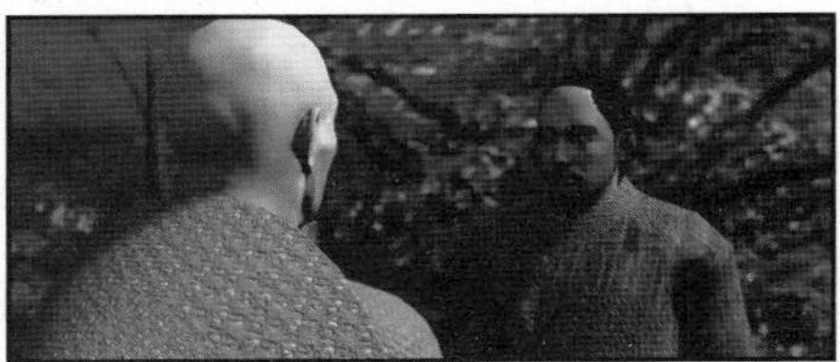

준 사 아와 수군(水軍) 무라하루의 부장 준사라 합니다.

비로소 인사를 던지는 준사….
사헤에 너머 준사 정면 B.S., EYE-LEVEL, FIX

C#3

사헤에 …….

준사 너머 사헤에 정면 B.S., EYE-LEVEL, FIX

C#4

서둘러 뛰어가는 준사와 사헤에.
[C#19 동일] 준사 & 사헤에 F.O.

S#29 좌수영 선소 구선 앞

시체들이 널브러진 좌수영,
순신이 순천부 선소를 걱정하며 그곳으로 향한다

21 CUTS/10 SET-UPS   

EXT DAY OPEN SET

C#1

여수 오픈세트

왜군 첩보대의 시체를 치우고 있는 조선 병사들,
좌수영 선창 L.S., HIGH ANGLE, PUSH IN

C#2

좌수영의 분위기는 살얼음판이다.
※VP 동선과 반대 방향으로 인물 등장
(순신은 남문에서 구선 쪽으로 걸어온다.)
이순신 & 송희립 L.S., HIGH ANGLE, TRACK IN

C#3

순신이 송희립과 함께 급히 선소 쪽으로 향하고,
이순신 정면 B.S., SLIGHT LOW ANGLE, FOLLOWING TRACK

C#4

조선 군사들 앞에 널브러져 죽어 있는 왜군 첩보대들을 보는 순신. 걸음을 멈춘다.
이순신 & 송희립 후면 M.F.S, EYE-LEVEL, FOLLOWING TRACK

C#5

고개를 돌리는 순신.
이순신 정면 B.S., SLIGHT LOW ANGLE, ARC LEFT

C#6

구선 쪽을 바라본다.
이순신 & 송희립 M.F.S, SLIGHT LOW ANGLE, TRACK IN

C#7

연기가 피어오르는 구선.
이순신 & 송희립 너머 구선 L.S., EYE-LEVEL, TRACK IN

정운이 분을 이기지 못한 듯 씩씩거리며 다가온다.

정 운 장군!

정운 F.I.

C#8

정 운 애석하게도 놈들의 수괴를 잡지 못했습니다.

정운 너머 이순신 정면 B.S., EYE-LEVEL, FIX

C#9

정 운 송구하옵니다, 장군.

이순신 너머 정운 정면 B.S., EYE-LEVEL, FIX

C#10

송희립 (나직이) 장군… 몇몇 포로들은 함께 빠져나간 듯합니다.

이순신 …….

정운 너머 이순신 정면 M.S., EYE-LEVEL, FIX

C#11

구선 쪽에서 이기남이 뛰어온다.

구선 너머 이순신 L.S., HIGH ANGLE,
EYE-LEVEL, PUSH IN

C#12

이순신 구선에 이상은 없느냐?

이기남 너머 이순신 정면 M.F.S, EYE-LEVEL, FIX

C#13

이기남 다소 그을렸을 뿐, 큰 문제는 없습니다.

이순신 너머 이기남 정면 M.S., EYE-LEVEL, FIX

C#14

순신, 고개를 돌려보자

[C#10 동일] 정운 너머 이순신 정면 M.S., EYE-LEVEL, FIX

C#15

구선의 일부가 검게 그을려있다.

이순신 P.O.V. 구선, EYE-LEVEL, FIX

C#16

정 운 헌데 장군… (낭패스러운) 그 수괴로 보이는 자가 구선의 설계도를 훔쳐 달아났습니다. 허여 끝까지 잡으려 했지만….

[C#9 동일] 순신 너머 정운 정면 B.S., EYE-LEVEL, FIX

C#17

나대용의 작업실을 쳐다보는 순신. 정운과의 싸움으로 생긴 부서진 창문틀이 보인다.

이순신 (상기된) 나대용은 어디 있느냐.

이기남 너머 이순신 정면 M.S., EYE-LEVEL, FIX

C#18

이기남 이틀 전부터 순천부 선소에서 나오질 않고 있습니다.

이순신 너머 이기남 정면 M.S., EYE-LEVEL, FIX

C#19

이순신 (심각, 한 걸음 다가오며) 순천부 선소에는 문제가 없느냐?

이기남 너머 이순신 정면 C.S., EYE-LEVEL, FIX

C#20

송희립 확실치는 않으나… 아직 적들은 순천부 선소의 존재를 모르는 듯합니다.

이기남 너머 이순신 & 송희립 M.S., EYE-LEVEL, FIX

C#21

이순신 (그을린 구선을 보며) 협판안치란 자… 보통적이 아니다. 어서 순천부 선소로 가보자!

송희립 너머 이순신 ¾ C.R. C.S., EYE-LEVEL, FIX

⇩

이순신 F.O.

S#30 순천부 선소

순천부 선소를 살피러 온 순신과 희립, 이언량에게 나대용에 관해 묻는다 29 CUTS/14 SET-UPS

EXT

DAY

LOCATION

C#1

여수 선소 유적지

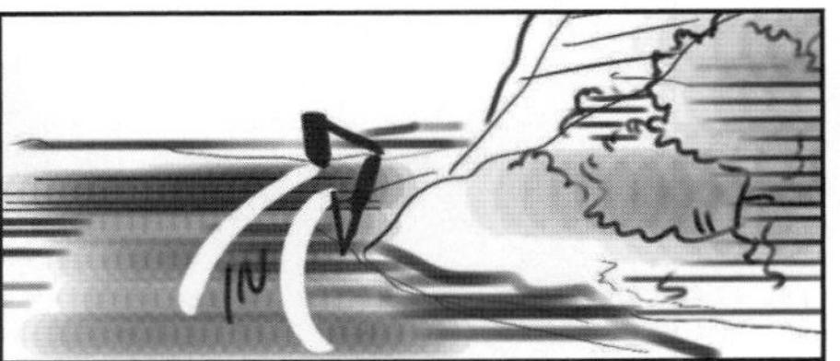

외딴 곳에 보이는,
해안 L.S., HIGH ANGLE, BOOM UP & ARC LEFT

굴강 선소 하나… 순천부 선소.
순천부 선소 전경 L.S.

C#2

순신이 송희립을 대동하고 협선에서 서둘러 내리는데.
이순신 & 송희립 정면 L.S., SLIGHT HIGH ANGLE, FIX.

부안 로케

C#3

대나무와 동백나무가 우거진 숲길…
이순신 & 송희립 정면 M.S. 2,
SLIGHT LOW ANGLE, FOLLOWING TRACK

C#4

처음 보는 장소다.
이순신 & 송희립 측면 L.S., SLIGHT LOW ANGLE

S#30 순천부 선소

순천부 선소를 살피러 온 순신과 희립, 이언량에게 나대용에 관해 묻는다 29 CUTS/14 SET-UPS

EXT DAY OPEN SET

C#5

여수 오픈세트

화면 벗겨지면, 놀랍게도 수많은 일꾼들이 목책들이 잔뜩 둘러쳐진 용두 없는 완성되지 않은 구선 주위에서 일하는 상황이 보이는데….

이순신 & 송희립 후면 M.F.S 2,
SLIGHT LOW ANGLE, BOOM UP & PUSH IN

나대용 대신 이언량과 이봉수가 급히 다가온다.

구선 L.S., 이언량 이봉수 WALK IN

C#6

이언량 소식 들었습니다. 좌수영 선소에 왜놈들의 첩자들이 들었다고….

순신 & 희립 너머 언량 & 봉수 정면 M.S., EYE-LEVEL, FIX

C#7

이순신 (대뜸) 순천부는 괜찮느냐?

이언량 예. 괜찮습니다만.

순신, 활기 띤 선소를 둘러보면 별 이상은 없어 보이는데,

이순신 나군관은 어디에 있느냐?

언량 & 봉수 너머 이순신 정면 M.S., EYE-LEVEL, FIX

C#8

이봉수, 위쪽 비어 있는 용두 부분을 손으로 가리키면, 나대용이 밧줄에 매달려 있다.

※네 사람 위치 구선과 더 가까이 있어야 함.

네 사람 너머 구선 위 나대용 L.S., LOW ANGLE, FIX

C#9

용두 구멍 부분에서 한창 뭔가 작업 중이고….

이봉수 (OFF SCREEN SOUND) 첩자들 소식을 듣고 더 서둘러야 한다더니

나대용 L.S., LOW ANGLE, FIX

C#10

이봉수 갑자기 다시 용두를 달아보겠다고 저러고 있습니다요. 여하튼 불러드리겠습니다.

[C#6 동일] 순신 & 희립 너머 언량 & 봉수 정면 M.S., EYE-LEVEL, FIX

C#11

이순신 (작업 중인 나대용을 올려다보다) 아니다. 내가 올라가보겠다.

[C#7 동일] 언량 & 봉수 너머 이순신 정면 M.S., EYE-LEVEL, FIX, 이순신 F.O.

C#12

구선으로 향하는 순신.

구선 너머 이순신 L.S., HIGH ANGLE, FIX

S#30 구선 용두 부분

순신은 구선의 문제가 해결되지 못하면 출동에 구선을 쓰지 않겠다 한다 29 CUTS/14 SET-UPS

INT

DAY

OPEN SET

C#13

여수 오픈세트

CUT TO
순신이 구선 안으로 들어선다. 용두 쪽 구멍 나 있는 자리, 나대용이 바깥쪽에 매달려 일꾼들에게 뭐라 소리친다.
이순신 F.I. → 이순신 너머 나대용 L.S., EYE-LEVEL, FIX

C#14

문득 책상 위를 바라보는 순신.
이순신 정면 M.S., LOW ANGLE, FIX

C#15

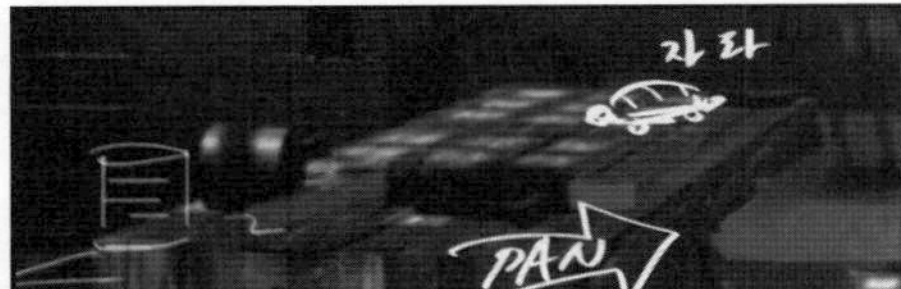

한켠 탁자 위엔 예전 이봉수가 주고 간 자라만 그릇에 담긴 채 꿈틀대고 있고….
이순신 P.O.V. 자라, PAN RIGHT

C#16

장군! 나대용이 순신을 발견하고
나대용 정면 M.S., EYE-LEVEL, FIX

C#17

급히 용두 구멍 안으로 들어선다.
나대용 F.I. → 나대용 너머 이순신 정면 M.F.S, SLIGHT LOW ANGLE, FIX

C#18

나대용 안 그래도 왜놈 첩자들 얘길 들었습니다! 무엇보다 본영에 구선 피해가 크지 않아 다행입니다.
이순신 너머 나대용 정면 B.S., EYE-LEVEL, FIX

C#19

이순신이 나대용에게 한 걸음 다가간다.
이순신 출정이 얼마 안 남았네.
이순신 & 나대용 측면 M.F.S, EYE-LEVEL, FIX

C#20

순신이 말없이 구선 내부를 둘러보는데,
이순신 이 구선을 이번 출정에 쓸 수 있겠는가?
나대용 너머 이순신 정면 B.S., EYE-LEVEL, FIX

C#21

나대용 …언제입니까.
이순신 너머 나대용 정면 C.S., EYE-LEVEL, FIX

C#22

이순신 빠르면 며칠 내일 수도 있네. 이번 출정에 쓸 수 있겠는가?
나대용 너머 이순신 정면 C.S., EYE-LEVEL, TRACK IN

C#23

나대용 불철주야 노력하고 있습니다! 저에게 시간을 조금만 더 주시면!

이순신 너머 나대용 정면 C.S., EYE-LEVEL, FIX

C#24

이순신 놈들이 자네 작업실에서 설계도까지 훔쳐 달아났네.

나대용 !

이순신 필시 협판안치도 옛 구선의 문제점을 파악할 것이야.

이순신 & 나대용 측면 M.S. 2, EYE-LEVEL, FIX

C#25

나대용 장군! 이 순천부 구선은 다릅니다! 다만 시간이 조금 필요할 뿐입니다.

[C#23 동일] 이순신 너머 나대용 정면 C.S., EYE-LEVEL, FIX

C#26

이순신 (나대용의 어깨에 손을 올리며) 내 이번 출동에서는 구선을 쓰지 않음세.

[C#22 동일] 나대용 너머 이순신 정면 C.S.

C#27

나대용 (놀라고) 하, 하지만 장군! 장군께서도 방도가 없지 않으십….

[C#23 동일] 이순신 너머 나대용 정면 C.S., EYE-LEVEL, FIX

C#28

이순신 내 이만 가네.

이순신 정면 C.U., EYE LEVEL, FOLLOWING PAN

나대용 (OFF SCREEN SOUND) 장군!

냉정히 나가는 순신,
이순신 후면 M.S.

C#29

나대용 (밀려드는 당혹감에 떠는데) …….

나대용 정면 C.S., EYE-LEVEL, TRACK OUT

S#31 부산포 왜성 와키자카 처소 3층

구선 설계도를 살피는 와키자카, 구선에 대해 걱정할 거 없다고 말하는 준사 49 CUTS/22 SET-UPS

INT DAY SET

C#1

부산 실내세트

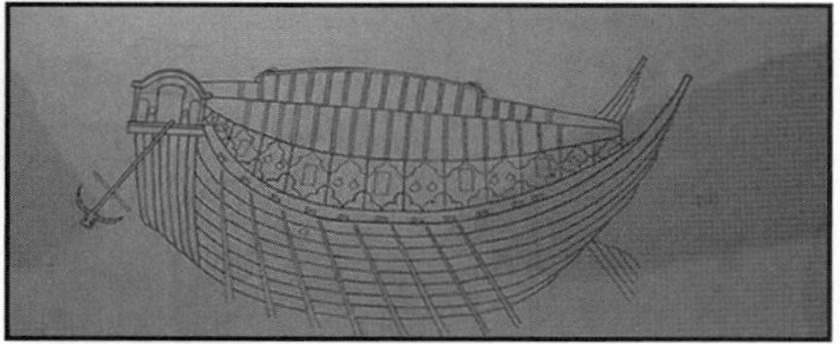

INS. 구선 설계도
3층 설계의 구조도, 돌출된 용두 그림.

와키자카 (OFF SCREEN SOUND) 측면에 문제가 커 보여.

C#2

거북선 설계도를 유심히 바라보고 있는 와키자카!

와키자카 화포를 쏘기는 좋으나 그만큼 노출되는

와키자카 정면 C.S., SLIGHT LOW ANGLE, TRACK IN

C#3

와키자카 면적도 크니….

와타나베 (가만히 끄덕) …….

구선 설계도 C.U., EYE-LEVEL, PAN LEFT & TILT UP

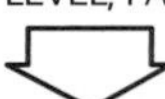

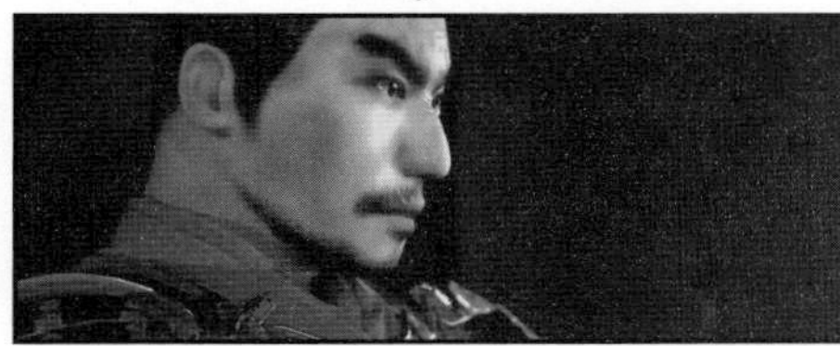

와키자카 더구나 무거운 머리에다 덮개까지 쓰고 있어. 그 기동력이 어떨지 궁금하구나. (준사를 보며)

와키자카 측면 C.R. C.S.

C#4

그 앞에 돌아온 사헤에가 준사를 뒤에 두고 함께 앉아 있다.

와키자카 (OFF SCREEN SOUND) 준사라 했느냐?

설계도 너머 준사 & 사헤에 M.F.S 2, EYE-LEVEL, FIX

C#5

와키자카 네가 그 배를 직접 겪어보았다지?

와키자카 정면 L.S., HIGH ANGLE, FIX

C#6

준 사 (나서며) 예! 당항포에서 제가 직접 그 배와 부딪혀보았습니다. 역시 배가 기동하는 것에 상당한 무리가 있어 보였습니다.

사헤에 & 준사 측면 C.L. M.S. 2, EYE-LEVEL, FIX

C#7

와키자카 계속해보거라.

와키자카 정면 M.S., SLIGHT LOW ANGLE, FIX

C#8

준 사 사천에서 저희는 이순신의 유인전에 당했습니다.

[C#6 동일] 사헤에 & 준사 측면 C.L. M.S. 2, EYE-LEVEL, FIX

C#9

와키자카 유인전에?

[C#7 동일] 와키자카 정면 M.S., SLIGHT LOW ANGLE, FIX

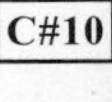

준 사 예. 허나 도노 말씀처럼 만일 우리가 제대로 대비하고 싸웠다면

[C#6 동일] 사헤에 & 준사 측면 C.L. M.S. 2,
EYE-LEVEL, FIX

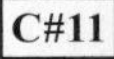

준 사 얼마든지 잡을 수 있는 배로 보였습니다.

준사 너머 와타나베 M.F.S, EYE-LEVEL, FIX

C#12

준 사 간혹 우리 배들을 들이받기도 했는데 그 뱃머리가 우리 안택선에 끼어 옴짝달싹 못 했습니다.

와키자카 너머 사헤에 & 준사 F.S.,
SLIGHT HIGH ANGLE, TRACK LEFT

C#13

와키자카 (의아) 뱃머리가 배에 끼어?

와키자카 ¾ C.R. C.S., HIGH ANGLE, FIX

C#14

준 사 예! 도노!

준사 측면 C.L. B.S., EYE-LEVEL, FIX

C#15

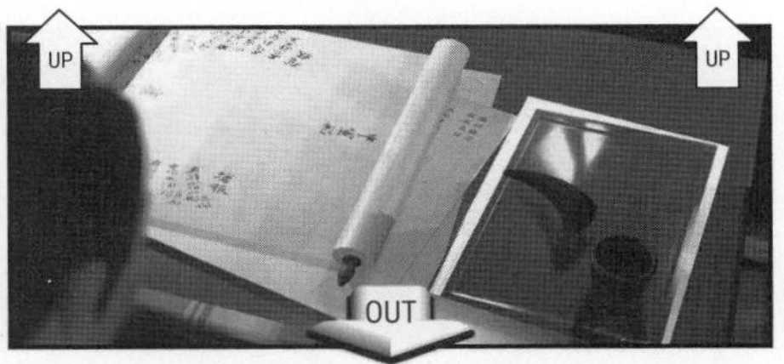

그러자 전에 파손된 안택선에서 발견한 부러진 용의 이빨을 보는 와키자카.

와키자카 결국… 그것이었느냐.

와키자카 너머 용의 이빨, HIGH ANGLE,
TRACK OUT & TILT UP

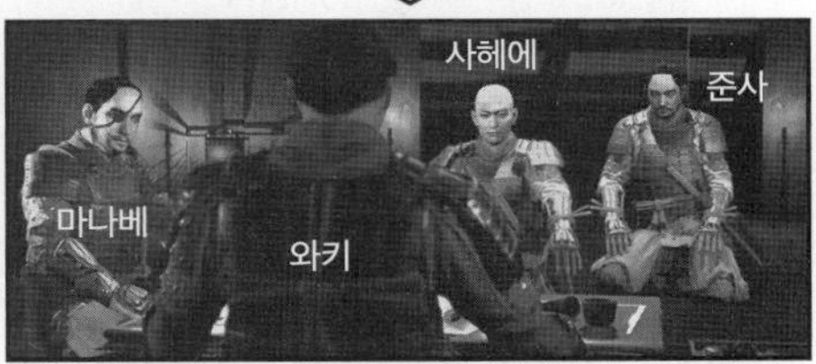

와키자카 (엷게 반색) 충파 시에 문제가 있구나.

와키자카 너머 마나베 & 사헤에 & 준사 F.S.

C#16

하지만 와키자카, 끝내 의구심을 놓지 못하는 표정으로,

와키자카 하지만 복카이센이라 불리며 우리 군에게 두려움을 심어주지 않았느냐? 그게 다 허황된 거짓이란 말이냐!

와키자카 ¾ C.R. B.S., EYE-LEVEL, TRACK IN

C#17

준 사 …….

와키자카 너머 준사 정면 M.S., EYE-LEVEL, FIX

C#18

와키자카 와타나베! 어찌 생각하느냐?

와키자카 정면 B.S., EYE-LEVEL, FIX

C#19

와타나베, 뭔가 아리송한 얼굴로,

와타나베 훈련에서 계속 빠졌다는 건 문제가 있어 출전하기 쉽지 않음을 의미하는 게 맞습니다. 헌데 자꾸 마음에 걸리는 건

와키자카 너머 와타나베 정면 F.S., EYE-LEVEL, FIX

C#20

와타나베 (OFF SCREEN SOUND) 사헤에가 보고 왔다는 학익진입니다.

와키자카 ¾ C.R. B.S., EYE-LEVEL, FIX

C#21

와키자카, 사헤에가 자세히 그려서 보고한 학익진도를 본다.

와타나베 (OFF SCREEN SOUND) 제 생각에는

와키자카 너머 학익진도 C.U., HIGH ANGLE, FIX

C#22

와타나베 적극적인 공세진으로 보입니다만… 아무래도 우리 쪽 부산포를 에워싸 공격할 생각이 아닌지….

와키자카 너머 와타나베 B.S., EYE-LEVEL, PAN LEFT

준 사 (나서며) 그렇지 않을 겁니다.

와타나베 (인상) !

와키자카 너머 사헤에 & 준사 정면 M.S.

C#23

준사를 쳐다보는 와키자카.

와키자카 정면 B.S., EYE-LEVEL, FIX

C#24

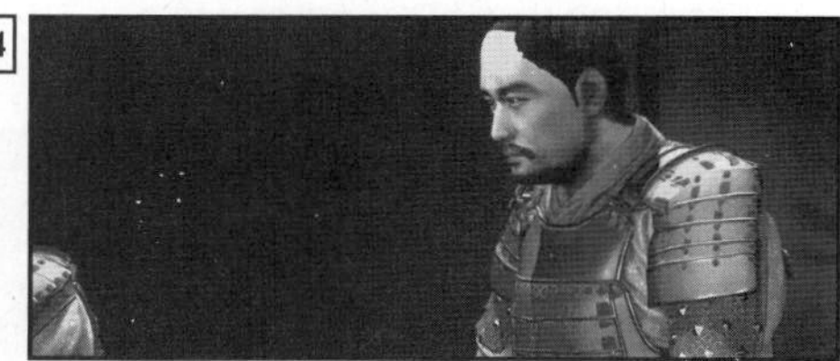

준 사 (아랑곳하지 않고) 이순신은 우리 포로들까지 동원해 훈련에 임하며 수성할 생각으로 가득 차 있었습니다. 더구나 메쿠라부네의 출전도 불가능한 지금 무리할 이유가 없어 보입니다.

준사 측면 C.L. B.S., EYE-LEVEL, FIX

C#25

와키자카 (준사를 빤히 보더니 흥미로운 듯) 더 근거를 대어보아라.

준사 너머 와키자카 F.S., EYE-LEVEL, FIX

C#26

준 사 (고개를 치켜들며) 제 임금조차도 국경 끝까지 도망간 판국 아닙니까. 필시 이순신은 이런 수세의 국면에서 결국 퇴로를 찾지, 감히 앞으로 나아가지는 못할 것입니다.

[C#17 동일] 와키자카 너머 준사 M.S., EYE-LEVEL, FIX

C#27

와키자카가 크게 웃는다.

와타나베 (못마땅) …….

와키자카 정세 판단이 좋구나. 준사.

와키자카 정면 B.S., EYE-LEVEL, FIX

C#28

와키자카 가까이 오거라.

준사가 가까이 다가온다.

와키자카 너머 사헤에 & 준사 F.S., EYE-LEVEL, FIX

C#29

와키자카 죽은 네 주군 무라하루 밑에선 얼마의 녹봉을 받았느냐?

준사 너머 와키자카 M.S., EYE-LEVEL, FIX

C#30

준 사 80석입니다.

준사 측면 C.L. C.S., EYE-LEVEL, FIX

C#31

와키자카 2백 석을 주마. 이곳서 당분간 보급관으로 일하라.

준사 너머 와키자카 정면 F.S., EYE-LEVEL, FIX

C#32

와키자카 (OFF SCREEN SOUND) 더욱 내 눈에 차면

[C#30 동일] 준사 측면 C.L. C.S., EYE-LEVEL, FIX

C#33

와키자카 내 배에 직접 너를 탈 수 있도록 해주겠다.

[C#27 동일] 와키자카 정면 B.S., EYE-LEVEL, FIX

C#34

준 사 (고개 숙이며) 감사합니다, 도노.

[C#30 동일] 준사 측면 C.L. C.S., EYE-LEVEL, FIX

C#35

와키자카 허나 이순신은 여전히 만만치 않은 자다. 내게 이 정도의 고민을 심어주다니. 여지껏 봐왔던 조선의 장수들과는 확실히 다르다.

와타나베 ¾ C.R. C.S., HIGH ANGLE, FIX

C#36

와키자카의 말을 듣는 준사.
문득 밖에서 뿔고둥 소리가 들려온다.
[C#30 동일] 준사 측면 C.L. C.S., EYE-LEVEL, FIX

C#37

군관 하나가 급히 들어와 뭔가를 마나베에게 알리면,
마나베 반색하며 와키자카에게 알린다.

마나베 주군! 가토의 함선들이 들어옵니다!

와키자카가 돌아서 창가로 간다. 삼총사 또한 다가서서 보면,
처소 L.S., HIGH ANGLE, FIX, 군관 F.I.

S#31 부산포 왜성 와키자카 처소 3층

가토의 함선이 포구에 들어온다

49 CUTS/22 SET-UPS  EXT  DAY  SET

C#38

강릉 VFX세트

부산포 앞바다 - 가토 함선
멀리 수많은 함선들이 포구로 들어서고 있다.
압도적 크기를 가진 36척의 안택선들과 세키부네들.
배들마다 하얀 천에 검은 십자가가 그려진 가토의 깃발이 바람에 펄럭이고….

가토 함대 L.S., LOW ANGLE, ARC RIGHT

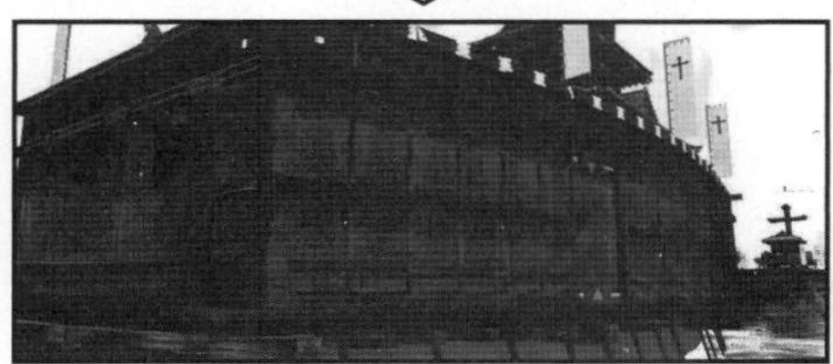

뾰족한 선수부부터 온통 철판이 둘러져 있는 배까지 보이는데,

배 측면 근접 F.S.

C#39

화포가 인상적이다.

좌측 블랑기포 L.S., EYE-LEVEL, TRACK RIGHT

우측 블랑기포 근접 F.S.

C#40

그 위에 대장인 듯 푸른 갑옷의 한 장수 (가토 요시아키)가 서 있고,

가토 너머 부산포 왜성 E.L.S, EYE-LEVEL, FIX

C#41

그 뒤로 사슴뿔 투구의 구키 요시타카가 함께 서 있는데….

가토 & 구키 정면 B.S., EYE-LEVEL, TRACK IN

C#42

포구로 들어서고 있는 가토 함대.

함선들 너머 부산포 E.L.S, EYE-LEVEL, FIX

C#43

부산 실내세트

부산포 왜성 와키자카 처소 3층

와타나베 (OFF SCREEN SOUND) 참으로 시의 적절할 때에 들어옵니다. 주군!

와키자카 너머 함대 E.L.S, SLIGHT HIGH ANGLE, FIX

C#44

와키자카 역시 군사님이시다.

와키자카 & 와타나베 정면 B.S., EYE-LEVEL, FIX

C#45

와키자카 하치만(八幡神)신이 나를 돕는구나….

와키자카 측면 C.R. C.S., EYE-LEVEL, FIX

가토의 함선이 포구에 들어온다 49 CUTS/22 SET-UPS  INT  DAY  SET

C#46

조용히 찻잔을 정리하고 있던 보름이 흘낏!
와키자카를 쳐다보는데,
보름 측면 C.L. M.F.S, EYE-LEVEL, FIX

C#47

그런 보름을 쳐다보는 준사.
준사 너머 보름 측면 C.R. L.S., EYE-LEVEL, FIX

C#48

그의 눈에 보름의 도깨비 문양의 비녀가 들어오고…
보름 후면 C.S., EYE-LEVEL, FIX

C#49

보름을 바라보는 준사.
준사 정면 B.S., EYE-LEVEL, FIX

S#32 좌수영 진해루

활을 쏘며 깊은 고뇌에 잠겨 있는 순신, 여러 기억들을 회상한다

27 CUTS/13 SET-UPS   EXT NIGHT OPEN SET

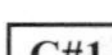

C#1

통영 통제영

달밤, 고요한 좌수영 선창이 내려다보이는 진해루.
횃불 속… 탁! 탁!
이순신 정면 B.S., SLIGHT LOW ANGLE, FIX

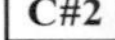

C#2

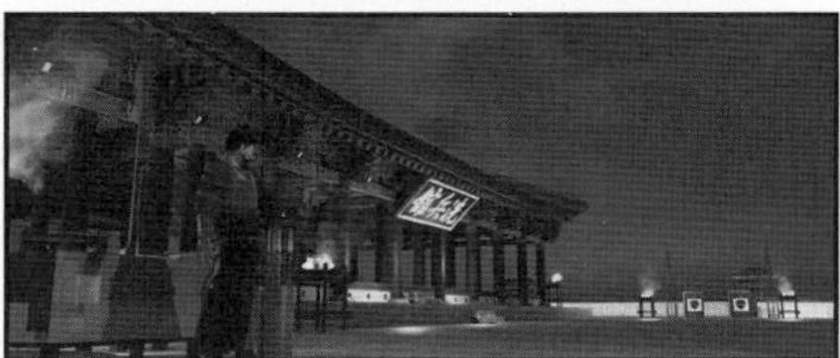

홀로 활을 쏘며 깊은 고뇌에 잠겨 있는 순신,
이순신 F.S., LOW ANGLE, FIX

C#3

다시 활을 쏘는 순신.
이순신 정면 M.S., SLIGHT LOW ANGLE, TRACK IN

C#4

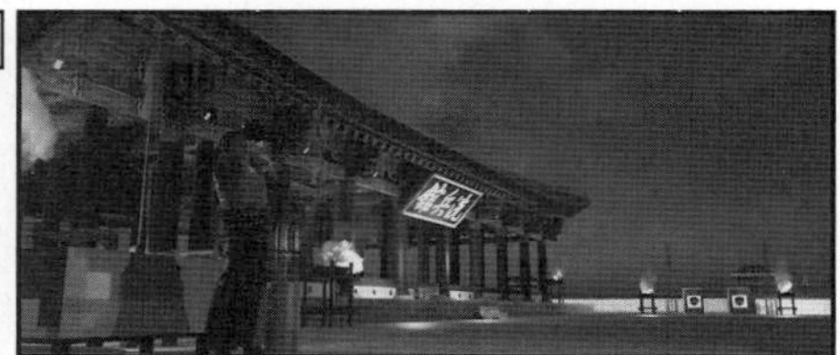

화살이 날아가 과녁의 정가운데 꽂힌다.
[C#2 동일] 이순신 F.S., LOW ANGLE, FIX

C#5

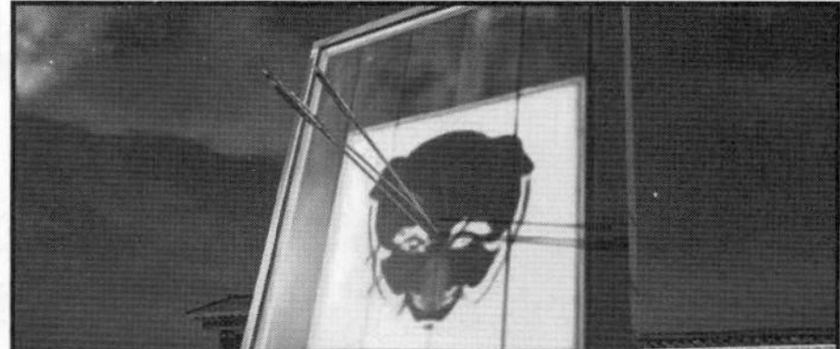

INS. 과녁, 정가운데 꽂히는 화살

C#6

다시 활을 드는 순신, 그의 얼굴에 문득 나대용의 외침이 들려온다.

나대용(V.O.) 장군! 구선 없이도 승리해 돌아오실 수 있습니까!

이순신 정면 C.S., SLIGHT LOW ANGLE, FIX

S#32 순천부 선소

순신을 따라 나와 정말 구선 없이도 승리할 수 있는지 묻는 나대용 27 CUTS/13 SET-UPS

EXT

DAY

LOCATION

C#7

여수 선소 유적지

순천부 선소 해안가 (회상)
얼마 전, 순천부 선소를 빠져나오던 순신이다.
나대용이 따라 나왔다.
이순신 후면 L.S., EYE-LEVEL, FIX, **나대용** F.I.

C#8

굴강 쪽으로 걸어가던 순신이 뒤돌아본다.
이순신 돌아보며 정면 M.S., EYE-LEVEL

C#9

순신에게 다가가는 나대용.
이순신 & 나대용 측면 L.S., EYE-LEVEL, FIX

C#10

눈물까지 글썽이며 외치는 나대용의 모습이 보인다.

나대용 장군! (뚫어지게) 정말 구선 없이도 승리해 돌아오실 수 있습니까!

이순신 너머 나대용 정면 B.S., EYE-LEVEL, FIX

C#11

이순신 …….

이순신 정면 C.S., EYE-LEVEL, FIX

S#32 좌수영 진해루

활을 쏘며 깊은 고뇌에 잠겨 있는 순신, 여러 기억들을 회상한다

27 CUTS/13 SET-UPS  EXT  NIGHT  OPEN SET

통영 통제영

C#12

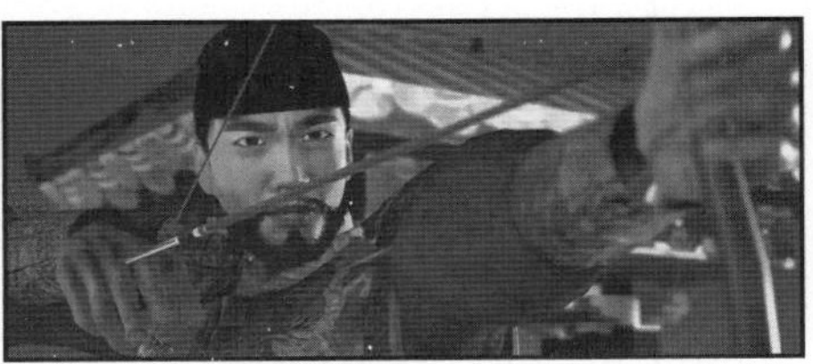

순신이 마침내 시위를 당기고,
[C#1 동일] 이순신 정면 B.S., SLIGHT LOW ANGLE, FIX

C#13

과녁 너머 이순신 L.S., EYE-LEVEL, TRACK RIGHT

C#14

화살을 쏜다.
[C#6 동일] 이순신 정면 C.S., SLIGHT LOW ANGLE, FIX

C#15

INS. 과녁 귀퉁이에 꽂히는 화살
탁! 과녁 귀퉁이에 꽂히고 마는 화살….

C#16

이순신 …….
[C#6 동일] 이순신 정면 C.S., SLIGHT LOW ANGLE, FIX

C#17

이억기 (OFF SCREEN SOUND) 평소 영감의 활 솜씨 같지 않으십니다.

이순신 (돌아보면) !

이순신 ¾ C.R. M.S., SLIGHT LOW ANGLE, TRACK RIGHT & PAN LEFT

이억기가 어느 사이 와서 서 있다.
이순신 너머 이억기 정면 M.S.

C#18

이억기 (다가서며) 고민이 있으신 게지요.
이억기 너머 이순신 정면 B.S., EYE-LEVEL, FIX

C#19

이억기 혹여, 구선 때문 아닙니까.
이순신 너머 이억기 정면 B.S., EYE-LEVEL, FIX

C#20

이순신 …함께 활이라도 몇 순 쏘시겠소?
[C#18 동일] 이억기 너머 이순신 정면 B.S., EYE-LEVEL, FIX

C#21

이억기 (통아의 화살로 향하는 순신의 손을 막으며) 솔직히 소장은 진법들을 운영할수록 우리에게는 구선이 더 필요하다는 생각이 듭니다.

[C#19 동일] 이순신 너머 이억기 정면 B.S., EYE-LEVEL, FIX

C#22

이억기 아닙니까.

이순신 …….

송희립 (OFF SCREEN SOUND) 장군!

[C#18 동일] 이억기 너머 이순신 정면 B.S., EYE-LEVEL, FIX

C#23

이때 대청문이 열리며 황급히 마당으로 뛰어 들어오는 송희립,
이순신 너머 송희립 정면 M.F.S, EYE-LEVEL, FIX

C#24

목례하는 송희립.
이억기 & 송희립 너머 이순신 정면 M.F.S, EYE-LEVEL, FIX

C#25

송희립 임준영이 전갈을 가지고 직접 찾아왔습니다!

[C#23 동일] 이순신 너머 송희립 정면 M.S., EYE-LEVEL, FIX

C#26

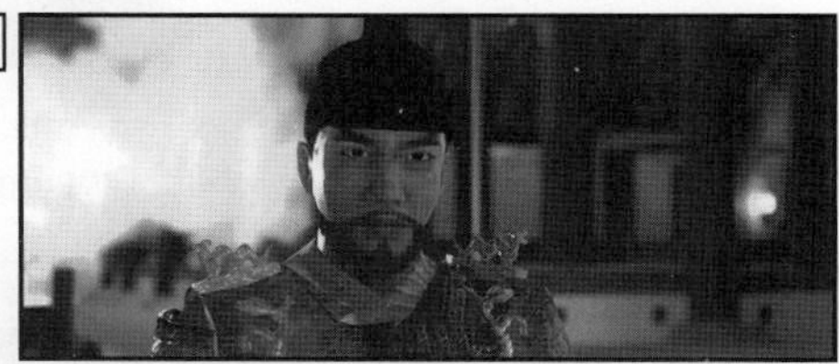

이순신 직접?

이순신 정면 C.S., EYE-LEVEL, FIX

C#27

이억기 !

이순신 너머 이억기 ¾ C.R. C.S., EYE-LEVEL, FIX

S#33 좌수영 진해루

가토 함대에 대해 보고하는 임준영, 순신은 내일 밤에 출동할 것을 명령한다 44 CUTS/17 SET-UPS

INT  NIGHT  SET

C#1

고양 세트

(다시 낯익은 반복적 비트음이 천천히 살아나며)
늦은 밤. 진해루에 모여 있는 전체 장수들!
그 규모가 상당한데,

임준영 지금까지 협판안치란 자가 이끌고 있는 적의 전선은

진해루 외부 L.S., HIGH ANGLE, BOOM DOWN

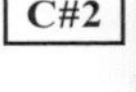

C#2

핼쑥한 낯빛의 임준영이 서서 보고를 한다.

임준영 대선이 총 30척,

이순신 너머 임준영 L.S., SLIGHT HIGH ANGLE, TRACK IN

C#3

임준영 중선이 약 1백여 척 총 1백여 척이었습니다.

임준영 정면 M.F.S, SLIGHT LOW ANGLE, TRACK IN

C#4

정 운 이었다?

정운 ¾ C.R. M.S., SLIGHT HIGH ANGLE, FIX

C#5

임준영 헌데 이번에 대마도에서 가등가명이란 자가 이끌고 온

[C#3 동일] 임준영 정면 M.S.,
SLIGHT LOW ANGLE, TRACK IN

C#6

임준영 대선 20척과 소선 20여 척을 합쳐

임준영 너머 이순신 정면 L.S., HIGH ANGLE, FIX

C#7

임준영 도합 140여 척으로 늘었습니다. 협판안치가 기다리던 자였으니 이제 곧 출병할 듯합니다.

[C#3 동일] 임준영 정면 M.S.,
SLIGHT LOW ANGLE, TRACK IN

C#8

이순신 …….

신 호 (모두 상기되어) 드디어….

장수들 너머 신호 M.S., SLIGHT HIGH ANGLE, FIX

C#9

임준영 헌데 이번에 들어온 가등가명의 배들이 특이했습니다.

[C#3 동일] 임준영 정면 M.S., SLIGHT LOW ANGLE

C#10

정 운 특이해?

정운 ¾ C.L. M.S., EYE-LEVEL, FIX

C#11

임준영 그의 대선들 중엔 그간 보았던 배들과 달리 선체가 두껍고 화포들을 매단 배들이

임준영 정면 B.S., EYE-LEVEL, FIX

C#12

임준영 여럿 보였습니다. 특히 대장선인 듯한 배는 화포는 물론이거니와 배 전체를 철판으로 덧대고 있었습니다.

이순신 너머 임준영 정면 L.S., EYE-LEVEL, TRACK RIGHT

C#13

그러자 웅성거리는 장수들,

김 완 화포를 달았다고? 적들의 배에 화포를 달 수 있답디까?

장수들 너머 김완 M.S., SLIGHT HIGH ANGLE, FIX

C#14

신 호 대장선인 듯한 배는 전체를 철판까지 둘렀다고?

임준영 너머 이순신 L.S., HIGH ANGLE, FIX

C#15

어영담이 담담하게 말한다.

어영담 예상할 수 있는 일입니다. 적들도 우리의 화포와 충파와 같은 전술에 당연히 대비하려 하겠지요.

이억기 너머 어영담 & 이순신 M.S., SLIGHT HIGH ANGLE, TRACK LEFT

C#16

권 준 장군! 이번 적선들의 특징은 우리를 직접 타격하고 서해를 뚫어

이순신 너머 권준 측면 C.R. M.S., EYE-LEVEL, FIX

C#17

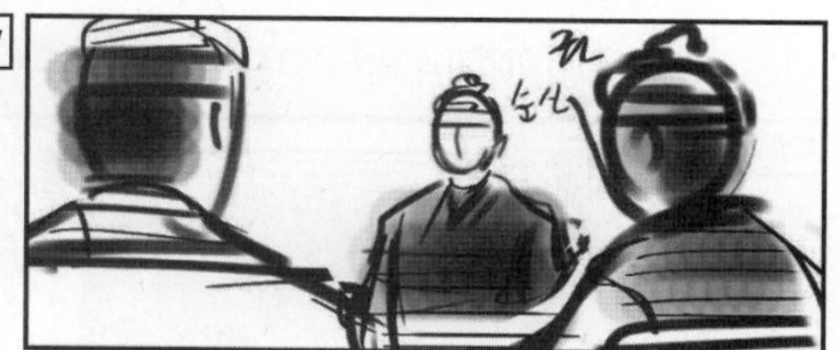

권 준 바로 소서행장이란 자가 웅거한 평양성으로 해상 보급을 하는 것이 목적 아니겠습니까.

이순신 …….

권준 너머 순신 정면 M.S., EYE-LEVEL, FIX

C#18

신 호 헌데 지금 전주성 인근 금산성으로도 적의 육군이 집결하고 있지 않습니까.

이순신 너머 권준 & 신호 정면 B.S., EYE-LEVEL, FIX

C#19

정 운 적은 수륙병진입니다. 필시 전주성과 우리 좌수영을 동시에 노릴 것입니다. 만일 적의 뜻대로 우리가 뚫리면

어영담 너머 이억기 정면 M.S., EYE-LEVEL, TRACK RIGHT

C#20

정 운 (OFF SCREEN SOUND) 의주에 있는 우리 조정의 운명은 끝입니다.

이순신 ¾ C.R. C.S., EYE-LEVEL, FIX

C#21

정 운 아니! 조정은 물론이거니와 바닷길로 바로 이어지는 명국(明國)조차도 위태로워질 겁니다!

이억기 …….

이순신 너머 이억기 & 정운 측면 C.L. B.S., EYE-LEVEL, FIX

C#22

당혹스러운 표정의 장수들, 동요하는 기색이 역력하다.

순신 정면 L.S., EYE-LEVEL, FIX

C#23

어영담 우리도 우리지만 전주성이 큰 걱정입니다. 용인 전투 이후 현재 순찰사께서 방어할 정신이나 있으실지…

이순신 너머 어영담 정면 B.S., EYE-LEVEL, FIX

C#24

어영담 (OFF SCREEN SOUND) 여하튼 전주성에도 속히 이 사실을 알려야 하지 않겠습니까.

이순신 …….

이순신 ¾ C.L. C.S., EYE-LEVEL, FIX

C#25

신 호 결국 어찌 수성할지의 문제만 남지 않았습니까? 도리어 우리 병력이라도 쪼개어 전주성을 도와야 하지 않겠습니까?

정 운 (발끈) 뭐요?

이순신 너머 장수들 L.S., SLIGHT HIGH ANGLE, FIX

C#26

권 준 그렇긴 하지요. 전주성이 무너지면 이 좌수영도 시간문제이니….

장수들 너머 권준 M.S., SLIGHT HIGH ANGLE, FIX

C#27

정 운 지금 제정신이들이오? 수군을 쪼개다니요. 수군을 어찌 쪼갠단 말이요!

장수들 너머 정운 정면 M.S., EYE-LEVEL, FIX

C#28

신 호 어이 역정을 내시오. 상황이 그렇지 않소이까?

김 완 상황이라니? 수군이 무슨 춘궁기에 나눠 먹을 감자쪼가리도 아니고.

신 호 어허! 그거 참! 상황이 그렇다 하지 않았소!

장수들이 분열되며 술렁이자 어영담이 나선다.

어영담 그만들 하십시다!

이순신 정면 L.S., EYE-LEVEL, FIX

C#29

어영담 좌수사 영감. 어찌하시겠습니까.

이순신 너머 어영담 정면 B.S., EYE-LEVEL, FIX

C#30

어영담이 묻자 모든 장수들이 일제히 순신을 쳐다본다.

이순신 너머 장수들 L.S., SLIGHT HIGH ANGLE, FIX

C#31

순신의 말을 기다리는 희립.

이순신 너머 송희립 ¾ C.L. M.S.,
SLIGHT LOW ANGLE, TRACK IN

C#32

역시 순신의 대답이 궁금한 임준영.

장수들 너머 임준영 ¾ C.R. M.S., EYE-LEVEL, TRACK IN

C#33

말이 없던 이억기도 순신의 판단에 귀를 기울이는데….

이순신 너머 이억기 측면 M.S., EYE-LEVEL, TRACK IN

C#34

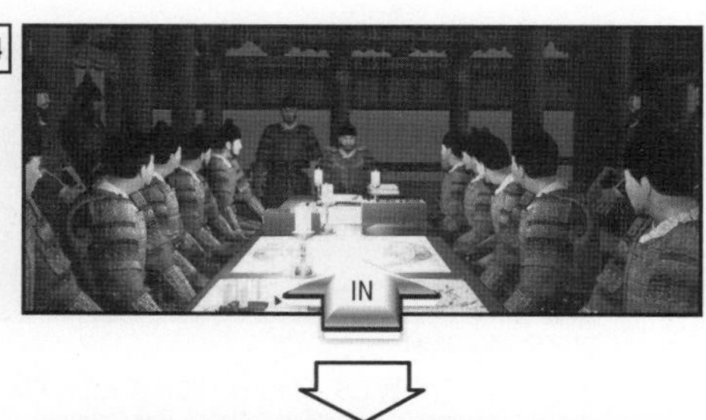

순신이 마침내 천천히 일어선다.

이순신 정면 L.S., EYE-LEVEL, TRACK IN

C#35

이순신 다들 주지했듯, 중요한 결전의 순간이 다가왔다. 허여….

이순신 정면 B.S., EYE-LEVEL, TRACK IN

C#36

모두들 초집중….

이순신 너머 장수들 L.S., HIGH ANGLE, TRACK IN

C#37

이순신 (담담히) 내일 밤 자정에… 출동할 것이다. 준비하라.

[C#35 동일] 이순신 정면 C.U., EYE-LEVEL, TRACK IN

걸음을 떼는 순신.

이순신 너머 장수들 L.S., SLIGHT HIGH ANGLE, FIX

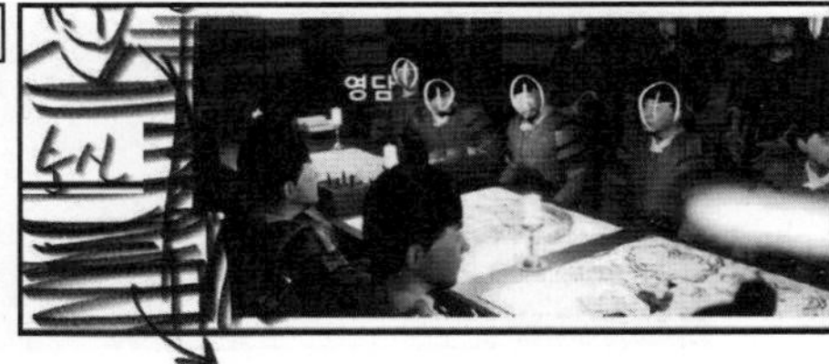

정운 등 장수들 모두 놀란다.

신 호 수, 수사 영감. 수성이 아니었습니까!

장수들 GROUP SHOT, SLIGHT HIGH ANGLE,
FIX 이순신 WALK OUT

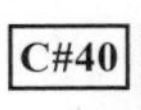

대꾸 없이 진해루를 나서는 순신.

장수들 너머 이순신 측면 M.F.S, SLIGHT HIGH ANGLE, FIX

C#41

송희립도 따라 나선다.

이순신 정면 M.S., EYE-LEVEL, FIX, 이순신 F.O.

C#42

상기된 표정의 임준영이 지나치는 순신에게 고개를 숙이고,
※순신의 "애썼다" 대사 정도는 있을 수 있음.

임준영 & 이순신 M.F.S, EYE-LEVEL, FIX

C#43

이억기가 묵묵히 사라지는 순신을 바라보는데….

이억기 …….

이억기 측면 C.R. B.S., SLIGHT LOW ANGLE, FIX

C#44

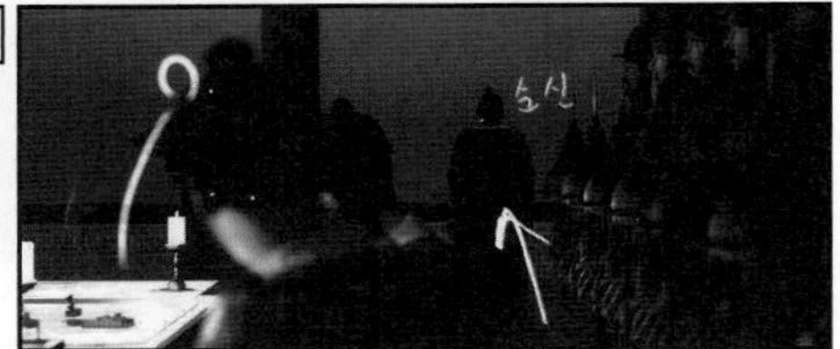

출정이라… 결국 공성인가… 이내 긴장감이 강하게 감도는 진해루. 어영담 이하 장수들 모두가 침묵한 채 일어나질 못한다.

이순신 후면 L.S., EYE-LEVEL, FIX, 이순신 WALK OUT

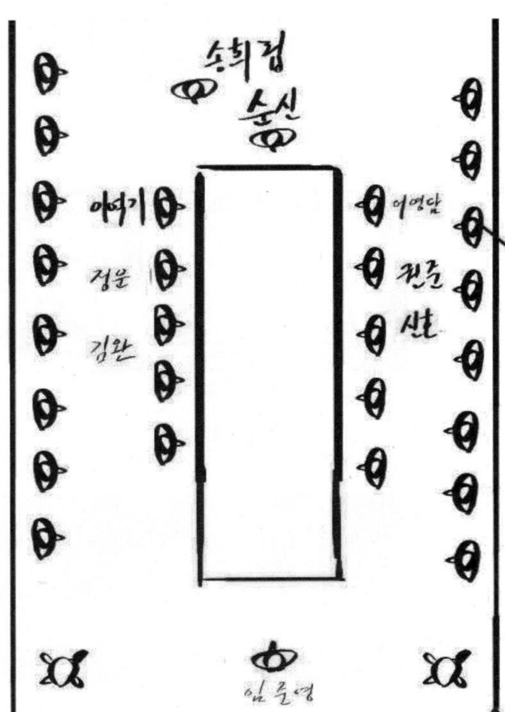

S#34 좌수영 선창 - 대장선 갑판

출병 준비에 만전을 기하는 좌수영, 갑판 위에서 장수들과 대화하는 순신 29 CUTS/16 SET-UPS

EXT  DAY  OPEN SET

C#1

여수 오픈세트

매우 분주한 좌수영,
3차 출동 하루 전
1592년 7월 4일
좌수영 선창 E.L.S,
HIGH ANGLE,
TRACK RIGHT

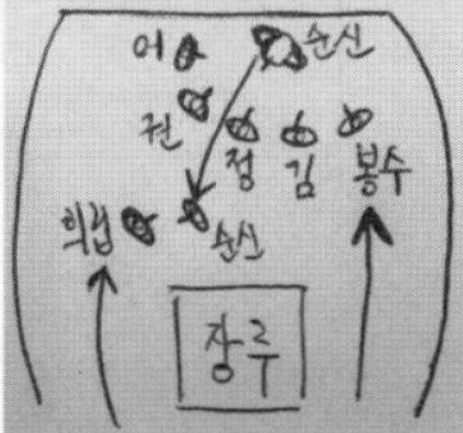

C#2

각 함선에 물과 쌀, 그리고 매끄러운 총통들이 분주히 배 안으로 들어간다.
선창 L.S., EYE-LEVEL, BOOM UP & PAN LEFT

순신이 갑판 위에서 어영담 및 정운, 김완, 권준과 긴밀한 대화를 나누고 있다.

어영담 육지 쪽으로 지금 믿을 것은

갑판 위 장수들 L.S.

C#3

어영담 의병과 승병들밖에 없습니다. 허나 지금 순찰사의 명으로는 의승병들이 모이지 않으니

이순신 너머 어영담 ¾ C.L. B.S., EYE-LEVEL, FIX

C#4

어영담 차라리 좌수사 영감의 명에 의해 의승병들을 모아

어영담 너머 이순신 ¾ C.R. B.S., EYE-LEVEL, FIX

C#5

어영담 전주성으로 보내는 게 낫다는 게 소장들의 판단입니다.

장수들 GROUP SHOT, EYE-LEVEL, FIX

C#6

이순신 (천천히 고개만을 끄덕) …….

[C#4 동일] 어영담 너머 이순신 ¾ C.R. B.S.,
EYE-LEVEL, FIX

C#7

어영담 그럼. 그리 조치하겠습니다.

권 준 (걱정스럽게 순신에게) 영감… 정말 우리가 가지 않아도 괜찮겠습니까.

[C#3 동일] 이순신 너머 어영담 & 권준 B.S. 2,
EYE-LEVEL, PAN LEFT

C#8

이순신 (빤히) 권 부사. 시방 바다를 버리는 것은 조선을 버리는 것이네.

이순신 정면 C.S., EYE-LEVEL, FIX

C#9

권 준 …….

이순신 너머 장수들 GROUP SHOT, EYE-LEVEL, FIX

C#10

이때 이봉수가 뛰어온다.

장수들 너머 이봉수 정면 L.S., SLIGHT HIGH ANGEL, FIX

C#11

이봉수 장군! 명하신 대로 화약들을 최대치로 맞추었습니다.

이봉수 F.I. → 이봉수 너머 이순신 정면 B.S., EYE-LEVEL, FIX

C#12

이봉수 다 하나된 민초들 덕분입니다. 염초를 이렇듯 원 없이 구했으니….

이순신 너머 이봉수 정면 B.S., EYE-LEVEL, FIX

C#13

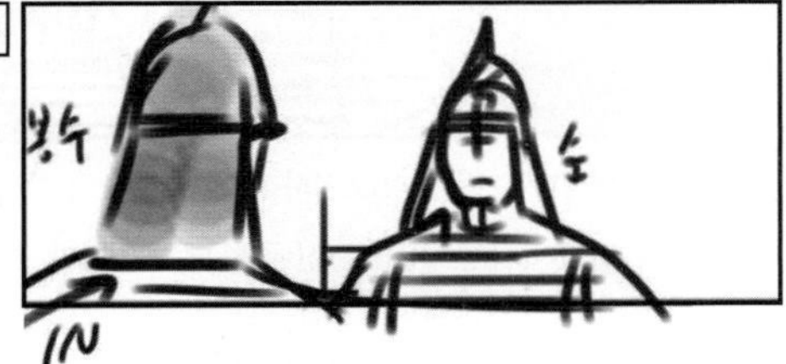

IN

이순신 참으로 애썼다.

[C#11 동일] 이봉수 너머 이순신 정면 B.S., EYE-LEVEL, FIX

C#14

이봉수 헌데 어찌 이리 많은 화약들을 실으시라고….

[C#12 동일] 이순신 너머 이봉수 정면 B.S., EYE-LEVEL, FIX

C#15

이순신 화포 안에 조란탄과 포탄을 함께 장착하는 게 가능하지 않느냐.

조란탄 작은 알갱이의 산탄

[C#11 동일] 이봉수 너머 이순신 정면 B.S., EYE-LEVEL, FIX

C#16

이봉수, 모든 장수들이 자신의 대답만을 기다리며 바라보고 있자 침을 꿀꺽.

이봉수 화포 안에 조란탄을 넣고 흙을 한 층 더 쌓는다면 뭐. (갑자기 깨달은 듯) 아! 그래서 화약을….

※액션리허설 시 대사 변경

이봉수 너머 장수들 측면 B.S., EYE-LEVEL, FIX

C#17

이봉수 허나 거리가 매우 가까워야 효과가 클 터인데….

이순신 너머 이봉수 정면 C.S., EYE-LEVEL, FIX

C#18

장수들도 그 말에 동의하는듯 진지하게 고개를 끄덕거리는데….

이봉수 허면 적들이….

※05/15 조선군 액션 리허설 시 대사 추가

장수들 GROUP SHOT, EYE-LEVEL, FIX

C#19

이순신 (말 끊으며) 알겠다. 헌데 나대용은 어찌하고 있느냐.

[C#11 동일] 이봉수 너머 이순신 정면 B.S., EYE-LEVEL, FIX

C#20

이봉수 이틀째 식음을 전폐하고 뭔가에 몰두하고 있습니다.

[C#12 동일] 이순신 너머 이봉수 정면 B.S., EYE-LEVEL, FIX

C#21

이순신 …….

※다가오는 희립에 시선 준다.

이순신 정면 C.S., EYE-LEVEL, FIX

C#22

이때 송희립이 급히 다가온다.

COVERAGE SHOT, 송희립 L.S., HIGH ANGLE, FIX

C#23

다가오는 송희립.

송희립 정면 F.S., EYE-LEVEL, FIX

C#24

순신이 송희립을 데리고 한쪽으로 빠져, 둘만의 대화를 나눈다.

송희립 후면 M.S., FOLLOWING TRACK & PAN RIGHT

C#25

송희립 장군. 원 수사는 만일 부산포를 급습하려 한다면 본인은 출정치 않겠다 합니다.

이순신 너머 송희립 C.S., EYE-LEVEL, FIX

C#26

이순신 (무표정) 통문을 다시 보내라. 그런 일은 없을 테니 남해 노량에서 꼭 보잔다고 전하거라.

송희립 너머 이순신 C.S., EYE-LEVEL, FIX

C#27

송희립 예! 장군. (이내 사라지면)

순신이 이내 돌아보면,

장수들 너머 이순신 & 송희립 M.F.S, EYE-LEVEL, FIX

C#28

정 운 (상기) 그렇다면 직사포의 거리가 생각보다도 더 가까워야 한다는 얘긴데….

김 완 적을 거의 코앞에 갖다 대는 격이겠지요.

순신의 시선, 이봉수와 장수들이 그들끼리 계속 진지하게 얘기를 나누며 서 있는 게 보인다.

이순신 너머 장수들 M.F.S, EYE-LEVEL, FIX

C#29

그들을 바라보는 순신.

장수들 너머 이순신 B.S., EYE-LEVEL, FIX

S#35 부산포 왜성 본영 전체 회의실 2층

고바야카와의 승낙에 내일 자정 출정을 명령하는 와키자카

45 CUTS/19 SET-UPS  INT  NIGHT  SET

C#1

왜성에 다양한 왜장들의 깃발 문양들이 나부끼고 있고, 전통 노(能) 공연이 호기롭게 펼쳐지고 있다. 와키자카와 가토, 구키가 나란히 상석에 앉아 있고, 그들의 가신들이 양옆으로 죽 늘어앉아 각자의 술상을 받고 있다.

부산포 왜성 E.L.S, HIGH ANGLE, FIX

C#2

부산 실내세트

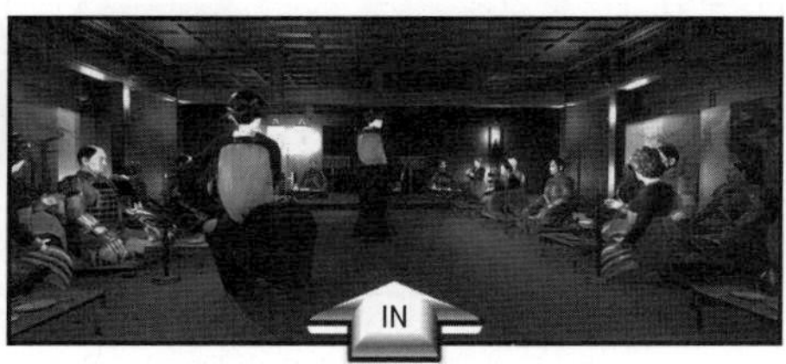

보름과 기생들이 분주하다.
함께 우의의 술잔들을 기울이고 있는 듯한데…
상석 중앙에 앉은 구키가 술잔을 든다.

구 키 시즈가타케의 두 영웅들을 이리 함께 조우하게 되니 소인은 그저 감개가 무량할 뿐이오.

회의실 내부 L.S., SLIGHT LOW ANGLE, TRACK IN

C#3

구 키 칸베에 군사께서도 함께하셨으면 더 좋았겠지만 태합전하께서 불러 가셨으니 어쩌겠소. 자자! 우리끼리 기분 좋게 한잔들 하십시다!

구키 정면 L.S., SLIGHT LOW ANGLE, TRACK IN

C#4

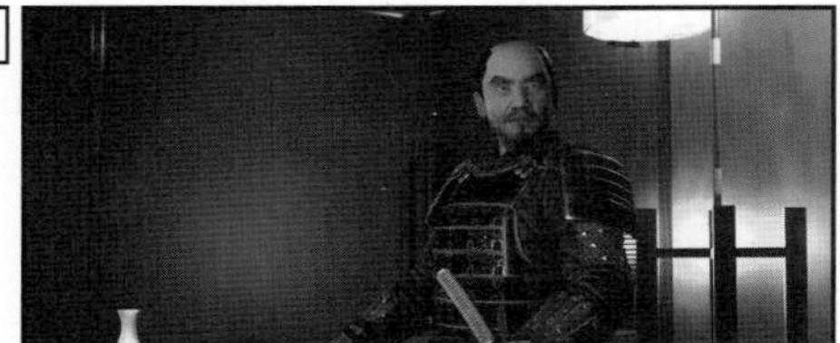

와키자카와 가토가 마지못해 술잔을 든다.

가 토 (와키자카에게) 그나저나 이순신이란 자는 어떤 자인가?

가토 ¾ C.L. M.S., SLIGHT LOW ANGLE, FIX

C#5

와키자카 생각보다 만만치 않은 장수다. 그게 우리가 함께 할 이유다.

와키자카 ¾ C.R. M.S., SLIGHT LOW ANGLE, FIX

C#6

가 토 조선엔 쓸 만한 장수가 많지 않다 들었는데 그자는 좀 다른가 보군.

[C#4 동일] 가토 ¾ C.L. M.S., SLIGHT LOW ANGLE, FIX

C#7

구 키 (웃으며) 이제 두 영웅이 함께 납시었는데 이순신 따위가 문제겠소.

**와키자카 & 구키 & 가토 M.S. 3,
SLIGHT LOW ANGLE, FIX**

C#8

구 키 안 그래도 심심한 전쟁이 더 일찍 끝날 것 같습니다만. 하하하!

와키자카 & 보름 측면 B.S., EYE-LEVEL, ARC RIGHT

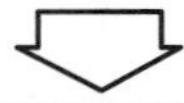

이때 문이 열리며 와타나베와 함께 6군 고바야카와의 전령이 들어온다.

와키자카 너머 회의실 L.S., 와타나베 & 고바 전령 F.I.

C#9

공연이 중단된 회의실.

와타나베 & 전령 너머 회의실 L.S., HIGH ANGLE, FIX

C#10

와타나베가 눈짓을 주자

와타나베 & 고바 전령 정면 B.S. 2

C#11

무릎을 꿇고 앉는 전령.

와타나베는 자리로 돌아간다.

와키자카 P.O.V., 전령 & 와타나베 L.S., 와타나베 F.O.

C#12

와키자카가 마나베에게 빠르게 눈짓을 준다.

와키자카 ¾ C.L. B.S., LOW ANGLE, FIX

C#13

고개를 끄덕이고 일어나는 마나베.

사헤에 & 와타나베 & 마나베 & 준사 측면 M.S., SLIGHT LOW ANGLE, FIX

C#14

마나베가 순식간에 술자리를 물리며 자리를 정리하는데.

마나베 어서들 나가라! 꾸물대는 놈은 바다에 던져 물고기 밥을 만들어줄 테다!

회의실 내부 L.S., EYE-LEVEL, FIX, 기생들 & 노 F.O.

C#15

공연자들과 보름과 기생들이 한달음에 밖으로 내쫓기고,

와키자카 & 보름 M.F.S, EYE-LEVEL, FIX

보름 F.O.

C#16

문이 닫히면,

와키자카 너머 고바야카와 전령 L.S., SLIGHT HIGH ANGLE, FIX

C#17

이내 고바야카와 전령이 그의 말을 전한다.

고바전령 고바야카와 님께서 좌수영으로의 육로 공격을 받아들이셨습니다.

고바전령 정면 F.S., SLIGHT LOW ANGLE, TRACK IN

C#18

순간 놀란 눈빛의 가토와 구키, 허나 구키는 이내 뭔가를 계산하는 듯 표정이 복잡해지고,

와키자카 너머 구키 & 가토 측면 M.S., SLIGHT LOW ANGLE, FIX

C#19

말석에 앉아 있는 준사 또한 표정이 심각해지는데….

준사 측면 M.S., SLIGHT LOW ANGLE, FIX

와키자카 그렇다면 그때를 언제로 본다하느냐?

RACK FOCUS → 가토 & 구키 & 와키자카 F.S.

C#20

고바전령 오히려 도노께 때를 묻고 그때를 받아오시라 했습니다.

와키자카 너머 전령 정면 L.S., SLIGHT HIGH ANGLE, FIX

C#21

와키자카 (화색) 그래? 그럼 오늘 밤 자정이다. 곧바로 가서 알려라.

와키자카 정면 C.S., EYE-LEVEL, FIX

C#22

가토와 구키가 황당!

가 토 (일어서며 버럭) 지금 무슨 개소리냐!

와키자카 너머 가토 & 구키 측면 B.S., EYE-LEVEL, FIX

C#23

가 토 한마디 상의도 없이 오늘 자정이라니.

가토 정면 B.S., EYE-LEVEL, FIX

C#24

구 키 와키자카. 아무리 그래도 그렇지. 일에는 순서가 있는 법.

구키 ¾ C.L. B.S., EYE-LEVEL, FIX

C#25

와키자카 태풍이 오기 전 쳐야 하오. 어쩔 수가 없소. 양해하시오.

와키자카 정면 B.S., EYE-LEVEL, FIX

C#26

와키자카 (전령에게) 한시가 급하다! 가서 그렇게 전하라.

와키자카 너머 전령 L.S., SLIGHT HIGH ANGLE, FIX

C#27

"이 개자식이 그래도!"

와키자카 너머 가토 정면 M.S., SLIGHT LOW ANGLE, FIX

C#28

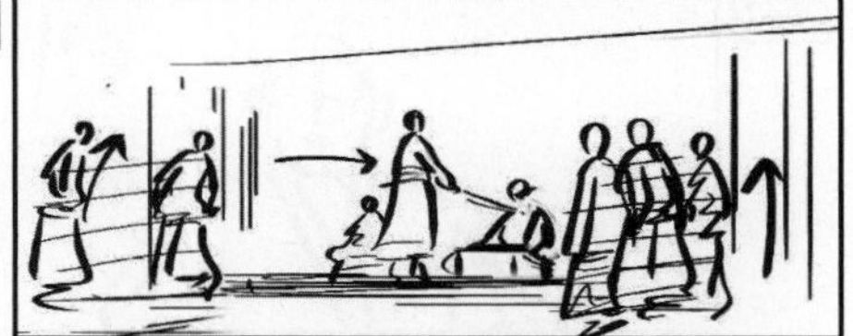

가토가 순식간에 와키자카의 목에 칼을 댔다.
서슬 퍼런 칼날!
회의실 L.S., SLIGHT LOW ANGLE, FIX

C#29

순식간에 와키자카의 가신들과
가토 가신들 너머 와키자카 가신들 정면 M.S.,
EYE-LEVEL, TRACK RIGHT

C#30

가토의 가신들이 모두 일어나 칼을 잡고,
와키자카 가신들 너머 가토 가신들 정면 M.S.,
EYE-LEVEL, TRACK LEFT

C#31

가토의 행동에 구키마저 당황!
와키자카 너머 구키 정면 M.S., EYE-LEVEL, FIX

C#32

전령도 몹시 당황. 그저 납작 엎드리는 전령.
가신들 너머 전령 L.S., HIGH ANGLE, FIX

C#33

긴장감이 흐르는 회의실.
와키자카 너머 회의실 L.S.,
SLIGHT LOW ANGLE, FIX

C#34

가 토 내가 이래서 천박한 너와 함께 할 수가 없다는 것이다! 출병이 애들 장난이냐! 와키자카!

와키자카 너머 가토 측면 M.S., LOW ANGLE, FIX

C#35

와키자카 경거망동하지 마라 가토! 앉아라!

와키자카 ¾ C.L. B.S., LOW ANGLE, FIX

C#36

구 키 왜 이러나? 가토! 칼을 집어넣게!

가토 & 와키자카 & 구키 M.F.S 3,
SLIGHT LOW ANGLE, FIX

C#37

가 토 단도직입적으로 묻자! 넌 진정 나와 함께하고 싶은 뜻이 있긴 있는 거냐?

가토 측면 B.S., LOW ANGLE, FIX

C#38

와키자카 나도 네가 싫다. 허나 태합전하의 명이니 어찌하겠느냐. 그 칼을 치우면 이번 일은 없던 것으로 하겠다.

와키자카 정면 C.S., SLIGHT HIGH ANGLE, FIX

C#39

구 키 가토!

[C#36 동일] 가토 & 와키자카 & 구키 M.F.S 3, SLIGHT LOW ANGLE, FIX

C#40

가토, 스스로를 간신히 참아내다가,

[C#37 동일] 가토 측면 B.S., LOW ANGLE, FIX

C#41

칼을 집어넣은 뒤 자리를 박차고 나가버린다.

문 열리고 전령 너머 회의실 L.S., SLIGHT LOW ANGLE, TRACK OUT

가토의 가신들이 따라 나간다.

→ 문 너머 회의실 L.S., 가토 & 가신들 F.O.

C#42

나가는 가토를 지그시 쳐다보는 와키자카. 그러다 이내,

와키자카 (다시 전령을 향해) 한시가 바쁘다. 어서 가서 전하라.

와키자카 정면 B.S., EYE-LEVEL, FIX

C#43

고바전령 예! 도노!

전령이 빠르게 사라지자,

와키자카 너머 전령 L.S., SLIGHT HIGH ANGLE, FIX

C#44

와키자카가 구키를 향해 식어버린 술잔을 들어 사과한다.

와키자카 양해해주시오. 저 다가오는 태풍처럼 내친 김에 휘몰아쳐버려야 하지 않겠소.

와키자카 & 구키 F.S., SLIGHT LOW ANGLE, FIX

C#45

구 키 …….

와키자카 너머 구키 정면 M.S., SLIGHT LOW ANGLE, TRACK IN → 구키 정면 B.S.

S#36 부산포 왜성 복도 2층

왜군 장수들이 상기된 채 나가는 와중, 준사를 마주치고 시선을 회피하는 보름 6 CUTS/4 SET-UPS

 INT  NIGHT  SET

C#1

부산 실내세트

왜군 장수들이 모두 상기된 채 걸어 나간다.
와키자카와 가신들 정면 L.S., SLIGHT LOW ANGLE, FIX

C#2

조용히 고개를 숙인 채 복도에 대기하고 있는 일련의 기생들과 보름.
가신들 다리 너머 보름 정면 M.S., EYE-LEVEL, FIX

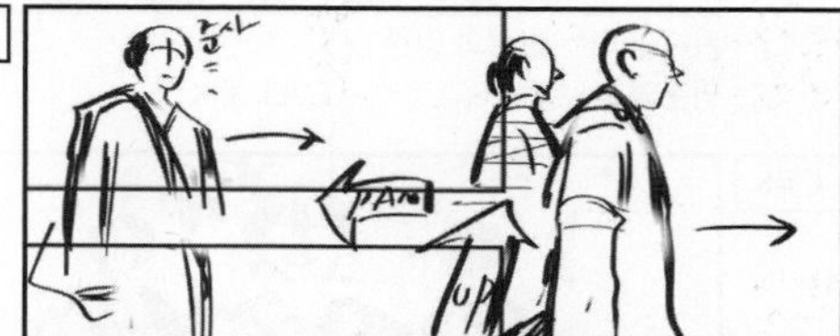

사헤에를 따라 나가던 준사, 보름 앞을 지나치다
보름 P.O.V., 가신들의 칼 C.U.,
TILT UP → 가신들 측면 B.S.,
LOW ANGLE, PAN LEFT → 준사 측면 B.S.

C#4

문득 그녀와 눈이 마주치는데, 시선을 회피하는 보름.
보름 측면 C.L. B.S., EYE-LEVEL, FIX

C#5

모퉁이를 돌아 복도를 빠져 나가는 가신들,
복도 준사 & 보름 F.S., EYE-LEVEL, FIX

C#6

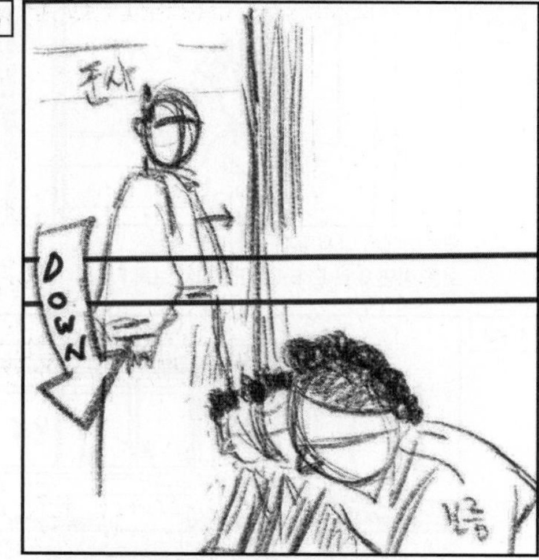

준사도 보름을 힐끔 쳐다보고는 빠져 나간다.
준사 측면 C.R. M.S., EYE-LEVEL,
BOOM DOWN → 보름 측면 C.L. M.S.

S#37 부산포 왜성 본영 전체 회의실 2층

보름이 숨어 있던 임준영을 불러 나오게 하고, 사헤에에게 들키자 임준영을 도망가게 하고 혀를 깨문 채 기절한다

51 CUTS/22 SET-UPS

INT

NIGHT

SET

부산 실내세트

C#1

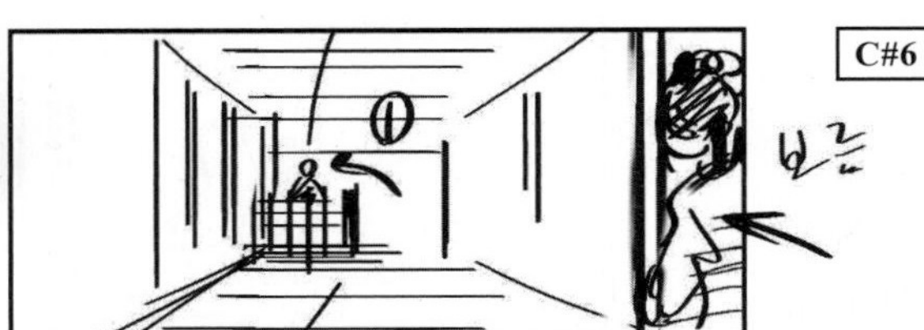

모두가 사라진 왜성 복도,

보름 F.I., 너머 복도 L.S., EYE-LEVEL, FIX

C#2

모퉁이에서 다시 돌아 들어오는 보름.

보름 정면 B.S., EYE-LEVEL, FIX, 보름 F.O.

C#3

와키자카와 가토 등이 있던 그 방 안으로 다시 들어온다.
텅 빈 방, 치워야 할 술자리만이 남아 있는데….

회의실 보름 정면 L.S., EYE-LEVEL, FIX

C#4

문득 보름이 병풍을 향해 조용히 외친다.

보 름 …나오셔요!

보름 정면 M.S., EYE-LEVEL, FIX

C#5

보름의 말에 반응하는 인기척, 놀랍게도 기다란 병풍 뒤에서 임준영이 나온다.

임준영 고맙소… (잔뜩 상기된 채) 덕분에 놀라운 걸 들었으니 속히 좌수영에….

보름 너머 임준영 정면 L.S., EYE-LEVEL, FIX

C#6

이때 드르륵! 척 하고 열리는 문!
놀랍게도 사헤에가 첩보대 1을 포함한 병사들을 데리고 방 안으로 들어선다.

사헤에 정면 M.F.S, EYE-LEVEL, FOLLOWING TRACK

C#7

몹시 놀라는 보름과 임준영!

임준영 & 보름 B.S. 2, EYE-LEVEL, FIX

C#8

사헤에가 비릿한 미소로 임준영과 보름을 쳐다본다.

사헤에 정면 M.S., EYE-LEVEL, FIX

C#9

사헤에 네 놈이 어디까지 이어졌나 지켜봤다.

임준영 & 보름 너머 사헤에 정면 M.S., EYE-LEVEL, FIX

C#10

사헤에 바로 니년까지 이어졌구나!

사헤에 너머 임준영 & 보름 정면 M.S., EYE-LEVEL, TRACK IN

C#11

임준영/보 름 !

임준영 & 보름 정면 C.S. 2, EYE-LEVEL, TRACK LEFT

C#12

이때 더욱 놀라운 건,
와키자카가 복도 쪽에서 천천히 걸어 들어온다.
회의실 내부 L.S., SLIGHT LOW ANGLE, FIX, 와키자카 F.I.

C#13

와키자카 놀라운 일이군. 첩자들이 저런 기생들에게까지 뻗어 있었다니.

와키자카 정면 M.S., EYE-LEVEL, FIX

C#14

와키자카 (OFF SCREEN SOUND) (보름을 보며) 조금 아깝구나.

임준영 & 보름 정면 B.S. 2, EYE-LEVEL, FIX

C#15

와키자카 아와지까지 데려가고 싶었는데.

와키자카 정면 B.S., EYE-LEVEL, FIX

C#16

보 름 …….

[C#14 동일]임준영 & 보름 정면 B.S. 2, EYE-LEVEL, FIX

C#17

잔뜩 긴장해 서 있던 임준영이 소매에서 천천히 비수를 뽑아 내는데,
임준영 손 너머 와키자카 & 무장 정면 M.F.S,
LOW ANGLE, BOOM DOWN

C#18

갑자기 보름이 임준영보다 먼저 외마디 괴성과 함께 도깨비 비녀를 뽑아 자신을 틀어쥔 무장의 목에 꽂는다.
보름 너머 무장 정면 B.S., EYE-LEVEL, TRACK IN

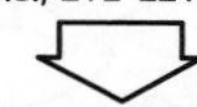

헉! 단발마의 비명과 함께 나가떨어지는 무장.
보름 너머 무장 정면 C.S.

C#19

비녀 끝이 예리하다.
무장 너머 보름 정면 B.S., EYE-LEVEL, FIX

C#20

보름을 바라보는 임준영.
임준영 정면 B.S., EYE-LEVEL, FIX

C#21

그리고 다시 전광석화처럼
보름 너머 무장 F.S., SLIGHT LOW ANGLE, FIX

와키자카에게 달려드는 보름!
보름 너머 와키자카 정면 F.S.

C#22

보름 죽어!

보름이 놀랍게도 와키자카의 어깨에 비녀를 꽂았다.
와키자카 너머 보름 B.S., EYE-LEVEL, FIX

C#23

창가로 밀어붙이는 보름.
[C#21 동일] 보름 너머 와키자카 정면 F.S.

C#24

와키자카 ……!

보름 너머 와키자카 ¾ C.L. C.S.

C#25

사헤에 (경악) 주군!

사헤에 정면 M.F.S, EYE-LEVEL, FIX

C#26

와키자카가 순식간에 보름의 두 뺨을 틀어쥐며 창가 벽에 붙여 세운다.
(와키자카가 보름 돌려세우며)
와키자카 너머 보름 정면 B.S., EYE-LEVEL, FIX

C#27

보름이 빠르게 사헤에를 막아선 임준영에게 소리친다.

보름 어서 나가요!

와키자카 & 보름 너머 임준영 정면 M.F.S, EYE-LEVEL, FIX, 임준영 F.O.

C#28

잠시 망설이던 임준영이 창문으로 순식간에 몸을 내던진다.
임준영 후면 M.S., EYE-LEVEL, FOLLOWING TRACK

C#29

창문을 뚫고 나오는 임준영.
임준영 정면 M.S.

C#30

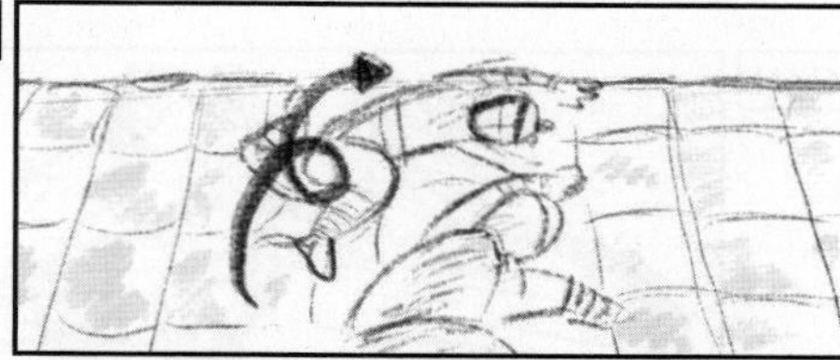

기와 지붕에서 굴러 떨어지는 임준영.
지붕 위 임준영 F.S., 직부감 → F.O.

C#31

와키자카 (소리치며) 저놈을 잡아라!

사헤에 (OFF SCREEN SOUND) (망연자실) 주, 주군!

와키자카 어서!

와키자카 & 보름 측면 M.S. 2, SLIGHT LOW ANGLE, FIX

C#32

사헤에 예! 주군!

사헤에가 부하들을 이끌고 빠르게 뛰어나간다.
사헤에 후면 L.S., LOW ANGLE, FIX

C#33

헌데 복도,
사헤에 후면 M.S., FOLLOWING TRACK

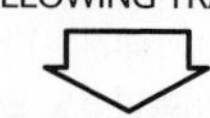

기생을 끼고 다시 들어오던 마나베와 마주치고,
마나베 무리 F.I.

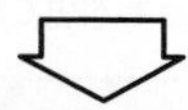

사헤에 F.O. → 마나베 측면 M.S.

C#34

이내 함께 뛰어나가는 두 사람.
마나베 정면 M.F.S → F.O.

C#35

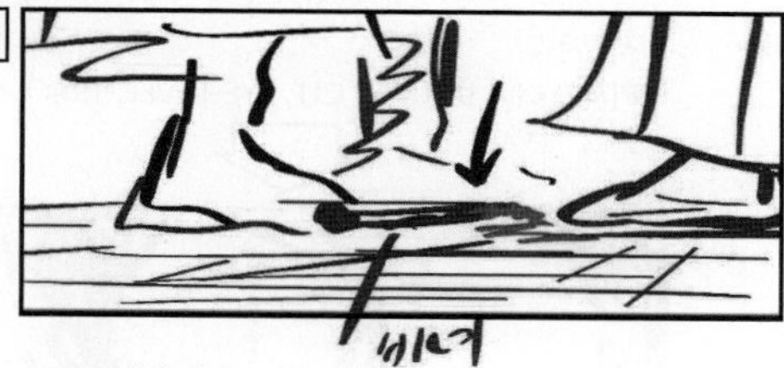

INS. 도깨비 비녀
CUT TO
툭! 피 묻은 도깨비 비녀가 바닥에 떨어진다.

C#36

와키자카가 보름의 턱을 틀어쥐고 벽으로 더욱 몰아붙인다.
부하들이 보름에게 달려든다.
부하들을 다가오지 못하게 막는 와키자카.
보름 & 와키자카 측면 B.S., EYE-LEVEL, TRACK LEFT

C#37

보 름 (부들부들)…….

와키자카 너머 보름 정면 C.S, EYE-LEVEL, FIX

C#38

와키자카 어디까지 정보를 빼돌렸느냐. 말해라. 그럼 고통 없이 죽여주겠다.

보름 너머 와키자카 정면 C.S., EYE-LEVEL, FIX

C#39

보름, 엷은 냉소와 함께 갑자기 굳게 다문 입에서 피를 벌컥 벌컥 흘린다.
와키자카 너머 보름 정면 C.U., EYE-LEVEL, TRACK IN

와키자카 너머 보름 정면 B.C.U

C#40

와키자카가 두 뺨을 더욱 틀어쥐며 입을 강제로 벌리면,
[C#38 동일] 보름 너머 와키자카 정면 C.S.,
EYE-LEVEL, FIX

C#41

보름, 혀를 반쯤이나 깨물고 비웃더니 이내 의식을 잃는다.
와키자카 너머 보름 B.S., EYE-LEVEL, FIX

C#42

와키자카가 손을 놓자, 바닥에 나뒹구는 보름.
회의실 L.S., SLIGHT LOW ANGLE, FIX

C#43

어깨에 피를 흘리는 와키자카를 보며 부장들이 사색이 되어
와키자카 너머 부장들 정면 M.S., EYE-LEVEL, FIX

C#44

일제히 무릎을 꿇는다.
[C#42 동일] 회의실 L.S., SLIGHT LOW ANGLE, FIX

C#45

부장들 주군! 죽을 죄를 졌습니다.

와키자카 & 부장들 F.S., SLIGHT LOW ANGLE, FIX

C#46

부장들 저희 목을 치소서!

부장 정면 M.S., EYE-LEVEL, FIX

C#47

와키자카 (무표정) 세작들을 모조리 색출하라. 저 계집은 살려라.

와키자카 ¾ C.R. B.S., SLIGHT LOW ANGLE, FIX

C#48

와키자카가 사라진다.

[C#42 동일] 회의실 L.S., SLIGHT LOW ANGLE, FIX,

와키자카 F.O.

부장들도 잔뜩 상기되어 이내 모두 빠져 나가는데….

부장들 F.O.

C#49

쓰러져 있는 보름의 입에 천을 물리며

준사 너머 보름 F.S., HIGH ANGLE, FIX

C#50

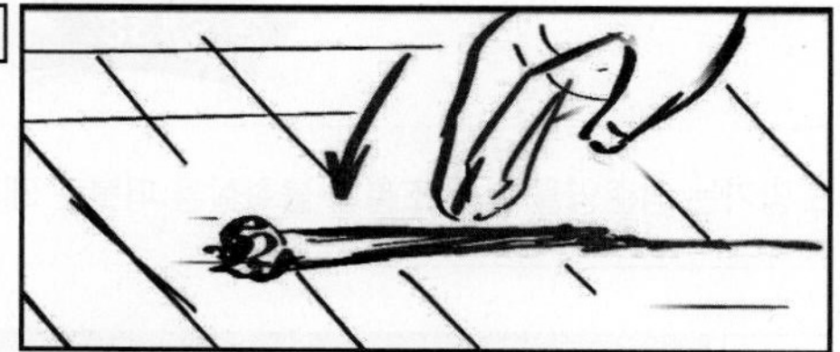

INS. 보름의 비녀를 집어드는 준사의 손

피 묻은 도깨비문양 비녀를 주워 드는 누군가,

C#51

남아 있던 준사다. 준사, 무표정하게 의식을 잃은 보름을 쳐다보는데,

준사 정면 B.S., SLIGHT LOW ANGLE, FIX

S#38 부산포 외곽 해안가

도망가는 임준영을 향해 조총과 불화살을 퍼붓는 왜군들

20 CUTS/11 SET-UPS

EXT  NIGHT  LOCATION

C#1

부안 수성당 인근

헉헉! 임준영이 숨 돌릴 틈도 없이 쫓기고 있다.

임준영 측면 L.S., EYE-LEVEL, FOLLOWING TRACK

C#2

허겁지겁 해안가에 대기하고 있던 목선에 뛰어 올라탄다.

임준영 & 세작들 L.S., EYE-LEVEL, FOLLOWING TRACK

C#3

두 명의 세작들이 빠르게 노를 젓기 시작하고, 임준영은 가쁘게 숨을 내쉬는데, 어깨와 옆구리에 총을 맞아 출혈이 심하다.

세작들 너머 임준영 M.S., HIGH ANGLE, BOOM UP

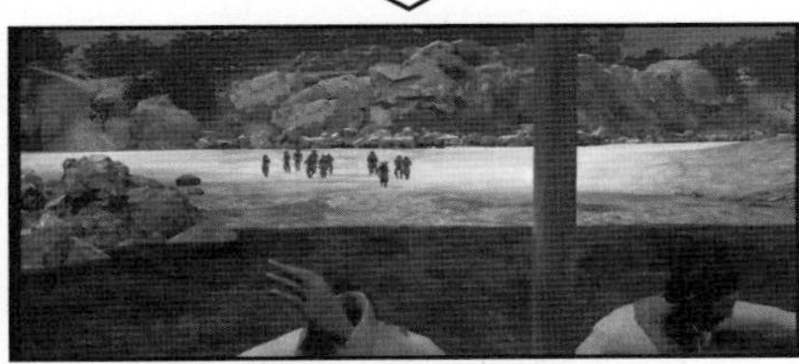

"저기다! 어서 쫓아라! 반드시 잡아야 한다!"

※마나베 불화살 부대 10인, 사헤에 조총 부대 10인

→ 마나베, 사헤에 일행 L.S.

C#4

사헤에가 애꾸눈 마나베와 함께 다수의 왜군들을 데리고 달려와,

※VP에는 마나베만 있음.

사헤에 & 마나베 정면 M.S., EYE-LEVEL, FIX

C#5

달아나는 목선을 향해 조총과 불화살을 퍼붓기 시작한다. 조총수들을 지휘하는 사헤에와 불화살들을 지휘하는 마나베. 쏴라!

왜군들 너머 목선 L.S., EYE-LEVEL, FIX

C#6

고양 수조세트

화살과 총알이 배에 꽂히며 파편들이 사방에 튄다.

목선 F.S., EYE-LEVEL, FIX

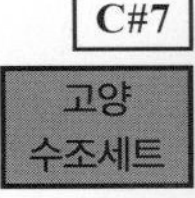

C#7

고양 수조세트

헉헉대는 임준영.

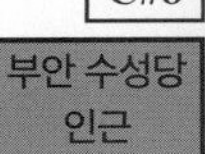

C#8

부안 수성당 인근

마나베가 이번엔 직접 불화살을 들어 병사들과 함께 쏜다.
왜군들 정면 L.S., SLIGHT LOW ANGLE, PUSH IN

마나베 정면 M.F.S, SLIGHT LOW ANGLE

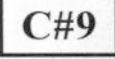

C#9

INS. 불 붙은 화살촉, 날아간다.

C#10

고양 수조세트

이내 하늘을 밝히며 날아가 목선 위에 떨어지는 수십 발의 불화살들….
목선 위 세작들 너머 불화살들 L.S., LOW ANGLE, FIX

C#11

고양 수조세트

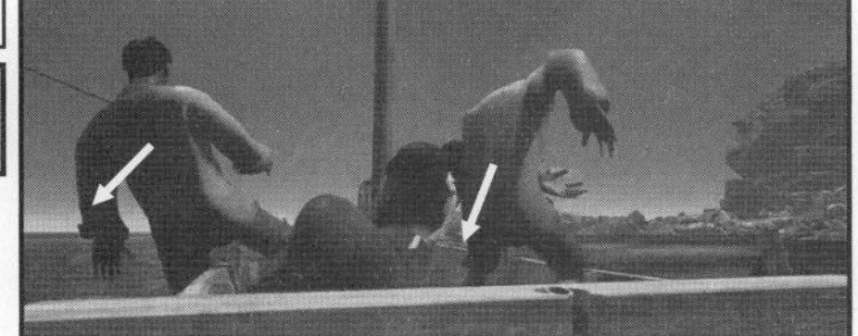

노를 젓던 세작 하나가 죽어나가고,
나머지 한 명도 불화살을 맞고 죽어나간다.
임준영 너머 세작들 M.F.S, SLIGHT LOW ANGLE, FIX
세작들 F.O.

C#12

목선의 돛과 돛대마저 불타며 화염에 휩싸이는데,
불 타는 돛 너머 임준영 정면 M.F.S, EYE-LEVEL, FIX

C#13

임준영, 절망적이다.
임준영 L.S., HIGH ANGLE, PUSH IN

C#14

부안 수성당 인근

불화살을 쏘는 마나베.
마나베 B.S., SLIGHT LOW ANGLE, FIX

C#15

배 위의 불이 한층 더 커진다.
[C#5 동일] 왜군들 너머 목선 L.S., SLIGHT HIGH ANGLE, FIX

C#16

고양 수조세트

불길에 휩싸이자,
불길 너머 임준영 M.F.S, EYE-LEVEL, FIX

C#17

임준영이 마침내 바다로 몸을 던지고….
임준영 F.S., LOW ANGLE,
FOLLOWING PAN & TILT DOWN

C#18

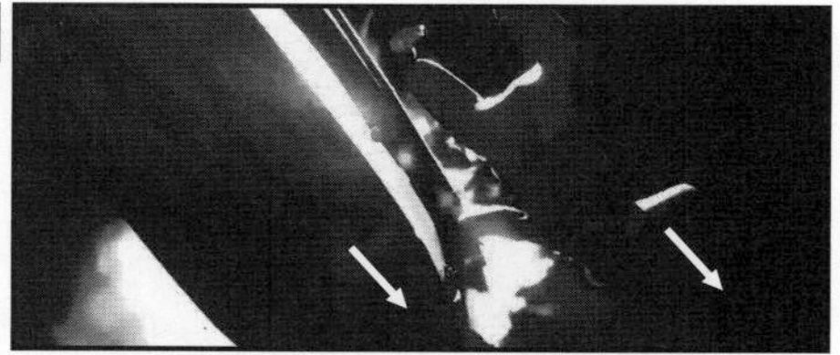

물 속으로 떨어지는 임준영.
수중샷, 임준영 F.I. → F.S., LOW ANGLE

C#19

부안 수성당 인근

몇몇 왜병들이 아예 옷을 벗어던지고 수영까지 해나가기 시작하는데, 마나베, 화염에 휩싸인 배에 멈추지 않고 더욱 불화살을 날리고,
[C#5 동일] 왜군들 너머 목선 L.S., SLIGHT HIGH ANGLE, FIX

C#20

씩씩거리는 사헤에

사헤에 역시 조총을 쏘다 씩씩거리며 불타고 있는 배를 지켜보는데….

S#39 부산포 조선 세작 몽타주

여기저기에서 조선 세작들이 끌려 나와 목이 베인다. 의식을 잃은 보름 10 CUTS/10 SET-UPS

EXT

NIGHT

OPEN SET

C#1

여수 오픈세트

달무리가 진 밤바다 부산포 왜성 전경.
부산포 왜성 L.S., HIGH ANGLE, FIX

C#2

어지러운 호각 소리들과 함께
부산포 여기저기에서 조선 세작들이 끌려 나온다.
세작들 L.S., SLIGHT LOW ANGLE, FIX

C#3

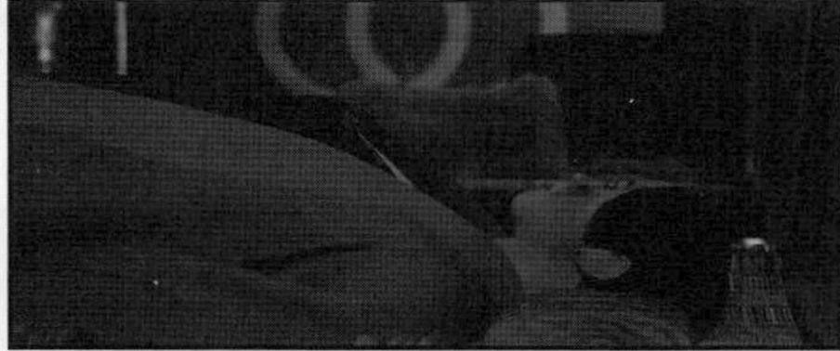

왜군 막사 안
초병들이 지키는 왜군 막사 안. 향불이 피워져 있고.
보름이 의식을 잃은 채 죽은 듯 누워 있다.
보름 측면 M.S., EYE-LEVEL, FIX

C#4

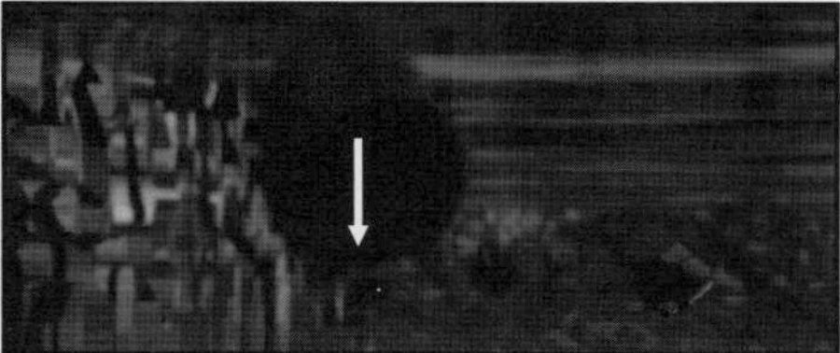

CUT TO
선창 부둣가, 물속으로 떨어지는 조선 세작의 목.
[수중] 세작의 목 F.I.

C#5

굴비 두름처럼 엮여 무릎이 꿇린 채 울부짖는 세작들.
왜군의 칼날에 일제히 목들이 날아가고….
부둣가 L.S., HIGH ANGLE, FIX

C#6

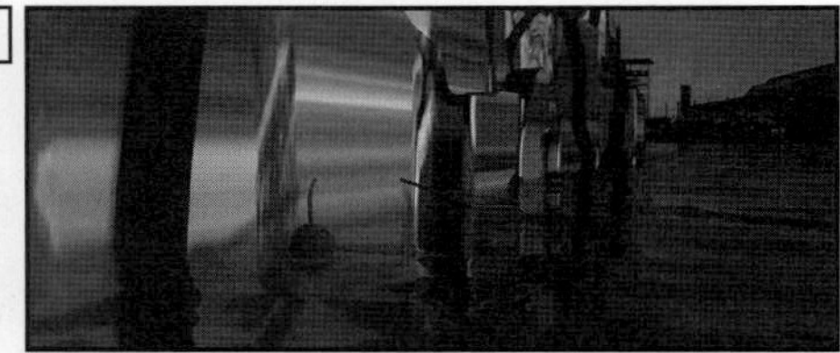

INS. 도깨비 목걸이

C#7

CUT TO
본성 3층 처소에서 그 광경을 내려다보고 있는.
와키자카 P.O.V., 부산포 L.S., HIGH ANGLE, FIX

C#8

부산포 왜성 와키자카 처소 3층 상처를 싸맨 와키자카.
와타나베와 함께 내려다보고 있다.
와키자카 & 와타나베 정면 M.S., LOW ANGLE, FIX

C#9

와키자카 기왕지사…
와키자카 & 와타나베 후면 B.S. 2, HIGH ANGLE, FIX

C#10

와키자카 마저 정리할 것들은 정리하고 출정하는 게 어떠하냐.

와타나베 (감 잡았다는 듯 천천히 고개를 끄덕이는데) …….

와키자카 ¾ C.L. C.S., EYE-LEVEL, FIX

S#40 남해 노량 앞바다

50여 척의 조선 함대 3차 출동, 원균 함대 7척이 합류한다

15 CUTS/9 SET-UPS EXT NIGHT OPEN SET

C#1

차가운 달빛… 잔잔히 굽이치는 파고 속, 50여 대의 조선 함대가 미끄러지듯 이동하고 있다. 동쪽으로 전진하는 지역명들이 보이는 해도(海圖)와 중첩되며 나아가고 있는데, 해도상 남해도 노량 해역 즈음.

바다 E.L.S, HIGH ANGLE, TRACK LEFT

C#2 강릉 VFX세트

3차 출동 1일 차
1592년 7월 5일

어영담함 L.S., SLIGHT LOW ANGLE, TRACK LEFT

C#3 여수 오픈세트

선수 격군실 문을 열고 횃불을 든 광양 현감 어영담이 함대를 인도하고 있다.

어영담 & 영담 부장 후면 M.S., EYE-LEVEL, TRACK IN

C#4

어영담 P.O.V. 바다 암초, TRACK IN

C#5

어영담 (횃불을 들고 물길을 살피며) 좌현 쪽의 암초를 조심하라.

영담 부장 예. 장군.

격군들에게 말을 전달하는 영담 부장.

어영담 & 영담 부장 정면 M.S. 2, EYE-LEVEL, TRACK IN

C#6

이내 남근처럼 생긴 어느 섬 앞,

어영담 P.O.V. 섬, EYE-LEVEL, PUSH IN

C#7

어영담 (섬을 지그시 횃불로 비춰 보다가) 당도했다. 좌수사께 알려라.

영담 부장 예, 장군.

어영담 & 영담 부장 정면 M.S. 2, LOW ANGLE, FIX

C#8 강릉 VFX세트

천천히 이동 중인 순신의 좌선에서 횃불을 피워 올린다. 순신, 누구를 기다리는 듯이 아무 말 없이 전방만을 주시하면….

이순신 정면 L.S., SLIGHT HIGH ANGLE, TRACK RIGHT & BOOM DOWN

C#9

섬 뒤편에서 횃불들이 솟아오르며 일제히 빠져나오는 배들이 보인다.
이순신 너머 어영담함 L.S., EYE-LEVEL, TRACK I

C#10

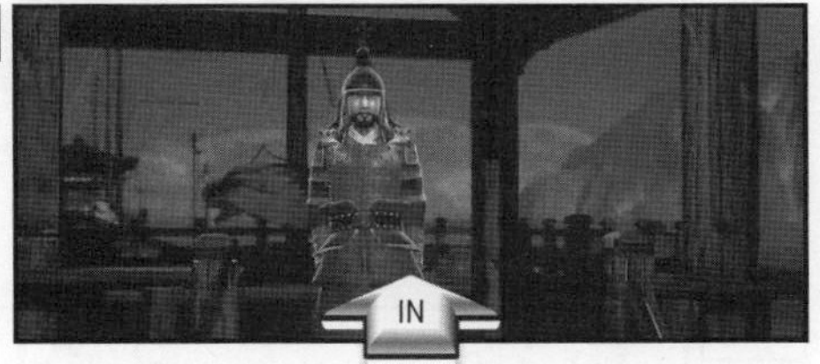

다가오는 배들을 바라보는 순신.
이순신 정면 M.F.S, SLIGHT LOW ANGLE, TRACK IN

C#11

순신의 함대로 다가오는 횃불들, 또 다른 판옥선들 7척이다.
원균 함대 L.S., SLIGHT HIGH ANGLE, PUSH IN

C#12

이순신 …….
이순신 정면 C.S., EYE-LEVEL, TRACK LEFT

C#13

선두 배의 장루에서 누군가 일어나 순신을 쳐다보는데, 원균이다.
원균함 측면 L.S., EYE-LEVEL, TRACK LEFT

C#14

원균을 바라보는 순신.
이순신 정면 C.S., EYE-LEVEL, FIX

C#15

순신 쪽으로 한 걸음 다가오는 원균.
원균 정면 M.F.S, EYE-LEVEL, TRACK LEFT

S#41 부산포 선창

와키자카와 가토 수하들의 칼싸움,
패배한 가토와 구키를 놓아주는 와키자카

44 CUTS/21 SET-UPS

EXT

NIGHT

OPEN SET

C#1

여수 오픈세트

구름을 뚫고 나온 달, 그 달빛 속에
부산포 선창에 고함과 비명이 난무하고 있다.
가토 안택선 F.S., TRACK & PAN LEFT

이내 보이는 어지러운 칼날들의 칼부림!
→ **부산포 선창 L.S.**

C#2

가토의 함대 앞 선창에서 핏빛 선혈들이 낭자하다. 왜군 장수들끼리 칼싸움을 하는 해괴한 장면이 연출되고 있다. 와키자카 수하들과 가토 수하들의 칼싸움!
장수들 너머 가토 정면 F.S., HIGH ANGLE, FIX

C#3

왜군 장수들끼리의 칼싸움 너머 와키자카.
장수들 너머 와키자카 정면 M.S., EYE-LEVEL, FIX

C#4

그리고 가토.
가토 정면 M.S., EYE-LEVEL, FIX

C#5

칼을 뽑아 달려나가는 가토.
가토 후면 M.S., EYE-LEVEL, FOLLOWING TRACK

C#6

악에 받친 가토가 끝을 보고자 와키자카를 노린다.
가토 & 와키자카 측면 L.S., EYE-LEVEL, TRACK LEFT

가까스로 막아내는 사헤에와 와타나베.
와키자카, 사헤에, 와타나베, 마나베, 가토 측면 L.S.

C#7

다시 와키자카를 노리는 가토.
와키자카 너머 가토 정면 B.S., EYE-LEVEL, FIX

C#8

헌데 와키자카가 두 사람을 제치고,
와키자카 정면 B.S., EYE-LEVEL, TRACK IN

C#9

전광석화와 같은 솜씨로 가토를 제압하고 마는데,
장수들 너머 와키자카 & 가토 측면 F.S., EYE-LEVEL, FIX

C#10

INS. 떨어지는 가토의 칼

C#11

칼을 빼앗긴 가토는 와키자카를 마주 본다.
가토 정면 B.S., EYE-LEVEL, FIX

C#12

가토를 꿇어 앉히는 와키자카 무리.
가토 너머 와키자카 정면 F.S., EYE-LEVEL, FIX

C#13

분을 참지 못해 치를 떠는 가토.
와키자카 너머 가토 정면 M.S., EYE-LEVEL, FIX

C#14

가토를 쳐다보며 한 걸음 다가가는 와키자카.
와키자카 정면 B.S., SLIGHT LOW ANGLE, FIX

C#15

가 토 대체 넌 누굴 믿고 이런 짓을 벌이느냐. 칸베에 군사냐.

와키자카 너머 가토 정면 M.S., HIGH ANGLE, FIX

C#16

와키자카 너와는 타고난 견원지간. 같이 한들 분란밖에 더 있겠느냐. 난 그저 싸움에 집중하고 싶을 뿐. 어서 배들을 내놓고 사라져라. 그러면 목숨은 살려주마.

[C#14 동일] 와키자카 정면 B.S., SLIGHT LOW ANGLE, FIX

C#17

가 토 내 배들을 빼앗고 네놈이 진정

가토 측면 C.L. C.S., EYE-LEVEL, FIX

C#18

가 토 진정 무사할 성싶으냐! (기어이 달려드는데)

[C#15 동일] 와키자카 너머 가토 정면 M.S., HIGH ANGLE, FIX

C#19

마나베가 발길질로 가토를 넘어뜨린다.
가토 너머 와키자카 & 마나베 M.S., LOW ANGLE, FIX

C#20

마나베의 발길질에 넘어지는 가토.
[C#15 동일] 와키자카 너머 가토 정면 M.S., HIGH ANGLE, FIX

C#21

가 토 (모멸감에 떨며) 내 이 치욕은 절대 잊지 않으마.

[C#17 동일] 가토 측면 C.L. C.S., EYE-LEVEL, FIX

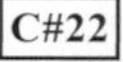

와키자카 전쟁에서 승리만 한다면야. 지금 나의 관심은 하루빨리 명국으로 가는 바닷길을 여는 것뿐! 그리만 되면… 태합전하께서는 모든 걸 용서하실 것이다.

와키자카 정면 C.S., SLIGHT LOW ANGLE, FIX

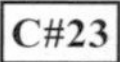

구 키 (차분히) 이제야 알겠군.

구키 정면 B.S., EYE-LEVEL, FIX

C#24

구 키 자넨 처음부터 이럴 생각이었던 게야.

와키자카 너머 구키 정면 M.S., HIGH ANGLE, FIX

C#25

와키자카 …….

와키자카 정면 B.S., EYE-LEVEL, FIX

C#26

구 키 여하튼 내 배들은 상관없겠지. 원하는 대로 우린 사라져줄 터이니 어디 한번 잘해보시게.

와키자카 너머 구키 정면 B.S., HIGH ANGLE, FIX

C#27

대답 없는 와키자카.

[C#25 동일] 와키자카 ¾ C.L. B.S., EYE-LEVEL, FIX

C#28

일어나 자리를 뜨는 구키.

와키자카, 가토, 장수들 F.S., HIGH ANGLE, FIX

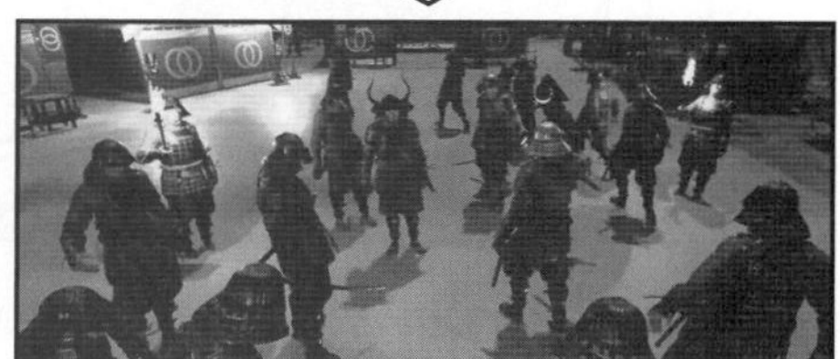

마나베 (구키와 가토를 떠밀며) 목숨들 부지하고 싶으면 어서 가라.

구키와 가토가 황망히 사라진다.

구키 & 가토 WALK OUT

C#29

와타나베 (다가와) 놓아줘도 괜찮겠습니까.

와키자카 정면 M.S., EYE-LEVEL, FIX

C#30

와키자카 (OFF SCREEN SOUND) 만에 하나…

와키자카 P.O.V., 구키 & 가토 후면 L.S., EYE-LEVEL, FIX

C#31

와키자카 책임 지울 희생양들도 필요하다. 저들이 서로 짜고 싸움을 회피했다고 하면 그뿐.

와키자카 측면 C.R. B.S., EYE-LEVEL, FIX

S#41 부산포 - 구키 안택선

후일을 도모하며 안골포로 향하는 가토와 구키

44 CUTS/21 SET-UPS

EXT  NIGHT  OPEN SET

C#32

강릉 VFX세트

선창과 멀어지고 있는 구키의 안택선….
가토 P.O.V., 와키 & 가토 함대 E.L.S, EYE-LEVEL, PULL BACK

C#33

구키 안택선 갑판 위
갑판 위에 서 있는 구키와 가토.
가토 & 구키 정면 M.F.S, LOW ANGLE, FIX

C#34

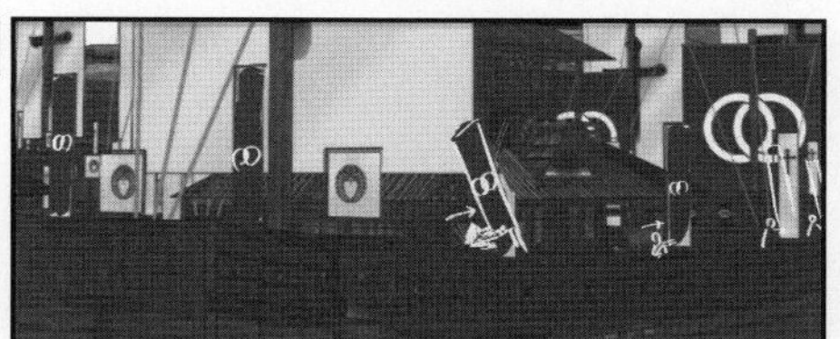

멀리 빼앗긴 가토의 안택선들 위로 와키자카의 깃발이 걸리는 게 보인다.
가토 안택선 깃발 L.S., EYE-LEVEL, FIX

C#35

모멸감에 떨던 가토가 문득 뒤에 눈짓을 보내면,
가토 정면 B.S., EYE-LEVEL, FIX

C#36

가토 부장이 지도를 가져와 펼쳐 보인다.

가 토 (진해 땅 안골포를 가리키며) 이곳으로 갑시다.

가토 & 구키 M.S. 2, EYE-LEVEL, FIX, 부장 F.I.

C#37

INS. 지도, 가토 손 F.I

구 키 (OFF SCREEN SOUND) 대마도가 아니고?

C#38

가 토 난 이곳에서 기다릴 거요.

가토 너머 구키 정면 M.S., EYE-LEVEL, FIX, 부장 F.O.

C#39

가 토 (눈빛 빛내며) 혹여 또 모르니.

구 키 ! (뜻을 알겠다는 듯) 하긴! 좋은 생각 같소.

돌아서는 가토.
구키 너머 가토 정면 M.S., EYE-LEVEL, FIX

C#40

가 토 (다시 선창을 뚫어지게 바라보며) 참으로 묘한 싸움이오.

가토 & 구키 정면 M.S. 2, EYE-LEVEL, FIX

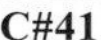

가 토 오히려 이순신을 응원하고 싶어지는….

가토 & 구키 측면 C.L. B.S. 2, EYE-LEVEL, FIX

C#42

그렇게 부산포에서 멀어지는 가토와 구키….

※구키 함대 : 안골포 방향으로 선회하는 느낌

구키 함대 너머 부산포 E.L.S, EYE-LEVEL, FIX,

구키 함대 F.O.

S#41 부산포 선창

부산포를 나서는 와키자카 함대 44 CUTS/21 SET-UPS

EXT NIGHT OPEN SET

C#43

여수 오픈세트

부산포 선창
CUT TO
쿠웅! 마침내 120척 규모의 와키자카 함대가 일제히 노를 저으며 나아간다.
와키자카 함대 후면 L.S., HIGH ANGLE, FIX

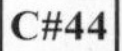

C#44

거대한 함대가 부산포를 나서고 있다.
차갑게 앞만 보고 앉아 있는 와키자카.
와키자카 함대 정면 E.L.S, HIGH ANGLE,
BOOM UP & PULL BACK

차츰 서쪽 해역으로 이동을 표기한 해도와 중첩되고,
같은 날 와키자카 출전 1일 차

S#42 와키자카 안택선 누각 안

칸베에의 밀지를 보고는, 가장 먼저 명에 도달할 것이라며 고무된 와키자카 9 CUTS/4 SET-UPS

 INT  NIGHT  SET

C#1

강릉 VFX세트

(낮은 탁자 위, 낯익은 황금 부채 하나와 서신 한 장. 와키자카와 삼총사가 탁자를 둘러 앉아 있다. 다소 상기된 와키자카가 구로다 칸베에黒田官兵衛라 적힌 그 서신을 뜯어 읽는다.)

칸베에(V.O) 태합전하의 부름으로 난 오사카성으로 돌아왔다. 와키자카 야스하루 그대는

안택선 E.L.S, HIGH ANGLE, PULL BACK

C#2

칸베에(V.O) 조선 수군을 격파하는 즉시 명국(明國) 하늘나루(天津)로 들어가라! 그리고 그곳을 접수하라! 그리하면 태합전하는 조선이 아닌 명국으로 직접 출행할 것이다!

DISSOLVE, 누각 정면 L.S., EYE-LEVEL, PUSH IN

C#3

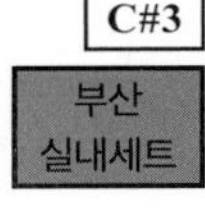
부산 실내세트

오사카성

칸베에(V.O) 그곳에서 그대가 태합전하를 영접하라! 부채는 태합전하의 기대를 반영하는 것이니 소중히 간직토록 하라.

서찰을 쓰는 칸베에.
칸베에 정면 M.F.S, EYE-LEVEL, TRACK IN

C#4

강릉 VFX세트

와키자카 안택선 1층 작전회의실 내부
와타나베와 마나베, 사헤에… 모두가 그저 상기된 표정으로 와키자카를 쳐다보면….

와키자카 (착 가라앉은 목소리) 형제들아.

DISSOLVE, 와키자카 정면 L.S., EYE-LEVEL, TRACK IN

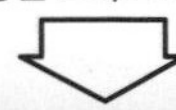

와키자카 우리가 1군 고니시나 2군 기요마사보다도

와키자카 정면 M.F.S

C#5

와키자카 먼저 명에 갈 것 같구나!

삼총사 (놀라) 예?

와키자카 너머 삼총사 F.S., HIGH ANGLE, TRACK IN

C#6

와키자카 (마침내 잔뜩 상기되어) 변방 아와지의 이 와키자카가! 가장 먼저! 명에 도달할 것이라고.

와키자카 정면 M.S., SLIGHT LOW ANGLE, TRACK IN

C#7

와키자카 열도 땅 그 누가

[C#5 동일] 와키자카 너머 삼총사 F.S., HIGH ANGLE

C#8

와키자카 상상이나 했겠느냐.

애써 감정을 누르지만 표정까지 누를 수는 없는 와키자카…
황금부채를 가만히 만져보는데….
와키자카 정면 B.S., LOW ANGLE, TRACK IN

C#9

INS. 황금부채

삼총사 (반색! 일제히 고개를 숙이며) 감축드립니다! 주군!

S#43 고성 땅 미륵도 당포

당포에 정박하며 부산포의 적들을 탐망해보자고 하는 이순신

19 CUTS/8 SET-UPS

 EXT  NIGHT SET

C#1

강릉 VFX세트

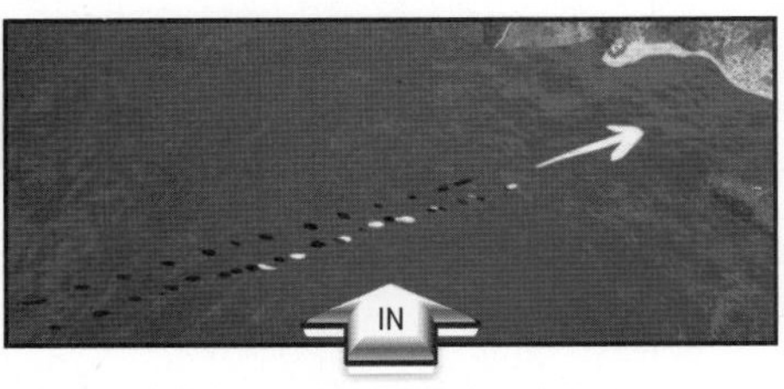

해도와 중첩되며 동쪽으로 이동 중인 조선 함대.

판옥선들 E.L.S, HIGH ANGLE, PUSH IN

C#2

순신의 연합 함대가 당포(통영 앞 미륵도 이면)에 조용히 닻을 내린다.

판옥선의 돛들, EYE-LEVEL, FIX

C#3

파도 소리만….

경상 고성 땅 당포

판옥선들 E.L.S, HIGH ANGLE, FIX

C#4

이순신 대장선 갑판 위

원균 이하 경상 우수영 장수들(이운룡, 이영남, 우치적)이 순신의 좌선으로 넘어온다.

원균 & 장수들 정면 L.S., EYE-LEVEL, TRACK OUT

이순신 너머 원균 정면 F.S., EYE-LEVEL

C#5

그들에게 돌아서는 순신과 희립.

갑판 위 L.S., HIGH ANGLE, FIX

C#6

원 균 (의심쩍은) 대체 어쩔 요량이신가.

이순신 ~~바다 위에 성을 쌓으려 하오.~~

※05/15 조선군 액션 리허설 시 대사 삭제

[C#4 동일] 이순신 너머 원균 정면 M.F.S, EYE-LEVEL

C#7

원 균 바다 위에 성을 쌓는다는

※05/15 조선군 액션 리허설 시 대사 변경

원균 너머 이순신 정면 M.F.S, EYE-LEVEL, FIX

C#8

원 균 해괴한 소리가 들리던데.

이순신 너머 원균 정면 M.S., EYE-LEVEL, FIX

C#9

원 균 납득이 되지 않는다면

원균 너머 이순신 정면 B.S., EYE-LEVEL, FIX

C#10

원 균 결단코 돌아갈 것이네.

원균 정면 B.S., EYE-LEVEL, FIX

C#11

이순신 적들이 필시 조만간 기동할 것이니 곧 알게 될 것이오.

이순신 정면 B.S., EYE-LEVEL, FIX

C#12

이들의 대화를 듣고 있는 이운룡.

이순신 (OFF SCREEN SOUND) 우선 여기서 정박하며

이운룡 정면 B.S., EYE-LEVEL, FIX

C#13

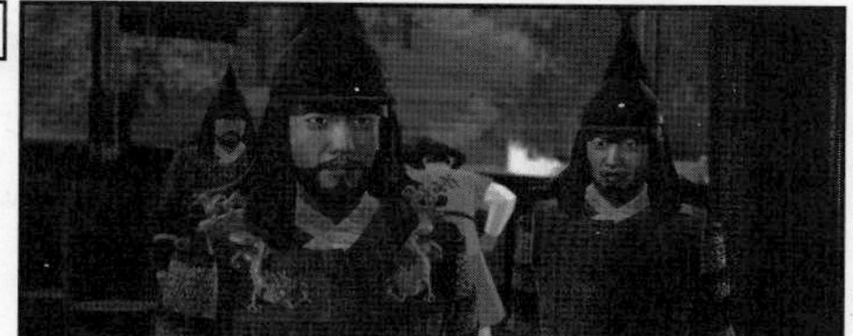

이순신 부산포의 적들을 한번 탐망해보지요.

[C#11 동일] 이순신 정면 B.S., EYE-LEVEL, FIX

C#14

원 균 (뭐라 하려는데)

이운룡 (나서며) 여기 경상 앞바다는 소장이 잘 알고 있습니다.

이순신 너머 이운룡 & 원균 정면 M.S. 2, EYE-LEVEL, FIX

C#15

이운룡을 바라보는 순신.

이운룡 너머 이순신 ¾ C.R. B.S., EYE-LEVEL, FIX

C#16

이운룡 견내량을 타면 부산포까지는 반나절입니다.

이운룡 측면 C.L. B.S., EYE-LEVEL, FIX

C#17

이운룡 (원균에게) 장군. 소장이 다녀온 뒤 모든 건 결정하셔도 늦지 않을 것입니다. 소장! 다녀오겠습니다!

원균 너머 이운룡 정면 B.S., EYE-LEVEL, FIX, 이운룡 F.O.

C#18

원 균 !

원균 너머 이운룡 후면 F.S., WALK OUT, EYE-LEVEL, FIX

C#19

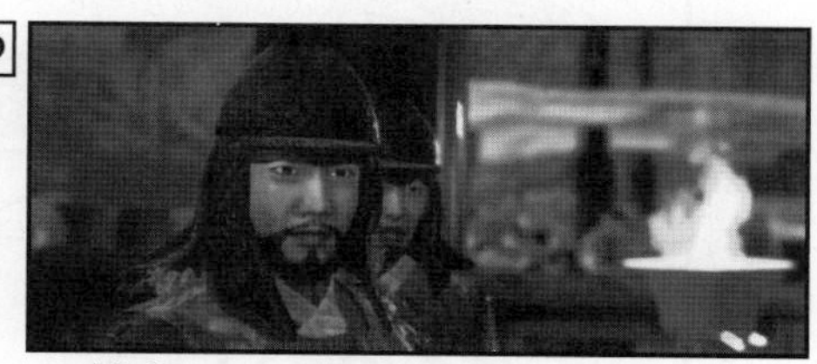

이순신 …….

이순신 ¾ C.R. C.S., EYE-LEVEL, FIX

S#44 부산포 왜성

보초병의 목을 베고 보름을 말에 태운 채 달아나는 준사

27 CUTS/14 SET-UPS  EXT  DAWN  OPEN SET

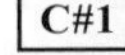
C#1

여수
오픈세트

텅 빈 듯한 부산포 왜성 전경.
부산포 L.S., EYE-LEVEL, FIX

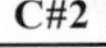
C#2

한적한 초소 앞에 보초선 왜병이 졸고 있는 것이 보이는데,
※시나리오 대사 삭제 ("태풍!" ~)
보초병 정면 L.S., EYE-LEVEL, TRACK IN

C#3

누워 있는 보름 너머 보초병 실루엣,
SLIGHT LOW ANGLE

휘익! 들리는 칼 바람 소리…
준사 F.I.

왜병의 목이 순식간에 날아갔다.
준사 정면 M.S., TRACK IN

바로 준사다.
준사 정면 C.S.

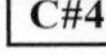
C#4

빠르게 뛰어가는 말 두 마리….
빈 말 한 마리를 더 대동하고 달리고 있는 준사.
준사 말 정면 L.S., LOW ANGLE, FIX

C#5

그런 준사의 뒤에 누군가 함께 타고 있는데, 입안에서 핏물 배어든 무명천을 뱉어내며 연신 기침을 해대는… 보름이다.
보름 정면 C.U., EYE-LEVEL, FOLLOWING TRACK

C#6

부산포를 빠져나가는 준사와 보름.
준사 말 후면 L.S., LOW ANGLE, FOLLOWING TRACK

S#44 준사 갈림길

보름에게 서신을 이순신에게 전해달라 하고 전주성으로 향하는 준사

27 CUTS/14 SET-UPS  EXT  DAY  LOCATION

C#7

여수 들산읍

갈림길
CUT TO
어느 덧 보이는 갈림길,
준사 정면 L.S., EYE-LEVEL, TRACK RIGHT

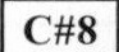

C#8

준사가 말에서 내린다.
갈림길 준사 말 L.S., HIGH ANGLE, FIX

C#9

보름은 말 위에 있고,
준사 & 보름 M.F.S 2, EYE-LEVEL, FIX

C#10

보름에게 다가가는 준사.
준사 너머 보름 정면 M.F.S, SLIGHT LOW ANGLE, FIX

C#11

준 사 (한 걸음 다가가며) 괜찮소?

보름 너머 준사 정면 M.S., SLIGHT HIGH ANGLE, FIX

C#12

물어오는 준사를 당혹스러운 눈으로 바라보는 보름.
보름 정면 C.S., SLIGHT LOW ANGLE, FIX

C#13

준 사 나는 항왜 준사라 하오. 난 이미 전라 좌수사께 투항한 몸이오.

문득 준사의 도깨비 목걸이에 시선이 머무는 보름.
보름 P.O.V., 도깨비 목걸이 C.U.,
TILT UP → 준사 정면 C.S., EYE-LEVEL

C#14

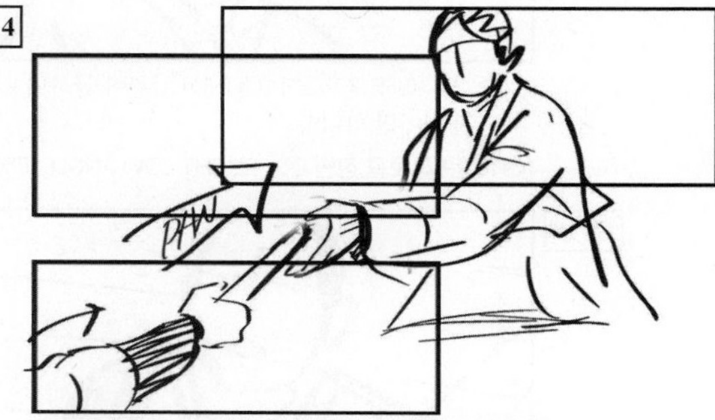

준사가 품속에서 서신 하나를 꺼내 보름에게 건넨다.
서신 건네는 준사 손 C.U.,
PAN RIGHT & TILT UP → 보름 B.S.

C#15

이어 도깨비 문양의 목걸이까지 떼서 주는 준사.

준 사 이것이 함께 있어야 믿을 것이오.

보름 너머 준사 정면 B.S., SLIGHT HIGH ANGLE, FIX

C#16

보 름 …….

[C#15 동일] 보름 정면 C.S., SLIGHT LOW ANGLE, FIX

C#17

준 사 많은 사람들이 이것 때문에 목숨을 잃었소. 헛되지 않게 꼭 좌수사께 전해주시오!

준사 정면 C.S., SLIGHT HIGH ANGLE, FIX

C#18

준 사 (OFF SCREEN SOUND) 상황이 급하니 이제는 혼자 가야만 합니다.

[C#16 동일] 보름 정면 C.S., SLIGHT LOW ANGLE, FIX

C#19

준 사 저는 북으로 올라가 전주성에 그 서신 속 내용을 알려야 합니다. 괜찮겠습니까?

[C#21 동일] 준사 정면 C.S., SLIGHT HIGH ANGLE, FIX

C#20

보 름 (고개만 끄덕) …….

[C#16 동일] 보름 정면 C.S., SLIGHT LOW ANGLE, FIX

C#21

준사 & 보름 M.F.S 2, EYE-LEVEL, FIX

C#22

준사를 바라보는 보름.

[C#16 동일] 보름 정면 C.S., SLIGHT LOW ANGLE, FIX

C#23

CUT TO

보름이 말을 타고 가며,

준사 너머 보름 후면 L.S., EYE-LEVEL, FIX

C#24

준사를 뒤돌아본다.

보름 M.S., EYE-LEVEL, FOLLOWING TRACK

C#25

준사, 이내 함께 대동한 말을 타고 빠르게 어디론가 달려가기 시작하고,

보름 P.O.V., 멀어지는 준사 L.S., TRACK OUT

C#26

준사를 바라보다 앞을 바라보는 보름.
보름 C.S., EYE-LEVEL, FOLLOWING TRACK

C#27

COVERAGE SHOT, 보름 너머 준사 L.S,
LOW ANGLE, FIX, 보름 F.O.

S#45 숲 - 준사 에피소드

산길을 뛰던 준사, 누군가가 내리친 방망이에 의해 의식을 잃는다 35 CUTS/21 SET-UPS

EXT

DAY

LOCATION

C#1

여수 로케

산길, 말을 타고 달리는 준사.
말 다리 측면 M.S., EYE-LEVEL, FOLLOWING TRACK

C#2

준사 측면 M.S., EYE-LEVEL, FOLLOWING TRACK

C#3

무언가를 발견한 듯 이내 멈추고 말에서 내려 앞으로 조심히 다가오는 준사.
준사 정면 L.S., LOW ANGLE, FIX

C#4

산길 아래 멀리 평원에서 진군해가는 엄청난 수의 고바야카와의 군사들이 보인다.
태풍 문양의 무수한 깃발들이 인상적인데….
준사 너머 고바야카와 군사들 L.S., HIGH ANGLE, FIX

C#5

고바야카와 군사들을 내려다보는 준사.
준사 정면 B.S., EYE-LEVEL, FIX

C#6

INS. 준사 지도
지도와 나침반을 펴보는 준사.

C#7

지도를 접고 뒤돌아 말 쪽으로 간다.
준사 정면 M.S., LOW ANGLE, FIX, 준사 F.O.

C#8

말에서 물통을 꺼내는 준사,
준사 & 말 L.S., EYE-LEVEL, FIX

C#9

물을 벌컥벌컥 마신 후 말을 보내고 돌아 뛴다.
말 너머 준사
정면 M.S.,
HIGH ANGLE, FIX

C#10

이내 산길로 뛰기 시작하는데!
준사 L.S., HIGH ANGLE, FIX

C#11

순천 왜성 근처

달리는 준사.
준사 정면 L.S., EYE-LEVEL, FIX

C#12

산속 어느 갈라진 길에서 우뚝 멈춰서며 길을 살핀다.
준사 L.S., HIGH ANGLE, FIX

C#13

헌데 툭! 하고 준사 앞으로 날아오는 돌멩이 하나.

준 사 !

준사, 본능적으로 몸을 피하려 뒤돌아서는데,
준사 정면 M.S., EYE-LEVEL, FIX

순간 누군가 뭔가를 내려친다. 쓰러지는 준사.
의병 F.I. → 준사 쓰러지며 F.O.

C#14

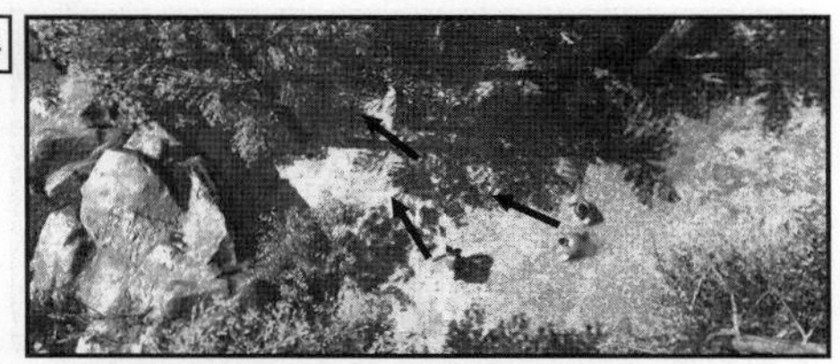

이내 끌려가는 준사의 몸.
준사, 의병들 L.S., HIGH ANGLE, FIX

C#15

어떻게든 정신을 차리려는 준사,
준사 정면 C.S., HIGH ANGLE, FOLLOWING TRACK

C#16

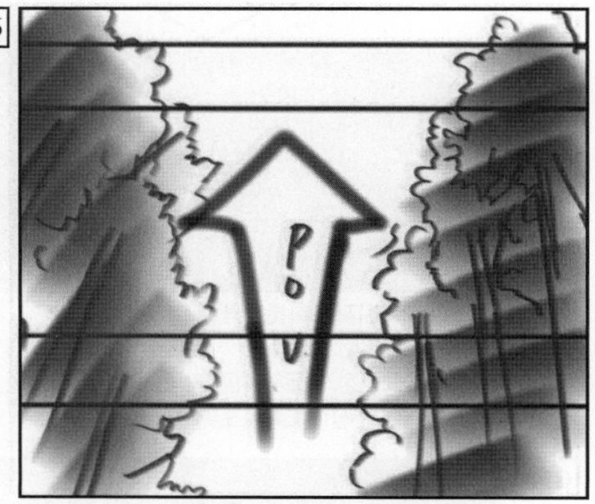

INS. 준사 P.O.V. 하늘

C#17

하지만 도리어 의식을 잃어가고….
[C#15 동일] 준사 정면 C.S., HIGH ANGLE,
FOLLOWING TRACK

C#18

INS. 준사 P.O.V. 하늘 [C#16 동일]
희미해지는 준사 시선의 하늘.

S#45 준사 회상

(회상) 순신에게 무릎을 꿇고 충성을 맹세하는 준사

35 CUTS/21 SET-UPS   EXT  NIGHT  OPEN SET

C#19

여수 오픈세트

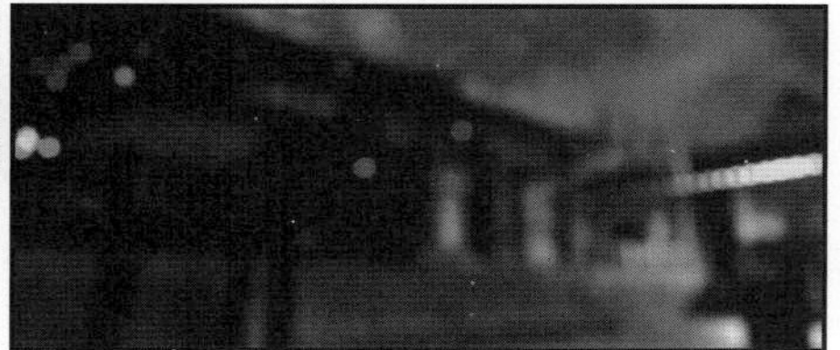

좌수영 감옥 고문장
CUT TO / **준사 회상**
무지 속, 누군가(순신)의 목소리가 들려온다.

누군가 (목소리만) 목숨을 거두지 마라. 분명 다른 뜻이 있는 자다. 모두 나가 있으라.

좌수영 고문장 L.S., SLIGHT LOW ANGLE, FIX

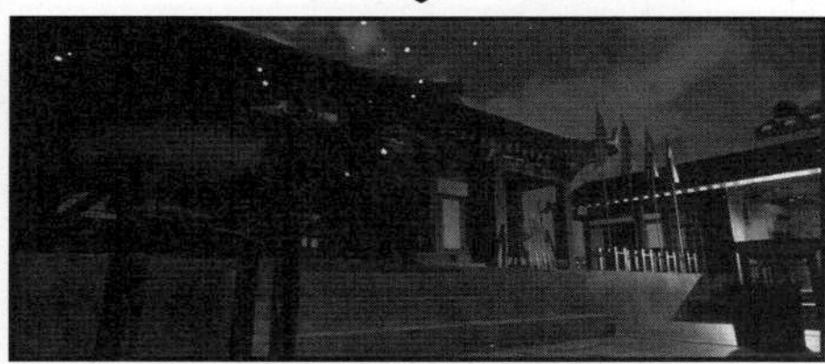

희미하게 비춰지는 화톳불과 그 너머에 누군가…
순신이 서 있다.
좌수영의 고문장, 모두가 나간 자리,
화톳불 너머 순신 ¾ C.R. L.S.

C#20

순신이 홀로 구타당해 쓰러진 준사를 쳐다보고 있다.
준사 C.S., EYE-LEVEL, TRACK OUT

C#21

준사, 두 손이 자유롭게 풀려 있다.
순신 & 준사 L.S., HIGH ANGLE, FIX

C#22

힘겹게 일어서는 준사.
준사 F.S., HIGH ANGLE, FOLLOWING TILT

준사 ¾ C.R. M.S., FOLLOWING TILT & PAN

준사 ¾ C.R. B.S., EYE-LEVEL

C#23

그런 준사를 바라보는 순신.
순신 정면 B.S., SLIGHT LOW ANGLE, FIX

C#24

준사가 휘청거리며 순신을 위협하듯 순신에게 다가오는데,
준사 너머 순신 F.S., SLIGHT LOW ANGLE, TRACK IN

C#25

준 사 (불쑥) 이 전쟁은 무엇입니까.

준사 측면 C.R. B.S., EYE-LEVEL, FIX

C#26

이순신 …….

준사 너머 순신 정면 F.S, EYE-LEVEL, FIX

C#27

준 사 (간절한) 간절히 청컨대 대답해주소서. 대체 이 전쟁은 무엇입니까.

준사 측면 C.R. C.S., EYE-LEVEL, FIX

C#28

이순신 의義와 불의不義의 싸움이지.

[C#23 동일] 순신 정면 B.S., SLIGHT LOW ANGLE, FIX

C#29

준 사 (떨리는) 나라와 나라의 싸움이 아니고 말입니까?

[C#27 동일] 준사 측면 C.R. C.S., EYE-LEVEL, FIX

C#30

이순신 그렇다!

[C#23 동일] 순신 정면 B.S., SLIGHT LOW ANGLE, FIX

C#31

준 사 (휘청거리며 더욱 다가서다 털썩 무릎을 꿇으며) 사천에서 제가 당신을 쏘았습니다. 그랬기에 더욱 똑똑히 봤습니다.

[C#27 동일] 준사 측면 C.R. C.S., EYE-LEVEL, FIX

C#32

준 사 (OFF SCREEN SOUND) 자기 사람을 구하기 위해서 앞서 나오는 모습을…

순신 후면 M.F.S, SLIGHT LOW ANGLE, FIX

C#33

준 사 헌데 나의 주군은 자신이 살기 위해 우리를 방패막이로 삼더이다.

[C#27 동일] 준사 측면 C.R. C.S., EYE-LEVEL, FIX

C#34

이순신 …….

준 사 (마침내 고개를 숙이는) 부디 저를

순신 & 준사 L.S., HIGH ANGLE, FIX

C#35

준 사 거두어주소서.

/ 준사 회상 끝

[C#23 동일] 순신 정면 B.S., SLIGHT LOW ANGLE, FIX

S#46 경상 우수영 탐망선

부산포에 배가 없고 세작들이 죽었다는 소식에 속히 보고하러 가는 이운룡 20 CUTS/10 SET-UPS

EXT

NIGHT OPEN SET

C#1

고양 수조세트

어두운 밤, 을씨년스러운 부산포… 근처 작은 섬 뒤에 떠 있는 이운룡의 복병선이 보인다.

부산포 E.L.S, EYE-LEVEL, PULL BACK →
복병선 너머 부산포

C#2

이운룡이 노심초사 서 있는데,

이운룡 정면 B.S., EYE-LEVEL, FIX

C#3

이윽고 배 가까이 헤엄쳐 다가오는 사람들,

이운룡 너머 탐망병 L.S., HIGH ANGLE, FIX

C#4

이운룡의 탐망병들이다.

탐망병 후면 M.S., EYE-LEVEL, TILT UP

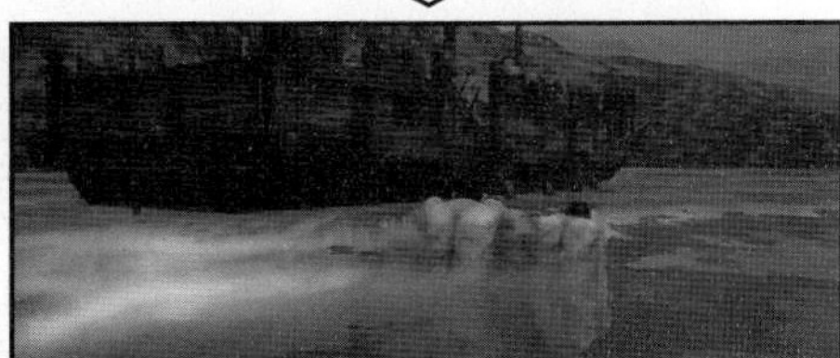

탐망병 너머 복병선 F.S.

C#5

이운룡이 배 난간으로 급히 다가선다.

이운룡 정면 M.S., LOW ANGLE, FIX

C#6

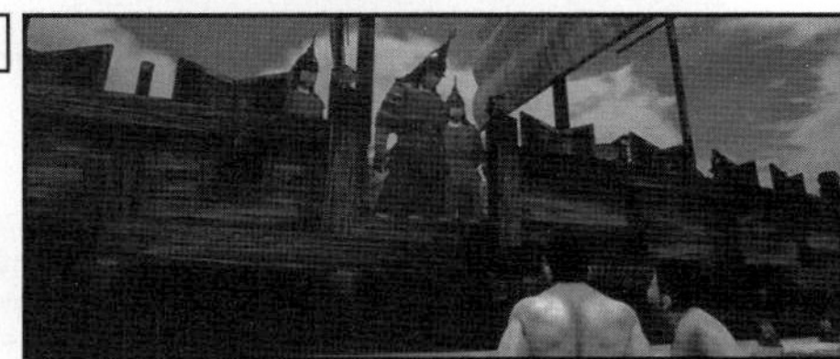

탐망병들을 바라보는 이운룡.

탐망병 너머 이운룡 F.S., LOW ANGLE, FIX

C#7

탐망병 1 (물속에서) 부산포에 배가 한 척도 없습니다.

이운룡 너머 탐망병들 F.S., HIGH ANGLE, FIX

C#8

이운룡 (놀라며) 뭐라고?

이운룡 정면 M.S., LOW ANGLE, FIX

C#9

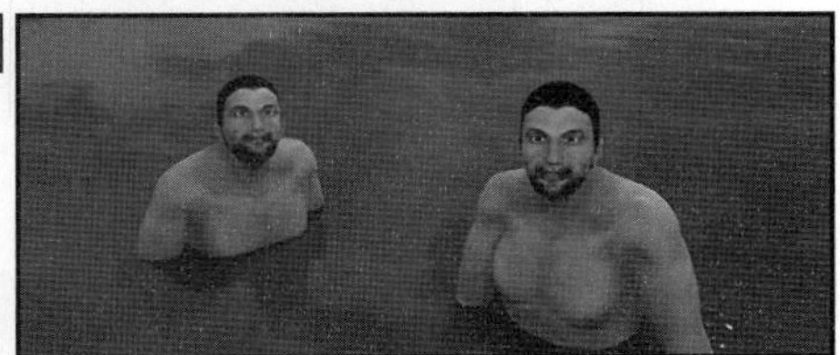

탐망병 2 그리고 우리 백성들로 보이는 사람들의 목들이 모조리 베어진 상태로

탐망병들 정면 M.S., HIGH ANGLE, FIX

C#10

탐망병 2 (OFF SCREEN SOUND) 선창에 놓여 있었습니다.

[C#8 동일] 이운룡 정면 M.S., LOW ANGLE, FIX

C#11

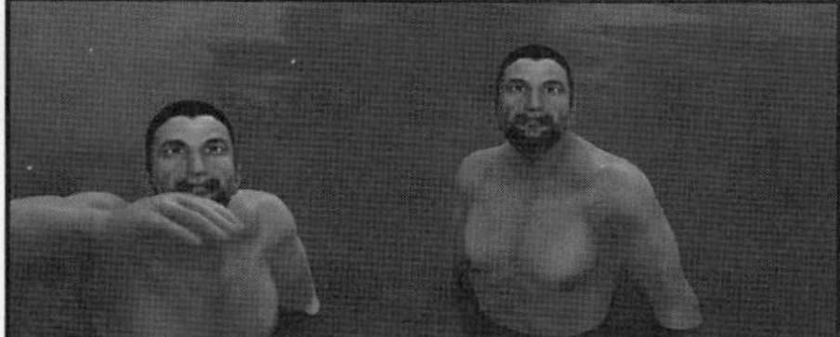

탐망병 2가 1을 바라보며 눈짓을 주자 이내,

[C#9 동일] 탐망병들 정면 M.S., HIGH ANGLE, FIX

C#12

탐망병 1 (피 묻은 도깨비 호패 하나를 건네며)

탐망병 P.O.V. 이운룡 정면 M.F.S, LOW ANGLE, FIX

C#13

탐망병 1 (OFF SCREEN SOUND) 아마 우리 쪽 세작들 같습니다.

이운룡 측면 C.L. B.S., SLIGHT LOW ANGLE, FIX

C#14

탐망병들을 건져 올려주는 병사들.

이운룡 & 탐망병들 F.S., HIGH ANGLE, FIX

C#15

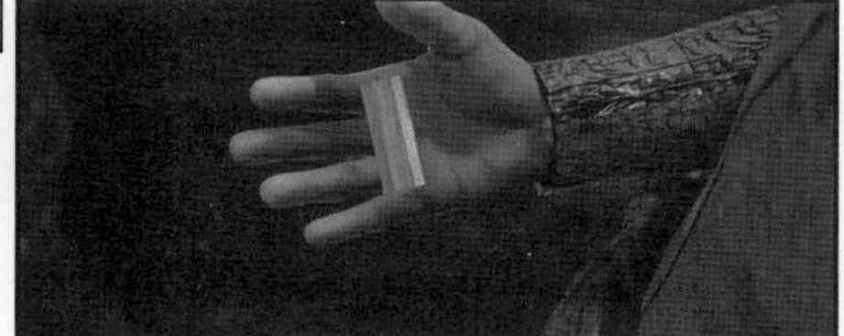

INS. 이운룡 P.O.V.

피 묻은 도깨비 호패.

이운룡 (불안) 실로 영악한 적이다.

C#16

이운룡 세작들까지 모조리 죽이고 이렇듯 조용히 움직이다니….

이운룡 측면 C.L. B.S., EYE-LEVEL, FIX

C#17

부산포 쪽을 바라보는 운룡.

이운룡 후면 B.S., EYE-LEVEL, FIX

C#18

이운룡 어서 가자. 이 사실을 좌수사께 속히 보고드려야 한다.

부장들 예.

이운룡 정면 B.S., EYE-LEVEL, FIX

C#19

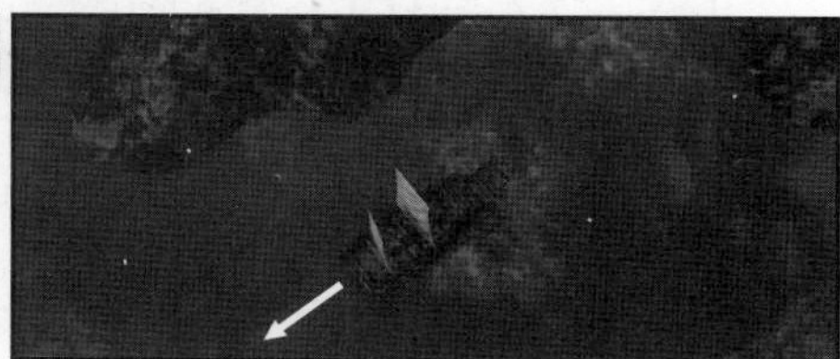

배를 돌려 급히 이동하는 이운룡의 복병선.

복병선 L.S., HIGH ANGLE, FIX

C#20

이동하는 이운룡의 복병선.

복병선 측면 E.L.S, EYE-LEVEL, TRACK RIGHT

S#47 웅포(진해만) 근처 바다

이순신이 당포에 와 있다는 보고를 받는 와키자카

15 CUTS/11 SET-UPS

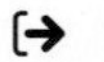
EXT

NIGHT

OPEN SET

C#1

이동 중인 와키자카의 웅장한 함대가 보인다.
그들을 향해 맞은편에서 작은 탐망선 두 척이 다가오는데,
탐망선 너머 와키자카 함대 E.L.S,
SLIGHT LOW ANGLE, PUSH IN

C#2

거기에 타고 있는 왜군관 하나,
탐망병 정면 M.S., EYE-LEVEL, FIX

C#3

강릉 VFX세트

와키자카 안택선 위.
와키자카 함선 갑판 위로 올라와 사헤에에게 뭐라 말하자,
탐망병 & 사헤에 측면 M.F.S, LOW ANGLE, FIX

C#4

급히 누각 밑에 앉아 지도를 보고 있는 와키자카에게 보고하는 사헤에.

사헤에 도노!

와키자카 ¾ C.L. F.S., EYE-LEVEL, FIX, 사헤에 F.I.

C#5

사헤에 이순신이 지척인 고성 땅 앞 당포에 와 있다 합니다.

와키자카 너머 사헤에 정면 M.S., EYE-LEVEL, FIX

C#6

와키자카, 멈칫! 고개를 들며 급 차가운 표정,

와키자카 과연… 만만치 않은 자다.

와키자카 ¾ C.L. B.S., EYE-LEVEL, FIX

C#7

삼총사와 함께 급히 지도를 살피는 와키자카.
잠시 시간을 끌며 지도를 쳐다보던 와키자카,
와키자카 정면 L.S., SLIGHT LOW ANGLE, FIX

C#8

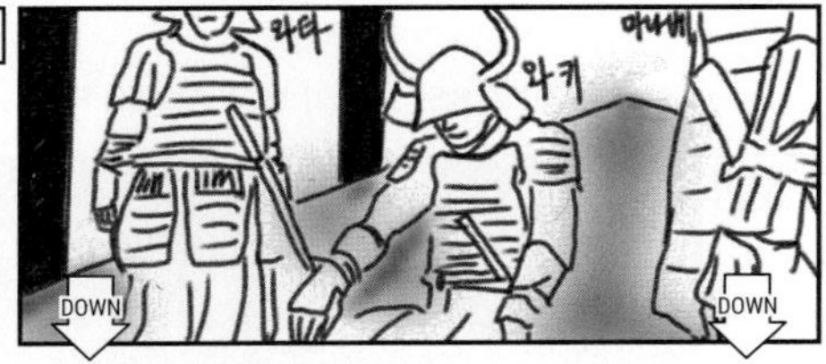

마침내! 한 지점을 가리킨다.
와키자카 ¾ C.L. M.F.S, EYE-LEVEL, TILT DOWN

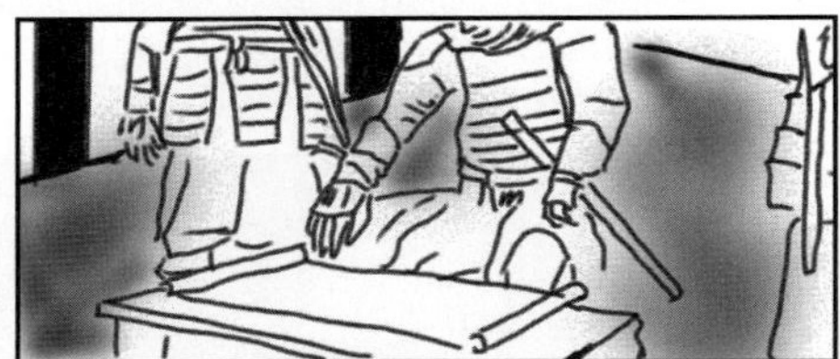

와키자카 (지도를 짚으며) 당포와 웅포 사이… 여기를 한번 봐라.

→ 책상 위 지도

C#9

삼총사가 바짝 다가와 와키자카가 던지는 말에 초집중한다.

사헤에 & 와타나베 정면 M.S., LOW ANGLE, FIX

C#10

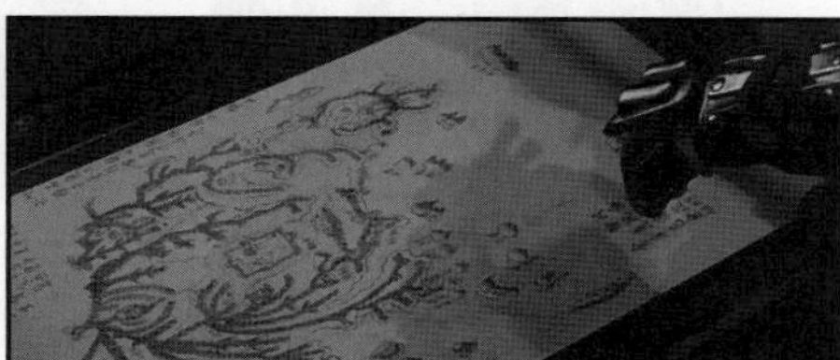

와키자카 지금 이순신과 우리 사이… 이 좁은 길목 말이다. 견내량이란 곳이다.

C#11

와키자카 어딘가가 연상되지 않느냐?

와키자카 ¾ C.L. C.S., EYE-LEVEL, FIX

C#12

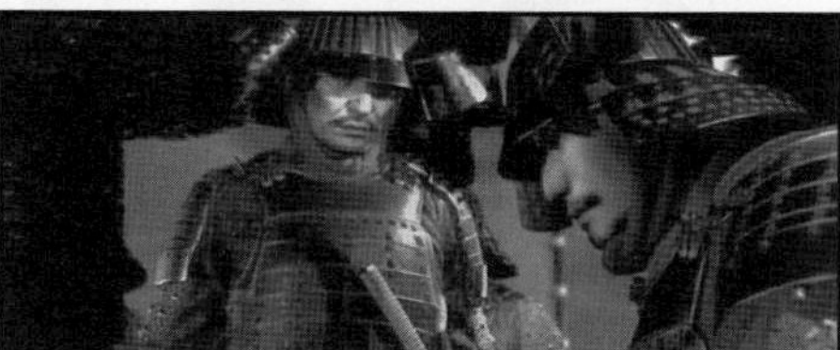

와타나베 용인 전투 때 한양으로 가는 좁은 길목 광교산을 말씀하시는 겁니까.

와키자카 너머 와타나베 정면 M.S.,
SLIGHT LOW ANGLE, FIX

C#13

와키자카 (옅은 미소) 지금 즉시 견내량으로 들어가 매복한다. 이순신이 어찌 나오는지 한번 두고 보자.

와키자카 정면 M.F.S, SLIGHT LOW ANGLE, TRACK IN

와키자카 정면 B.S.

C#14

삼총사 예! 도노!

와키자카 너머 삼총사 M.F.S, EYE-LEVEL, FIX

빠르게 흩어지는 삼총사.

삼총사 WALK OUT

C#15

이어지는 뿔고둥 소리.

와키자카 함대 후면 E.L.S, HIGH ANGLE, FIX

S#48 당포 선창 - 군막 안

부산포 세작들이 죽었다는 소식을 전하는 이운룡, 탐망선을 늘리라 한다 17 CUTS/15 SET-UPS

INT

DAY

OPEN SET

C#1

여수 오픈세트

당포 앞 밤바다, 삼도 연합 함대가 정박해 있고 선창에 임시 군막들이 펼쳐진 게 보인다.
경상 고성 땅 당포
당포 군막 L.S., EYE-LEVEL, TRACK IN

C#2

이운룡이 급히 대장군막으로 들어서면,
이운룡 후면 M.S., EYE-LEVEL, FOLLOWING TRACK

순신, 이억기, 원균이 함께 있는 게 보인다.
송희립도 보이는데….
이운룡 너머 장수들 M.F.S

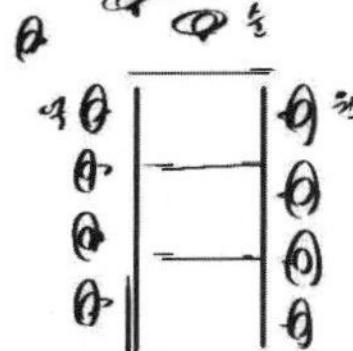

C#3

급히 보고하는 이운룡.

이운룡 부산포에 적들이 보이지 않습니다. 이미 어디론가 움직인 듯합니다.

원균 너머 이운룡 정면 M.S., EYE-LEVEL, FIX

C#4

이운룡 그리고 선창에는 우리 세작들이 무수히 목 베어져 죽어 있었습니다.

이순신 너머 이운룡 정면 B.S., EYE-LEVEL, FIX

C#5

모 두 (놀라) !

군막 안 F.S., HIGH ANGLE, FIX

C#6

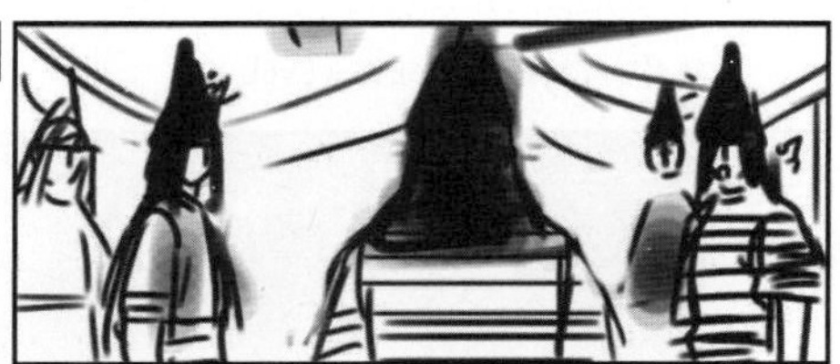

이억기 (순신에게) 협판안치란 자. 참으로 무서운 자입니다. 어찌합니까.

이억기와 이운룡이 순신의 명을 기다리는데, 원균조차도 어정쩡 순신의 반응을 기다리고,
이순신 후면 B.S., EYE-LEVEL, FIX

C#7

이순신 이미 기동한 적들을 두고 물러설 수는 없다. 우리가 적들을 마주치지 않은 이상,

이순신 정면 B.S., EYE-LEVEL, FIX

C#8

이순신 (OFF SCREEN SOUND) 이곳을 지나갔을 리는 없다.

원균 ¾ C.R C.S., EYE-LEVEL, FIX

C#9

이순신 즉시 적의 위치를 파악해야 한다. 동쪽으로 탐망선을 크게 늘려라.

이운룡/송희립 (동시에) 예, 장군.

이순신 측면 & 장수들 M.S., EYE-LEVEL, FIX

C#10

군막을 나서는 이운룡을 바라보는 순신.

COVERAGE SHOT, 이운룡 너머 이순신 ¾ C.R B.S.

이운룡 F.O. → 이순신 & 원균 B.S. 2

C#11

당포 앞바다

CUT TO

일제히 빠르게 바다를 빠져나가는 협선 10여 척들….

당포 협선 E.L.S, HIGH ANGLE, FIX

C#12

협선 너머 당포 선창 L.S., EYE-LEVEL, FIX

C#13

협선 L.S., HIGH ANGLE, FIX

S#48 당포 근처 숲길

정신이 아득한 보름이 말에서 떨어져 쓰러진다

17 CUTS/15 SET-UPS

EXT

NIGHT

LOCATION

C#14

부안 로케

당포 근처 숲길

CUT TO

보름이 말을 타고 달리고 있다. 휘청!

보름 측면 L.S., EYE-LEVEL, FIX

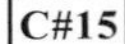

정신이 아득하고 힘에 겹지만 다시 고삐를 죄는데, 입에서 다시 새어 나오는 피….

보름 ¾ C.L. M.S., EYE-LEVEL, FOLLOWING TRACK

급기야 말 위에 고꾸라지고 마는 보름….

보름 F.O.

C#16

보름이 말에서 떨어진다.

보름 후면 L.S., EYE-LEVEL, FIX, 보름 F.O.

S#48 어느 해변

바위 위에 힘겹게 올라서는 임준영, 다시 미끄러져 떨어진다 17 CUTS/15 SET-UPS

EXT NIGHT LOCATION

C#17

부안 로케

어느 해변
CUT TO
턱! 어느 해변 바위 위,

힘겹게 올라서는 누군가의 손.
온몸이 만신창이가 된 임준영….
임준영 F.I. → 임준영 정면 B.S., EYE-LEVEL

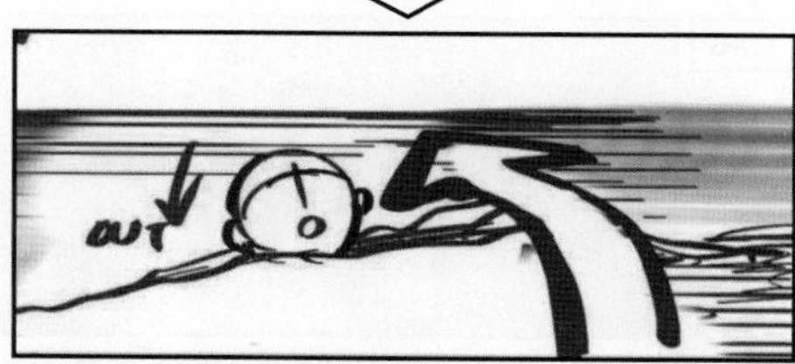

힘겹게 바위를 올라서다 주루룩!
이내 다시 미끄러져 떨어지고 마는 임준영.
임준영 F.O. → PUSH IN & TILT DOWN → 바다 L.S.

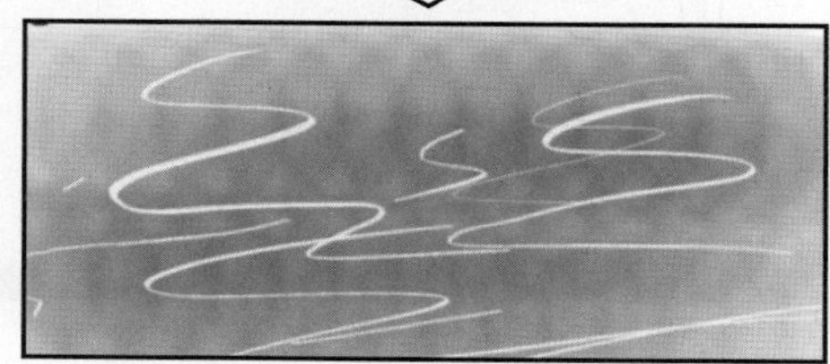

S#49 견내량 - 바다 초원

목동 김천손이 길 잃은 염소를 찾다가 무수한 왜선들을 발견한다

11 CUTS/9 SET-UPS

EXT

DAY

LOCATION

C#1

여수 이천리

거센 바닷바람이 불어오는 초원 절벽, 절벽 아래 견내량으로 들어가는 좁은 해협 입구가 보인다.
견내량
김천손 정면 E.L.S, HIGH ANGLE, FIX

C#2

그 초원 위, 누군가 걸어오고 있다.

김천손 염순아! 염순아! 야가 어데 갔지?

김천손 정면 M.F.S, EYE-LEVEL, FIX

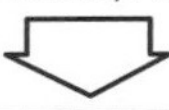

길 잃은 염소를 찾는 듯 젊은 목동 김천손, 절벽 쪽으로 접근하다 눈이 휘둥그레!
김천손 다가오며 측면 C.L. B.S.

C#3

염소를 발견한 김천손.
김천손 너머 염소 L.S., SLIGHT HIGH ANGLE, FOLLOWING TRACK

C#4

염소를 품에 안는 천손, 일어나면서 무언가를 발견하고 놀란다.
김천손 정면 F.S., SLIGHT LOW ANGLE, FIX

C#5

천손의 눈에 초원 절벽 아래로 무수한 왜선들이 들어서고 있는 것이 보인다. 견내량 안쪽, 흉도(胸島, 현 고개도)를 중심으로 곳곳에 매복 정박하기 시작하는 백여 척의 왜선들… . 천손, 놀라며 어딘가로 허둥지둥 도망치다 이내 다시 돌아오는데….
김천손 너머 왜선 E.L.S, HIGH ANGLE, FIX

C#6

이내 하나하나 일일이 적선의 척수를 세기 시작하는 천손….

김천손 (중얼중얼) 한놈. 두식이. 석삼. 너구리….

김천손 정면 M.F.S, SLIGHT LOW ANGLE, FIX

C#7

초원 절벽 아래로 정박하는 무수한 왜선들.
※정박한 상태이므로 돛은 접고, 부대 깃발만이 펄럭인다.
COVERAGE SHOT, 왜선 너머 김천손 E.L.S, LOW ANGLE, FIX

FULL CG

C#8

(와키자카의 배들이 견내량의 안쪽 중앙에 위치한 흉도(胸島, 현 고개도)를 중심으로 곳곳에 매복해 포진해 있다. 화면은 견내량 서쪽 입구 촛대 바위부터 흉도 뒤와 그 좌측면으로 포진한 와키자카의 함대로 천천히 다시 이동하는데,)

와키자카 함대 E.L.S, HIGH ANGLE, TRACK LEFT

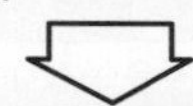

ARC LEFT & BOOM UP

C#9

부안 로케

당포 근처 숲길

CUT TO

점점 강해지는 바닷바람 속. 짚신 발의 누군가 숨이 차도록 뛰고 있다.

김천손 발 C.U., FOLLOWING TRACK

C#10

가쁜 숨을 몰아쉬고 있는 천손이다.

마침내 그의 시선으로 보이는 조선 수군이 있는 당포 선창.

김천손 다리 M.S., EYE-LEVEL,

FOLLOWING TRACK & BOOM UP → 천손 너머 당포 E.L.S, HIGH ANGLE

C#11

으헉! 짚신 발이 돌부리에 채여 구른다.

다시 일어나 달려가는 천손.

김천손 정면 B.S., EYE-LEVEL, FIX, 김천손 F.O.

S#50 당포 선창 - 군막 안

적들을 유인해달라는 순신의 말에 나가려는 원균, 어영담이 나선다

69 CUTS/20 SET-UPS

INT

DAY

OPEN SET

C#1

군막 안 펼쳐진 탁자들, 이순신과 이억기 등 여러 장수들이 오가는 탐망병들의 보고를 받고 지도를 살피며 분주하다.
군막 안 F.S., EYE-LEVEL, FIX

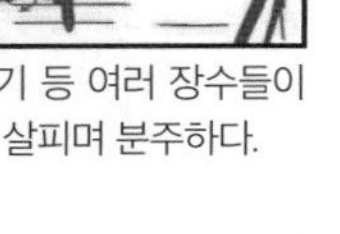

원균이 작정한 듯
군막 안으로 들어온다.
원균 F.I.

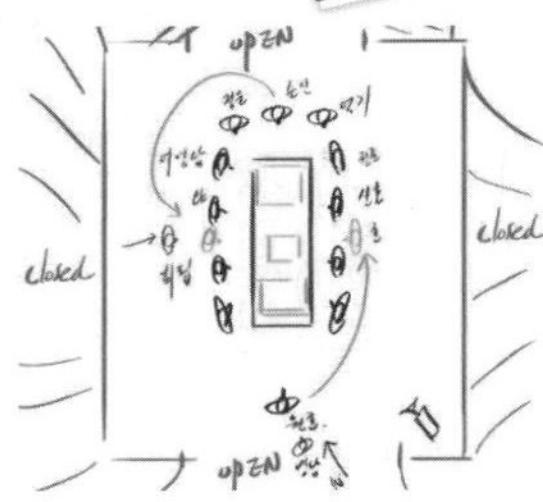

C#2

들어오는 원균을 쳐다보는 순신.
이순신 정면 M.S., EYE-LEVEL, FIX

C#3

원 균 그래 기동한 적이

이순신 너머 원균 정면 L.S., EYE-LEVEL, FIX

C#4

원 균 어디 있는진 찾았는가.

원균 정면 M.S., EYE-LEVEL, FIX

C#5

이순신 곧 찾을 듯싶습니다. 탐망선들이 보고하는 여러 정황으로 보아, 우리와 상당히 가까운 곳에 있을 가능성이 높습니다.

[C#2 동일] 이순신 정면 M.S., EYE-LEVEL, FIX

C#6

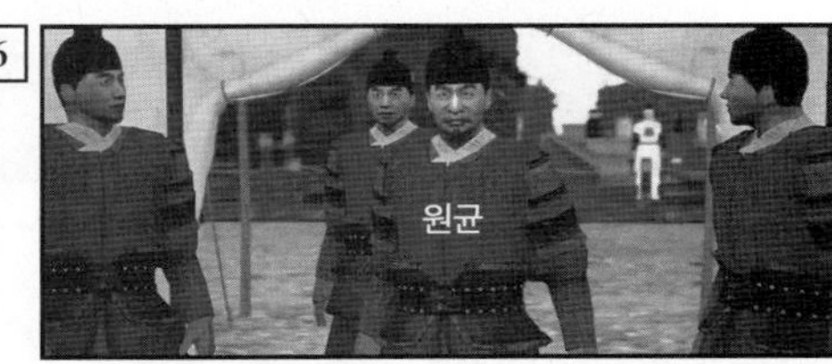

원 균 내 아까는 애써 이곳까지 와서 적에게 등을 보이는거

원균 정면 M.F.S, EYE-LEVEL, FIX

C#7

원 균 (OFF SCREEN SOUND) 같아 참았네만,

[C#2 동일] 이순신 정면 M.S., EYE-LEVEL, FIX

C#8

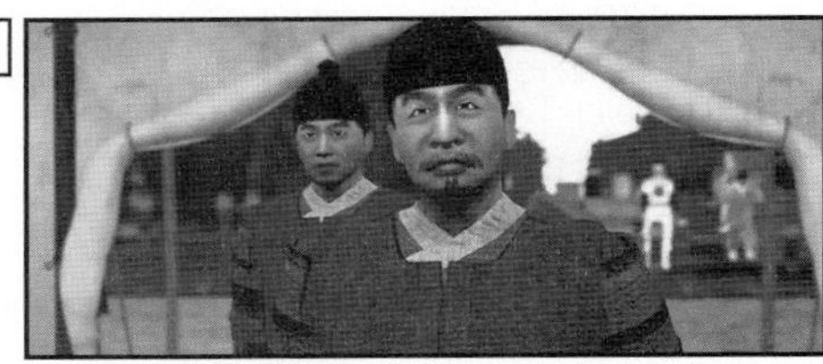

원 균 만일 오늘 내로 적이 발견되지 않는다면 경상우수군은 철수해 전주성에 힘을 보탤 것이네.

원균 정면 B.S., EYE-LEVEL, FIX

C#9

이순신 오늘 내로 발견될 것입니다.

이순신 정면 B.S., EYE-LEVEL, FIX

C#10

원균, 순신의 자신감 있는 태도가 지극히 못마땅한데….
이때 송희립이 황급히 뛰어 들어온다.

송희립 장군!

이순신과 장수들 후면 L.S., EYE-LEVEL, FIX, 송희립 F.I.

C#11

이순신 (OFF SCREEN SOUND) 무슨 일이냐.

어영담 너머 송희립 정면 M.S., EYE-LEVEL, FIX

C#12

송희립 적을 발견했습니다.

이순신 너머 송희립 정면 L.S., HIGH ANGLE, FIX

C#13

원 균 !

원균 정면 M.S., EYE-LEVEL, FIX

C#14

모든 장수들이 집중하는데,

이순신 어디냐?

송희립 너머 이순신 정면 M.F.S, EYE-LEVEL, FIX

C#15

송희립 견내량입니다.

[C#11 동일] 어영담 너머 송희립 정면 M.S., EYE-LEVEL, FIX

C#16

"뭐? 견내량이라고!" 장수들이 술렁인다.

장수들 L.S., HIGH ANGLE, FIX

C#17

이억기 견내량이면 여기서 지척 아닙니까.

이억기 & 이순신 M.F.S, EYE-LEVEL, FIX

C#18

송희립 거제 쪽으로 120척이 정박해 있다 합니다.

[C#15 동일] 어영담 너머 송희립 정면 M.S.,
EYE-LEVEL, FIX

C#19

군막 밖을 쳐다보는 순신.

이순신 정면 B.S., EYE-LEVEL, FIX

C#20

순신의 눈에 군막 밖에 천손이 숨을 헐떡이며 서 있는 게 보이는데,

이순신 P.O.V., 장수들 너머 천손 정면 M.S., EYE-LEVEL, FIX

C#21

갑자기 원균이 호기롭게 순신에게 다가선다.

원 균 당장 밀고 들어가세! 이런 천운이 어디 있나?

장수들 너머 원균 정면 M.F.S, EYE-LEVEL, PAN LEFT

원균 M.S.

C#22

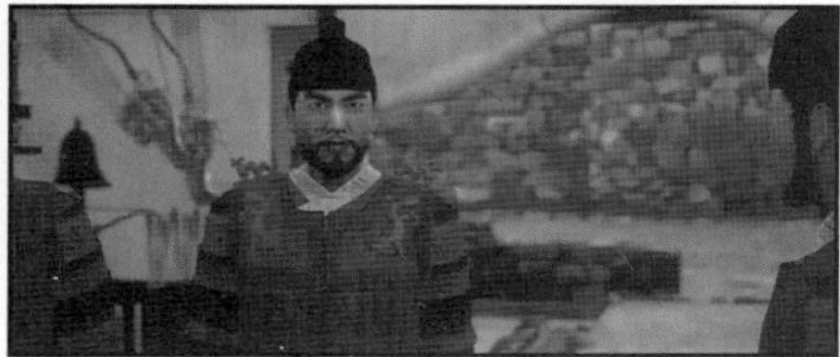

이순신 (고개를 저으며) 견내량에서 멈춰 있다는 건 적도 이미 우리가

이순신 정면 B.S., EYE-LEVEL, FIX

C#23

이순신 (OFF SCREEN SOUND) 여기 있는 줄 알고 있다는 걸 의미하오.

[C#21 동일] 원균 정면 M.S., EYE-LEVEL, FIX

C#24

원 균 그렇다고 뭐가 달라질 게 있나?

원균 측면 ¾ C.L. M.S., SLIGHT LOW ANGLE, FIX

C#25

이순신 신중할 필요가 있소.

순신이 탁자에 펼쳐진 지도 앞으로 다가간다.

이순신 측면 ¾ C.R M.S., SLIGHT LOW ANGLE, FIX

C#26

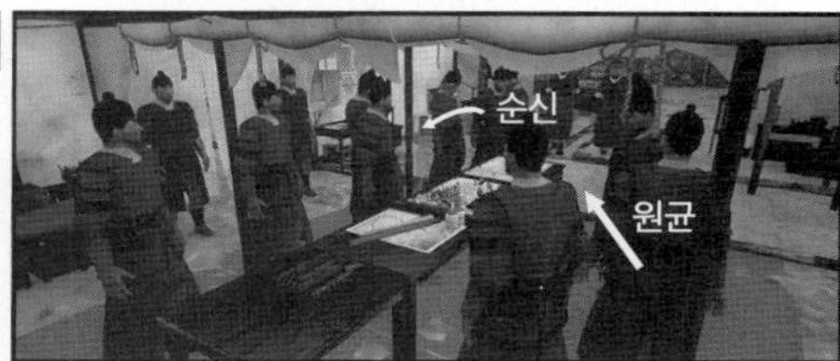

원균도 다가가는데,

이억기 여기 주변 탁자들을 치우거라.

군막 안 L.S., HIGH ANGLE, FIX

이억기의 명령에 중앙 탁자 외 치워지는 탁자들.
장수들 이내 중앙 탁자를 둘러싸며 모여든다.

이순신 (지도를 유심히 들여다보면) …….

모든 장수들 또한 탁자의 지도에 초집중한다.

C#27

INS. 한산도를 짚는 이순신의 손

이순신 (OFF SCREEN SOUND) (한 곳을 짚으며) 여기 한산도 앞바다로

C#28

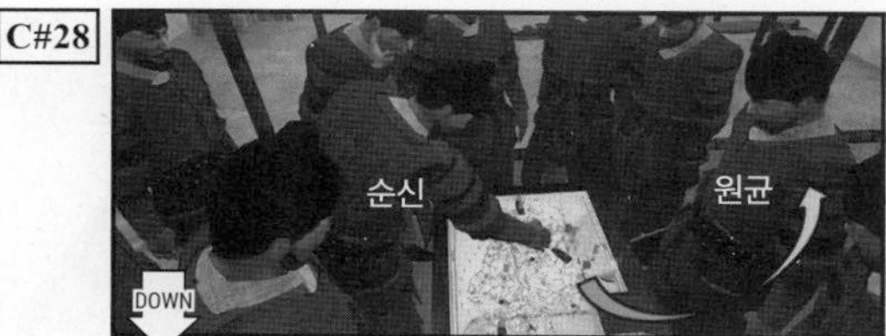

이순신 끌어내어야 한다. 견내량은

이순신, 원균 측면 M.F.S, HIGH ANGLE, ARC RIGHT & BOOM DOWN

C#29

이순신 폭이 좁아 우리 판옥대선들에게는

이순신 ¾ C.R M.S., LOW ANGLE, FIX

C#30

이순신 싸우기가 적절치 않다.

이순신 ¾ C.R B.S., LOW ANGLE, FIX

C#31

원 균 (냉소) 아니지! 비록 폭이 좁다 한들

이순신 너머 원균과 장수들 ¾ C.L. M.S., LOW ANGLE, FIX

C#32

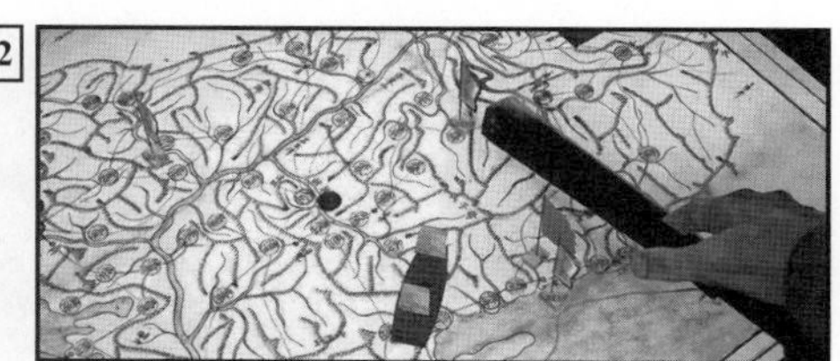

INS. 견내량을 가리키는 원균의 손

원 균 (OFF SCREEN SOUND) 날뛰는 적보단 여기 멈추어 있는 적을 처리하기가

C#33

원 균 오히려 쉬워 보이네. 지금까지 우리 수군이 벌여온

원균 ¾ C.L. B.S., LOW ANGLE, FIX

C#34

원 균 전투 형태와도 맞지 않는가?

몇몇 장수들이 동조하듯 끄덕인다.
이순신 너머 원균 M.S., EYE-LEVEL, FIX

C#35

이순신 (고개를 저으며) 폭이 좁고 물살이 세어 아군 배들이 전후좌우로 들고 나기에 적절치 않소.

이순신 측면 C.R B.S., EYE-LEVEL, FIX

C#36

순신의 말을 듣는 원균.
원균 측면 C.L. B.S., EYE-LEVEL, FIX

C#37

이순신 아군의 피해가 상당할 것이오.

[C#35 동일] 이순신 측면 C.R B.S., EYE-LEVEL, FIX

C#38

이순신 더구나 적들이 육지로 피해 도망친다면 큰 효과를 기대하기도 어렵습니다.

원 균 (오기가 발동) 싸움에 임해서 작은 피해까지 걱정하는 건

이순신 & 원균 측면 M.F.S, SLIGHT LOW ANGLE, FIX

C#39

원 균 대장부의 자세가 아니네.

[C#36 동일] 원균 측면 C.L. B.S., EYE-LEVEL, FIX

C#40

원 균 더구나 육지로 도망친다 함은

[C#35 동일] 이순신 측면 C.R B.S., EYE-LEVEL, FIX

C#41

INS. 지도 & 원균 손

원 균 (OFF SCREEN SOUND) (지휘봉으로 지도를 찍으며) 기껏 여기 거제 섬일 텐데,

C#42

원 균 섬에서 육군 지원도 못 받는 적을 뒤쫓아 오랜만에

[C#35 동일] 이순신 측면 C.R B.S., EYE-LEVEL, FIX

C#43

원 균 땅에서 승리하는 쾌감도 맛볼 수 있을 거 같네. 난 들이치는 게 맞다고 봐!

[C#36 동일] 원균 측면 C.L. B.S., EYE-LEVEL, FIX

C#44

이순신 그럼 경상 우수군이

[C#38 동일] 이순신, 원균 측면 M.F.S, SLIGHT LOW ANGLE, FIX

C#45

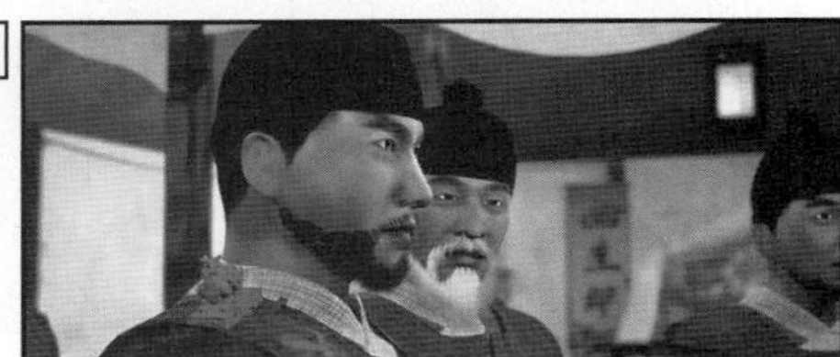

이순신 먼저 들이쳐 싸워주시는 건 어떻소이까?

이순신 측면 C.R C.S., EYE-LEVEL, FIX

C#46

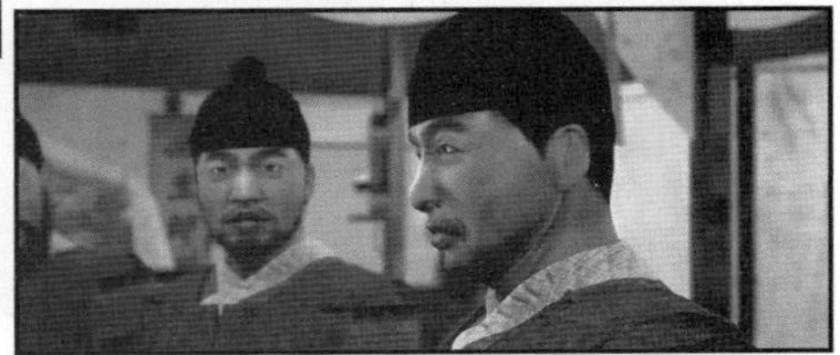

원 균 뭐라? 우리만 들어가 싸우다 처죽으란 말인가!

오기가 발동한 원균의 말이 특유의 험악함으로 점차 치닫는다.

원균 측면 C.L. C.S., EYE-LEVEL, FIX

C#47

지도를 짚는 이순신.
[C#38 동일] 이순신, 원균 측면 M.F.S, SLIGHT LOW ANGLE, FIX

C#48

이순신 적들을 (지도를 짚으며)

이순신과 원균 M.F.S, HIGH ANGLE, FIX

C#49

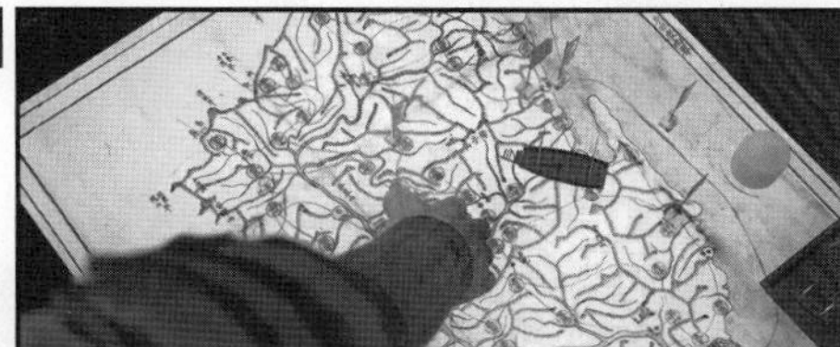

INS. 한산도 앞바다를 짚는 이순신의 손

이순신 (지도를 짚으며) 여기 한산도

C#50

이순신 앞바다로 끌어내달라는 얘기입니다.

이순신 ¾ C.R B.S., SLIGHT LOW ANGLE, FIX

C#51

원 균 유인전을 펼치란 말인가?

원균 ¾ C.L. B.S., SLIGHT LOW ANGLE, FIX

C#52

이순신 (고개를 끄덕) …….

원균 너머 이순신 정면 M.S., EYE-LEVEL, FIX

C#53

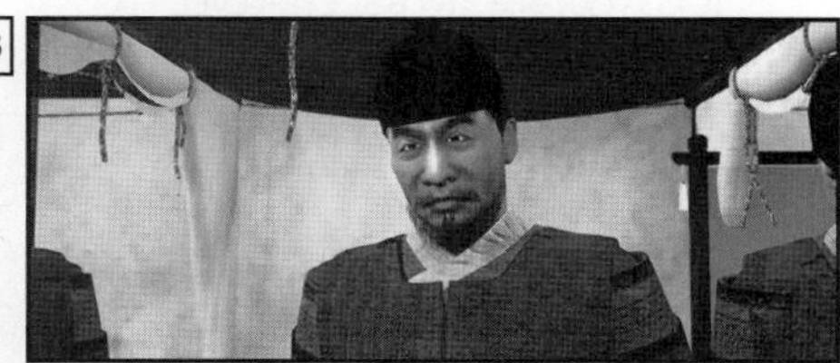

원 균 그리고 그곳에 학익진을 펼치겠다?

원균 정면 B.S., EYE-LEVEL, FIX

C#54

이억기 !

이억기 측면 C.L. C.S., EYE-LEVEL, FIX

C#55

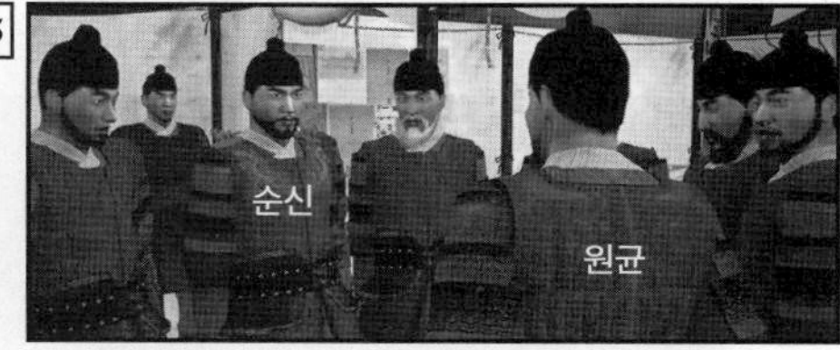

장수들 ……!

원 균 (알겠다는 듯) 그게 바로 그대가 말한 바다 위에 성을 쌓겠다는 것인가?

이순신 …….

원균 너머 이순신 M.F.S, EYE-LEVEL, FIX

C#56

원 균 (냉소) 허나 자네 나를 바보 천치로 아나?

이순신 너머 원균 정면 M.F.S, EYE-LEVEL, FIX

C#57

원 균 7척의 우수군 배로 들이치라니! 그건 그냥 자살 행위 아닌가. 그리고 저 협판안치 또한 바보 천치인가?

[C#53 동일] 원균 정면 B.S., EYE-LEVEL, FIX

C#58

원 균 누가 순순히 따라 나온단 말인가?

이순신 정면 B.S., EYE-LEVEL, FIX

C#59

원 균 (오기 더 발동) 함께 들이치든가!

[C#53 동일] 원균 정면 B.S., EYE-LEVEL, FIX

C#60

원 균 아니면 난 이 무모한 작전에서 빠지겠네!

[C#38 동일] 이순신, 원균 측면 M.F.S,
SLIGHT LOW ANGLE, FIX

C#61

이순신 원 수사! 적들이 바로 우리 앞에 있소!

[C#58 동일] 이순신 정면 B.S., EYE-LEVEL, FIX

C#62

원 균 바다 위에 성이라니 가당치도 않네! 차라리 난 전주성에 힘을 보태겠네!

[C#53 동일] 원균 정면 B.S., EYE-LEVEL, FIX

C#63

다짜고짜 나가려는 원균. 이운룡과 이영남도 어찌할 바를 몰라하고, 문득 어영담이 나선다.

어영담 향도가 한번 유인해보지요.

이순신/원 균 ?

순신과 원균이 동시에 돌아보는데,
원균 너머 이순신 정면 M.S., EYE-LEVEL, FIX

C#64

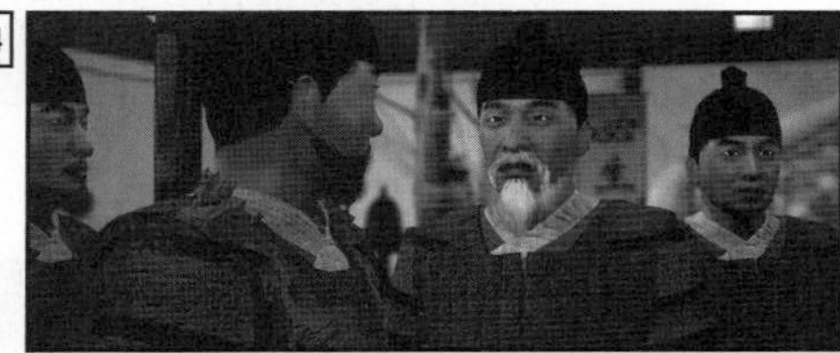

어영담 견내량 물길은 향도가 소상히 잘 알고 있으니 제가 유인해보겠습니다.

이순신/원 균 …….

이순신 너머 어영담 정면 B.S., EYE-LEVEL, FIX

C#65

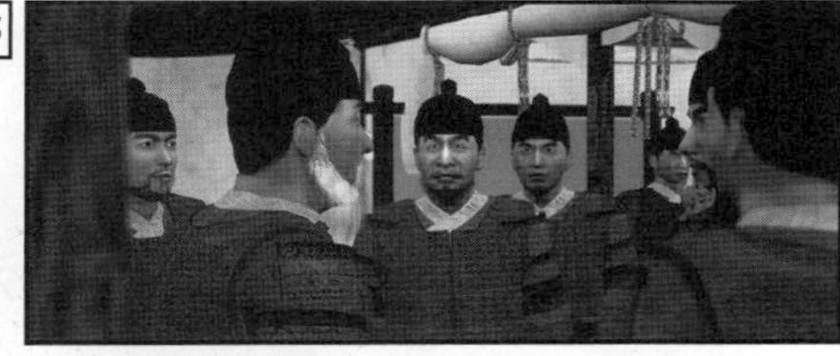

이때 이운룡이 나선다.

이운룡 제가 가겠습니다! 경상의 물길을 전라 좌수영의 노구께 맡긴다면 이것은 천하의 조롱거리가 될 것입니다!

어영담 너머 원균 & 이운룡 정면 M.S., EYE-LEVEL, FIX

C#66

이운룡 (원균에 고개를 숙이며) 장군! 부디 청컨대 허락해주소서!

원 균 (대체 상황이 어찌 돌아가는 거야 하는 표정) …….

원균 & 이운룡 정면 B.S., SLIGHT LOW ANGLE, FIX

C#67

어영담이 이운룡에게 옅은 미소를 짓더니 순신을 향해 다시 말한다.

어영담 장군… 이 노구의 마지막 바람이니 그리 해주시지요.

[C#64 동일] 이순신 너머 어영담 정면 B.S., EYE-LEVEL, FIX

C#68

일순 모두가 감동한 듯 어영담을 바라볼 뿐인데…
군막 안 L.S., HIGH ANGLE, FIX

C#69

원균만은 매우 탐탁지 않은 표정….
[C#65 동일] 어영담 너머 원균 정면 B.S.,

S#51 당포 - 대장선 처소 안

준사의 서신을 읽는 순신
적의 육군이 좌수영을 치러 온다는 소식이다

22 CUTS/9 SET-UPS  INT  DAY  SET

C#1

부산 실내세트

처소 안, 순신이 제명(題名)만 쓰여 있을 뿐 텅 빈 학익진도 앞에서

이순신 L.S., HIGH ANGLE, FIX

C#2

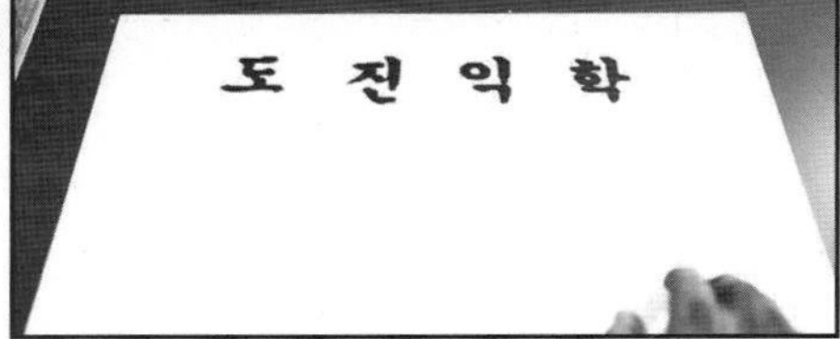

INS. 학익진도

C#3

골똘히 생각에 빠져 있다.

이순신 정면 B.S., EYE-LEVEL, TRACK IN

C#4

여수 오픈세트

좌수영 운주당

이억기 (회상, 운주당) 영감께선 아직 저에게 답을 주시지 않았습니다. 대체 어찌 싸우시려 합니까. 진정 학익진이 답이 될 수 있습니까.

매우 진지하게 묻는 이억기다.

이억기 ¾ C.L. B.S., EYE-LEVEL, FIX

C#5

부산 실내세트

대장선 처소

순신, 두통이 오는 듯 관자놀이를 지그시 누르는데….

이순신 ¾ C.L. B.S., LOW ANGLE, FIX

C#6

그 앞에 놓인 '군관 나대용'이라 적힌 서찰 하나가 보인다.

이순신 너머 나대용 서찰, HIGH ANGLE, FIX

C#7

INS. 나대용 서찰

C#8

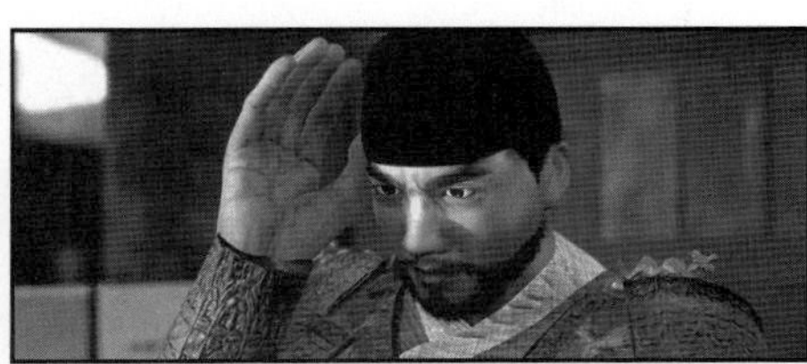

이내 송희립의 목소리가 들려오고….

송희립 (OFF SCREEN SOUND) 장군, 소장 희립입니다.

이순신 ¾ C.L. C.S., EYE-LEVEL, FIX

이순신 들어오너라.

C#9

송희립이 문을 열고 처소에 들어온다.

이순신 너머 송희립 F.S., EYE-LEVEL, FIX

C#10

이순신 (자세를 고쳐 잡으며) 어인 일이냐.

송희립 너머 이순신 M.F.S, EYE-LEVEL, FIX

C#11

송희립 장군. 이 일은 은밀히 전하는 게 맞을 듯싶어… (순신에게 서신 하나를 전달하는데) 준사의 전갈이 왔습니다.

[C#9 동일] 이순신 너머 송희립 F.S., EYE-LEVEL, FIX

C#12

송희립이 준사의 서신을 순신에게 건넨다.
급히 쓴 듯한 서신 하나.
서신을 전하는 희립 손, EYE-LEVEL, PAN RIGHT

순신이 서신을 펼쳐보면, 그 위로 준사의 목소리,

이순신 !

준 사(NA) 6군 고바야카와 부대가 전주성이 아닌 좌수영을 치러 갈 계획입니다.

→ 이순신 측면 C.L. B.S.

C#13

바로 준사가 보름에게 건넨 서신과(도깨비 문양 목걸이가 보인다.)

준 사(NA) 수군과 서로 때를 맞춰 수륙병진으로 좌수영을 공동 목표로 삼았습니다.

이순신 너머 준사 서신 C.U., HIGH ANGEL, FIX 3

C#14

준 사(NA) 함대는 5일 자정 출동했습니다.

순신, 읽다 크게 놀라 희립을 쳐다보는데,
이순신 정면 C.S., SLIGHT LOW ANGLE, FIX

C#15

송희립 (이미 읽은 듯) 적의 육군이 전주성을 우회하여 우리 좌수영을 친다면 큰 낭패 아닙니까.

이순신 너머 송희립 정면 M.S., SLIGHT LOW ANGLE, FIX

C#16

이순신 (상기되어) 전주성에 이 소식이 갔느냐.

송희립 너머 이순신 정면 B.S., SLIGHT HIGH ANGLE, FIX

C#17

송희립 시간이 촉박하여 준사가 직접 소식을 알리러 떠났다 합니다. 허나 왜인(倭人)의 말을 믿어줄지 모르겠습니다.

이순신 너머 송희립 정면 B.S., SLIGHT LOW ANGLE, FIX

C#18

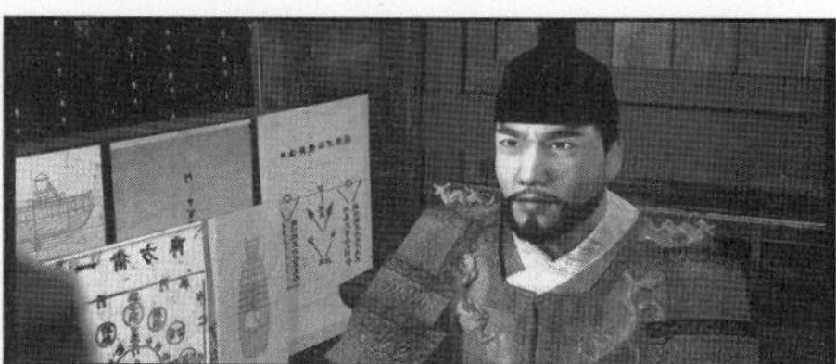

이순신 헌데… 이 소식을 준사가 아니라면 누가 우리에게 전해온 것이냐?

[C#16 동일] 송희립 너머 이순신 정면 B.S.,
SLIGHT HIGH ANGLE, FIX

C#19

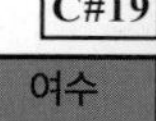

여수
오픈세트

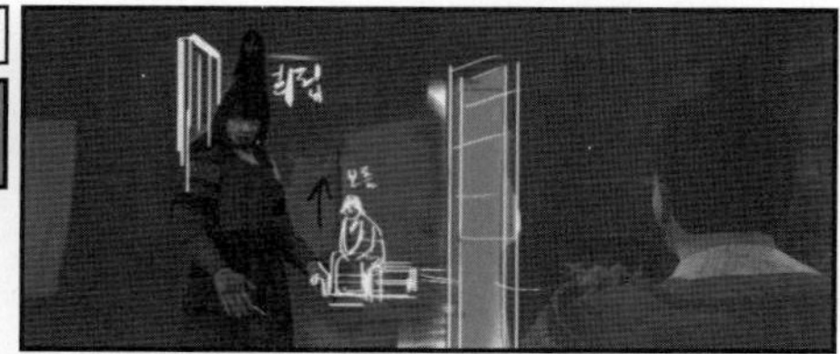

송희립 …….

송희립이 처소의 문을 열어젖히면, 밖에 보름이 있다.
이순신 너머 보름 L.S., EYE-LEVEL, FIX

C#20

보름을 바라보는 순신.
이순신 ¾ C.L. C.S., EYE-LEVEL, FIX

C#21

힘겨운 표정으로 순신을 쳐다보는 보름.
~~마침내 쓰러지는 보름….~~
~~"처자!" 송희립이 달려가고,~~
※보름 쓰러지지 않는 설정으로 변경
보름 정면 B.S., EYE-LEVEL, FIX

C#22

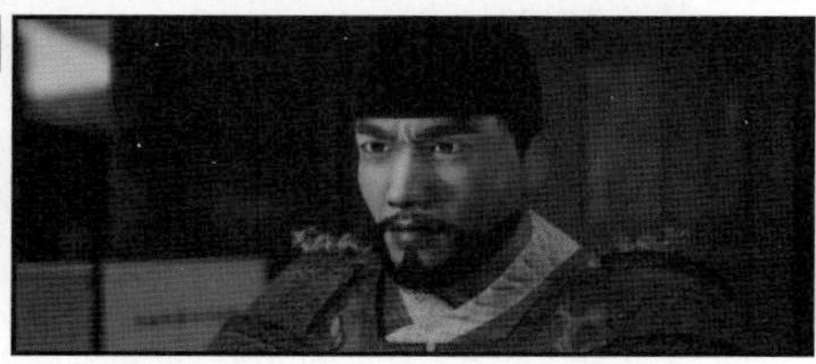

이순신 …….

[C#20 동일] 이순신 ¾ C.L. C.S., EYE-LEVEL, FIX

S#52 어느 계곡

의병장 황박에게 왜군이 노리는 건 좌수영이라며
함께 싸우겠다 하는 준사

34 CUTS/16 SET-UPS

EXT

DAY

LOCATION

C#1

순천왜성 공터

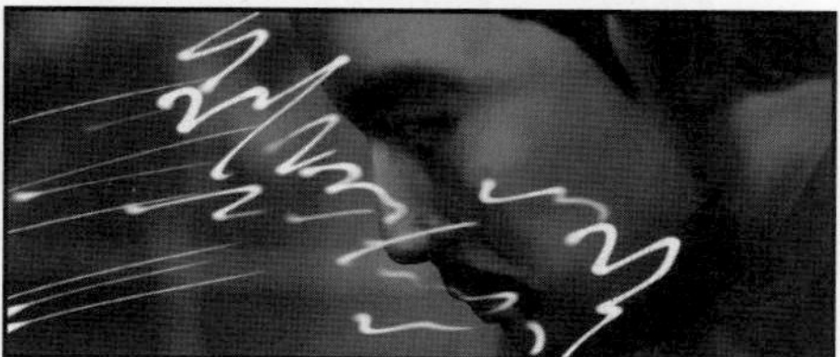

누군가가 물을 끼얹자,

준사 측면 C.L. C.U., EYE-LEVEL, FIX

C#2

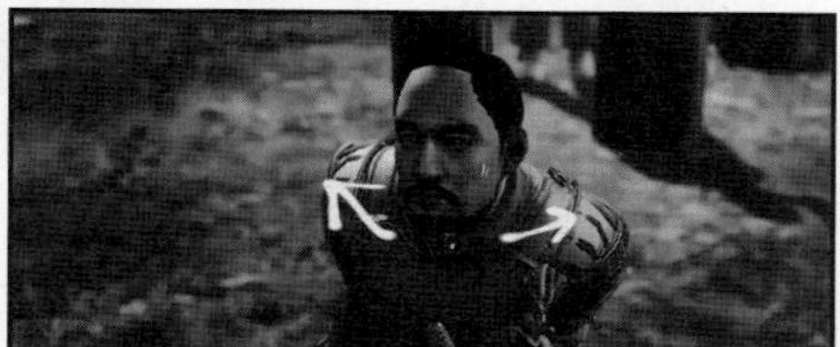

퍼뜩 정신을 차리는 준사, 움직이려다 나무에 몸이 묶여 있음을 안다.

준사 정면 B.S., SLIGHT HIGH ANGLE, FIX

C#3

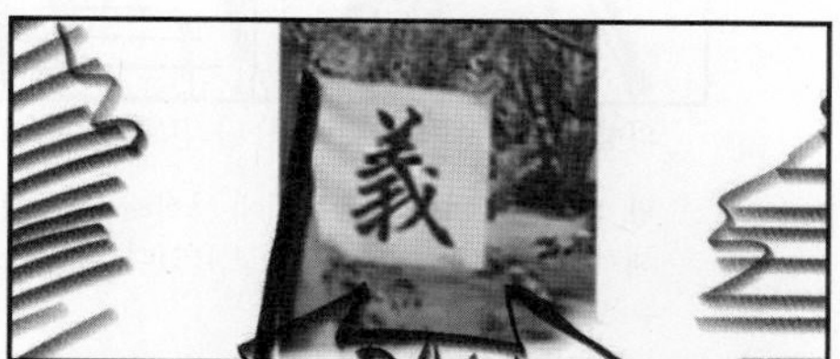

희미하게 다시 떠지는 준사의 시선… 커다란 깃발. 커다란 글씨 義(의) 자가 보이는데….

※희미 → 선명하게

준사 P.O.V., 깃발, PAN LEFT & RIGHT

C#4

모여 앉아 있는 의병들.

의병들 L.S., EYE-LEVEL, PAN RIGHT

C#5

모두 준사를 바라보고 있다.

의병들 M.F.S, EYE-LEVEL, PAN LEFT

C#6

준사 앞에 나타나는 산적 같은 외모의 의병 사내들.

준 사 여기는 어디요?

준사 정면 F.S., HIGH ANGLE, FIX, 황박 & 의병 F.I.

C#7

의병 1 음메? 조선말을 허는디요?

의병장 (나서며) 네놈은 누구냐?

산적 같은 사내와는 달리 다포 차림의 한 남자가 나선다.

의병장 황박

황박과 의병들 정면 M.F.S, SLIGHT LOW ANGLE, FIX

C#8

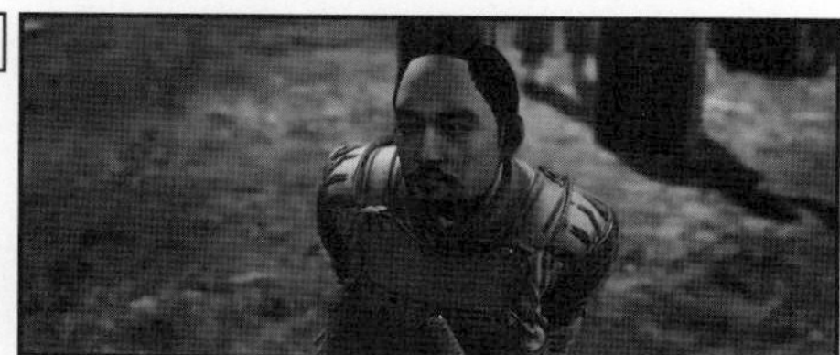

준 사 나는… 좌수영에서 왔소!

[C#2 동일] 준사 정면 B.S., SLIGHT HIGH ANGLE, FIX

C#9

황 박 좌수영에서 왔다는 놈이 왜복을 입었다는 게 말이 되느냐?

황박 정면 B.S., SLIGHT LOW ANGLE, FIX

C#10

그때 나타나는 조선군 장수 복장을 한 김제 군수 정담.

의병장 황박과 의병들… 인사하며 비켜서면,

준사 너머 황박 & 정담 L.S., SLIGHT LOW ANGLE, FIX

C#11

정 담 뭐가 나온 것이 있는가?

황 박 아직 아무것도 없습니다.

준 사 좌수영에서 왔다 하지 않았소!

준사 너머 황박 & 정담 M.F.S, SLIGHT LOW ANGLE, FIX

C#12

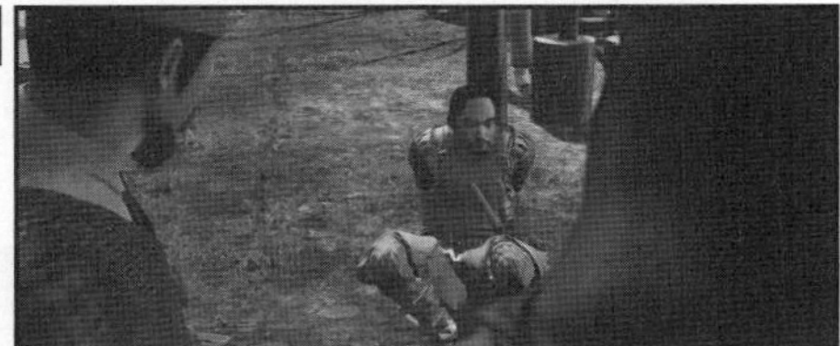

준 사 어서 풀어주시오! 당장 전주성으로 가야 하오!

[C#6 동일] 황박 & 정담 너머 준사 정면 F.S., HIGH ANGLE, FIX

C#13

정 담 왜놈들이 전주성을 향한다더니 이젠 첩자들까지 설치는구나. 어서 죽이게.

[C#11 동일] 준사 너머 황박 & 정담 M.F.S, SLIGHT LOW ANGLE, FIX

C#14

칼을 뽑아 준사를 죽이려 하는 의병장 황박!
황박 측면 C.R M.S., EYE-LEVEL, PAN RIGHT & TILT DOWN

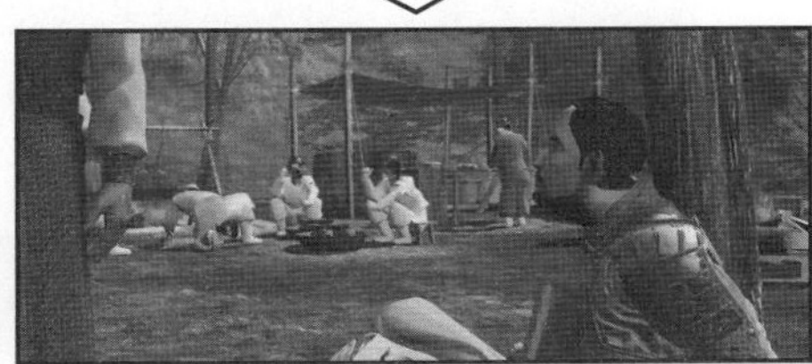

준사가 묶인 상태로 발버둥을 친다.

준 사 난 항왜다! 금산의 왜군이 전주성이 아닌 좌수영을 노리고 있다!

→ 준사 측면 C.L. B.S.

C#15

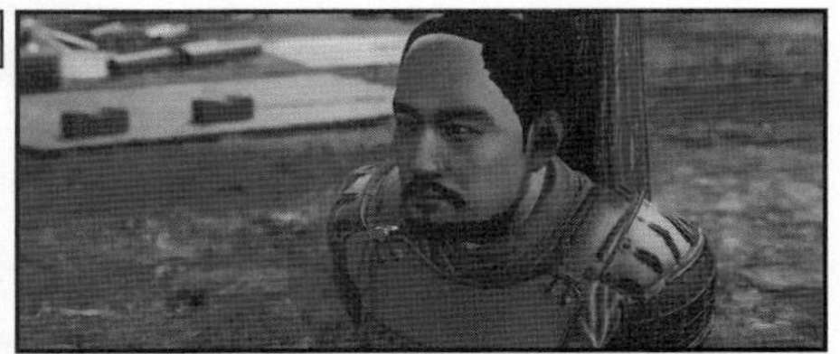

준 사 수군과 육군이 동시에 좌수영을 노리고 있단 말이다!

준사 ¾ C.L. B.S., EYE-LEVEL, FIX

C#16

그러자 멈춰서 돌아보는 정담… 황박과 의병들도 놀라 정담을 보면.

정담 너머 준사 정면 L.S., EYE-LEVEL, FIX

C#17

의병 1 (속삭이듯 황박에게) 나리! 항왜가 뭡니까요?

황 박 우리 의병처럼 불의에 항거해 우리 쪽에 투항해서 싸우는 왜군들이 있다고 들었다. 나도 소상한 것은 모른다.

황박 & 의병 1 정면 B.S. 2, EYE-LEVEL, FIX

C#18

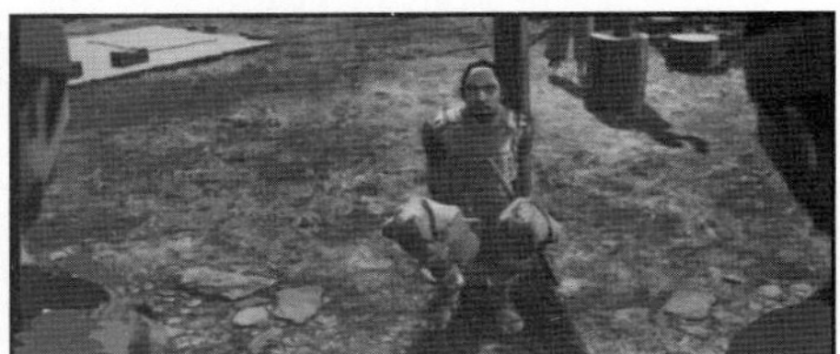

의병 1 아….

황박 & 의병 1 너머 준사 정면 F.S., HIGH ANGLE, FIX

C#19

정 담 (준사에게 다가서며) 다시 한번 말해보거라….

[C#11 동일] 준사 너머 정담 정면 M.F.S, SLIGHT LOW ANGLE, FIX

C#20

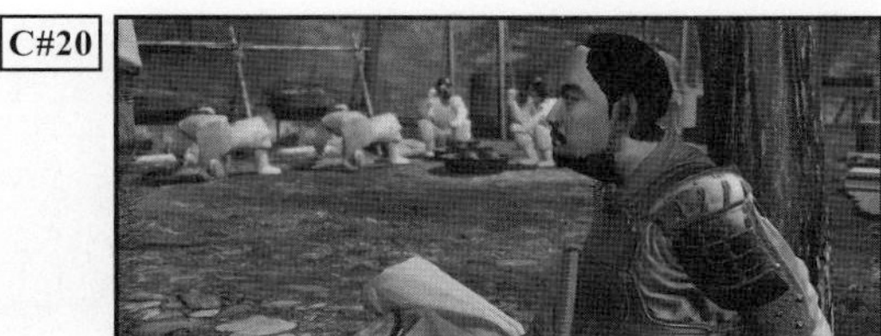

준 사 적이 노리는 건 전주성이 아닌 좌수영이란 말이다!

준사 측면 C.L. B.S., EYE-LEVEL, FIX

C#21

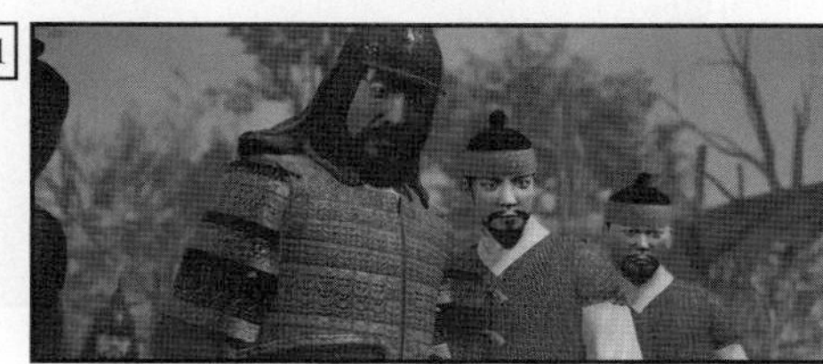

정 담 좌수영?

정담 정면 M.S., LOW ANGLE, FIX

C#22

준 사 그렇다!

비록 묶여 있지만 강렬한 눈빛으로 쏘아보는 준사….
정담 너머 준사 정면 C.S., EYE-LEVEL, FIX

C#23

준사의 말을 믿어야 할지 고민하는 정담….

정 담 (이내) 지도를 가져오게.

정담 정면 C.S., EYE-LEVEL, FIX

C#24

CUT TO
INS. 지도

황 박 (OFF SCREEN SOUND) 저 말이 사실이라면

C#25

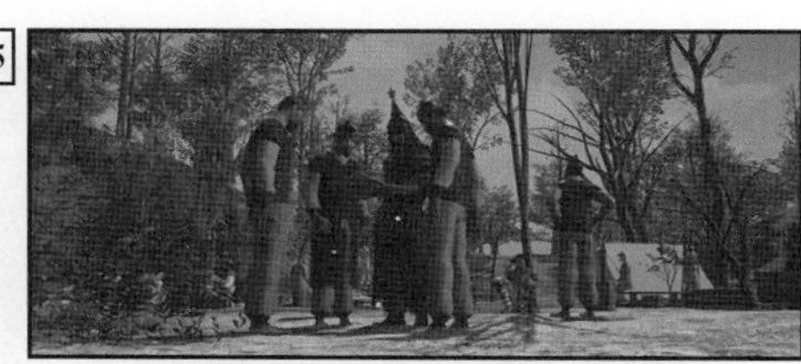

준사에게서 다소 떨어진 채 서서 정담, 의병장 황박과 함께 가져온 지도를 펼쳐보고 있다. 금산에서 좌수영 가는 길을 살펴보면… 바로 그들이 서 있는 이곳 웅치를 통과해야 됨을 깨닫는다.

황 박 금산성의 적은

정담, 황박 무리 너머 준사 정면 L.S., LOW ANGLE, FIX

C#26

INS. 지도, 황박 손

황 박 이곳 웅치를 필히 통과해야 하지 않습니까?

C#27

정 담 (묵직이) 난 가서 새로 부임한 순찰사 권율 장군께 연통하겠소. 우리는 전주로 가지 않고

정담 정면 B.S., SLIGHT LOW ANGLE, FIX

C#28

INS. 지도

정 담 이곳 웅치에 방어선을 만들 것이오!

C#29

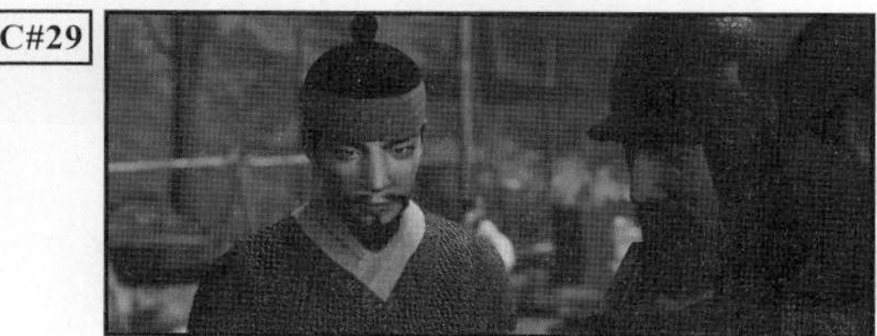

황 박 예! (하고 돌아서 정담이 사라지자 군사들을 준비시키면)

정담 너머 황박 정면 B.S., EYE-LEVEL, FIX

C#30

걸음을 떼는 황박과 의병들.
정담, 황박 무리 너머 준사 정면 L.S., LOW ANGLE, FIX

준 사 나도 싸우게 해주시오! 함께 싸우겠소!

C#31

황 박 (돌아보는)…….
황박 후면 M.S., EYE-LEVEL, FIX

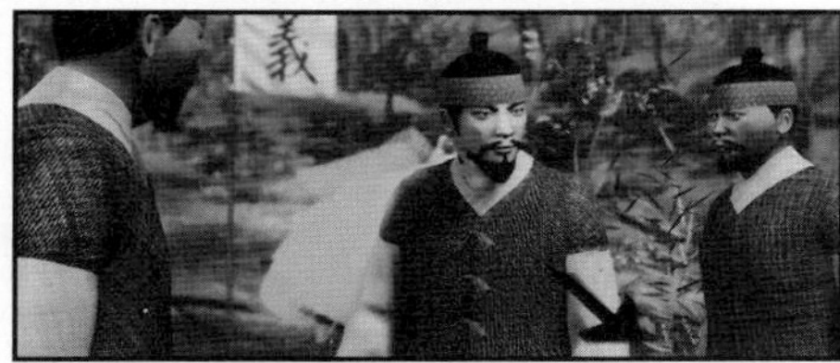

준사에게 다시 다가가는 황박,
황박 돌아보며 정면 M.S., 황박 F.O.

C#32

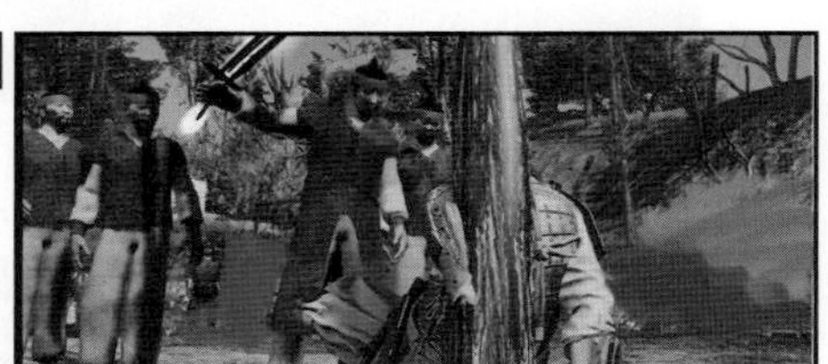

준사를 뚫어지게 쳐다보다
※황박이 옆에 있던 의병의 몽둥이를 뺏어 든다.
준사 너머 황박 정면 F.S., SLIGHT LOW ANGLE, FIX

C#33

몽둥이를 드는 황박.
황박 너머 준사 M.S. HIGH ANGLE, FIX

C#34

이내 몽둥이로 준사를 내리친다!
다시 의식을 잃고 마는 준사.
황박 정면 M.S., LOW ANGLE, FIX

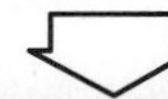

S#53 당포 선창 - 대장선 처소

'학익진도'만이 적힌 백지에 붓을 들어 장수들의 이름을 써가는 순신

31 CUTS/12 SET-UPS  INT  NIGHT SET

C#1

여수 오픈세트

삼경(밤11시)을 알리는 가느다란 호각 소리… 이지러진 반달이 떠 있고, 파고가 다소 거칠다.

당포 ELS, HIGH ANGLE, FLX

C#2

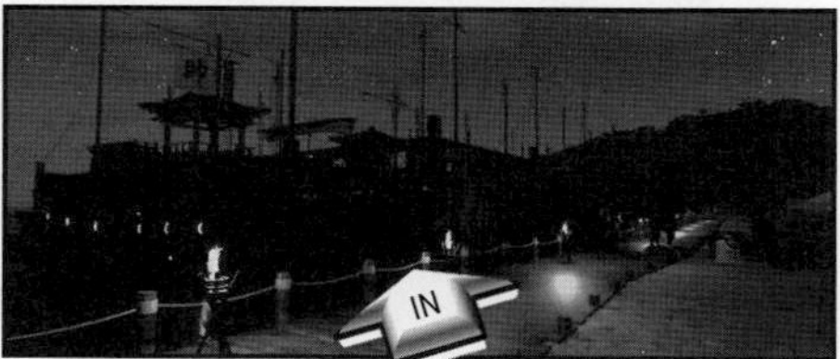

50여 척의 판옥선들이 삐거덕거리며 서로 묶여 장관을 이루고 있는데….

대장선 L.S., EYE-LEVEL, PUSH IN

C#3

부산 실내세트

INS. 학익진도, TRACK OUT

대장선 순신의 처소 안, 탁자 위에 여전히 백지의 학익진도(鶴翼陣圖)를 앞에 두고

C#4

지그시 눈을 감고 앉아 있던 순신, 천천히 눈을 뜨며 붓을 드는데,

이순신 ¾ C.L. C.U., EYE-LEVEL, FIX

C#5

INS. 붓

마침내 학익진도 위에 신중히 글을 써가기 시작하는 순신….
이내 순신의 목소리가 들려오고,

C#6

INS. '좌선' 글자

이순신(V.O.) 적의 기세를 이용해 적을 제압하려 하나니…. 이곳 한산도 앞바다에 성을 쌓는 학익진을 펼치려 한다. 좌선을 기준으로

C#7

이순신(V.O.) 나의 의도와 전장 파악에 제일 능통한 전라 우수사 이억기를

이순신 정면 M.S., SLIGHT LOW ANGLE, FIX

C#8

이순신(V.O.) 우측 날개 중앙으로, 순신, 중군(中軍)의 중심에 전라 좌수사 본인의 좌선을 시작으로,

이순신 너머 학익진도, HIGH ANGLE, FIX

C#9

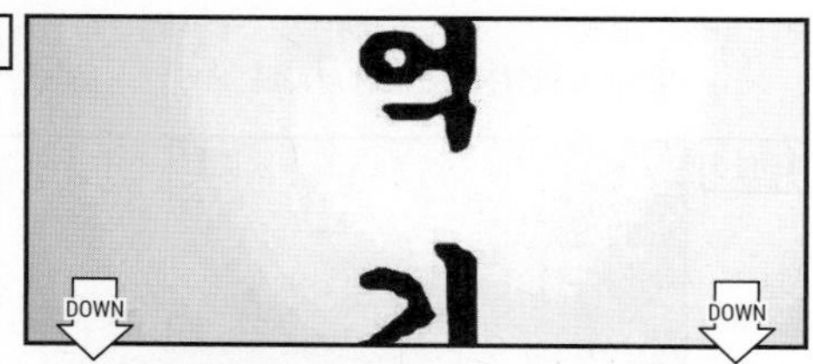

INS. '이억기' 글자, TILT DOWN

우익(右翼)의 중앙에 전라 우수사 이억기를 적는다.

C#10

이순신(V.O.) 좌선을 기준으로

[C#7 동일] 이순신 정면 M.S., SLIGHT LOW ANGLE, FIX

C#11

이순신(V.O.) 좌측 날개 중앙에는….

[C#4 동일] 이순신 ¾ C.L. C.U., EYE-LEVEL, FIX

C#12

INS. 머뭇거리는 붓

순신, 좌익(左翼)의 중앙에 이름 적기를 잠시 머뭇거리다…

C#13

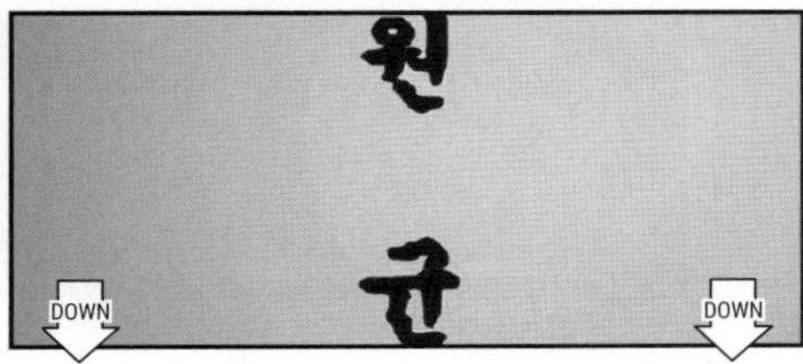

INS. '원균' 글자, TILT DOWN

마침내 원균의 이름을 적는데….

이순신 (V.O.) 경상 우수사 원균을….

C#14

이순신(V.O.) 경상 우수사 원균의 곁으로는 매사에 침착하며 조선 최고의 향도라 할 수 있는 광양 현감 어영담을,

이순신 & 학익진도, HIGH ANGLE, FIX

C#15

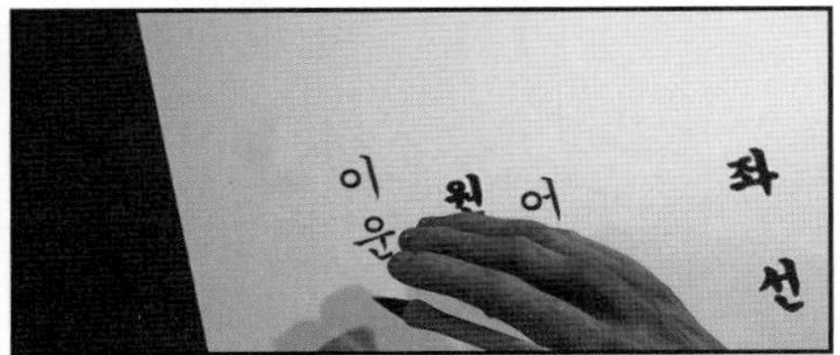

INS. '어영담, 이운룡' 글자

이순신(V.O.) 또한 그의 장수 중 가장 기민하며 유일하게 충언을 아끼지 않는 장수 이운룡을 배치한다. 또한….

C#16

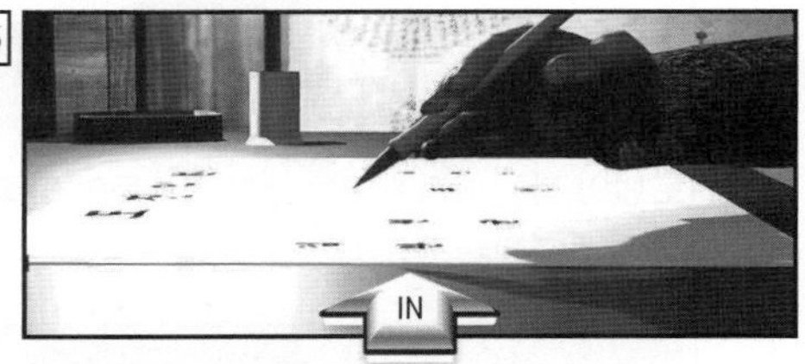

INS. 학익진도, TRACK IN

이내 (그 유명한) 학익진도가 순신의 붓놀림과 함께 채워지며 화면에서 점차 커져가는데….

이순신(V.O.) 배의 운용과 그 날렵함이 삼도 최고라 할 수 있는

C#17

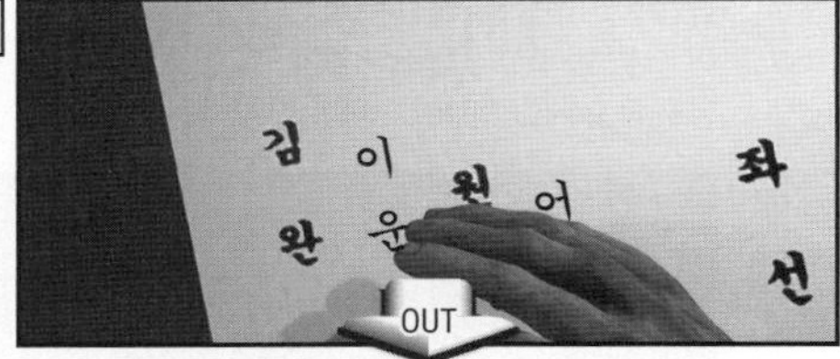

INS. '김완' 글자, TRACK OUT

이순신(V.O.) 사도 첨사 김완의 사도선을 좌측 날개 맨 끝으로….

C#18

이순신(V.O.) 빠른 기동과 백병전에서 그 누구보다 빠르게 적을 제압할 수 있는

[C#4 동일] 이순신 ¾ C.L. C.U., EYE-LEVEL, FIX

C#19

INS. '권준' 글자

이순신(V.O.) 순천 부사 권준은 우측 날개 맨 끝으로….

C#20

이순신(V.O.) 무사로서의 능력과 돌파력이 우리 수군 최고라 할 수 있는 녹도 만호 정운의 녹도선은

이순신 정면 B.S., EYE-LEVEL, TRACK IN

C#21

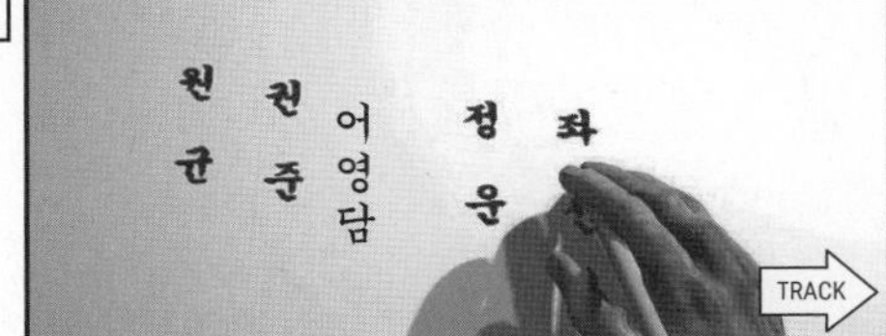

INS. '정운' 글자, TRACK RIGHT

이순신 (V.O.) 좌선을 보좌하는 바로 옆 좌영선으로….

C#22

진지한 붓놀림의 순신의 모습과 목소리 위에 진법도에 이름들이 채워진다.

이순신 ¾ C.L. B.C.U., EYE-LEVEL, FIX

C#23

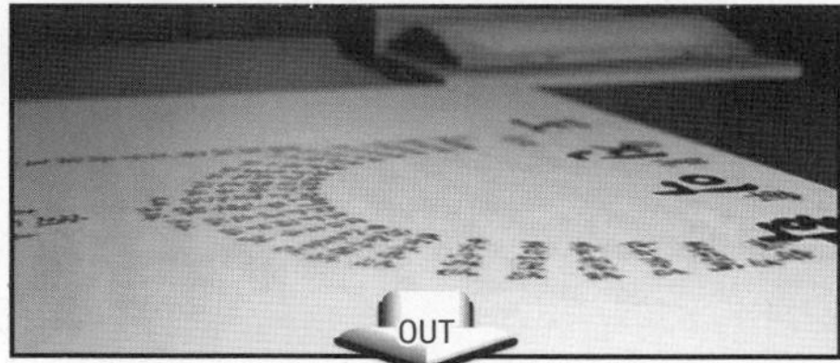

마침내 그렇게 모든 이들의 이름을 적고 붓을 내려놓는 순신….

학익진도 C.U., TRACK OUT

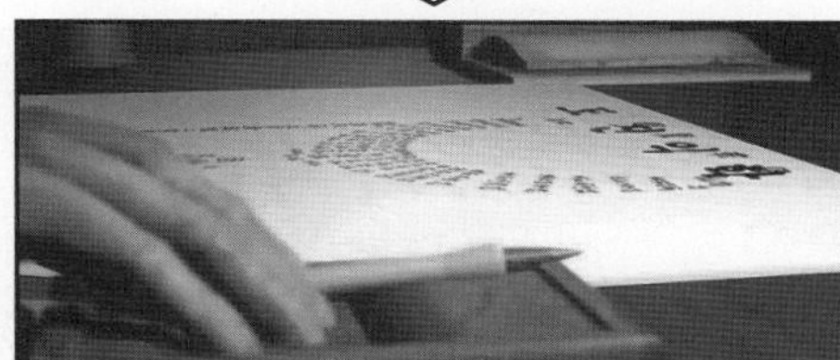

→ 순신의 손 & 붓

C#24

학익진도를 완성한 순신,

[C#20 동일] 이순신 정면 C.S., EYE-LEVEL, TRACK IN

C#25

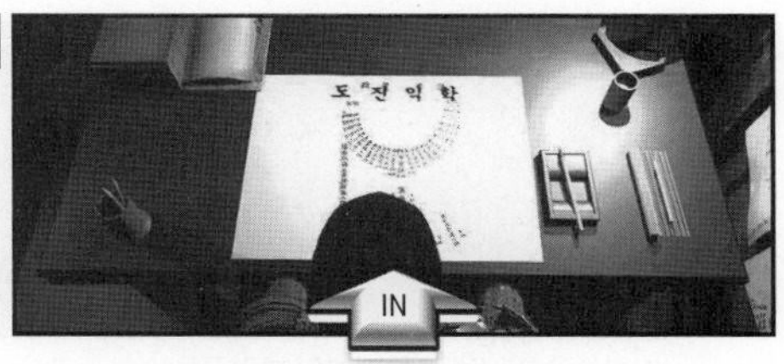

장수들의 이름이 빼곡하게 적힌 완성된 학익진을 진중히 내려다본다. - 음악 끝

이순신 너머 학익진도, HIGH ANGLE, PUSH IN & TILT DOWN

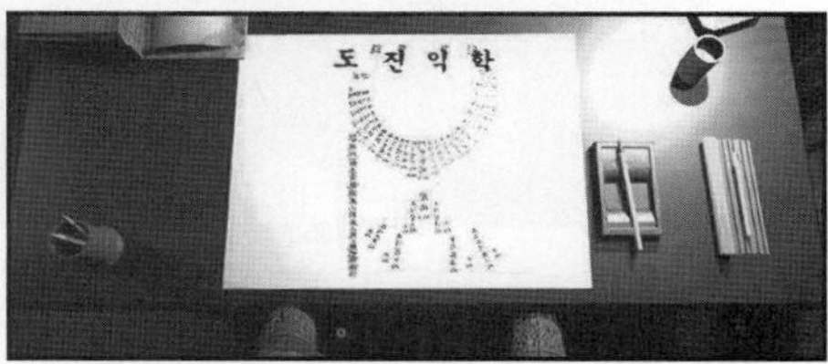

학익진도 C.U.

C#26

순신, 문득 창밖으로 시선을 옮긴다.

처소 안 L.S, EYE-LEVEL, FIX

C#27

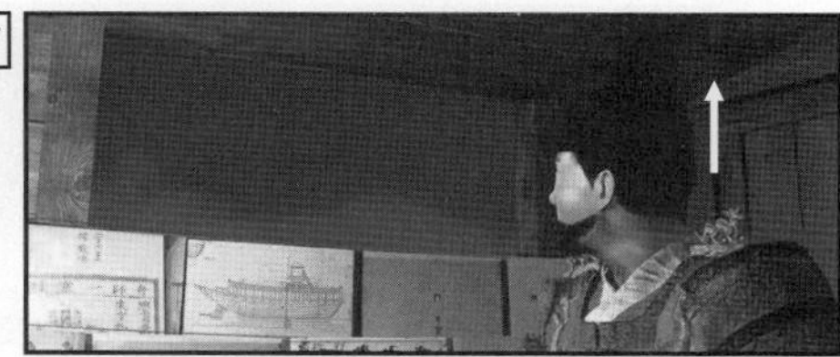

자리에서 일어나 창문 쪽으로 다가가는 순신.

이순신 측면 C.L. C.S., LOW ANGLE, FIX

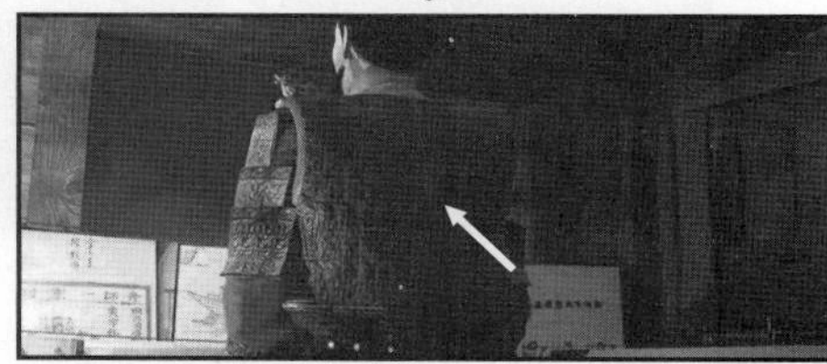

이순신 일어나며 후면 M.S.

C#28

밤하늘에 빛나는 북두칠성이 보이고…
이순신 정면 M.S., SLIGHT HIGH ANGLE, FIX

C#29

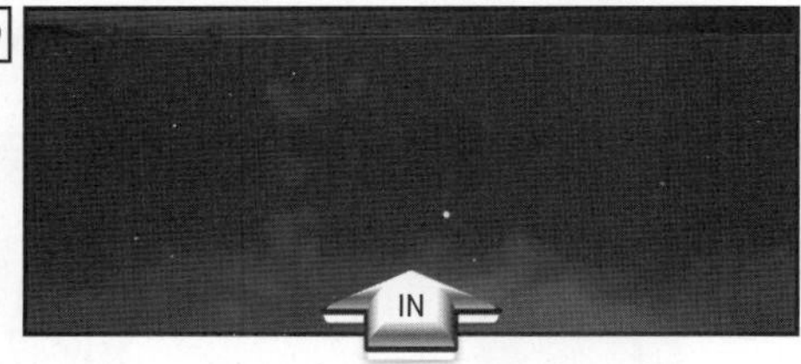

이미 은하수를 파고든 견우성과 직녀성이 서로 가까이 머무르고 있음을 본다.
이순신 P.O.V. 북두칠성, TRACK IN

C#30

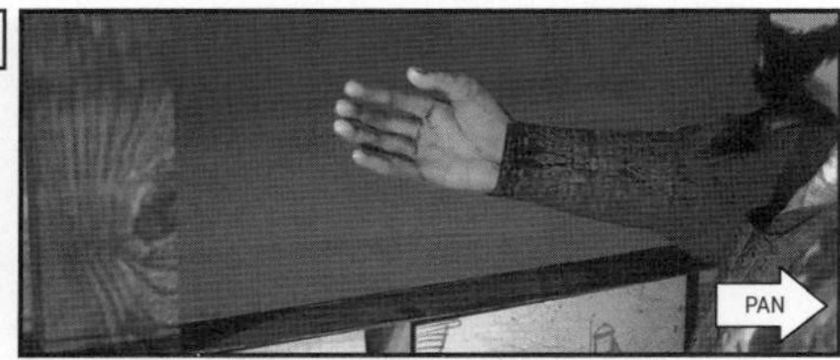

순신, 창밖으로 손을 뻗어 바람을 느껴보며….
이순신 손, PAN RIGHT & TILT UP

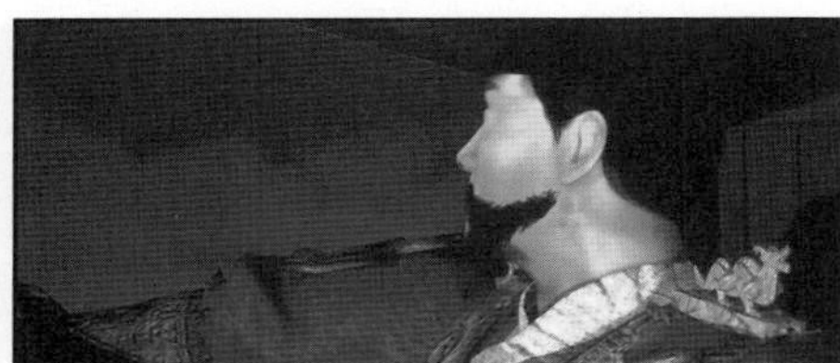

→ 이순신 측면 C.L. C.S.

C#31

이순신 벌써 칠석인가? 자칫하면 비가 내리겠구나….
[C#28 동일] 이순신 정면 M.S., SLIGHT HIGH ANGLE, FIX

S#54 전주성 - 성문 위

권율이 정담의 웅치방어를 허락하고,
군사들과 전주성을 나가 이치로 가자 한다

21 CUTS/8 SET-UPS    EXT NIGHT LOCATION

C#1

여수 오픈세트

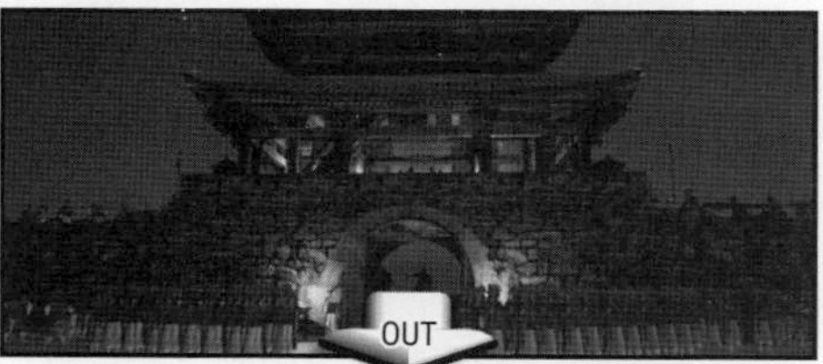

(다시 긴장감 도는 비트음이 살아나며)
전주성이 보인다.
전주성
성벽에 펄럭이는 '全羅巡察使'(전라 순찰사)의 깃발!
전주성 F.S., SLIGHT HIGH ANGLE, TRACK OUT

C#2

강진 전라병영성

성벽 위에서 방어 준비를 하는 군사들 너머로 좌수영 전령의 보고를 받는 신임 순찰사 권율.

좌수영 전령 순찰사 영감께 아룁니다! 속히 좌수영으로 가는 길목에

권율 너머 좌수영 전령 F.S., SLIGHT HIGH ANGLE, FIX

C#3

좌수영 전령 군사들을 마련해주소서.

좌수영전령 정면 M.S., EYE-LEVEL, FIX

C#4

권 율 …….

서찰 C.U., EYE-LEVEL, TILT UP

신임 전라 순찰사 권율
권율 정면 B.S., EYE-LEVEL, FIX

C#5

이때 또 다른 전령이 들어온다.
황급히 부장에게 통문을 전하는 전령,
권율 너머 정담 전령 L.S., SLIGHT HIGH ANGLE, BOOM DOWN

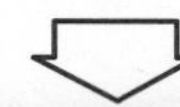

부장이 권율에게 다가와 통문을 건넨다.

권율 부장 웅치에 김제 군수 정담의 전령입니다!

C#6

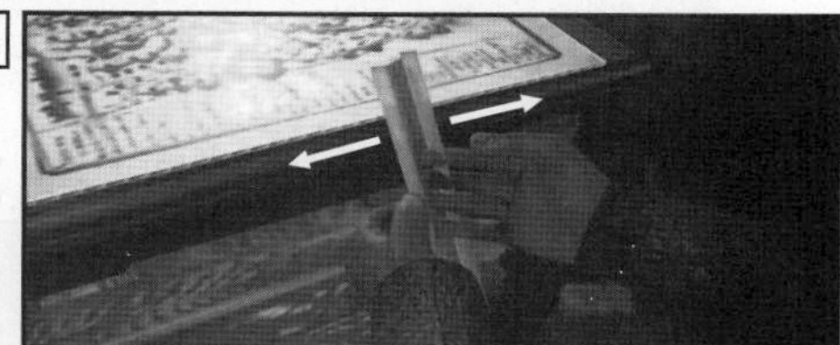

INS. 정담 서찰
권율, 서찰을 보면 '김제 군수 정담'이라 적혀 있다.

C#7

내용을 찬찬히 읽어보더니 눈썹을 꿈틀하는 권율….

권 율 하나같이 좌수영을 걱정하는구나.

권율 ¾ C.L. B.S., SLIGHT LOW ANGLE, FIX

C#8

권율 (자리에서 일어나) 관내 지도를 가져오라.

권율 부장 에, 장군.

권율 부장 너머 권율 정면 L.S., SLIGHT HIGH ANGLE, FIX, 부장 F.O.

C#9

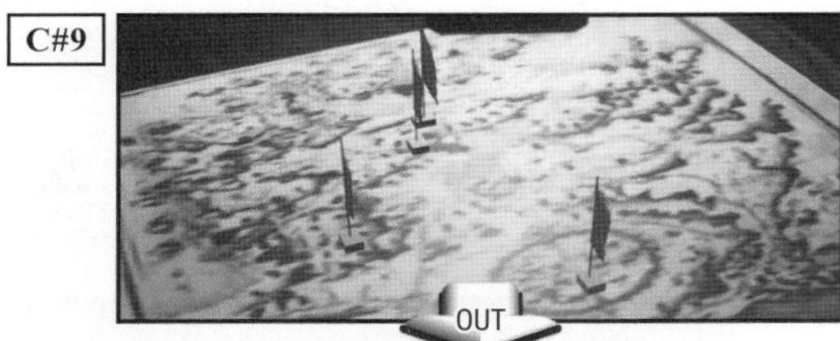

INS. 지도, 권율 손 F.I., TRACK OUT
마침내 지도를 펼치고 금산에서부터 좌수영이 있는 여수로 향하는 길을 짚어보는데, 그 길목에 웅치가 보인다.

권율 부장 (OFF SCREEN SOUND) 적들이 웅치를 넘는다면

C#10

권율 부장 (권율을 돌아보며) 과연 좌수영으로 향할 수도 있겠습니다.

권율 측면 C.R B.S., SLIGHT LOW ANGLE, FIX

C#11

그러자 아뿔싸! 하는 표정이 되는 권율….
주먹을 꽈악 쥐더니 지도를 보며 고민하는 권율!
권율 ¾ C.R B.S., LOW ANGLE, TRACK IN

C#12

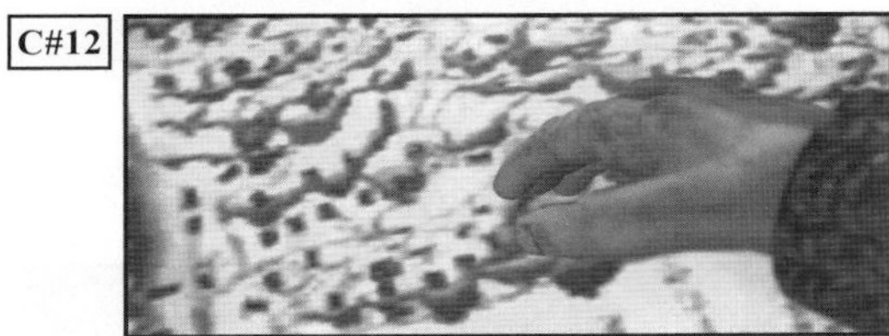

INS. 지도 & 권율 손
금산에서 웅치로 가는 길과 이치로 가는 길이 함께 눈에 들어온다.

C#13

권 율 (정담의 전령에게) 정담의 전령은 들으라. 정담의 웅치 방어를 허락한다!

권율 정면 M.S., SLIGHT LOW ANGLE, TRACK IN

C#14

권 율 더불어 전주성으로 들어오고 있는 모든 의병들은 전주성이 아닌 웅치로 모이라 일러라!

정담 전령 예, 장군.

정담 전령 너머 권율 정면 F.S., EYE-LEVEL, TRACK LEFT, 정담 전령 F.O.

C#15

권 율 (그리고 좌수영 전령에게) 좌수영의 전령은 들으라. 넌 속히 가서 좌수사께 육지의 상황은 잘 파악했으니

권율 정면 B.S., EYE-LEVEL, ARC LEFT

C#16

권 율 전 순찰사 이광의 명은 그만 잊고 수군의 일에만 집중하라 일러라.

좌수영 전령 예! 장군!

좌수영 전령 너머 권율 정면 F.S., EYE-LEVEL, TRACK LEFT, 좌수영 전령 F.O.

C#17

권 율 (부장들에게) 제장들은 들으라.

권율 후면 M.F.S, EYE-LEVEL, ARC RIGHT

C#18

권 율 성내에 군사들을 모으거라. 우리는 전주성을 나가 이치로 가야겠다.

C#19

권율 부장 허나 장군. 본성인 전주성을 비우다 행여 웅치가 뚫리고 적들이 이곳을 향한다면 우리의 형세가 매우 위험해질 수도 있습니다.

권율 너머 권율 부장 정면 B.S., EYE-LEVEL, FIX

C#20

권 율 그럴 수도 있겠지. 허나 천혜의 요지인 이치를 그냥 내주는 건 더욱 위험하다.

권율 부장 너머 권율 ¾ C.L B.S., EYE-LEVEL, FIX

C#21

권 율 어서들 시행하라!

부장들 예! 장군!

성문 위 L.S., EYE-LEVEL, FIX

S#55 웅치 고개

황박의 지휘 아래 군사들과 의병들이 목책을 설치하고 있다

18 CUTS/12 SET-UPS

푸르스름한 새벽 여명이 비춰오는 웅치 고개 숲속….
전라도 웅치 고개
제1선 방어선
웅치고개 E.L.S, EYE-LEVEL, FIX

C#2

좌우 언덕으로 이동 중인 여러 총통 및 개인용 승자총통들을 든 의병들이 보이고….
의병들 F.S., HIGH ANGLE, FIX

C#3

활을 정비하는 의병들.
의병들 F.S., EYE-LEVEL, FIX

C#4

제1선 의병장 황박의 지휘 아래 군사들과 의병들이 목책을 설치하고 있다.
의병 1이 황박에게 다가와 말을 건다.
황박 & 의병 1 후면 L.S.

C#5

의병 1 (황박에게) 저는 아직도 믿지 못하겠습니다….

황박 & 의병 1 M.S. 2, EYE-LEVEL, FIX

C#6

의병 1 어째서 적이 가까운 전주성 대신 좌수영으로 갑니까?

의병 1 너머 황박 B.S.

C#7

의병 1 지금이라도 저자를 없애고 본래 계획대로 전주성으로 이동하는 것이…!

황박 너머 의병 1 B.S.

C#8

황 박 적이 여기를 통과해 그대로 남하하면 좌수영까지는 빠르면 한나절이다.

[C#6 동일] 의병 1 너머 황박 B.S.

C#9

Tilt -up

황 박 전령이 오면 어찌할지 정해질 것이다. 그동안은 이곳을 방어하는 게 맞다.

황박 & 의병 1 측면 M.S., TILT UP → 준사 L.S.

C#10

의식을 차린 준사가 비탈진 곳에 서 있는 나무에 묶여 있다.
준사 정면 M.S., TRACK IN

C#11

이때 준사의 시선, 산 밑에서 척후병이 다급히 올라와

준사 P.O.V. 황박 후면 L.S.,

HIGH ANGLE, FIX, 척후병 WALK IN

C#12

뭐라 황박과 얘기 나누는 것이 보인다.

황박 너머 준사 정면 L.S., LOW ANGLE, FIX, 척후병 F.I.

C#13

심각해지는 황박, 이내 칼을 빼 들고 준사에게로 성큼 다가 오는데,

의병 1 & 첩보대 & 황박 M.F.S, HIGH ANGLE, FIX

황박 다가오며 정면 M.S.

C#14

준 사 …….

황박 너머 준사 정면 F.S., LOW ANGLE,

FOLLOWING TRACK

C#15

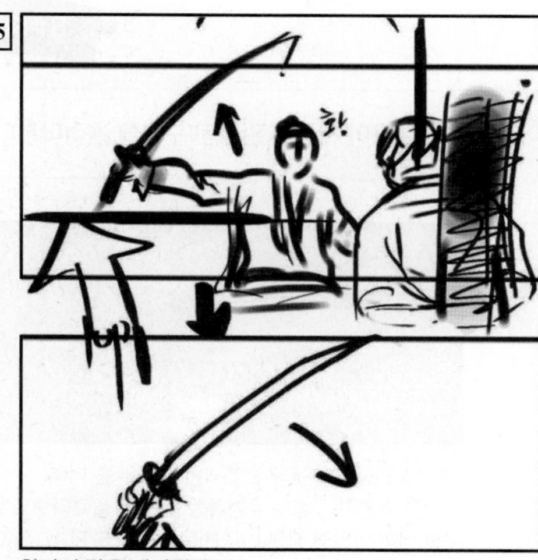

황박이 칼을 내리친다.

준사 너머 황박 정면 M.S., SLIGHT LOW ANGLE,

TILT UP → 황박 칼

C#16

동시에 비탈길을 구르는 준사. 멀쩡한데… 밧줄만이 풀렸다.

준사 F.S., HIGH ANGLE, FIX

C#17

황 박 함께 싸우자 했느냐. 따라 오거라!

황박 정면 M.S., SLIGHT LOW ANGLE, FIX

C#18

준 사 ……!

준사 정면 B.S., HIGH ANGLE, FIX

S#56 순천부 선소

이언량과 나대용이 새롭게 완성된 구선을 올려다본다

4 CUTS/2 SET-UPS

EXT

DAWN

OPEN SET

C#1

새벽녘, 조용하다 못해 고즈넉한 대나무 숲 너머,
돌격장 이언량이 홀로 무언가를 홀린 듯 올려다보고 있다.
구선 너머 이언량 정면 L.S., HIGH ANGLE, PULL BACK

눈이 시뻘겋게 부은 나대용이 다가오며 묻는다.
※나대용은 세수를 하고 온 설정
구선 너머 이언량 & 나대용 정면 L.S.

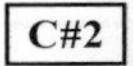
C#2

나대용 어떤가?

이언량 & 나대용 M.S. 2, SLIGHT LOW ANGLE,
BOOM UP & TRACK IN

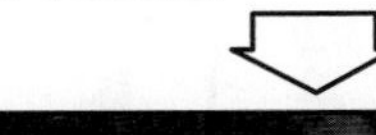

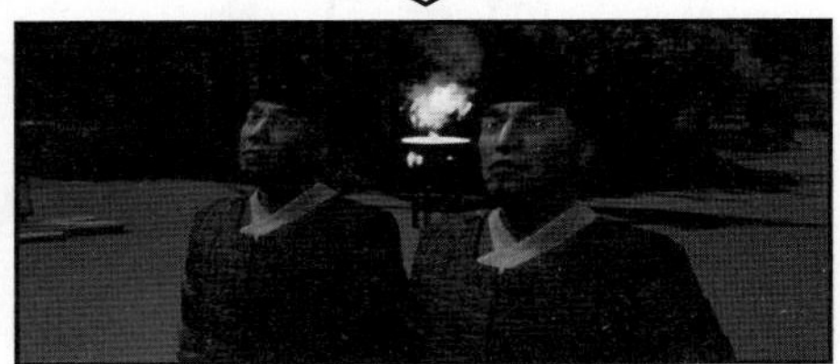

새롭게 완성된 구선인 듯 다시 함께 올려다보는 이언량과 나대용….

이언량 할 말이 없네.

이언량 & 나대용 B.S. 2, SLIGHT HIGH ANGLE

C#3

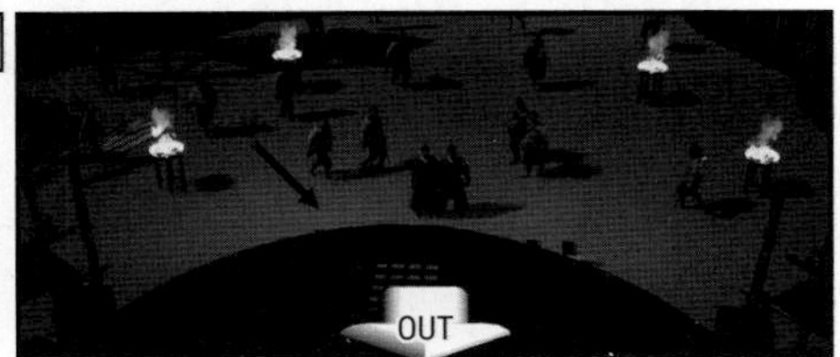

(화면 상 목책들이 빠진 신형 구선의 모습이 정확히 보이지는 않는다.) 그저 구선 너머 두 사람의 모습만 보일 뿐….
돌격대원들이 꾸역꾸역 몰려들며
구선 너머 이언량 & 나대용 정면 L.S.,
HIGH ANGLE, PULL BACK, 돌격대원들 WALK IN

C#4

하나같이 넋이 빠진 얼굴로 쳐다보는데….
이언량 & 나대용 정면 M.S., HIGH ANGLE, TRACK IN

S#57 당포 선창

선창을 떠나는 어영담 함대를 지켜보다가 출정 명령을 하는 이순신

15 CUTS/10 SET-UPS

EXT

DAWN

OPEN SET

C#1

강릉 VFX세트

새벽 여명 속에 출동 준비를 하는 수군 군사들….
3차 출동 4일차
1592년 7월 8일 한산해전 당일
어영담함이 선창을 떠난다.
어영담 함대 L.S., HIGH ANGLE, FIX

C#2

어영담 함대 정면 F.S., SLIGHT LOW ANGLE, FIX

C#3

송희립 (OFF SCREEN SOUND) (어딘가를 가리키며) 장군.

장루 위 이순신 ¾ C.R B.S., EYE-LEVEL, FIX

송희립 향도께서 출발하셨습니다.

송희립 F.I. → 이순신 너머 송희립 정면 M.S.

C#4

장루 뒤, 순신이 송희립과 함께 희미하게 멀어지는 어영담 함대를 끝까지 지켜본다.
이순신 & 송희립 정면 F.S., LOW ANGLE, FIX

C#5

멀어지는 어영담 함대를 지켜보는 이순신과 송희립.
이억기 P.O.V., 이순신 & 송희립 측면 L.S., EYE-LEVEL, FIX

C#6

이억기가 그런 순신을 쳐다보고 있다. 그다지 표정이 밝지 않은데….
이억기 측면 C.L. M.S., EYE-LEVEL, FIX

C#7

이순신 …. (송희립에게 나직이) 화포들을 모두 이중으로 채우라 전했느냐.

송희립 예. 조란탄과 포탄을 화포에 함께 채우라 전 함대에 전했습니다.

이순신 & 송희립 정면 B.S. 2, EYE-LEVEL, FIX

C#8

순신, 마침내 돌아서서 자신의 명을 기다리고 있던 갑판 위 장수들과 군사들을 보고는.
이순신 P.O.V., 병사들 L.S., HIGH ANGLE, TRACK OUT

이순신 F.I. → 이순신 너머 병사들 L.S.

C#9

긴장감이 감도는 장루 위.
병사들 너머 이순신 L.S., SLIGHT HIGH ANGLE, TRACK IN

C#10

이순신 (담담히) 전군… 출정하라!

이순신 정면 M.F.S, LOW ANGLE, TRACK IN & BOOM UP

C#11

송희립 전군! 출정하라!

송희립 너머 이순신 정면 L.S., LOW ANGLE, ARC RIGHT

C#12

그러자 일제히 흩어지는 장수들과 군사들.
병사들 너머 이순신 정면 L.S.,
SLIGHT HIGH ANGLE, TRACK OUT

C#13

그들을 내려다보는 순신.
이순신 정면 B.S., LOW ANGLE, ARC LEFT

C#14

이동을 시작하는 판옥선들.
판옥선 L.S., LOW ANGLE, ARC LEFT

C#15

4열 장사진으로 이동하는 이순신 함대.
판옥선들 L.S., HIGH ANGLE, BOOM UP

배들이 끊임없이 빠져나가는 듯 보인다.
판옥선들 E.L.S

S#58 견내량 선창 - 와키자카의 군영

견내량 절벽 밑 곳곳에 매복중인 와키자카의 함선들

10 CUTS/7 SET-UPS   

EXT DAY OPEN SET

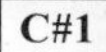

C#1

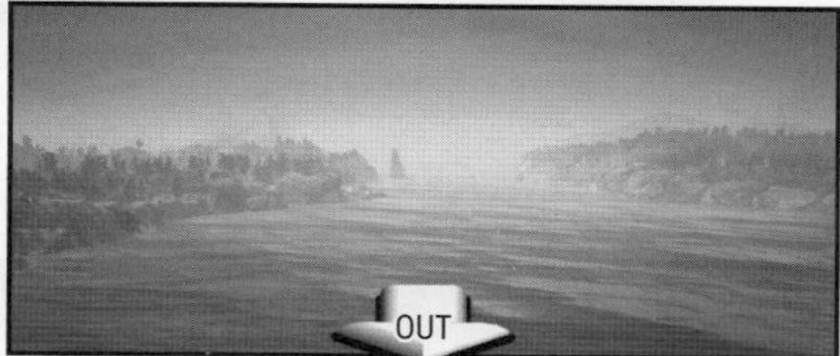

안개가 짙다.

견내량 E.L.S, HIGH ANGLE, PULL BACK

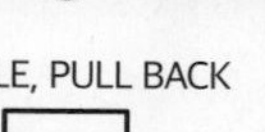

견내량

와키자카 함대 E.L.S

견내량 절벽 밑 곳곳에 매복 중인 와키자카의 함선들이 언뜻 보인다.

와키자카 함대 E.L.S, EYE-LEVEL, PULL BACK

와키자카 안택선 L.S.

C#2

강릉 VFX세트

흉도 앞, 와키자카 안택선 갑판 위로 뛰어 넘어오는 사헤에.

사헤에 F.I. → F.S., LOW ANGLE, FOLLOWING TRACK

와키자카에게 빠르게 달려가 보고한다.

사헤에 후면 F.S., LOW ANGLE, FOLLOWING TRACK & PAN LEFT

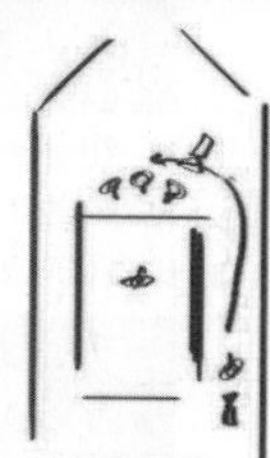

삼총사 너머 와키자카 F.S., LOW ANGLE

C#3

사헤에 도노!

와키자카 너머 삼총사 정면 M.F.S, EYE-LEVEL, FIX

C#4

사헤에 이순신이 출정했다 합니다. 당포에 적선의 수는

와키자카 ¾ C.R B.S., SLIGHT LOW ANGLE, FIX

C#5

사헤에 정확히 56척… 전부 판옥선으로 역시 메쿠라부네는 보이지 않는다 합니다.

사헤에 측면 C.L. B.S., EYE-LEVEL, FIX

C#6

와타나베 (경계하듯) 혹시 적의 전략은 아닐지요?

[C#3 동일] 와키자카 너머 삼총사 정면 M.F.S, EYE-LEVEL, FIX

C#7

와키자카 아니다. 메쿠라부네는 이제 무시해도 좋다. 지금쯤이면 고바야카와가 웅치를 넘고 있겠구나.

와키자카 ¾ C.R C.S., SLIGHT LOW ANGLE, FIX

C#8

선수로 다가가는 와키자카.

와키자카 후면 M.S., EYE-LEVEL, FOLLOWING TRACK

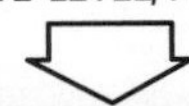

그 뒤를 따라가는 삼총사.

와키자카 & 삼총사 후면 M.S., EYE-LEVEL, FOLLOWING TRACK

견내량을 채우고 있는 바다 안개를 본다.

와키자카 너머 바다 L.S., TRACK IN

왜선들 L.S.

C#9

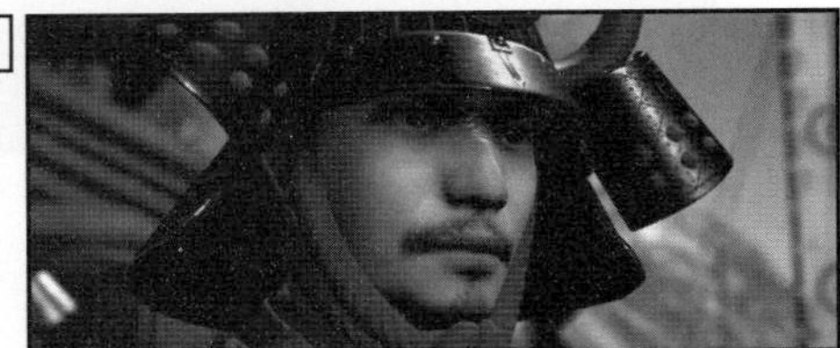

이내 말없이 견내량 서쪽 입구 촛대 바위가 차츰 안개로 사라지는 것을 지켜보는 와키자카.

와키자카 ¾ C.R C.U., EYE-LEVEL, FIX

C#10

촛대 바위가 안개로 시야에서 사라진다.

촛대 바위 L.S., EYE-LEVEL, PULL BACK

안개 속 사라지는 촛대 바위.

S#59 웅치 고개 아래

고바야카와의 군사들이 사방에서 떼를 지어 나타나고, 지켜보는 황박과 준사 12 CUTS/8 SET-UPS

 EXT  DAY LOCATION

C#1

척후병, 황박, 준사, 의병 1 순으로 조심스럽게 나와 앞을 살핀다.

척후병 & 황박 정면 M.S., TRACK RIGHT →

준사 & 의병 1 정면 M.S.

C#2

웅치 고개 아래 평원, 하늘을 반쯤 가릴 정도로 펄럭이는 고바야카와의 깃발들….

※ 지휘관급 왜장수들이 탄 말 3~4마리가 왔다 갔다 하는 상황

네 사람 너머 웅치 고개 E.L.S, HIGH ANGLE, FIX

C#3

고바야카와의 군사들이 사방에서 떼를 지어 나타나고 있다.

고바야카와 부대 정면 L.S.

C#4

전열을 정비하는 말을 탄 왜군 부장.

왜군 부장 정면 L.S.

C#5

네 사람의 시선에 말을 탄 대장 고바야카와가 부장들을 거느리고 나타나는 게 보인다. 멈춰 서는 고바야카와.

고바야카와 정면 L.S., 부장들 F.I.

C#6

고바야카와 정면 B.S.

C#7

그들을 중심으로 사방에서 꾸역꾸역 나타나는 왜군들을 보곤 침을 꿀꺽 삼키는 의병 1.

언덕 위 황박, 준사, 의병 1 M.S., TRACK IN

C#8

그 사이에 섞여서 앞을 주시하고 있는 준사!

황 박 만일 살아남는다면…

황박을 쳐다보는 준사.

황박 너머 준사 B.S., EYE-LEVEL, FIX

C#9

황 박 내 술 한 상 거하게 내도록 하지.

준사 너머 황박 B.S., EYE-LEVEL, FIX

C#10

준 사 …….

준사 단독 B.S.

C#11

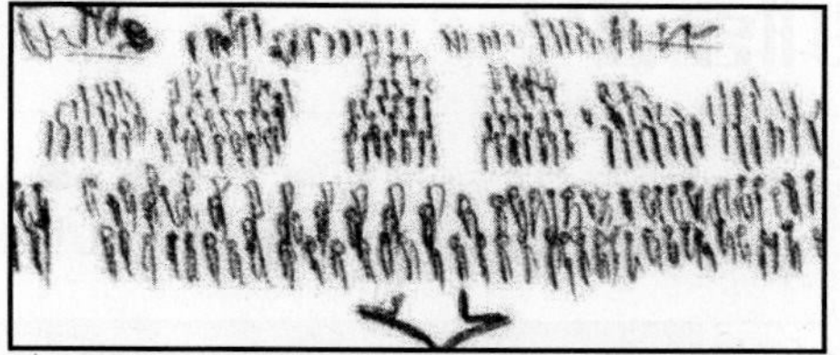

'진격하라!' 대장 고바야카와의 명령 아래 마침내 무수한 깃발을 펄럭이며 고갯길로 진입하기 시작하는 왜군들.

고바야카와 부대 L.S., HIGH ANGLE, FIX

C#12

황박과 준사 일행이 빠르게 안쪽으로 사라진다.

황박 & 준사 & 의병 1 & 척후병 L.S. → F.O.

S#60 견내량 길목

유인을 위해 3척의 배를 이끌고 견내량으로 들어서는 어영담 6 CUTS/5 SET-UPS

EXT

DAY

OPEN SET

C#1

물을 타고 흐르는 바다 안개….
바다 L.S., EYE-LEVEL, TRACK RIGHT

문득 화면에 모습을 비추며 나타나는 3척의 판옥선들!
(긴장 어린 비트음 나직하게 살아나며)
바위 너머 어영담 함대 L.S., TRACK IN

C#2

어영담함 측면 L.S., EYE-LEVEL, FIX

C#3

배를 이끌고 견내량으로 들어서는 어영담의 모습이 보인다.

어영담 적을 끌어내는 것이 우리의 목적이다! 적선과는 반 마장 이상의 거리를 꼭 유지하도록 해라.

"예, 장군!" 하고 돌아서는 어영담의 부장!
어영담 & 영담 부장 M.F.S 2,
SLIGHT LOWANGLE, TRACK IN, 영담 부장 F.O.

C#4

어영담함이 견내량 길목 안으로 더욱 들어간다.
어영담 함대 측면 L.S., HIGH ANGLE, TRACK LEFT

안개 속으로 어영담 함대 F.O.

C#5

어영담 …….

어영담 ¾ C.L. C.U., EYE-LEVEL, TRACK IN

추가 - 5컷 다음 병사들의 긴장된 얼굴 타이트샷

C#6

마침내 희미하게 안개 속에 정박해 있는 왜군 함대가 눈에 들어오기 시작하는데,
뱃머리 너머 바다 E.L.S, PUSH IN

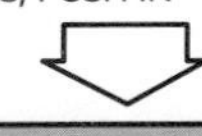

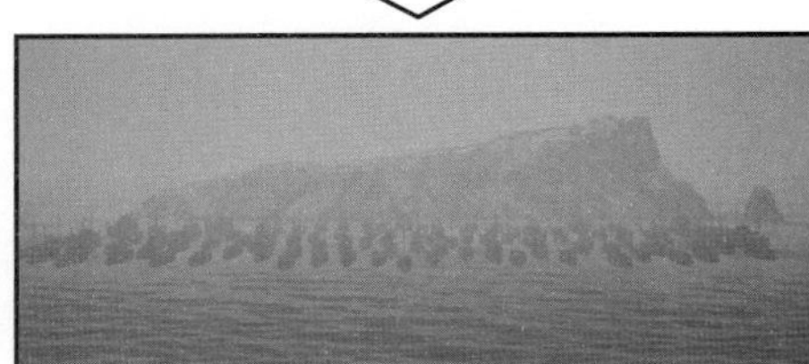

→ 왜군 함대 E.L.S

S#61 견내량 선창 - 와키자카의 안택선

유인책을 눈치챈 와키자카, 어영담함의 화포를 소진시키기 위해 응전한다 43 CUTS/27 SET-UPS

EXT

DAY

OPEN SET

C#1

흐르는 바다 안개 속,
세키부네들 L.S., LOW ANGLE, PUSH IN

C#2

갑판에서 경계를 서고 있는 왜군 초병들….
왜경계병 M.F.S, SLIGHT LOW ANGLE, TRACK IN

문득 안개 너머에서 들리는 끼익-끼익- 소리에 천천히 돌아보다 점점 눈들이 커진다!

추가 - 왜경계병1 타이트샷

왜경계병 M.S.

C#3

멀리 보이는 어영담 함대.

추가 - 왜경계병 P.O.V.
다가오는 판옥선 타이트샷

왜경계병 P.O.V. 어영담 함대 E.L.S, EYE-LEVEL, FIX

C#4

~~**왜경계병1** 적이다! 적이 나타났다~~! 적이다! ~~우측~~에 적이 나타났다! (0811 수정)

왜경계병1 M.S., EYE-LEVEL, FIX

C#5

북을 치고 뿔고둥을 부는 왜군 경계병.
왜군 GROUP SHOT, HIGH ANGLE,
PULL BACK & BOOM UP

왜군 함대 E.L.S

C#6

안택선 층루 안에서 자리에 앉는 와키자카….
와키자카 후면 B.S., EYE-LEVEL, FIX

C#7

와키자카 정면 B.S., SLIGHT LOW ANGLE, FIX

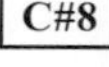

C#8

화포가 와키자카 안택선 앞으로 날아온다.
와키자카 너머 세키부네 L.S., EYE-LEVEL, FIX

C#9

어디선가 콰앙-! 하는 화포 소리 들리자 휘이익- 하는 바람 소리와 함께 포탄이 떨어져,
왜선들 정면 E.L.S, EYE-LEVEL, FIX

C#10

세키부네 하나의 갑판을 박살 낸다!
※포가 세키부네에 닿지 않는다.
세키부네 측면 L.S., LOW ANGLE, FIX

C#11

와키자카의 안택선 위 철포병들을 데리고 나온 사헤에,
사헤에 정면 M.S., EYE-LEVEL, H.H

C#12

조총을 장전하는 병사들.
조총 C.U., EYE-LEVEL, H.H

C#13

"발사!"라고 소리치자,
사헤에 B.S., EYE-LEVEL

C#14

타다다다당-! 하며 포탄이 날아온 안개 속을 향해 조총들이 어지러이 불을 뿜는다.
조총병들 GROUP SHOT, SLIGHT HIGH ANGLE

C#15

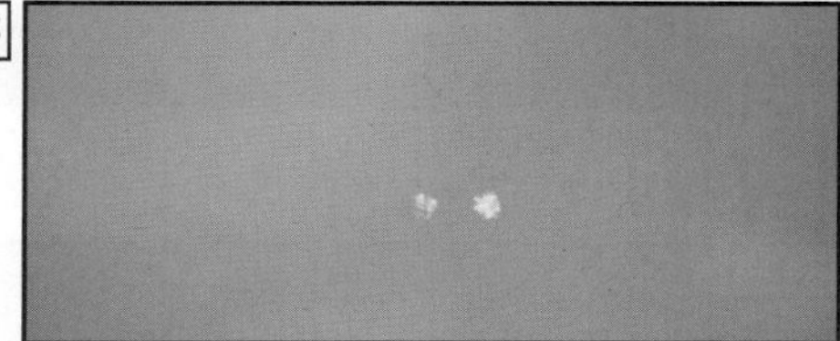

그러자 이내 안개 속으로 사라지는 어영담 함대.
안개 속 영담함 L.S., EYE-LEVEL

C#16

와키자카 (OFF SCREEN SOUND) ~~드디어 왔느냐~~! 사헤에!

뒤돌아보는 사헤에.
사헤에와 왜군들 L.S., EYE-LEVEL, FIX → 사헤에 정면

C#17

와키자카 ~~적이 보이느냐!~~ (시나리오) 몇 척이나 되어 보이느냐! (0520 수정)

와키자카 B.S., SLIGHT LOW ANGLE, FIX

C#18

사헤에 (달려와) 예! 헌데… 적선이 다시 보이지 않습니다. (시나리오) 몇 척인지는 알 수 없습니다.

사헤에 B.S., EYE-LEVEL, FIX

C#19

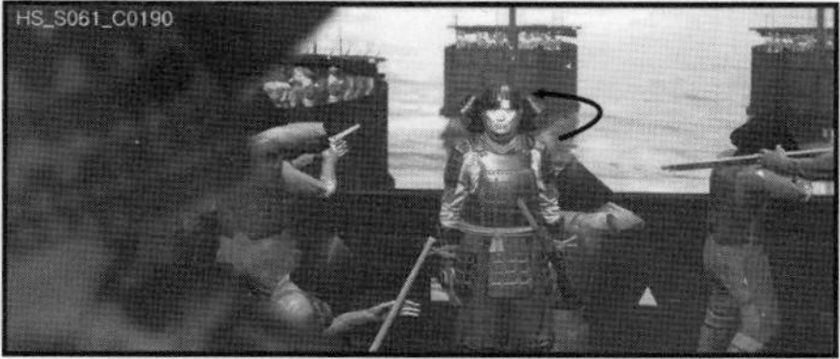

이때 다시 우측에 "적이 출현했다!"는 고함.

와키자카 너머 사헤에 M.F.S, HIGH ANGLE, FIX

C#20

퍼버벙! "다시 쏴라!"

사헤에 M.F.S, EYE-LEVEL

C#21

조총부대들이 사격한다.

사헤에 후면 M.S., EYE-LEVEL

C#22

이어지는 조총 소리들….

조총병들 너머 판옥선 측면 L.S., EYE-LEVEL

C#23

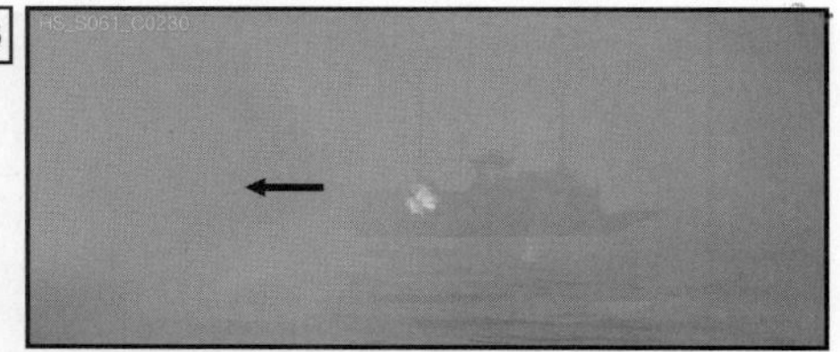

허나 다시 이내 잠잠해지고… 안개 속으로 사라지는 판옥선.

판옥선 측면 L.S., EYE-LEVEL, FIX → 판옥선 F.O.

C#24

맨 앞의 왜병들이 침을 꿀꺽! 삼키며 긴장해 있는데….

왜병들 M.F.S, EYE-LEVEL, TRACK RIGHT

왜병들 M.F.S

C#25

이번엔 좌측에서 다시 희미하게 다가오는 판옥선들이 보인다.

안개 속 판옥선 L.S., EYE-LEVEL, FIX

C#26

좌측을 지켜보는 사헤에.

사헤에 B.S., EYE-LEVEL, FIX

C#27

왜경계병2 좌측이다! 좌측에서 적들이 나타났다!

사헤에 후면 M.F.S, EYE-LEVEL, FOLLOWING PAN LEFT

이내 조총 화염을 뿜어내는 주위의 배들.

사헤에 후면 M.F.S

C#28

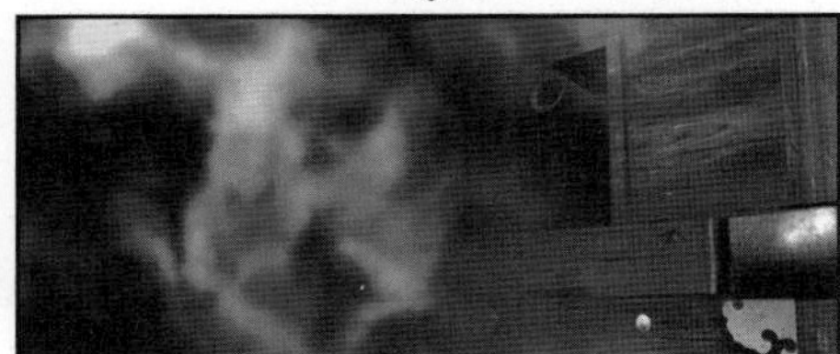

화포를 쏘는 판옥선.

판옥선 측면 M.S., LOW ANGLE, BOOM UP

C#29

다시 판옥선들이 안개 속으로 사라지면, 사헤에가 낭패스러운 얼굴로 와키자카를 돌아본다.

사헤에 후면 M.F.S, EYE-LEVEL, FIX

C#30

와키자카 (예리하게 살피는) …….

와키자카 B.S., LOW ANGLE, FIX

C#31

흐르는 안개 속에서 퍼버벙! 불꽃이 튀는데,

너울 F.S., HIGH ANGLE, TILT UP

어영담 함대 L.S.

C#32

INS. 판옥선 화포

C#33

다시 안개 속 어지러운 교전 상황 속,

왜군 함대 L.S., SLIGHT HIGH ANGLE, BOOM UP

C#34

좌우에서 달려오는 부장 1과 부장 2.

와키 부장 1 좌측에 매복한 마나베 도노께서 출전할 것인지를 물어오셨습니다!

와키자카 너머 사헤에, 와키 부장 1,
왜군들 L.S., HIGH ANGLE, TRACK IN

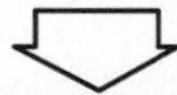

와키 부장 2 우측에 와타나베 도노께서도 마찬가지로 물어오셨습니다!

와키 부장 2 F.I., 사헤에 WALK IN

C#35

와키자카 (차분히 소리를 듣고) 각자의 위치를 벗어나지 말며 응전하지도 말라 하라! 매복이 중요한 시점이다.

와키자카 C.S., LOW ANGLE, TRACK IN

C#36

와키 부장 1/2 예! 장군! (사라진다.)

와키 부장 M.F.S, HIGH ANGLE,
와키 부장 1,2 F.O. → TRACK IN

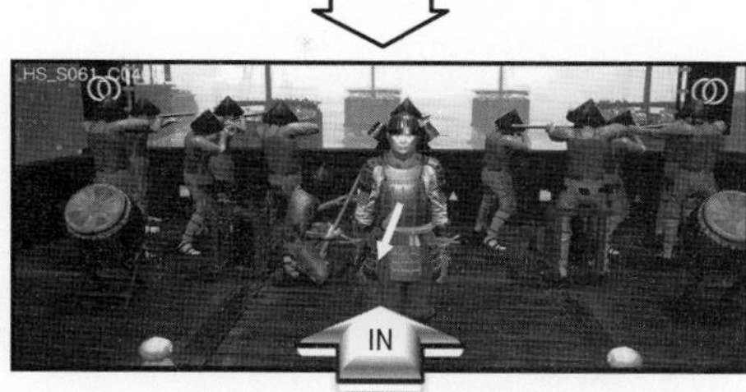

와키자카 (OFF SCREEN SOUND) 사헤에!

앞으로 다가오는 사헤에.
→ 사헤에 정면 M.F.S

C#37

와키자카 우리 본대 역시 위치를 벗어나지 않는다. 다만 적들이 더 다가오지 못하도록 응전만은 계속하라. 적의 화포를 전부 소비시키는 것을 목적으로 한다! 알겠느냐! 사헤에!

와키자카 정면 B.S., LOW ANGLE, TRACK IN

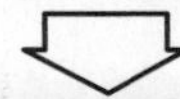

추가 - 와키자카 측면샷, 정면샷
(노려보는 와키자카)
와키자카 정면 C.S.

C#38

사헤에 예! 도노!

선수 쪽으로 달려가는 사헤에. 선수 쪽으로 달려간 사헤에가 이내 발사!를 외친다.

사헤에 정면 M.F.S, SLIGHT HIGH ANGLE, FIX

C#39

다시 어지러이 조총들이 불을 뿜는데! 이내 다시 들려오는 판옥선의 포성 소리⋯.

와키자카 ⋯⋯.

와키자카 B.S., EYE-LEVEL, FIX

C#40

흐르는 안개 속, 좌측 절벽 쪽에서 매복한 채
와키자카 함대 E.L.S, EYE-LEVEL, PAN LEFT

어지러운 응전 상황을 쳐다보고 있는 누군가,
마나베 너머 어영담 함대 L.S.

C#41

갑판 위에서 서성이며 씩씩대고 있는 마나베다.
마나베 M.S., LOW ANGLE, TRACK IN

마나베 B.S.

C#42

우측 절벽 쪽에 매복한 와타나베.
와타나베 M.F.S, LOW ANGLE, TRACK IN

C#43

와타나베 너머 어영담함 L.S., EYE-LEVEL

S#62 견내량 - 어영담의 판옥선

타격을 입히기 위해 짙은 안개 속으로 더욱 파고드는 어영담 함대

9 CUTS/6 SET-UPS   

EXT DAY OPEN SET

C#1

안개 속에서 날아와 판옥선의 선체 앞부분에 어지러이 박히는 총탄들!

와키자카 함대 정면 L.S., EYE-LEVEL, BOOM UP

C#2

어영담함 갑판 군사들 몇몇이 총탄에 맞아 쓰러진다.

어영담함 갑판 측면 F.S., EYE-LEVEL, TILT UP

어영담함 장루 L.S.

C#3

~~**영담 부장** (다가서며) 장군! 다시 배를 이동시키겠습니다!~~ (0701 VP회의)

어영담 (결연한) 백 보 거리만큼 앞으로 전진하라!

어영담 ¾ C.L. C.S., SLIGHT LOW ANGLE, FIX

영담 부장 (당황) 이 이상은 위험합니다! 자칫 적진 한복판에 들어갈 수도 있습니다!

₩RACK FOCUS → 영담 부장

C#4

어영담 (OFF SCREEN SOUND) 적이 이미 우리 전술을 파악했다.

어영담 P.O.V., 안개 너머 안택선 E.L.S, EYE-LEVEL, FIX

C#5

어영담 (OFF SCREEN SOUND) 이대로라면 적은

안택선 측면 F.S., SLIGHT LOW ANGLE, FIX

C#6

어영담 꿈쩍도 하지 않을 것이다! 놈들을 끌어내려면

C#6~8 앵글 수정 필요

어영담 ¾ C.L. C.U., EYE-LEVEL, FIX

C#7

어영담 반드시 더 타격을 입혀야만 한다.

[C#3 동일] 어영담 C.S., SLIGHT LOW ANGLE, FIX

어영담 곧 해가 뜬다. 그러면 안개마저 걷힐 것이다.

RACK FOCUS → 영담 부장

C#8

어영담 정면 B.S., EYE-LEVEL, FIX

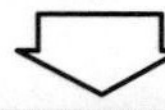

어영담 어서 노를 저으라!

영담 부장 (어쩔 줄 몰라 하는) …….

C#9

곧 3척의 어영담함이 노를 움직여 짙은 안개 속으로 더욱 파고드는데….

어영담 함대 L.S., SLIGHT LOW ANGLE

S#63 견내량 밖 한산 바다 - 대장선

적들이 걸려들길 기다리는 순신, 병선과 준비된 배들을 내보낸다 8 CUTS/5 SET-UPS    EXT DAY OPEN SET

C#1

견내량 입구 쪽에서 떨어져 첨(尖)자진을 형성한 채 바다에 정선해 있는 좌수영 함대….
견내량 서쪽 바깥 한산 해역
한산 해역 E.L.S, HIGH ANGLE, BOOM DOWN & TILT UP

송희립 (OFF SCREEN SOUND) (불안한) 적이 걸려들겠습니까?

C#2

송희립이 말없이 지켜보고 있는 순신에게 다가온다.

이순신 연락할 병선(兵船)은

추가 - 이순신 얼굴 타이트

이순신, 송희립 L.S., LOW ANGLE, TRACK IN

C#3

이순신 내보냈느냐?

송희립 예.

이순신 후면 & 송희립 측면 B.S., EYE-LEVEL, FIX

C#4

송희립 명대로 견내량 입구 쪽으로 두 척의 연락 병선을 보내놨습니다.

이순신 너머 송희립 정면 C.S., EYE-LEVEL, FIX

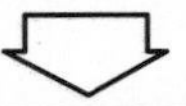

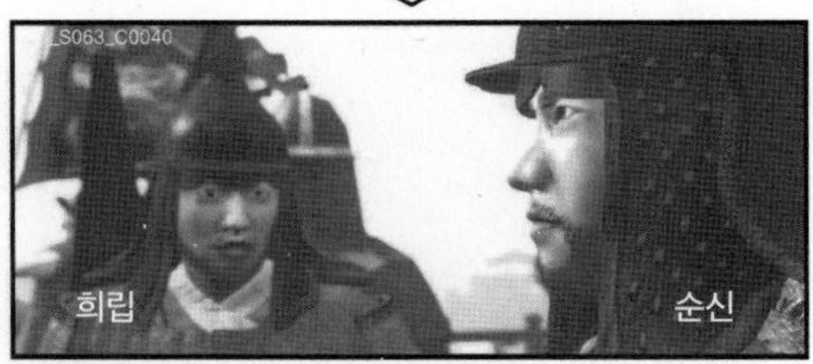

이순신 …….

RACK FOCUS → 이순신

C#5

이순신 준비된 나머지 배들도 보내라!

(VP 추가 대사)

이순신 ¾ C.L. C.S., EYE-LEVEL, FIX

C#6

송희립 예.

이순신, 송희립 후면 C.S. 2, EYE-LEVEL, FIX

C#7

조류가 견내량에서 본인 쪽으로 천천히 바뀌고 있다.
이순신 P.O.V. 조류, HIGH ANGLE

C#8

다시 견내량 입구를 쳐다보는 순신.
※이후 시나리오 너울 상황 삭제됨.
이순신 & 송희립 B.S. 2, SLIGHT LOW ANGLE, FIX

S#64 견내량 안

매복해 있던 세키부네의 출몰에 당황하는 어영담, 이운룡 함대가 나타난다 163 CUTS/120 SET-UPS

EXT

DAY

OPEN SET

C#1

퍼버버버버벙! 포성과 함께 안개 속에서 번쩍이는 수십 개의 불빛들!

어영담 함대 측면 L.S., SLIGHT LOW ANGLE, FIX

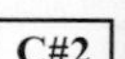

C#2

포탄 맞는 왜병들.

왜병들 후면 M.S., HIGH ANGLE, PAN LEFT

→왜병들 F.S., HIGH ANGLE, PAN LEFT

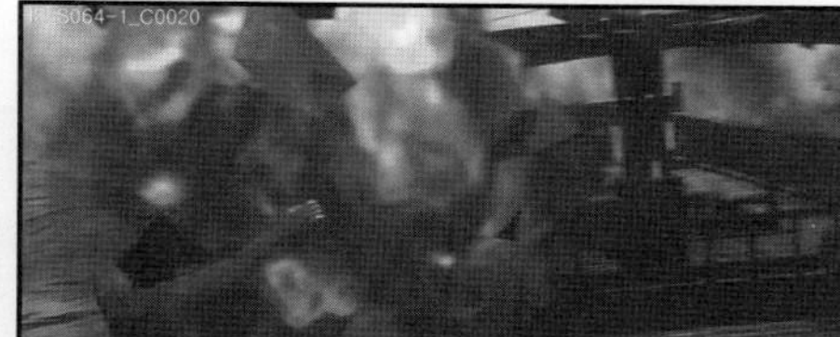

왜병들 M.S.

C#3

다시 치열하게 응사하는 왜군들의 조총들.

조총병 GROUP SHOT, EYE-LEVEL, FOLLOWING TRACK

C#4

갑판에 맞는 총알.

갑판 F.S., EYE-LEVEL, PAN RIGHT

C#5

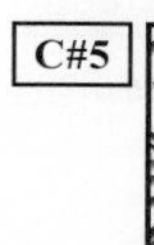

어영담 함대의 갑판 군사들도 여럿 쓰러져 나간다.

조선 수군 측면 M.S., HIGH ANGLE, FOLLOWING PAN RIGHT & TILT DOWN

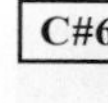

C#6

바다 위 상황들을 지켜보는 어영담.

어영담 ¾ C.L. M.F.S, LOW ANGLE, PUSH IN & ARC LFFT

어영담 C.U., EYE-LEVEL

C#7

허나 발포를 멈추지 않는 어영담 함선.

조선 수군 GROUP SHOT, HIGH ANGLE, FIX

C#8

발포하는 어영담 함선.

함선 측면 F.S., EYE-LEVEL, FIX

C#9

또 한 차례 퍼버버벙! 하고 불빛들을 번쩍이며 3척의 어영담 함대가 모습을 보인다.

왜선 너머 어영담 함대 측면 L.S.,
HIGH ANGLE, PULL BACK

왜선 L.S.

C#10

홍도 앞의 적선들이 더 깨져나가고 있다.

적선 E.L.S, SLIGHT HIGH ANGLE, FIX

C#11

날아오는 포탄을 맞는 왜병들.

왜병 GROUP SHOT, HIGH ANGLE, PUSH IN

C#12

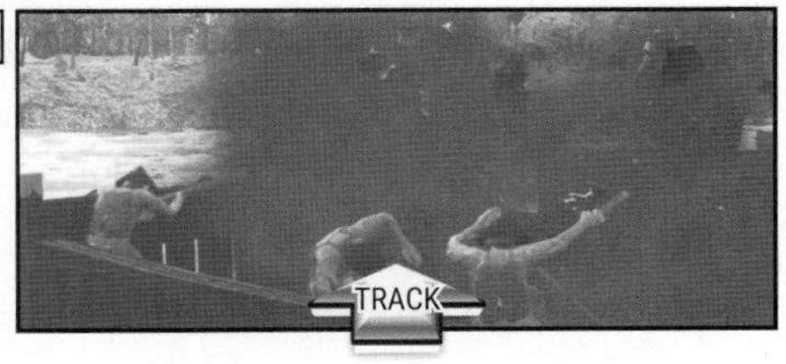

포탄 맞는 왜병들.

왜병 GROUP SHOT, HIGH ANGLE, TRACK IN

C#13

응사하는 왜군 조총병들.

조총병 후면 M.F.S, HIGH ANGLE, TRACK IN

C#14

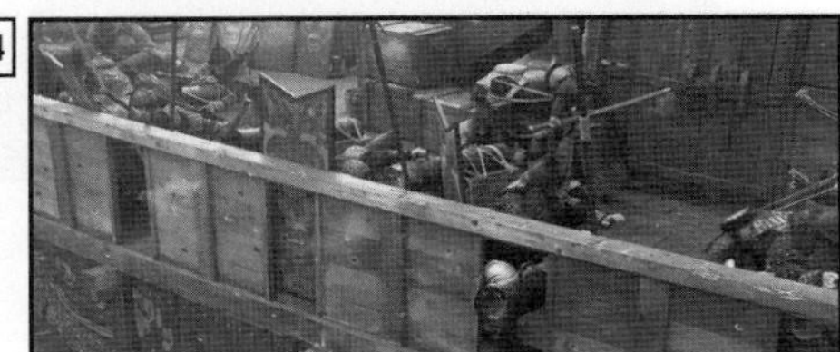

쓰러져 있는 조선 수군들.

조선 수군 GROUP SHOT, HIGH ANGLE, FIX

C#15

총탄을 피하는 조선 수군.

조선 수군 후면 M.F.S, EYE-LEVEL, FIX

C#16

고개를 끄덕이는 와키자카.

와키자카 B.S., LOW ANGLE, FIX

C#17

와키자카의 지시를 따르는 사헤에.
사헤에 너머 와키자카 F.S., LOW ANGLE, FIX → 사헤에 F.O.

C#18

사헤에가 블랑기포를 쏘았다.

추가 - 블랑기포 조준하는 사헤에 표정

와키자카 너머 사헤에 M.S., EYE-LEVEL, FIX

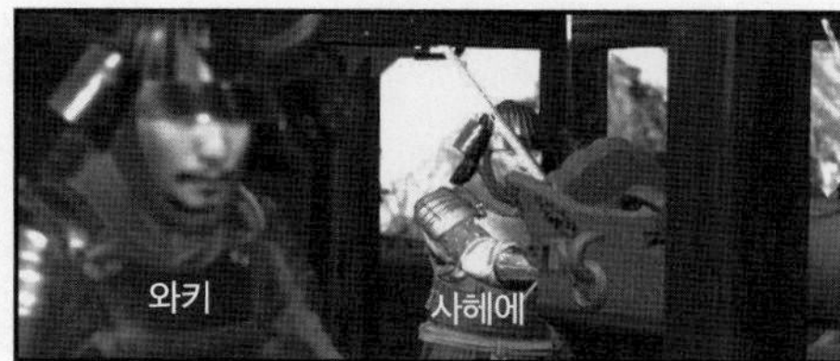

RACK FOCUS 사헤에

C#19

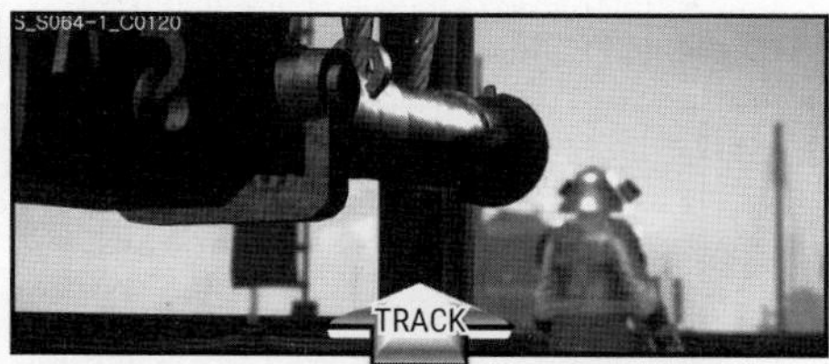

발포되는 블랑기포.
블랑기포 C.U., LOW ANGLE, TRACK IN

C#20

어영담 우측 함의 귀퉁이를 부순다.
판옥선 측면 L.S., SLIGHT LOW ANGLE, FIX

C#21

어영담 우측 함의 여장이 깨져나간다.
※VP는 좌팬 → 우팬으로 변경 (어영담 우측 함이 깨진다.)
판옥선 F.S., EYE-LEVEL, QUICK PAN LEFT RIGHT

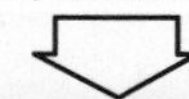

놀라는 어영담!
장루 F.S., LOW ANGLE

C#22

어영담 (중얼) 화포를 쏘아?
어영담 측면 B.S., LOW ANGLE, FIX

C#23

와키자카의 배 우측 갑판에서 뭉실거리는 포연.
와키자카 함대 F.S., EYE-LEVEL, TRACK IN

C#24

와키자카 …….
이어지는 블랑기포 공격.
와키자카 M.S., SLIGHT HIGH ANGLE, FIX

C#25

아슬아슬하게 어영담의 함대를 빗겨 나가는데,
어영담 함대 L.S., EYE-LEVEL, FIX

C#26

날아오는 조총 세례.
조총 탄환이 날아오는 판옥선 근접샷,
PAN LEFT & TILT UP

장루 L.S., LOW ANGLE

C#27

교전 속 어영담 부장이 뛰어온다.
어영담 F.S., LOW ANGLE, FIX, →
영담 부장 F.I., 영담 부장 후면 F.S.

C#28

영담 부장 안개가 걷혀갑니다. 곧 화약과 포탄도 떨어집니다.

어영담 너머 영담 부장 M.F.S, HIGH ANGLE, FIX

C#29

영담 부장 물러나야 합니다. 장군!

영담 부장 너머 어영담 M.S., LOW ANGLE, FIX

C#30

영담 부장의 말에 바다를 바라보는 어영담.

> 추가 - 걷히는 안개를 보는 어영담
> 추가 - 어영담 P.O.V. 걷히는 안개

어영담 ¾ C.L. B.S., LOW ANGLE, FIX

C#31

태양빛이 뜨거워지며 안개가 빠르게 걷혀간다.
와키자카 함대가 선명히 드러나기 시작하는데,
와키자카 함대 L.S., EYE-LEVEL, FIX

C#32

그것은 와키자카의 시선에서 어영담 함대가 선명히 드러나는 것도 마찬가지다.
어영담 함대 L.S., SLIGHT HIGH ANGLE, PULL BACK

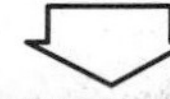

와키자카 너머 어영담 함대 E.L.S

C#33

와키자카 겨우 3척… 과감하구나. 이순신… 허나! 네 놈이 살아남는다 해도 오갈 데 없는 신세… 곧 좌수영을 비우고 나온 걸 후회하게 될 거다.

와키자카 C.S., SLIGHT LOW ANGLE, TRACK IN →
와키자카 C.U.

C#34

문득 어영담의 우측 함선에서 비명과 함께 조총 세례가 쏟아져 들어온다.

어영담함 후면 M.S., SLIGHT HIGH ANGLE,
QUICK ZOOM OUT

어영담 !

추가 - 어영담 정면샷

영담 어영담 너머 우측 함선 L.S.

C#35

다가오는 마나베의 안택선과 세키부네.
※VP 컷 순서와 다름. (0811 변경) (C#35 ↔ C#36)

어영담함 너머 마나베 안택선 & 세키부네 L.S., ZOOM IN

C#36

쏜살같이 전진해오는 마나베의 안택선과 그의 세키부네들 20여 척!

영담 부장 (OFF SCREEN SOUND) 장군! 우측에서 불현듯 적이 출몰했습니다!

마나베 안택선 & 세키부네 E.L.S, HIGH ANGLE, PUSH IN

C#37

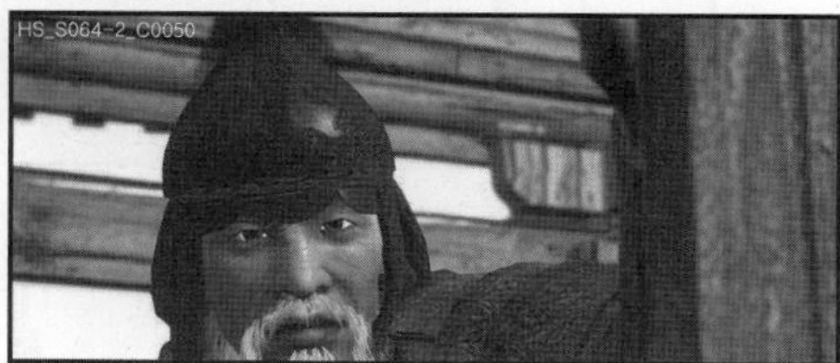

어영담, 적이 이미 코앞까지 다가오고 있어 피할 수도, 도망칠 수도 없는 상황!

어영담 (아차! 싶은) 매복!

어영담 C.U., SLIGHT LOW ANGLE, FIX

C#38

전진해오는 마나베의 안택선.

마나베 L.S., LOW ANGLE, PUSH IN

마나베 M.F.S

C#39

마나베, 어영담함을 냉소를 띠며 쳐다보는데,

마나베 ¾ C.R B.S., LOW ANGLE, TRACK IN

C#40

공격받는 어영담 함대.
어영담함 F.S., EYE-LEVEL, ZOOM IN

C#41

어영담 !

※방향성 체크
어영담 측면 B.S., EYE-LEVEL, FIX

C#42

마나베의 세키부네들이 어영담의 배에 빠르게 다가오기 시작한다.

영담 부장 (OFF SCREEN SOUND) 장군! ~~어서 배들을!~~ 장군! 적선들이 들러붙습니다! (0520 수정)

세키부네 F.S., SLIGHT HIGH ANGLE, PAN LEFT

월선 사다리를 펴는 왜군들.
세키부네 F.S.

C#42A

어영담 함대 코앞까지 들러붙은 마나베 함대.
※추가컷 (0811)
마나베 함대 너머 어영담 함대 L.S.

C#43

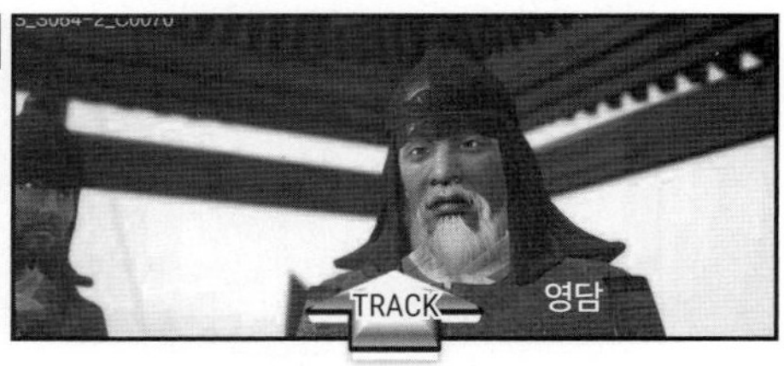

어영담 늦었다! (소리치며) 모두 백병전에 대비하라!

어영담, 허리춤의 칼을 잡아 쥐며 소리치면,
어영담 B.S., LOW ANGLE, TRACK IN

어영담 C.U.

C#44

와키자카와 사헤에는 (그리 명령을 내린 듯) 차분히 그 상황을 지켜보고 있다.

와키자카 (나직이) 용기는 가상했다만 겨우 3척으로

조총병 후면 F.S., SLIGHT HIGH ANGLE, TRACK OUT

와키자카 후면 B.S.

C#45

와키자카 우리를 끌어낼 수 있다 보았느냐. 니놈들 유인선 3척이 불타고 나면 이순신이 어찌 나올지 궁금하구나.

와키자카 ¾ C.R C.S., SLIGHT LOW ANGLE, FOLLOWING PAN→와키자카 ¾ C.R B.S.

C#46

어영담함으로 다가가는 마나베의 왜병들.
왜병들 너머 어영담 함대 L.S., HIGH ANGLE, PAN LEFT

C#47

어영담함으로 돌격해오는 마나베의 왜군들.
어영담 너머 세키부네 L.S., HIGH ANGLE

C#48

와아~ 조총 세례와 함께 월선 사다리를 일제히 들고 마나베의 왜군들이 어영담함으로 돌격해 들어가기 시작한다.
세키부네 후면 L.S., EYE-LEVEL

C#49

이때 갑자기 펑! 펑! 펑!
세키부네 갑판 측면 왜군들 GROUP SHOT, HIGH ANGLE, FIX

C#50

어디선가 포탄이 날아와 세키부네들을 맞춘다.
세키부네 후면 M.S., HIGH ANGLE, PAN RIGHT

C#51

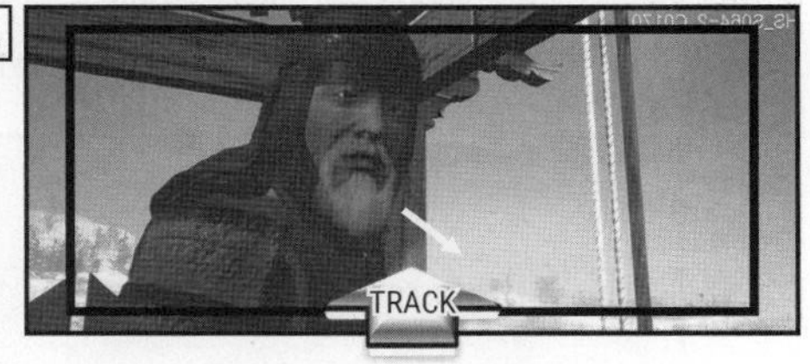

어영담도 뒤를 돌아보면….
어영담 ¾ C.R B.S., LOW ANGLE, TRACK IN →어영담 C.S.

C#52

어영담의 눈에 판옥선들을 이끌고 들어오는 이운룡이 보인다!
어영담 너머 이운룡함 L.S., EYE-LEVEL, FIX

C#53

놀라 돌아보는 마나베!
마나베 ¾ C.R C.S., SLIGHT LOW ANGLE, ARC RIGHT

마나베 ¾ C.R C.S.

C#54

뜻밖에 뒤에서 나타나는 4척의 경상 우수영 함대.
이운룡 함대 측면 F.S., EYE-LEVEL,
PAN LEFT & PULL BACK

이운룡 함대 측면 F.S.

C#55

포탄을 쏘는 이운룡 함대.
이운룡 함대 너머 왜선들 L.S., HIGH ANGLE, PUSH IN

C#56

월선을 시도하려다 이운룡 함대의 포격을 맞는 왜병들.
왜병 GROUP SHOT, SLIGHT HIGH ANGLE

C#57

공격받는 왜군들.
왜군 측면 M.F.S, EYE-LEVEL

C#58

마나베의 세키부네들을 공격하는 이운룡.
화포 F.S., LOW ANGLE, BOOM UP & PUSH IN

이운룡 M.S.

C#59

어영담, 빠르게 부장에게 지시를 내린다.

어영담 어서 배를 더 저어라! 이곳을 빠져나간다!

0520 대사 수정

어영담 B.S., SLIGHT LOW ANGLE, TRACK IN

어영담 C.S.

C#60

빠르게 울리는 방울 소리와 함께 힘껏 노를 젓는 격군들.
※노를 깊이 박아 놓아라! 대사 추가 (0811)
격군 GROUP SHOT, HIGH ANGLE, FIX

C#61

노를 젓는 격군들.

격군 GROUP SHOT, EYE-LEVEL, FIX

C#62

방향을 바꾸는 어영담 함대.

선수 F.S., EYE-LEVEL, BOOM UP

→ 뱃머리 F.S., LOW ANGLE

C#63 비워둠 - 46회차 격군실 컷넘버와 중복

C#64

이운룡 함대 또한 방향을 돌린다.

이운룡 엄호하며 함께 퇴각한다!

(시나리오에 없지만 VP에 있음. 대사 추가 확인)

이운룡 정면 M.F.S, EYE-LEVEL, ARC LEFT

C#65

그 틈을 타 일제히 뒤로 후퇴하는 어영담 함대가 보인다.

마나베 (선수 쪽으로 달려 나가며) 전속력으로 조선 수군 놈들을

마나베의 안택선 너머 어영담 함대 L.S., HIGH ANGLE, FIX

C#66

이운룡의 판옥선들이 쏟아내는 포격에 세키부네들이 박살 나자 분노하는 애꾸눈 마나베!

마나베 따라 붙어라! 다시 철포를 퍼붓고

마나베 M.S., LOW ANGLE, TRACK IN → 마나베 B.S.

C#67

마나베 어서 들러붙어라!

마나베 부장 1,2 에! 도노!

마나베 부장 1 노를 저어라! 속도를 높여라!

마나베 부장 2 발포 준비! 발포하라!

마나베의 함선들이 일제히 어영담을 쫓기 시작하는데,

마나베 너머 세키부네 & 어영담함 L.S.

→ VP에는 없음.

C#68

와키자카 ! (벌떡 일어서며) 사헤에!

와키자카가 벌떡 일어서며 사헤에를 부른다.

추가 - 와키자카 측면컷

와키자카 B.S., LOW ANGLE, BOOM UP

C#69

와키자카 쫓지 말고 멈추라! 0812 추가 마나베에게 급히 신호를 보내라.

사헤에 너머 와키자카 ¾ C.R F.S., LOW ANGLE, FIX

C#70

와키자카 견내량을 절대 벗어나서는 안 된다 전하라.

와키자카 B.S., LOW ANGLE, FIX

C#71

사헤에 예! 도노!

와키자카 너머 사헤에 정면 M.F.S, HIGH ANGLE, FIX

C#72

조총병들과 격군들을 독려하며 쫓고 있는 마나베.

마나베 ~~후미함을 집중해서 쏘아라!~~ 철포를 쏘아라! 어서 따라 잡아라! (0611 수정)

마나베 & 조총병 GROUP SHOT, EYE-LEVEL, FIX

C#73

마나베 부장 2 (OFF SCREEN SOUND) 발포하라!

조총병들 너머 세키부네 & 판옥선들 L.S., EYE-LEVEL, FIX

C#74

뿌우~

마나베 부장 2 도노! 저기 보십시오!

마나베 (돌아보면) …….

마나베 & 마나베 부장 2 후면 M.F.S, EYE-LEVEL, FIX

C#75

와키자카함에서 보내오는 뿔고둥 신호와 깃발들.

와키자카함 정면 E.L.S., EYE-LEVEL, QUICK ZOOM IN

와키자카함 정면 L.S.

C#76

마나베 부장 2 (난감) 어찌 합니까? 도노?

마나베 칼은 이미 뽑았다! 놈들을 잡는다.

마나베 ¾ C.L. M.S. & 마나베 부장 2 ¾ C.R M.S., LOW ANGLE, FIX

C#77

마나베 다만 견내량을 벗어나지 않으면 그뿐.

마나베 P.O.V., 세키부네 너머 어영담함 후면 L.S., EYE-LEVEL, FIX

C#78

마나베 도노께서도 그걸 바라는 것이다.

마나베 B.S., EYE-LEVEL, FIX

C#79

마나베 어서 쫓아라!

마나베 측면 M.S. & 마나베 부장 2 정면 B.S., LOW ANGLE, FIX

C#80

마나베 부장 2 허나 자칫하면 견내량을 넘어설 수도….

마나베 너머 마나베 부장 2 C.S., EYE-LEVEL, FIX

C#81

마나베 그전에 잡을 수 있다!

마나베 너머 마나베 부장 2 ¾ B.S., EYE-LEVEL, FIX

C#82

마나베 어서 노를 더 저어라!

마나베 부장 2 너머 마나베 B.S., EYE-LEVEL, FIX →마나베 부장 2 F.O.

C#83

마나베 부장 2 노를 저어라!

마나베 ¾ C.R B.S., LOW ANGLE, TRACK IN

마나베 ¾ C.R C.U.

C#84

CUT TO

"타다다당-!" 소리와 함께 퇴각하는 어영담함 후미에 마구 박히는 총탄들!

어영담함 너머 마나베 함대 L.S., PUSH IN

와키자카 함대 L.S.

C#85

어영담이 장루에서 칼을 집어넣고 장루 뒤 공간으로 뛰어온다.

어영담 역시 적선 전체가 기동하지는 않는구나….

추가 - 어영담 P.O.V. 기동하지 않는 본함 타이트컷

어영담 B.S., EYE-LEVEL, FIX

C#86

이운룡함 뒤를 빠르게 쫓아오는 마나베의 세키부네.
마나베의 세키부네 L.S., EYE-LEVEL, QUICK ZOOM OUT

C#86 컷 변경 (CAM무빙 없이)
-쫓아오는 마나베 세키부네
-어영담 정면 타이트
-어영담 O.S. 이운룡

어영담 후면 B.S., EYE-LEVEL, ARC RIGHT

어영담 너머 이운룡 함대 L.S., ZOOM IN

C#87

목례를 하는 어영담.
어영담 B.S., EYE-LEVEL, FIX

C#88

빠르게 다가서는 어영담에게 이운룡이 목례를 하면,
이운룡 ¾ C.R B.S., EYE-LEVEL, FIX

C#89

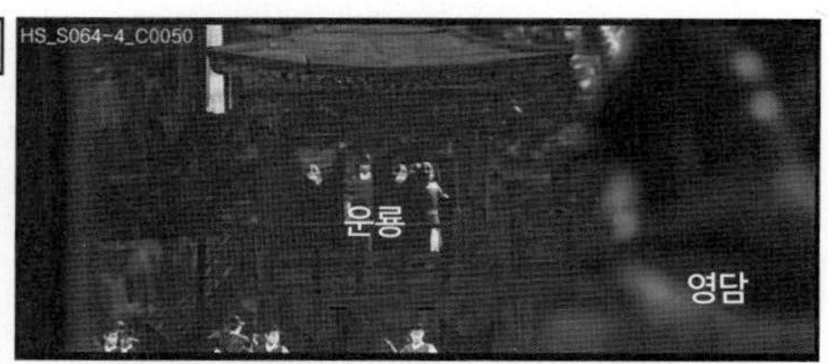

어영담, 이운룡에게 무언의 눈빛을 주며 앞서가기 시작하는데,
어영담 너머 이운룡 L.S., EYE-LEVEL, FIX, FOCUS 이운룡

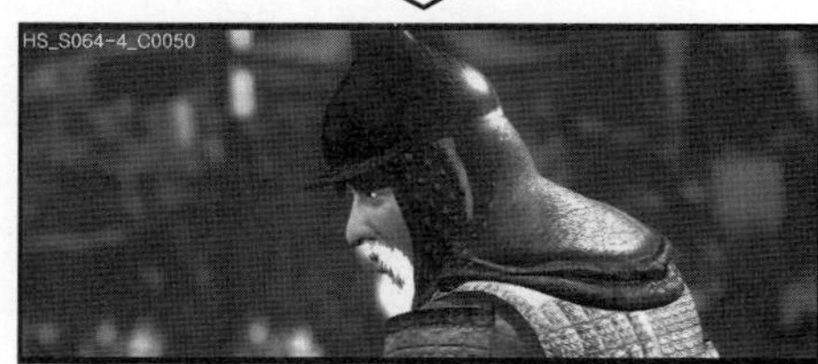

어영담 측면 B.S., RACK FOCUS 어영담

C#90

어영담함이 해안가 쪽으로 방향을 튼다.
**암태바위 너머 어영담함 E.L.S, EYE-LEVEL,
DOWN DOWN PAN LEFT & BOOM DOWN**

암태 바위 너머 어영담함 E.L.S

C#91

암태 바위가 보인다.
암태 바위 E.L.S, EYE-LEVEL, PUSH IN

C#92

이운룡 (깨닫곤) 광양배들의 물길을 쫓아라!

추가 - 이운룡 정면 타이트

이운룡 측면 C.R C.S., EYE-LEVEL, FIX →
이운룡 고개를 돌린다

C#93

운룡부장 허나 저쪽은 암초 지대입니다!

이운룡 너머 운룡 부장 M.S., SLIGHT LOW ANGLE, FIX

C#94

이운룡 우리는 배 밑이 뾰족한 왜적의 배와는 다르다!

이운룡 B.S., SLIGHT LOW ANGLE, FIX

C#95

이운룡 물길은 스승님께서 알려주실 거다!

운룡 부장 너머 이운룡 ¾ C.L. M.S., LOW ANGLE, FIX

C#96

선미에서 힘을 주어, 키를 돌리는 타공(舵工- 조타수) 군사.
조타수들 M.F.S 2

C#97

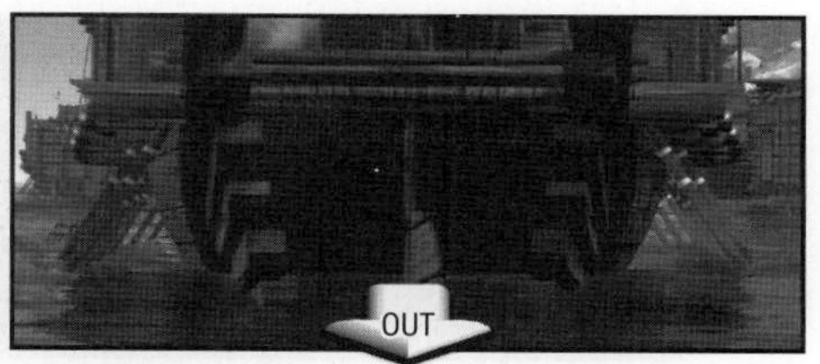

이운룡함들 또한 일제히 어영담 함대를 쫓기 시작한다.
판옥선 후미 근접샷, LOW ANGLE, PULL BACK

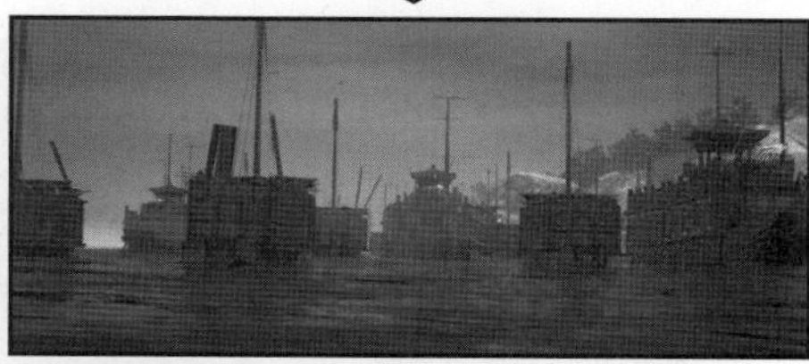

판옥선들 & 세키부네들 L.S.

C#98

C#98~100 판옥선 격군실 미촬영분

북을 친다.
북 너머 고수 B.S., LOW ANGLE, PUSH IN

C#99

여럿이 붙어 더욱 힘껏 노를 젓는 격군들.
격군들 GROUP SHOT, LOW ANGLE

C#100

힘껏 노를 젓는 격군들.
격군들 GROUP SHOT, LOW ANGLE, FOLLOWING PAN

C#101

이운룡함들 또한 일제히 어영담 함대를 쫓기 시작하는데, 바로 파고드는 세키부네들.

이운룡 함대 너머 어영담 함대 & 세키부네들 L.S., HIGH ANGLE

C#102

그런 판옥선들을 뒤쫓아가는 마나베 함대.

어영담 & 이운룡 & 마나베 함대 L.S., PUSH IN

C#103

허나 더 빠르게 2열 판옥선들 사이를 파고 들어오는 세키부네들.

판옥선 & 세키부네 후면 L.S., HIGH ANGLE, PULL BACK & BOOM UP

판옥선 & 세키부네 후면 L.S.

C#104

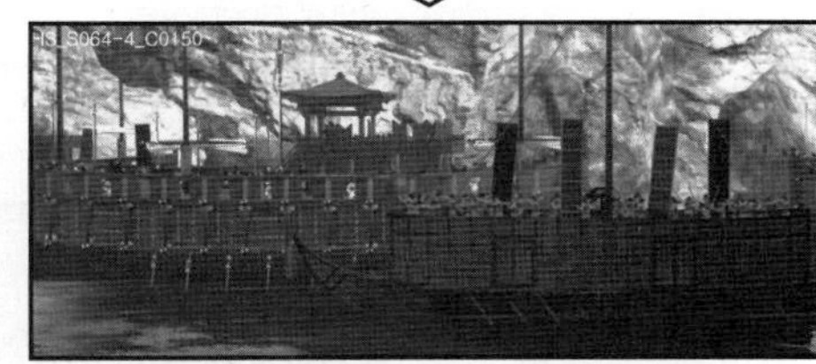

판옥선으로 바짝 붙은 세키부네.

세키부네 너머 판옥선 측면 F.S., FOLLOWING TRACK

C#105

화살과 조총을 서로 퍼붓는 양쪽의 군사들.

커버리지샷 추가 (갑판 위 왜병들)

조총병 GROUP SHOT 후면 M.S., SLIGHT LOW ANGLE, FIX

C#106

마나베 (다그치는) 갈고리를 던져라!

마나베 정면 M.S.-B.S., EYE-LEVEL, TRACK IN

C#107

마나베 어서 올라타라! 적들을 베어라! 어서 쏴라! 적들을 쏴라!

마나베 ¾ C.R C.S., EYE-LEVEL, FIX

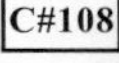

파고드는 세키부네.
판옥선 너머 세키부네 C.U., HIGH ANGLE, FIX

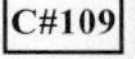

세키부네의 왜군들 일제히 월선 사다리로 방패 삼으며 갈고리를 던지는데,
왜군 측면 GROUP SHOT, EYE-LEVEL, FIX

C#110

판옥선으로 날아드는 갈고리.
조선 수군 너머 갈고리 F.S., HIGH ANGLE, FIX

C#111

걸린 갈고리를 당기는 왜군들.
왜군 GROUP SHOT, HIGH ANGLE, PAN LEFT

C#112

갈고리를 끊어내는 조선 수군들.
갈고리 너머 조선 수군 F.S., HIGH ANGLE, FIX

C#113

왜병들이 갈고리 줄을 잡아당기고 있다.
판옥선 너머 세키부네 F.S., LOW ANGLE, PUSH IN

C#114

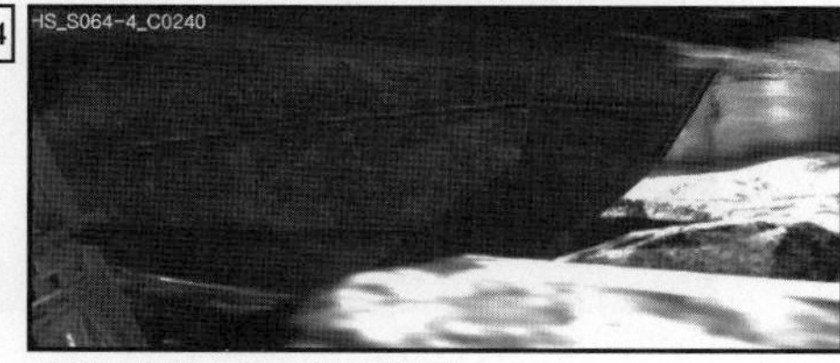

세키부네 밑이 암초에 부딪친다.
배 밑 INS, FOLLOWING TRACK RIGHT

C#115

암초의 충격으로 걸려있는 밧줄이 끊어지면서 크게 흔들리는 세키부네.
판옥선 너머 세키부네 F.S., LOW ANGLE, PUSH IN

C#116

갑자기 세키부네들 크게 흔들리며 균형을 잃는다.
세키부네 너머 흔들리는 세키부네 L.S., HIGH ANGLE

세키부네 2척 L.S.

C#117

균형을 잃고 부딪히는 세키부네들.

세키부네 F.S., EYE-LEVEL, FIX

C#118

마나베의 안택선도 좌우로 크게 흔들린다.

마나베 부장 도노! 암초입니다! 암초 지대입니다! (0611 수정)

마나베 적선에 올라타면 그만이다!

마나베, 마나베 부장 M.S. LOW ANGLE, FIX

C#119

마나베 어서 월선을 시도하라!

마나베 측면 B.S., LOW ANGLE, FIX

C#120

판옥선 가까이로 다가가는 세키부네.

세키부네 측면 F.S., HIGH ANGLE, FIX

C#121

갈고리 줄을 잡아당기는 왜병들.

왜병 & 조선 수군 측면 GROUP SHOT, HIGH ANGLE, FI

C#122

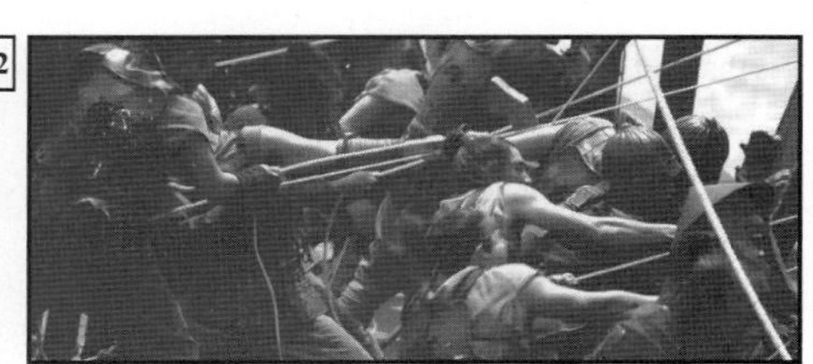

있는 힘껏 줄을 잡아당기는 왜병들.

왜병 GROUP SHOT, HIGH ANGLE, FIX

C#123

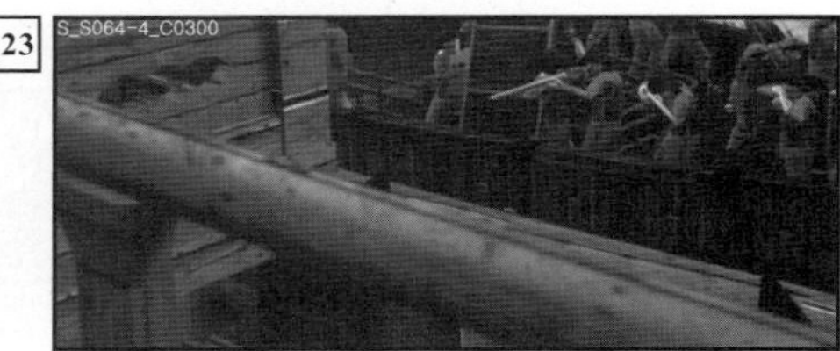

어영담함으로 가까이 다가오는 세키부네.

판옥선 너머 세키부네 C.U., HIGH ANGLE, FIX

C#124

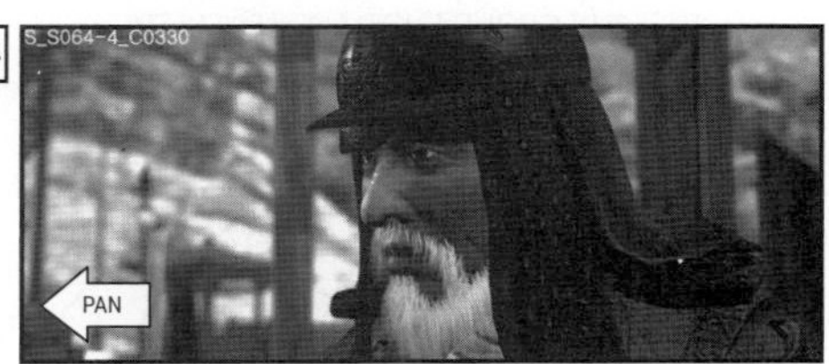

어영담의 눈에 암태 바위가 보인다.

어영담 ¾ C.L. C.S., 어영담 암태 바위를 본다 → FOLLOWING PAN

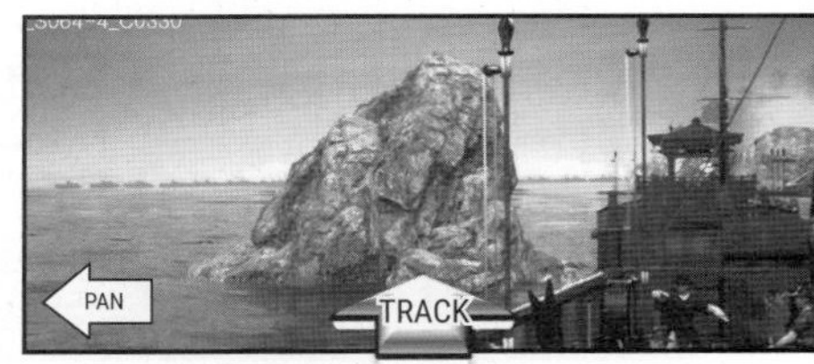

어영담 P.O.V. 어영담함 너머 암태 바위 F.S., TRACK IN

월선 사다리를 내리는 왜병들.

왜병 GROUP SHOT, HIGH ANGLE

C#125

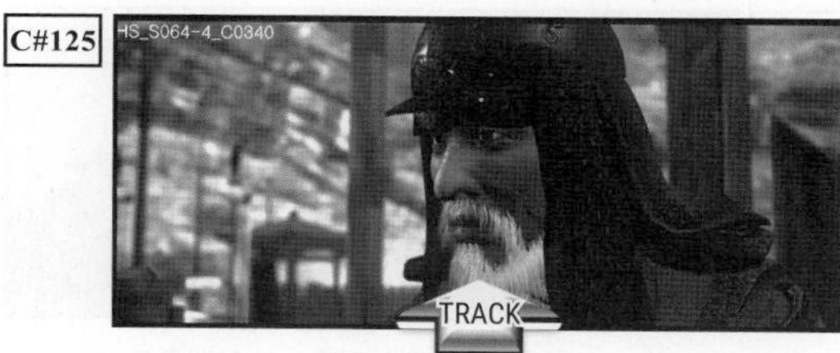

어딘가를 바라보는 어영담.
어영담 ¾ C.L. C.S., EYE-LEVEL, TRACK IN

C#126

어영담의 눈에 암태 바위를 휘돌며 빠르게 감아나가는 조류가 보이고,
어영담 P.O.V. 조류 C.U., HIGH ANGLE,
PUSH IN & TRACK RIGHT

C#127

아래를 보다 뒤를 돌아보는 어영담.
어영담 ¾ C.L. C.S., LOW ANGLE, FIX → 어영담 측면 C.S.

추가 - 어영담 O.S. 세키부네

C#128

허나 판옥선에 밀린 세키부네 하나가 갑자기 크게 기우뚱하며
판옥선, 세키부네 L.S., LOW ANGLE

판옥선, 세키부네 L.S.

C#129

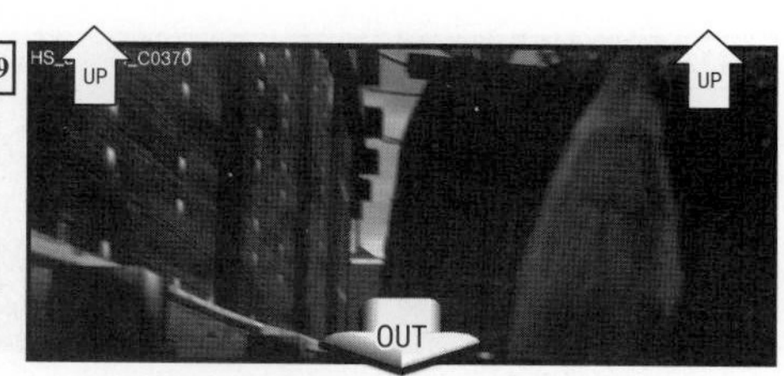

그만 암태 바위에 부딪힌다.
암태 바위 너머 세키부네 M.S., LOW ANGLE,
PULL BACK & TILT UP

C#130

암태 바위에 부딪힌 세키부네 뒤로 따라오는 세키부네들.
판옥선 너머 세키부네 L.S., LOW ANGLE, PUSH IN

세키부네 L.S.

C#131

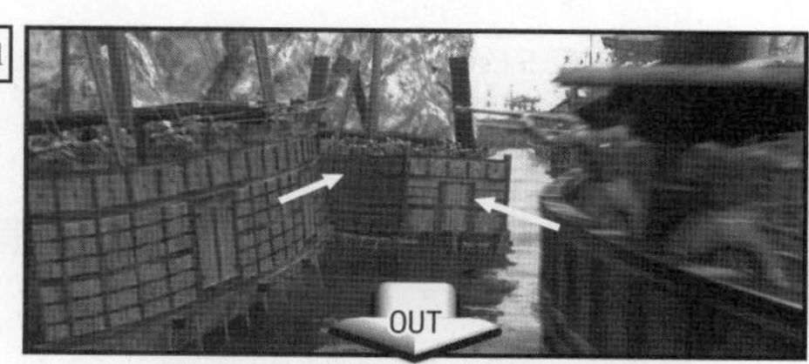

뒤따르던 세키부네 몇 척이 연달아 부딪히며 기우뚱! 정체되고,
세키부네 F.S., SLIGHT HIGH ANGLE, PULL BACK

세키부네 후면 F.S.

C#132

마나베 암초냐?

마나베 부장 (대꾸를 못하며) 그, 그것이!

마나베, 마나베 부장 ¾ C.R M.S. 2, LOW ANGLE

C#133

마나베 부장 (다급히) ~~우현으로, 우현으로~~ 좌현으로, 좌현으로 틀어라! 여기를 벗어나야 한다!

마나베 & 마나베 부장 후면 M.F.S 2, HIGH ANGLE, FIX → 마나베 부장 F.O.

C#134

이운룡 함대가 포격한다.

이운룡 M.F.S EYE-LEVEL, QUICK ZOOM OUT & TILT DOWN

검은 연기를 뿜으며 발사되는 화포들.

화포 & 병사들 F.S., HIGH ANGLE

C#135

이운룡 함대가 일제히 암태 바위와 해안 좌우 양 측면을 포격해 무너뜨리고 있다.

암태 바위 해안 전경 L.S., HIGH ANGLE, PULL BACK

C#136

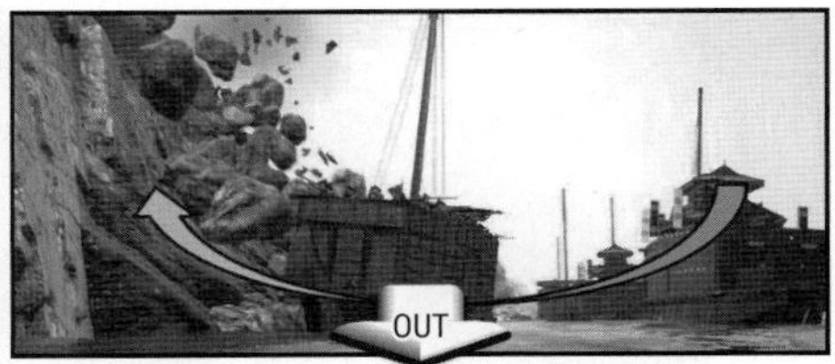

포탄 맞아 부서진 돌들이 떨어지면서 그 아래를 지나가던 세키부네가 기우뚱! 한다.

암벽 측면 & 세키부네 F.S., LOW ANGLE, PULL BACK & ARC LEFT

세키부네, 안택선 L.S.

C#137

바위 파편이 바다에 떨어진다.

수중 돌 C.U., EYE-LEVEL, FOLLOWING TILT DOWN

C#138

돌 사이에 끼어버린 세키부네.

세키부네 바닥 C.U.

C#139

이운룡 함대의 포격으로 흔들리는 마나베의 안택선.

왜군 M.F.S, LOW ANGLE, FOLLOWING PAN RIGHT

C#140

낭패스러운 표정의 마나베!
마나베 M.F.S, LOW ANGLE,
FOLLOWING PAN RIGHT & TILT UP

마나베 B.S.

C#141

암태 바위를 돌아 나가는 어영담 함대.
암태 바위 측면 & 판옥선 L.S., LOW ANGLE, ARC LEFT

판옥선들 L.S.

C#142

암태 바위를 돌아 나가는 어영담.
어영담 ¾ C.L. C.S.

C#143

멈춰 있는 마나베의 안택선.
어영담 P.O.V. 마나베의 안택선 F.S.,
EYE-LEVEL, ARC RIGHT

※VP 컷 순서 수정 (VP는 145-146-144)

C#144

마나베 이내 놀라는 표정으로 바뀌는데,
마나베 B.S., EYE-LEVEL

C#145

안택선 쪽으로 돌아 나오는 어영담함.
바위 너머 어영담함 L.S., EYE-LEVEL,
FOLLOWING PAN LEFT

C#146

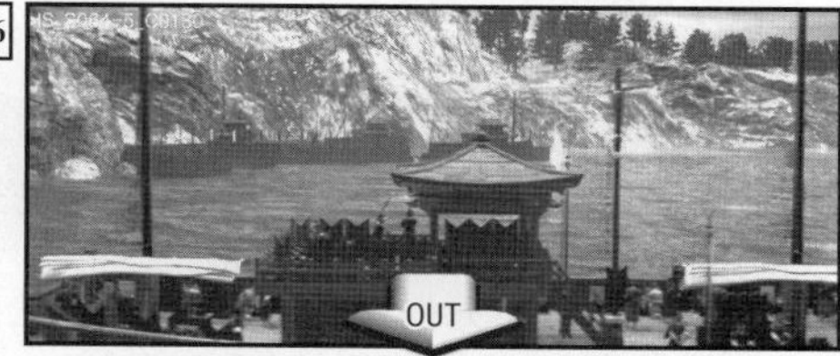

돌아 나온 어영담 함대, 마나베의 안택선과 마주하고 있다.
어영담 함대 너머 마나베 안택선 L.S.,
HIGH ANGLE, PULL BACK

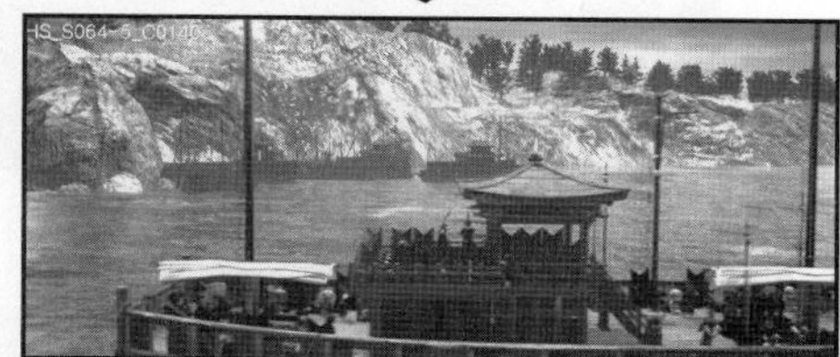

어영담 함대 너머 마나베 안택선 L.S.

C#147

마나베 함대를 향해 일제히 화포를 겨누는 어영담 함대.
어영담함 측면 F.S., LOW ANGLE, FIX

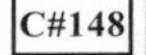

C#148

마나베 어떻게 이럴 수가! (중얼) 놀라운 일이군….
마나베 ¾ C.L. C.S., LOW ANGLE, FIX

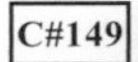

C#149

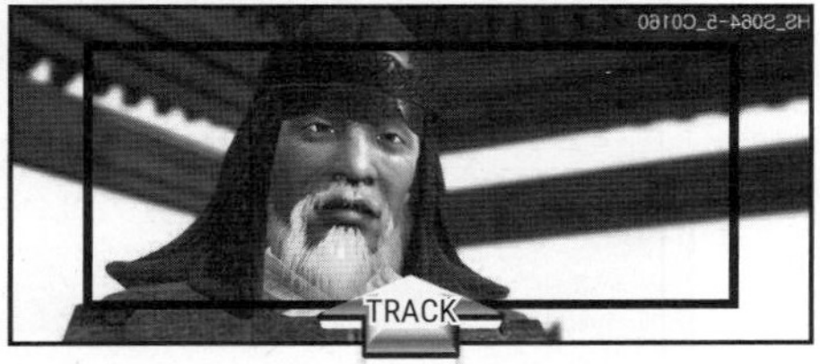

어영담 발포하라!
~~어운룡~~ (시나리오)
어영담 C.S., LOW ANGLE, TRACK IN → 어영담 C.U.

C#150

발포하는 어영담 함대.
어영담 함대 측면 L.S., LOW ANGLE, PUSH IN

C#151

발사되는 화포.
화포 3개 M.S., HIGH ANGLE, FIX

C#152

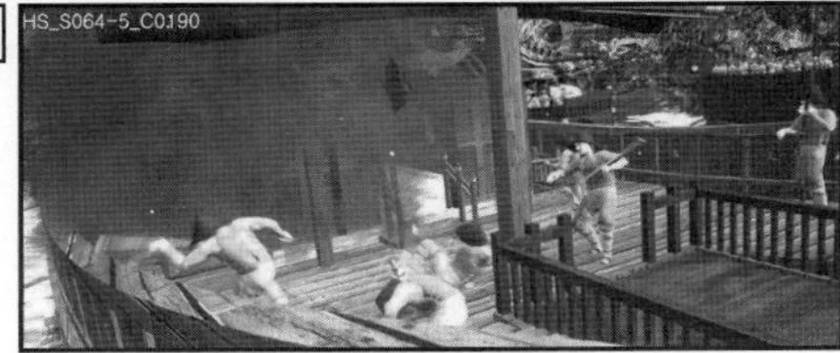

화포를 맞고 쓰러지는 왜병들.
왜병 GROUP SHOT, HIGH ANGLE, FIX

C#153

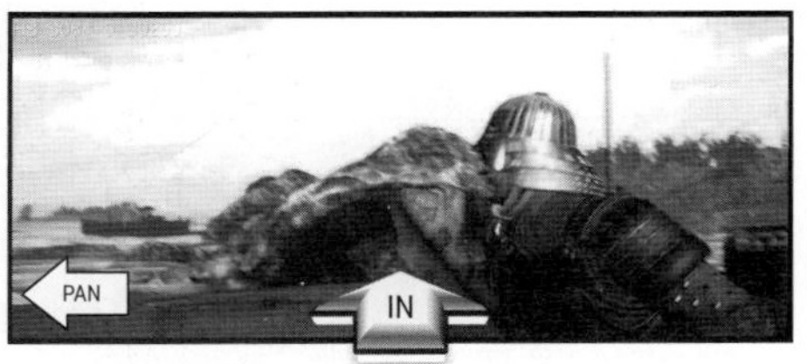

포격당하는 모습을 보는 마나베.
마나베 측면 M.S., EYE-LEVEL, PUSH IN & PAN LEFT

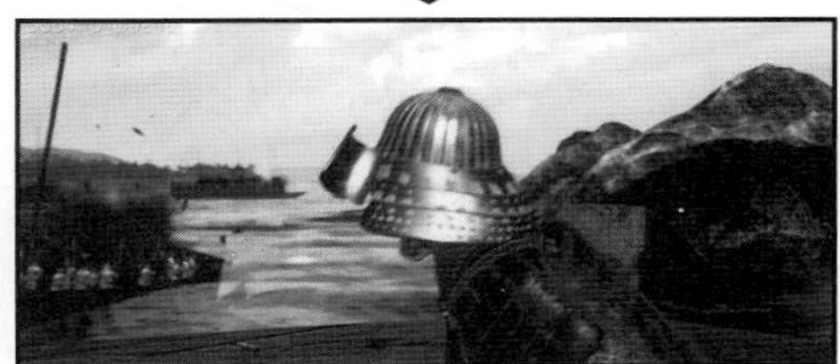

마나베 너머 포격당하는 세키부네 L.S.

C#154

휘청이는 갑판에서 어영담 함대의 공격을 지켜보는 마나베.
마나베 B.S., LOW ANGLE, PAN RIGHT

C#155

왜군들이 바다로 몸을 던진다.
왜군 L.S., LOW ANGLE, BOOM DOWN

C#156

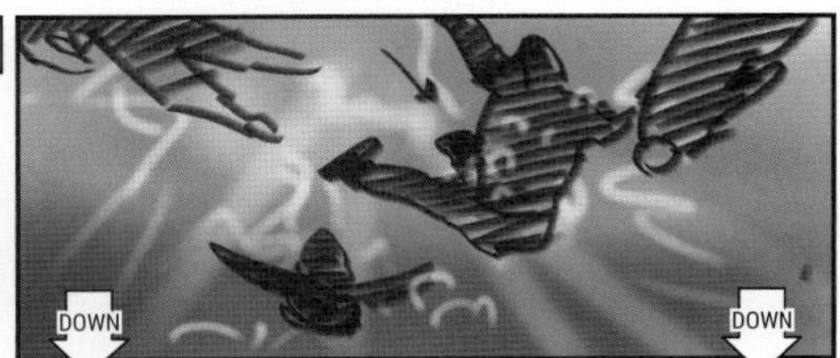

바다에 떨어지는 왜군.
수중, 왜군 후면 F.S., LOW ANGLE, FOLLOWING TILT

C#157

부서지는 세키부네.
세키부네 L.S., LOW ANGLE, FIX

C#158

'마나베!' 사헤에 역시 달려나와 분한 듯 소리친다.
사헤에 F.I., 사헤에 너머 마나베함 L.S., EYELEVEL, FIX

C#159

멍하니 바라보는 사헤에.
사헤에 정면 M.S., EYE-LEVEL, FIX

C#160

와키자카도 상황을 지켜본다.
부채 C.U., HIGH ANGLE, TILT UP

와키자카 ¾ C.R C.S., LOW ANGLE

C#161

좌측 절벽에 매복한 와타나베의 표정도 일그러지는데⋯.
와타나베 ¾ C.L., M.F.S, LOW ANGLE, TRACK IN

C#162

와키 부장 우측에 와타나베 도노께서 마나베 장군을 구원할 것인지를 여쭙니다! (S#67의 대사를 당김)

와키 부장 너머 와키자카 측면 M.F.S, LOW ANGLE, FIX→F.I. 와키 부장

C#163

와키자카 (차가운) ⋯⋯.

[C#161 동일] 와키자카 ¾ C.R C.U., LOW ANGLE, FIX

S#65 견내량 밖 한산 바다 - 판옥선들

견내량 입구까지 이동하여 삼첩진을 이루라 명령하는 이순신

17 CUTS/0 SET-UPS

EXT

DAY

OPEN SET

C#1

어영담, 이운룡 상황을 보고 있는 순신.

안개 속 판옥선 L.S., QUICK ZOOM OUT

이순신 후면 M.S.

C#2

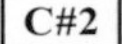

송희립이 순신에게 달려온다.
(낮은 비트음이 살아나고)

송희립 장군! 견내량 쪽 연락 병선의 보고입니다!

이순신 너머 송희립 정면 M.S., HIGH ANGLE, FIX

C#3

이순신 …….

송희립 (안타까운 듯) 옥포만호 이운룡의 함대까지 들어갔지만 일부만 움직일 뿐

송희립 너머 이순신 정면 M.S., LOW ANGLE, FIX

C#4

송희립 적선 대부분은 여전히 기동치 않고 있다 합니다.

이순신 ¾ C.L. C.S., SLIGHT LOW ANGLE, FIX

C#5

송희립 아무래도 적이 우리의 유인책을 읽고 있는 듯 합니다.

[C#2 동일] 이순신 너머 송희립 정면 M.S., HIGH ANGLE, FIX

C#6

멀리 견내량 안쪽에서 어지러이 포성과 조총 소리들이 들려온다.

[C#3 동일] 송희립 너머 이순신 정면 M.S., LOW ANGLE, FIX

추가 - 포성 듣고 있는 순신
측면 타이트 1, 후면 1

돌아보는 희립.

C#7

긴장하며 견내량 쪽을 쳐다보는 대장선의 군사들….

이순신 너머 견내량 L.S., EYE-LEVEL

C#8

이순신 (결연히) 함대 전체를 견내량 입구까지 이동해 삼첩진을 펼친다. 이동기를 올려라!

[C#3 동일] 송희립 너머 이순신 정면 M.S., LOW ANGLE, FIX

C#9

송희립 (조류를 보며 당혹) 장군! 그러다 행여 적들이 치고 나온다면 위험할 수도… 현재 조류도….

송희립 정면 C.S., SLIGHT HIGH ANGLE, FIX

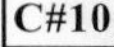

이순신 그걸 바라는 것이다. 어서 신호기를 올려라!

이순신 ¾ C.L. C.S., SLIGHT LOW ANGLE, FIX

C#11

송희립 …예! 장군!

순신 너머 송희립 정면 B.S., SLIGHT HIGH ANGLE, FIX

C#12

전 함대 이동한다! 신호기를 올려라!
순신의 명을 군사들에게 복창하는 송희립.

송희립 정면 B.S., EYE-LEVEL, FIX

C#13

북을 치는 병사,

추가 - 첨자진 신호기
타이트컷 (약부감)

북 치는 병사 M.S., LOW ANGLE, ARC LEFT

C#14

긴 나팔 소리와 함께 대장선 위로 이동 깃발이 올라간다!

깃발병사 L.S., LOW ANGLE, TRACK IN

C#15

장루 위의 순신.
※C#15, 16 ↔ 17 컷 순서 바꿈 (0811)

이순신 정면 L.S., LOW ANGLE, TRACK IN

C#16

순신이 견내량 쪽이 아닌 문득 서쪽 바다를 바라본다.

이순신 아직인가….

이순신 정면 C.U., EYE-LEVEL

C#17

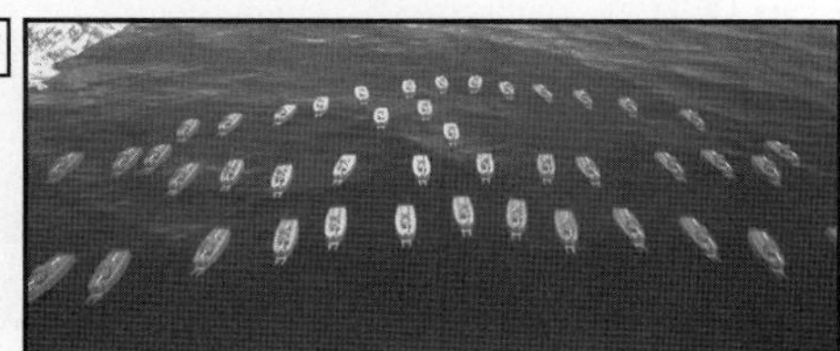

이동을 시작하는 좌선,
※빈 바다에서 TRACK BACK 하며 첨자진으로 이동하는 배들이 드러나는 것으로 변경 (0811)

순신 함대 E.L.S, HIGH ANGLE, PUSH IN & TILT UP

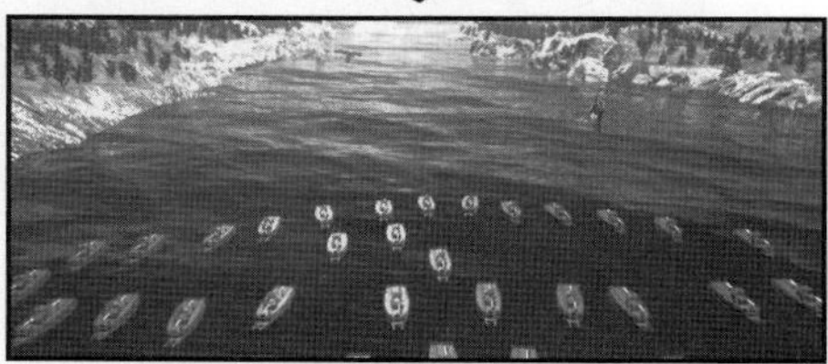

C#17-1 순신 함대 너머 견내량 E.L.S

S#66 견내량 안

이순신 함대가 견내량 안으로 들어오고, 팽팽하게 맞서는 와키자카

11 CUTS/7 SET-UPS  EXT  DAY  OPEN SET

C#1

선수 쪽 ~~와키자카의 부장 1~~ 사헤에가 소리친다!
~~※시나리오에 와키 부장 1과 사헤에 대사가 나눠져 있는 것 재확인 필요~~
와키자카 너머 부장 1 M.F.S, EYE-LEVEL, FIX

~~**와키 부장 1**~~ 도노! 저기 보십시오!

사헤에 (상기된) 적의 본대가 드디어 들어옵니다!

사헤에가 가리키는 곳을 쳐다보면,
※시나리오 와키 부장 2의 대사는 S#65 마지막으로 당겨짐.

C#2

놀랍게도 견내량 입구 쪽으로 순신의 본대가 어른거리며 다가오고 있다.
와키자카 P.O.V., 이순신 함대 E.L.S

C#3

기다렸다는 듯 눈빛을 빛내는 와키자카!
와키자카 ¾ C.R C.U., EYE-LEVEL, TRACK IN

C#4

견내량 중간, 와키자카가 궤멸한 마나베 함대의 잔해 쪽을 쳐다보면, 어영담 함대에서 육지로 도망치는 마나베의 잔병들에게 화살과 포가 날아오는 것이 보인다.
※시나리오 S#68 P.O.V.샷 위치 옮김 (0811)
와키자카 P.O.V., PAN LEFT

시선을 돌리면 이들을 공격하는 이운룡 함대가 보인다. 심지어 이운룡 함대에서 어영담 함대에 빠르게 화약과 포탄을 보급하기까지 하는데….
이운룡, 어영담 함대 L.S., EYE-LEVEL, PAN LEFT

다시 시선을 옮기면, 견내량 밖 입구 쪽, 빠르게 좁은 견내량 해협을 빠져나가는 물살 위에서 선수를 앞으로 두고 그저 머무르고 있는 순신의 함대.
이순신 함대 L.S., EYE-LEVEL

C#5

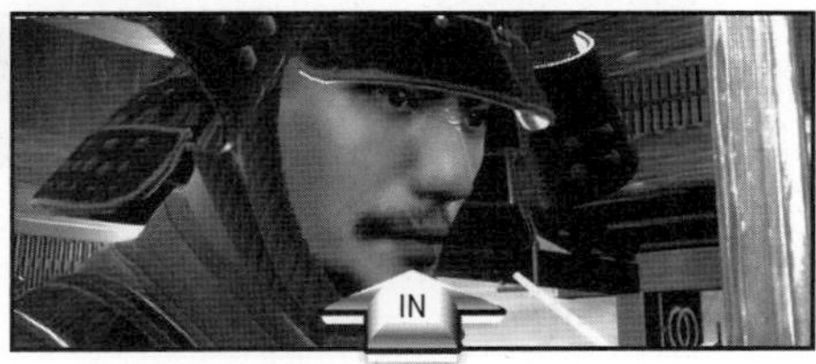

와키자카, 차갑게 순신 함대를 노려보다가,
와키자카 ¾ C.R C.U., EYE-LEVEL, TRACK IN

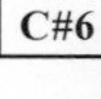

C#6

지그시 지휘 부채만 움켜쥐는 와키자카….
차갑게 순신 쪽을 노려보고,
와키자카 지휘 부채 C.U.

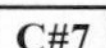

C#7

순신의 함대가 더욱 선명하게 횡렬 함대를 이루며 다가오는 게 보이는데,
와키자카 P.O.V., **이순신 함대** L.S., ZOOM IN

C#8

대치하는 양쪽의 함대.
판옥선들 L.S., PULL BACK

C#9

왜선들 L.S., PULL BACK

C#10

좌선 장루 위의 순신, 또한 날카로운 눈길로 적장 와키자카 쪽을 응시한다.
TRACK RIGHT → **이순신** ¾ C.L. C.U.

C#11

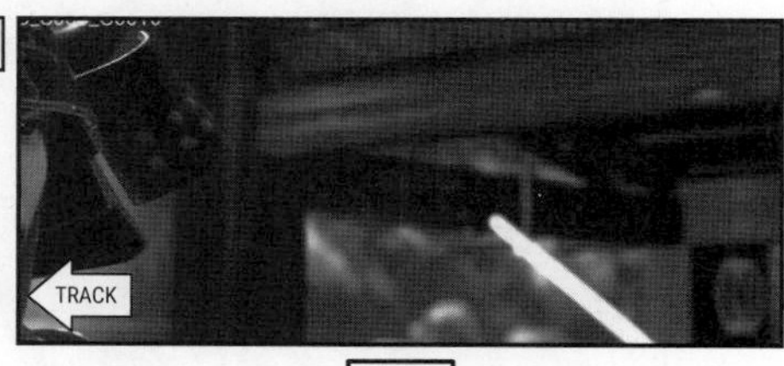

보일 리 없음에도 서로의 존재를 실감하며 팽팽히 맞서고 있는 순신과 와키자카.
TRACK LEFT → **와키자카** ¾ C.R C.U.

S#67 웅치 고개

제2선으로 후퇴하는 의병들, 양측 군사들의 살육전이 계속된다

26 CUTS/23 SET-UPS   

EXT DAY LOCATION

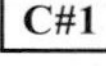

웅치로 밀려드는 왜군들, 밀리는 의병들.

왜군 후면 M.F.S, TILT-UP

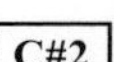

왜군들을 필사적으로 막아내고 있는 준사와 의병들.

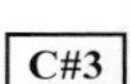

활을 쏘는 조선 의병들.

활 쏘는 의병들 O.S, 전투 중인 의병들

C#4

왜군들을 향해 능숙하게 활을 쏘는 황박.

황박 정면 M.S.

황 박 어서 총통을 퍼부어라!

C#5

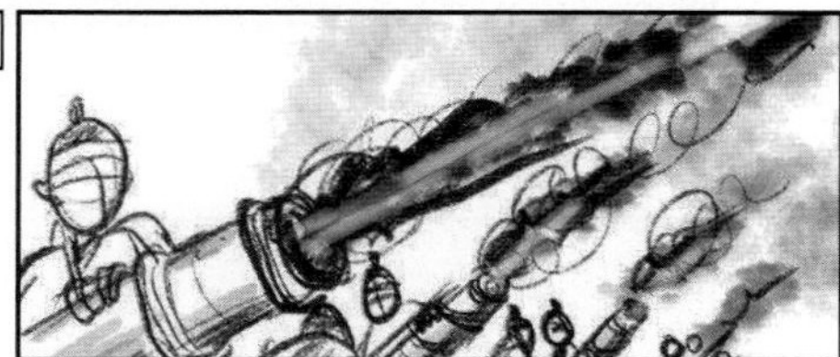

총통을 쏘는 의병들.

총통 측면 근접샷, LOW ANGLE

C#6

포탄에 쓰러지는 왜군들.

※다양한 커버리지샷 필요

왜군들 F.S.

C#7

포연에 아랑곳 않고 끊임없이 밀려드는 왜군들.

올라오는 왜군들 정면 M.S., EYE-LEVEL

C#8

총통병들이 있는 곳으로 밀고 올라가는 왜군들.

왜군들 너머 총통병들 L.S., LOW ANGLE

C#9

현자총통에 재장전하는 의병들.

의병들 F.S.

C#10

하지만 심지가 다 타들어가기 전에 왜병 하나가 달려와 창을 찔러버리고!

의병 너머 왜군 정면 M.F.S, LOW ANGLE, 의병 F.O.

연이어 왜병 창병의 몸에 날아와 연달아 박히는 화살 두세 개.
활을 든 의병이 와선 승자총통병(兵)을 살펴보는데,

왜군 M.F.S, PAN RIGHT → 의병 측면 M.F.S, FOLLOWING TRACK

왜군이 다시 올라와 뒤통수에 조총을 쏴버린다!

조총병들 F.I., PUSH IN

하지만 그 순간 미끄러져 내려와

준사 F.I. → 조총병들 너머 준사 정면 F.S.

다시 왜군 철포병을 베어버리는 준사!

준사 & 조총병들 M.S., TRACK IN

주변을 살피고 다시 뛰어간다.

준사 B.S. → F.O.

C#11

더욱 쏟아져 들어오는 왜군들.

왜군들 E.L.S, HIGH ANGLE

C#12

올라오는 왜병들을 활로 저지하고 있는 황박과 궁수들

황박 측면 B.S., TRACK & PAN → 정면

C#13

황박을 향해 달려가는 준사.
황박 F.S., TRACK-IN & 준사 F.I.

C#14

가쁜 숨을 몰아쉬며 황박에게 보고하는 준사.

준 사 측면이 무너졌습니다.

황박 너머 준사 B.S.

C#15

의병 하나가 황박에게 뛰어온다.

의 병 적의 수가 너무 많습니다!

의병 1 F.I. → 황박 & 준사 너머 의병 1 정면 M.F.S

C#16

황 박 모두 제2선으로 후퇴하라! 어서!

황박 정면 C.S., EYE-LEVEL

C#17

수많은 왜군들이 계속해서 몰려온다.
왜군들 F.S., LOW ANGLE,

C#18

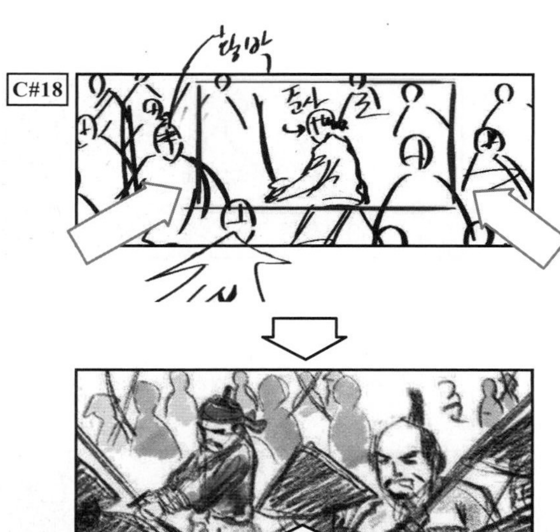

준사와 의병들이 우수수 중턱의 2선으로 내달린다.
내달리며 계속해 치고 올라오는 왜병들을 베는 준사의 몸이 온통 피로 물들어가고….
준사, 호흡을 고르며 돌아본다.
뒤돌아보는 준사와 그 옆의 황박 M.F.S,
LOW ANGLE, PUSH IN → 준사 M.S.

C#19

또다시 끝없이 왜병들이 올라오고 있다.
황박 & 준사 너머 밀려오는 의병들 E.L.S, HIGH ANGLE

의병 1이 황박에게 뛰어온다.

의병 1 2선도 금방 무너집니다. 제3선으로 바로 후퇴해야 합니다!

의병 1 F.I. → 황박 & 준사 너머 의병 1 정면 M.F.S

C#20

황 박 (결연) 아니다! 여기서 물러나면 우리도 좌수영도 모두 끝이다!

의병 1 너머 황박 & 준사 정면 M.F.S, LOW ANGLE

C#21

황 박 아니 전라도 전체가 끝장이다. 뭣들 하는가! 정담 장군께서도 그걸 알고 저기 내려오고 계시다! 다 같이 맞서 싸우자!

황박 정면 B.S., EYE-LEVEL

C#22

돌아보는 준사,
준사 M.S., EYE-LEVEL

C#23

과연 김제 군수 정담이 제3선 위쪽에서 오히려 2선으로 가세해 들어오는데,
준사 P.O.V., 정담 군사 L.S., LOW ANGLE

C#24

기세를 몰아 함성을 토해내며 뛰어나가는 정담과 의병들….
정담 정면 M.F.S, SLIGHT LOW ANGLE

C#25

와아아~ 이내 다시 맞붙기 시작하는 양측의 군사들!
살육전…! (느린 화면)
웅치 E.L.S, HIGH ANGLE, PUSH IN
고속촬영, 의병들 & 왜군들 L.S.

C#26

고속촬영, 준사 M.S.

S#68 견내량 - 와키자카의 안택선

와키자카 함대의 출격에 재빨리 선회를 시작하는 어영담 · 이운룡 함대 21 CUTS

EXT

DAY

OPEN SET

C#1

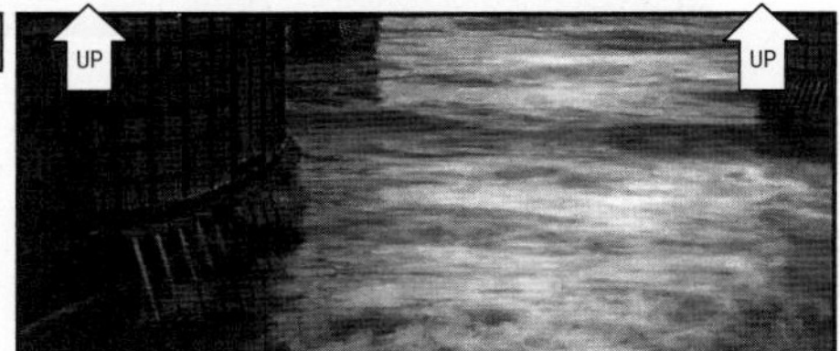

과연 물살이 순신 쪽으로 빠르게 흘러간다.

※0810 버전 VP : 시나리오와 순서 다름. - 리뷰 반영 (물살 먼저 보여주고, 얼굴 대치 상황 보여주자.)

바다 물살 L.S., HIGH ANGLE, TILT UP

그 물살 위에 출렁이는 순신의 함대가 그저 무질서하게 보인다.

안택선 너머 순신 함대 E.L.S

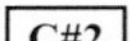
C#2

바다를 바라보고 있는 와키자카의 뒷모습.

와지자카 후면 M.F.S, HIGH ANGLE, BOOM DOWN & TILT UP

와키자카 너머 멀리 순신의 함대가 보이는 견내량 바다가 보인다.

와키자카 너머 견내량 L.S., SLIGHT HIGH ANGLE

C#3

추가 - 3컷 다음 와키자카 P.O.V. 빠른 물살

와키자카 (나직이) 사헤에… 이순신과 이 정도 거리라면? 우리가 저자를 잡을 수 있겠느냐? 없겠느냐?

사헤에 (결연한) 물살도 더욱 빨라졌습니다. 문제없습니다!

와키자카, 사헤에 M.S. 2, SLIGHT LOW ANGLE, TRACK IN

C#4

와키자카 F.I.

와키자카 바다를 보다가,

와키자카 ¾ C.R C.U., EYE-LEVEL

C#5

하늘을 바라보는 와키자카.

와키자카 정면 C.S., LOW ANGL

C#6

태양이 어느덧 정오를 가리키고 있다.

와키자카 P.O.V.

C#7

와키자카 고바야카와도 웅치를 통과했겠구나….

와키자카 C.S., LOW ANGLE, FIX

다시 순신 쪽을 맹렬히 쏘아보는 와키자카!

와지자카 F.O.

C#8

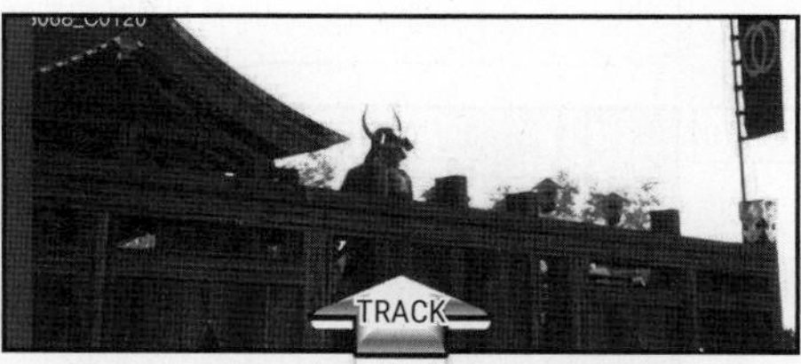

그런 와키자카를 뚫어지게 바라보고 있는 사헤에와 부장 1.
와키자카가 배의 여장 쪽으로 다가간다.

와키자카 L.S., SIGHT LOW ANGLE, TRACK IN

C#9

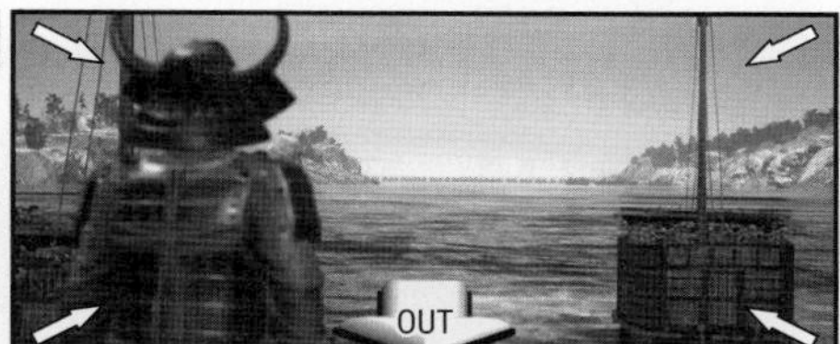

찰나의 순간… 순신 쪽으로 거세진 물살 소리만이 마치 시제의 초침 소리처럼 들린다.
※ZOOM IN TRACK OUT 속도 VP보다 느리게

와지자카 너머 순신 함대 E.L.S, EYE-LEVEL, ZOOM IN & TRACK OUT

C#10

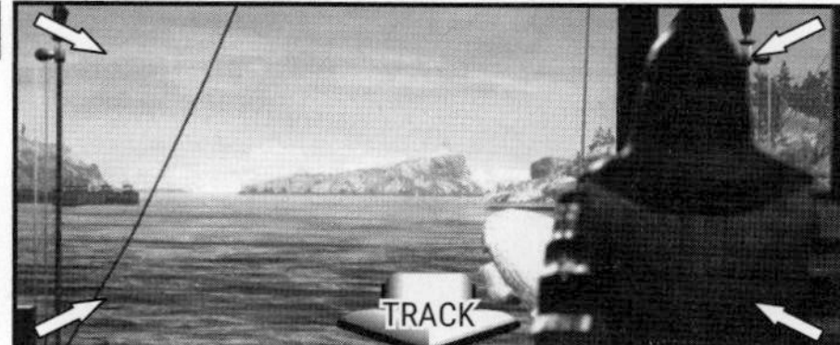

순신, 와키자카 쪽을 쳐다보고 있고….
(반복적 비트음 오히려 사라지고)
※ZOOM IN TRACK OUT 속도 VP보다 느리게

순신 너머 와키자카 함대 E.L.S, EYE-LEVEL, ZOOM IN & TRACK OUT

C#11

무표정한 순신의 얼굴.

순신 측면 C.L. C.U., EYE-LEVEL, ARC LEFT

순신 ¾ C.L. C.U., EYE-LEVEL

C#12

결심을 끝낸 와키자카.

C#12와 같은 무빙으로 변경 (0811)

와키자카 측면 C.R B.C.U., EYE-LEVEL, FIX

C#13

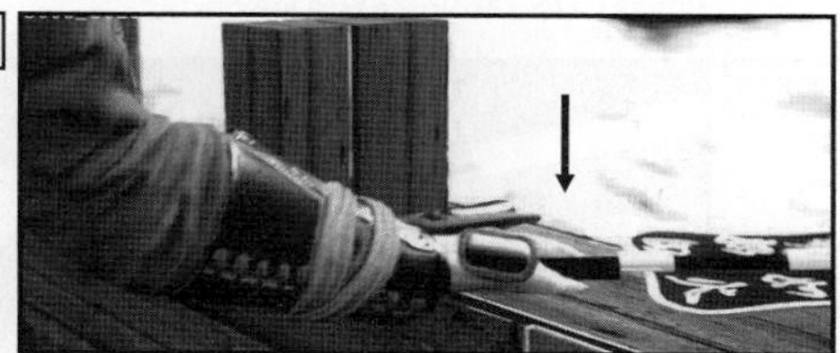

천천히… 와키자카가 쥔 군바이(지휘 부채)가 배 난간에 내려오고,

와키자카 손 F.I., C.U., EYE-LEVEL, FIX

C#14

CUT TO
~~어영담과 이운룡 함선의 격군실 사이,~~
~~정신없이 보급품을 나르는 병사들.~~

판옥선 F.S., BOOM UP

판옥선 너머 와키자카 함대 E.L.S

C#15

병 사 저, 적이다! 적이 다가온다!

병사들 정면 M.S. 3, EYE-LEVEL, FIX

C#16

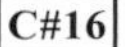

보급병 1의 외침에 돌아보는 이운룡.
~~운룡 병사들, 나르던 보급품마저 떨어뜨리며 각자의 배로 돌아서는데. (※ VP에 없음)~~
이운룡 C.S., EYE-LEVEL, H.H

C#17

와키자카의 본 함대가 몰려나오고 있다.
흉도(胸島) 뒤쪽에서도 절벽 좌우에서도 시커멓게 몰려나온다.
이운룡 P.O.V., 와키자카 함대 L.S.

C#18

돌아보는 어영담, 역시 동공이 커진다.

어영담 당장 보급을 중지하고 노를 저어라!

어영담 B.S., SLIGHT LOW ANGLE, FIX

어영담 속히 견내량을 탈출해야 한다! 갑판의 병사들은 화포를 준비하라!

C#19

와키자카의 본 함대가 추격해오기 시작한다.
와키자카 함대 L.S., BOOM UP & PAN LEFT

선두에 사헤에, 중군에 와타나베,
후미에 와키자카가 붙었다.

추가 - 사헤에, 와타나베, 와키자카 단독샷

C#20

와키자카, 바다 위 마나베의 잔해를 보고 더욱 표정이 굳어지는데….
(※ 시나리오 내용 VP에 없음)
와키자카 함대 측면 L.S., SLIGHT LOW ANGLE

C#21

판옥선.
판옥선들 L.S., LOW ANGLE

69A

S#69 견내량 바깥 입구 - 대장선

이순신의 학익진과 와키자카의 어린진 - 구선의 등장

14 CUTS/3 SET-UPS

EXT

DAY

OPEN SET

C#1

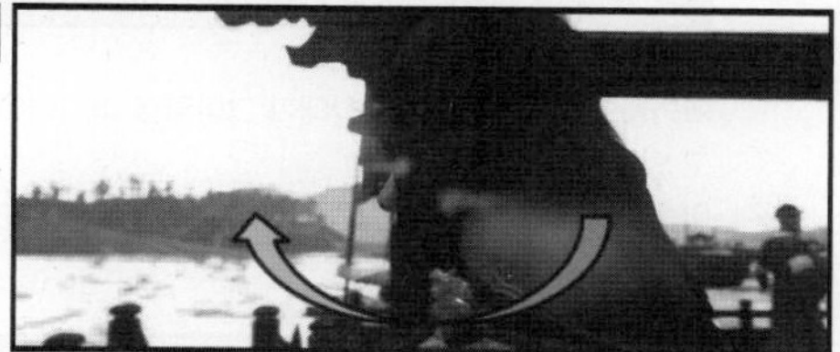

일렬 중앙, 순신이 쳐다보다,

이순신 (결연히) 전 함대 배를 돌려라! 격군들을 최대로 보강하라.

이순신 측면 C.U., SLIGHT LOW ANGLE, ARC LEFT

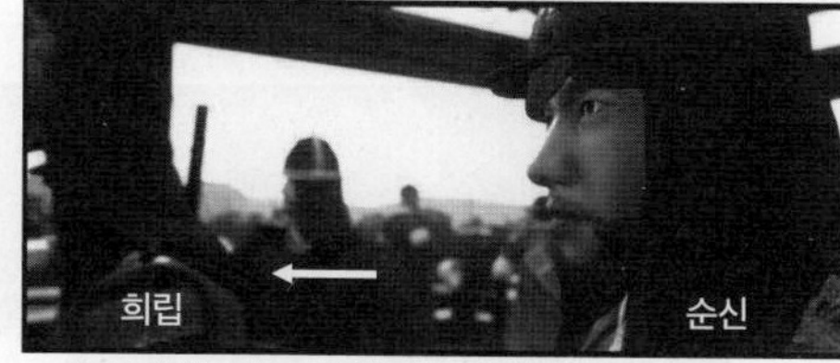

송희립 (군사들 향해) 배를 돌려라!

> 추가 - 1컷 전 이순신 P.O.V. 아지랑이
> 추가 - 1컷 후 이억기, 원균이 벌떡 일어나 쳐다보는 것
> (견내량을 빠져나오는 운룡,
> 영담을 보고 있는 억기와 원균 상황)

이순신 C.L. C.U.

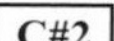
C#2

병사가 북을 친다.

북 치는 병사 M.F.S, LOW ANGLE, FIX

C#3

송희립 격군들을 보강하라!

장대 L.S., LOW ANGLE, TRACK IN

C#4

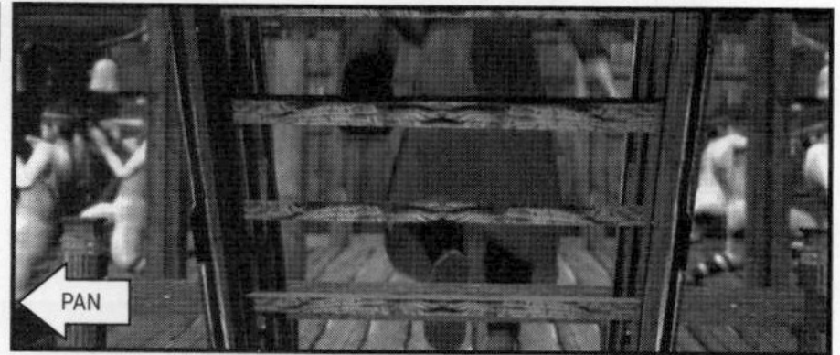

2인 1조의 격군들에 일제히 예비대가 붙으며 4인 1조가 된다. 격군들이 힘차게 노를 젓기 시작한다.

격군들 후면 M.S., SLIGHT HIGH ANGLE, PAN LEFT

노를 젓는 격군들 M.F.S

C#5

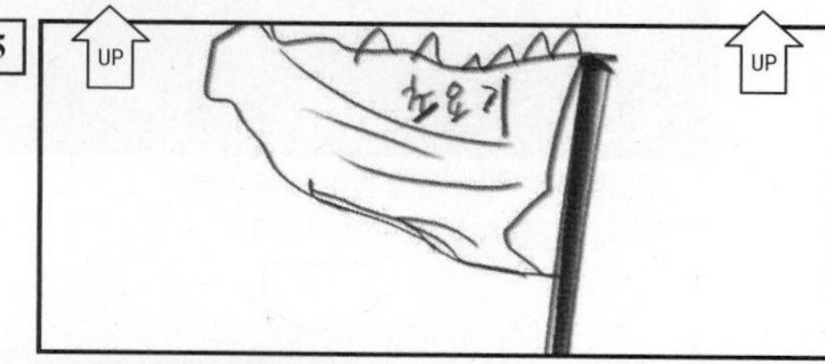

송희립이 초요기를 세운다.

초요기 C.U., LOW ANGLE, FOLLOWING TILT UP

C#6

배를 돌리는 판옥선.

판옥선 측면 F.S., LOW ANGLE, FIX

C#7

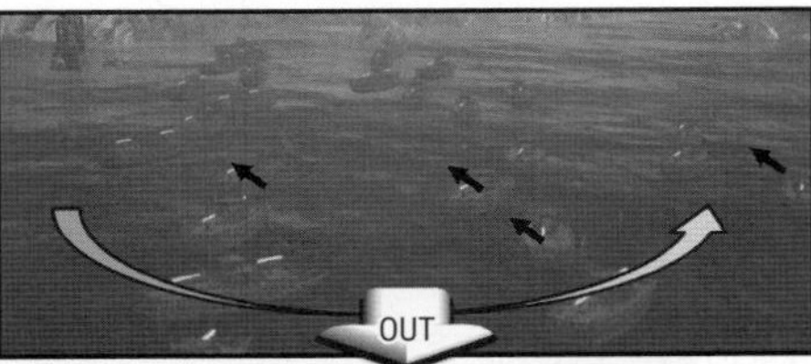

이억기, 원균, 김완, 권준, 정운 등 전 함대가 일제히 제자리에서 돌더니

함대 전경 E.L.S, HIGH ANGLE, PULL BACK & ARC RIGHT

C#7~9 한 컷으로 명확하게 보여주자.

함대 전경 E.L.S

C#8

순신의 명령에 따라 배를 돌리는 함대들.

함대 L.S., HIGH ANGLE, ARC LEFT

함대 L.S.

C#9

CUT TO

와키자카의 시선, 순신의 함대가 그야말로 어지러이 후퇴하고 있다.

이순신 함대 E.L.S, EYE-LEVEL, ZOOM IN

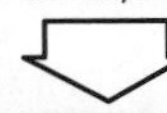

이순신 함대 E.L.S

C#10

그런 모습에 와키자카의 눈빛이 빛난다!

와키자카 최대로 노를 추가하라! 속도를 더욱 올려라! 속도가 곧 승리다!

부장들 예, 도노! (뛰어가며) 노를 추가하라! 속도를 올려라! (시나리오에만 있음)

와키자카 ¾ C.R C.S., LOW ANGLE, TRACK IN

C#11

순신의 함대를 추격하는 와키자카 함대.

이순신 함대 E.L.S, LOW ANGLE, FIX → 세키부네 F.I.

세키부네 L.S.

C#12

안택선 격군실 안, 격군 수를 보강하는 판옥선과는 다르게 추가 노들을 끼워 넣는 왜군들.

장수 측면 B.S., EYE-LEVEL, FOLLOWING PAN LEFT

장수 너머 왜군들 M.F.S, FOLLOWING TRACK

C#13

노를 젓는 안택선 격군들.

격군들 M.S., HIGH ANGLE, FOLLOWING PAN RIGHT

C#14

백여 척의 와키자카 함대가 순신의 함대를 맹렬히 추격한다!

와키자카 함대 L.S., LOW ANGLE, PAN LEFT

69B

S#69 견내량 바깥 입구 - 대장선

이순신의 학익진과 와키자카의 어린진 - 구선의 등장

60 CUTS/30 SET-UPS 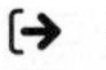  

C#1

CUT TO
쫓기는 순신의 본 함대와 쫓는 와키자카 함대의 중간 지점,
와키자카 함대 후면 L.S., LOW ANGLE, FIX

카메라 들어줘야 함.
따라잡고 있는 측면컷 필요 0812

와키자카 함대 후면 L.S.

C#2

왜선들의 속도가 너무 빠르다.
판옥선 너머 와키자카 함대 L.S., HIGH ANGLE

판옥선 너머 와키자카 함대 L.S.

C#3

와키자카 함대를 바라보고 있는 운룡.
이때 가느다란 호각 소리가 들린다.
**이운룡 너머 와키자카 함대 L.S.,
EYE-LEVEL, FIX, RACK FOCUS**

소리를 듣고 뒤를 돌아보는 운룡.

이운룡은 병사들과 총탄을 막으면서
긴박하게 돌아봐야 한다. 0812

이운룡 ¾ C.L. M.S.

C#4

파앙!
하늘 높이 떠오르는 신호 방패연!
**판옥선 너머 방패연 E.L.S, LOW ANGLE,
FOLLOWING TILT UP**

판옥선 너머 방패연 E.L.S

C#5

신호 방패연을 바라보는 이운룡.

이운룡 "학익진!" 대사 추가 0812

이운룡 C.S., HIGH ANGLE, FIX

C#6

신호 방패연이 떠 있다.

신호 방패연 L.S., LOW ANGLE, FIX

C#7

신호 방패연을 바라보는 어영담.

어영담 M.S., HIGH ANGLE, FIX

C#8

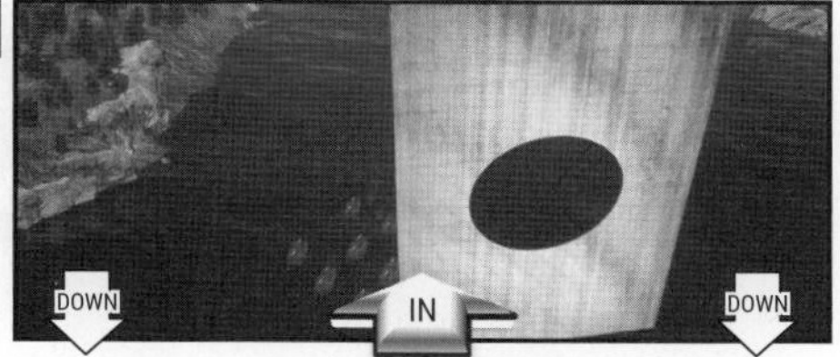

방패연 너머 부감 화면으로 어지럽게 퇴각하고
있는 판옥선들이 보이는데,

방패연 C.U., HIGH ANGLE, **방패연** F.O. →
PUSH IN & TILT DOWN

판옥선들 E.L.S

C#9

CUT TO

진격하는 왜군들.

왜군 정면 M.S., EYE-LEVEL, ZOOM IN

C#10

조총사격을 가하는 조총병.

왜군 측면 B.C.U., EYE-LEVEL, FIX

C#11

조총 사격 하는 왜군들.

왜군 M.F.S, EYE-LEVEL, FIX

C#12

선미 난간 쪽 무수히 꽂히는 조총들….

조선 수군 측면 M.S., HIGH ANGLE, TRACK IN

C#13

총알을 막고 있는 조선 수군.

조선 수군 측면 B.S., HIGH ANGLE, H.H

C#14

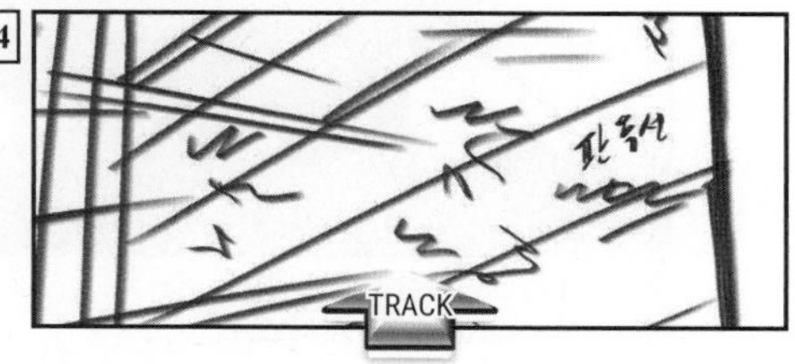

꽂히는 조총들.

판옥선 여장 C.U., LOW ANGLE, TRACK IN

C#15

달려와 상황을 지켜보는 이운룡.

이운룡 측면 F.S., HIGH ANGLE, FIX

C#16

화살을 쏘는 이운룡.

이운룡 후면 M.S., HIGH ANGLE, FIX

C#17

갈고리를 던지는 왜군들.

왜병 측면 GROUP SHOT, HIGH ANGLE, FOLLOWING PAN

판옥선 후미 난간 F.S.

C#18

터터덕! 후미 난간으로 왜선에서 갈고리가 날아와 걸리는 이운룡함.

갈고리 C.U., SLIGHT HIGH ANGLE, FIX

C#19

왜병들이 던진 갈고리를 보는 이운룡.

이운룡 ¾ C.L. B.S., LOW ANGLE, FIX

C#20

갈고리 걸린 이운룡함.

왜병 너머 이운룡함 F.S., LOW ANGLE, FIX

C#21

주변 왜선들에 둘러싸여 화살로 응전하는 이운룡.

이운룡함 & 세키부네 L.S., HIGH ANGLE, PAN LEFT

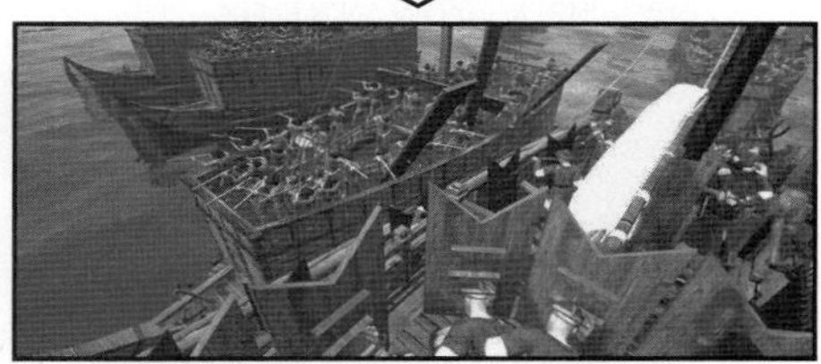

이운룡함 너머 세키부네 L.S.

C#22

공격하는 왜군들.

조총병 측면 GROUP SHOT, HIGH ANGLE, QUICK PAN RIGHT

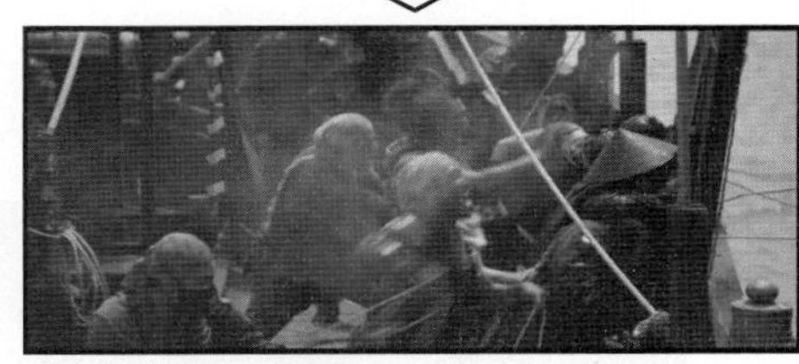

왜군 측면 GROUP SHOT

C#23

갈고리가 날아든다.

조선 수군 너머 갈고리 L.S., LOW ANGLE, FIX

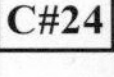

갈고리들이 날아든다.

안택선 & 판옥선 측면 M.S., LOW ANGLE, PUSH IN

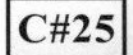

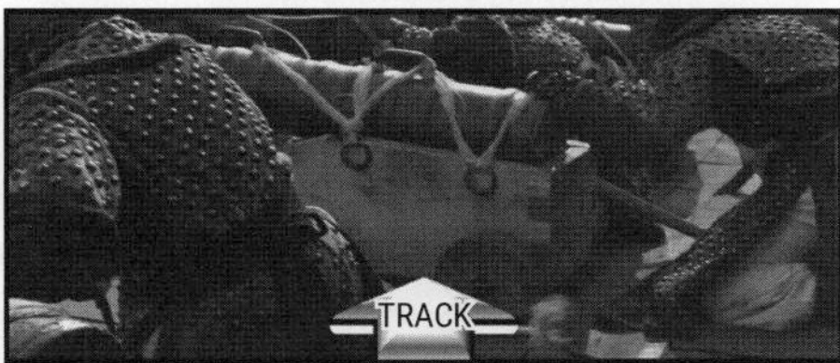

화포 옆에 걸리는 갈고리.

화포 측면 M.S., HIGH ANGLE, TRACK IN

C#26

왜군들이 걸린 갈고리를 당기고 있다.

왜군 측면 B.S., EYE-LEVEL, FIX

C#27

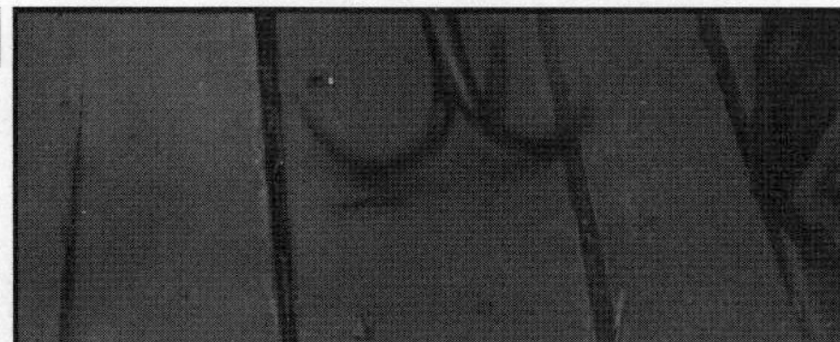

판옥선으로 던져진 갈고리.

갈고리 C.U., HIGH ANGLE, FIX

C#28

판옥선에 걸리는 갈고리.

갈고리 C.U., HIGH ANGLE, FIX

추가 - 30컷 전 순신이 기라졸 영역으로 뛰어온다.
추가 - 이순신 P.O.V. 어영담, 이운룡 상황

배 사이 갈고리 M.S., LOW ANGLE, PUSH IN

C#29

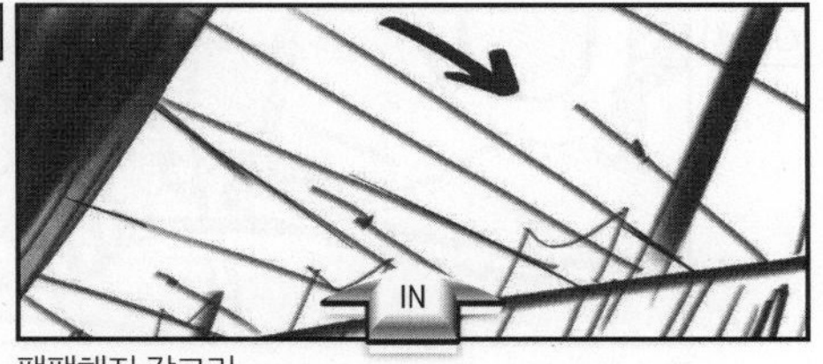

팽팽해진 갈고리.

C#30

이운룡 (자신의 칼을 빼 들며) 줄을 끊어내라! 반드시 진에 복귀해야 한다!

이운룡 C.S., EYE-LEVEL, FIX

C#31

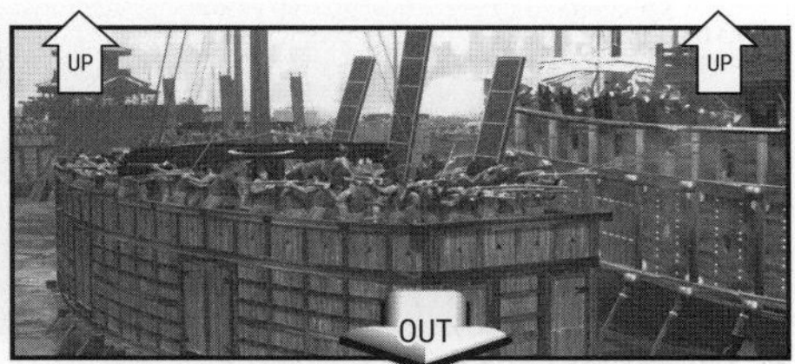

어영담(V.O.) (활을 치켜들며) 줄을 끊어내고

왜선 LS, HIGH ANGLE, PULL BACK & BOOM UP

왜선 F.S. & 어영담함 측면 F.S.

C#32

어영담 화살을 퍼부어라! 어서 이동해야 한다! (0812)

어영담 M.S., SLIGHT LOW ANGLE, FIX

C#33

줄을 끊어내는 조선 수군.

조선 수군 M.S., LOW ANGLE, H.H

C#34

줄을 끊는 조선 수군의 손.
줄 → PAN LEFT → 손 C.U., HIGH ANGLE,, H.H

C#35

줄을 끊는 조선 수군.
화포 바퀴 너머 손 C.U., LOW ANGLE, H.H

C#36

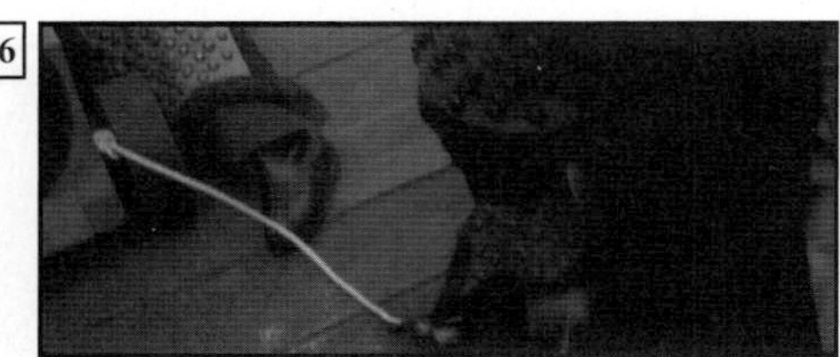

끊어진 갈고리 줄.
손 C.U., HIGH ANGLE, H.H

C#37

사다리를 놓으려는 왜군들.
왜선 & 판옥선 L.S., HIGH ANGLE,
PULL BACK & BOOM UP

왜선 & 판옥선 L.S.

C#38

화살로 응전하는 어영담과 판옥선 후미 병사들.
조선 수군 측면 M.S., LOW ANGLE, TRACK IN

C#39

조선 수군이 쏜 화살에 맞아 쓰러지는 왜병.
왜병 F.S., LOW ANGLE, TRACK IN

C#40

화살로 응전하는 어영담.
어영담 M.S., LOW ANGLE, TRACK IN

C#41

어영담이 쏜 화살에 맞는 왜병.
왜병 L.S., HIGH ANGLE, TRACK IN

C#42

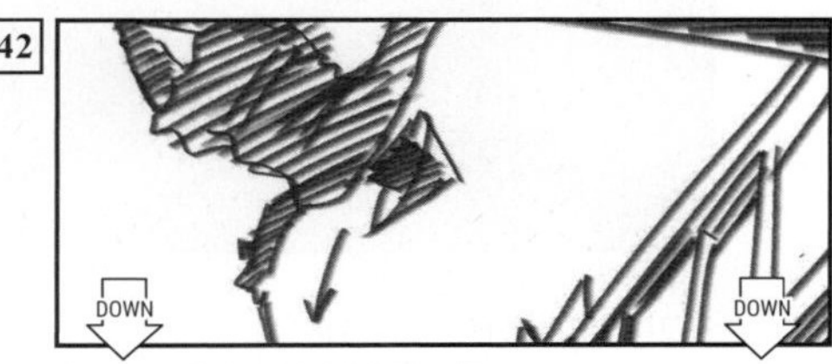

화살에 맞아 아래로 떨어지는 왜병.
왜병 후면 F.S., LOW ANGLE, TILT DOWN

C#43

화살에 맞아 바다로 가라앉는 왜병.
수중, 왜병 후면 F.S., LOW ANGLE, FIX

C#44

월선 사다리들이 놓인다.
조선 수군 너머 왜병들 M.S., EYE-LEVEL, PAN RIGHT

C#45

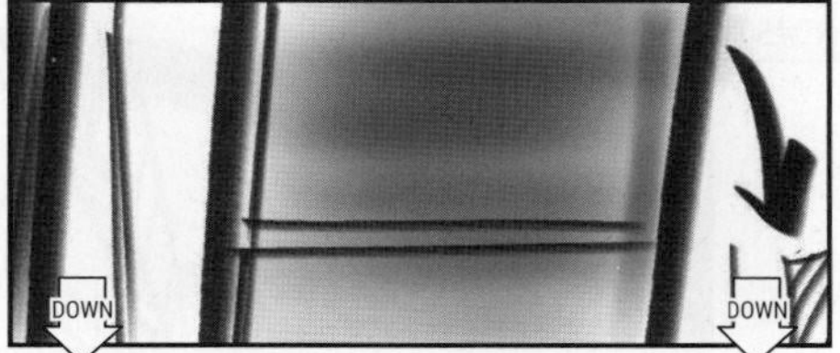

판옥선에 걸쳐진 월선 사다리.
월선 사다리 C.U., LOW ANGLE, TILT DOWN

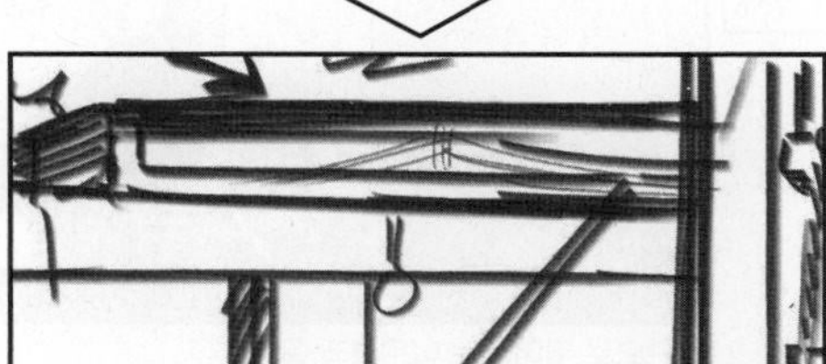

월선 사다리 C.U., EYE-LEVEL

C#46

왜병들을 향해 화살을 쏘는 어영담.
어영담 3/4 M.F.S, SLIGHT LOW ANGLE, TRACK IN

C#47

화살을 쏘는 어영담.
어영담 후면 M.F.S, SLIGHT HIGH ANGLE, H.H

C#48

허억! 활을 쏘던 어영담이 왼쪽 어깨에 총탄을 맞았다!
어영담 정면 B.S., EYE-LEVEL, H.H

C#49

총탄을 맞은 어영담.
어영담 L.S., EYE-LEVEL, FOLLOWING PAN LEFT

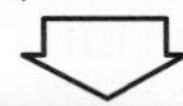

어영담 L.S.

C#50

이운룡 스승님!

이운룡 C.S., SLIGHT LOW ANGLE,
FOLLOWING PAN RIGHT

C#51

월선하는 왜병들.
왜병들 F.S., LOW ANGLE, FOLLWING TRACK RIGHT

C#52

장창을 찌르려는 왜병.
왜병 M.F.S, LOW ANGLE, FOLLOWING PAN, H.H

C#53

조선 수군들을 덮치는 왜병.

조선 수군, 왜병 GROUP SHOT, HIGH ANGLE, FOLLOWING PAN, H.H

C#54

총탄에 맞아 쓰러진 어영담을 부축하는 영담 부장.

영담 부장, 어영담 L.S., HIGH ANGLE, FIX

C#55

총탄을 맞은 어영담을 부축하는 영담 부장.

영담 부장, 어영담 B.S. 2, EYE-LEVEL, FIX

> 어영담-이운룡
> 처연한 눈빛 주고받는 느낌 보강 필요함

C#56

이운룡 (결연히 칼을 빼 들며) 돌격하라!

이운룡 C.S., LOW ANGLE, H.H

이운룡 B.S.

C#57

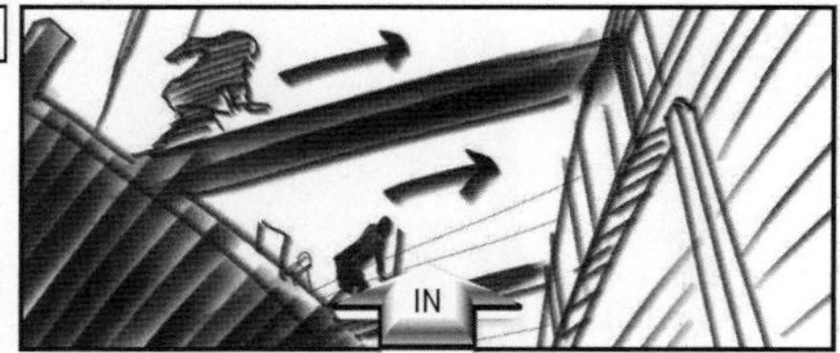

월선하는 왜병들.

왜병들 F.S., LOW ANGLE, PUSH IN & PAN RIGHT

C#58

갑판으로 뛰어가는 이운룡과 운룡 부장.

이운룡 M.F.S, SLIGHT LOW ANGLE, FIX

C#59

와아~~ 판옥선 후미 쪽 갑판, 서로 강하게 맞부딪치는 군사들….

갑판 전경 L.S., HIGH ANGLE, FIX

C#60

어영담 (역시 칼을 빼 들며) 막아서라!

어영담, 영담 부장 M.S., EYE-LEVEL, H.H

69C **S#69** # 견내량 바깥 입구 - 대장선

이순신의 학익진과 와키자카의 어린진 - 구선의 등장 26 CUTS/25 SET-UPS  EXT  DAY  OPEN SET

C#1

CUT TO
운룡의 함대가 싸우고 있는 장면을 보고 있는 순신과 송희립.
이순신, 송희립 너머 함대들 E.L.S,
EYE-LEVEL, BOOM DOWN

S#70B 마지막에 순신 기라졸
영역으로 뛰어나온 이후 상황임

이순신 후면 B.S. & 송희립 후면 M.S.

C#2

송희립 장군! 어 향도와 이 만호가 위험에 처했습니다. 만일 그들이 도착하지 못한다면,

이순신, 송희립 M.S. 2, EYE-LEVEL, FIX, 순신 WALIK IN

C#3

송희립 대사 V.O.
판옥선 L.S., HIGH ANGLE, BOOM UP

C#4

왜선 F.S., HIGH ANGLE, TRACK IN

C#5

송희립 진을 펼친다 한들 진이 온전할 수 없을 것입니다.

이순신 …….

순신, 송희립 B.S. 2, EYE-LEVEL, FOLLOWING PAN LEFT

이순신 ¾ C.L. C.S.

C#6

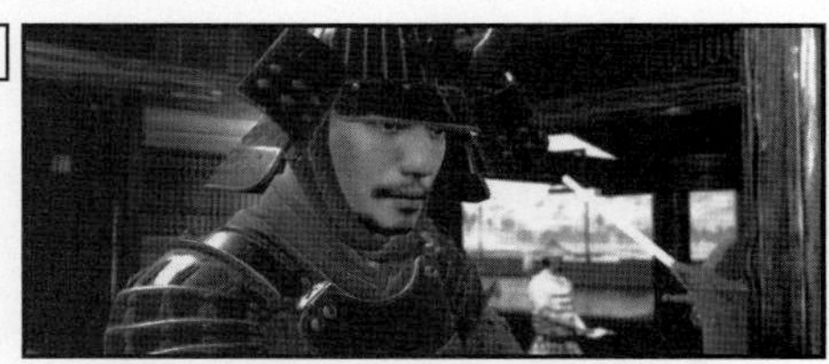

CUT TO
바다를 바라보는 와키자카.
와키자카 ¾ C.R B.S., SLIGHT LOW ANGLE, FIX

C#7

후퇴하는 순신의 좌선과 배들.
이순신 함대 E.L.S, EYE-LEVEL, PULL BACK

C#8

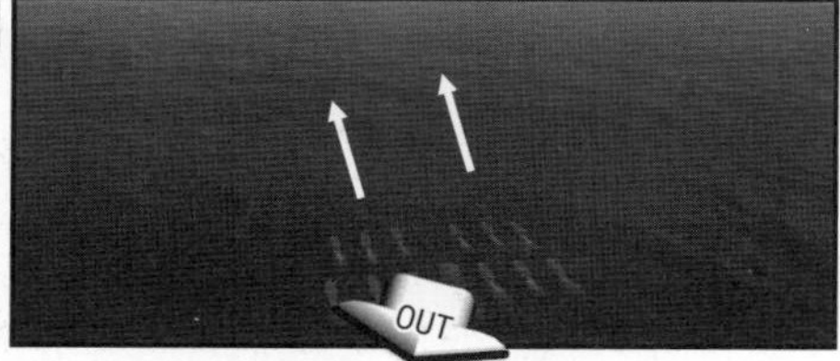

순신의 좌선 쪽으로 다가가는 와키자카 함대.
와키자카 함대 E.L.S, HIGH ANGLE, PULL BACK

와키자카 함대 너머 학익진 E.L.S

C#9

와키자카 (혼잣말) 학익진…. (차갑게) 예상했던 진법 일 뿐.

와키자카 ¾ C.R B.S., SLIGHT LOW ANGLE, FIX

C#10

와키자카 시선 속, 어지럽게 후퇴하던 순신의 좌선과 배들이 점차 반원호를 형성해가는 것이 보인다.
와키자카 P.O.V., 세키부네 너머 이순신 좌선 E.L.S, HIGH ANGLE, PAN LEFT

세키부네 너머 이순신 좌선 E.L.S

C#11

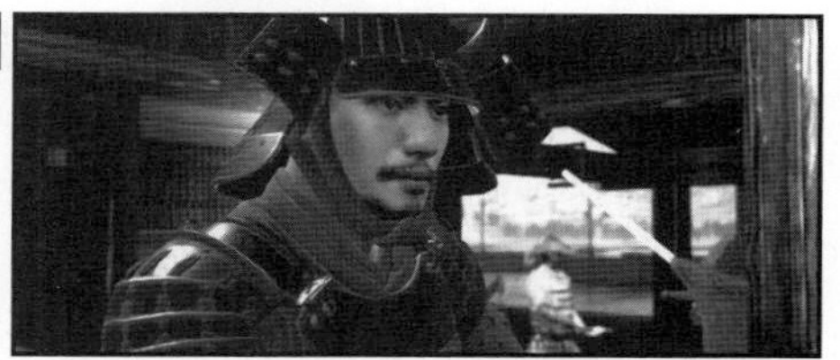

와키자카 따라잡은 적들은 사헤에에게 맡기고 우린 어린진(魚鱗陣)으로 그대로 돌파한다.

[C#6 동일] 와키자카 ¾ C.R B.S., SLIGHT LOW ANGLE, FIX

C#12

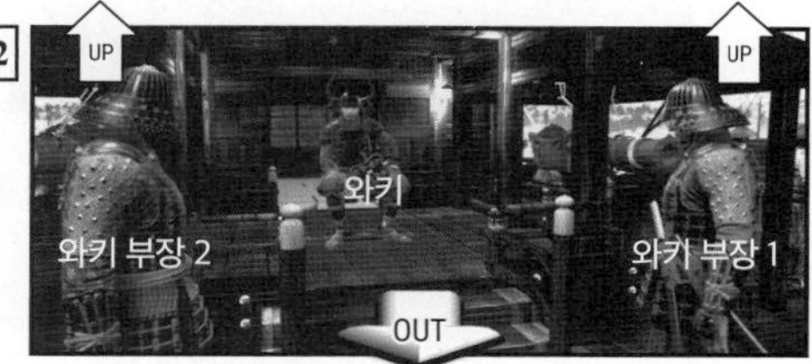

와키 부장 1 엣! 어린진을 펼쳐라!

그러자 '부웅- 부우웅-' 하고 뿔고둥을 부는 왜군 신호병.
와키 부장 1, 2 너머 와키자카 정면 F.S. HIGH ANGLE, PULL BACK & BOOM UP

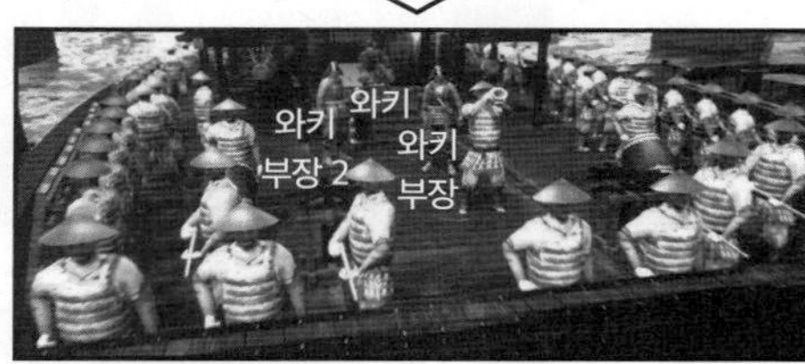

와키자카 안택선 갑판 L.S.

C#13

어린진을 펼치는 함대들.
와키자카 함대 후면 E.L.S, HIGH ANGLE, PUSH IN

와키자카 함대 후면 L.S.

C#14

물고기의 비늘들처럼 화살촉(∧) 형태를 갖추며 편대를 이루기 시작하는 와키자카 본 함대.
와키 함대 너머 판옥선 E.L.S, HIGH ANGLE, PULL BACK & TILT DOWN

어린진 형태 수정 예정

와키자카 어린진 E.L.S

C#15

헌데 갑자기! 와키자카의 눈빛이 뭔가에 꽂혀 심상치 않다.
2시 방향 전방, 무언가에 그의 시선이 잡혀 있는데….
와키자카 ¾ C.R B.S., LOW ANGLE, QUICK ZOOM IN

와키자카 ¾ C.R C.S.

C#16

뒤로 후퇴하며 진을 펼치고 있는 순신의 우측 날개 중앙 쪽이 구멍이 심하다. 어영담과 이운룡 함들이 빠지고 원균이 이끄는 배들 3척마저도 대열에 합류가 지체되어 있어 그 구멍이 커 보이는데….
세키부네 너머 순신 함대 E.L.S, HIGH ANGLE, PAN RIGHT

와키 p.o.v. 이후에
타이트한 p.o.v.를 한 번 더 보여주자.

세키부네 너머 어영담, 이운룡 함대, 사헤에 안택선 L.S.

C#17

CUT TO
사헤에 더욱 어영담과 이운룡 함대를 몰아붙이고 있고,
사헤에 너머 어영담, 이운룡 함대 L.S., HIGH ANGLE, FIX

C#18

어영담과 이운룡 함대를 보다가 와키자카 쪽으로 시선을 돌리는 사헤에.
사헤에 ¾ B.S., EYE-LEVEL, FIX

C#19

와키 부장 (달려와) 선봉의 와타나베 도노께서 본인은 적의 오른쪽 중앙을 돌파하겠다고 전해왔습니다.

대사 추가 - 와키 부장 샷 필요

와키자카 너머 판옥선 L.S., SLIGHT LOW ANGLE,
PAN LEFT & BOOM DOWN & TILT UP

와키자카 (미소지으며) 역시 이심전심이다! 와타나베에게 허락한다 전하라.

추가 - 원균 구멍에 시선 주는 와키자카 얼굴

와키자카 측면 C.S.

C#20

와키자카 (사헤에 쪽을 다시 돌아보며) 사헤에! 놈들이 진에 합류할 수 없도록 꼭 붙들고 있어라!

※C#19~20 대사 0816 추가
와키자카 C.U., LOW ANGLE, FIX

C#21

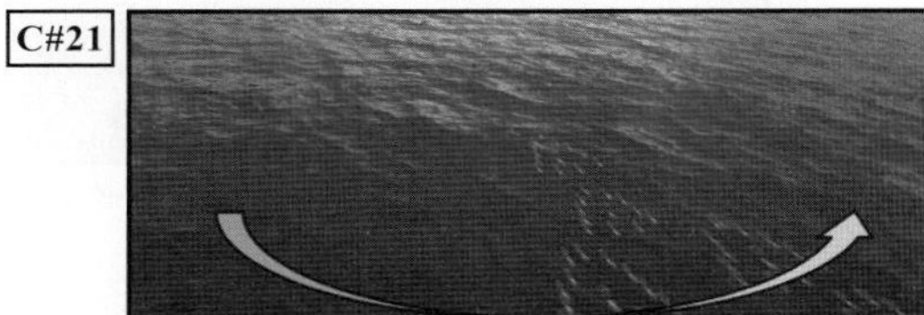

와키자카 대사 V.O.
견내량 전경 E.L.S, HIGH ANGLE, ARC RIGHT

견내량 전경 E.L.S

C#22

와타나베 ~~승리가 눈앞이다!~~

와타 부장 ~~(OFF SCREEN SOUND) 예! 도노!~~

결연히 각오를 다지는 와타나베가 보인다.
와타나베 B.S., EYE-LEVEL, FIX

C#23

커다란 뿔고둥 소리와 함께 어린진의 선두에서 분리되어 사선으로 치고 나가는 와타나베의 함대.
와타나베 함대 L.S., EYE-LEVEL, PUSH IN & ARC RIGHT

와타나베 함대 C.U., LOW ANGLE

C#24

사선으로 치고 나가는 와타나베의 함대.
와타나베 함대 L.S., EYE-LEVEL, QUICK ZOOM OUT

와타나베 함대 E.L.S

화포를 재는 안쪽 병사들 필요

C#25

원균 부장 장군, 저기 보십시오! (VP에 없음)

원 균 (급하다) 뭐하느냐! 어서 함대를 뒤로 물리고

원균, 원균 부장 M.S. 2,
SLIGHT HIGH ANGLE, FOLLOWING PAN RIGHT

원균, 원균 부장 M.S. 2

C#26

원 균 속히 화포를 재어라!

원균 부장 예, 장군!

원균 부장 너머 원균 B.S., EYE-LEVEL, FIX, 원균 부장 F.O.

원균 측면 B.S.

69D

S#69 견내량 바깥 입구 - 대장선

이순신의 학익진과 와키자카의 어린진 - 구선의 등장

26 CUTS/17 SET-UPS

EXT

DAY

OPEN SET

C#1

CUT TO
원균함을 쫓아가고 있는 와타나베 함대.
세키부네 너머 원균함 후면 L.S., HIGH ANGLE, PULL BACK & BOOM UP

와타나베 함대 측면 F.S.

C#2

원균함 뒤를 쫓는 와타나베 함대.
조선 수군 너머 와타나베 함대 정면 E.L.S, HIGH ANGLE, FIX

C#3

화포를 발사하며 후퇴하고 있는 원균함.
선미 화포 F.S., LOW ANGLE, FIX

C#4

원균함, 계속해 화포를 쏘아보지만! 출렁이는 파고 때문에 적선들에게 전혀 타격을 주지 못하는데,
와타나베 함대 정면 L.S., SLIGHT LOW ANGLE, FIX

C#5

원균 함대를 바라보는 이순신과 송희립.
원균함, 와타나베 함대 측면 E.L.S, HIGH ANGLE, PAN LEFT & BOOM DOWN

송희립 & 이순신 후면 M.S.

C#6

이순신 ……!

이순신, 송희립 M.S. 2, EYE-LEVEL, PAN LEFT

이순신, 송희립 B.S. 2

C#7

"퍼버버벙-!" 순신의 시야, 멀리 선미 쪽에서 화포를 발사하며 후퇴하고 있는 원균함이 보인다.

원균함 측면 E.L.S, HIGH ANGLE, PAN RIGHT

와타나베함 측면 E.L.S

C#8

정 운 (분노) 저자가 지금 무슨 짓을 하고있단 말인가!

정운 ¾ C.L. B.S. HIGH ANGLE, FOLLOWING PAN LEFT

C#9

VP에 대사 추가

정 운(V.O.) 명령도 없이 이런 높은 파고에 함부로 포를 퍼붓다니

정운 P.O.V., 원균함 측면 E.L.S, HIGH ANGLE, FIX

C#10

정 운 포격의 기본도 모른단 말인가!

[C#8 동일] 정운 ¾ C.L. B.S., HIGH ANGLE, FIX

C#11

원균 함대를 공격하며 쫓아가는 와타나베 함대.

와타나베 함대 정면 E.L.S, SLIGHT HIGH ANGLE, BOOM DOWN & PUSH IN

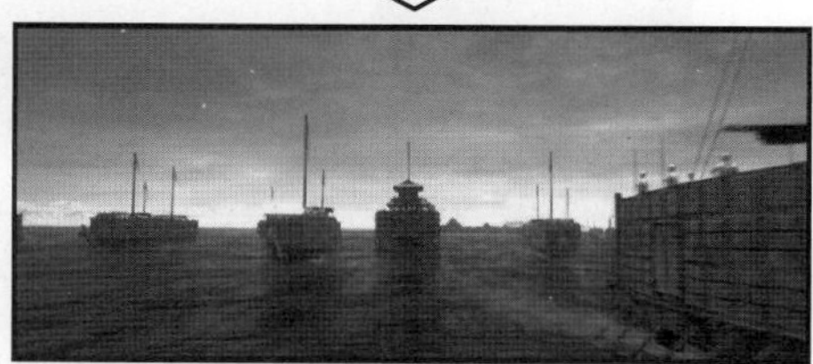

와타나베 함대 정면 L.S.

C#12

와타나베 (냉소만) …….

와타나베 정면 M.F.S, LOW ANGLE, ZOOM IN →
와타나베 정면 M.S.

C#13

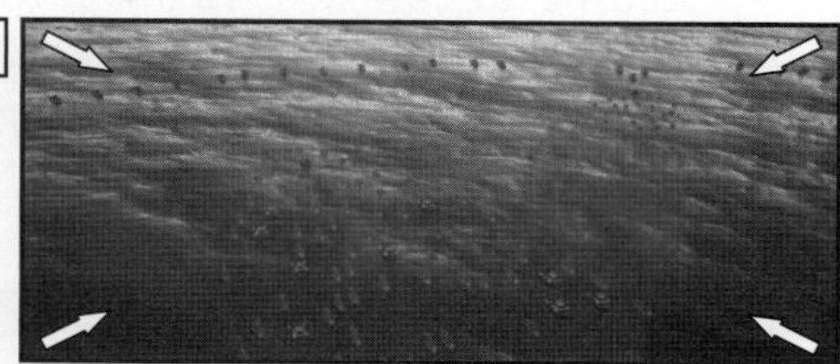

정확히 뒤처진 원균 함대 3척을 향해 가고 있는 25척의 와타나베 선단.

견내량 전경 E.L.S, HIGH ANGLE, QUICK ZOOM IN

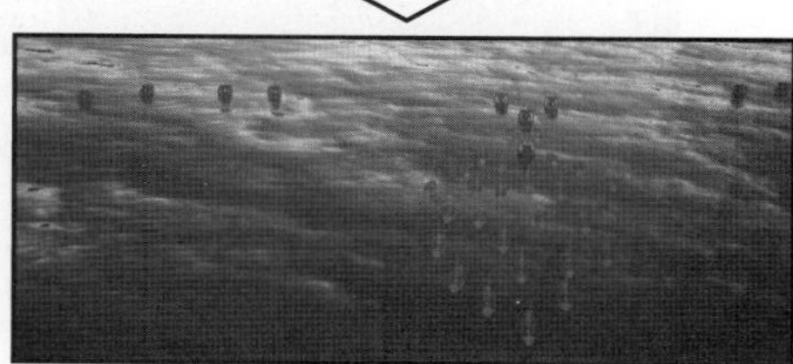

원균 함대 & 와타나베 선단 E.L.S

C#14

뒤쳐진 원균 함대를 쫓아가는 와타나베 함대.

원균 함대 & 와타나베 함대 측면 L.S., EYE-LEVEL, FIX

C#15

CUT TO

와키자카 (차가운 미소) 잡았다.

※"잡았다" 이후 시나리오 상황 (와타나베함 조총병들) & 대사 삭제

와키자카 정면 C.S., SLIGHT LOW ANGLE, FIX

C#16

CUT TO

원균 부장 ~~장군! 적들이 너무 빠릅니다~~.

원 균 ~~그냥 안으로 치고 들어갔어야 했다. (분노해) 이순신 이놈…!~~ (VP에 없음) 화포도 쏘지 않고 뭐한단 말인가!

원균, 원균 부장 후면 M.F.S 2, HIGH ANGLE ,FIX

C#17

원 균 적의 기세에 얼어붙어 버린 것이냐!

원균 부장 ~~(그런 원균에 당혹스러운, 지금 누가 할 소리를 하나는 표정)~~

원균 ¾ C.L. M.S., LOW ANGLE, FIX

C#18

CUT TO

대장선에서 몹시 당황한 송희립이 순신에게….

송희립 장군! 저대로 두면 진 전체가 흐트러져 더 위험해집니다!

※VP에는 대사 순서 C#18 - 19 바뀌어 있음.

이순신, 송희립 후면 B.S., HIGH ANGLE, FIX

C#19

송희립 속히 전 함대에 발포를 명하소서!

희립은 장루 위로 올라와서 대사

이순신, 송희립 M.S. 2, SLIGHT LOW ANGLE

C#20

고개를 돌리는 순신.

추가 - C#20 후 신호 보내는 정운 (지문 '정운이 대장선을 향해 강하게 신호를 보낸다' 살리기)

이순신 측면 C.S. 너머 송희립 B.S.

C#21

적의 본대 역시 맹렬히 좌선이 있는 중앙을 돌파할 듯 치고 들어오는 것이 보인다.

와키자카 함대 정면 E.L.S, HIGH ANGLE, BOOM UP & PULL BACK

와키자카 함대 E.L.S

C#22

한 걸음 앞으로 내딛는 순신.

이순신 측면 C.S., SLIGHT HIGH ANGLE, FIX

C#23

순신의 발포 명령을 재촉하는 송희립.

송희립 어서 함포 사격을 명하소서!

이순신 & 송희립 B.S. 2 SLIGHT LOW ANGLE

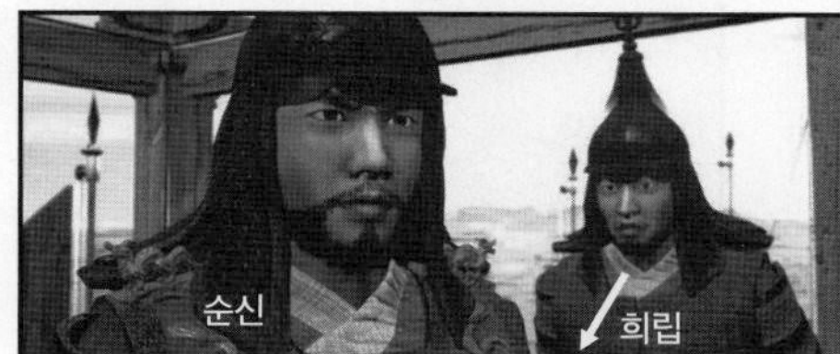

이순신 (꿈쩍하지 않으며) 진을 완성하는 것이 우선이다.

이순신 ¾ C.R C.S.

C#24

송희립 장군! 날개가 뚫리면 그 즉시 앞뒤로 적에게 둘러싸일 것입니다!

더는 대답하지 않는 순신.

송희립 ¾ C.L. C.U., EYE-LEVEL, FIX

C#25

날개 우측 중앙에 위치한 이억기도 다급한 표정,

이억기 (순신을 쳐다보며) 영감. 이젠 공격을 명하소서. 곧 적선들이 우리 함선들에 마구 들러붙을 것입니다.

이억기 ¾ C.R B.S., FOLLOWING PAN

기라졸 영역에서 다급한 얼굴로
뛰어나와서 이순신 함을 쳐다본다. (나레이션)

C#26

이순신 …….

이순신, 송희립 B.S. 2, SLIGHT LOW ANGLE, TRACK IN

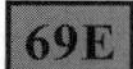

S#69 견내량 바깥 입구 - 대장선

이순신의 학익진과 와키자카의 어린진 - 구선의 등장

22 CUTS/16 SET-UPS 

C#1

CUT TO
의미심장하게 순신 쪽을 바라보는 와키자카….

와키자카 (나직이) 미카다가하라 전투에서, 다케다 신겐이

와키자카 P.O.V. 순신 함대 E.L.S,
HIGH ANGLE, PULL BACK

C#1 타이트 p.o.v.로 수정 (대마이 세키부네들 x)
P.o.v. 단순화. 한눈에 보이게

와키자카 너머 순신 함대 E.L.S

C#2

와키자카 도쿠가와의 학익진을 무너뜨릴 때 신겐은 조총이나 칼로 적을 죽이지 않았다.

와키자카 정면 C.S., SLIGHT LOW ANGLE,
FIX →와키자카 ¾ C.R C.S.

C#3

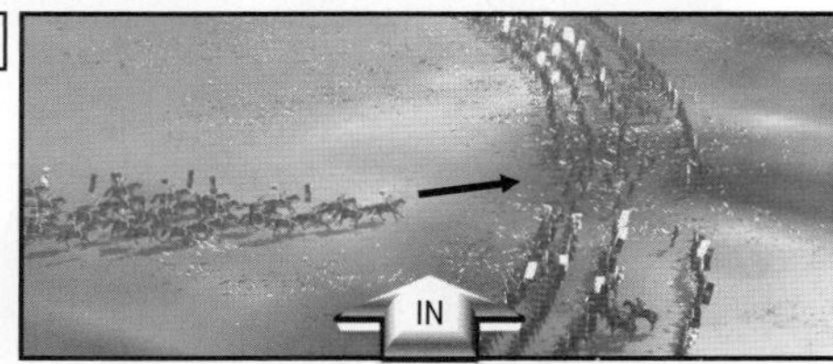

와키자카(V.O.) 기병대의 말발굽으로 밟아 죽였지. 가라. 와타나베!

기병대 E.L.S, HIGH ANGLE, PUSH IN

기병대 E.L.S, HIGH ANGLE, ZOOM OUT

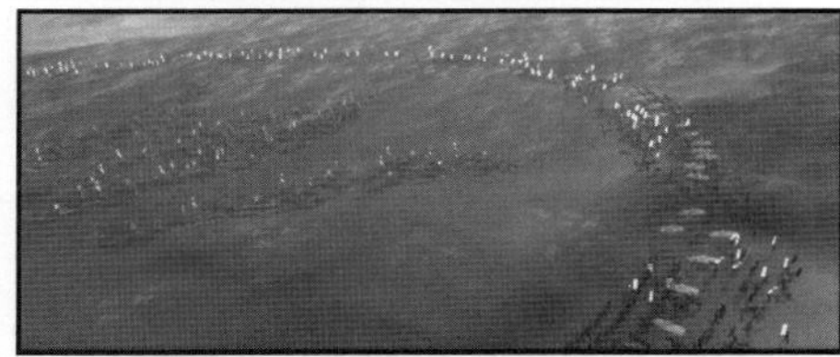

P.o.v. 와키자카 얼굴에서 디졸브 되면서
달려나가는 후면샷 필요

미카다가하라 전투 전경 E.L.S

C#4

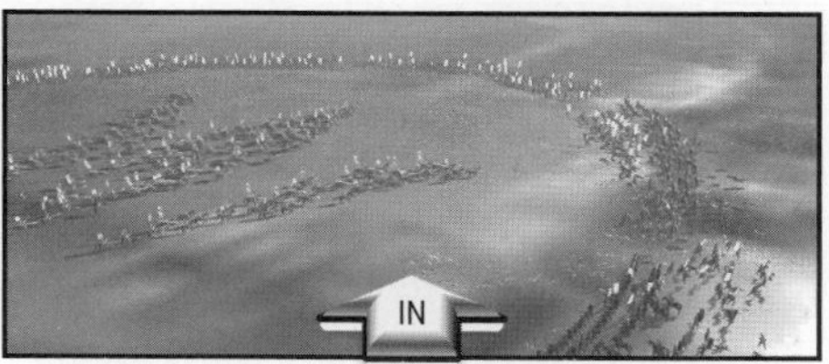

와키자카(V.O.) 나와 함께 앞뒤에서 짓밟아버리는 거다!

말이 어린진과 똑같은 형태여야 함

미카다가하라 전투 - DISSOLVE - 학익진 전경 E.L.S, HIGH ANGLE, PUSH IN

학익진 전경 E.L.S

C#5

와키자카(V.O.) 저 용인 땅 광교산처럼!

학익진- DISSOLVE - 와키자카와 삼총사 M.F.S LOW ANGLE, QUICK ZOOM IN

와키자카 ¾ C.R C.U.

C#6

CUT TO

원균함 바로 앞까지 돌진해 온 와타나베 함대.

와타나베 함대 후면 E.L.S, HIGH ANGLE, PUSH IN & BOOM DOWN

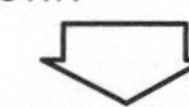

와타나베 함대 후면 L.S.

C#7

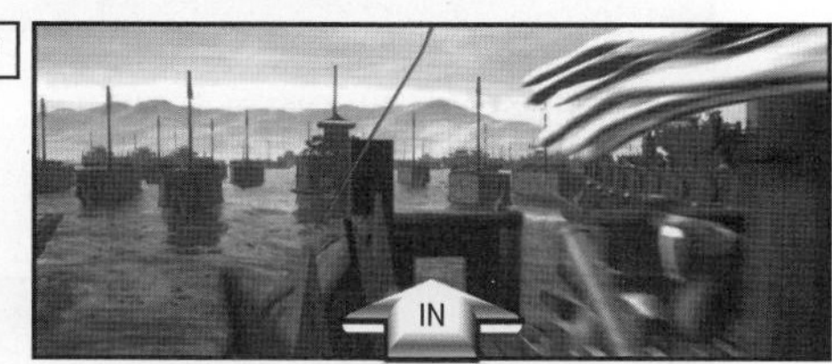

원균 함대를 바짝 뒤쫓고 있는 와타나베 함대.

원균 함대 너머 와타나베 함대 전면 L.S., SLIGHT HIGH ANGLE, PUSH IN

와타나베 함대 전면 F.S.

C#8

와타나베, 원균함들을 보며 갑판 위에서 천천히 칼을 뽑아 들더니. 특유의 차가운 미소,

와타나베 그대로 돌진하라! 너희만 충파를 하는 게 아니다. 이 칠본창 안택선의 위력을 보여주마!

(0611 대사 수정)

와타나베 ¾ C.R C.S., LOW ANGLE, TRACK IN

C#9

와타나베 충파로 적을 뚫고 넘어간다!

(0611 대사 수정)

와타 부장 그대로 돌진하라!

이 이후에 미카다가하라 샷이 나오는 것 고려

와타나베 정면 M.S., LOW ANGLE, PUSH IN

C#10

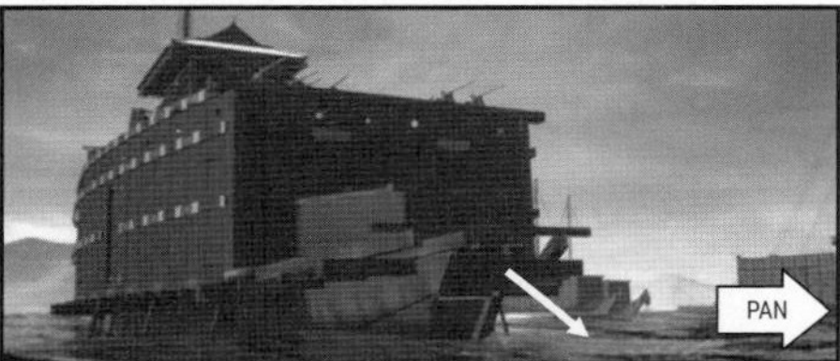

파도를 가르는 와타나베 안택선 앞,
와타나베 안택선 F.S., LOW ANGLE, FOLLOWING PAN RIGHT

와타나베 안택선 너머 원균 함대 후면 L.S.

C#11

원균 함대와 가까워지고 있다.
원균 함대 후면 L.S., EYE-LEVEL, PUSH IN

C#12

나무를 덧대어 견고한 형태로 두른 철판….
뾰족하게 만들어진 선수부가 위압적으로 보인다!
원균 P.O.V., 와타나베 안택선 정면 L.S., EYE-LEVEL, FIX

C#13

원균이 참담하게 쳐다보는데,
원균 ¾ C.L. C.U., HIGH ANGLE, TRACK IN

C#14

가까워지고 있는 원균 함대.
와타나베 너머 원균 함대 후면 L.S., HIGH ANGLE, TRACK IN

와타나베 너머 원균 함대 후면 F.S.

C#15

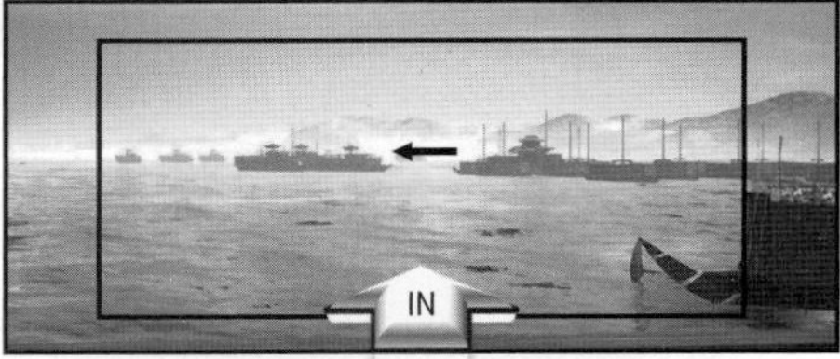

원균 함대 뒤를 바짝 쫓아가는 와타나베 함대.

퀵 줌

원균 함대 & 와타나베 함대 측면 E.L.S, HIGH ANGLE, PUSH IN

C#16

와키자카 (나직이) 학이 날개도 못 펴고 잡아먹히는구나.

와키자카 ¾ C.L. C.S., SLIGHT LOW ANGLE, FIX

C#17

원균 함대를 바라보는 순신.
이순신 ¾ C.L. C.U., LOW ANGLE, FIX

C#18

참담해하는 원균.
원균 C.U., HIGH ANGLE, FIX

C#19

위협적으로 다가오는 와타나베의 안택선.
와타나베 안택선 F.S., LOW ANGLE, BOOM DOWN & TILT UP

선수부 C.U.

C#20

두려워 뒷걸음질치는 원균과 원균 부장.
원균 & 원균 부장 후면 M.F.S 2, HIGH ANGLE, FIX

C#21

조선 수군의 괴멸의 위기가 적나라하게 보이는 그때!
와타나베 정면 M.S., LOW ANGLE, QUICK ZOOM IN

와타나베 정면 B.S.

C#22

두려워하는 원균.
원균 ¾ C.L. C.U., HIGH ANGLE, FIX

S#69 견내량 바깥 입구 - 대장선

이순신의 학익진과 와키자카의 어린진 - 구선의 등장

178 CUTS/137 SET-UPS  EXT  DAY  OPEN SET

C#1

CUT TO

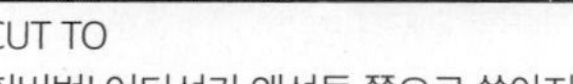

퍼버벙! 어디선가 왜선들 쪽으로 쏟아지는 포탄들.

와타나베 안택선 F.S., SLIGHT HIGH ANGLE, FIX

C#2

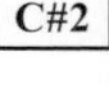

묵직한 화포 소리와 함께 안택선의 장루가 무너져 내리더니,

장루 지붕 F.S., LOW ANGLE, FIX

C#3

포탄이 떨어져 휘청이는 와타나베.

뒤돌아 지붕을 본 뒤, 다시 정면 응시한다.

와타나베 B.S., LOW ANGLE, FIX

C#4

절망적인 원균의 눈이 점점 놀람으로 바뀌어 커지면….

원균 ¾ C.L. C.S., EYE-LEVEL, FIX

C#5

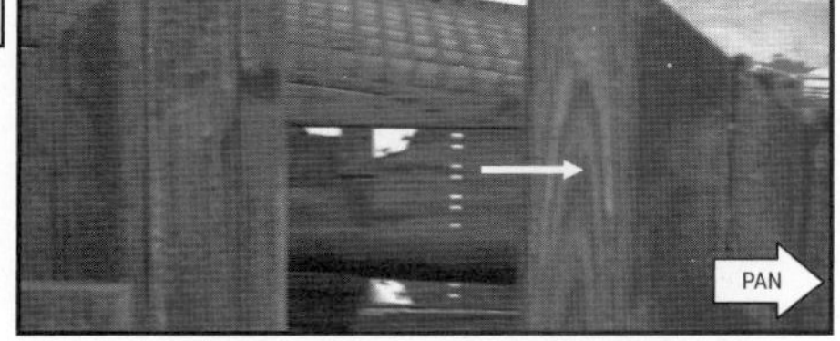

대열에서 이탈한 원균함을 빠르게 지나가는 검은 물체….

장루 너머 검은 물체 M.S., HIGH ANGLE, FOLLOWING PAN RIGHT

C#6

몸을 일으키며 다가가 검은 물체를 바라보는 원균과 원균 부장.

원균, 원균 부장 M.S. 2, HIGH ANGLE, TILT UP

C#7

대열에서 이탈한 원균함을 빠르게 지나가는 검은 물체….

검은 물체 너머 원균, 원균 부장 C.S., SLIGHT LOW ANGLE, FIX

C#8

이순신 …….

이순신 ¾ C.L. C.S., SLIGHT LOW ANGLE, ARC LEFT

C#9

원균 함대 사이로 나아오는 검은 물체.

원균 함대, 와타나베 함대 측면 L.S., HIGH ANGLE, QUICK ZOOM IN → **검은 물체** F.I.

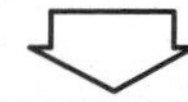

모습을 드러내는 검은 물체.

검은 물체 F.S., EYE-LEVEL

C#10

대열에서 이탈한 원균함을 빠르게 지나가는 검은 물체….
원균 정면 B.S., EYE-LEVEL, PAN RIGHT & RACK FOCUS

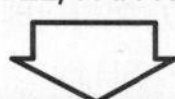

→검은 물체 F.I., 원균 너머 검은 물체 F.S.

C#11

상판에 침못이 촘촘히 박힌 덮개…
검은 물체 M.S., HIGH ANGLE, FOLLOWING PAN LEFT

C#12

구선들이다!
구선들 L.S., HIGH ANGLE,
PUSH IN & BOOM DOWN & TILT UP

구선 L.S.

C#13

와타나베 ?
와타나베 정면 C.U., LOW ANGLE, FIX

C#14

돌진하는 구선.
구선 정면 F.S., LOW ANGLE, FIX

C#15

충돌하는 구선과 와타나베 안택선.
구선 F. I → 구선 & 와타나베 안택선 측면 F.S.,
SLIGHT LOW ANGLE, FIX

C#16

선미 쪽 조총병들이 쓰러진다.
조총병들 M.S., LOW ANGLE, FIX

C#17

충돌로 쓰러지는 와타나베.
와타나베 M.S., SLIGHT LOW ANGLE, FIX

C#18

쓰러지는 와타나베.
와타나베 후면 M.F.S, LOW ANGLE, TILT DOWN →
와타나베 F.O.

C#19

아슬아슬하게 지나가는 구선.
구선 & 세키부네 F.S., HIGH ANGLE

C#20

세키부네 옆을 지나가는 구선.
세키부네 너머 구선 F.S., LOW ANGLE, PUSH IN

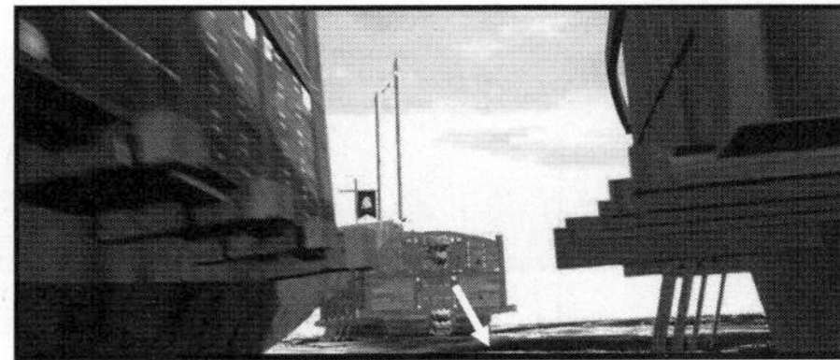

세키부네 너머 또 다른 구선 L.S.

C#21

구선이 돌진해오는 것을 본 와타나베.
와타나베 ¾ C.R C.S., LOW ANGLE, FIX

C#22

그대로 와타나베 안택선을 향해 돌진!
구선 용두 P.O.V., **와타나베 안택선 측면** L.S.,
LOW ANGLE, PUSH IN

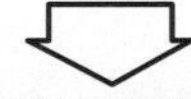

안택선 측면 F.S.

C#23

와타나베가 놀랄 새도 없이 서로 충돌! 와타나베가 흔적도 없이 사라져버린다!
와타나베 너머 구선 용두 F.S.,
LOW ANGLE, FIX → **구선 용두** C.U.

C#24

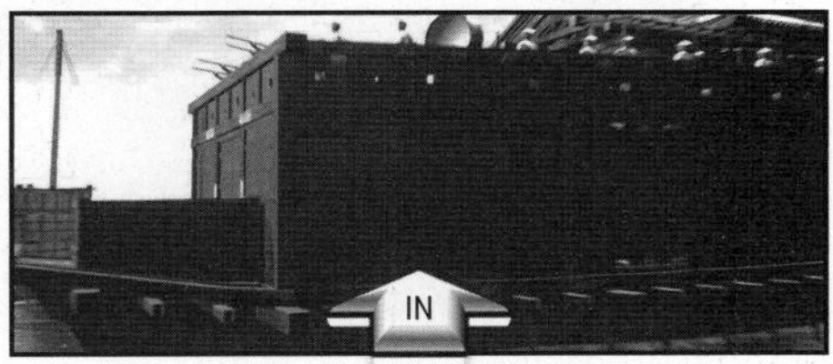

돌진하여 파고드는 구선.
구선 용두 P.O.V., **와타나베 안택선 측면** M.S.,
LOW ANGLE, PUSH IN

부서지는 안택선 측면 갑판 C.U.

C#25

충돌하는 구선과 와타나베 안택선.

와타나베 안택선 너머 구선 F.S., LOW ANGLE, FIX

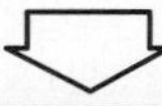

구선 전면 C.U.

C#26

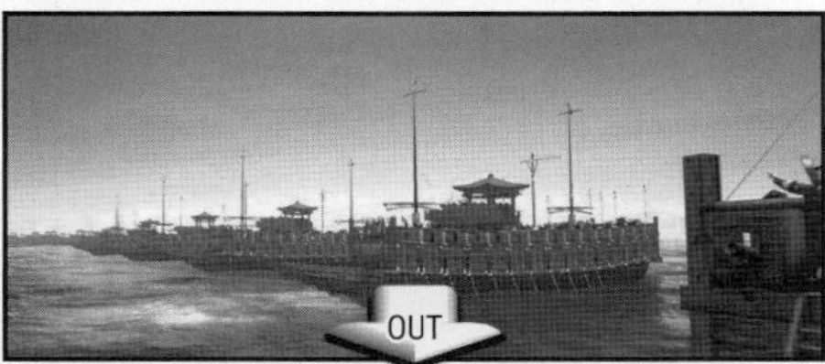

와아아아! 모든 판옥선들에서 일제히 함성들이 터져 나오는데, 사기충전한 조선 장졸들.

판옥 함대 E.L.S, HIGH ANGLE, PULL BACK

판옥 함대 E.L.S

C#27

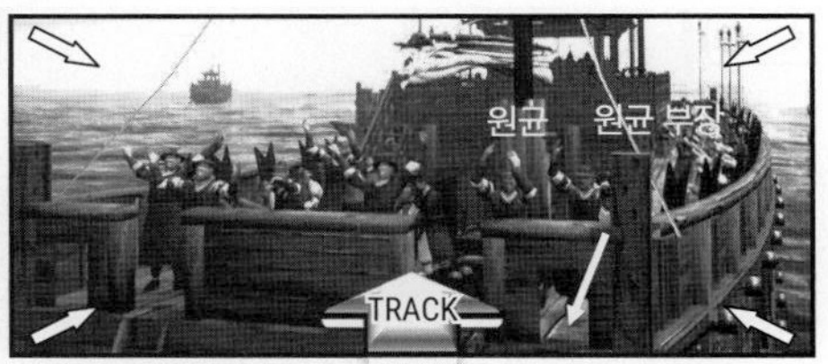

기뻐하는 원균 함대 수군들.

원균 함대 수군들 F.S., SLIGHT HIGH ANGLE, TRACK IN & QUICK ZOOM IN

원균이 놀라고,

원균, 원균 부장 정면 M.S. 2

C#28

정운과 장수들이 놀란다.

정운 ¾ , 정운 부장 B.S. 2 LOW ANGLE, FIX

C#29

이억기 역시 놀라는데,

추가 - 29다음 4장수 리액션
정운(C#28), 권준, 김완, 신호

이억기 정면 B.S., LOW ANGLE, TRACK IN

C#30

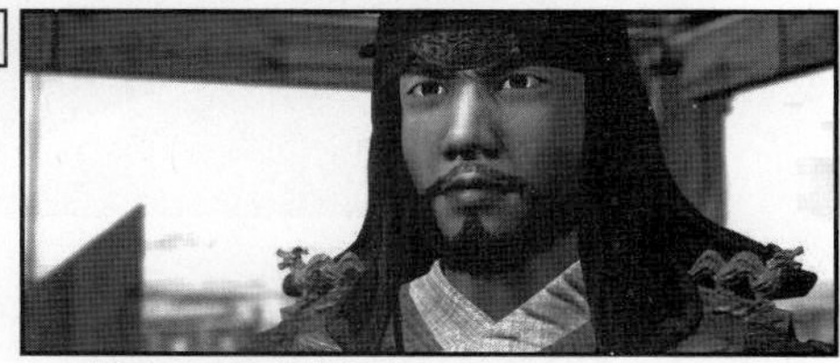

이순신 (무표정하게 쳐다보고) …….

이순신 ¾ C.L. C.U., EYE-LEVEL, FIX

C#31

구선과 충돌하는 와타나베 안택선.

구선 측면 L.S., EYE-LEVEL, FOLLOWING TRACK RIGHT

구선 측면 L.S.

C#32

와키자카 ! ~~베쿠라부네…~~.(※VP에만 있음)

와키자카 ¾ C.R C.U., EYE-LEVEL, FIX

C#33

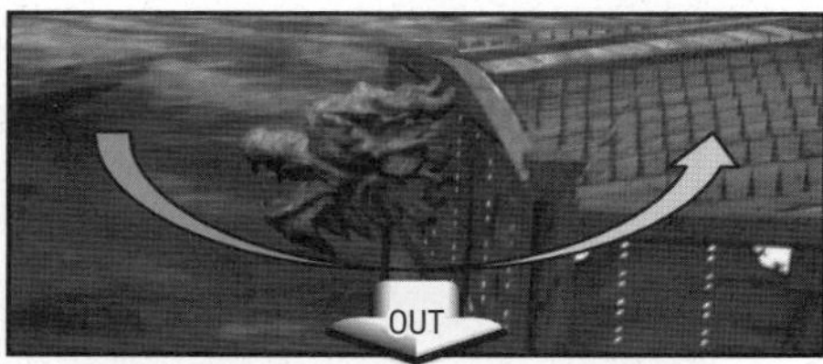

와타나베 함대 한복판에 더 파고 들어가는 구선들….

구선 용두 측면 C.U., HIGH ANGLE,

ARC RIGHT & BOOM UP & PULL BACK

또 다른 구선 너머 구선 L.S.

C#34

갑판 난간으로 달려와 구선 지붕을 향해 커다란 조총, 댓뽀를 발사하는 왜병들.

하지만 단단한 구선 뚜껑에 막혀 아무런 피해도 주지 못한다.

왜병들 너머 구선 전면 L.S., EYE-LEVEL, FIX

C#35

다시 사방의 포문을 열곤 왜선들을 향해 화포들을 쏜다!

구선 & 와타나베 함대 L.S., HIGH ANGLE, QUICK ZOOM IN

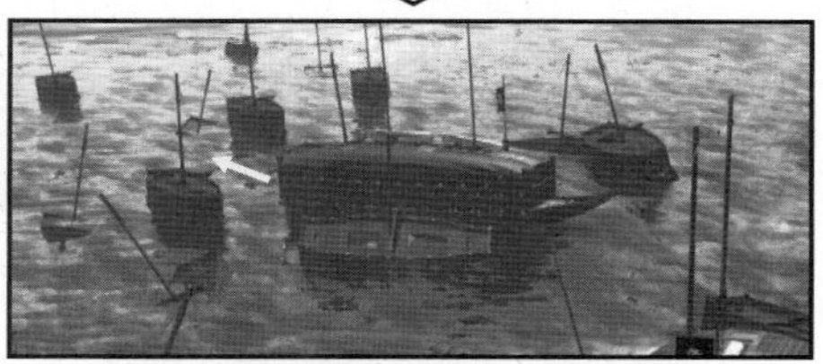

세키부네 타이트한 컷들 필요

구선 측면 F.S.

C#36

일제히 무너지는 왜선들!

왜선들 전경 L.S., HIGH ANGLE

C#37

포탄을 맞는 왜군들.

왜 격군실 내부 L.S., HIGH ANGLE, FIX

C#38

포탄을 맞아 뒤로 튕겨 나가는 왜군들.
왜군들 측면 M.F.S, EYE-LEVEL, FIX

C#39

구멍 난 뱃전으로 쏟아지는 바닷물을 맞는 왜군들.
왜군들 후면 F.S., LOW ANGLE, TRACK IN

C#40

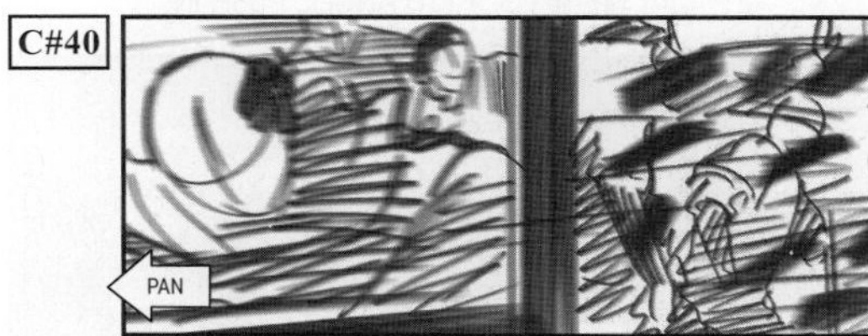

폭발로 날아가는 왜군들.
왜군들 측면 F.S., EYE-LEVEL, PAN LEFT

C#41

세키부네들 너머 구선 L.S., HIGH ANGLE

C#42

왜군들 너머 구선 F.S., TRACK IN

C#43

쓰러진 와타나베가 다시 일어난다.
와타나베 후면 M.S., FOLLOWING TRACK

와타나베 너머 구선들 L.S.

C#44

와타 부장 댓뽀, 댓뽀를 가져와라!

와타나베 측면이 약점이다! 그 곳을 정확히 노린다!

(0812 추가)

구선 너머 왜선들 F.S., HIGH ANGLE, PUSH IN

와타나베가 와타 부장과 함께
댓뽀를 가지고 쏘려고 하는데 뒤에서 들이받는다.

구선 너머 세키부네들 L.S.

C#45

와타나베 안택선을 들이받는 신형 구선.
와타나베 안택선 F.S.

안택선 너머 신형 구선 F.S.

C#46

박살 나는 와타나베 안택선.
와타나베 안택선 & 신형 구선 L.S.

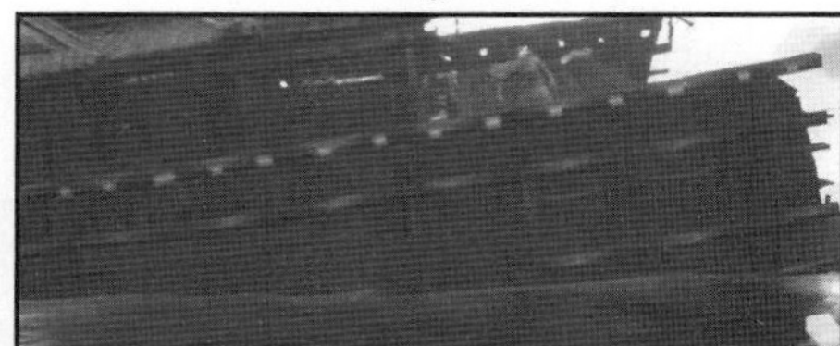

신형 구선 다가오며 F.S.

C#47

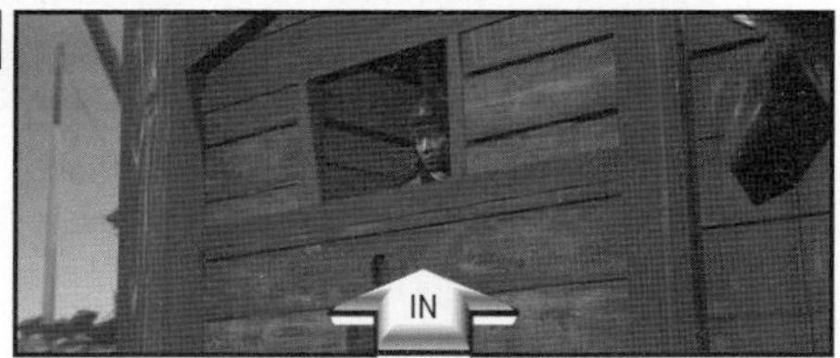

발포를 명령하는 나대용.
구선 안 나대용 M.F.S, TRACK IN

C#48

화포를 쏘는 구선.
구선 너머 왜선들 L.S., HIGH ANGLE, PUSH IN

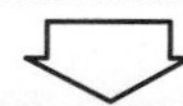

무너지는 왜선들.
구선 너머 왜선들 F.S., HIGH ANGLE, PUSH IN

C#49

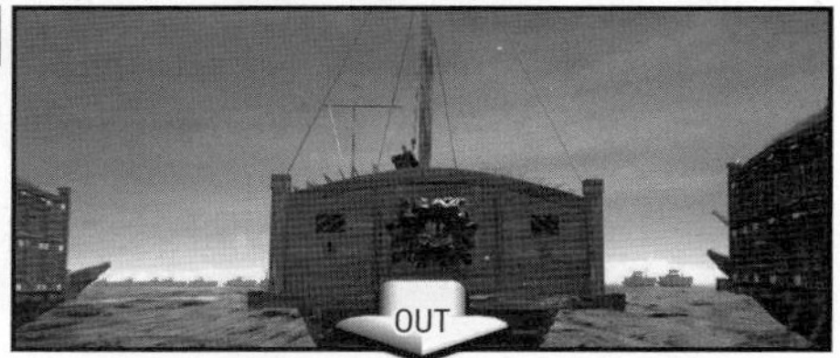

바로 순천부 신형 구선이 온전히 그 모습을 드러낸다. 총3척의 구선들.
신형 구선 정면 F.S., LOW ANGLE, PULL BACK

세키부네 너머 구선 3척 정면 L.S.

C#50

포연 속… 2척의 구형 구선을 사이를 다시 뚫고 나오는 낮고 매끈한 2층형 구조의 철갑 신형 구선 한 척.

구선 갑판 F.S. EYE-LEVEL, PULL BACK

신형 구선 F.S.

C#51

CUT TO

순천부 신형은 사헤에 쪽을 향하고, 구형 구선 2척은 순신의 좌선 쪽으로 돌진하고 있는 자신의 본대 오른쪽 측면으로 나란히 치고 들어오는 것이 보인다.

구선들 L.S., HIGH ANGLE, PULL BACK

추가 - 51 전 나대용 얼굴 타이트 추가 - 나대용 p.o.v. 어영담 이운룡 전투 상황

구선들 L.S.

C#52

구형 구선 2척은 순신의 좌선 쪽으로 돌진하고 있는 자신의 본대 오른쪽 측면으로 나란히 치고 들어오고 있다.

안택선 너머 구선 L.S., HIGH ANGLE, PULL BACK

안택선 너머 구선 L.S.

C#53

와키자카의 시선 속, 순천부 신형과 구형 구선 2척이 방향을 달리하는 게 보인다.

와키자카 너머 구선 E.L.S, HIGH ANGLE, FIX

C#54

와키자카 (차갑게) 메쿠라부네….

와키자카 ¾ C.L. C.U., EYE-LEVEL, FIX

C#55

퍼버벙! 와키자카 본대 측면에 어린진 한 편대가 무너진다.
구선 너머 어린진 E.L.S, HIGH ANGLE,
PUSH IN & boom DOWN

구선 너머 어린진 F.S.

C#56

바깥 상황을 보는 이기남.
이기남 M.F.S, LOW ANGLE, PUSH IN

C#57

어린진을 공격하는 구선들.
세키부네 너머 구선 L.S., EYE-LEVEL, FIX

C#58

곧바로 와키자카 본함을 노리며 3층 구선의 선수에서 다시 화포들이 발사된다. 이내 포탄들이 선체를 때리는데 철판으로 보강한 선체가 버텨낸다.
안택선, 세키부네들 측면 L.S., LOW ANGLE, PUSH IN

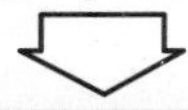

추가 - 철갑 타이트컷
추가 - 공격받는 왜군들 타이트컷들

안택선 & 세키부네들 측면 F.S.

C#59

그러자 후미 쪽으로 돌아 들어가는 구형 구선들.
그런 구선들을 쳐다보던 와키자카.
와키자카 너머 구형 구선들 L.S., SLIGHT LOW ANGLE, FIX

C#60

이기남 적들이 빠르게 지나간다. 노를 더 저어라.
이기남 너머 안택선 L.S., EYE-LEVEL, FIX

C#61

이기남 우현으로 어서 배를 돌려라! 우현!

이기남 측면 B.S., LOW ANGLE, FOLLOWING PAN RIGHT

추가1 - 이기남)측면 타이트
*대사 추가
"저놈은 철판으로 덧대고 있어 부수기가 용이치 않구나. 좌현으로 틀어 저놈 후미로 간다!"
추가2 - 격군실 노젓는 격군들
추가3 - 방향 트는 배 외부 샷

이후 → c#62로 이어진다.

C#62

와키자카 (옅은 미소) 느리다. 역시 메쿠라부네(장님 배)는 메쿠라부네(장님 배)일 뿐!

₩와키자카 C.U., EYE-LEVEL, FOLLOWING PAN RIGHT

C#63

와키자카, 이제 순신의 함대 왼쪽 날개가 완성되어가는 것을 보며,

와키자카 (OFF SCREEN SOUND) 함대는 그대로 돌진한다!

와키자카 P.O.V., 왜군 너머 이순신 함대 E.L.S, EYE-LEVEL, PAN RIGHT

왜군 너머 이순신 함대 E.L.S

C#64

와키자카 전 함대에 전하라!

와키 부장 2 (OFF SCREEN SOUND) 예! 도노!

와키자카 ¾ C.R M.S., EYE-LEVEL, FIX

C#65

이내 들리는 뿔고둥 소리. 와키자카가 부장 1에게 외친다.

와키자카 (일어서며) ~~후미 블랑기포로 가자! 저놈들은 내가 직접 잡는다!~~ 아니다. 저놈은 내가 직접 잡는다. 후미 블랑기포로 가자!

(0812 수정)

와키자카 후면 M.S., EYE-LEVEL, FIX

C#66

블랑기포로 가는 와키자카.
와키자카 ¾ C.R M.S., LOW ANGLE, FIX → 와키자카 F.O.

C#67

후미로 향하는 와키자카.
안택선 갑판 L.S., HIGH ANGLE, PUSH IN

C#68

와키자카가 구선들에 블랑기포를 직접 겨누고 있다.
포수 1명이 포열 지지대로 포 앞쪽을 붙들고,
포수 1명이 탄창을 장전하고 횃불을 치켜들면,
와키자카 후면 M.F.S, EYE-LEVEL, FOLLOWING TRACK

C#69

와키자카 (OFF SCREEN SOUND) 분명 선회하려 들 거다.

와키자카 P.O.V., 블랑기포 너머 구선 L.S., FIX

C#70

와키자카 그때 측면을 노린다.

블랑기포 너머 와키자카 ¾ C.L. B.S.,
SLIGHT LOW ANGLE, TRACK IN

C#71

흔들리는 블랑기포 조준자 사이… 과연 구선들이 일제히 선회한다.
조준자 사이 구선의 측면,
와키자카 P.O.V., 블랑기포 조준자 너머 구선 L.S.,
SLIGHT HIGH ANGLE, PAN RIGHT

C#72

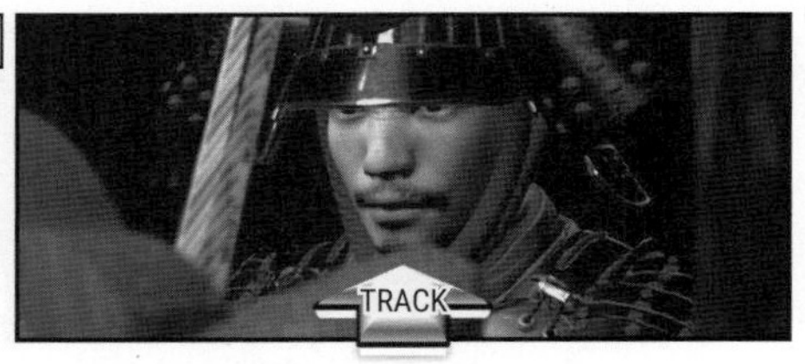

와키자카 (나직이) 맞아라.

와키자카 ¾ C.L. C.U., LOW ANGLE, TRACK IN

C#73

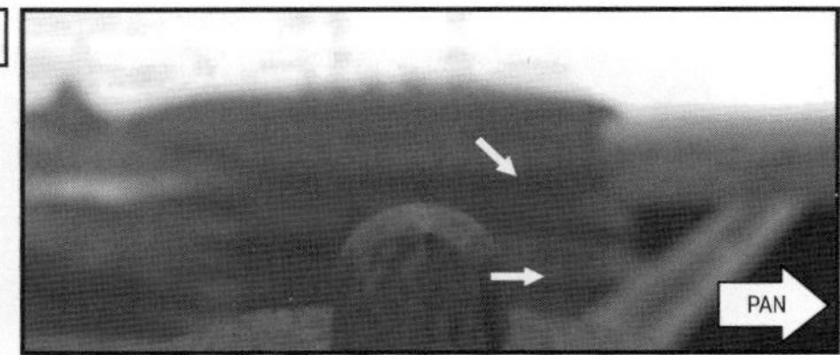

와키자카 (OFF SCREEN SOUND) 메쿠라부네야.

와키자카 P.O.V., 블랑기포 너머 구선 측면 L.S.,
PAN RIGHT, FOCUS 블랑기포 조준자

→ FOCUS 구선

C#74

와키자카 (OFF SCREEN SOUND) 발포!

퍼엉! 블랑기포가 마침내 발사된다.
블랑기포 측면 M.S., LOW ANGLE, FIX

C#75

발사되는 블랑기포.
블랑기포 너머 구선 L.S., EYE-LEVEL, FIX

C#76

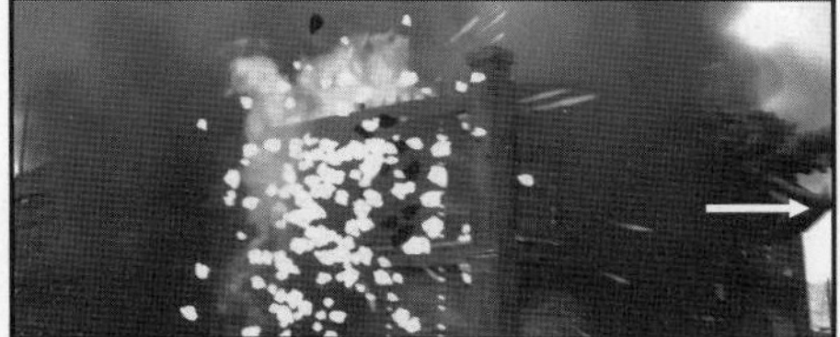

층 구선 측면 선체에 박히는 블랑기포!
구선이 잠시 후 연기를 내뿜으며 기우뚱…
속도가 현저히 느려진다.
구선 측면 선체 F.S., LOW ANGLE, FIX

C#77

와키자카 (반색) 먹힌다! 우측 화포도 발포하라!

왜병 너머 와키자카, 와키자카 부장 2 M.F.S 2, HIGH ANGLE, FIX

C#78

와키 부장 2 우측 화포 발포하라!

갑판 L.S., HIGH ANGLE, FIX

C#79

구선을 조준하는 블랑기포.
화포수 P.O.V., 블랑기포 너머 구선 L.S., PAN RIGHT

C#80

우측 후미포가 구선에 다시 한번 발포하자
블랑기포 측면 M.S., LOW ANGLE, FIX

C#81

구선을 조준하여 발포하는 블랑기포.
블랑기포 너머 구선 L.S., HIGH ANGLE, FIX

C#82

구선의 측면이 와해되며 완전히 기동을 멈춘다.
구선 측면 F.S., LOW ANGLE, FIX

C#83

우측 블랑기포수들의 환호성!
블랑기포수 GROUP SHOT, EYE-LEVEL, FIX

C#84

그때 '퍼버벙!' 순식간에 부서지는 와키자카의 안택선의 누각!
누각 F.S., LOW ANGLE, FIX

C#85

동시에 환호하던 우측 블랑기포수들이 쓰러진다.

추가 - 85컷 후 와키자카 놀라서 돌아보는 얼굴

안택선 누각 측면 F.S., SLIGHT LOW ANGLE, FIX

C#86

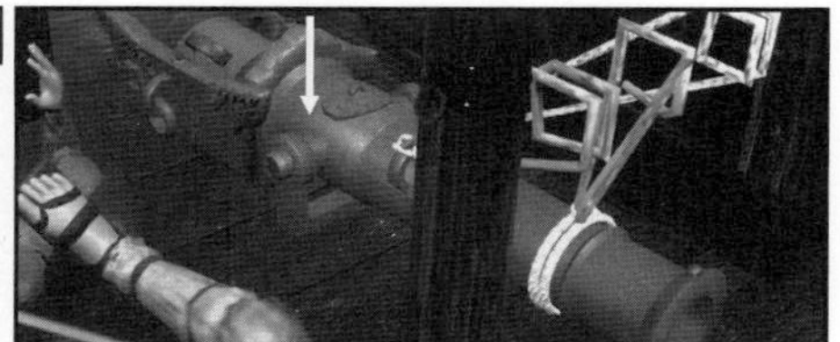

포와 투구들만 갑판 위에 나뒹구는데….
블랑기포 F.I. → 블랑기포 C.U., HIGH ANGLE, FIX

C#87

선회한 또 다른 3층 구선의 등장.
구선 M.S., LOW ANGLE, 3층 구선 F.I. →
FOLLOWING TRACK RIGHT

구선 너머 또 다른 구선 측면 M.S.

C#88

달려 나오는 와키자카.
와키자카, 블랑포수 M.S. LOW ANGLE, FIX

C#89

또 다른 3층 구선을 보는 와키자카.
와키자카 ¾ C.L. B.S., LOW ANGLE, FIX

C#90

이미 선회한 또 다른 3층 구선이 포연을 내뿜으며 와키자카의 안택선 측면으로 붙었다.
퍼버벙! 다시 발포하는 구선의 화포들… 좌측 편대의 세키부네들이 부서져나간다.
와키자카 너머 구선과 세키부네들 L.S., HIGH ANGLE, FIX

C#91

블랑포수 (OFF SCREEN SOUND) (난색) 도노! 메쿠라부네가 우리 화포가

와키자카 ¾ C.R B.S., LOW ANGLE, FIX

C#92

블랑포수 (OFF SCREEN SOUND) 측면 공격이 불가하다는 것을 알고 옆으로 기동하고 있습니다.

와키자카 P.O.V., 구선 측면 F.S., HIGH ANGLE, PAN RIGHT

C#93

와키자카 메쿠라부네….

[C#86 동일] 와키자카 ¾ C.R B.S., LOW ANGLE, FIX

C#94

안택선에서 마구 댓뽀와 조총을 쏘아보지만 소용이 없고….
와키자카 너머 구선 L.S., HIGH ANGLE, FIX

C#95

와키자카 (뭔가 생각난 듯) 준사 그놈이 감히 나를….

와키자카 ¾ C.R C.U., LOW ANGLE, FIX

C#96

와키자카, 이제 눈앞에 자신을 지그시 쳐다보는 순신이 또렷이 보인다.

와키자카 후면 B.S., EYE-LEVEL, ZOOM IN

와키자카 이순신… 이게 너의 최종 수였느냐….

와키자카 ¾ C.R C.U.

C#97

이순신 …….

이순신 ¾ C.L. C.S., EYE-LEVEL,H.H

C#98

이내 와키자카의 안택선 측면으로 더욱 과감히 접근해 들어오는 3층 구선.

구선 너머 안택선 F.S., HIGH ANGLE, FIX

C#99

더욱 과감히 접근해 들어오는 3층 구선.

와키자카 ¾ C.R C.U., EYE-LEVEL,
PAN LEFT & FOLLOWING TILT

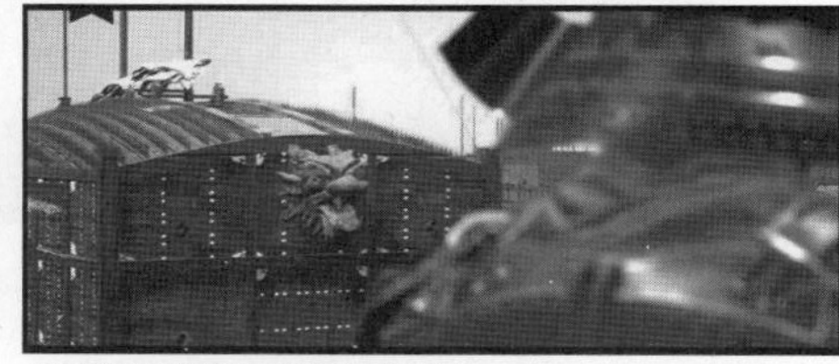

와키자카 고개를 돌리면 구선 F.I.,

와키자카 너머 구선 M.S., RACK FOCUS 구선

C#100

안택선 측면으로 붙는 구선.

구선 & 안택선 측면 M.S., HIGH ANGLE, PUSH IN

C#101

안택선 측면으로 붙는 구선.

침못 너머 안택선 F.S., HIGH ANGLE, PAN RIGHT

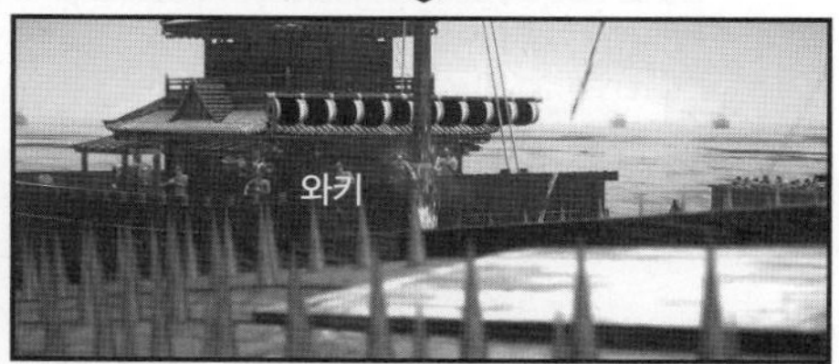

침못 너머 안택선 갑판 F.S.

C#102

다가오는 구선을 바라보는 와키자카.

와키자카 정면 C.S., EYE-LEVEL, FIX

C#103

이때 갑자기 다가오던 3층 구선 측면이 박살 났다.

추가 - 화포 쏘는 타이트 근접샷 필요

와키자카 너머 구선 F.S., HIGH ANGLE, FIX

C#104

와키자카 !

와키 부장 2 도노! 저기 보십시오!

와키자카의 부장이 놀라며 소리친다.

와키자카 M.S., SLIGHT LOW ANGLE, PUSH IN

와키자카 ¾ C.R B.S.

C#105

와키자카 (나직이) 사헤에?

놀랍게도 사헤에의 안택선이 다가오며 포를 쏘았다.

그 옆에 세키부네 대여섯 척이 따르고 있고,

와키자카 P.O.V., 사헤에 함대 L.S.,

SLIGHT HIGH ANGLE, QUICK PAN RIGHT

구선 측면에 포탄이 날아든다.

구선 F.S.

C#106

사헤에 안택선이 쏜 포탄을 맞는 조선 병사들.

구선 격군들 후면 F.S., LOW ANGLE, FIX

C#107

쓰러지는 격군들.

구선 격군들 측면 F.S., LOW ANGLE, FIX

C#108

연이어 어디선가 날아온 포를 얻어맞으며 기우뚱!
멈춰 서는데,
구선 F.S., SLIGHT HIGH ANGLE, PAN LEFT

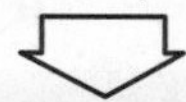

구선 너머 세키부네들 F.S.

C#109

사헤에의 안택선을 바라보는 와키자카.
와키자카 너머 사헤에 안택선 L.S., EYE-LEVEL,

C#110

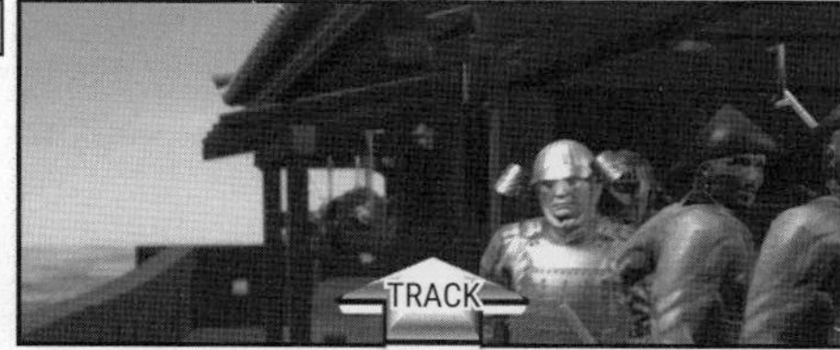

걸어 나오는 사헤에.
사헤에 M.S., EYE-LEVEL, TRACK IN

사헤에 B.S., SLIGHT LOW ANGLE

C#111

와키자카 사헤에… (감동한) 역시 나의 조카다.
와키자카 ¾ C.R C.U., SLIGHT LOW ANGLE, FIX

C#112

와키자카 (이내) 두고 봐라 이순신. 메쿠라부네는
와키자카 너머 사헤에 함대 E.L.S, EYE-LEVEL,
QUICK PAN RIGHT

구선 & 세키부네 L.S.

C#113

와키자카 이제 도리어 너의 약점이 될 것이다.
와키자카 ¾ C.R B.S., LOW ANGLE, FIX

추가 - 조선군 싸늘한 반응샷

C#114

쓰러진 격군들 사이 조선 병사들이 우왕좌왕하는 게 보인다.
이기남이 소리치고 있다.
이기남 ¾ B.S., LOW ANGLE, TRACK LEFT & PAN LEFT

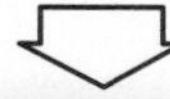

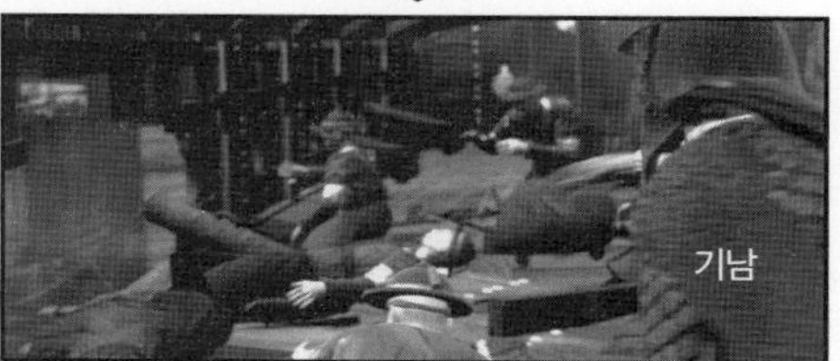

-편집 순서 변경
포 맞고 나서 (c#107~108)
격군실 → 와키 상황

이기남 너머 병사들 F.S.

C#115

구선 측면 내부, 격군들이 무수히 쓰러진다.
구선 측면 F.S., HIGH ANGLE, FIX

C#116

쓰러지는 조선 병사들.
구선 측면 M.S., HIGH ANGLE, FIX

C#117

멈춰선 구선에는 빠르게 본대의 세키부네들이 달라붙어 일제히 조총을 사격을 가한다.
조선 병사들 너머 세키부네 F.S., SLIGHT LOW ANGLE, FIX

C#118

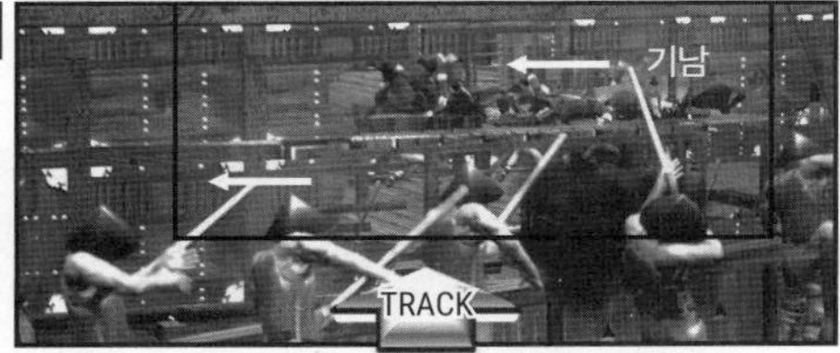

총에 맞아 쓰러지는 조선 병사들 사이로 이기남이 다가와 총에 맞는다.
구선 측면 내부 F.S., HIGH ANGLE, TRACK IN → 이기남 F.I.

C#119

이기남도 마침내 쓰러진다.
이기남 측면 B.S., LOW ANGLE, TILT DOWN

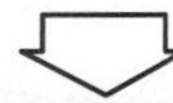

추가 - 이기남 어깨 맞아서 고통스러워하는 얼굴 필요

이기남 M.S.

C#120

사헤에의 안택선과 부서진 구선.
사헤에 안택선 & 구선 L.S., EYE-LEVEL, FIX

C#121

판옥선 너머 사헤에의 안택선이 다가오는 것이 보인다.
장졸들 너머 안택선 & 구선 E.L.S, HIGH ANGLE, FIX

C#122

지켜보던 판옥선에 장졸들이 이번엔 모두 얼어붙는데,
장졸들 M.S. 3, EYE-LEVEL, FIX

C#123

이순신 …….

이순신 정면 C.S., EYE-LEVEL, FIX → 이순신 ¾ C.R C.S.

C#124

포탄 소리에 돌아보는 와키자카.

와키자카 측면 M.S., EYE-LEVEL, FIX →와키자카 후면 M.S.

C#125

와키자카의 시선, 사헤에의 안택선 장루가 갑자기 부서져나간다.

와키자카 P.O.V., 사헤에의 안택선 정면 E.L.S, HIGH ANGLE, QUICK ZOOM IN

와키자카 더 돌아보면, 뒤에서 순천부 2층 신형 구선이 파고에 잠길 듯 낮게 사헤에의 배로 돌진해오고 있다.

세키부네 너머 신형 구선 L.S.

C#126

와키자카 (혼잣말) 저놈은 선체가 낮아

와키자카 P.O.V., 신형 구선 L.S., EYE-LEVEL

C#127

와키자카 포격하기가 용이치 않겠구나.

와키자카 ¾ C.R C.U., LOW ANGLE, FIX

C#128

사헤에의 안택선과 세키부네들.

사헤에 안택선, 세키부네, 신형 구선 E.L.S, HIGH ANGLE, FIX

C#129

사헤에가 다급히 후미 블랑기포로 뛰어가는 게 보인다.

사헤에 M.F.S, EYE-LEVEL, FIX

C#130

CUT TO

사헤에 메쿠라부네를 향해 어서 배를 돌려라!

사헤에 후면, 사헤에 부장 측면 M.S. 2 HIGH ANGLE, FIX

C#131

사헤에 부장 예, 도노!

사헤에 M.S., EYE-LEVEL, FIX

C#132

사헤에 부장 (선미 쪽으로 달려가며) 메쿠라부네를 향해… 펑!

사헤에 ¾ C.R B.S., 사헤에 부장 후면 M.F.S, EYE-LEVEL, FIX

C#133

포를 맞고 휘청이는 사헤에.
사헤에, 사헤에 부장 M.S. 2, SLIGHT HIGH ANGLE, FIX

C#134

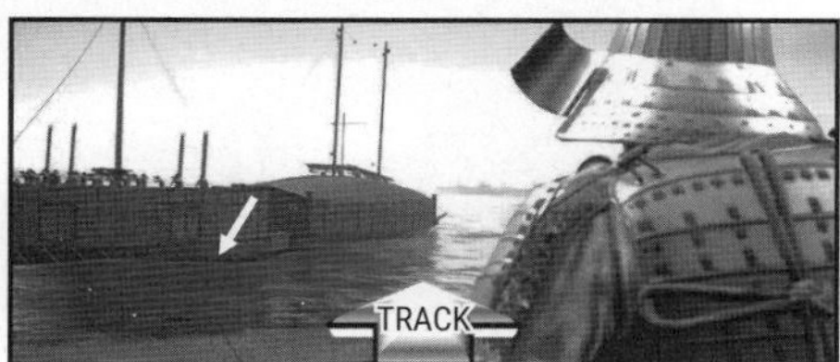

구선을 향해 고개를 돌린다.
사헤에 너머 신형 구선 F.S., HIGH ANGLE, TRACK IN

사헤에 너머 신형 구선 F.S.

C#135

잠시 멍해 있던 사헤에.
사헤에 ¾ C.L. C.S., LOW ANGLE, FIX

C#136

돌진해오는 신형 구선.
신형 구선 F.S., LOW ANGLE, TRACK OUT

신형 구선 F.S.

C#137

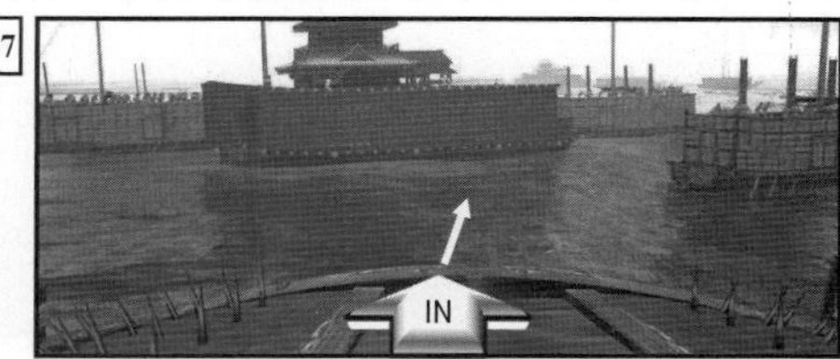

마치 충돌할 듯 강하게 돌진해 들어오는 신형 구선. (느리게)
신형 구선 너머 사헤에 안택선 F.S., HIGH ANGLE, FIX

C#138

사헤에 (비장) 그래! 세게…

사헤에 너머 신형 구선 L.S., SLIGHT HIGH ANGLE, FIX

C#139

사헤에 더 세게 부딪쳐라. 메쿠라부네야.

사헤에 측면 B.S., LOW ANGLE, PUSH IN

C#140

사헤에(V.O.) 그래야 네 머리가 이 아타케부네에

신형 구선 선수 F.S., LOW ANGLE,
FOLLOWING TRACK RIGHT

C#141

사헤에 깊이 박혀 옴짝달싹 못 할 것 아니냐.

사헤에 M.S., LOW ANGLE, FIX

C#142

펑!

신형 구선 F.S., LOW ANGLE, FIX

C#143

충격에 잠시 흔들.

사헤에 (비장, 칼을 뽑으며) 모두 월선을 준비하라!

사헤에 M.S., SLIGHT HIGH ANGLE, FIX

C#144

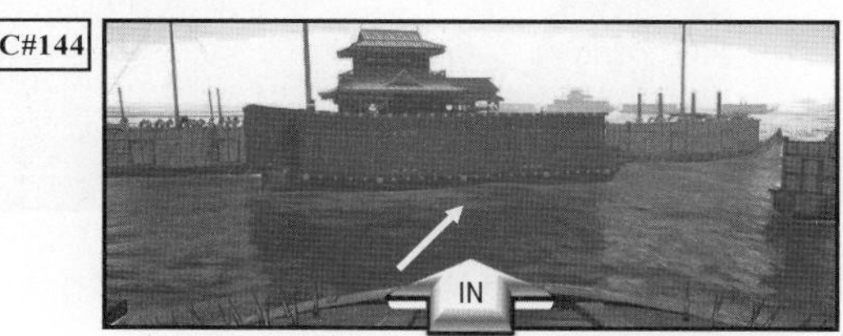

돌진해오는 신형 구선.

추가 - 월선 사다리 놓는 측면샷

신형 구선 너머 사헤에 안택선 F.S., HIGH ANGLE, FIX

C#145

구선을 결연히 노려보는 사헤에.

사헤에 M.S., LOW ANGLE, TRACK IN

C#146

갑자기 선체 안으로 쑤욱! 들어가버리는 구선의 용두.

구선 전면 F.S., LOW ANGLE, FIX

C#147

선체 안으로 들어가버리는 구선의 용두.

용두 측면 C.U., EYE-LEVEL, BOOM DOWN

충파 돌기 C.U.

C#148

사헤에… 동공만 커질 뿐! 아무 말도 못하고 충격 속에 그저 바라만 보는데!

사헤에 (중얼) 복카이센!

사헤에 ¾ C.L. C.S., EYE-LEVEL,
ZOOM IN →사헤에 ¾ C.L. C.U.

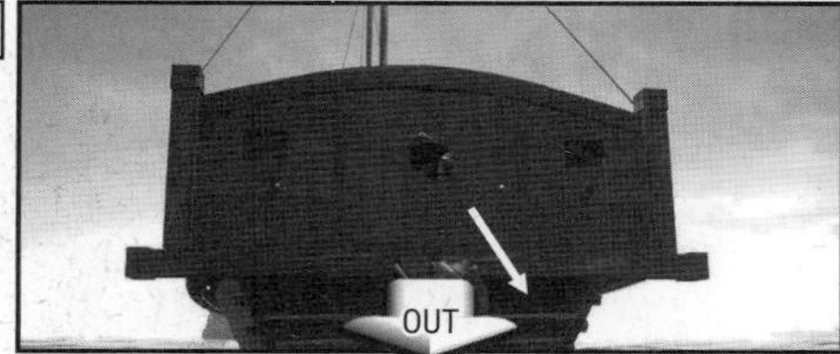

돌진하는 신형 구선.
신형 구선 F.S., LOW ANGLE, PULL BACK

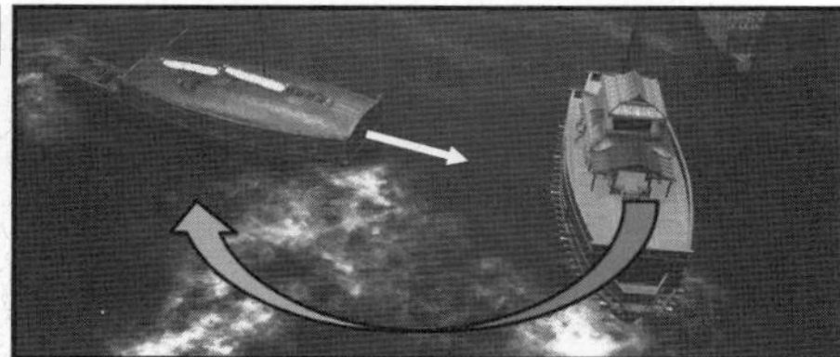

사헤에의 안택선을 향해 전진하는 신형 구선.
사헤에의 안택선 & 신형 구선 E.L.S,
HIGH ANGLE, ARC LEFT

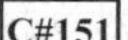

다시 전방 화포 공격과 함께 콰콰콱!
신형 구선 너머 안택선 F.S., SLIGHT HIGH ANGLE, FIX

구선 너머 안택선 F.S.

C#152

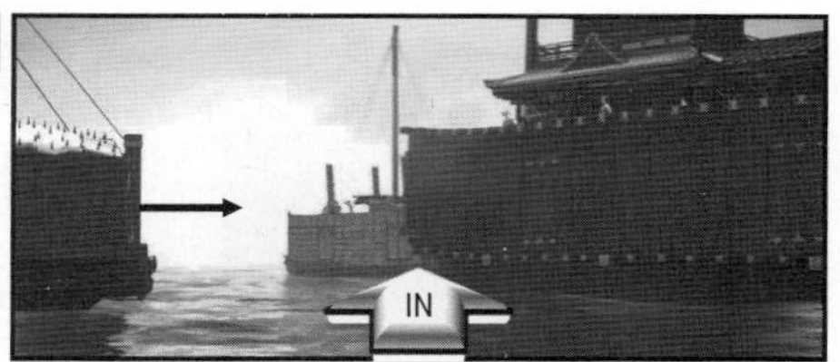

사헤에 안택선을 들이받는 순천부 신형 구선.
신형 구선 & 사헤에 안택선 측면 F.S., EYE-LEVEL, PUSH IN

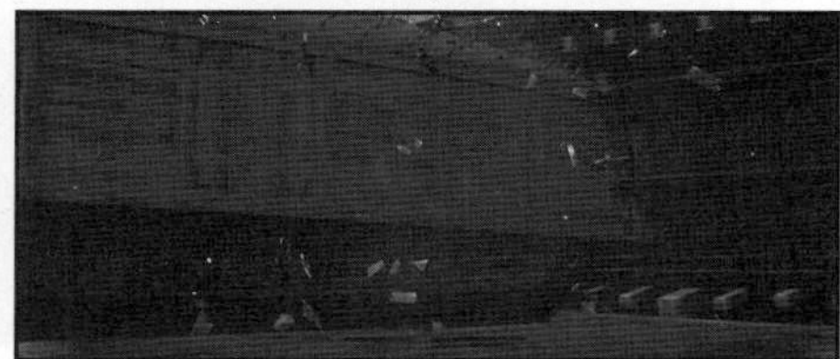

신형 구선 측면 F.S.

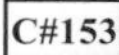

충돌로 바닷물이 밀려 들어와 쓰러지는 왜군들.
왜군들 후면 M.F.S, EYE-LEVEL, FIX

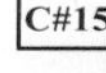

바닷물이 밀려 들어와 쓰러지는 왜군들.
왜군들 측면 F.S., EYE-LEVEL, FIX

C#155

충돌로 쓰러지는 갑판 위의 왜군들.
왜군들 F.S., DUTCH ANGLE, FIX

C#156

구선 밑 귀면 충파 돌기가 배 밑을 뚫어버린다.
구선 전면 F.S., LOW ANGLE, TILT UP

구선 전면 F.S., LOW ANGLE, TILT DOWN

구선 전면 F.S.

C#157

사헤에의 안택선에 박혔다가 떨어지는 신형 구선.
신형 구선 측면 M.S., LOW ANGLE, FIX

C#158

돌진한 뒤 뒤로 빠지는 신형 구선.
신형 구선, 안택선 L.S., HIGH ANGLE, FIX

C#159

빠져나온 신형 구선.
신형 구선 전면 F.S., SLIGHT LOW ANGLE, FIX

C#160

CUT TO
마침내 보이는 신형 구선 내부, 격군과 포수들이 어우러져 생각보다 질서정연하다.
화포의 수가 생각보다 적어 보인다. 하지만 모두 개량형 정철(正鐵)포들로 그 만듦새가 천자포보다 단단해 보이는데….
신형 구선 M.S., EYE-LEVEL, BOOM DOWN

신형 구선 창 C.U., HIGH ANGLE, PUSH IN

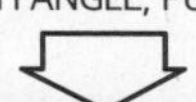

격군들 L.S., HIGH ANGLE, TRACK IN → TRACK RIGHT

격군들과 포수들 L.S.

C#161

구선 안에서 묵묵히 창밖을 보던 나대용.
이내 내부에 돌격장 이언량에게 신호를 보내면.
나대용 C.S., SLIGHT LOW ANGLE, FIX

C#162

나대용의 신호를 받는 이언량.
이언량 B.S., SLIGHT LOW ANGLE, FIX

C#163

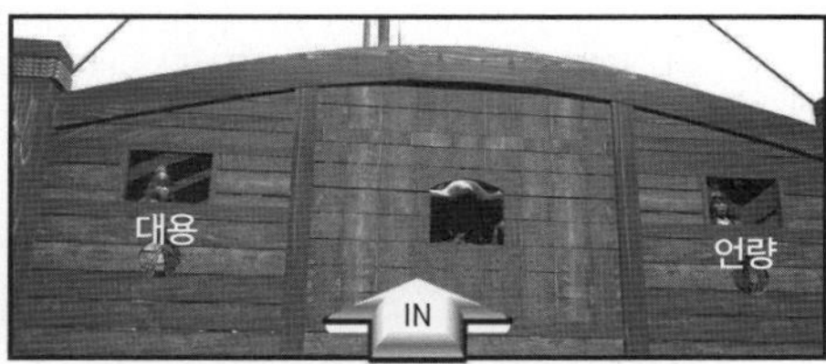

이언량 다시 모든 화포 개방!
구선 전면 F.S., LOW ANGLE, PUSH IN

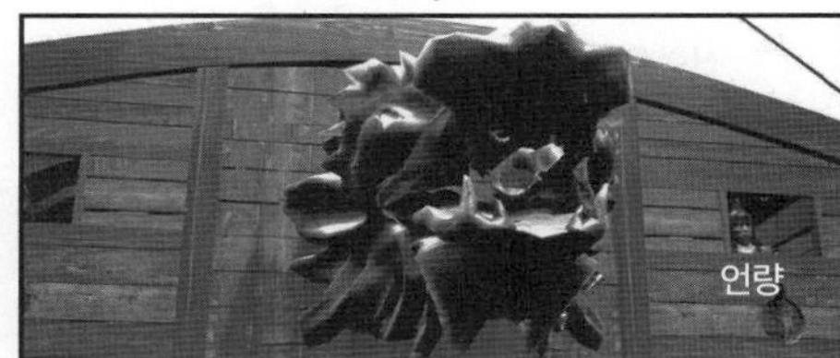

CUT TO
그러자 들어갔던 용두는 물론,
용두 C.U.

C#164

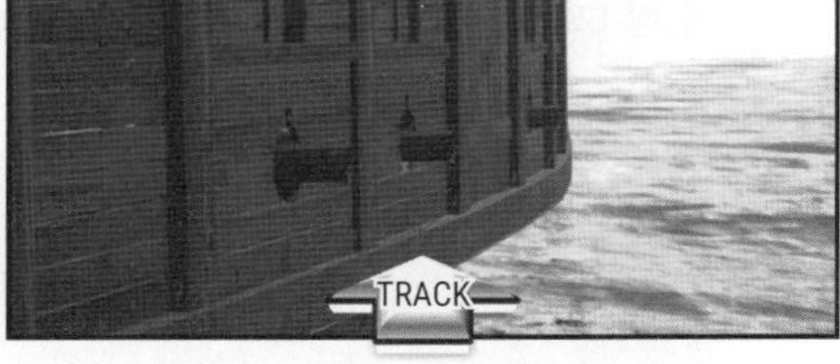

선미와 선체 좌우에서 모든 화포를 내놓는 순천 구선.
순천 구선 측면 F.S., EYE-LEVEL, TRACK IN

C#165

개방되는 화포들.
순천 구선 측면 F.S., LOW ANGLE, TRACK LEFT

C#166

화포 발사를 준비하는 순천 구선.
사헤에 안택선 너머 순천 구선 F.S., HIGH ANGLE, FIX

C#167

다시 튀어나오는 용두를 보고 있는 안택선의 사헤에…
그걸 보곤 부들부들….
사헤에 C.S., EYE-LEVEL, FIX

C#168

대치 상황 전경 L.S., HIGH ANGLE, PULL BACK

C#169

발포하기 전 고요함.
신형 구선 측면 F.S., EYE-LEVEL, FIX

C#170

화포가 발사된다.
용두 화포 C.U., EYE-LEVEL, FIX

C#171

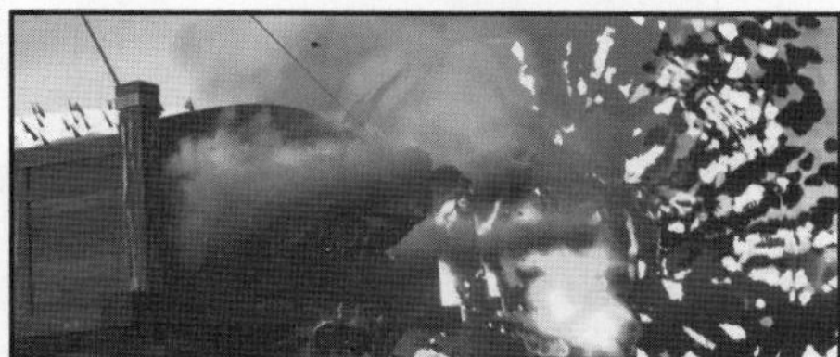

화포를 발사하는 순천 구선.
순천 구선 측면 M.S., LOW ANGLE, FIX

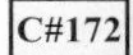

C#172

박살 나는 선체.
선체 C.U., EYE-LEVEL, FIX

C#173

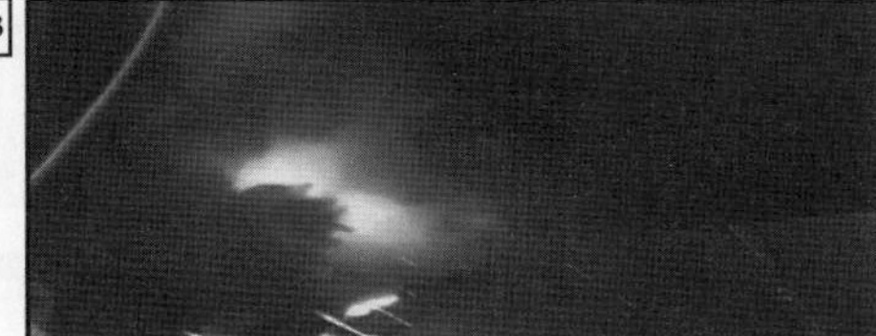

부서지는 선체.
선체 C.U., LOW ANGLE, FIX

C#174

부서지는 선체들과 쓰러지는 왜군들.
왜군들 F.S., HIGH ANGLE, FIX

C#175

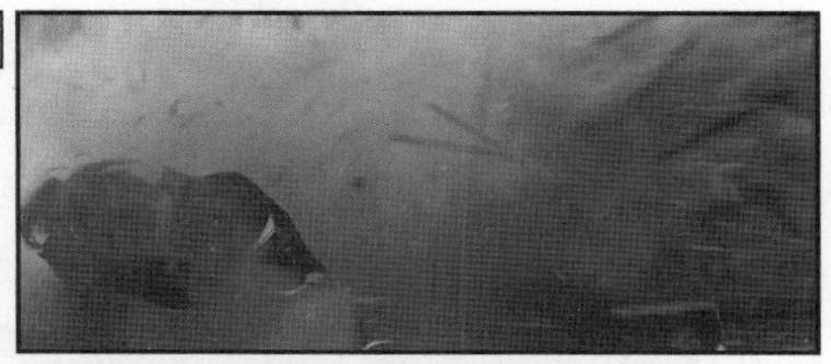

화포의 충격으로 쓰러지는 왜군들.
왜군 측면 M.F.S, EYE-LEVEL, FIX

C#176

용두 화포를 발포하는 순천 구선.
구선 F.S., LOW ANGLE, FIX

C#177

'퍼버버버벙!' 하는 굉음과 함께 구선이 동시에 모든 화포를 발사한다!
근접 포격에 완전히 밀려나 박살 나버리는 사헤에와… 안택선!
바다 전경 L.S., HIGH ANGLE, PULL BACK

바다 전경 E.L.S

C#178

굉음에 뛰어나오는 와키자카.
와키자카 M.S., LOW ANGLE, FIX

69G

S#69 견내량 바깥 입구 - 대장선

이순신의 학익진과 와키자카의 어린진 - 구선의 등장

38 CUTS/30 SET-UPS 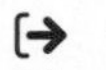 EXT  DAY  OPEN SET

C#1

CUT TO

그러자 각자의 배에서 신형 구선을 보고 다시 놀라는 이억기,

이억기 B.S., LOW ANGLE, FIX

C#2

놀라는 권준.

권준 ¾ C.R C.U., LOW ANGLE, FIX

C#3

놀라는 정운.

정운 B.S., SLIGHT LOW ANGLE, FIX

C#4

원균 역시 놀라 그저 쳐다볼 뿐….

원균 B.S., EYE-LEVEL, FIX

C#5

순신, 왼쪽 부상당한 팔이 가만히 떨리고….

나대용(V.O.) (결연, 떨며) 장군. 이번 구선은 분명

(나대용 회상 타이밍 시나리오보다 빠름. vp0717 버전으로 컨펌됨. 재확인 필요)

이순신 C.U., LOW ANGLE, FIX

C#6

나대용(V.O.) 돌격선 그 이상을 해낼 것입니다.

신형 구선 L.S., HIGH ANGLE, PAN RIGHT

C#7

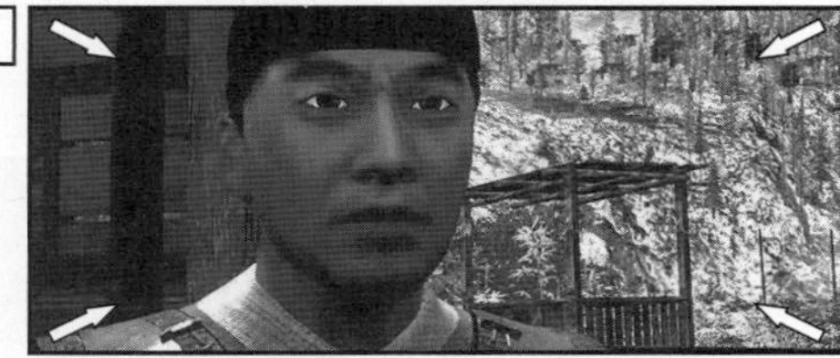

순천부 선소 굴강 앞.

나대용 부디 출정을 허락해주소서!

나대용 C.U., EYE-LEVEL, ZOOM IN

C#8

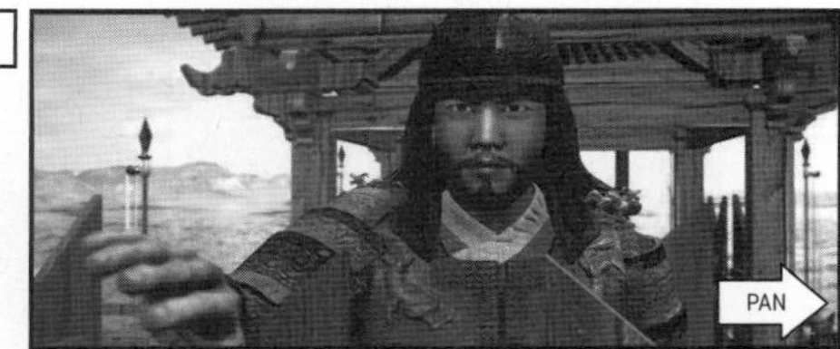

송희립이 장루 밑에서 올라오면서 대사

이순신 B.S., EYE-LEVEL, PAN RIGHT

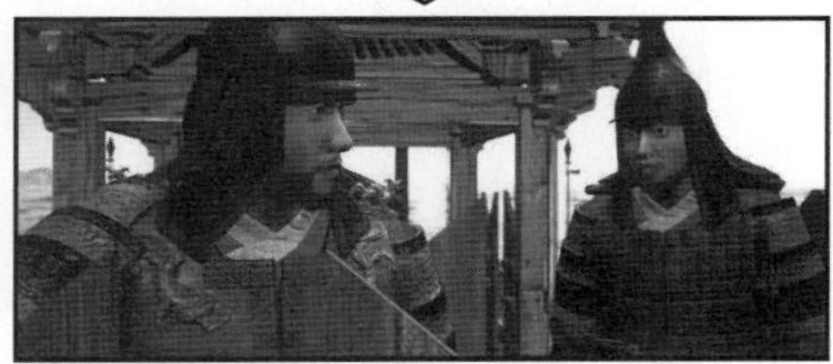

송희립 장군. 순천부 구선이 도외줘 어 향도와 이 만호도 진에 복귀했습니다!

이순신 너머 송희립 ¾ C.L. M.S.

C#9

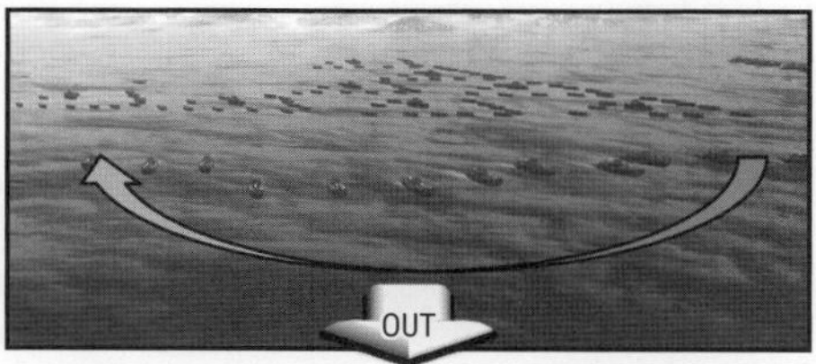

순신이 보면, 반원형의 학익진 좌측 날개가 놀랍게 복구되고 있다.

학익진 좌측날개 E.L.S, HIGH ANGLE, PULL BACK & ARC LEFT

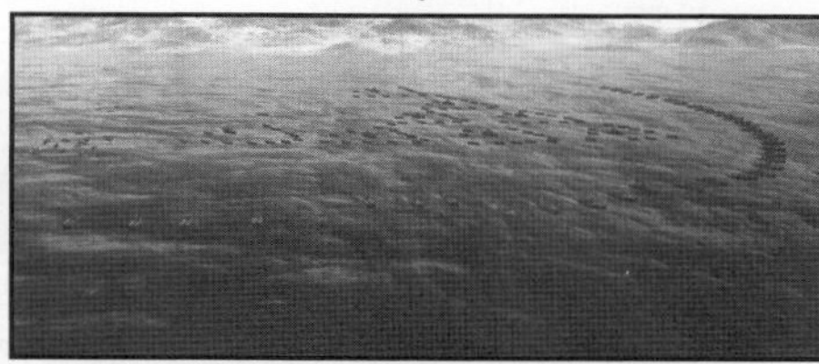

배 간 간격이 좁다. 넓히자

학익진 전경 E.L.S

C#10

학익진 좌측 날개.

좌측 날개 측면 E.L.S, EYE-LEVEL, FIX

C#11

송희립 (외치며) 장군! 적선들이 지척입니다! 이젠 발포해야 합니다!

이순신 너머 송희립 ¾ C.L. M.S.

이순신 …….

송희립 장군!

이순신, 송희립 B.S. 2

C#12

헌데 와키자카의 본선들이 어느새 지척의 거리로 다가온 게 보인다.

퀵 줌인

이순신 P.O.V., 와키자카 본선 L.S., EYE-LEVEL, FIX

C#13

와키자카의 본선들을 바라보는 이순신.

이순신 ¾ C.L. C.U., EYE-LEVEL, FIX

C#14

순신의 눈에 순천부 구선이 와키자카의 어린진 후미로 더욱 파고드는 게 보인다.

이순신 P.O.V., 와키자카 함대 & 구선 L.S., HIGH ANGLE, ZOOM IN

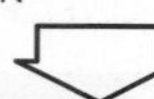

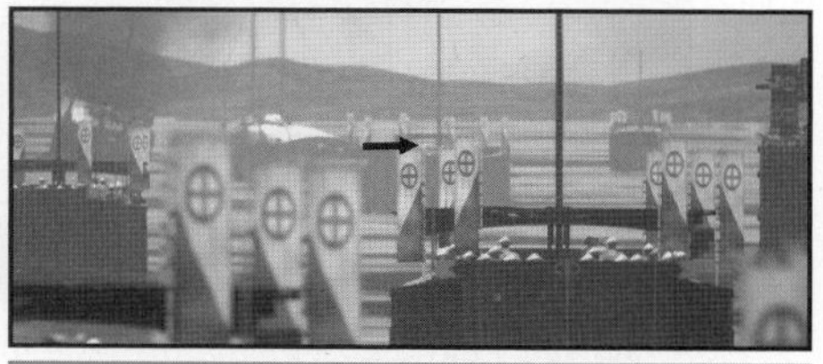

구선 타이트컷 필요

순천부 구선 L.S.,

C#15

송희립 (놀라며) 구선이 어찌 빠져나가지 않고,

송희립 C.S., EYE-LEVEL, FIX

C#16

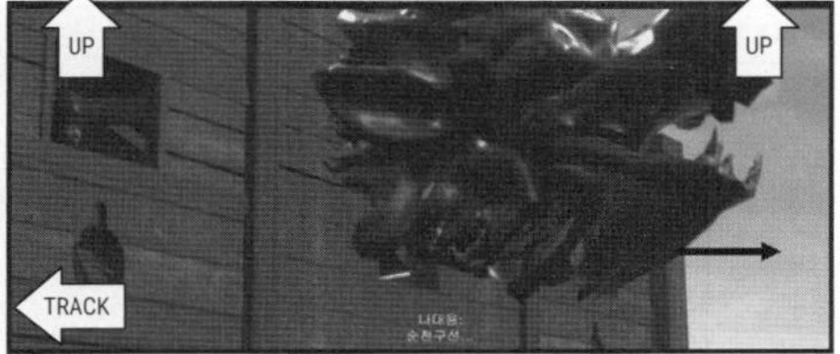

나대용 …….

나대용의 시선으로 돌면서 포를 쏘면 된다.

구선 용두 측면 C.U., LOW ANGLE,
BOOM UP & TRACK LEFT

C#17

나대용 퇴로는 없다! 돌진!

나대용 ¾ C.R C.U., EYE-LEVEL, FIX

C#18

그 모습을 말없이 바라보는 이순신.

무빙 있어야 한다

이순신 C.U., EYE-LEVEL, FIX

C#19

와키자카 (차갑게 순신을 돌아보며) 2백 보 앞… 충분히 월선이 가능한 거리다! 전군! 어린진을 풀고 자유롭게 기동한다!

와키자카 ¾ C.R B.S., SLIGHT LOW ANGLE, TRACK IN

C#20

와키자카 최대한 속도를 높여 적선들에 들러붙어라! 우리가 승리할 수 있다!

와키자카 C.S., LOW ANGLE, TRACK IN

C#21

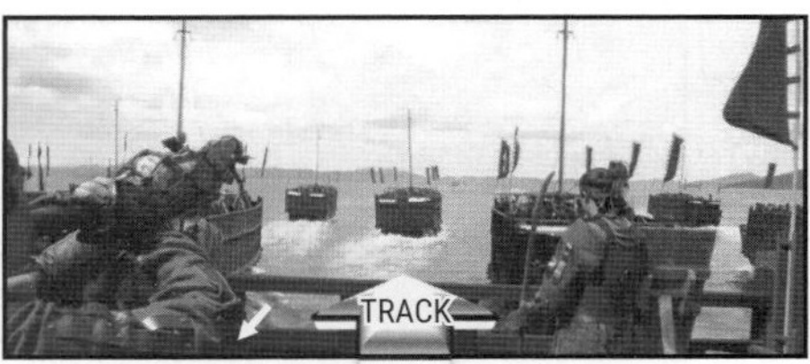

뿔고둥 소리!
뿔고둥 너머 왜선 L.S., TRACK IN

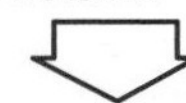

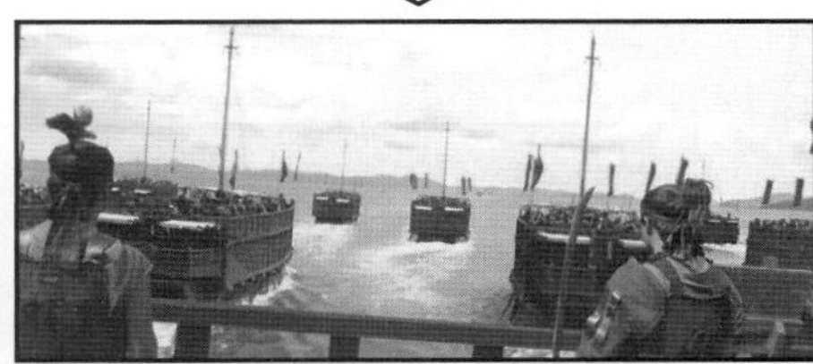

왜군 너머 왜선 L.S.

C#22

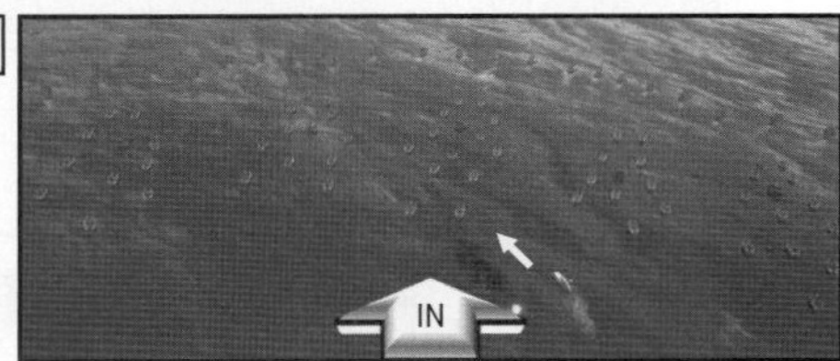

빠른 속도로 나아가는 구선.
구선 & 와키자카 함대 전경 E.L.S, HIGH ANGLE, PUSH IN

C#23

적선으로 향해 가는 왜선.
왜선 너머 왜선 측면 F.S., EYE-LEVEL,
TRACK LEFT, 전경 세키부네 F.O.

왜선 F.S.

C#24

이동하는 와키자카 함대.

와키자카 함대 L.S., LOW ANGLE, PUSH IN

C#25

펼쳐지는 와키자카 본대를 바라보는 원균.

원균 B.S., SLIGHT HIGH ANGLE

C#26

포탄을 쏘며 다가오는 안택선.

안택선 L.S., LOW ANGLE, PUSH IN

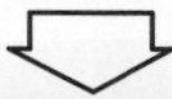

C#31에서 월선 사다리 들고
옮기고 있는 느낌이어야 한다.
월선 시도하는 상황 앞당겨져야 한다.

안택선 L.S.

C#27

원균함에서 원균이 붉으락푸르락,

원균 B.S., EYE-LEVEL

C#28

원 균 (흥분) 이자가 대체 무슨 생각을 하고 있는 게야!

원균 너머 학익진 L.S., EYE-LEVEL

C#29

원 균 적들이 코앞인데! 부장은 뭐하는가! 어서 포를 쏘아라!

원균 부장 (난감) 그게… 포탄이 떨어져서….

원 균 !

원균 ¾ C.L. C.S., EYE-LEVEL

C#30

이억기 …….

이억기는 (무엇을 생각하는지) 차분히 더 이상 말이 없고….

추가 - 35컷 후 4장수 리액션
(정운, 권준, 김완, 신호)

이억기 B.S., SLIGHT HIGH ANGLE

C#31

어영담 역시 말이 없는데,

뛰어 나온다.

어영담 정면 C.S., SLIGHT LOW ANGLE

C#32

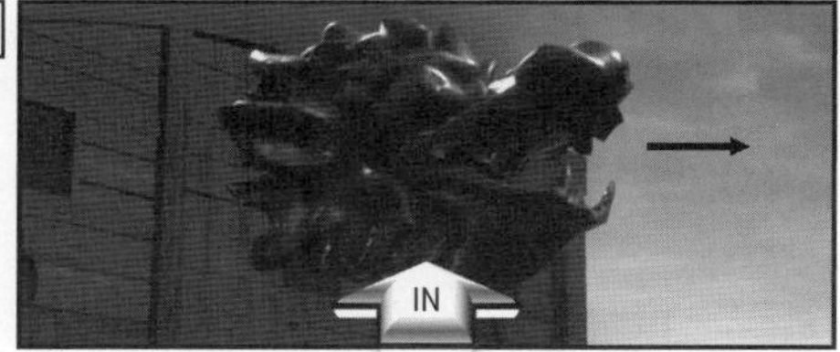

이순신의 좌선을 바라보는 나대용.

구선 용두 측면 C.U., LOW ANGLE, PUSH IN

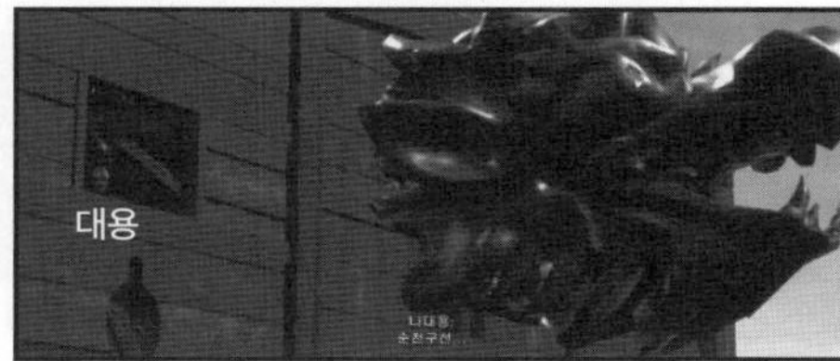

37컷 후 나대용 P.O.V.
→ 38컷 나대용 타이트에서 스위시팬하면 이언량

창 안 나대용 L.S.

C#33

나대용 (담담히 순신의 좌선을 쳐다보며) 반드시 승리해야하는 전투 아닙니까.

나대용 ¾ C.R C.U., LOW ANGLE, ARC LEFT

C#34

나대용 장군… 그냥 쏘소서.

나대용 너머 이순신 함대 L.S., EYE-LEVEL

C#35

이언량도 담담히 좌측 선수 쪽 창만을 내다보고 있는데…
나직이 휘파람까지….

이언량 측면 B.S., LOW ANGLE, BOOM UP

C#36

순신의 좌선 뒤를 쫓는 왜선들.

왜선들 & 이순신 좌선 측면 L.S., HIGH ANGLE, PUSH IN

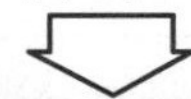

왜선 & 이순신 좌선 측면 L.S.

C#37

왜선들이 바짝 쫓아오고 있다.

격군장 P.O.V., 왜선 L.S., SLIGHT HIGH ANGLE, ZOOM IN

C#38

CUT TO
순신의 좌선 격군실, 격군들과 격군장,
커다랗게 다가오는 적선들을 지켜보며 침만 꿀꺼덕!

격군장 측면 C.S., LOW ANGLE, FIX

S#69 견내량 바깥 입구 - 대장선

이순신의 학익진과 와키자카의 어린진 - 구선의 등장

71 CUTS/52 SET-UPS  EXT  DAY  OPEN SET

C#1

CUT TO
빠르게 순신의 함대를 쫓아오는 와키자카 함대.
판옥선 너머 와키자카 함대 L.S., HIGH ANGLE, PUSH IN

와키자카 함대 L.S.

C#2

와키자카를 응시하고 있는 순신.
이순신 ¾ C.L. B.S., LOW ANGLE, TRACK IN

이순신 ¾ C.L. C.S.

C#3

순신을 응시하고 있는 와키자카.

와키자카 (차갑게) 백 보….

와키자카 정면 C.S., LOW ANGLE, TRACK IN

C#4

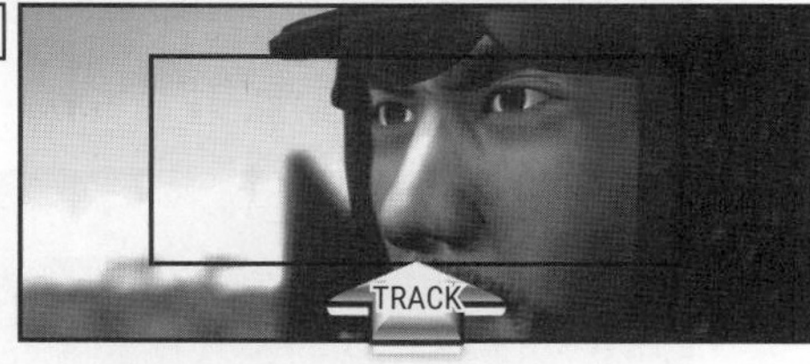

서로 간의 모습이 더욱 또렷이 보이는데….
이순신 측면 C.U., EYE-LEVEL, TRACK IN

C#5

순신이 응시하는 와키자카 함대.
이순신 P.O.V. 와키자카 함대 L.S., HIGH ANGLE, TRACK IN

C#6

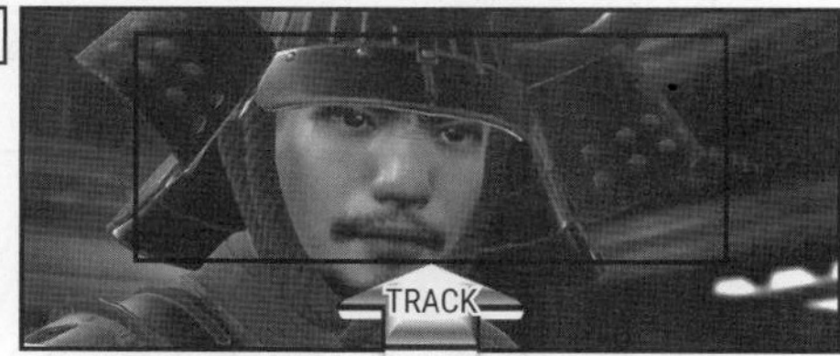

와키자카 …….

와키자카 ¾ C.R C.S., LOW ANGLE, TRACK IN

C#7

바짝 쫓아오고 있는 와키자카 함대.
와키자카 함대 F.S., EYE-LEVEL

C#8

이순신 (묵직이) 선회하라.

이순신 정면 C.U., LOW ANGLE, TRACK IN

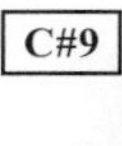

C#9

좌선 격군장 (고함) 선회하라!

좌선 격군장 ¾ C.L. B.S., LOW ANGLE, TILT UP

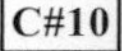

C#10

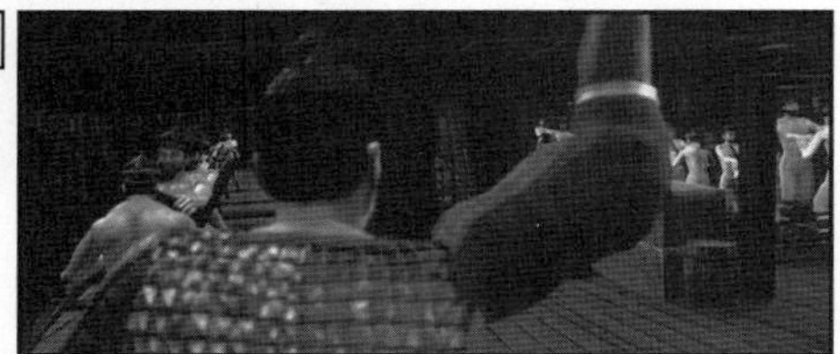

순신의 명령에 따라 노를 젓는 격군들.

좌선 격군장 너머 격군들 F.S., HIGH ANGLE, FIX

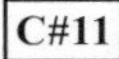

C#11

순신의 명령에 따라 노를 젓는 것을 중지하는 격군들.

격군들 M.S., HIGH ANGLE, FIX

C#12

격군들이 어느 때보다도 집중하고 질서정연하게 노를 젓고 있다.

격군들 F.S., HIGH ANGLE, FIX

C#13

명령에 따라 회전하는 판옥선.

판옥선 선수 F.S., SLIGHT HIGH ANGLE

C#14

일제히 회전하며 횡렬로 돌아서는 판옥선들.

판옥선들 & 왜선들 L.S., HIGH ANGLE, TILT UP

C#15

선회하는 판옥선들.

세키부네 너머 판옥선 E.L.S, EYE-LEVEL, TRACK IN

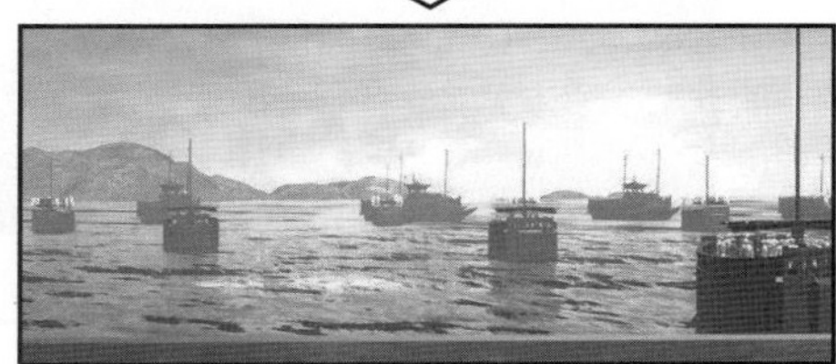

세키부네 너머 판옥선 L.S.

C#16

순신의 좌선이 마침내 빠르게 90도 회전을 한다.

판옥선 측면 F.S., FOLLOWING TRACK

C#17

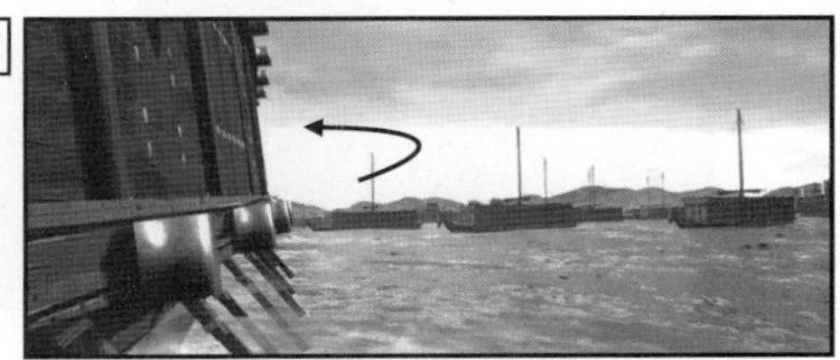

바짝 쫓아오고 있는 와키자카 함대.

판옥선 너머 와키자카 함대 L.S., EYE-LEVEL, FIX

C#18

90도 회전하고 있는 판옥선.
갑판 위 F.S., HIGH ANGLE

C#19

빠르게 회전하고 있는 판옥선들.
판옥선 후면 근접샷 → 돌면서 F.O.

판옥선들 & 세키부네들 L.S.

C#20

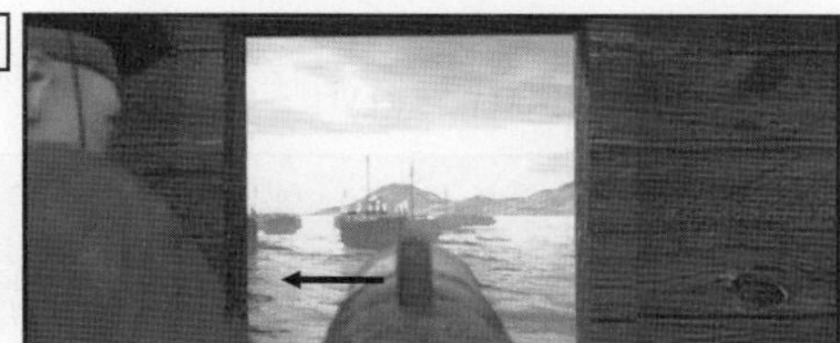

판옥선이 회전하고 있다.
포수 너머 와키자카 함대 L.S.

C#21

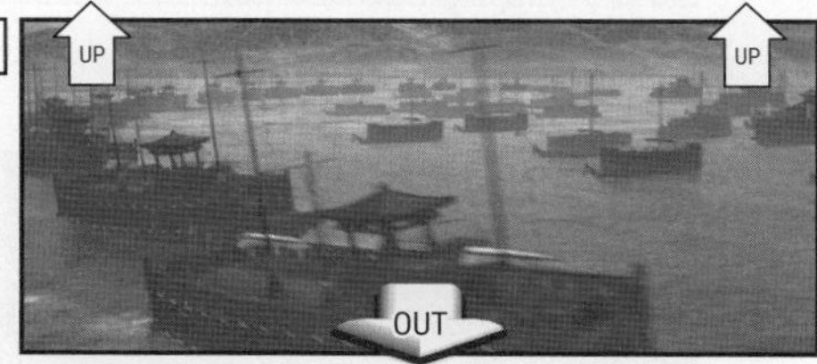

횡렬진으로 막아서고 있는 판옥선들.
판옥선들 L.S., PULL BACK & BOOM UP

판옥선들 & 세키부네들 L.S., HIGH ANGLE

C#22

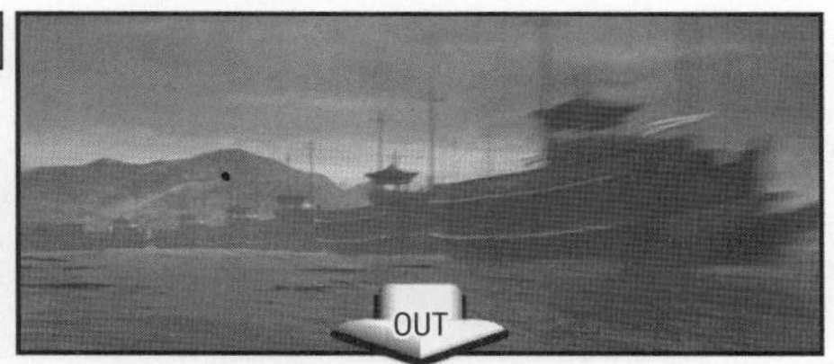

횡렬진으로 막아서고 있는 판옥선들.
판옥선들 & 왜선들 L.S., PULL BACK

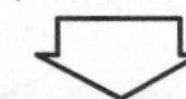

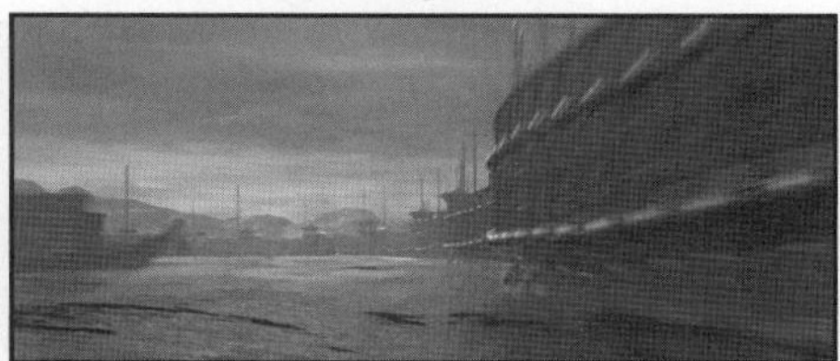

-추가 (중요!) :
포격 바로 전에
원균 "바다 위에 성!"
얼굴 트랙인

C#23

와키자카 (눈빛이 변하며) 50보! 이제는 늦었다! 이순신! 전원 월선하라!

(0520 신비이신 대사 추가)

와키자카 ¾ C.R C.S., HIGH ANGLE, TILT UP

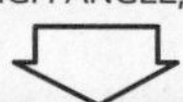

와키자카 ¾ C.R B.S., TRACK IN

C#24

횡렬진으로 막아선 판옥선을 향해 다가오는 와키자카 함대와 세키부네들.
판옥선들 너머 왜선들 E.L.S, HIGH ANGLE

C#25

판옥선을 향해 다가오는 세키부네들.
세키부네들 L.S., TRACK IN

월선 사다리를 펼치는 왜군들.

월선 사다리 측면에서도 올라오고 모두 칼 뽑아야 함

C#26

전투를 준비하는 와키자카 안택선.
안택선 갑판 위 F.S., TRACK IN

와키자카 M.F.S

C#27

칼을 빼 드는 와키자카.
와키자카 칼 C.U., TILT UP

와키자카 C.S., LOW ANGLE

C#28

앞을 주시하는 이순신.
이순신 ¾ C.L. C.S., LOW ANGLE, BOOM UP

C#29

다가오는 와키자카의 함대.
와키자카 함대 L.S., HIGH ANGLE

C#30

이순신 (차갑게) …발포하라.

추가 - 발포 하이라이트 시점에
이순신 얼굴 필요

이순신 정면 C.U., EYE-LEVEL

C#31

송희립 (큰 소리로) 발포하라!

송희립 B.S.

C#32

총통에 불을 붙이는 포수들.
총통 C.U., HIGH ANGLE

C#33

발포 준비하는 총통.
총통 측면 C.U., LOW ANGLE, ZOOM IN

C#34

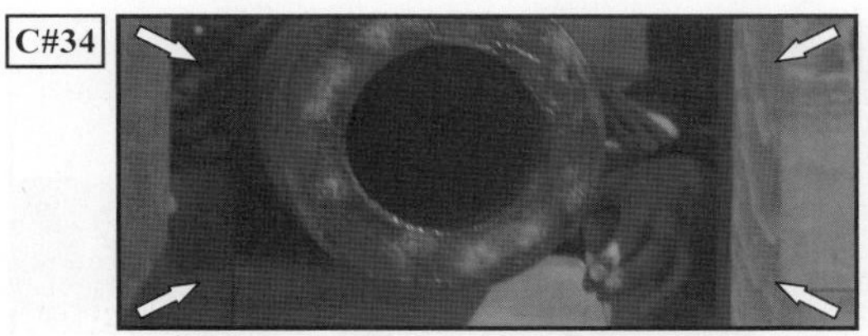

총통을 발사한다.
총통 정면 C.U., ZOOM IN

C#35

포수들이 총통을 발사한다.
포수들 후면 M.S.

C#36

일제히 포문을 열어 총통을 발사한다.
총통 측면 F.S., LOW ANGLE, ZOOM IN

C#37

쾅! 쾅! 쾅! 콰과광! 쾅! 쾅! 천지를 뒤흔드는 폭발음!
총통 측면 C.U., LOW ANGLE, ZOOM IN

C#38

발포하는 포수들.
포수들 F.S., HIGH ANGLE, FIX

C#39

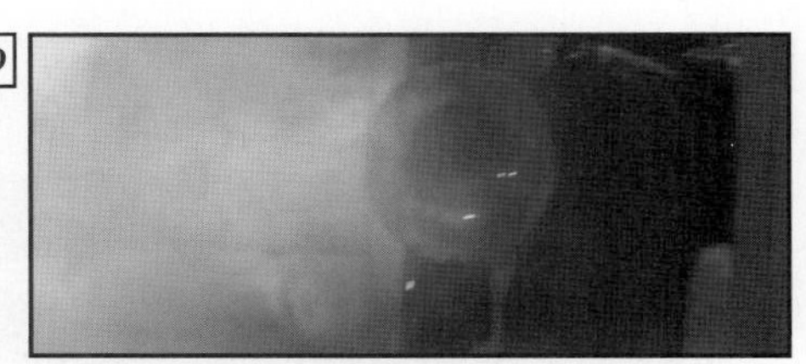

발사되는 화포.
총통 C.U.

C#40

포수가 총통을 발사한다.
총통 정면 F.S.

화포 C.U.

C#41

천지를 뒤흔드는 폭발음!
빠르게 직사로 날아가 꽂히는 이중으로 채워진 조란탄과 포탄들.
고속촬영, 판옥선들 & 왜선들 측면 L.S.

와키자카 함대 측면 F.S.

C#42

갑판 위 왜군들이 쓰러진다.
포탄 너머 와키자카 함대 L.S., PUSH IN

세키부네 갑판 위 F.S., HIGH ANGLE

C#43

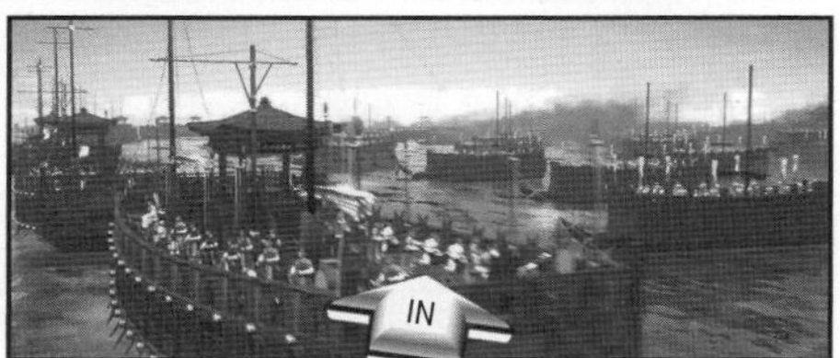

공격받는 와키자카 함대.
판옥선 너머 와키자카 함대 L.S., HIGH ANGLE, PUSH IN

와키자카 함대 L.S.

C#44

판옥선과과 충돌하는 부서진 세키부네.
세키부네 측면 F.S., PUSH IN

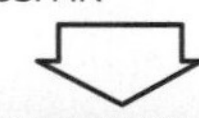

충돌하는 판옥선 & 세키부네 F.S.

C#45

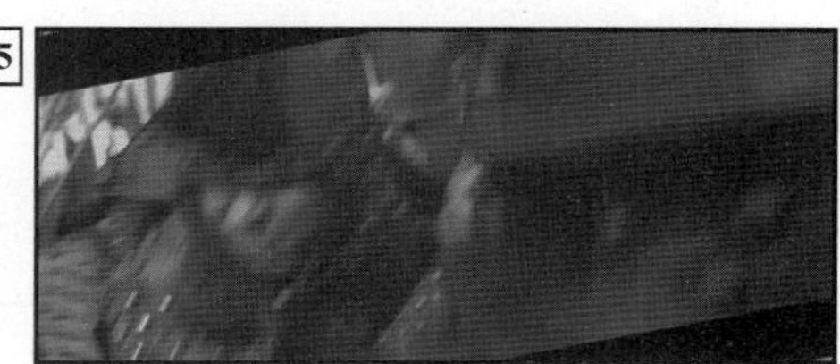

충격으로 밀려나는 조선 수군들.
갑판 위 병사들 B.S.

C#46

충격에 의해 뒤로 밀리는 조선 수군들.
갑판 위 병사들 M.F.S

C#47

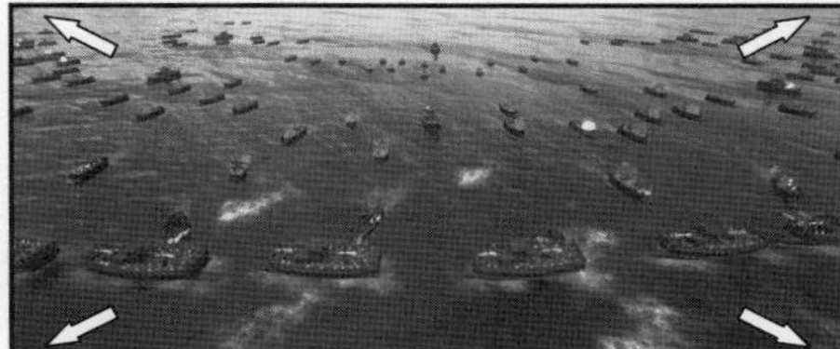

그야말로 바다 위에 성을 쌓았다.
전장 L.S., HIGH ANGLE, QUICK ZOOM OUT

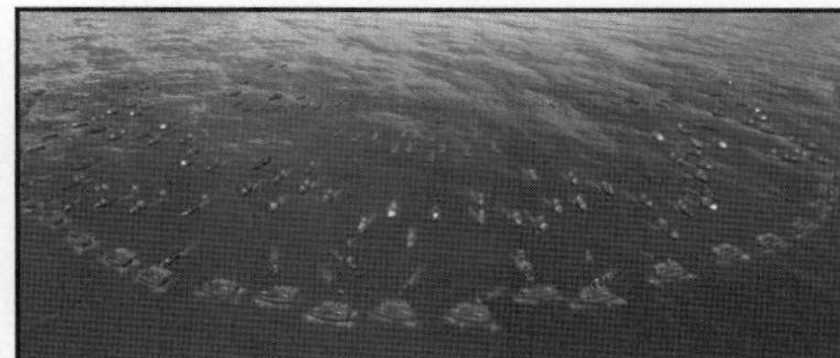

전장 E.L.S

C#48

계속 싸우는 조선 수군들.
갑판 위 병사들 후면, HIGH ANGLE

C#49

포탄을 날리는 조선 수군들.
총통 측면 F.S., LOW ANGLE, PAN LEFT

C#50

몸을 낮추고 총통으로 공격하는 조선 수군들.
갑판 위 병사들 후면 GROUP SHOT, TRACK IN

C#51

여기저기 날아온 포탄들로 어지러운 견내량 바깥 입구.
판옥선들 너머 왜선들 L.S., TRACK RIGHT

C#52

펼쳐진 와키자카의 함대에 마구 꽂히는데!
갑판 위 왜군들이 작열하듯 일제히 쓰러지고 사라져버리는데,
안택선 갑판 위 F.S., LOW ANGLE, PUSH IN

(느린 화면)
와키자카의 날카로운 시선이 순신 쪽을 파고들고!
와키자카 정면 B.S.

C#53

날아온 포탄들로 공격받는 왜선.
세키부네 너머 판옥선 L.S.

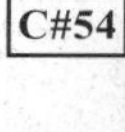

C#54

CUT TO
공격받는 왜군.
안택선 격군실 내부 F.S.

C#55

공격받는 왜군들.
안택선 격군실 내부 왜군들 M.S.

C#56

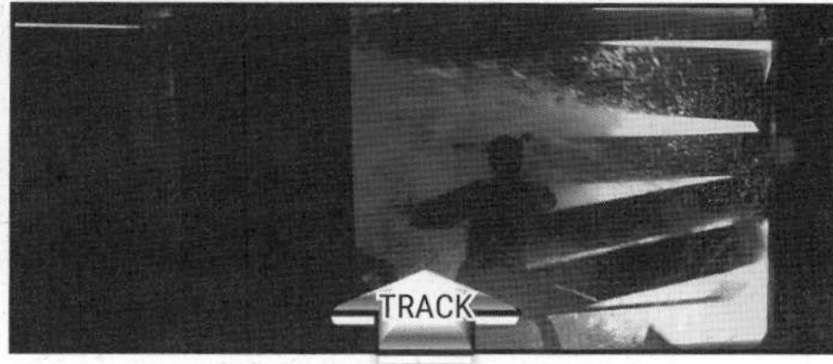

배가 부서지며 바닷물이 흘러 들어온다.
왜 격군 후면 F.S., TRACK IN

C#57

쓰러지는 왜군들.
왜 격군 F.S., LOW ANGLE, TRACK IN

C#58

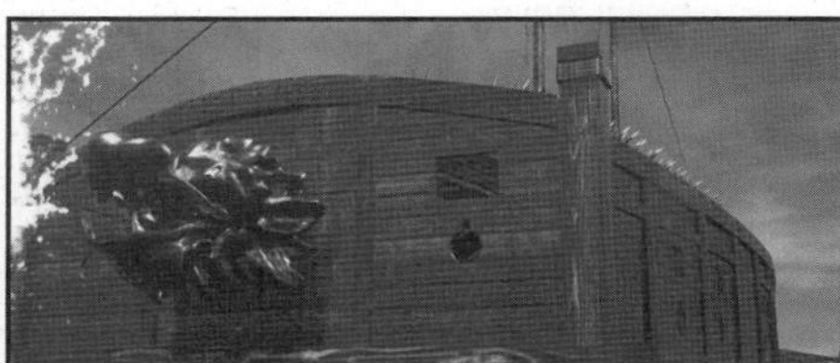

콰앙! 조선 아군의 포탄이 급히 빠져나가던 순천 구선에도 명중한다.
순천 구선 F.S., LOW ANGLE

C#59

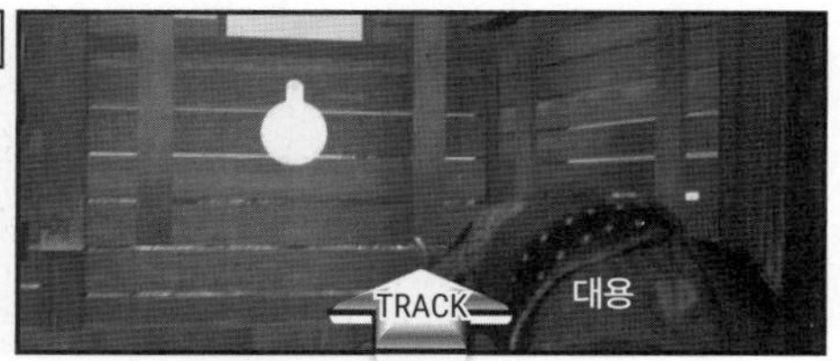

그 충격에 좌우로 크게 요동치는 구선!
나대용 후면 M.S., EYE-LEVEL, FOLLOWING TRACK

나대용, 급히 전방을 바라보면,

C#60

여러 발의 포탄이 엄청난 속도로 날아오고.
나대용 P.O.V., 전장 L.S., TRACK IN

C#61

날아오는 포탄을 바라보는 나대용.
나대용 B.S., HIGH ANGLE, TRACK IN

C#62

이언량, 이내 나대용을 쳐다보면, 나대용도
이언량을 쳐다보고 서로 엷은 미소만 지을 뿐….
나대용 너머 이언량 M.F.S, EYE-LEVEL

→ FOCUS 이언량

C#63

포탄 공격으로 날아가는 두 사람.
이언량 너머 나대용 M.F.S, EYE-LEVEL

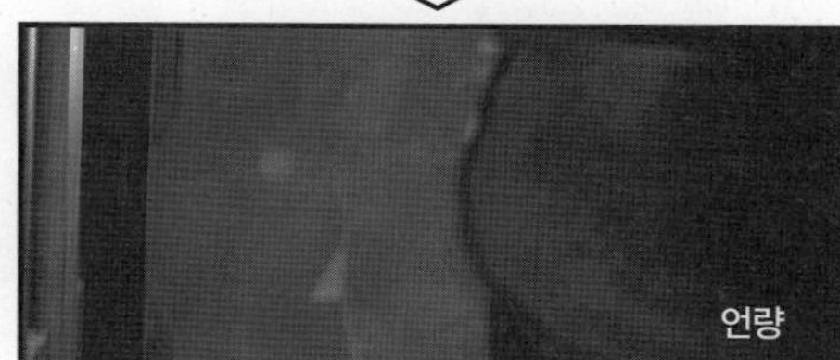

포연.

이언량 & 나대용 F.O.

C#64

포탄의 공격을 받는 순천부 구선.
구선 상단 F.S., EYE-LEVEL, TRACK RIGHT

부서지는 깃발.

C#65

콰콰쾅! 포연 속으로 사라져버리는 순천부 구선.
순천부 구선 L.S., HIGH ANGLE

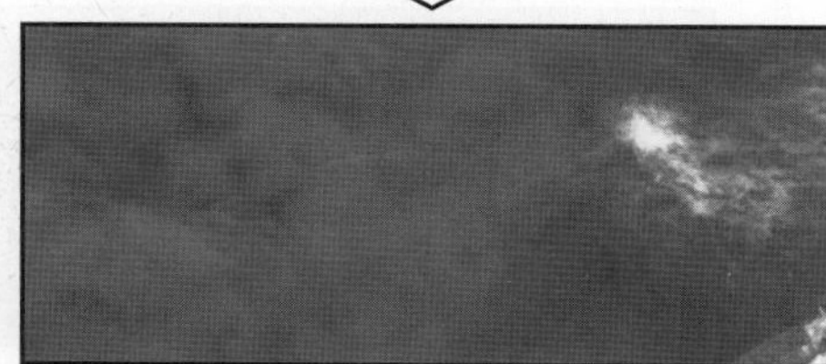

포연 속 사라지는 구선 L.S.

C#66

공격당하는 와키자카 함대.
와키자카 함대 F.S., EYE-LEVEL, ARC LEFT

C#67

포격당하는 와키자카 함대.

판옥선 너머 와키자카 함대 L.S., TRACK RIGHT

C#68

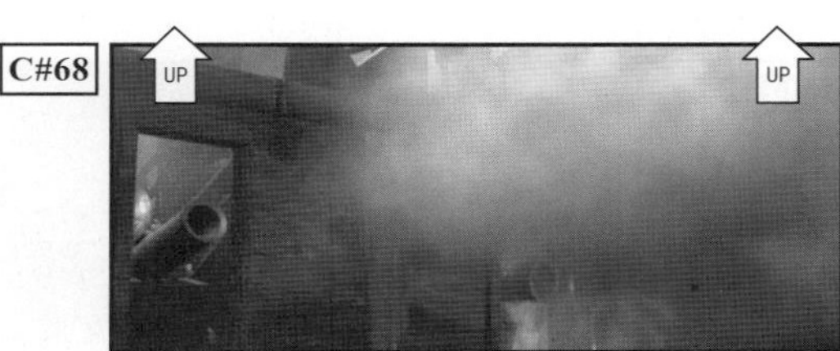

전시 상황을 바라보는 순신.

총통 F.S., LOW ANGLE, BOOM UP

추가 - 순신 타이트샷

장루 위 이순신 L.S.

C#69

바다 위에는 포탄의 연기가 가득하다.

판옥선 너머 와키자카 함대 L.S., EYE-LEVEL

C#70

무언가를 발견하는 포수.

화포 정면 F.S., LOW ANGLE, BOOM UP

화포수 F.S.

C#71

좌선 화포수들이 당황하고,

화포수 정면 B.S., LOW ANGLE, TRACK IN

S#69 견내량

와키의 안택선을 들이받는 신형 구선, 바다에 뛰어드는 와키자카.

69 CUT

EXT

DAY

OPEN SET

C#1

CUT TO
포연과 화염 속, 철갑을 잔뜩 두른 와키자카의 안택선이 놀랍게도 살아 있다.
불붙은 세키부네들을 뚫고 나온다.
포연 너머 안택선 L.S., SLIGHT LOW ANGLE

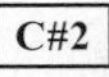C#2

안택선 위의 와키자카.
와키자카 L.S., EYE-LEVEL → 와키자카 M.F.S

C#3

이순신의 판옥선을 바라보는 와키자카.

와키자카 자리에서 일어난다

와키자카 ¾ C.L. C.U., SLIGHT LOW ANGLE

C#4

순신의 좌선으로 오고 있는 와키자카의 안택선.
이순신 너머 와키자카 안택선 L.S., EYE-LEVEL, TRACK IN

C#5

이순신 !

이순신 ¾ C.R C.S., EYE-LEVEL

C#6

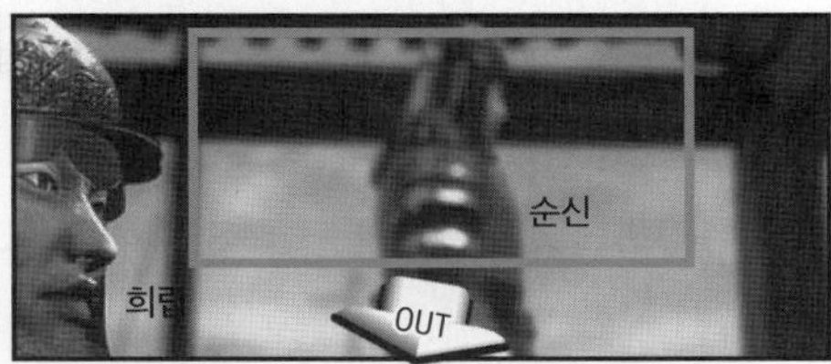

송희립 ~~배를 돌려라! 좌현포들을 준비하라!~~ (VP에 대사 없음)

송희립 늦었다! 예비 포들을 가져오라. 어서 포를 쏘아라!

순신 트랙아웃 → 송희립 - 대사 0812

송희립 측면 C.S.

C#7

좌현포를 가져오는 병사들.
병사들 GROUP SHOT, HIGH ANGLE, TRACK RIGHT

병사들 M.F.S

C#8

발포 준비하는 판옥선 병사들.
판옥선 L.S., HIGH ANGLE, PUSH IN

C#9

와키자카의 안택선이 더욱 맹렬히 순신의 좌선으로 돌진해 온다.

안택선 너머 순신 좌선 L.S., LOW ANGLE

C#10

와키자카 (차갑게 다시 칼을 고쳐 쥐며) 죽어라. 이순신.

와키자카의 결연한 의지 보여주는 액팅 필요 배우와 상의 예정

와키자카 정면 B.S., SLIGHT LOW ANGLE, TRACK IN

C#11

순신의 좌선으로 돌진하는 안택선.

안택선 측면 F.I. 근접샷

C#12

돌진해오는 안택선.

이순신 너머 안택선 L.S., TRACK IN

C#13

순신의 좌선으로 돌진하는 안택선.

안택선 F.S., LOW ANGLE, TRACK IN & TILT UP

C#14

빠르게 다가오는 안택선을 바라보는 이순신.

이순신 ¾ C.R C.U., EYE-LEVEL, ZOOM IN

C#15

날카로운 와키자카의 시선!

와키자카 정면 B.S., TRACK IN

C#16

헌데 쿠웅!

와키자카 M.S., H.H

C#17

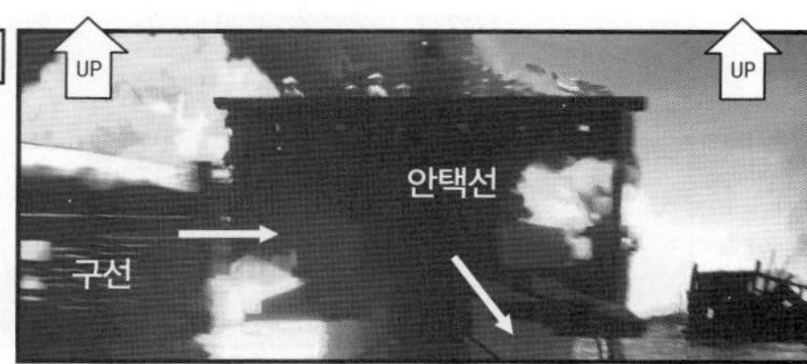

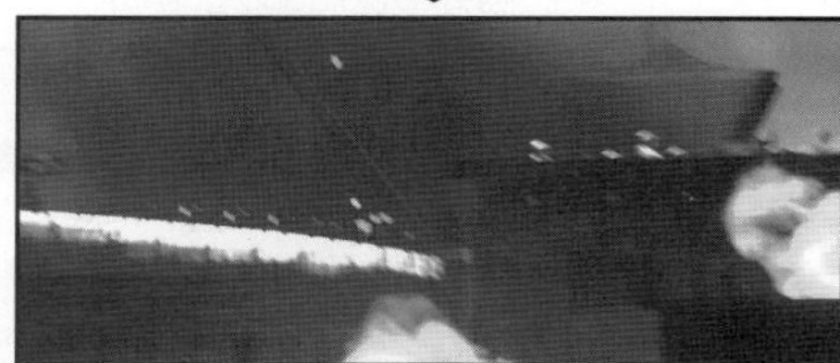

갑자기 돌진해오던 와키자카의 안택선이 정지하며 급변침을 이룬다!

안택선 & 구선 F.S., BOOM UP

C#18

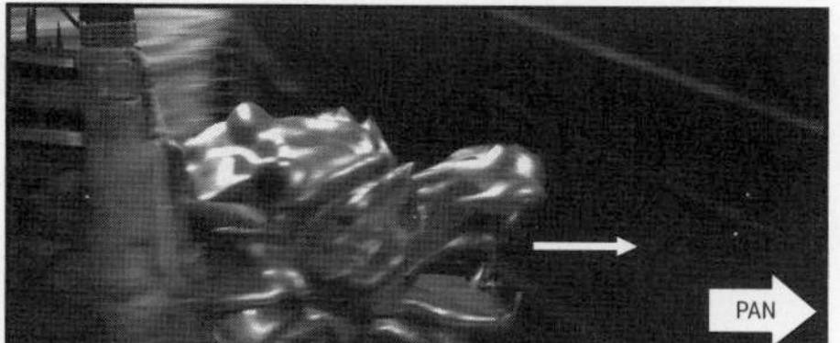

와키자카의 안택선을 들이받는 순천 구선.
구선 용두 C.U., HIGH ANGLE, FOLLOWING PAN

구선 너머 안택선.

C#19

순천 구선이 온몸으로 와키자카의 안택선을 들이받았다.
안택선 너머 구선 F.S., LOW ANGLE, TRACK LEFT

구선 측면 F.S.

C#20

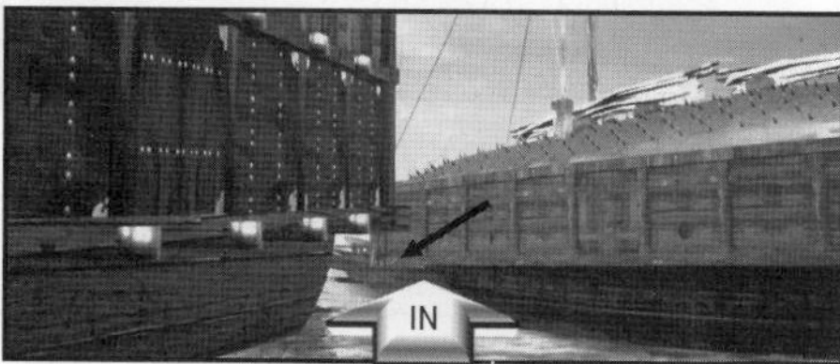

판옥선과도 충돌하는 순천 구선.
판옥선 너머 구선 F.S., LOW ANGLE, PUSH IN

구선 선미 C.U.

C#21

순천 구선의 충돌로 휘청이는 이순신.
이순신 정면 C.U., LOW ANGLE

C#22

휘청이는 이순신.
이순신 후면 M.S., HIGH ANGLE, H.H

C#23

순신의 좌선과 와키자카의 안택선 사이에 불타며 서 있는 순천 구선….
판옥선 너머 구선 F.S., HIGH ANGLE, PUSH IN

C#24

순천 구선의 충돌로 휘청이는 판옥선 병사들.
판옥선 갑판 위 F.S., HIGH ANGLE, PAN RIGHT

C#25

갑판 위 구르는 상자들.
갑판 위 F.S.

C#26

구르는 병사, 물건들.
병사 F.S., LOW ANGLE, FOLLOWING TRACK

C#27

안택선에 박힌 구선.
**판옥선 너머 안택선 & 구선 L.S.,
HIGH ANGLE, TRACK RIGHT**

순신 쓰러져 있는 상황

판옥선 너머 구선 F.S.

C#28

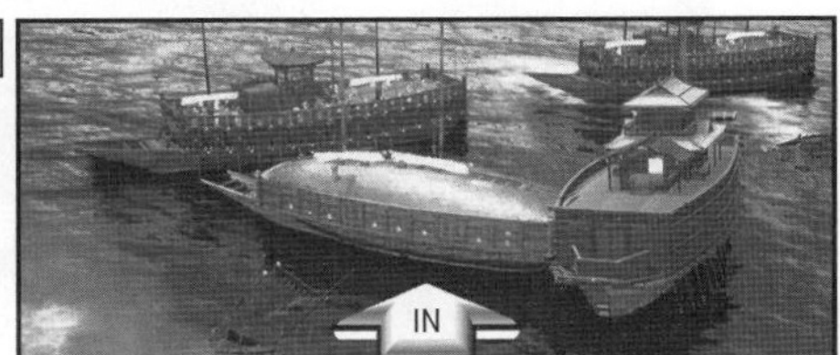

집어넣지 않은 용두로 인해 꽈악! 끼어버린 구선과 와키자카의 안택선.
구선 & 안택선 L.S., HIGH ANGLE, TRACK IN

C#29

놀라서 바라보는 정운.
정운 정면 B.S., SLIGHT LOW ANGLE, FIX

C#30

놀라서 바라보는 이억기.
이억기 측면 C.S., LOW ANGLE, FIX

C#31

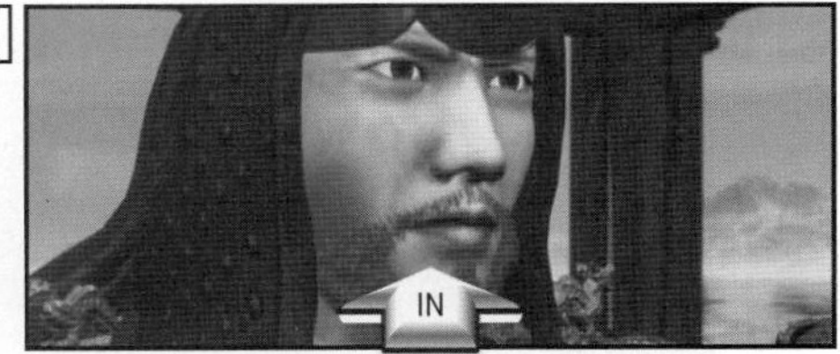

송희립 (놀라며) 장군! 구선입니다!

이순신 …….

장군! 구선입니다! 방패병사가 외친다. 희립은 갑판 위

이순신 C.S., TRACK IN

C#32

안택선에 박힌 채 꼼짝 않고 있는 구선!
구선 & 안택선 F.S., HIGH ANGLE

C#33

이순신 …….

순신, 희립, 방패병사들 동선 및 액팅 정리 필요

이순신 ¾ C.R C.U., EYE-LEVEL, FIX

C#34

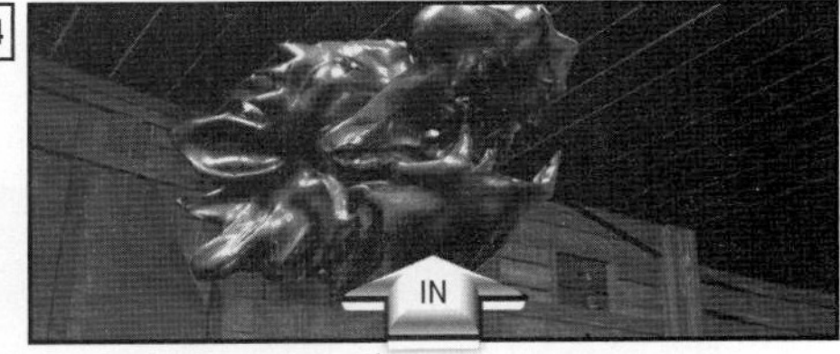

순천 구선의 용두.
구선 용두 C.U., LOW ANGLE, TRACK IN

C#35

송희립 (놀라며) 어찌 용두도 집어넣지 않고서….

송희립 C.S., EYE-LEVEL

C#36

다시 일어서는 와키자카의 다리.

일어나는 와키자카 후면 M.S.

C#37

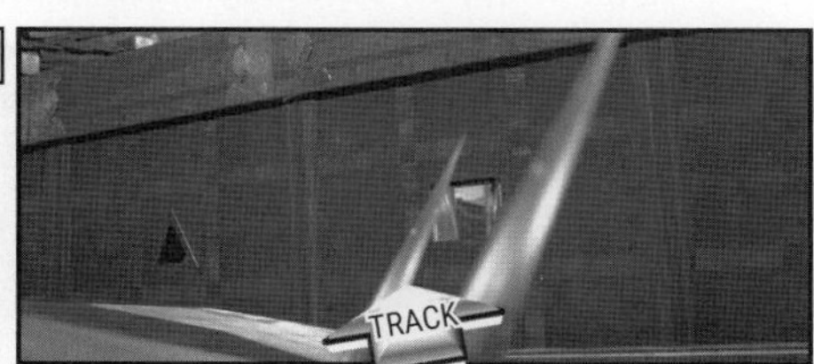

일어나 순천 구선을 바라보는 와키자카.

구선 침못 C.U., TRACK IN & BOOM UP

와키자카 (부르르 떨며) 메쿠라부네….

와키자카 ¾ C.R B.S.

C#38

바깥을 보는 나대용.

나대용 정면 C.S., EYE-LEVEL, TRACK IN

C#39

창 너머로 판옥선이 보인다.

나대용 P.O.V. 판옥선 F.S., LOW ANGLE

C#40

이순신 …….

고속, 이순신 ¾ C.L. C.U., EYE-LEVEL

C#41

송희립이 또한 뭐라 소리치고,

> 예비포를 준비하라! 방패를
> 수습해서 막아라! 등의 대사

고속, 송희립 C.U., LOW ANGLE

C#42

잔뜩 상기된 정운의 시선.

고속, 정운 ¾ C.L. C.U., EYE-LEVEL

C#43

잔뜩 상기된 이억기의 시선.

고속, 이억기 측면 C.U., LOW ANGLE

C#44

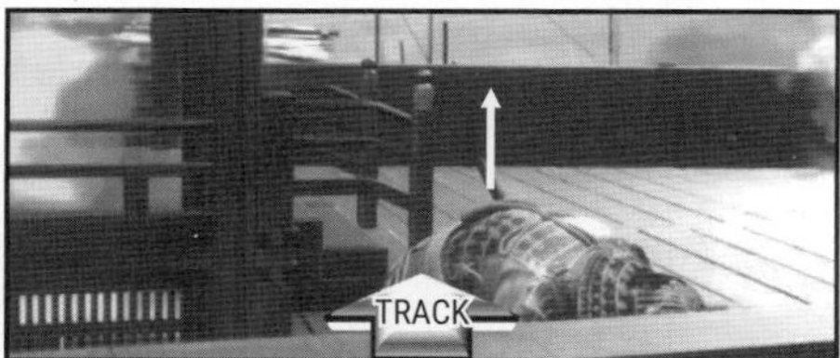

와키자카, 철포를 직접 들고
와키자카 M.F.S, EYE-LEVEL, TRACK IN

순신을 겨누는데,

C#45

조총을 겨누고 있는 왜군들 사이로
고속촬영, 조총들 측면 C.U.

난간 쪽으로 다가오는 와키자카.
와키자카 F.I. → FOCUS 와키자카

C#46

순신에게 총구를 겨누는 와키자카.
와키자카 C.S., LOW ANGLE, TRACK IN, FOCUS 총구 → 와키자카

C#47

순신과 와키자카, 지척의 거리….
와키자카 너머 이순신 L.S., LOW ANGLE

C#48

순신에게 총구를 겨누는 와키자카.
이순신 P.O.V., 와키자카 L.S., HIGH ANGLE, TRACK IN

C#49

이순신 …….

이순신 너머 송희립 M.F.S, HIGH ANGLE

C#50

송희립 장군! 발포합니다!

(갑판 쪽 보며) 발포하라!

송희립 정면 B.S., HIGH ANGLE

C#51

와키자카를 조준하는 화포.
화포 너머 와키자카 안택선 L.S.

C#52

쾅! 쾅! 쾅! 와키자카의 안택선으로 마구 쏟아져 들어오는 포탄과 대장군전!

안택선 너머 판옥선 L.S., HIGH ANGLE, PULL BACK

전경 : 포탄이 날아와 부서지는 잔해들.

C#53

총탄과 포탄을 맞고 있는 와키자카의 안택선.

판옥선 너머 안택선 F.S., HIGH ANGLE, TRACK RIGHT

C#54

와키자카 (총을 겨누다 말고) 하치만 신이시여! 저를 도우소서!

와키자카 정면 C.S., EYE-LEVEL, TRACK IN

C#55

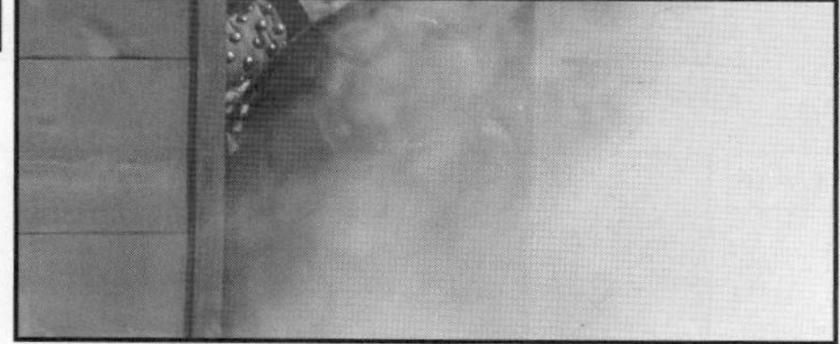

와키자카의 안택선을 쏘는 화포들.

판옥선 화포 C.U., LOW ANGLE

C#56

안택선 쪽으로 발포되는 화포들.

화포들 L.S., LOW ANGLE

C#57

와키자카가 총을 버리고 빠르게 돌아 뛰는데,

와키자카 뒤돌며 정면 B.S.

C#58

달리는 와키자카.

고속촬영, 와키자카 M.F.S, FOLLOWING TRACK

콰앙! 여지없이 무너져내리는 와키자카의 안택선!

C#59

와키자카의 등에 화살이 날아와 박힌다.

고속촬영, 와키자카 후면 M.F.S

C#60

온몸을 던져 바다로 뛰어드는 와키자카.

와키자카 L.S., LOW ANGLE → **와키자카** F.O.

C#61

와키자카를 겨눈 활을 거두는 순신.

이순신 M.F.S, TRACK IN → FADE OUT

S#69 견내량 - 신형 구선

왜선들을 끝까지 쫓는 이순신 함대. 그것을 바라보는 대용과 언량

69 CUTS/35 SET-UPS  EXT  DAY  OPEN SET

C#62

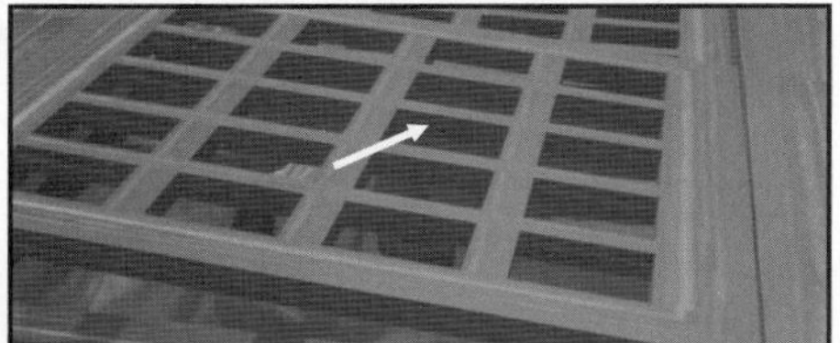

구선의 등 위로 나오는 이언량과

구선 등 위 불 타고 총탄 박혀 있고 쇠침 부러진 것 등
카메라가 쭉 훑고 가다가
문 열리고 인물들 등장

구선 등 위 문, HIGH ANGLE, FIX

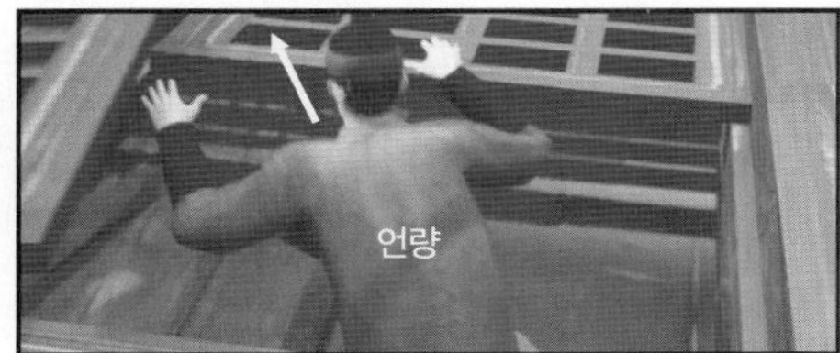

이언량 F.I. → F.O.

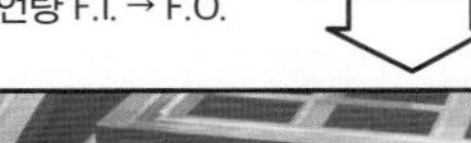

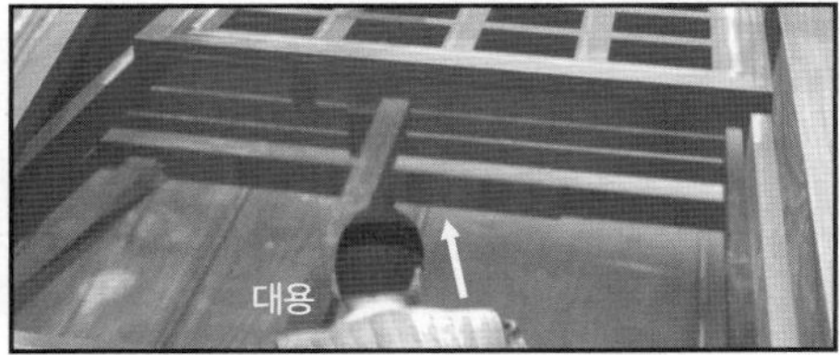

뒤따라 올라오는 누군가.
나대용 F.I.

C#63

나대용이다.

뚜껑 열면 시커먼 연기가 나온다.
기침하며 나오는 언량과 대용.

나대용 정면 M.S., SLIGHT HIGH ANGLE, TRACK RIGHT

→ 이언량 너머 나대용.

C#64

퇴각하는 왜선들을 바라보는 나대용과 이언량.
나대용 & 이언량 측면 L.S., ARC LEFT

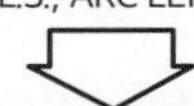

나대용 & 이언량 너머 왜선들 L.S.

C#65

폐허 속에 수면 위로 올라오는 와키자카.
전장 L.S., TRACK OUT

와키자카 F.I.

C#66

부서진 잔해에 기대어,
와키자카 정면 B.S., SLIGHT HIGH ANGLE

C#67

지나가는 신형 구선을 바라보는 와키자카.

와키자카 복카이센!

(0811 대사 추가)

와키자카 너머 구선 L.S., LOW ANGLE, ARC LEFT

→ ARC LEFT

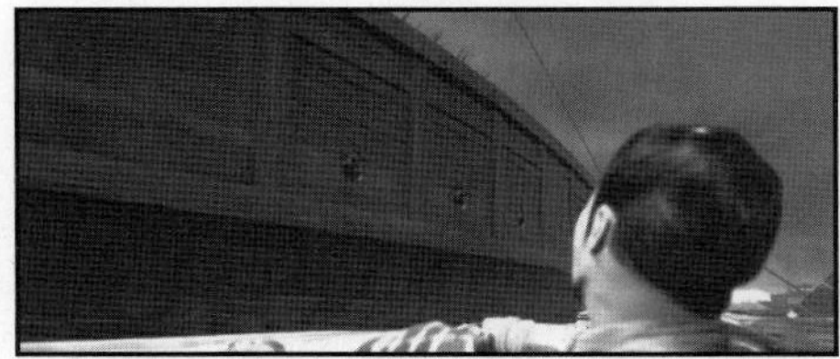

→ 와키자카 너머 지나가는 구선

C#68

순신의 좌선을 필두로 한 판옥전선들이 와키자카의 남은 함대를 향해 빠르게 다가간다.
선수도 돌리지 못한 채 거꾸로 노를 저으며 뒤로 퇴각하는 왜선들이 십수 척이다.
왜선들 E.L.S, PULL BACK

→ 판옥선들 너머 왜선들 E.L.S

C#69

이순신 (묵직이) 쫓아라. 끝까지 쫓아 나라의 원수를 크게 갚아라.

(0811 대사 수정)

이순신 정면 B.S., EYE-LEVEL, TRACK IN

추가 - 이순신 P.O.V. 구선이 도망가는 왜선들을 쫓아가는 상황

70A

S#70 견내량 해안 절벽

해안 절벽에서 스스로 떨어지려 하던 보름을 임준영이 붙잡는다 3 CUTS

EXT

DAY

LOCATION

C#1

여수 세트

여수 남면 화태리

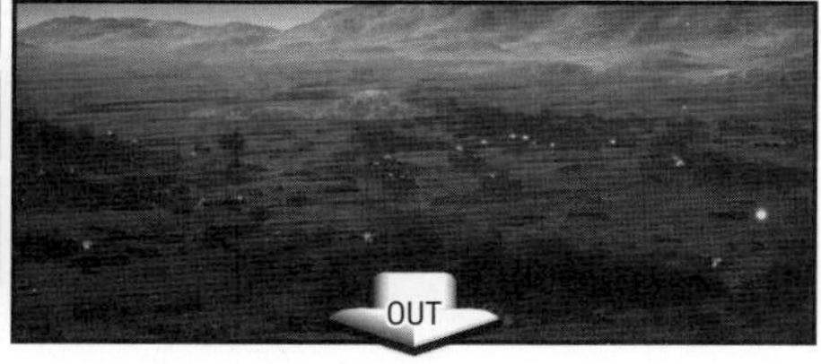

해안 절벽 위,
해전 E.L.S, HIGH ANGLE, TRACK OUT

보름이 긴 머리를 날리며 해전을 지켜보며 서 있다.
보름 너머 해전 E.L.S

C#2

조선 수군의 승리를 지켜보고 있는 보름….
보름 F.S., LOW ANGLE, FIX

C#3

여수 남면 화태리

눈물이 멈추지 않는다.
보름 ¾ C.R B.S., EYE-LEVEL, ARC RIGHT

70B

저잣거리

죽임을 당하는 보름의 부모, 왜병들에게 끌려가는 보름

9 CUTS/7 SET-UPS

EXT

NIGHT

OPEN SET

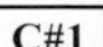

여수
오픈세트

조선 민가 근처 저잣거리 (N).
보름 너머로 불타고 있는 집.
보름에게 다가가는 왜병들.
보름 너머 집 L.S.

절규하는 보름의 아버지와 어머니.
창에 찔리는 아버지.
보름 부 & 모 정면 M.S., TRACK RIGHT

C#3

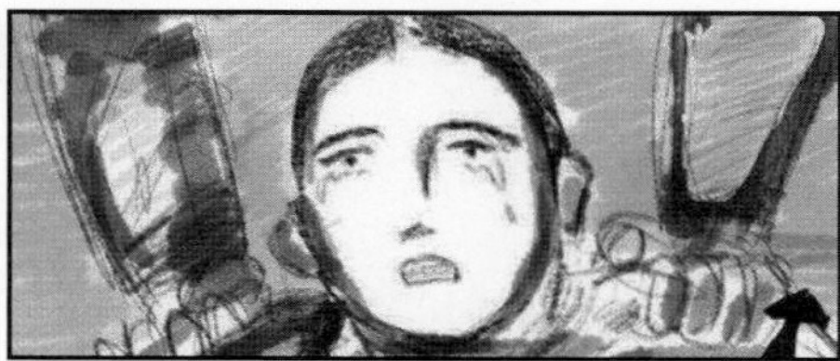

보름이 왜병들에게 끌려간다.
절규하는 보름.
보름 정면 C.S.

어둠 속으로 사라지는 보름.

C#4

불타고 있는 보름의 집.
보름의 집 F.S., TRACK RIGHT

S#70 견내량 해안 절벽

해안 절벽에서 스스로 떨어지려 하던 보름을 임준영이 붙잡는다

9 CUTS/7 SET-UPS

EXT

DAY

LOCATION

C#5

보 름 ……!

보름 정면 C.S., EYE-LEVEL, FIX

C#6

여수 세트

여수 남면 화태리

임준영이 이내 한 손을 내민다.

보름 & 임준영 측면 L.S., EYE-LEVEL, FIX

C#7

보 름 …….

[C#10 동일] 보름 정면 C.S., EYE-LEVEL, FIX

C#8

다시 초원에 바람이 불어온다.

COVERAGE SHOT, [C#6 동일] 보름 F.S., HIGH ANGLE, FIX

C#9

여수 세트

여수 남면 화태리

억새풀들이 두 사람 사이에서 세차게 흔들거리는데….

보름 & 임준영 E.L.S, HIGH ANGLE, FIX

S#71 한산 바다 - 안택선 갑판 위

금산성으로 향한다는 의병장 고경명의 답서를 받는 이순신

20 CUTS/16 SET-UPS  EXT  DAY  OPEN SET

C#1

세키부네를 타고 도망치는 와키자카.
와키자카 후면 M.S., EYE-LEVEL, TRACK IN

C#2

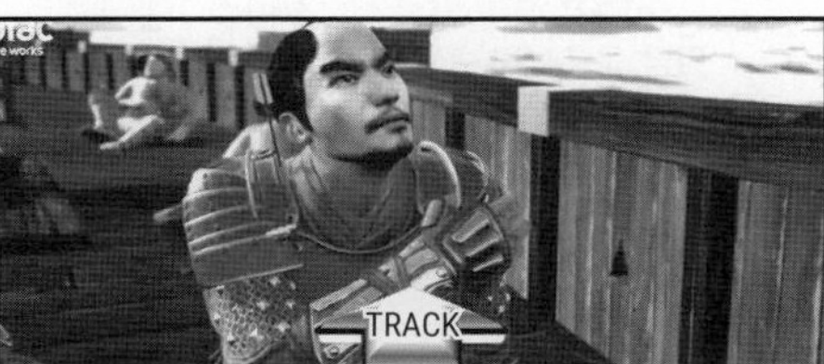

두려움으로 가득한 와키자카의 얼굴.
와키자카 B.S., EYE-LEVEL,TRACK IN

C#3

판옥선 사이에 있는 와키자카의 안택선 1대.
안택선 L.S., SLIGHT LOW ANGLE, PUSH IN

노획한 안택선 갑판 위에 서 있는 순신이 보인다.
순신 정면 F.S., SLIGHT LOW ANGLE

C#4

와키자카를 쳐다보는 순신.
와키자카의 얼굴에 가득한 두려움을 읽는다….
순신 정면 C.S., SLIGHT LOW ANGLE, FIX

C#5

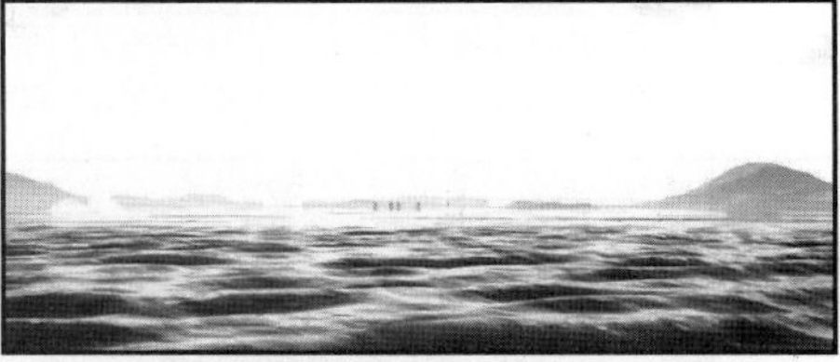

멀리 도망가는 세키부네들.
순신 P.O.V., FIX

C#6

그때 달려오는 탐망병,
순신 정면 M.F.S, SLIGHT HIGH ANGLE, TRACK RIGHT

고개를 숙이며 보고를 시작한다.

탐망병 장군!

C#7

탐망병 방금 민선들이 안골포에 적선 40여 척이 정박하고 있다는 정보를 전해왔습니다.

보고를 듣고 선수 왼쪽으로 향하는 순신.
탐망병 너머 순신 ¾ C.R M.S., EYE-LEVEL, FIX

C#8

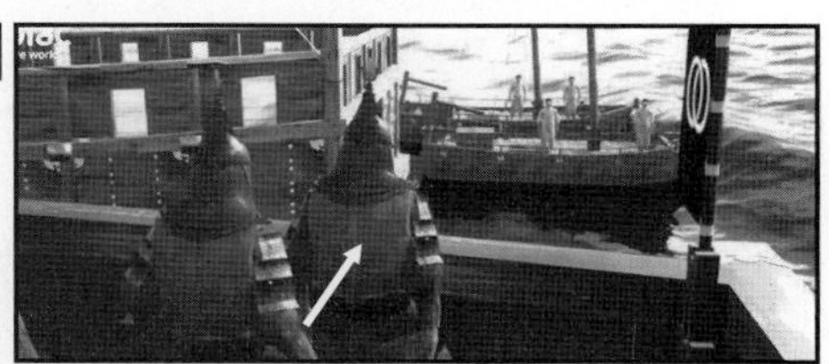

민선인 어선 몇 척이 어느새 함대에 접근해왔다.
난간으로 가까이 다가서는 순신.
순신 F.I., M.S., HIGH ANGLE, FIX

C#9

순신을 보자 인사를 하는 민선 위의 어부들.
어부들 너머 안택선 위 순신 L.S., LOW ANGLE, FIX

C#10

허리를 굽혀 인사하는 배 위의 어부들.
순신 P.O.V., TRACK LEFT

C#11

순신 또한 어부들에게 고개 숙여 인사를 한다.
순신 ¾ C.R C.S., EYE-LEVEL, FIX

C#12

한산 해역에 즐비한 적선의 잔해와 시체들….
왜군 시신들 너머 안택선 L.S., LOW ANGLE, FIX

C#13

적의 잔해들을 찬찬히 바라보던 순신….

이순신 (육지 쪽을 바라보며 나직이) 육지의 적이 걱정이다….

순신 WALK IN, TRACK LEFT

C#14

이때 순신을 향해 다가오는 두 사람.
어영담 F.I., F.S., EYE-LEVEL, FIX

C#15

이운룡과 어영담이다.
어영담, 이운룡 WALK IN, B.S. 2, EYE-LEVEL, FIX

C#16

이순신 두 분 정말 수고 많았습니다.
영담, 운룡 너머 순신 정면 M.S., EYE-LEVEL, FIX

C#17

어영담/이운룡 (그저 엷은 미소만) …….
문득 어영담이 전통문 하나를 순신에게 내민다.

어영담 장군의 의승군 독전서에 대한 의병장 고경명의 답서가 왔습니다. 본인과 자신의 의병들이
M.S., EYE-LEVEL, FIX

C#18

어영담 (OFF SCREEN SOUND) 적의 배후인 금산성으로 향하겠다 합니다.

이순신 …….
순신 3/4 C.R C.S., EYE-LEVEL, FIX

C#19

어영담 (의미심장하게 다가서며) 좌수사 영감. 이대로 끝내시렵니까.
어영담 정면 C.S., EYE-LEVEL, FIX

C#20

이순신 …….
순신 정면 C.U., EYE-LEVEL, FIX

S#72 웅치 고개

후퇴하는 고바야카와군. 총에 맞은 황박이 준사를 구해주고 숨을 거둔다 41 CUTS/32 SET-UPS

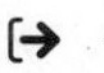
EXT

DAY

LOCATION

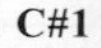
C#1

창에 꽂혀 죽어 있는 정담의 시체가 보이고,
※무릎을 꿇은 채 창에 꽂혀 죽어 있는 정담
고바야카와 P.O.V. 정담 시체 F.S., HIGH ANGLE,
BOOM UP → 왜군들 너머 조선군 L.S.

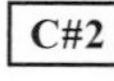
C#2

얼마 남지 않은 조선군과 의병들 속에서 서로 등을 맞댄 채 왜병들을 베는, 준사와 그리고 황박….
황박 & 준사 M.F.S, SLIGHT LOW ANGLE

C#3

밀려드는 왜군 장창병들에게 살육당하는 의병들.
왜군들 O.S 의병들 HIGH ANGLE,

C#4

준사 정면 M.S., TRACK RIGHT → 황박 M.S.

황박의 목소리가 드높다.

황 박 절대 뚫려선 안 된다! 끝까지 싸우자!

이때 탕,탕,탕! 하고 들려오는 조총 소리.
서너 발이 황박의 가슴에 명중한다.

달려드는 왜병 하나를 힘겹게 쳐내는 황박.

이내 쓰러지며 무릎을 꿇는다.

C#5

왜병 하나를 처리하고 황박을 돌아보는 준사.
준사 C.S.

C#6

주저앉아 있는 황박을 향해 달려드는 왜군 부장과 병사를 재빠르게 처단하는 준사.
황박 너머 왜군 부장 & 병사 M.F.S, 준사 F.I.

C#7

힘없이 무릎 꿇고 있는 황박에게 다가가는 준사.
황박 & 준사 M.F.S

C#8

준 사 괜찮소?

황박 너머 준사 B.S.

C#9

황 박 (준사에게) 내 술 한잔 거하게 내놓으려 했건만, 그 약속 못 지켜 미안하네. 절대 좌수영으로 놈들을 보내선 아니 되네.

준사 너머 황박 B.S.

C#10

준 사 …….

그때 준사를 노리고 다가오는 왜병 장창병.
준사 너머 왜군 장창병, TRACK LEFT

C#11

황박, 준사의 팔을 잡아채 옆으로 넘어뜨린다.
황박 & 준사 M.S. 2

C#12

땅바닥에 널브러지는 준사.
무슨 일인가 싶어 재빨리 뒤돌아본다.
준사 F.I. → M.S., HIGH ANGLE, TRACK-IN

C#13

황박을 장창으로 찌른 왜병.
황박 너머 왜병 M.F.S, LOW ANGLE

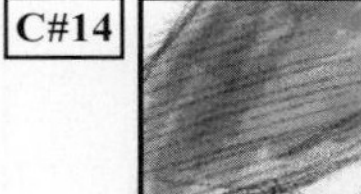

C#14

황박, 가슴에 박힌 장창을 잡는다.
왜병 너머 황박 & 준사 M.F.S

C#15

장창을 뽑으려 해도 꿈쩍도 하지 않자 겁을 먹는 왜병.
왜병 B.S.

C#16

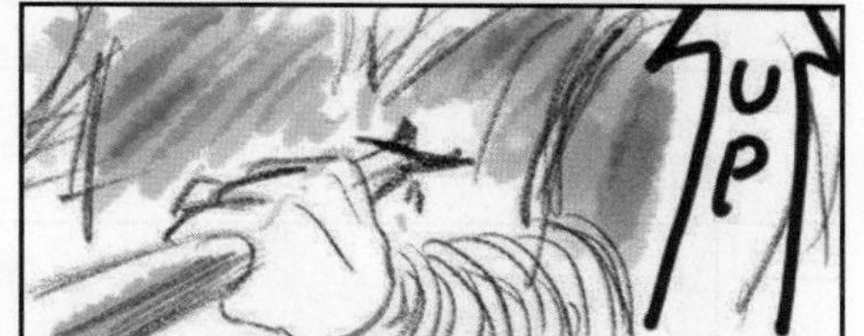

황 박 …네놈들은 웅치를 한 발짝도 넘지… 못한다.
황박 창이 박힌 가슴 TILT UP → 황박 정면 C.S.

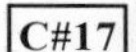

C#17

준사 재빨리 왜병을 베어버린다.
황박 너머 왜병 & 준사

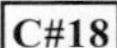

C#18

고바야카와에게 급히 달려오는 전령 하나!
고바야카와 & 전령 L.S., EYE-LEVEL

C#19

고바 전령 고경명이라는 자가 이끄는 조선 민병들 약 1만이 지금 금산성으로 향해 오고 있다 합니다!
고바야카와 너머 전령 M.F.S, EYE-LEVEL

C#20

고바야카와 이치는 어찌 되었느냐?
전령 너머 고바야카와 M.S., EYE-LEVEL

C#21

고바 전령 이치 또한 우리 아군이 새로 부임한 전라 순찰사 권율이라는 자에게 고전하고 있다 합니다.
[C#19 동일] 고바야카와 너머 전령 M.F.S

C#22

고바야카와 (놀라며) 뭐라!
고바 부장이 말을 타고 가까이 다가오며,
[C#20 동일] 전령 너머 고바야카와 M.S. 고바 부장 F.I.

C#23

고바 부장 (힘겹게) 일단 물러나시지요. 너무나 지체하였습니다. 자칫 우리가 포위를 당할 수도 있습니다.

고바야카와 & 부장 정면 M.F.S

C#24

전투가 한창인 3선의 끝선, 준사가 황박을 부축해서 올라오고 있다….

준사 & 황박 L.S., LOW ANGLE

C#25

이때, 정면에서 들리는 함성 소리에 고개를 들어 응시하는 준사.

준사 & 황박 B.S. 2

C#26

3선 고개 너머 에서 들려오는 함성들.
와아아~ 관군들과 의병들이 잔뜩 넘어온다.

준사 P.O.V., 전장 L.S.

C#27

관군들을 지휘하는 동복 현감 황진.
자막 : 동복 현감 황진

황진 L.S.

C#28

힘겹게 고개를 들어 정면을 보는 황박.

황 박 그럴 줄 알았어….

황박 & 준사 정면 B.S. 2

C#29

황 박 정의(正義)를 세우기 위한 싸움….

준사 너머 황박 B.S.

C#30

황 박 다같이 한마음인 게지….

황박 너머 준사 B.S.

C#31

황 박 …자네도 고마웠네.

이내 숨을 거두는 황박.

준사 너머 황박 C.S.

C#32

황박을 돌아보는 준사.

준 사 …….

황박 너머 준사 C.S.

C#33

새로 가세한 관군과 의병들에 의해 밀려나는 왜군들.

고바야카와 너머 전장 L.S.

C#34

"으으으!" 하며 성질을 내는 고바야카와.

아쉬운 눈빛으로 시체로 가득한 웅치 고개를 보더니,

> **고바야카와** 작전을 변경한다! 일단 금산성을 사수해야 한다. 전군 철군토록!

고바야카와 정면 B.S., EYE-LEVEL, TRACK IN

C#35

철수하라! 철수! 소리에 빠르게 퇴각해가는 고바야카와 군사들….

고바야카와 부대 L.S., HIGH ANGLE,

C#36

진격하는 관군과 의병들 너머,

고목에 황박을 기대어 눕히는 준사.

준사 & 황박 L.S., LOW ANGLE

C#37

옆에서 무언가를 발견하고 몸을 숙인다.

준사 M.S.

C#38

준사가 '의' 깃발을 들어 올린다.

'의' 깃발 F.I., TRACK OUT & BOOM DOWN →

깃발 들고 있는 준사 정면 M.F.S, LOW ANGLE

C#39

후퇴하는 왜군들.

준사 너머 왜군 E.L.S, HIGH ANGLE

C#40

이내 함성을 지르며,

고속촬영, 준사 측면 B.S. → F.O.

C#41

다시 돌격해가는 준사와 의병들.

고속촬영, 준사 & 의병들 정면 F.S., TRACK IN

S#73 안골포 앞바다

가토와 구키의 함선도 모두 무너지고, 부산포까지 나아가자 하는 이순신 24 CUTS/20 SET-UPS

EXT

DAY

OPEN SET

C#1

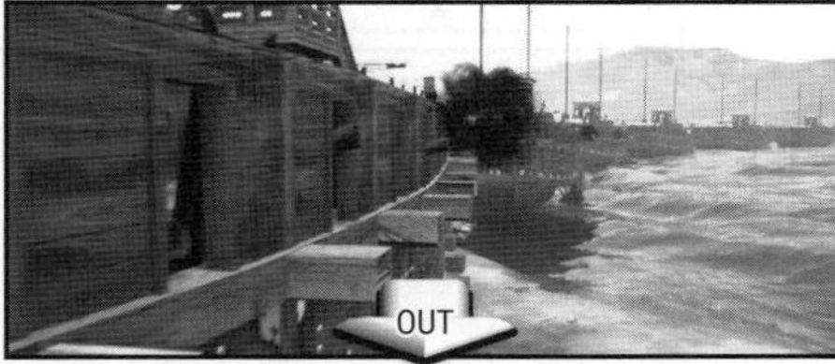

비가 거세게 내리고 있다.
쿵!쿵!쿵!
연달아 발사되는 판옥선 측면 화포들.
판옥선 측면 (대형 안쪽) L.S., EYE-LEVEL, PULL BACK

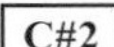
C#2

판옥선에 둘러싸인 왜선들이 포격을 당한다.
왜선들 L.S., HIGH ANGLE, TRACK RIGHT

C#3

포구에 정박해 있는 왜선들을 벨트가 감아 돌 듯 입구 쪽부터 안쪽으로 감아 돌며 포격하고 있는 순신의 함대.

3차 출동 6일 차
1592년 7월 10일 진해 땅 안골포

E.L.S, HIGH ANGLE, TRACK RIGHT

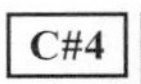
C#4

이순신 대장선 장루 위.
장루 지붕 M.S., EYE-LEVEL, BOOM DOWN

순신이 송희립과 함께 무표정하게 바다를 지켜보고 있다.
순신, 희립 정면 M.F.S 2, EYE-LEVEL

C#5

포를 발사하는 판옥선들.
판옥선들 L.S., SLIGHT LOW ANGLE, QUICK PAN RIGHT

날아간 포탄에 부서지는 왜선들.
왜선들 E.L.S, SLIGHT LOW ANGLE

C#6

날아오는 포에 명중되는 안택선.
안택선 정면 L.S., SLIGHT LOW ANGLE, PUSH IN

C#7

이내 안택선이 부서져내리기 시작하고,
안택선 좌측면 L.S., EYE-LEVEL, BOOM UP

그 너머로 촘촘히 서 있는 판옥 함대가 보인다.

C#8

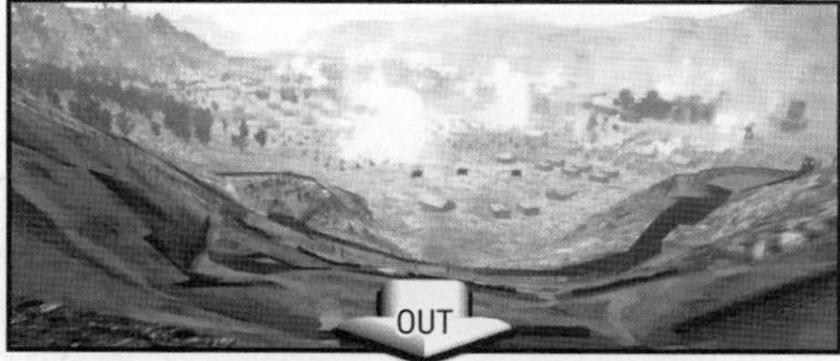

안골포 언덕 위 누군가의 시선이 안골포를 내려다보고 있다.
안골포 L.S., HIGH ANGLE, PULL BACK

침몰하는 40여 척의 구키의 함선들로 불바다가 된 포구.
언덕 위 진지 너머 안골포 L.S., HIGH ANGLE

C#9

언덕 위의 조총 부대 진지 안
무언가를 망연자실 지켜보고 있는 구키.
구키 정면 F.S., EYE-LEVEL, TRACK IN

구키, 움찔움찔 놀라며 몸을 숨긴다.
구키 정면 B.S., EYE-LEVEL

C#10

정박 중이던 40여 척의 구키 함대가 무너져내리고 있다.
순신 P.O.V., **구키 함대** E.L.S, EYE-LEVEL, FIX

C#11

아무 말 없이 바다를 보는 순신.
순신 ¾ C.R B.S., SLIGHT LOW ANGLE, TRACK IN

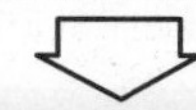

순신 ¾ C.R C.U., SLIGHT LOW ANGLE

C#12

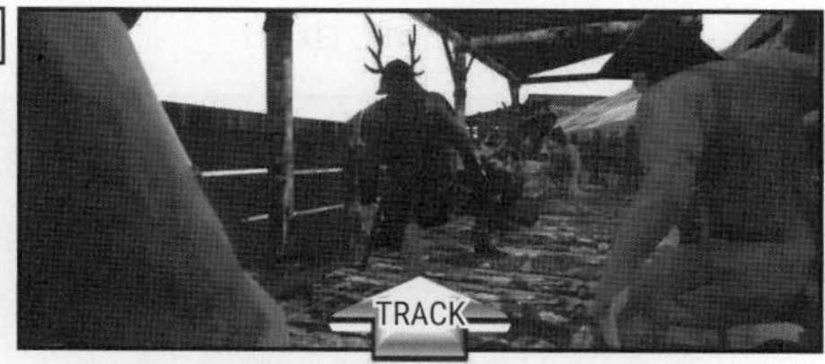

포성에 움찔움찔 놀라는 구키의 뒷모습.
구키 후면 F.S., SLIGHT LOW ANGLE, TRACK IN

C#13

일어나 바깥을 살피는 구키.
구키 정면 C.U., EYE-LEVEL, BOOM UP

C#14

몸을 돌려 다시 앉으면, 한쪽에 앉아 있는 가토가 놀랍게도 웃고 있다.
가토 너머 구키 M.S., SLIGHT LOW ANGLE, FIX

C#15

가토, 연신 큭큭거리고 있는데,
구키 너머 가토 M.S., SLIGHT LOW ANGLE, FIX

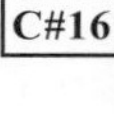

C#16

구 키 (애써 따라 웃으며) 그러게… 차라리 잘된 일 아닌가. 모든 책임은

가토 너머 구키 정면 B.S., EYE-LEVEL, FIX

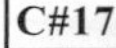

C#17

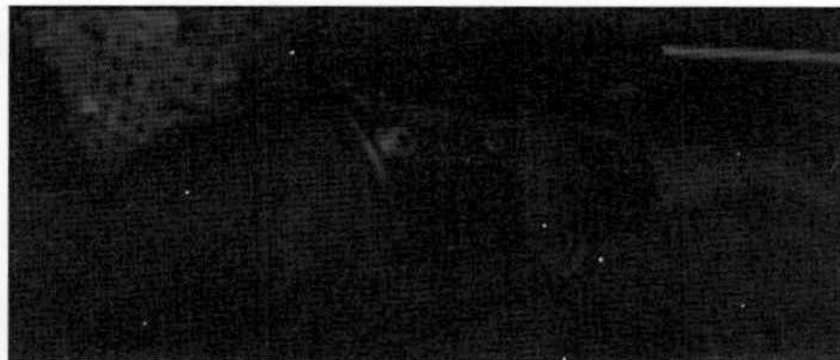

구 키 (OFF SCREEN SOUND) 와키자카….

빠르게 칼을 뽑는 가토의 손.

가토 손 C.U., EYE-LEVEL, FIX

C#18

가토가 순식간에 웃음을 멈추고 구키의 목에 칼을 들이댄다.

가 토 (차갑게 노려보며) 내 칼에 죽기 싫으면

가토, 구키 M.S. 2, SLIGHT LOW ANGLE, FIX

C#19

가 토 더는 아무 말도 마시오.

구키 너머 가토 B.S., SLIGHT HIGH ANGLE, FIX

C#20

구 키 (끄응)…….

가토 잔뜩 비가 내리지만 진지 밖으로 나가버리고,

※ VP 콘티에는 가토 퇴장 장면 없음

구키 정면 C.S., SLIGHT LOW ANGLE, FIX

C#21

이순신 대장선 장루 위

CUT TO

바다를 보며 서 있는 순신과 희립의 뒷모습.

순신, 희립 후면 M.S. 2, EYE-LEVEL, FIX,

RACK FOCUS **바다 → 인물**

C#22

송희립 (감격) 장군. 실로 완벽한 승리입니다.

순신, 희립 M.F.S 2, HIGH ANGLE, FIX

C#23

이순신 아니다.

송희립 (당황) 예?

한 걸음 앞으로 나오는 순신.

순신 측면 C.R C.S., EYE-LEVEL, FIX

C#24

이순신 부산포가 지척이다. 더 나아가자.

송희립 !

순신, 희립 정면 M.S. 2, LOW ANGLE, TRACK IN

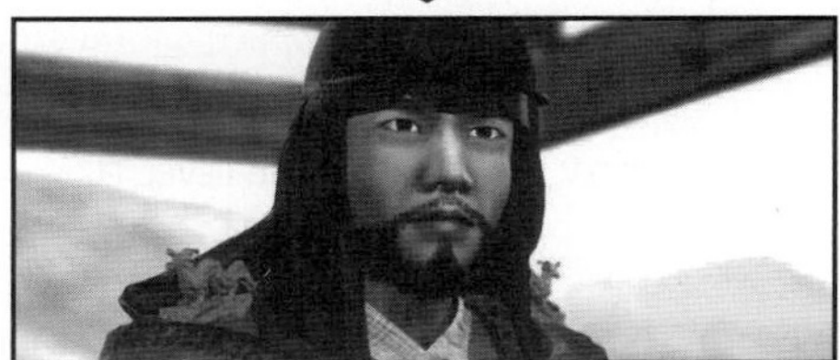

이순신 (지그시) 지금 우리에겐 압도적인 승리가 필요하다.

송희립 …….

순신 정면 C.U., SLIGHT LOW ANGLE

74A

S#74 부산포 왜성 앞바다

끝까지 모든 포탄을 쏟아붓는 이순신 함대

5 CUTS/5 SET-UPS

EXT

DAY

OPEN SET

C#1

비가 그치고 맑은 하늘, 쿵쿵쿵!

하늘 E.L.S, AERIAL SHOT, BOOM DOWN

부산포 앞을 울리는 이순신 함대의 함포 사격.

3차 출동 7일 차

1592년 7월 11일

부산포 E.L.S, HIGH ANGLE

C#2

부산포에서 울부짖는 왜군들….

부산포 E.L.S, HIGH ANGLE, ARC LEFT

C#3

흔적도 없이 사라져버리기도 하고….

부산포 막사 L.S., HIGH ANGLE, TRACK LEFT

C#4

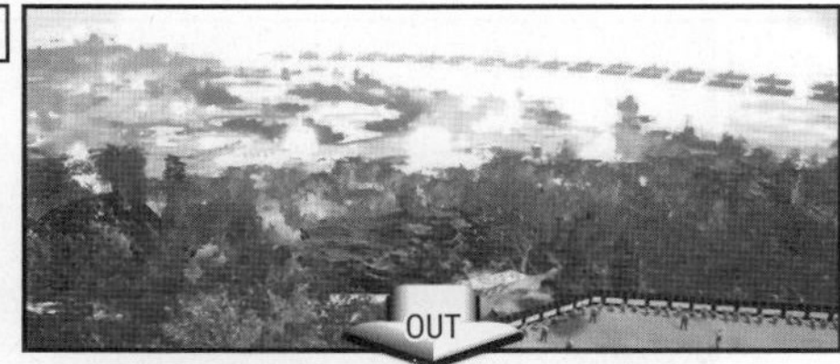

왜성 너머 보이는 부산포 전경.

AERIAL SHOT, PULL BACK & BOOM UP

조그마한 반격도 하지 못하는 부산포의 왜군들…

그저 함포가 끝나기만을 기다리는데….

C#5

모든 포탄을 쏟아붓는 순신의 함대!

판옥선들 E.L.S, HIGH ANGLE, BOOM UP

74B

S#74 부산포 왜성 앞바다

끝까지 모든 포탄을 쏟아붓는 이순신 함대를 지켜보는 도도 다카도라 11 CUTS/10 SET-UPS(해전 제외)   

INT DAY SET

C#1

부산 실내세트

와키자카 왜성 처소 3층
언덕 위 본성에서…
부산포 앞바다 E.L.S, HIGH ANGLE, PULL BACK

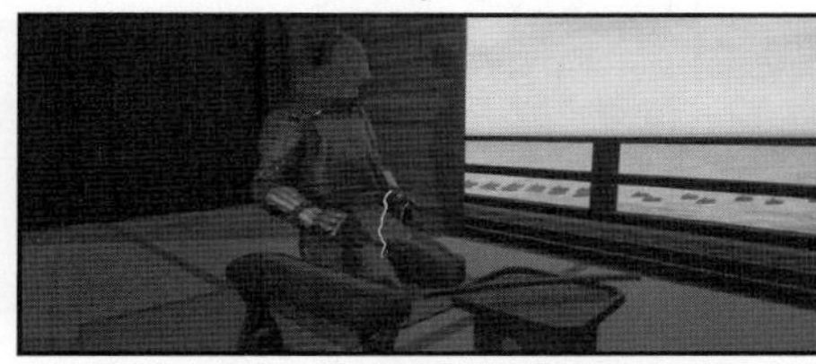

심한 두려움과 함께 조선 함대를 망연히 지켜보고 있는 왜장 하나.
→ 도도 F.S.

C#2

도도 다카도라 (藤堂高虎)
도도 측면 C.L. B.S., EYE-LEVEL, FIX

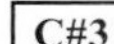

C#3

도도 P.O.V.

S#74 부산포 왜성 앞바다

마침내 장사진을 이루며 해무 속으로 사라지는 이순신 함대

0 CUTS/0 SET-UPS(불명확) 

C#1

이억기

결연한 표정으로 마침내 고개를 끄덕이는 이억기,
크게 뭔가를 깨달은 듯한데,

C#2

어영담

어영담 역시 순신을 돌아보며 뜻 모를 미소를 띠고,

C#3

연신 화포를 발사하는 판옥선들.
판옥선들 L.S., SLIGHT HIGH ANGLE, PULL BACK

원균 너머 판옥선들 L.S.

C#4

반면 언뜻 한쪽 배에 보이는 원균, 유구무언인데….
원균 정면 B.S., SLIGHT LOW ANGLE, TRACK IN4

C#5

포연이 멈추는 순신의 함대….
장루 위에 순신이 서 있다.
장루 위 순신 L.S., SLIGHT LOW ANGLE, TRACK IN

C#6

바다를 바라보고 있는 순신에게 희립이 다가와 무언가를 보고한다.
송희립 F.I., 순신, 희립 후면 M.S. 2, EYE-LEVEL, FIX

C#7

순신, 부산포를 지그시 바라보고….

이순신 …….

희립에게 고개를 끄덕여 보이는 순신.
희립이 목례를 하고 퇴장한다.
이순신 ¾ C.L. C.U.,EYE-LEVEL, FIX

C#8

마침내 순신의 함대가 유유히 배를 돌려 장사진을 이루며 해무 속으로 사라진다….
판옥선들 E.L.S, HIGH ANGLE, FIX

74D

S#74 부산포 왜성 앞바다

끝까지 모든 포탄을 쏟아붓는 이순신 함대, 마나베의 할복자살

11 CUTS/10 SET-UPS(해전 제외)  EXT  DAY  LOCATION

C#1

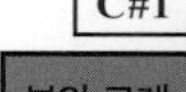

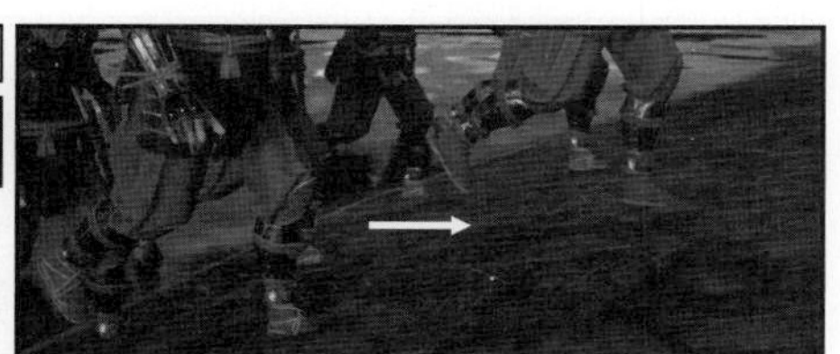

한산도 해안가

INS. 무인도 한산도 해안가로 헤엄쳐 와 살아남은 애꾸눈 마나베.

마나베와 부하들 다리 M.S., SLIGHT HIGH ANGLE, FIX

C#2

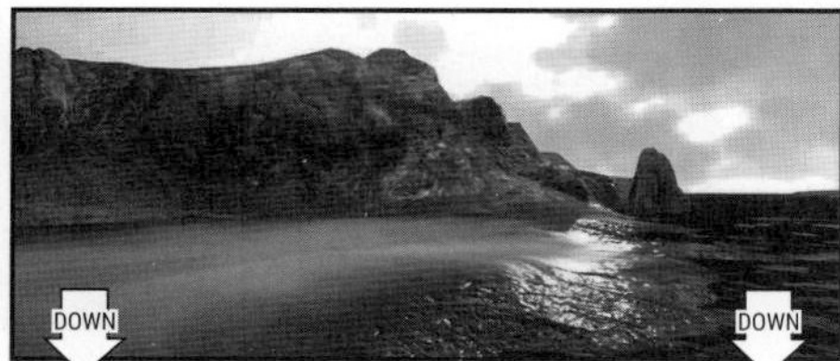

해변가 L.S., HIGH ANGLE, BOOM DOWN

→ 마나베와 부하들 L.S.

C#3

마나베 F.S., HIGH ANGLE, TRACK IN

마나베 M.S.

C#4

마나베가 부하 몇몇과 함께 한산도 해안가에서 할복자살하는 모습이 보이고,

할복하는 마나베 손, TILT UP

부하 4백 명과 함께 겨우 살아난 마나베 사마노조는 무인도인 한산도에서 할복자살한다.

→ 마나베 정면 B.S.

C#5

※마나베 포함 3명 할복 → 나머지 3명이 목을 벤다.

마나베와 부하들 L.S., SLIGHT HIGH ANGLE, FIX

S#74 부산포 왜성 앞바다

끝까지 모든 포탄을 쏟아붓는 이순신 함대, 마나베의 할복자살 4 CUTS

EXT DAY OPEN SET

C#1

고양 수조세트

이어 망망대해 뗏목 위 해초를 뜯어먹으며
와키자카 정면 L.S., EYE-LEVEL

C#2

와키자카 정면 F.S., EYE-LEVEL

C#3

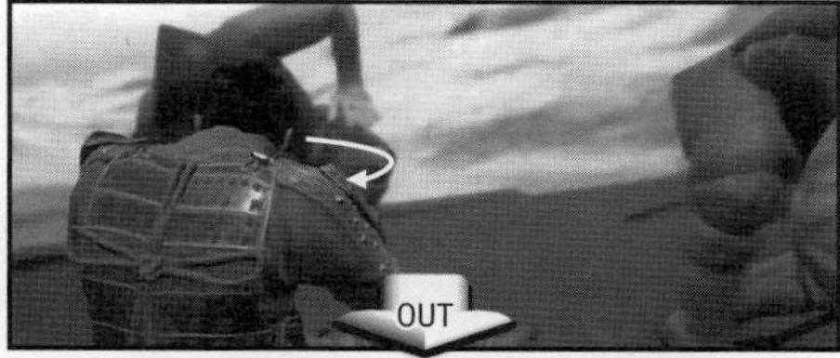

다가오는 세키부네의 구조를 기다리는 처절한 와키자카의 모습도 보인다.
와키자카 후면 B.S., EYE-LEVEL, TRACK OUT

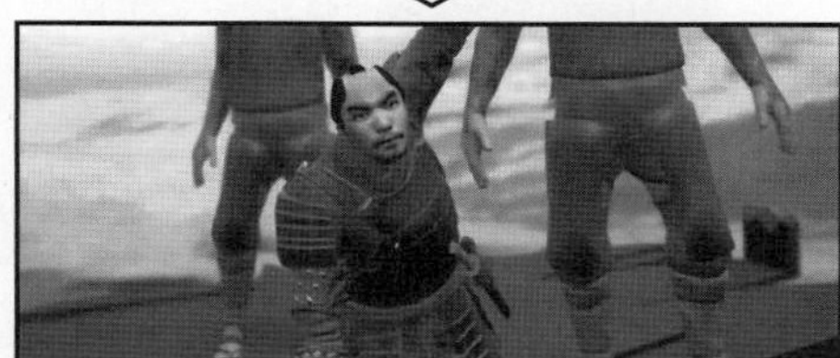

와키자카 돌아보며 정면 M.S.

C#4

그로써 한산해전에서 세 수족이 다 잘린 협판안치(와키자카 야스하루)는 전장의 상처를 극복하지 못하고 이후 별다른 무공을 세우지 못한 채 사라진다.
와키자카 너머 세키부네 E.L.S, HIGH ANGLE, BOOM UP

S#75 좌수영 자당

어머니가 차려준 밥을 먹는 순신. 백성들이 쌓아놓고 간 음식들이 가득하다 15 CUTS/8 SET-UPS

 INT  DAY OPEN SET

C#1

여수 오픈세트

자막 사라지며 다시 (F.I.) 되는 화면….
자당 L.S., HIGH ANGLE, TRACK LEFT & BOOM DOWN

좌수영 근처 자당, 무명 선비복 차림의 누군가의 뒷모습, 3차 출동 종료 사흘 후
자당 안 이순신 후면 L.S.

C#2

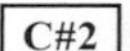

밥상을 앞에 두고 무언가를 열심히 먹고 있는 소리가 들리는데….
순신의 갓 C.U., SLIGHT HIGH ANGLE,
PAN LEFT & TILT UP

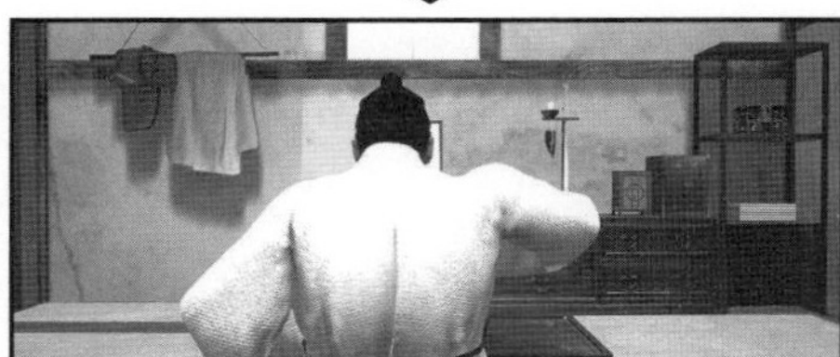

순신 후면 M.S., EYE-LEVEL

C#3

하얀 무명 선비복 차림의 이순신이다.
시래깃국에 밥 한 그릇을 맛있게 다 해치웠다.
이순신 정면 M.S., EYE-LEVEL, TRACK IN

C#4

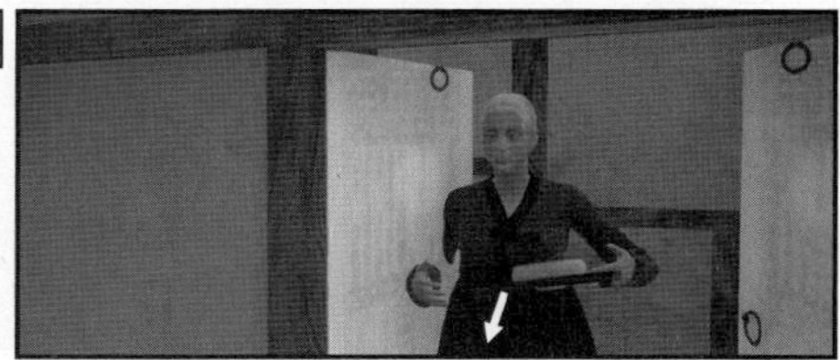

문을 열고 들어오는 순신의 어머니 변 씨.
초계 변 씨 F.I. → 정면 M.S., EYE-LEVEL, FIX

C#5

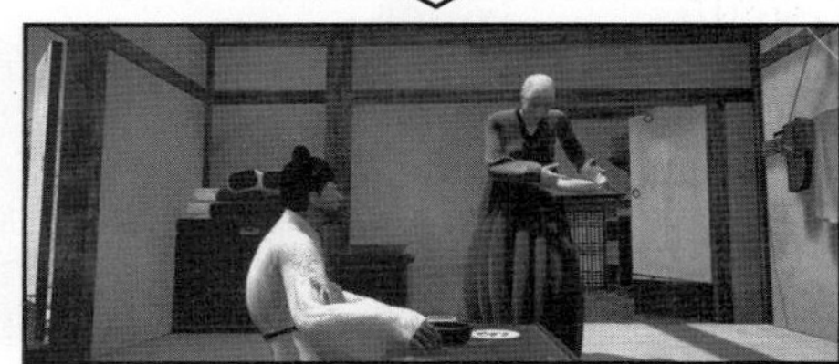

뜨거운 김이 나는 숭늉 한 그릇을 가져와 그 앞에 놓는다.
이순신 너머 초계 변 씨 F.S., SLIGHT LOW ANGLE, FIX

C#6

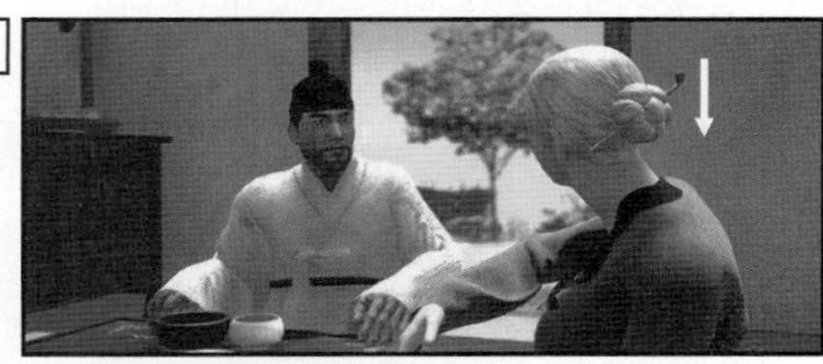

이순신 어머니 맛있습니다.

초계 변 씨 너머 이순신 정면 M.S., EYE-LEVEL, FIX

C#7

어머니 네가 좋아하는 보리밥 숭늉도 가져왔다.

이순신 너머 초계 변 씨 정면 M.S., EYE-LEVEL, FIX

C#8

INS. 숭늉 그릇을 내미는 초계 변 씨 손,
FOLLOWING PAN → 순신 손

C#9

이순신 (반색하며) 후루룩 쩝! 쩝!

순신, 그저 맛있게 먹고 들이켠다.
이순신 정면 B.S., EYE-LEVEL, FIX

C#10

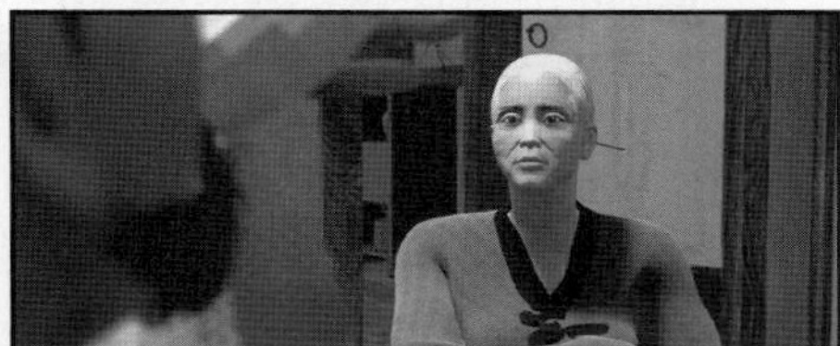

어머니 변 씨, 그런 순신을 웃음을 띤 채 바라보고 있는데,
이순신 너머 초계 변 씨 정면 B.S., EYE-LEVEL, FIX

C#11

이순신 그나저나 소자가 어머니 음식을 다 축내는 건 아닌지 모르겠습니다.

[C#6 동일] 초계 변 씨 너머 이순신 정면 M.S., EYE-LEVEL, FIX

C#12

어머니 (웃으며) 저기 보아라.

고개를 돌리는 순신과 어머니.
이순신 너머 초계 변 씨 정면 M.F.S, EYE-LEVEL, FIX

C#13

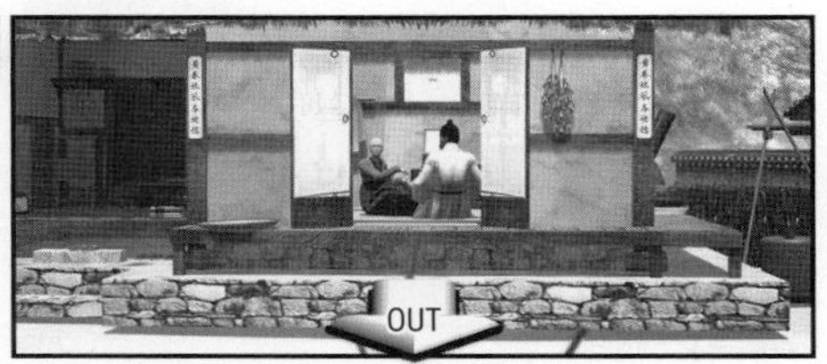

순신이 마당 한쪽을 보면,
이순신 & 초계 변 씨 L.S. 2, EYE-LEVEL, TRACK OUT

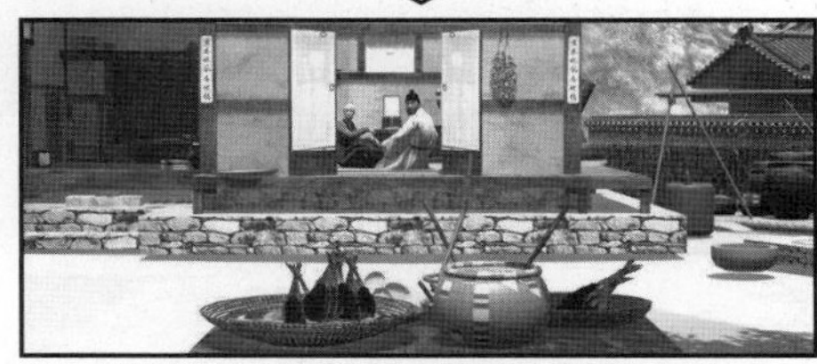

시래기부터 말린 생선들까지 음식들이 가득 놓여 있고,
음식들 너머 이순신 & 초계 변 씨 L.S.

C#14

INS. 쌓여 있는 음식들, PAN RIGHT

C#15

어머니 자고 나면 저리 쌓여 있다.

이순신 …….

두 사람, 서로를 바라보며 말없이 미소만 짓고….
초계 변 씨 & 이순신 M.F. S 2, EYE-LEVEL, TRACK IN

S#76 에필로그 - 한산도

한산해전 5년 후, 해변을 걸으며 대화하는 이억기와 이순신.

8 CUTS/4 SET-UPS

EXT DAY LOCATION

C#1

부안 로케

석양에 파도가 밀려왔다 사라지는 해변….
저 앞에 거제섬이 보인다.
바다 E.L.S, HIGH ANGLE, BOOM DOWN

그 위를 걸어 지나는 이순신, 옆에는 왠지 훨씬 성숙해 보이는 이억기가 함께 걷고 있다.

1593년 7월 한산도, 한산해전 5년 후

이순신 & 이억기 F.I., 후면 M.F.S 2, EYE-LEVEL

C#2

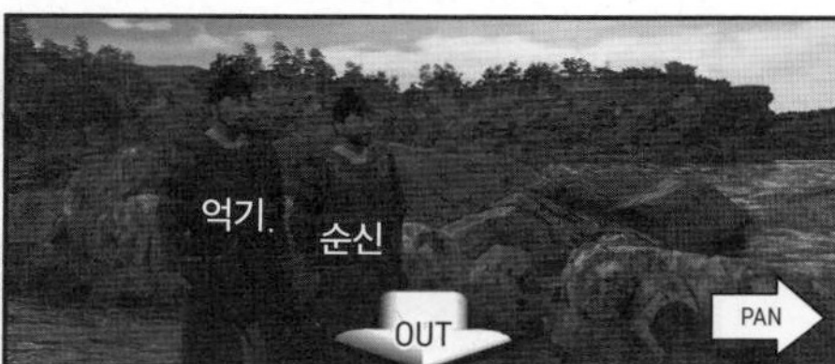

이억기 이곳엔 어인 일로 오자하셨습니까?

이순신 & 이억기 정면 M.F.S 2, EYE-LEVEL, FOLLOWING TRACK & PAN RIGHT

이순신 (멀리 거제 너머 부산포 쪽을 바라보며 걸음을 멈추고) 저 거제섬을 보게. 이곳은 바로 적의 아가리 앞일세.

이순신 & 이억기 측면 M.F.S 2

C#3

이순신 (결연히) 여길 확실히 더 틀어쥐어야 하지 않겠나.

이억기 맞는 말씀입니다. 지난 이곳 앞바다에서의 싸움 덕분에 부산포가 지척인 이곳 한산도까지 아직도 적들이 준동하지 못하고 있지 않습니까.

이순신 & 이억기 후면 M.S. 2, EYE-LEVEL, TRACK IN

C#4

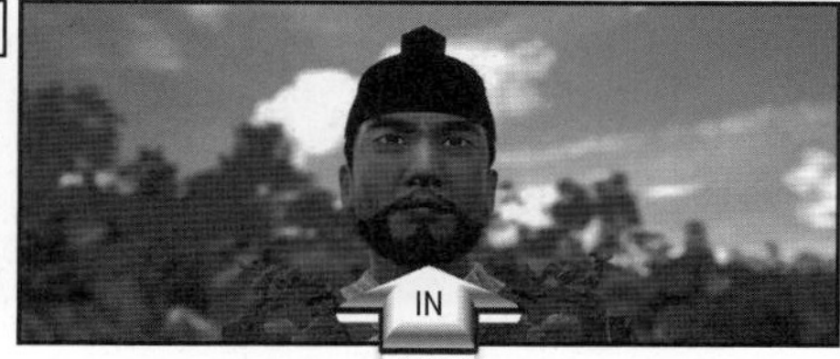

이순신 (주변을 훑어보며) 난 그 이름이 마음에 드네. 한산(閑山)이라….

이순신 정면 C.S., LOW ANGLE, TRACK IN

C#5

이억기 그러고 보니 그 이름이 아주 의미심장합니다. 큰 뫼, 큰 산이란 뜻 아닙니까.

이순신 그래 그렇지.

이순신 & 이억기 정면 M.S., LOW ANGLE, FIX

C#6

이순신 (한 걸음 앞으로 나와서) 이제 이 전쟁은 장기전이 될 수밖에 없네. 그리고 이곳 앞바다 견내량은 이제 우리의 최전선이 될 걸세. 이곳 한산이 진정 큰 산이 되어 이 산천을 지켜낼 수 있기를 바라보세나.

이순신 정면 B.S., EYE-LEVEL, TRACK IN

이순신 정면 C.S. → 이순신 F.O.

C#7

아직도 밀물에 쓸려오는 적선의 잔해가 보이는 한산도 앞바다….

이순신 후면 M.S., EYE-LEVEL, FIX

이억기 F.I. → 이순신 & 이억기 후면 M.F.S 2

C#8

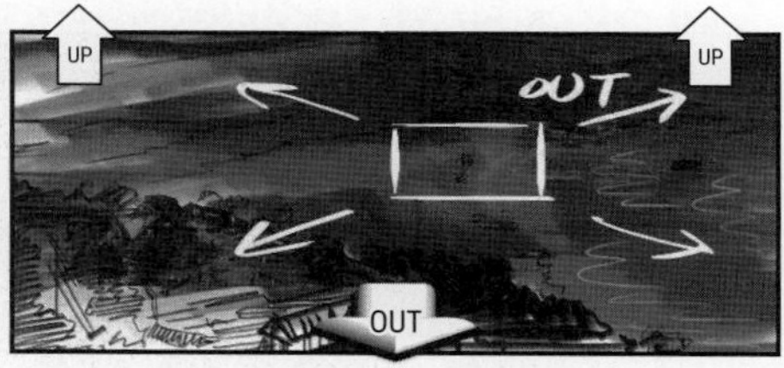

이내 다시 걷기 시작하는 순신과 이억기.
서서히 크레인 업 하는 화면….
묵묵히 어딘가를 향해 걷고 있는 두 사람 너머로 한참 건설 중인 한산도 통제영이 보이는데….

이억기 & 이순신 정면 L.S., HIGH ANGLE, PULL BACK & BOOM UP → 통제영 너머 두 사람

〈閑山/한산〉

타이틀 다시 들어와 박히며 한자와 한글이 뒤바뀌면, 음악과 함께 거북선의 설계도와 인물들 스케치들 보이며 엔딩 크레딧 올라간다.

- 終 -

통제영 & 바다 E.L.S

3

노량

2023

노량: 죽음의 바다

프로덕션 노트

임진왜란의 마지막
더 커지고, 더 치열해진, 모두를 압도할 최후의 전투!

임진왜란 발발로부터 7년이 지난 1598년 12월, 왜군의 수장이던 도요토미 히데요시가 갑작스럽게 사망한다. 조선 정복 계획을 완성하기 위해 계속해 공격하던 왜군 주력군들은 거듭된 해전에서의 패배와 수장의 사망으로 퇴각을 결심하지만 이조차 쉽지 않다. 그들의 퇴각을 막은 주인공은 바로 이순신 장군. 왜군 입장에서는 전쟁의 패배를 인정하고 퇴각하고자 하지만 삼도수군통제사 이순신이 버티고 있어 섣불리 움직일 수 없었다. 왜군을 완벽하게 섬멸하는 것이 이 전쟁을 올바르게 끝내는 것이라 생각한 이순신 장군은 왜군의 퇴각로를 막고 적들을 섬멸하기로 결심한다.

영화 〈노량: 죽음의 바다〉는 임진왜란 7년의 종전을 알리는 노량해전을 그린다. 임진왜란 7년간의 수많은 전투 중 가장 성과 있는 승리를 거두며 전쟁의 종전을 알린 '노량해전'은 그야말로 조선의 운명을 바꿔놨다. 김한민 감독은 "이순신 장군의 마지막 전투의 감동을 고스란히 느낄 수 있는 작품을 선물하고 싶다"고 전해 노량해전이 그 어떤 전투보다 벅찬 승리의 전투임을 전했다.

영화 〈노량: 죽음의 바다〉에서 많은 이들이 기대하는 장면은 무엇보다 3국의 등장으로 인해 더욱 커진 스케일과 최후의 전투를 통해 남긴 이순신 장군의 유지다. 이를 위해 〈노량: 죽음의 바다〉는 조선, 왜 그리고 명나라까지 합류해 총 약 1,000여 척이 싸운 역사적 해전을 바탕으로 영화적 상상력과 전쟁의 스펙터클한 볼거리를 더해 그동안 보지 못한 해상 전투극을 완성했다. 제작진은 역사적인 자료가 부족한 상황임에도 최대한 여러 사료를 기반으로 영화적 상상력을 조합해 연출에 신경 썼다. 특히 임진왜란 7년간의 전쟁 중 유일한 야간전이었던 현장의 치열함과 전술을 스크린을 통해 생생하게 구현하며 밀려오는 감동과 카타르시스를 느낄 수 있게 한다. 이렇듯 최후의 전투를 이끈 이순신 장군의 유지를 지키기 위한 제작진의 필사의 노력이 스크린에 고스란히 담겼다.

진정한 승리를 위해 왜의 완전한 항복을 이끌어내고자 한 이순신 장군의 판단력과 현명한 전술, 그리고 3국의 치열한 전투와 7년간의 전쟁의 종결을 알리는 드라마틱한 과정 속에서 최고조의 카타르시스를 느낄 수 있을 것이다.

〈명량〉, 〈한산: 용의 출현〉을 함께한 오리지널 제작진
웰메이드 전쟁영화 명가 빅스톤픽쳐스의 노하우가 결집된 영화

영화 〈노량: 죽음의 바다〉의 성공적인 피날레를 위해 대한민국을 대표하는 스태프들이 뭉쳤다. 무엇보다 〈명량〉, 〈한산: 용의 출현〉을 함께하며 대한민국 영화계에서 경험할 수 없는 노하우를 쌓은 스태프들이 한데 모여 〈노량: 죽음의 바다〉의 마지막을 완벽하게 장식했다.

먼저 지난 10년간 〈명량〉, 〈한산: 용의 출현〉, 〈노량: 죽음의 바다〉까지 세 편의 영화에 모든 역량을 쏟아부은 김태성 촬영감독과 김경석 조명감독이 함께한다. 실제 바다 위에 배를 띄워야 했던 초기작 〈명량〉부터 물 없이 배를 띄워야 했던 〈한산: 용의 출현〉과 〈노량: 죽음의 바다〉에 이르기까지 촬영, 조명 팀은 한 몸처럼 움직이며 거대한 전투부터 이순신의 내면까지 샅샅이 담아냈다. 지난 10여 년의 여정을 함께한 이 중에 권유진 의상감독 역시 한국 영화 역사의 산증인. 그는 김한민 감독과 〈최종병기 활〉부터 〈노량: 죽음의 바다〉까지 모든 작품을 함께해온 스태프로 이제 김한민 감독의 눈빛만 봐도 마음을 읽을 정도로 가까운 사이로서 탄탄한 신뢰감을 바탕으로 제작된 의상들이 과하지도 덜하지도 않게 영화 속에 잘 드러난다. 10년을 함께한 김태성 음악감독은 "김한민 감독과 너무 오랫동안 함께 작업해서 이제 서로 말을 안 해도 되는 사이가 돼버렸다. 하나의 거대한 레퀴엠 같은 작품을 대하는 마음 또한 어떤 작품보다 진지했다"고 전했다. 여기에 대한민국 흥행 영화 베테랑인 조화성 미술감독이 〈한산: 용의 출현〉에 이어 합류, 빈틈없는 프로덕션 디자인을 선보인다. 조화성 미술감독은 이번 작품에 대해 "단지 시각적인 요소보다 이순신 장군의 내-외면을 모두 보여줄 수 있는 드라마가 강한 작품이기에 어떤 때보다 진중하고 진지하게 임해야 한다는 사명감이 있었다"고 밝혔다. 이와 함께 지난 〈한산: 용의 출현〉부터 함께한 조태희 분장감독, 최봉록 무술감독 등 한국 영화계의 대표적인 제작진들이 〈노량: 죽음의 바다〉에 합류했다.

한편 〈한산: 용의 출현〉을 통해 얻은 노하우를 바탕으로 물이 없는 해전 현장을 또 한번 완성해낸 〈노량: 죽음의 바다〉 팀. 이번에도 물 위에 배를 띄우지 않고 촬영하는 과감한 결정을 내리고, 실제 비율의 판옥선, 안택선 2~3척이 들어갈 초대형 규모의 실내세트(강릉 스피드스케이트 경기장)와 여수에 야외세트를 조성하여 촬영에 들어갔다. 이제 이순신 3부작 프로젝트 팀에게 필수 촬영 준비 요소가 된 프리비즈Pre-Visualization, 버추얼 프로덕션 기술을 이용해 미리 영상으로 완벽하게 시뮬레이션된 영상을 배우들에게 보여주며 동선과 감정을 사전에 인지해 리허설 시간을 줄였다. 여기에 포스트 프로덕션 단계에서는 VFX 파트 스태프들의 남다른 테크놀로지로 〈노량: 죽음의 바다〉의 스펙터클한 해전을 완성할 수 있었다.

이렇게 계획한 대로 촬영이 문제없이 진행될 수 있었던 데에는 전쟁영화의 명가 '빅스톤픽처스'의 노련한 프로덕션이 한몫했다. 김한민 감독이 2010년에 설립한 영화 제작사 '빅스톤픽처스'는 2014년 영화 〈명량〉을 시작으로 〈봉오동 전투〉, 〈한산: 용의 출현〉, 〈노량: 죽음의 바다〉까지 완성하며 전투 영화의 명가로 인정받고 있다. 다수의 전쟁영화를 통해 새로운 방향성을 제시해온 그들은 10년의 대장정을 마무리하는 〈노량: 죽음의 바다〉를 통해 전쟁영화의 방점을 찍을 예정이다.

이처럼 각 분야 최고 제작진들의 뜨거운 열정과 오랜 노력으로 탄생한 영화 〈노량: 죽음의 바다〉는 독보적인 전투 현장의 스케일과 압도적인 캐릭터와 비주얼까지 완벽하게 결합되어 올겨울 관객들의 눈과 귀를 만족시키는 영화로 자리매김할 것이다.

노량: 죽음의 바다

스토리보드

S#1 프롤로그 - 교토 (京都) 후시미성 (伏見城)

이에야스에게 유언을 남기고 숨을 거두는 히데요시
주변에서 히데요시의 죽음을 지켜보고 있는 여러 가신들

17 CUTS

INT

NIGHT

SET

C#1

후시미성 전경 L.S.
깊은 밤, 왜국(倭國)의 교토 후시미성 전경, 높게 솟은 검은 처마를 빙빙 도는 새….

C#2

후시미성 내부 L.S. 약부감
깔끔하지만 휑한 대처소(大處所)에 몇 명의 사람들만이 그를 지켜보고 있을 뿐….
(그의 곁에 세 사람과 四人의 大老가 무릎을 꿇은 채 등을 보이며 다소 떨어져 앉아 있다.)
그의 뒤로 펼쳐진 거대한 황금빛 동아시아 지도가 그려진 병풍!

C#3

히데요시 M.S. 직부감 CAM IN
병상에 누워 있는 한 노인이 보인다.
하시바 히데요시(도요토미 히데요시 豊臣秀吉),

C#4

(CAM 병풍 쪽에서) 히데요시 B.S.
움직일 수는 없지만 여전히 히데요시의 눈은 병풍을 향해 있다.

C#5

히데요시 너머 동아시아 지도 K.S.
병풍의 황금빛 동아시아 지도를 보는 히데요시.

C#6

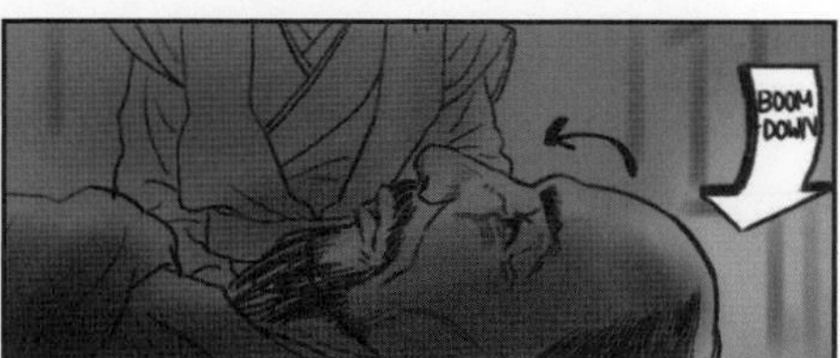

히데요시 너머 이에야스 boom down -> 히데요시 측면 B.S.

히데요시 몸이여… 이슬…로 와서… 이슬로 가는구나…. (흩날리듯 힘겹게) 천하인의 꿈이여… 꿈속의 꿈이로다….

떨리는 히데요시의 목소리….

C#7

히데요시 B.S. / 직부감
눈을 껌뻑이는 것도 힘들어 보이는 그가 힘겹게 고개를 돌리면

C#8

히데요시 O.S. 히데요리, 차차 M.S.
그의 곁에 8살배기 아들, 적자 도요토미 히데요리(豊臣秀頼)와 둘째 부인 차차….

C#9

이에야스, 히데요리 O.S. 히데요시 B.S.
그리고 좀 더 고개를 돌리면

C#10

히데요시 O.S. 차차, 히데요리 pan
-> 히데요시 O.S. 이에야스 B.S.
열도의 2인자 도쿠가와 이에야스(德川家康)가 그를 바라보며 앉아 있는데….

C#11

히데요시 tight

히데요시 (힘겹게) 조선에서 철군하오… 부디 우리 히데요리를 잘 부탁….

C#12

히데요시 P.O.V. -> 이에야스 W.S. / 앙각
순간, 히데요시의 눈에 들어오는 이에야스의 눈빛!
이에야스가 비죽이 웃고 있다.

C#13

히데요시 tight

히데요시 (호흡 거칠어지며) 이에야스! 네 이놈… 커억!

C#14

후시미성 내부 L.S. / 약부감
더 이상 말을 잇지 못하고 절명하고 마는 히데요시.
태합전하! 四人의 大老가 고개를 떨군다.
이에야스 또한 고개를 떨군다.

C#15

히데요시 O.S. 히데요리, 차차
히데요리가 울먹인다.

C#16

차차 tight B.S.
둘째 부인 차차가 이상한 느낌에 이에야스를 돌아보면,

C#17

차차 O.S. 이에야스 B.S.
깊이 고개 숙인 이에야스의 옆얼굴만 보일 뿐….

S#2 몽타주 - 왜성 전투 및 왜국 상황

절명한 히데요시를 지나 병풍의 황금 지도가 보인다 12 CUTS

INT

NIGHT

SET

C#1

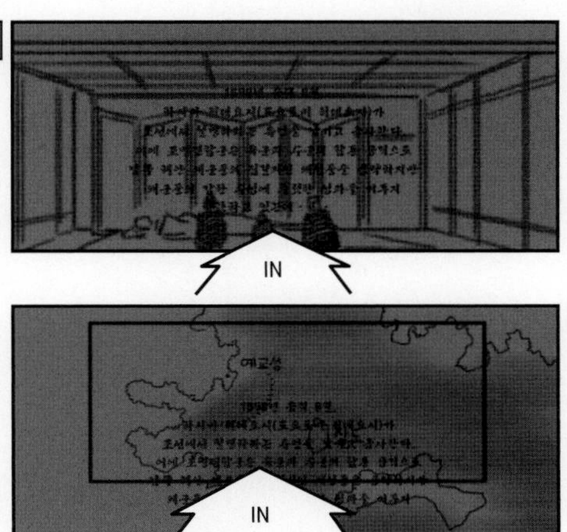

절명한 히데요시를 지나 병풍의 황금 지도가 화면을 가득 채우며 자막이 오른다. (음악 시작)

1598년 음력 8월,
하시바 히데요시(도요토미 히데요시)가
조선에서 철병하라는 유언을 남기고 급사한다.
이에 조명 연합군은 육군과 수군의 합동 공격으로
남쪽 해안 왜군들의 집결지인 왜성들을 공략하지만
왜군들의 강한 수성에 뚜렷한 성과를 거두지
못하고 있는데….

자막들 내용과 부합되는 화면들이 교차되는 몽타주 스케치.

후시미성 내부 L.S. / 약부감 cam-in 에서 디졸브
-> 지도 F.S. / cam-in

S#2 몽타주 - 왜성 전투 및 왜국 상황

전령에게 철군 서찰을 받는 고니시　　12 CUTS

EXT　DAY　OPEN SET

C#2

fr-in 전령 후면 L.S.
- 왜성의 고니시에게 보내지는 철군령 서찰.

C#3

전령, 고니시 측면 F.S.
- 누각 안. 전령으로부터 서찰을 건네받는 고니시.
fr-out 전령,
서찰을 펼쳐본다.

C#4

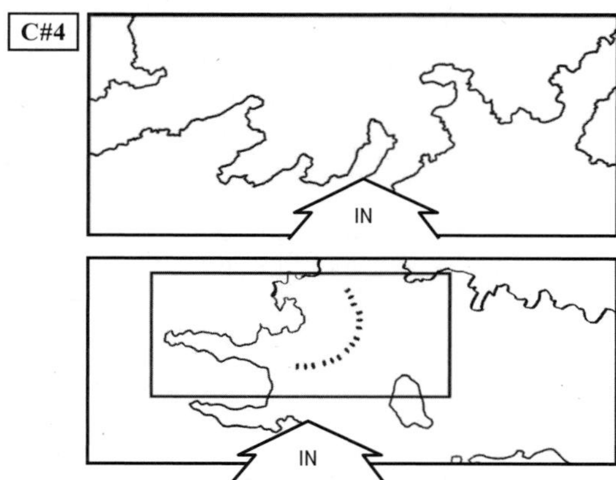

지도 tight / cam-in
순천 예교성 앞바다인 광양만 지도와 함께,

<u>지도 DISSOLVE IN</u>

S#2 몽타주 - 왜성 전투 및 왜국 상황

순천 예교성을 향해 함포를 쏘는 250여 척의 조명 함대들
공격 중인 예교성을 바라보는 이순신

12 CUTS  EXT  DAY VS

C#5

(예교성 너머) 조명 함대 WIDE
- 순천 예교성에 화포를 쏘아대는 조명 함대,

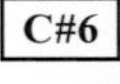

판옥선 측면 화포들 TIGHT
화포 쏘아대는 판옥선들.

C#7

명 함대 너머 예교성 WIDE
화포 쏘아대는 명군 함대.

C#8

명군들 측면 M.S. 약부감, FR-IN 진잠
포를 쏘아대는 명군 병사들
진잠, 들어와 예교성을 주시한다.

1598년 음력 11월 9일 (명량 1년 후)
특히 순천 예교성에 주둔하고 있던
왜군의 주력 소서행장(고니시 유키나가)은
이순신의 강력한 봉쇄로 인해 단 한 척의 배조차
철병하지 못하고 있다.

C#9

명 함대 너머 예교성 WIDE / CAME OUT 하면서 돌면
-> 조선 함대 너머 예교성 WIDE
순천 예교성에 화포를 쏘아대는 조명 함대,
지도 DISSOLVE OUT

C#10

이순신 반측면 / 눈빛으로 CAM-IN[36fps]
- 대장선에서 지그시 예교성을 바라보는 순신 C.U.
이때 이순신은 예교성 앞바다 장도(長島)에서
명나라 광동성 수군 도독 진린과 함께 250여 척의
조명 연합 함대를 꾸려 소서행장 (고니시 유키나가)을
강하게 압박하고 있었다.

C#11

왜성 L.S. / CAM-OUT -> 이순신 후면 K.S.
예교성 바로 앞 장도에 무수히 펼쳐진 조명 연합 함대의 모습이 보이고,

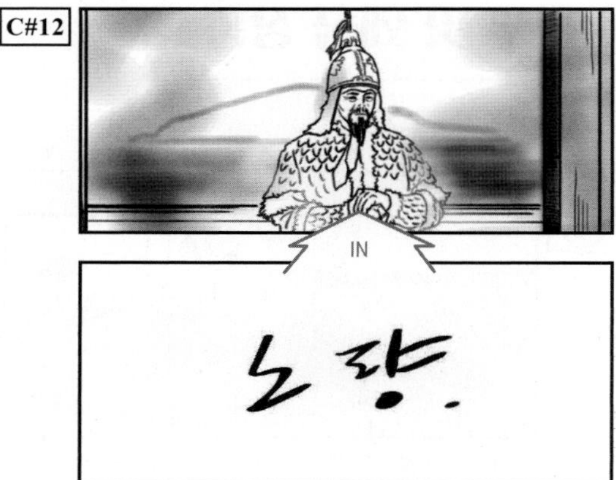

이순신 반측면 W.S. /CAM-IN
자욱한 안개 위 순신의 시선으로 아스라이
순천 예교성의 모습이 눈에 들어오면…
그 위로 뜨는 타이틀.

노량

- 죽음의 바다 -

S#3 순천 예교성

지게에 시체를 지고 성벽을 지나는 왜군과 포로들
시체들을 땔감 삼아 봉화불을 지핀다

23 CUTS

EXT DAY OPEN SET

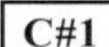

C#1

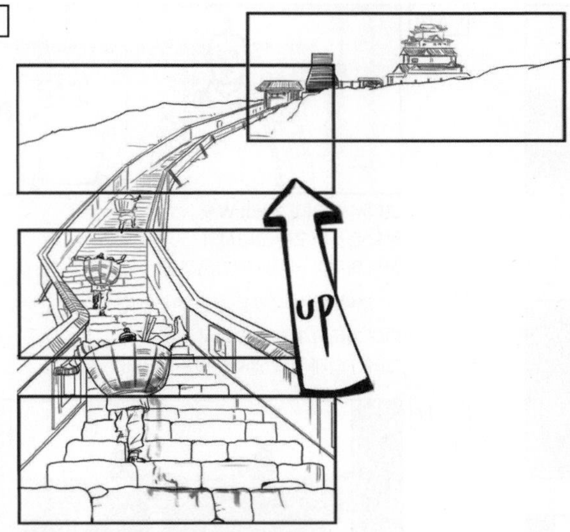

바닥에 떨어진 핏물 TIGHT / BOOM UP
-> 순천 예교성 WIDE SHOT
세찬 겨울바람이 불어오는 바다와 맞닿은 순천 예교성 성벽.
힘겹게 지게를 지고 오르는 왜군 병사들과 조선 포로들,

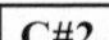

C#2

지게 후면 tight
성벽 끝을 향해 가는 그들 뒤로 핏물이 흥건히 이어져 있고,

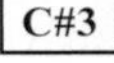

C#3

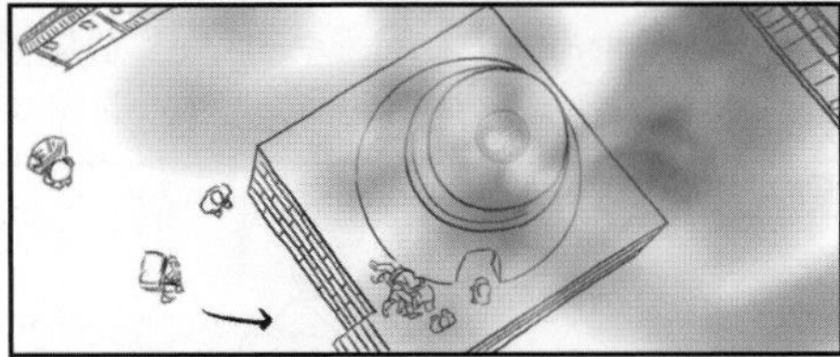

긴장되면서도 불안한 표정으로 봉화대 아궁이에 불을 놓고 있는 왜군 봉화병.

C#4

FR-IN 쏟아지는 시체들 TIGHT
봉화대 밑, 우르르 쏟아지는 시체들.

C#5

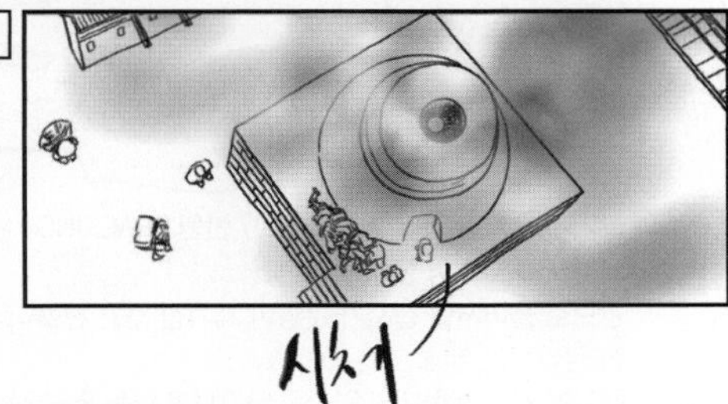

봉화대 F.S. / 직부감
봉화병의 지시에 따라서 땔감이 되어 아궁이 안으로 우르르 던져지는 목 없는 시체들….

C#6

지게 지고 올라가는 병사 후면 F.S. / TILT UP -> 봉화대 연기
이윽고 봉화대 굴뚝 위로 불길이 연기가 치솟기 시작한다!

S#3 순천 예교성

겹겹이 진을 치고 있는 250여 대의 조명 함대들
아리마에게서 명과의 협상이 결렬됐다는 소식을 전해 듣는 고니시

23 CUTS

INT

DAY

OPEN SET

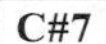

CUT TO
봉화대 O.S. 천수각 F.S.
예교성 안쪽, 높게 솟은 화려한 누각(천수각)의 꼭대기.

C#8

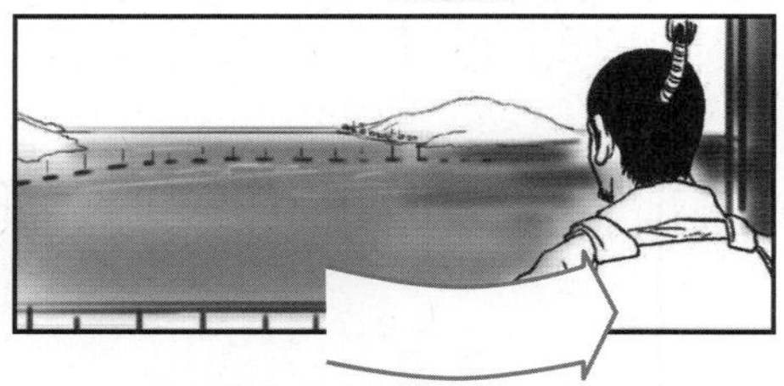

고니시 후측면 너머 봉화대 F.S. / 반원 TRACKING ->
고니시 O.S. 조명 함대 봉쇄선
안으로 들어서면 십자가 문양이 새겨진 붉은 천들이 드리워진 원색적인 실내,
창가에 서서 봉화대의 연기를 바라보고 있는 왜군 장수 고니시 유키나가(小西行長). 봉화대 위 굴뚝 너머 고개를 들어 멀리 동쪽 바다를 내다보는데….
하지만 조용한 동쪽 바다… 아무런 답이 없다.
혹시나 했던 고니시의 얼굴이 착잡한 표정으로 바뀌고,

C#9

고니시 후면 L.S. FR-IN 아리마
이내 들려오는 인기척!

C#10

고니시, 아리마 2shot W.S.
안으로 들어오는 고니시의
심복 아리마 하루노부(有馬晴信)

고니시 (아리마를 보곤) 어찌 되었느냐?

기대 가득한 표정의 고니시,
그러나 쉽게 입을 열지 못하는 아리마.

C#11

아리마, 고니시 후면 2SHOT

고니시 유정*을 만나긴 한 것이냐?

*유정(劉綎), 명나라의 육군 총대장

C#12

고니시 O.S. 아리마 B.S.

아리마 그… 그것이… 수군의 일은 자신과 무관하니 진린을 직접 찾아가라고….

C#13

아리마 O.S. 고니시 B.S.

고니시 뭐?

C#14

고니시 O.S. 아리마 B.S.

아리마 애초에 유정의 말을 믿는 것이 아니었습니다. 주군!

C#15

아리마 O.S. 고니시 B.S.

고니시 지놈에게 처들인 게 대체 얼마인데….

명의 육군 사령관 유정의 배신에 치를 떠는 고니시,

C#16

고니시 O.S. 아리마 B.S. / CAM-OUT -> 고니시 C.U.

[FOCUS-IN 아리마 -> 고니시]

그런 고니시를 걱정스레 바라보는 아리마.

고니시 군량은 얼마나 남았느냐?

아리마 이대로라면 닷새도 버티기가 어렵습니다. 이미 병사들 사이에선 시체라도 뜯어먹어야 살 수 있다는 소문이….

무언가를 심각하게 생각하는 고니시, 문득…

고니시 우리에게 가장 늦게 철군령(撤軍令)이 도착하다니… 이에야스가 나의 발목을 묶어두려던 게 분명해.

C#17

아리마 허면 울산성의 기요마사(加藤清正)보다 귀환이 늦어지는 것 아닙니까? 큰일입니다! 그들이 서로 무슨 작당을 꾸밀지….

C#18

고니시 하루라도 빨리 돌아가야 한다. 히데요리님이 위험하다!

아리마 하지만… 밖엔….

일그러지는 고니시의 얼굴,

C#19

아리마, 고니시 O.S. 조명 함대 봉쇄선

한 발 다가가 답답한 표정으로 예교성 남쪽 광양만 입구를 응시한다.

C#20

고니시 측면 B.S. / 약부감

고니시의 눈에 들어오는

C#21

조명 연합 함대 250여 척이 장도섬 양쪽으로 겹겹이 진을 치고 있다.

C#22

고니시 반측면 B.S. / 앙각

고니시 (창틀을 내려치곤) 그냥 물러나준다 하지 않느냐… 이순신! 전쟁이 끝난 마당에 이렇게까지 하는 속셈이 도대체 무엇이냐?

C#23

도무지 빈틈이라고는 보이지 않는 조명 연합 함대의 견고한 봉쇄선 위로 뜨는 자막.

음력 11월 11일, 예교성 봉쇄 3일째

S#4 장도 앞바다

선창을 빠져나와 남쪽을 향해 가는 협선
군관들과 함께 협선을 타고 어디론가 향하는 이순신

14 CUTS　EXT　DAY　AS

C#1

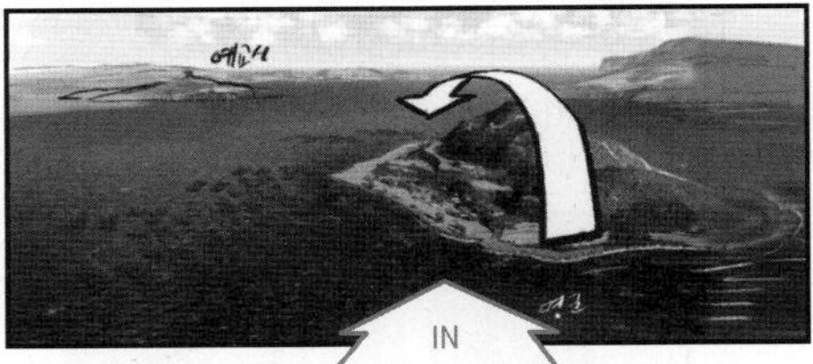

명군 진영 / BOOM UP & CAM-IN ->
장도 너머 조선군 진영 선창
조명 연합 함대의 봉쇄선 뒤로 보이는 조명 연합군의 장도 선창과 군막들,

C#2

선창을 빠져나와 남쪽을 향해 가는 한 척의 협선,

C#3

송희립과 여러 군관이 타고 있다.
순신에게 한 발 다가가는 희립.
송희립을 따라가는 화면,

C#4

송희립 P.O.V. > 이순신 후면 B.S.
그에 앞에 머리가 하얗게 센 한 장수의 뒷모습이 보인다.

C#5

송희립 …….

C#6

이순신 후면 TIGHT B.S. / CAM 돌면 -> 정면 2SHOT
허나 눈빛만은 여전히 형형히 살아 있는…
순신이다.

C#7

협선 정면 F.S.
순신, 묵묵히 앞만 보며 그저 나아가는데….

C#8

이순신 P.O.V. - 물살
고요한 물살….

C#9

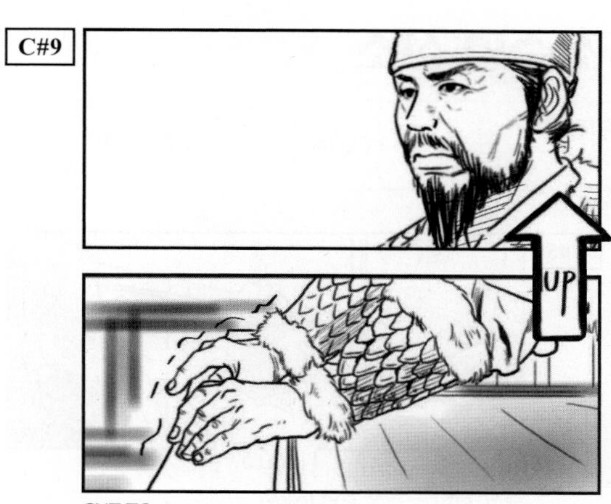

CUT TO
문득 떨리기 시작하는 순신의 손!
부하들이 눈치채지 못하게 다른 손으로 꼬옥 쥔다.
이순신 떨리는 손 TIGHT / B.UP -> 이순신 측면 TIGHT

C#10

협선 반측면 L.S.

C#11

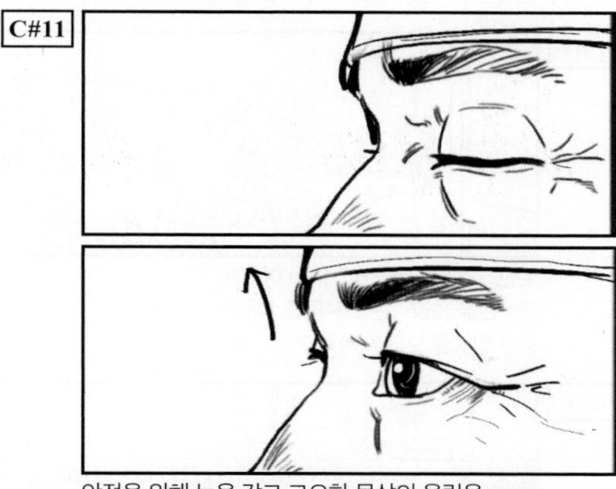

안정을 위해 눈을 감고 고요한 물살의 울림을
느껴보는 순신….

송희립 장군! 도착했습니다.

희립의 말에 눈을 뜨고 일어나는 순신.

C#12

선수로 다가가

C#13

고개를 들어 응시하면,

C#14

이순신 P.O.V. -> 여수 좌수영
한참 재건 중인 여수 좌수영이 보인다.

S#5 여수 좌수영 선소

좌수영에 도착한 이순신이 물에서 끌어올린 이억기의 판옥선을 발견한다
이억기의 판옥선을 좌선으로 삼겠다는 이순신

19 CUTS

EXT

DAY

OPEN SET

C#1

재건 중인 남문 / B. UP -> 순신, 희립, 군관들 L.S.
배를 대고 육지로 올라가는 순신과 군관들,

C#2

순신, 희립, 군관들 O.S. 남문 F.S.
재건 중인 남문을 본다.

C#3

순신, 희립, 군관들 W.S.
이때, '영차 영차' 소리에 돌아보는 순신.
병사들이 난파된 두어 척의 판옥선을 선창으로 끌어당기고 있는 모습을 본다.

C#4

판옥선 인양하는 병사들 F.S.
fr-in 순신, 희립, 군관들
그중 한 척의 판옥선을 향해 가는 순신,
그 옆을 송희립이 따르고….

C#5

순신, 희립, 군관들 후면 follow
인양된 판옥선을 유심히 살펴보는 순신,

C#6

판옥선 너머 순신, 희립, 군관들 F.S. / 약부감
격렬했던 지난 전투들의 흔적을 고스란히 가지고 있는 판옥선….
찢어진 전라 우수영(全羅右水營) 깃발이 걸려 있다.

C#7

순신, 희립, 군관들 B.S. fr-in 이운룡
판옥선을 인양하는 병사들을 지휘하던 이운룡,
순신 일행을 보고 재빠르게 다가와 인사한다.

C#8

판옥선과 순신, 희립, 군관들 L.S.
판옥선 측면의 바랜 용 문양을 물끄러미 바라보는 순신.

C#9

순신 측면 W.S.

이순신 (바랜 용 문양에 손을 가져가며) 이 판옥전선이 우수사 이억기* 영감의 전선이었다 했느냐?

*이억기: 임진왜란 시 전라 우수사, 한산 이후 칠천량에서 전사.

C#10

순신 너머 운룡 B.S.

이운룡 (고개를 떨구곤) 네… 그렇습니다. 칠천량 전투 이후에 떠다니던 것을 이제야 옮기게 되었습니다.

C#11

손 너머 용 문양이 그려진 판옥선 tight

손으로 용 문양을 아주 서서히 만지는 순신,

이순신 (나직이) 술 한잔 기울일 동무 하나 찾기도 이제 힘드네. 자네가 이리 먼저 가다니.

C#12

순신 O.S. 운룡 tight B.S.

문득 칠천량 때의 기억이 떠오르는 이운룡,
울컥 감정이 올라온다.

이운룡 칠천량 때 원균 통제사가 달아나고 지휘 체계가 무너졌을 때 이 수사께서는 누구보다 용감히 끝까지 싸우다 바다에 투신했다 합니다.

C#13

이운룡 천우신조라 할지… 저는 그때 원균 통제사에게 항명죄로 좌천되어 육지에 있다 보니….

더 이상 말을 잇지 못하는 이운룡….

C#14

운룡 O.S. 순신 C.U.

송희립 또한 그때의 기억이 나는지 분위기가 엄숙해지는데….

C#15

순신 C.U. / 앙각

순신이 판옥선의 기울어졌던 장대를 세우고 있는 병사들을 한 번 쳐다보고,

이순신 (결연히) 이만하면 충분히 기동할 수 있다. 이 판옥전선을 좌선으로 삼자. 이수사는 이제부터 우리와 함께 다시 싸울 것이다!

C#16

이운룡, 이순신, 이회, 군관들 B.S. / PAN -> 이순신 O.S. 이회, 방씨 부인 L.S.

이운룡 그저 숙연해져 고개만 숙이고,

이 회 아버님!

뒤돌아보는 순신.

C#17

순신 P.O.V. -> 이회, 방씨 부인 F.S.

좌수영 남문 쪽에서 아들 이회가 순신을 향해 다가오는 모습이 보인다.

C#18

순신 B.S.

이내 다른 누군가를 쳐다보는 순신….

C#19

순신 P.O.V. -> 방씨 부인 B.S.

아들 이회 뒤로 서 있는 여인,
아내 방씨 부인이다.

S#6 여수 좌수영 어느 집 마당

방씨 부인이 내온 식사를 보고 반가워하는 군관들
모두 함께 식사를 하는 이순신과 가족들, 군관들

15 CUTS

EXT NIGHT OPEN SET

C#1

굴뚝 너머 좌수영 선창 L.S. / FIX
탁탁탁탁~ 보글보글~ 부엌에서 바삐 밥을 짓는 방씨 부인과
시종 막순이와 몇몇 처자들.

C#2

군관 O.S. 운룡 부장, 입부 부장 / CAM 돌고 -> 순신 O.S. 들어오는 상 차림 F.S / 약부감
누추한 어느 집 안 앞 평상에 앉아 순신과 이회,
이운룡, 송희립을 비롯한 조선의 군관들이 잠시나마 여유를 나누며 대화들을 하고 있다.

이운룡 부장 좌수영에 이리 다시 올 줄은 꿈에도 몰랐네….

입부 부장 그러게 말일세, 여기서 구선도 만들고, 훈련도하고….

이운룡 부장 훈련하믄 호랭이 정운 장군이 또 제일이었지! 한산 전투 후에 부산포서 총탄에 그리 허망하게 가실 줄은….

입부 부장 4차 출동이었지 아마.

C#3

순간 숙연해지는 분위기,
순신은 묵묵히 듣고 있을 뿐 무표정한데….
송희립이 결국 헛기침으로 눈치를 준다.
그때 군관과 함께 밥상을 들고 오는 방씨 부인과 막순이,
상을 받아주는 군관들.
fr-in 상차림, 군관들 F.S.

C#4

순신 O.S. 군관들, 방씨 부인 F.S. / 약부감
화려하진 않지만 정성껏 준비한 상차림에 군관들이 "와~"
한다.

C#5

방씨 부인 너머 순신 M.S.
순신, 흐트러진 그릇을 정리하는 방씨 부인을 본다.

C#6

순신 O.S. 군관들, 방씨 부인 F.S. / 약부감
상을 내리고 밖으로 나가려는 방씨 부인을 본 순신,

C#7

방씨 부인 O.S. 순신 M.S.
문득 어떤 생각이 들었는지….

이순신 부인… 이리 와서 같이 먹읍시다! 막순이 너도 이리 오거라!

C#8

방씨 부인, 막순이 2shot
순간 쳐다보는 방씨 부인과 당황하는 막순이.

막순이 (여전히 어려워하며) 아닙니다! 저는 그냥 밖에서….

C#9

방씨 부인 O.S. 순신 M.S.

이순신 전장에선 그런 거 가리는 것 아니다. 이리 오거라!

C#10

순신 O.S. 군관들, 방씨 부인 F.S. / 약부감
방씨 부인과 주위 눈치를 보는 막순이,
군관들 모두 어서 오라 손짓하면,

C#11

방씨 부인, 막순이 2shot

방씨 부인 막순아. 가서 수저하고 젓가락만 더 가져오거라! 같이 먹자!

C#12

순신 O.S. 군관들, 방씨 부인 F.S. / 약부감
방씨 부인이 먼저 이순신과 이회가 있는 상에 가서 앉는다.
FR-OUT 막순이

C#13

CUT TO
군관들 사이에 있는 막순이 신발.

C#14

평상 L.S. / B. UP
다 같이 밥을 먹는 이순신의 가족, 다들 별말이 없다.

C#15

이순신 O.S. 이순신의 가족 F.S. / 약부감
문득, 나오는 한마디… "맛있습니다."

S#7 여수 좌수영 어느 집 방 안

약을 달이고 있는 방씨 부인

11 CUTS

EXT

DAWN

OPEN SET

C#1

약 TIGHT
INT) 새벽,

약사발을 뜨는 손.

C#2

(CAM 집 안에서) 방씨 부인 F.S. FR-OUT
밖에서 약을 달이고 있는 방씨 부인이 방 안으로 들어간다.

S#7 여수 좌수영 어느 집 방 안

잠에서 깬 이순신이 방에 들어온 방씨 부인과 이면에 대해서 이야기한다 11 CUTS

INT DAWN OPEN SET

C#3

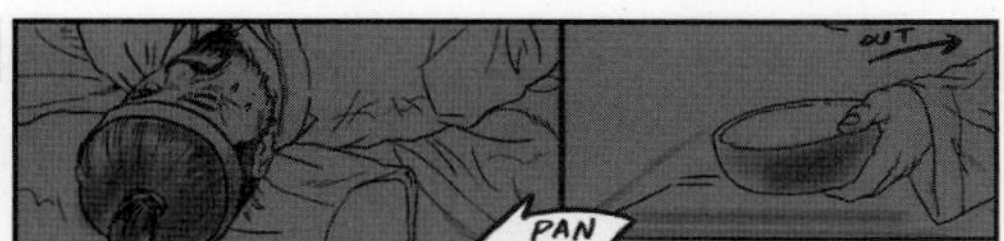

FR-OUT 빈 약사발, FR-IN 새 약사발 C.U. / PAN ->
이순신 이마에 땀 TIGHT
잠이 든 순신, 머리맡의 비어 있는 약사발을 치우다.

C#4

순신 O.S. 방씨 부인
이마에 맺힌 식은땀을 보는 방씨 부인….

C#5

방씨 부인 O.S. 순신
행여나 잠에서 깰까 조심스레 순신의 땀을 닦아내는 방씨 부인,

C#6

방씨 부인 B.S. 일어서며 fr-out
밖에서 들려오는 조용한 저음의 목소리, 송희립이다.

송희립(O.S.) 부인, 채비가 끝났습니다.

방씨 부인 알았네~ 내 곧 나가겠네!

일어서는 방씨 부인.

C#7

순신 O.S. 방씨 부인 후면 F.S.
방씨 부인이 보따리를 챙겨서 나가려 하면, 그때!

이순신 꿈에 우리 면이가 또 찾아왔네….

이미 잠에서 깬 순신,

C#8

방씨 부인 B.S. / 약부감
아산 생가서 왜군들에게 살해된 아들 면의 이름을 듣자 발걸음을 멈출 수밖에 없는 방씨 부인, 올라오는 슬픔을 눌러내며.

C#9

(돌아서며) 방씨 부인 B.S.

방씨 부인 면이는 죽어서도 아비만 찾나 봅니다. 꿈에서라도 좋으니 어미 곁에도 나와주면 얼마나 좋겠습니까?

C#10

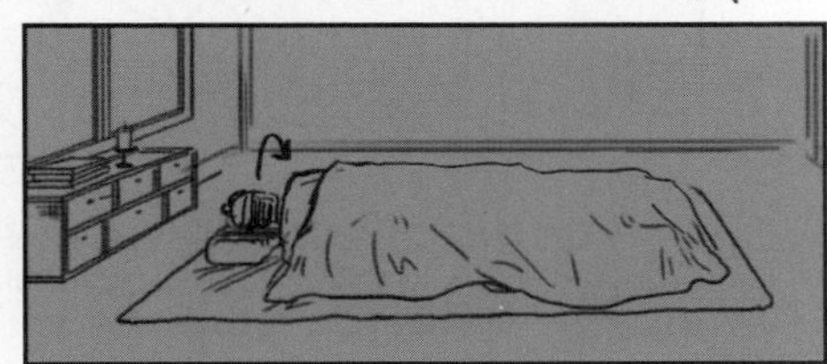

방씨 부인 B.S. / 약부감, fr-out -> 이순신 F.S. / 약부감
나가는 방씨 부인.
방씨 부인의 말에 그대로 돌아누우며 눈을 감는 순신,

C#11

돌아누운 순신 F.S. / cam-in
그저 그녀가 나가는 소리를 듣는다.

방씨 부인(O.S.) 송 군관, 달여놓은 약은 꼭 챙겨주시게….

송희립 예. 부인.

이순신 …….

S#8 장도 명 진영 진린 막사 앞

왜군 포로를 심문하고 있는 진린과 부관들
왜군 포로에게 아산에서 있었던 일들을 추궁하는 진린

14 CUTS

 EXT  DAY  OPEN SET

C#1

명군 진영 WIDE
장도 왼쪽 명군 진영이 넓게 보인다. 무슨 일 때문인지 총병 막사 앞에 명나라 장수들이 나와 모두 모여 있는 듯한데,

C#2

진린 후면 / BOOM UP
진린 O.S. 심리, 왜군 포로들 F.S.
화면 벗겨지면 조명 연합 수군의 총병(총사령관)이자 명나라 수군 도독인 진린과, 그의 휘하의 진잠과 심리 등 장수 들이 보인다. 진린을 중심으로 둥글게 무언가를 둘러싸고 있는 모양새인데, 조금 더 들어가 보면 바들바들 떨고 있는 초췌한 왜군 포로들이 보인다.
가운데 의자에 앉아 그들 심문을 지켜보고 있는 진린!

C#3

심리 W.S. / 앙각 [FOCUS IN 심리만]
그 옆엔 측근 진잠이 서 있고 또 다른 측근 심리가 포로들 중 대장인 듯한 자를 앞에 두고 질문을 하고 있다, 역관이 바로 바로 통역을 한다.

심 리 다시 묻는다! 왜 탈영을 했느냐?

명 역관 왜 탈영을 했느냐? (일본어)

C#4

진린 O.S. 왜군 포로 F.S. / CAM-IN

왜군 포로 정말 고향으로 돌아가고 싶었습니다. 이대로 있다간 예교성 안에서 굶어 죽을 것이 분명했습니다. 살려주십시오!

명 역관 고향으로 돌아가고 싶었답니다. (중국어)

심 리 (뭔가 이상한 듯) 소속이 어디냐?

명 역관 소속이 어디냐? (일본어)

왜군 포로 (눈빛이 흔들린다) 전 고니시 장군, 휘하의 한낱 군졸일 뿐….

명 역관 소서행장의 수하…. (중국어)

진린, 갑자기 손을 올리고 말을 멈춘다.

진 린 (날카롭게) 주기도문을 외워보라!

명 역관 주기도문을 외워보라! (일본어)

C#5

왜군 포로 tight B.S.
진린의 질문에 당황하는 왜군 포로,

C#6

왜군 포로들 3shot F.S.
서로 눈치 보는 포로들.
흔들리는 동공으로 그저 진린을 쳐다보면,

C#7

폭력 세례 맞는 왜군 포로 / b. up -> 진린, 진잠, 심리
퍽~ 이내 쏟아지는 폭력 세례!

진 린 그만!

진린의 중지 명령에 장수들이 멈춘다.

C#8

진린 W.S.

진 린 천주쟁이 소서행장(고니시)의 부장이라면 주기도문 정도는 알아야 할 게 아니냐? 뻔히 다른 가문의 칼을 차고서 나를 속이려 하다니….

C#9

이미 빼앗아놓은 듯 포로의 칼을 내보이며 앞으로 내던진다.
포로가 당황….
이마와 눈두덩이에 피가 터진 채 축 늘어지는 왜군 포로.
던져진 칼 / TILT UP -> 왜군 포로 B.S.

C#10

진린 W.S. / 앙각
문득 진린이 일어나

C#11

진린 F.S. / 약부감, 진린 follow tracking
앞으로 걸어간다.

C#12

진린 후면 FOLLOW / 약부감에서 B.UP
-> 진린 O.S. 왜군 포로 K.S.
다가오는 진린에게 잔뜩 겁을 먹는 왜군 포로….

C#13

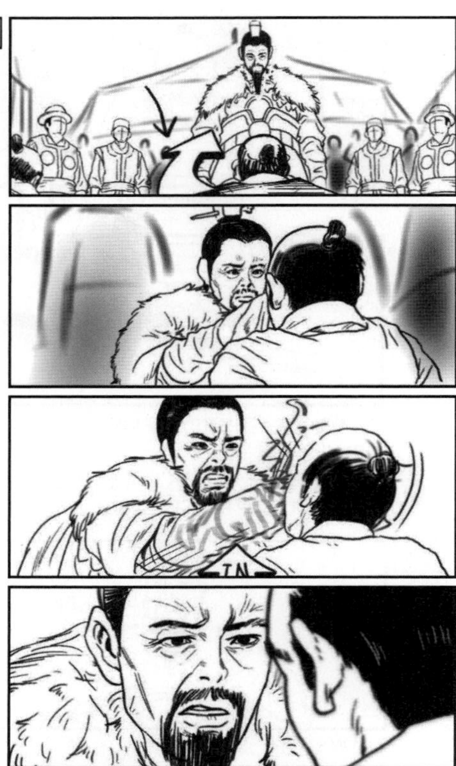

왜군 포로 O.S. 진린 K.S. / FOLLOW CAM-IN

헌데 진린이 예상치 않게 왜군 포로 얼굴의 피를 비단 천으로 닦아준다.

왜군 포로 (그저 바들바들) …….

진 린 (찬찬히) 이미 네놈들 속에서 재란(再亂) 직후 충청 땅 아산을 거쳐 왔다는 얘기를 들었다. 내가 지금 무슨 얘기를 하는 줄 알겠느냐.

명 역관 이미 너희들이 충청 땅 아산을 거쳐 왔다는 얘기를 들었다. (일본어)

왜군 포로 두려움에 몸부림을 치면서도 말을 하려 하지 않는다. 그러자 진린, 곧바로 다시 왜군 포로의 코를 주먹으로 내려친다! 다시 뿜어져 나오는 왜군 포로의 코피, 진린이 뒤로 넘어가는 왜군 포로의 머리를 붙잡아 당기면서.

진 린 얘기해보거라. 아산에서 네놈들이 벌인 일에 대해서 말이다!

명 역관 아산에서 무슨 일을 벌였는지 얘기해라! (일본어)

C#14

진린 O.S. 왜군 포로 B.S.

왜군 포로 (그저 두려움에 몸서리치는데) …….

S#9 장도 명 진영 진린 막사 안

이면을 살해한 왜군에 대해 이야기하는 진린과 진잠
잠시 후 심리가 전령과 함께 들어온다

11 CUTS

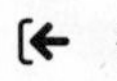
INT

DAY

OPEN SET

C#1

진린 후면 / 우TRACKING -> 진린 O.S. 진잠 W.S.
진린과 수하 진잠이 막사 안에서 서로 얘기를 나누고 있다.

진 잠 정말 그놈들이 통제공의 아들을 죽였겠습니까?

C#2

진잠 O.S. 진린 W.S.

진 린 그놈들이 지놈들 입으로 고백을 하지 않더냐. 그 장소까지 세세히 말이다.

C#3

진린 O.S. 진잠 W.S.

진 잠 통제공에게 알려 바로 참수를 해야지 않겠습니까?

C#4

진잠 O.S. 진린 W.S.

진 린 아니다… 당분간 비밀로 해두거라!

잘 이해할 수 없다는 표정을 짓는 진잠,
그때 밖에서 심리가 전령과 함께 들어온다.

C#5

심 리 도독! 본국서 온 전 경리대인 양호*의 밀지입니다.

*양호: 정유재란 시 가토 기요마사의 울산성을 공격한 명나라의 주력 장수. 누명을 쓰고 파직되어 본국으로 돌아갔다.

전령이 직접 진린에게 밀지를 내민다.

진 린 …….

C#6

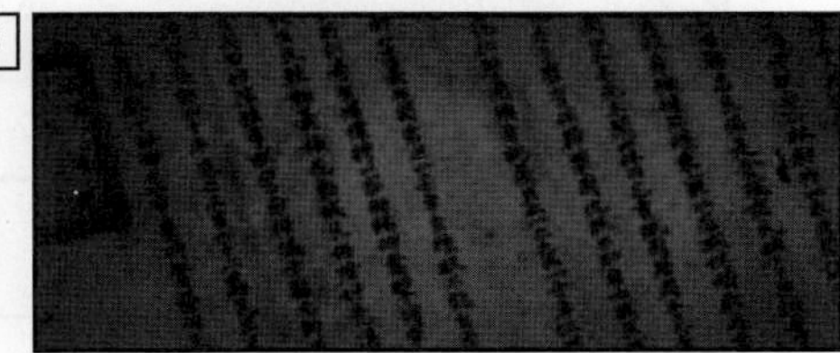

CUT TO
서찰의 내용을 읽어내려가는 진린….
그 앞에 서 있는 진잠과 심리.

C#7

진 린 놈들에게 철군령(撤軍令)이란 것이 떨어졌다….

진 잠 그래서 유정 이놈이 육지서 우리와 협공하기를 멈춘 것입니다.

심 리 고니시 스스로가 유정에게 그 사실을 알려줬을 가능성이 커 보입니다.

C#8

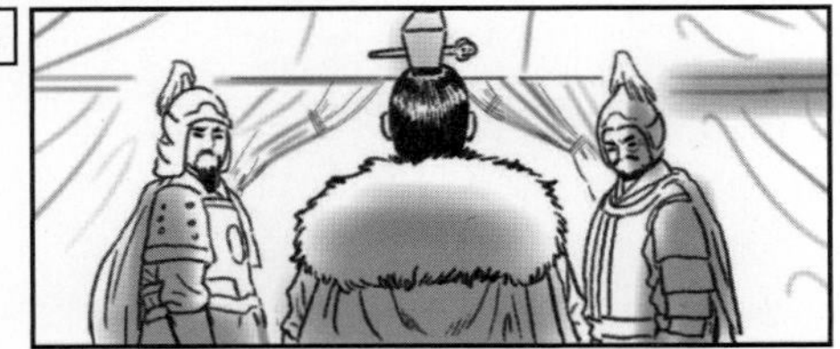

진 잠 어찌 되었든 왜군 쪽 철군령이 내려질 것을 미리 알고 출정을 하지 않은 것입니다! 굳이 끝난 전쟁에 피해를 보고 싶지 않아서….

C#9

진 린 (생각에 잠기며) 흠… 끝난 전쟁이다?

잠시 서찰을 다시 쳐다보다

C#10

진린 후면 B.S. / FOLLOW

막사 입구로 향하는 진린.

C#11

막사를 나가 조명 연합 함대의 봉쇄선을 쳐다보는 진린.

S#10 한양 선조의 처소

선조의 처소를 향해 걸어가고 있는 윤두수, 전황을 전해 듣고 화를 내는 선조를 달래며 이순신에 대해 이야기한다

10 CUTS

INT NIGHT LOCATION

C#1

FR-IN 윤두수 후면 L.S. / 약부감
궁궐 안으로…

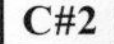

C#2

(기둥을 벗겨내며) 윤두수 후측면 K.S. / FOLLOW
표정을 알 수 없는 한 사람이

C#3

(기둥을 벗겨내며) 윤두수 측면 C.U. / FOLLOW
고개를 숙인 채 걸어 들어가고 있다.

C#4

문이 열리고, 자막이 뜬다.
영의정 윤두수
윤두수 FOLLOW하다가 FR-OUT

C#5

CUT TO
윤두수가 조용히 임금 선조를 알현한다.

C#6

선 조 사로병진(四路竝進)! 네 곳을 동시에 휘몰아쳐 놈들을 제압한다 하지 않았소! 어찌 하나도 성공한 것이 없단 말이오? 울산에선 다 잡은 가등청정(가토 기요마사)을 놓치지 않나? 사전에선 도진의홍(시마즈 요시히로)에게 또 다시 처참한 패배를 당하고… 이번엔 순천성도 실패한 것이 아니오! 통제사는 수군으로 순천성을 지원했건만, 어이 소서행장(고니시)을 잡지 못한 것이오? 대체 아무것도 얻질 못했소! 아무것도!

C#7

윤두수 (전혀 아무렇지 않다는 듯) 전하… 그리 노여워 마옵소서. 풍신수길이 이제 없습니다. 바다 건너 열도는 다시 혼란에 휩싸일 것입니다. 그렇기에 저들은 한시라도 서둘러 고향으로 돌아가려 할 것 입니다. 이미 승리한 전쟁입니다. 전하의 노력으로 명국이 조선으로 친히 와주어 승리를 한 것이지요. 전하께서도 이제 눈앞에 있는 전장보다는 전쟁 이후의 조정을 보셔야지요.

C#8

윤두수 소신은 되레 다행이라 사료되옵니다.

C#9

윤두수 통제사가 직접 순천성을 탈환한 것보다는….

말끝을 흐리는 윤두수,

C#10

선조가 분함과 동시에 미묘한 감정에 휩싸이고,

S#11 장도 조선 진영 작전 막사 안

입부의 주도하에 전황에 대해 토론하는 이순신과 장수들
장수들에게 경각심을 고취시키는 이순신

17 CUTS

INT NIGHT OPEN SET

C#1

가까운 바다, 장도 왼쪽으로 길게 진을 펼치고 늘어선 조선 함대 1백여 척이 보인다.
장도 선창 뒤로 커다란 작전실 막사.

C#2

안에는 백발의 순신이 무표정하게 앞에 앉아 있고,
그의 주변으로 조선 수군의 수장들이 모두 모여 앉아 있다.
노화한 오랜 측근 장수 송희립이 뭔가를 보고하고 있다.

송희립 오늘 아침 남해도의 적들이 사천 창선도로 출발했습니다. 그리고 고성의 적들도 모두 창선도에 집결을 마쳤다는 첩보가 있습니다.

C#3

이운룡 동쪽 경상의 적들이 도망가는 적들이라 하나… 혹! 이쪽으로 돕겠다고 오는 것은 아니오?

C#4

송희립 그럴 염려는 하실 필요가 없습니다.

C#5

모 두 ?

C#6

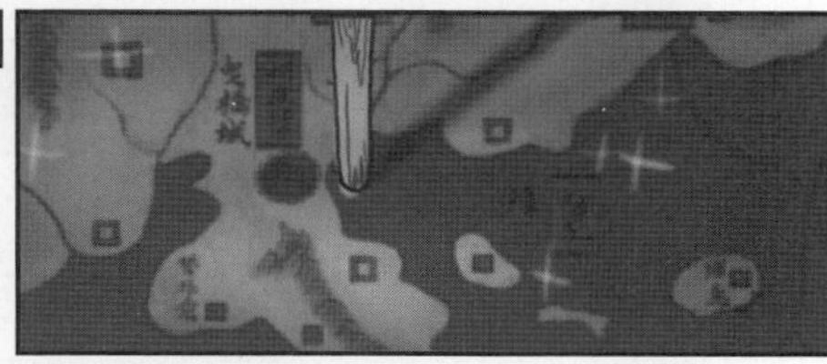

지도 TIGHT

송희립 (예교성을 가리키며) 저길 한번 보시지요.

C#7

조선군 장수들 F.S. / 직부감

송희립 (장수들이 쳐다보면) 소서행장이 저리 불을 피워댄 것이 이미 한참이 지났습니다.

C#8

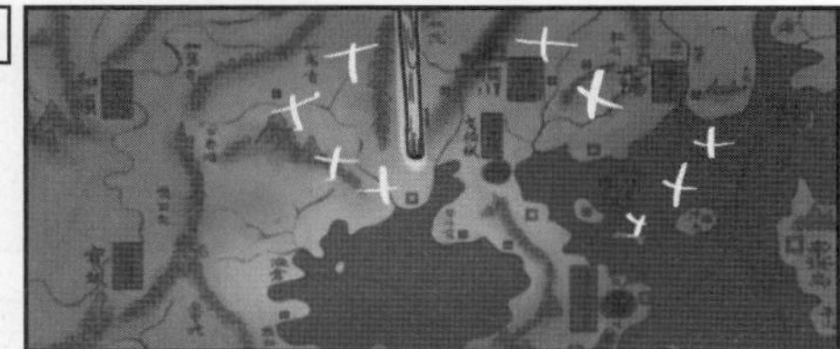

지도 TIGHT

C#9

송희립 허나 행장을 돕겠다는 적들의 기미는 어디에도 없었소이다.

C#10

유형 O.S. 순신 K.S. / 약부감

입 부 허긴… 저들의 수괴까지 죽고 제각각 도망가기 바쁜 형국이니.

C#11

순신 O.S. 송희립 K.S.

송희립 그렇소. 그러니 조급한 건 행장이지 우리가 아니오.

C#12

권준 B.S. / 앙각

권 준 맞는 말이외다. 우리가 봉쇄만 풀어주지 않는다면 행장은 결국 백기를 들고 나올 수밖에 없는 형국이지요.

C#13

순신 M.S. / CAM-IN

송희립과 권준의 말에 대다수의 장수들이 느슨해지며 고개를 끄덕인다. 헌데,

이순신 아니다!

누군가의 한마디에 돌아보면 순신이 순천왜성을 뚫어지게 쳐다보고 있다.

이순신 (마침내) 7년이다… 7년 동안 이 전쟁의 중심에 그 행장이 있었다. 임진년 그가 점령했던 평양성을 잊었느냐. 이후 벌어진 지루하고 간악했던 그 많은 협상들을 잊었느냐? 쉽게 끝나지 않는다.

C#14

순신 O.S. 이운룡 / tracking ->
순신 O.S. 유형과 다른 장수들

이운룡 허긴… 장군께서 그자의 간악한 계략으로 파직되어 사지(死地)까지 내몰리셨던 게 바로 작년 일이신데….

이운룡이 더 이상 입에 담지 않는다.

C#15

(cam 순신 후면에서) 막사 안 F.S. / 약부감

모두들 동의하는 표정. 말들이 없다.

C#16

순신 B.S. / cam-in

이순신 행장은 저대로 결코 항복하지 않는다. 우리 봉쇄를 어떤 수를 써서라도 뚫으려 할 것이다. 철저히 대비해야 한다. 알겠느냐!

C#17

막사 안 F.S. / 약부감

순신의 말이 조선 장수 전체를 경각시킨다.

모 두 예! 장군!

S#12 순천 예교성 인근 바다

안개가 자욱한 바다 위에 떠 있는 조선의 척후선 한 척. 잠시 후 왜군의 세키부네가 나타났다가 사라진다. 조총을 조준하는 준사와 항왜 부하들

11 CUTS

EXT NIGHT AS

C#1

협선 정면 F.S. / cam-in
사위 분간이 힘들 정도로 안개가 자욱한 바다 위,
조선의 척후 협선 한 척이 전방을 주시 중이다.

C#2

fr-in 준사와 항왜들 K.S.
순간 어디선가 들려오는 뜻밖의 물소리,
무언가가 움직이고 있다.
소리를 따라 ~~고개를 돌리는 누군가,~~
난간 앞으로 다가오는 누군가.

C#3

준사 O.S. 세키부네 / cam-in
이윽고 안개 속에서 희미하게 모습을 드러내는 왜군의 세키부네 한 척.

C#4

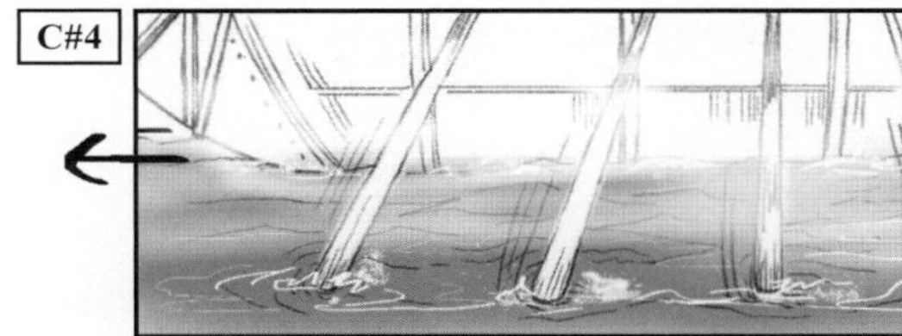

세키부네 노 TIGHT
끼익 끼익- 노 젓는 소리.

C#5

조총 tight / follow 하다가 t. up -> 준사 tight
왜군의 세키부네 한 척을 발견하고 조용히 조총을 들어 조준하는데… 낯익은 얼굴….
머리가 자란 항왜 장수 준사다.
얼굴에 난 굵은 상처가 지난 거친 싸움들의 흔적을 그대로 보여주고….

C#6

준사와 항왜들 측면 W.S.
준사를 따라 나머지 병사들 모두 조총을 조준하는데,
그들 모두 항왜들이다.

C#7

준사 측면 C.U. / 고개 돌리면 -> 정면 tight B.S.
조총들이 일제히 세키부네를 향해 조금씩 움직이고,

C#8

준사 P.O.V. - 세키부네 후측면 F.S.
안개 속으로 사라지는 세키부네 후측면 F.S.
허나 바람을 타고 온 안개에 갑자기 사라져버리는 세키부네!

C#9

준사 C.U. / CAM 돌면 -> 준사 측면 C.U.
잠시 두리번거리며 사라진 적선의 행방을 찾는 준사,
돌연 눈을 감고 소리에 집중하는데,
끼익 끼익- 노 젓는 소리에 귀 쫑긋!

C#10

FR-IN 준사 K.S. / 앙각 CAM-IN
돌연 준사가 몸을 돌려 어딘가를 바라보면,

C#11

준사 P.O.V. - 세키부네 후면 L.S. / [망원]
명군 진영으로 향하는 세키부네의 꼬리가 안개 속에 희미하게 보이다 사라지는데,

S#13 아산 이순신 본가 / 꿈

안개 속을 헤메이는 이순신. 본가 앞에 도착하는 이순신
왜군들에게 죽임을 당하는 이면을 바라보는 이순신

54 CUTS  EXT  DAY  LOCATION

C#1

숲길 B.D. -> 이순신 Fr.I -> Track in -> 이순신 B.S.
짙은 안개 속 어느 곳,
거칠게 숨을 내쉬며 앞으로 나아가는 누군가….

C#2

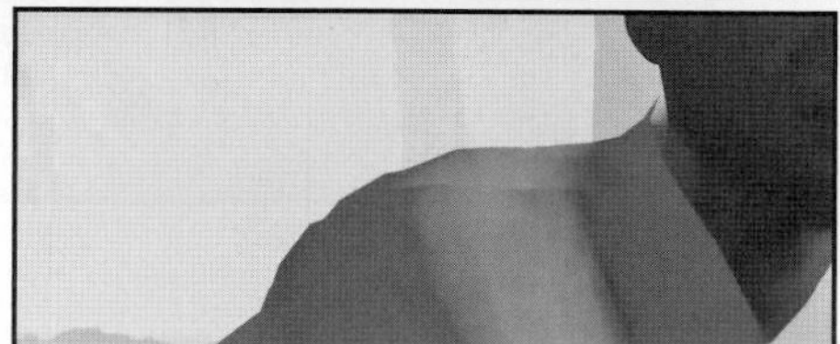

이순신 W.S. -> B.S. -> 이순신 Fr.O
안개 속, 어지러운 비명과 고함치는 왜국말들….

C#3

이순신 O.S. 본가 입구 -> 이순신 Fr.O -> 가솔들
마당엔 시체들이 쓰러져 있고 순신의 가솔들이 총을 든 왜군에 쫓기고 있다.

C#4

이순신 W.S. -> 이순신 Fr.O
어딘가 이상함을 느끼고 달려가는 이순신.

C#5

본가 안 F.S. -> 이순신 Fr.I -> 이순신O.S. 막순이 F.S.
자기 앞으로 도망치고 있는 시종 막순이를 붙잡고 묻는 순신.

C#6

이순신 Pan follow 쓰러지는왜군들 Fr.O
이순신 왜군을 한 명씩 벤다.

C#7

왜군 O.S 이순신 앙각 -> 왜군 Fr.O -> 이순신 B.S.
왜군 쓰러지며 프레임아웃하면

이순신이 막순에게 다가간다.

C#8

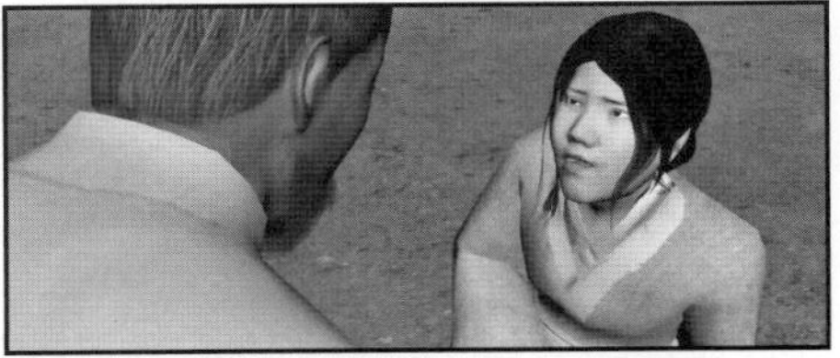

이순신 O.S. 막순 약부감 약 B.D.
자기 앞으로 도망치고 있는 시종 막순이를 붙잡고 묻는 순신.

C#9

막순 O.S. 이순신 앙각 -> Tracking

이순신 면이는 어디 있느냐!

C#10

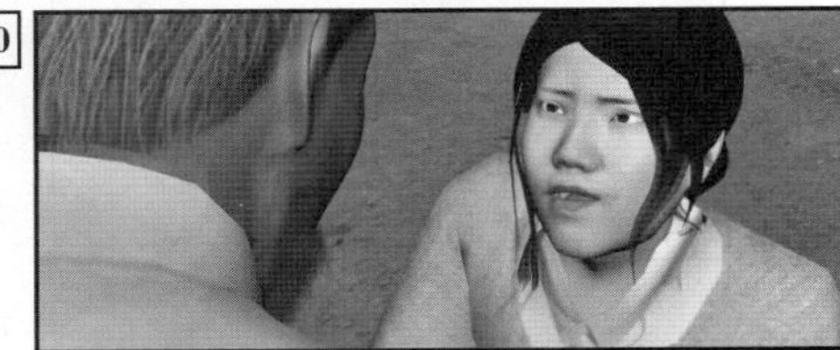

이순신 타이트 O.S. 막순 약부감 약 Tracking
겁에 질린 막순이가 뭐라 하지만

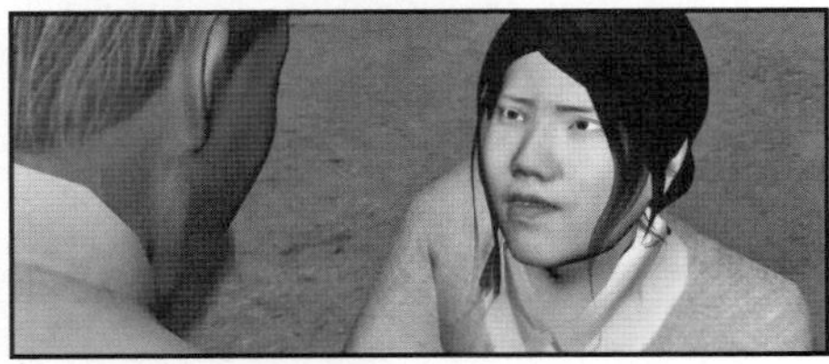

그 소리가 웅웅거리며 들리지 않고,

C#11

막순 O.S. 이순신 앙각 타이트 -> 이순신 Fr.O
그 소리가 웅웅거리며 들리지 않는다.

C#12

이순신 F.S. -> 이순신 Fr.O
순신, 뒷문을 지나 사라진다.

C#13

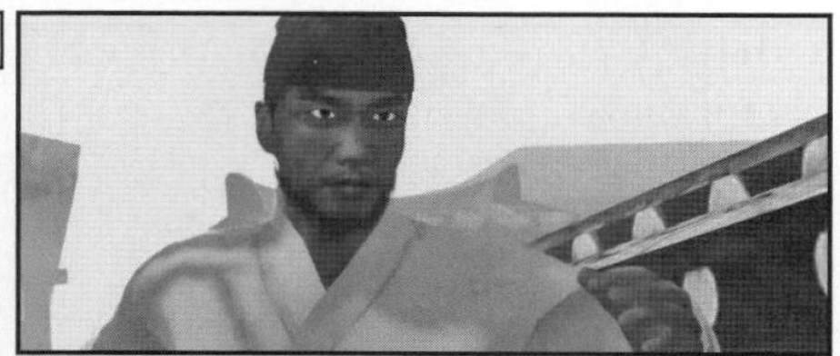

이순신 B.S. Back Follow
본가 아래 계곡 쪽으로 나아간다.

C#14

무리들 F.S. -> 이순신 Fr.I -> 이순신 O.S. 무리들 F.S.
계곡 안 누군가 칼을 든 왜군들 속에 포위되어 있다.

C#15

이순신 B.S. cam in -> 타이트 B.S.
순신이 더 다가가 보면

C#16

이순신 P.O.V. 이면 F.S.
여러 곳이 심각하게 베인 상태의 이면,
그럼에도 칼을 붙잡고 있는데….

C#17

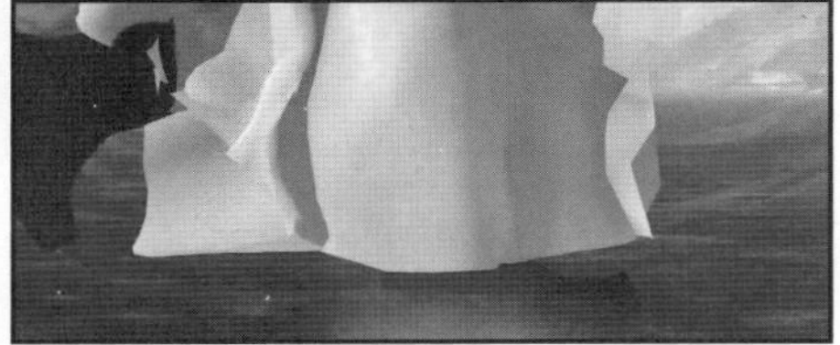

개울 -> 이순신 발 Fr.I -> 약 T.D.
이내 위기에 처한 아들을 구하러 달려가는 이순신.

C#18

이순신 K.S. -> W.S.
이내 위기에 처한 아들을 구하러 달려가는 이순신.

C#19

이순신 P.O.V. 이면 F.S.
위기에 처한 이면.

C#20

이순신 B.S.
이순신이 이면에게 다가간다.

C#21

이순신 뒷K.S.
이순신의 뒤로 무언가가 나타난다.

C#22

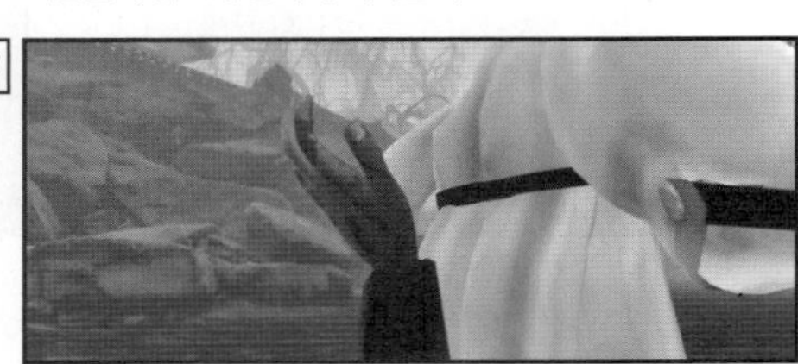

이순신 타이트
허나 이상하게도 한 걸음조차 나아가지 못하는데….
그의 다리를 붙잡는 것은 피 칠갑을 한 왜군의 손들.

C#23

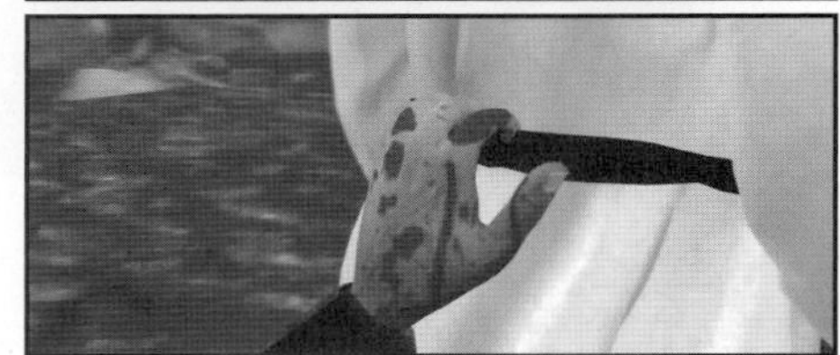

망령의 손 타이트
피 칠갑한 망령의 손이 이순신을 붙잡는다.

C#24

이순신 B.S.
앞으로 나아가지 못하는 이순신.

C#25

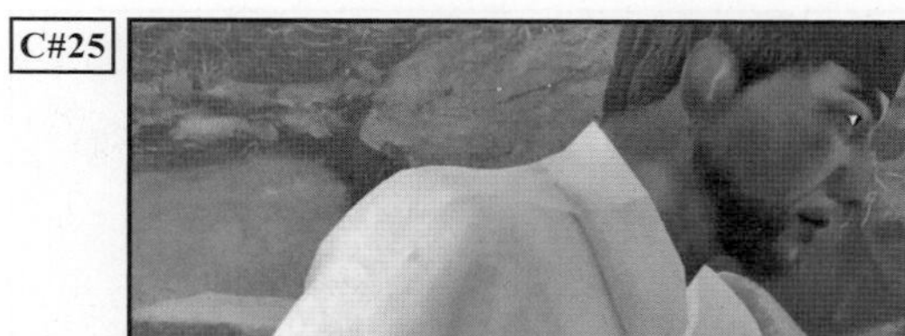

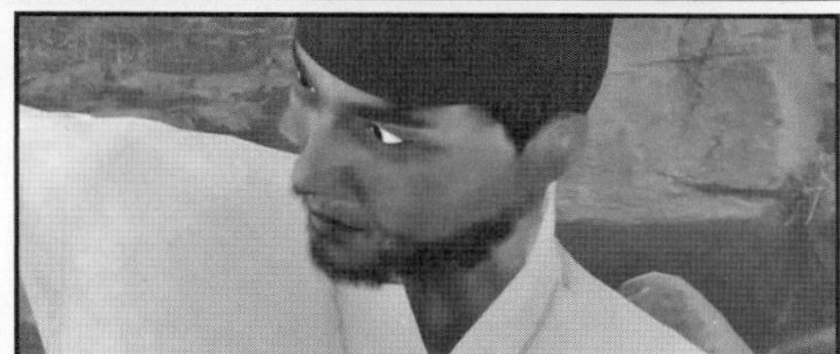

이순신 타이트 B.S.
자신을 잡는 것이 무엇인지 돌아보는 이순신.

C#26

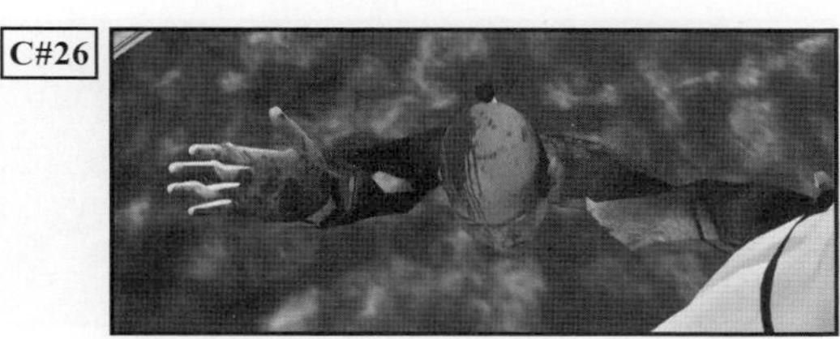

이순신 O.S. 망령
물속에서 망령이 나타난다.

C#27

이순신 얼굴 타이트
망령을 바라보는 이순신.

C#28

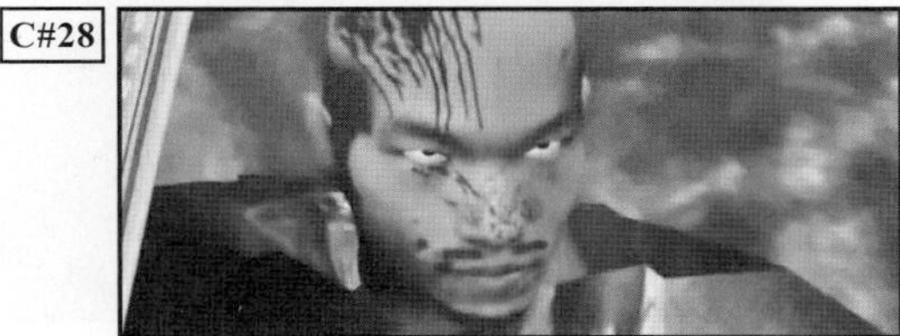

망령 B.S.
그의 다리를 붙잡는 것은 피 칠갑을 한 왜군의 손들.

C#29

이순신 반측 LOW B.S.

이순신 놓아라!

C#30

C#31

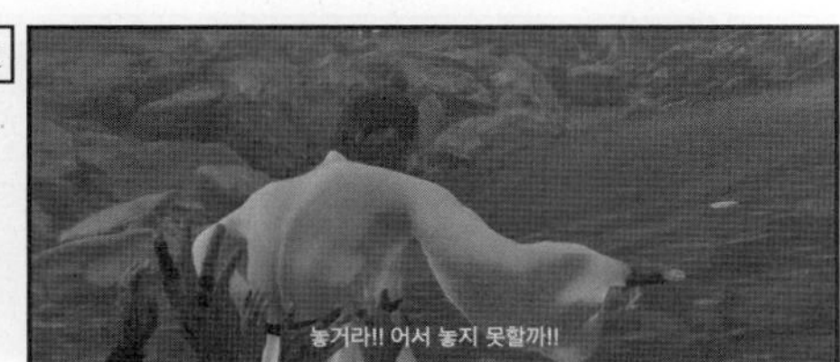

이순신 뒷모습 W.S. 약 panning -> 이순신 O.S. 이면 F.S.

이순신 어서 놓지 못할까! (마침내 고함)

이순신이 망령을 벤다.

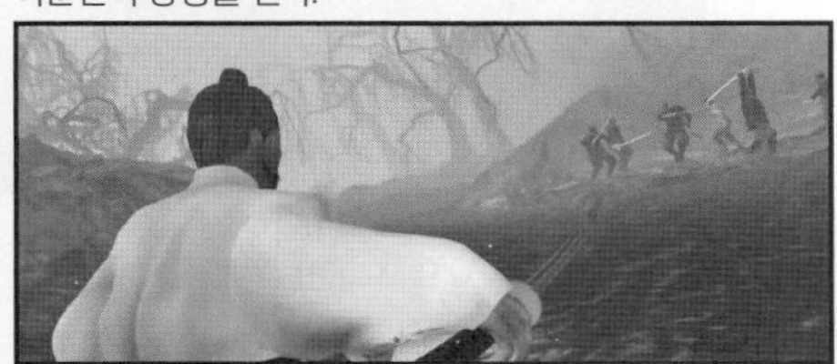

적에게 포위당해 공격당하고 있는 이면.
이순신이 앞으로 나아가려 한다.

C#32

이순신 P.O.V.
싸우고 있는 이면의 모습.

C#33

이순신 B.S. 약 Back FolloW
앞으로 나아가지도 못하고 지켜보는 이순신.

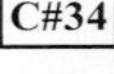

C#34

개울 -> T.U. & Pan -> 이순신 LOW K.S.
이면에게 다가가기 위해 고군분투하는 이순신.

C#35

이순신 P.O.V.
고군분투하는 이면.
추아앙~ 길게 울리는 왜군의 칼 소리,
몇 합을 받아내지 못하고 면이 휘청인다.
면을 둘러싼 왜군의 칼이 다시 하늘을 향한다.
마침내 면이 주저앉는다.

C#36

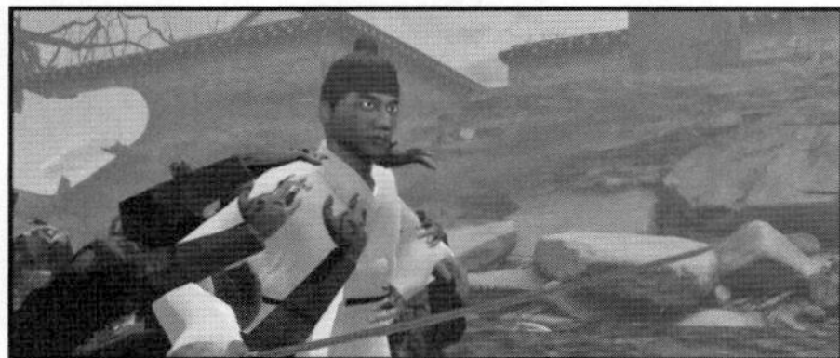

이순신 W.S. -> cam in -> 이순신 B.S.

이순신 면아! 면아! 이리 오너라!

이순신 내가 지켜줄 것이다! 면아!

C#37

이면 O.S. 왜군
왜군이 칼을 높이 든 채로 이면에게 다가온다.

C#38

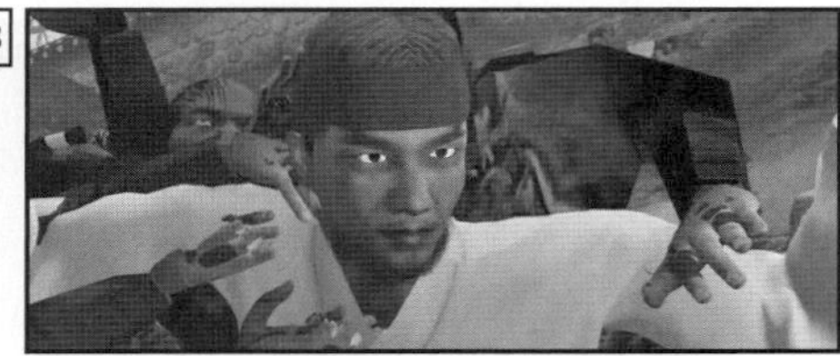

이순신 B.S.

이순신 이 아비에게 오너라! 거기 있으면 안 된다!

C#39

왜군 O.S. 이면
왜군을 올려다보던 이면.

칼을 맞으면서도 결연한 표정으로 순신을 본다,

이 면 아버지….

C#40

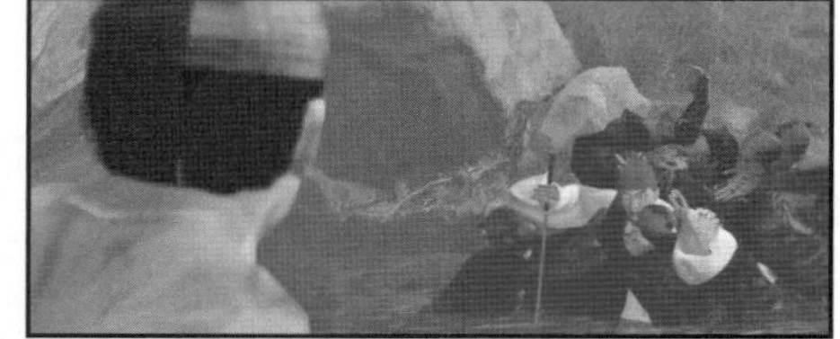

이면 O.S. 이순신 약 Tracking

이순신 (울부짖음) 면아… 네가 나 때문에….

C#41

이순신 타이트 B.S.

이순신 네가 이 아비 때문에… 면아!

이순신이 이면을 바라본다.

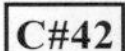

C#42

왜군 LOW B.S.
왜군이 칼을 높이 들어 올린다.

C#43

이면 반측 타이트 B.S.
이면이 왜군을 올려다본다.

C#44

왜군 LOW B.S.
마지막! 왜군의 칼이 면에게 내려쳐지고….
통곡(痛哭)….

C#45

이면 O.S. 왜군들 K.S.
이면을 베는 왜군.

C#46

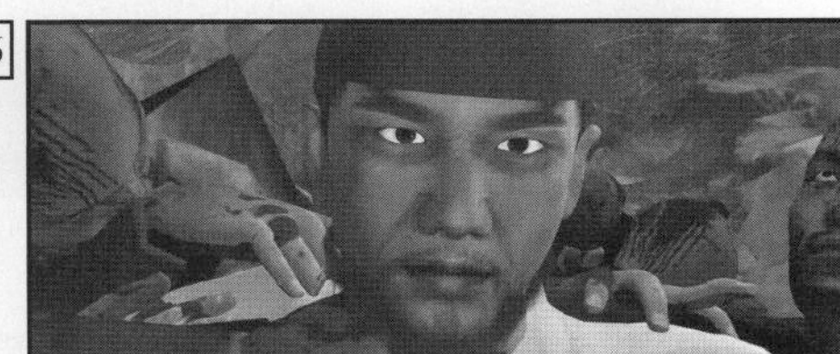

이순신 B.S.
그 모습을 보는 순신.

C#47

이면 B.S.

이 면 아버지….

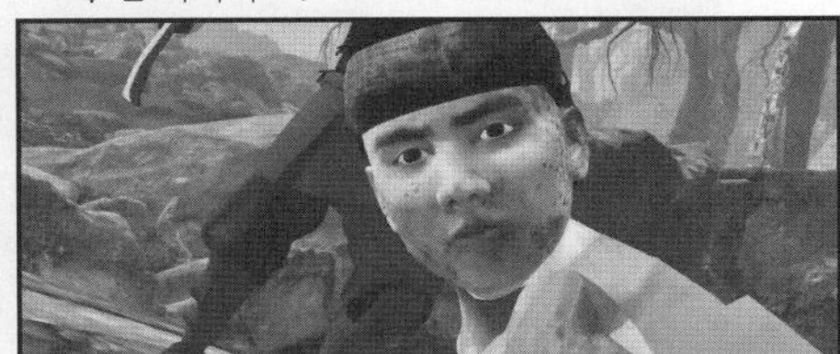

이면이 쓰러진다.

C#48

이면 P.O.V. 더치앵글
이면의 시야로 보이는 이순신.

C#49

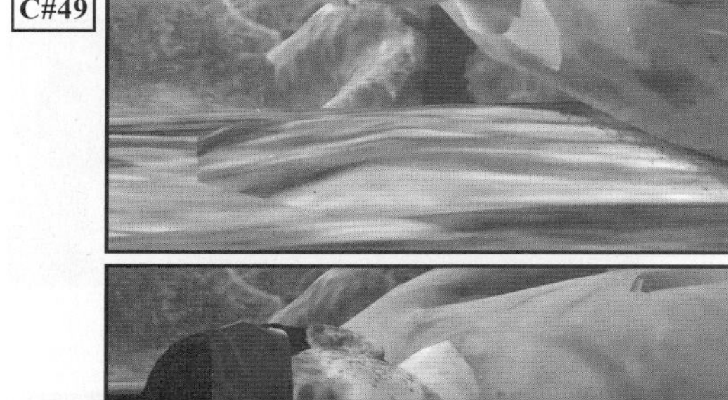

바닥에 쓰러지는 이면 B.S.
이면이 쓰러진다.

C#50

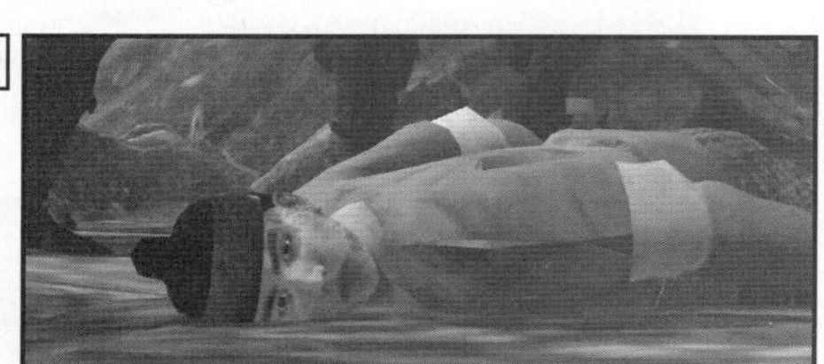

쓰러진 이면 K.S.

C#51

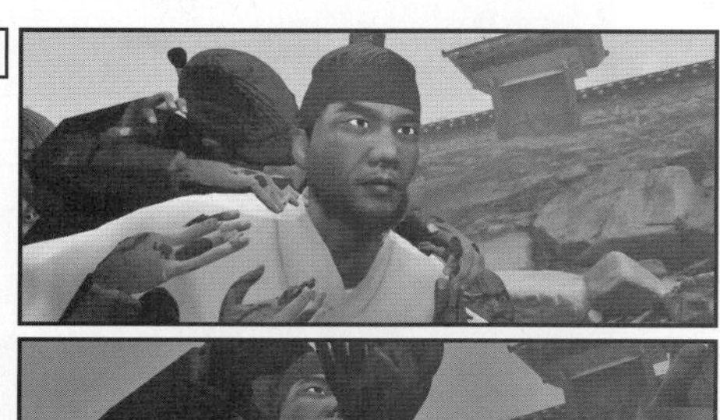

망령들과 이순신 B.S.

이순신 면아!

순신이 오열한다.

C#52

이순신 측 W.S.
이순신 팔을 뻗어보지만….

C#53

이순신 B.S.
그의 다리를 붙잡고 떨어지지 않던 손들이 온통 순신의 얼굴까지 감싸는데….

이순신 면아!

C#54

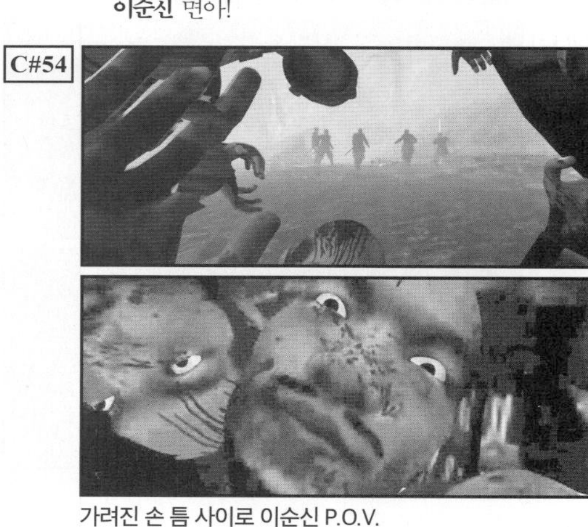

가려진 손 틈 사이로 이순신 P.O.V.
이순신의 시야를 가리는 망령들. 더 이상 이면을 볼 수 없다.

S#14 장도 대장선 대장실 안 - 갑판

꿈에서 깨어난 이순신
고니시의 세키부네가 명군 쪽으로 향했다는 준사의 보고를 듣는 이순신

15 CUTS

INT

NIGHT

SET

C#1

순신 C.U.

"면아!"

바르르 몸을 떨며 면의 이름을 힘겹게 뱉어내는 순신.

C#2

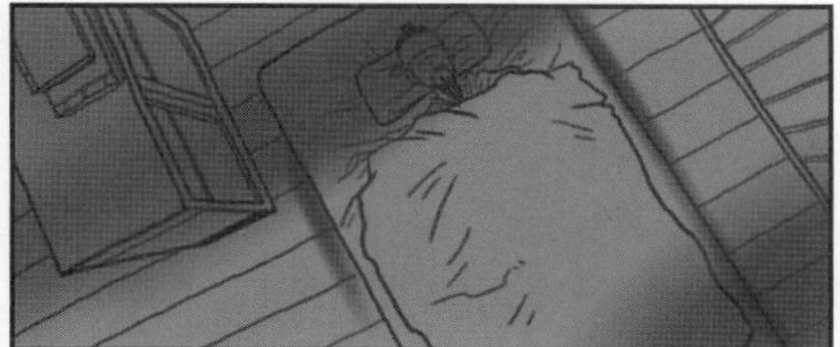

순신 K.S. / 직부감
꿈에서 깨어났지만 차마 일어나 앉지도 못한다.
온몸을 적신 땀….

C#3

순신 후측면 B.C.U.
눈을 꾸욱 감고서 하염없이 눈물을 흘리는 순신….

C#4

순신 M.S.
이때 누군가의 차분한 목소리.

준 사(O.S.) 장군! 준사입니다.

C#5

(cam 순신 머리 쪽에서) 대장실 안 F.S.
몸을 일으키는 순신.

C#6

CUT TO
떨리는 손 너머 준사 K.S. / 앙각 tracking
일어나 앉아 좀 전 상황을 보고하는 준사,
힘든 몸을 감추며 보고를 듣는 순신.

준 사 장군의 예상대로 방금 소서행장의 배 한 척이 명군 진영으로 들어갔습니다.

C#7

준사 O.S. 순신 K.S.

이순신 교전은 없었느냐?

C#8

순신 손 너머 준사 K.S. / [focus-in 이순신 -> 준사]

준 사 아무 소리도 듣지 못했습니다.

잠시 말이 없는 순신,
힘겹게 버티던 손이 다시 떨리고….

순신의 떨리는 손을 언뜻 본 준사…
허나 일부러 못 본 척 고개를 숙인다.

이순신 수고 많았다!

인사를 하고 돌아서는 준사를 다시 부르는 순신.

C#9

순신 W.S.

이순신 준사!

C#10

준사 O.S. 이순신 F.S. [focus-in 이순신 -> 준사]

준 사 네?

이순신 고향으로 돌아가고 싶지 않으냐?

발걸음을 멈추는 준사,
순신의 의외의 질문에 잠시 머뭇거리지만,

이순신 다시 오지 않아도 좋다. 다른 왜인들처럼 고향으로 가고 싶다면 그리하거라.

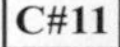

준사 B.S.
뒤돌아 잠시 순신을 바라보는 준사.

준 사 (이내 짧은 미소) 윗분들은 잘 모르시겠지만, 병사들은 본능적으로 알고 있습니다. 고향이란 전쟁이 끝나야만 돌아갈 수 있다는 것을... 온전히 전쟁이 끝나면 그리하겠습니다.

C#12

준사 O.S. 순신 F.S. / 약부감
고개 숙여 다시 인사를 하고 문을 나서는 준사.

fr-out 준사, 순신 F.S.

S#14 장도 대장선 대장실 안 - 갑판

순천 왜성을 바라보며 준사의 대답을 읊조리는 이순신 15 CUTS

EXT NIGHT VS

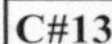

C#13

CUT TO

준사 협선 후면 F.S. / pan -> fr-in 순신 B.S.

좌선 갑판 위에 나와 멀어지는 준사의 탐망선을 바라보는 순신,
순신 고개를 돌려 굳은 표정으로 안개에 싸인 왜성 쪽을 바라보는데.

C#14

순신 P.O.V. - 안개 싸인 왜성

C#15

순신 B.S.

이순신 (나직이) 온전히 전쟁이 끝나면 그리하겠다…. 준사… 네 말이 옳다.

S#15 장도 명 진영 진린 막사 안

진린에게 퇴로를 열어달라 청하는 아리마. 아리마의 대답에 진노하는 진린 38 CUTS

INT NIGHT OPEN SET

C#1

fr-in 일본도를 든 아리마 손
화려한 보석으로 치장된 일본도를 공손히 내미는 두 손,

C#2

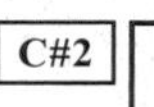

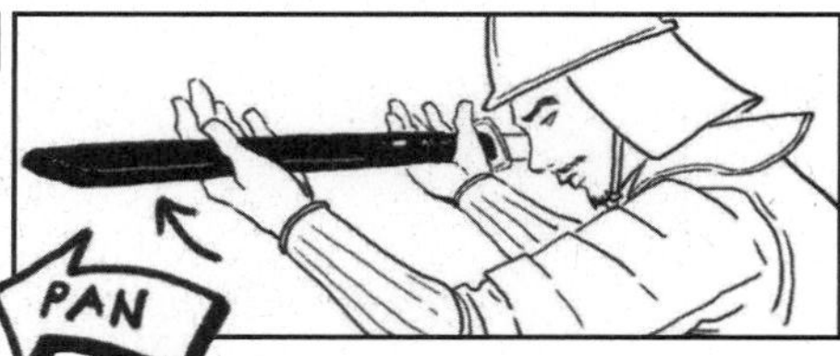

아리마 측면 B.S. / pan -> 진린 B.S. / 앙각
아리마이다.

아리마 대국의 아량으로 퇴로를 열어주신다면 이 은혜 결코 잊지 않을 것입니다.

그러나 그런 일본도 따위는 본 척 만 척,
딴청만 피우고 있는 진린.

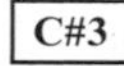

C#3

(cam 아리마 후면 쪽에서) 진린 막사 안 F.S.
심리, 일본도를 진린 옆 협탁에 둔다.

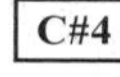

C#4

심리 O.S. 진린 M.S.
협탁에 일본도를 두는 심리.
fr-out 심리

C#5

(cam 진린 후면 쪽에서)
진린 막사 안 F.S. / 약부감
제자리로 돌아가는 심리.

C#6

아리마 측면 tight B.S. / 앙각

아리마 고민할 것이 무엇입니까? 이제 끝난 전쟁입니다. 대인!

C#7

진린 B.S. / 앙각

명 역관 이미 끝난 전쟁에 퇴로를 열어주면 은혜를 잊지 않겠다 합니다. (중국어)

진 린 (불쑥) 유정은 뭐라더냐?

C#8

진린 O.S. 아리마 W.S. / 약부감

왜역관 유정은 뭐라더냐? (일본어)

아리마 (당황하여) 네?

당황한 듯 진린의 눈치를 살피던 아리마,

C#9

아리마 O.S. 진린 K.S. / 앙각

진 린 벌써 만나보지 않았느냐?

왜역관 벌써 만나보지 않았느냐? (일본어)

C#10

아리마 O.S. 등자룡, 통역 2shot K.S.
아리마를 보는 등자룡과

C#11

아리마 O.S. 심리, 진잠 2shot K.S.
아리마를 보는 심리, 진잠.

C#12

아리마 (애써 웃으며) 어찌 유정 같은 소인배의 말을 신경 쓰십니까.

C#13

명 역관 소인배의 말은 신경 쓰지 말라 합니다. (중국어)

진 린 …….

C#14

아리마 이 전쟁을 끝낼 수 있는 건 오직 대인뿐입니다. 이제 지난날들의 과오는 모두 잊고 부디 평화를 택하소서.

C#15

명 역관 전쟁을 끝낼 수 있는 건 도독뿐이며 과오를 잊고 평화를 택하라 합니다. (중국어)

진 린 그 말인즉슨… 너희들의 과오를 반성한다는 뜻이냐?

C#16

왜역관 너희의 과오를 반성한다는 뜻이냐? (일본어)

아리마 그것은….

잠시 답을 망설이는 아리마.

C#17

진 린 정명가도(征明假道)*!

*정명가도(征明假道): 임진왜란 직전, 히데요시가 선조를 협박하며 했다는 말.

나는 조선을 침략하려 하는 것이 아니라 명을 정벌하려는 것이니….

C#18

아리마 ?

C#19

진 린 길을 내어주면 다치지 않을 것이다.

C#20

아리마 W.S.

왜역관 정명가도, 나는 조선을 침략하려 하는 것이 아니라 명을 정벌하려는 것이니… 길을 내어주면 다치지 않을 것이다. (일본어)

아리마 ?

C#21

진린 죽은 너희 관백은 정녕 미친 자였다!

관백 도요토미 히데요시

C#22

순간 눈썹이 꿈틀하는 아리마.

C#23

진 린 그렇지 않으냐?

왜역관 죽은 너희 관백은 정녕 미친 자였다. (일본어)

C#24

굳어지는 아리마의 얼굴….
고개를 들어

아리마 저는 화친을 제의하러 온 것이지 항복을 청하러 온 것이 아닙니다.

C#25

명 역관 자신은 항복이 아니라 화친을 제의하러 왔다 합니다. (중국어)

진 린 만일 거절하면 어찌 되는 것이냐?

왜역관 거절하면 어찌 되는 것이냐? (일본어)

C#26

순간 진린을 노려보는 아리마
더 이상 굽힐 마음이 사라진 듯,

아리마 지난번처럼 대국의 군사들이 상하는 불상사가 벌어지겠지요.

명 역관 …저번처럼 저희 군사가 상하는 일이 벌어질 거라 합니다. (중국어)

C#27

은근한 아리마의 협박에 눈을 부릅뜨는 백발의 노장 등자룡, 앞으로 나서려는데….

진 린 이노옴!

아리마를 향해 일본도를 내던지는 진린,
진린을 돌아보는 등자룡.

C#28

아리마가 깜짝 놀라

C#29

가까스로 피하면 바닥에 나뒹구는 일본도,
휘둥그레진 눈으로 부서진 일본도와 진린을 번갈아 보는 아리마.

C#30

진 린 가서 소서행장에게 똑바로 전하거라!

C#31

진 린 평화에는 그만한 대가가 필요한 법이니, 화친 따윈 꿈도 꾸지 말라고!

C#32

왜역관 평화에는 댓가가 필요한 법이니 화친은 꿈도 꾸지 말라. (일본어)

아리마 대인….

C#33

진 린 썩 물러가라!

꼴도 보기 싫다는 듯 돌아서는 진린,

C#34

아리마는 어떻게든 마음을 돌려보려 하는데….

C#35

등자룡 물러가라 하지 않느냐!

버티고 있는 아리마.

C#36

등자룡 이놈이 그래도!

등자룡 등 나머지 장수들의 험악한 분위기에 결국 돌아서고 마는 아리마,
fr-out 아리마

C#37

진린 os 막사 안 f.s /약부감
완전히 사라지면….

C#38

진린 O.S. 등자룡 K.S. / cam돌면 -> 진린 B.S.

등자룡 잘하셨소이다. 도독!

속이 다 시원하다는 듯 진린을 바라보는 등자룡,
하지만 대꾸도 없는 진린! 골똘히 생각에 잠긴다.

S#16 순천 예교성 누각 안

아리마의 보고를 듣고 진린의 진의를 파악한 고니시
시마즈에게 보내는 서찰을 아리마에게 건네는 고니시

21 CUTS

 INT  DAWN  SET

C#1

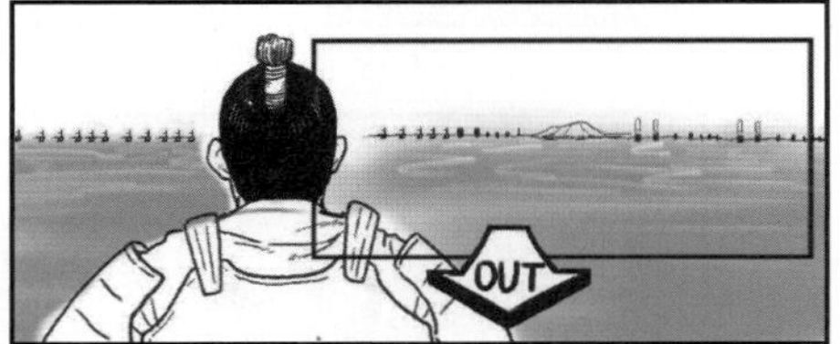

장도 / cam-out -> 고니시, 아리마 후면 2shot
장도를 보고 있는 고니시..

고니시 (혼잣말) 그만한 대가가 필요하다….

C#2

고니시, 아리마 2shot B.S.
아리마의 보고를 곱씹으며 생각에 잠기는 고니시.

아리마 일전을 준비하겠습니다. 주군!

C#3

고니시, 아리마, 오무라, 가신 1 4shot / 약부감
죽음을 각오한 듯,
비장한 표정의 오무라 및 다른 고니시의 가신들.

C#4

고니시 tight B.S. / pan -> 오무라, 가신 1 2shot B.S.

고니시 (비릿한 미소) 그럴 것 없다. (오무라 보며) 오사카로 가져갈 수급*이 얼마나 되느냐?

*수급: 전공(戰功)을 증명하는 잘린 머리

오무라 (무슨 영문인지 모르지만) 2천이 조금 안 됩니다만.

C#5

오무라 O.S. 고니시 B.S.

고니시 그간 유정에게 넘긴 수급은?

C#6

고니시 O.S. 오무라 B.S.

오무라 다 합치면 5백 정도 됩니다….

C#7

고니시, 아리마, 오무라, 가신 1 4shot /약부감
돌아서는 고니시.

C#8

오무라, 아리마 O.S. 고니시 B.S.

고니시 가져갈 수급 전부를 진린에게 내어주자! 그리고 평양에서 가져온 진귀한 것들도 더 넣고! 그만한 대가를 바라니 그만한 대가를 줘야겠지.

C#9

고니시 O.S. 아리마, 오무라, 가신 1

오무라 ?

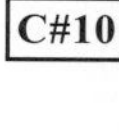
C#10

아리마 O.S. 고니시, 오무라

고니시 진린은 이순신과 다르다. 우리처럼 돌아가야 할 본국(本國)이 있다.

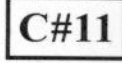
C#11

고니시 O.S. 아리마 tight B.S.
그제서야 무슨 말인지 알아들은 아리마와 가신들, 표정이 다소 밝아진다.

아리마 하지만 주군. 진린이 봉쇄를 풀어주고 싶다 해도 이순신이 따르지 않을 것입니다.

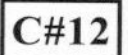
C#12

아리마 O.S. 고니시, 오무라
잠시 생각에 잠기는 고니시,
fr-out 고니시

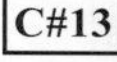
C#13

천수각 내부 L.S.
갑자기 자리를 옮겨

C#14

고니시 측면 M.S.
무언가를 급히 쓰기 시작한다.

C#15

고니시 O.S. 아리마, 가신 1
글을 쓰는 고니시를 보는 아리마.

C#16

고니시 O.S. 글 쓰는 고니시
글을 쓰는 고니시.

C#17

아리마 B.S. / cam-in
그 모습을 보는 아리마.

C#18

고니시 O.S. 아리마 M.S. / 고니시 후면 follow
두 개의 서찰을 들고 아리마에게 가는 고니시.

C#19

천수각 내부 L.S.
아리마에게 전하며 귓속말로 매우 진지하게,

고니시 지금부터 내가 하는 말을 진린에게 잘 전하면 넌 분명히 빠져나갈 수 있다.

아리마 !

두 사람이 뭔가 진지하게 속삭이는 것이 멀리 보인다.

C#20

아리마 O.S. 고니시 B.S.

고니시 나가는 즉시 사천의 시마즈(島津義弘)에게 이 것들을 전하라.

두개의 서찰을 전하는 고니시

C#21

고니시 O.S. 아리마 B.S.

아리마 예. 주군! 목숨을 걸고 전달하겠습니다!

fr-out 아리마 / cam 돌아서 -> 고니시 정면 B.S. / follow

S#17 장도 조선군 진영 선창 - 대장선

자신의 대장선을 등자룡에게 양보하는 이순신과 크게 감동한 등자룡
격군실을 지나 갑판으로 올라가는 이순신과 등자룡

23 CUTS  EXT  DAY  OPEN SET

C#1

이순신, 등자룡 O.S. 판옥선 / 후면 follow
무언가를 올려다보며 감격한 표정으로 다가가는 등자룡.

등자룡 이건… 통제공의 좌선 아닙니까?

송희립 장군의 판옥선이 아니냐고 묻습니다.

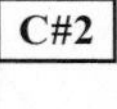

C#2

순신, 등자룡, 희립, 역관 4shot B.S. / 약부감

이순신 일전에 부탁하셨던 전선일 뿐입니다.

명 역관 그저 부탁하셨던 판옥선이라 합니다. (중국어)

거대하면서도 선명한 용의 문양이 어떤 판옥선보다 훨씬 위엄이 있어 보이는데. 순신이 판옥선 위로 올라가자며 안내를 하고,

이순신 그럼 오르시지요.

명 역관 그럼 오르시지요. (중국어)

C#3

CUT TO
(cam 격군실 안에서) 격군실 안으로 들어오는 등자룡, 순신, 희립, 역관 4shot
진심으로 감동한 등자룡, 격군실을 지나

C#4

(cam갑판 위에서)
순신, 등자룡, 희립, 역관 후면 F.S.
판옥선 위로 올라가 갑판을 둘러본다.

C#5

등자룡, 순신, 희립, 역관 4shot F.S. -> W.S.
장루도 둘러보고

기둥도 만져보는 등자룡.

C#6

순신, 등자룡, 희립, 역관 정면 4shot K.S.

등자룡 (난간도 만지며) 이리 튼실히 배를 만들다니,

C#7

순신, 등자룡, 희립, 역관 측면 4shot W.S.

등자룡 (순신을 돌아보며) 배만 지키면 병사들과 격군들 상할 걱정은 안 해도 되겠습니다.

송희립 판옥선이 튼튼하여 잘 지키면 병사와 격군들이 상할 걱정은 안 해도 되겠다라 말합니다.

C#8

등자룡 O.S. 순신 B.S.

이순신 …….

C#9

CUT TO
판옥선 ~~장루 안~~, 기라졸 영역 안.
책상 위 종이와 벼루를 사이에 두고 마주 앉은
서 있는 순신과 등자룡.
등자룡이 먼저 붓을 들어 글을 쓴다.

C#10

종이 C.U. fr-in 순신 손 / t. up -> 순신 B.S.

등자룡(필담)
지난밤 소서행장이 진 도독에게 사람을 보내왔소.

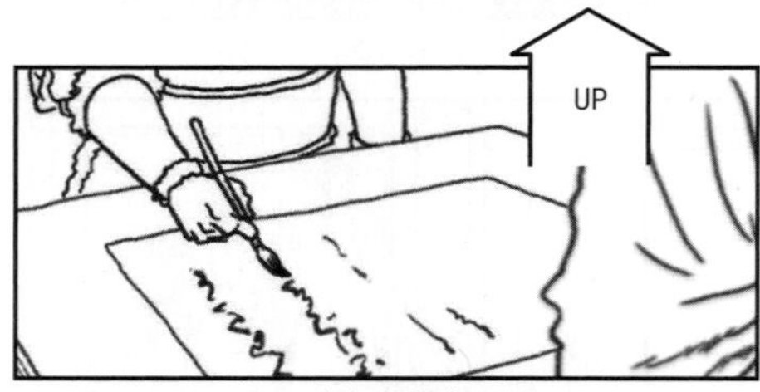

이순신(필담)
알고 있습니다.
소서행장은 계속해서 사람을 보내올 것입니다.
진 도독이 흔들리 않도록
부디 부총병께서 힘이 되어주십시오.

C#11

순신 O.S. 등자룡 B.S.
순신의 필담을 뚫어지게 쳐다보던 등자룡이 이내 미소 지으며.

C#12

등자룡 O.S. 종이 C.U.

등자룡(필담)
이 판옥선이 그런 청탁의 뇌물이었구려.

C#13

순신 O.S. 등자룡 B.S.
필담 속 작은 웃음을 띠며 서로를 바라보는 두 사람. 이내 등자룡의 필담이 이어지는데,

C#14

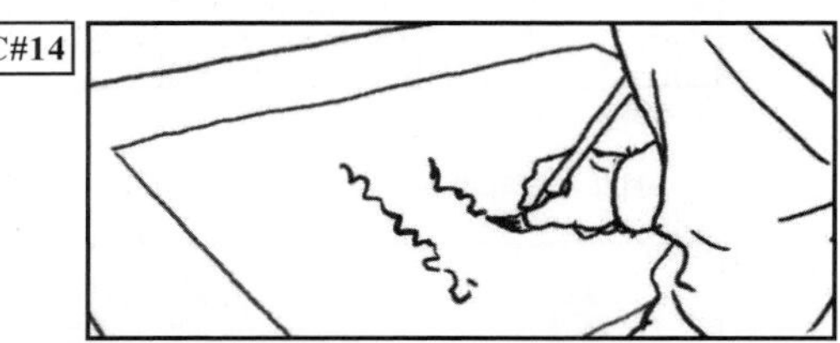

등자룡 O.S. 종이 C.U.

등자룡(필담)
솔직히 이렇게까지 하는 통제공의 진의를
나 또한 진 도독처럼 이해할 수는 없소.
허나! 내 기꺼이 이 판옥선을 받으리다!

C#15

등자룡 O.S. 이순신 B.S.

이순신 (옅은 미소) …….

C#16

순신 O.S. 등자룡 B.S.

등자룡 나만 믿으시오 통제공! 내 이 판옥전선으로 통제공과 함께 끝까지 나의 힘을 보태리다!

C#17

등자룡 O.S. 이순신 B.S.
서로를 바라보는 이순신과 등자룡,
야전에서 평생을 보낸 두 사람의 신뢰와 믿음이 느껴진다.
그런데 이때!

이 회(O.S.) 아버님!

C#18

순신 O.S. 이회, 탐망병 K.S.
다급히 탐망병과 함께 판옥선 갑판 위로 뛰어 올라오는 이회.

C#19

이회 O.S. 순신, 등자룡 M.S.
필담을 하다 돌아보는 이순신, 등자룡.

C#20

순신, 등자룡 O.S. 이회 W.S.

이 회 방금 적선 세 척이 명군 진영으로 들어갔습니다!

C#21

이회 O.S. 순신, 등자룡 M.S.

이순신 한 척이 아닌 세 척이란 말이냐?

C#22

순신, 등자룡 O.S. 이회 W.S.

이 회 예. 헌데 배마다 무언가를 그득 싣고 있는 듯 보였습니다.

C#23

순신 B.S.
뭔가 이상함을 느낀 이순신,
~~빠르게 자리에서 일어선다.~~

S#18 장도 명 진영 선창 - 진린 호선

배에 실려온 수급과 보물을 보며 흐뭇해하는 진린
아리마가 진린에게 자신들의 퇴로에 대해 설명한다

19 CUTS

EXT

DAY

VS

C#1

명군 진영 L.S. / 약부감
명군 진영에 일본의 세키부네 세 척이 정박되어 있다.

C#2

세키부네에서 궤짝 내리는 왜병들 F.S.
수급이 가득 담긴 궤짝들을 내리고 있는 왜병들과 이를 받아 진린의 호선과 군막 안으로 옮기고 있는 명나라 병사들,

C#3

진린, 아리마 / 앙각
이를 지켜보고 있는 진린,

C#4

진린, 아리마 O.S. 궤짝 내리는 왜병들 F.S. / 약부감
살짝 흐뭇한 표정을 짓는 진린.

C#5

진린 O.S. 아리마 W.S.
바로 그 순간을 놓치지 않는 아리마.

아리마 남해도에는 저런 수급이 산더미처럼 쌓여 있습니다.

명 역관 남해도에 수급이 더 있다 말합니다. (중국어)

C#6

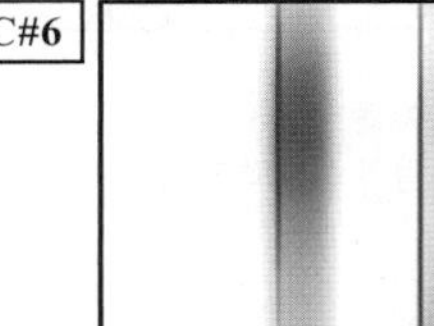

진린 측면 C.U.

진 린 ?

C#7

진린 O.S. 아리마 W.S.

아리마 저를 보내주시면 오늘 드린 수급의 열 배를 가져다드리겠습니다.

명 역관 자신을 보내주면 오늘의 열 배를 준다 합니다. (중국어)

C#8

표정이 꿈틀대는 진린.

진 린 (속내를 꿰뚫어 보듯) 기어이 구원병을 청하려는 것인가.

아리마를 보는 진린.

C#9

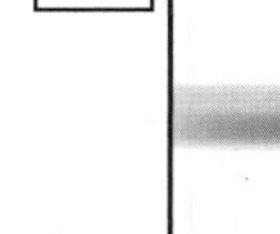

왜역관 구원병을 청하려는 것인가. (일본어)

쏘아보듯 자신을 응시하는 진린의 시선에 결국 아리마,

아리마 대인께서 봉쇄를 푼다 한들 이순신이 가만히 있겠습니까?

C#10

명 역관 봉쇄선이 풀려도 통제사가 가만히 있지 않을 거라 얘기합니다. (중국어)

진 린 …….

C#11

아리마 봉쇄를 풀고 안전하게 빠져나갈 시간을 벌기 위해선 약간의 무력시위는 필요하지 않겠습니까?

C#12

명 역관 안전하게 빠져나갈 시간을 벌기 위한 무력시위라고 합니다. (중국어)

진 린 …….

C#13

아리마 그저 고니시 주군이 예교성을 빠져나와 좌수영 앞바다를 떠날 그 정도의 시간만 벌 무력시위입니다. (진린에게 다가가는 아리마) 그저 대치하는 정도입니다.

C#14

명 역관 소서행장이 빠져나갈 정도의 시간을 벌 미약한 무력시위라고 합니다. (중국어)

진린 흔들린다.

C#15

더욱 간절히 쳐다보며 예리하게 말을 내뱉는 아리마.

아리마 만에 하나 이순신의 공세로 약간의 다툼이 생긴다 해도 대국의 천병들을 상하게 하는 일은 결단코 없을 것입니다. 고니시 주군께서도 분명 그리 약조하셨습니다!

C#16

명 역관 무력시위가 벌어져도 우리의 병사가 상하는 일은 없을 것이라 합니다. 소서행장도 약속했다고 합니다. (중국어)

진 린 (코웃음) 내가 그 약조를 어찌 믿느냐.

C#17

왜역관 그 약조를 어찌 믿느냐. (일본어)

아리마 대인! 저의 말보다 현재 돌아가는 이치를 한번 잘 살펴보십시오. 답은 바로 나올 것입니다!

C#18

명 역관 자신보다 현재 돌아가는 이치를 보라 말합니다. (중국어)

흐음… 고민에 빠지는 진린.
다시 정면으로 돌아본다.

C#19

수급을 내리는 왜병들과 옮기는 명군 병사들을 보는 진린.

S#19 장도 명 진영 일각

명 진영을 향해 가다 예교성 쪽으로 향하는 세키부네를 발견하는 이순신과 일행들　4 CUTS

EXT

DAY

OPEN SET

C#1

fr-in 순신과 장수들 F.S.
황급히 명군 진영으로 들어서고 있는 순신과 이회. 등자룡, 송희립, 이운룡까지 합세했다.

이 회 (무언가를 발견) 저기! 적선들이 돌아가고 있습니다!

C#2

이회가 소리치자, 안개 자욱한 바다를 응시하는 순신,
과연 예교성을 향해 가고 있는 검은 배 두 척이 보인다.
순신과 장수들 O.S. 세키부네 L.S.

C#3

이회, 순신, 희립 3shot

송희립 근데 어찌 두 척뿐인가? 세 척이라 하지 않았는가?

이회, 놀라 다시 보면,

C#4

이회 P.O.V. - 세키부네 F.S.
정말 두 척뿐이다.

S#20 장도 명 진영 선창

부관들과 얘기를 나누는 진린
이때 선창에 도착한 이순신이 이운룡에게 세키부네를 추격하라고 명한다

8 CUTS  EXT  DAY  OPEN SET

C#1

진린 막사 너머 명 진영 F.S.
예교성 반대쪽,
넓게 트인 동쪽 바다를 바라보고 있는 진린.

C#2

물살을 가르며 멀어지고 있는 검은 물체…
아리마를 태운 세키부네다.

심 리 정말 저대로 내보내도 괜찮겠습니까?

막사를 향하던 그에게 보좌하고 있던 심리가 묻는다.

진 린 (짐짓) 무엇이 걱정이냐? 다른 적들도 모두 철군하러 사천 앞 창선도로 떠났다지 않느냐?

심 리 그래서 드리는 말씀입니다.

진 잠 ?

심 리 제가 고니시라면 저 배를 곧장 창선도로 보냈을 것입니다.

진 린 그러라고 보낸 것이다.

심 리 !

놀란 얼굴로 진린을 바라보는 심리.
함께 걷던 진잠도 도통 이해가 안 되는 듯한데….

C#3

심 리 허나 창선도에 집결한 적들이 모두 이쪽으로 움직인다면….

C#4

진 린 그리되면 통제공도 더 이상 고집을 피우지 못하고 봉쇄를 풀 수밖에 없을 것이다. 이치가 그렇지않느냐. 아니 그렇느냐.

그저 고개를 끄덕일 수밖에 없는 심리와 진잠….
진린, 이내 다시 막사로 이동하는데….

등자룡(O.S.) 이게 대체 어찌 된 일이오!

진잠, 놀라 돌아보면,
붉어진 얼굴의 등자룡이 다가오고 있다.

C#5

그 뒤로 모습을 드러내는 순신.

진 린 아니, 대체 이 시간에 어인 일들이오?

짐짓 시치미를 떼는 진린.

그러나 순신은 이미 저만치 멀어지고 있는 아리마의 세키부네를 보고 있다.

이순신 쫓아라. 절대 놓치면 아니 된다.

이운룡 예, 장군!

심 리 통제사가 배를 쫓아가라고 명령했습니다. (중국어)

C#6

등자룡 내 배로 가세.

진 린 부총병!

들은 척도 않고 이운룡과 함께 어둠 속으로 사라지는 등자룡.

C#7

진 린 이거 참. 배 한 척 내준 게 뭐 그리 대수라고 이리들 호들갑인지….

C#8

대꾸 없이 굳은 표정으로 진린을 응시하는 순신.

S#21 장도 명 진영 진린 막사 안

진린과 이야기 도중 아리마가 가져온 수급을 확인하고 분노하는 이순신
진린에게 조명 연합 함대의 해체를 통보한다

37 CUTS

INT

DAY

OPEN SET

C#1

명 진영 선창에서 빠져나가는 등자룡 호선.

C#2

마주 앉은 순신과 진린.
뒤쪽엔 진잠과 심리. 그리고 송희립과 이회가 서 있다.

C#3

진린을 쳐다보며 미동도 없는 순신.

C#4

그런 순신을 순간 노려보는 진린.
그러나 이내 미소 지으며,

진 린 이쯤하고 놓아줍시다. 노야께선 공도 넘칠 만큼 세우지 않았소.

C#5

송희립 봉쇄선을 풀고 그만 적을 놓아주자고 말합니다. 장군께선 충분히 공을 세우셨다고 · · · .

순신이 천천히 일어서더니

C#6

앞에 놓인 지필묵을 끌어당겨 직접 무언가를 적기 시작하는데….

C#7

그 모습을 보는 진린.

C#8

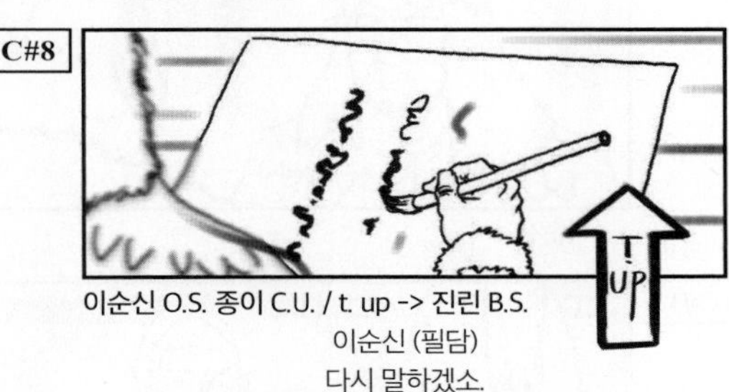

이순신 O.S. 종이 C.U. / t. up -> 진린 B.S.

이순신 (필담)
다시 말하겠소.
대장이 되어 화친을 말할 수 없으며,
절대 이대로 원수를 놓아 보낼 생각도 없소.

진린, 얼굴을 찌푸리며 읽다 일어나
이내 필담이 아닌 직접 말로 내뱉는데,
-> 일어나는 진린 follow boom up
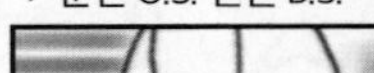
-> 순신 O.S. 진린 B.S.

진 린 그럼 이렇게 하는 게 어떻겠소?

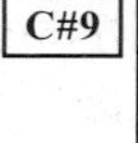

송희립 그럼 이렇게 해보자 합니다.

이순신 ?

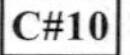

진 린 행장을 보내주는 대신, 남해도로 가서 적의 잔당들을 치는 것이오.

송희립 행장을 보내주고 남해도로 가 잔당을 치자 말합니다.

C#11

이순신 …….

C#12

진 린 꼭 예교성의 적들만 붙잡고 늘어질 이유가 없지 않소? 혹여 아드님을 해한 것조차 또 행장의 계략 때문이라고 생각하시는 것입니까?

C#13

송희립 예교성의 적들을 붙잡고 계시는 이유가… 혹시 이면 도련님 때문이냐고….

이순신 !

C#14

순신, 진린 너머 보조 막사 F.S.
진린이 순신의 고집을 꺾기 위해 아들 얘기를 꺼냈지만 이내 미안한 마음이 들고….
이때 진린의 뒤쪽 보조 막사에 순신의 눈에 띈 무언가…
보조 막사 구석에 쌓인 궤짝들이다.

C#15

(cam 순신 후측면 쪽에서) M.S. / b. up
그쪽으로 걸어가는 순신,

C#16

순신 정면 / follow cam-out -> 궤짝 너머 순신, 진린 보조 막사 안으로 들어가

지체 없이 궤짝의 뚜껑을 연다.

진 린 지금 뭐하는 짓이오?

C#17

순신 O.S. 궤짝 안 수급 tight / cam-in
궤짝에는 고니시가 보내온 수급이 가득 들어 있다.

그러나 조선식 상투를 튼 남정네…
댕기 머리를 한 어린아이…
심지어 쪽을 진 아녀자의 머리까지….
누가 봐도 조선 백성들의 수급이지 왜병들이 아니다.

C#18

순신의 칼자루 쥔 손 C.U.
순신 칼자루 쥔 손이 떨리는데….

C#19

순신 후면 M.S. / cam-in

이순신 여기… 이들은 대부분 우리 백성들이오. 절대 왜적이 아니오.

C#20

이순신 W.S. / cam-in
[focus-in 순신 -> 진린]
목이 막혀 말이 안 나오는 듯 토하듯 내뱉는 순신.

심 리 이들은 왜적이 아니라 조선의 백성이라 합니다.

진 린 왜적이 아니라니? 지금 부역자들을 비호하는 것이오?

C#21

칼자루 쥔 손 C.U.
칼자루를 쥔 손을 가까스로 놓으며

C#22

돌아서 진린을 쳐다보는 순신.

이순신 도독은 귀국의 황제가 조선을 구원하라 보낸 사람이오.

C#23

심 리 도독께선 황제께서 조선을 구원하라 보낸 분이라 말합니다.

진 린 …….

C#24

이순신 근데 어찌 원수 같은 적을 살려 보내고 죄 없는 백성들을 죽인단 말인가!

진린을 꾸짖는 순신.

C#25

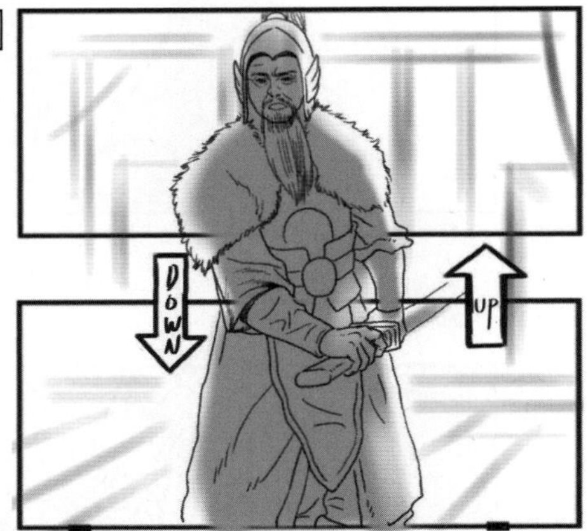

심 리 그런데 어찌 적을 살려 보내고 죄 없는 백성을 죽이냐 묻습니다.

진 린 통제공의 말이 맞소.

이순신 ?

허리에 차고 있던 칼을 천천히 뽑아 드는 진린.

진 린 황제께선 이 칼을 나에게 주시면서 조선을 구원하라 말씀하셨소

순신에게 다가가는 진린.

C#26

진린을 보는 순신.

C#27

칼 너머 진린 tight / 칼 follow

[focus-in 진린 -> 칼 -> 이순신 목 tight]

칼등에 새겨진 화려한 용 문양을 바라보는 진린….

진 린 그런데 말이오, 통제공.

이순신 ?

진 린 그 말씀 끝에 이렇게 덧붙이셨소. 이제 그대는 짐의 대리인이니….

이순신 …….

진 린 명을 어기는 자가 있다면 가차 없이 베어도 좋다.

C#28

칼을 뻗어 이순신의 목을 정면으로 겨누는 진린.

C#29

깜짝 놀란 송희립과 이회가 칼을 잡는데,

진잠과 심리 또한 칼을 잡으며 송희립과 이회 앞을 막아선다. 일촉즉발.

C#30

이순신 (담담히) 한 번 죽는 것은 아깝지 않다.

순신이 진린의 겨눈 칼을 아랑곳하지 않고 진린에게 다가선다.

C#31

진 린 !

C#32

휘둥그레진 눈으로 순신을 보는 송희립과 이회.

C#33

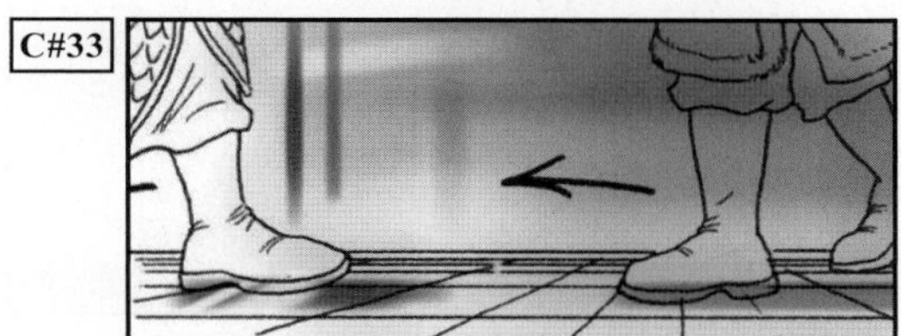

순신에게 기가 밀려 주춤 물러서는 진린.

C#34

이순신 그러나 대장이 되어 적을 놓아주고

C#35

이순신 우리 백성을 죽일 수는 없지 않겠나.

설명할 수 없는 분노, 의지, 결기 등이 담긴 순신의 눈빛… 이내,

이순신 같이 싸우고자 하지 않는다면 조명 연합 함대는 오늘로 해체하겠소!

C#36

심 리 함께 싸우지 않는다면 조명 연합을 해체하겠다고 합니다!

진 린 (놀라) 통제공!

순신이 진린에게 답변의 시간도 주지 않고 밖으로 나가버린다.

C#37

CUT TO 진린 막사 앞 / 낮

막사에서 나오는 순신,

뒤로 진린이 불러보지만 걸음을 멈추지 않는다.

밖에서 그를 기다리고 있는 조선의 장수, 입부와 유형.

이순신 (소리 높여) 장수들을 모두 모이라 하라! 단독 출정할 것이다!

입 부 (놀라서) 단독 출정이라뇨? 명군은?

이때 진린과 수하들이 뛰쳐나온다.

이미 저만치 걸어가고 있는 순신,

입부와 유형이 적잖이 당황한 채 뒤를 따르는데….

S#22 남해도 관음포 주변 바다

세키부네를 발견하고 격군들을 다그치는 등자룡
추격하는 도중 해안선에 도착해 당황하는 등자룡과 이운룡

20 CUTS

EXT

DAY

AS

C#1

fr-out 세키부네,
fr-in 안개 속에서 나오는 호선 L.S.
안개 자욱한 바다 위,

등자룡의 호선을 타고 아리마의 세키부네를 추격 중인 등자룡과 이운룡.

C#2

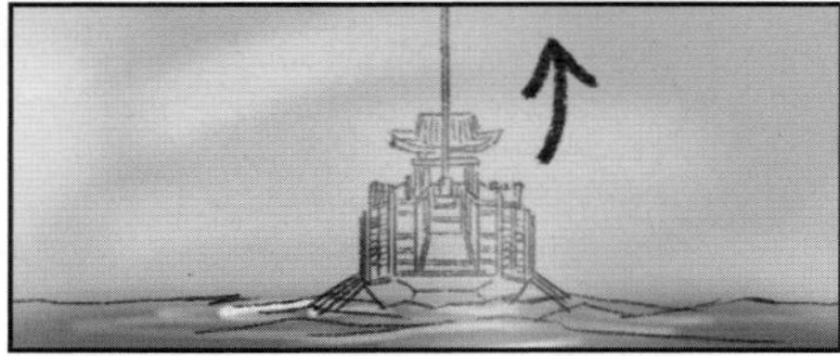

호선 F.S.
허나 안개 때문에 아무것도 보이지 않는다.

C#3

등자룡, 이운룡 2shot M.S.
초조한 표정으로 전방을 주시 중이던 두 장수,

C#4

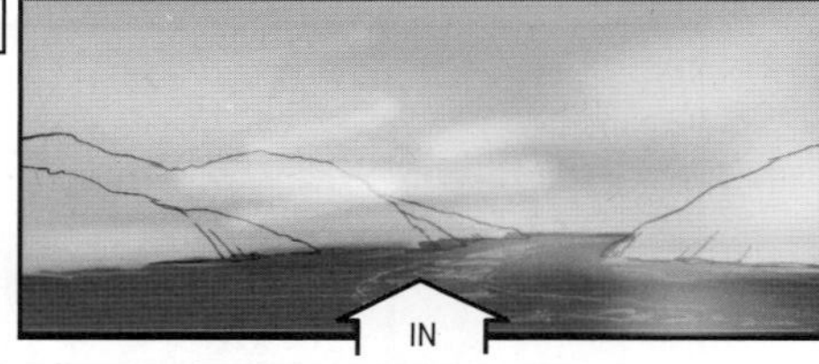

등자룡 P.O.V. - 바닷길 cam-in
흐르는 안개 속…
육지를 돌아 나가는 바닷길이 언뜻 등자룡의 눈에 들어온다.

C#5

등자룡, 이운룡 2shot W.S. / cam-in

등자룡 저쪽이다! 저쪽 바다로 갔을 것이다!

C#6

등자룡 P.O.V. - 바닷길 tight

C#7

등자룡, 이운룡 2shot B.S.
등자룡의 지시에 따라 급히 방향을 바꾸는 호선,

C#8

관음포 입구 걸고 fr-in 호선
관음포로 입구 너머 보이는 호선.

C#9

호선 너머 살짝 보이는 능선
저 멀리 능선이 살짝 보인다.

C#10

등자룡, 이운룡 정면 2shot B.S.
하지만 노를 저으면 저을수록 이상한 느낌이 드는데….

C#11

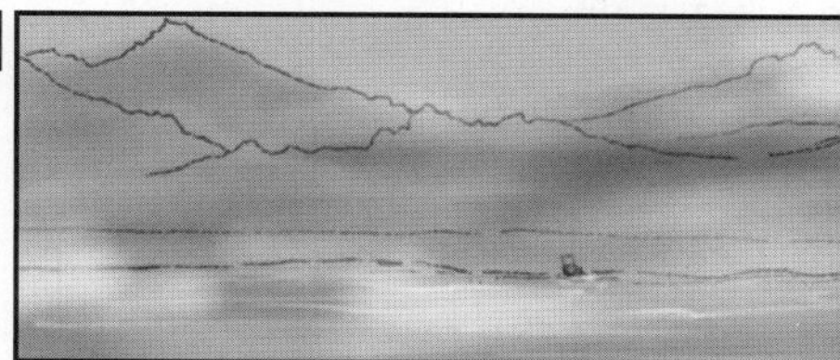

등자룡, 이운룡 P.O.V. - 관음포 능선
점점 가까워지며 더욱 잘 보이는 능선.

C#12

등자룡, 이운룡 정면 2shot B.S.

등자룡 어찌… 이런….

C#13

호선 노 tight
잔잔한 파도에 노가 멈춰 있다.

C#14

호선 측면 F.S.
잔잔해진 파도 위에 떠 있는 등자룡 호선.

C#15

검은 숲 / b. down -> 버려진 세키부네 후면 F.S.
두 사람의 눈에 들어오는 것은 바다가 아닌 해안을 낀 검은 숲이다.

C#16

등자룡, 이운룡 반측면 2shot B.S.

이운룡 (낭패스러운) 남해 관음포란 곳입니다. 대인. 우리처럼 길을 잘못 든 걸 보면, 놈들도 어지간히 급했던 모양입니다.

명 역관 남해 관음포라는 곳이라 합니다. 적들도 우리와 같이 길을 잘못 들었을 것이라 합니다. (중국어)

C#17

세키부네 F.S.
관음포에 버려진 세키부네 한 척.

C#18

등자룡, 이운룡 정면 2shot B.S.

등자룡 …….

등자룡, 한 발 나와 유심히 지켜본다.

S#22 남해도 관음포 주변 숲

거친 수풀을 헤치며 어딘가로 마구 뛰어가고 있는 아리마와 그의 수하들 20 CUTS

EXT

DAY

LOCATION

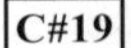

CUT TO 숲 / 해 질 녘 / 밖
거친 호흡 소리와 발소리.
나무 사이로 지나가는 아리마 다리 tight / b. up
-> 아리마, 수하들 측면 tight / follow

C#20

아리마 정면 tight, fr-out
거친 수풀을 헤치며 어딘가로 마구 뛰어가고 있는 아리마와 그의 수하들이 보인다.

S#23 창선도 시마즈 안택선 누각 안

고니시의 서찰을 읽는 시마즈와 엎드려 비는 아리마
시마즈가 뜻대로 움직여주지 않자 다른 서찰을 건네는 아리마

38 CUTS  INT DAY VS

C#1

어두컴컴한 누각 실내.
강하게 뻗어 들어오는 한 줄기 햇살 아래 누군가 앉아서 급히 흘려 쓴 고니시의 서찰을 읽고 있다.

그 앞에는 신발도 제대로 갖추지 못한 몹시 초췌해진 아리마가 두 손을 공손히 모은 채 무릎 꿇고 앉아 있다.

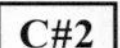

C#2

그 앞에 모리아츠와 토요히사가 선채 노려보고 있는데,

C#3

아리마 제발 저희 주군을 살려주십쇼, 도노! 이대로 있다간 언제 예교성이 적들의 수중에 넘어갈지 모릅니다. 아니, 어쩌면 지금 벌써 놈들의 공세가 시작됐을지도 모릅니다.

그러나 아무런 반응이 없는 상대방.

C#4

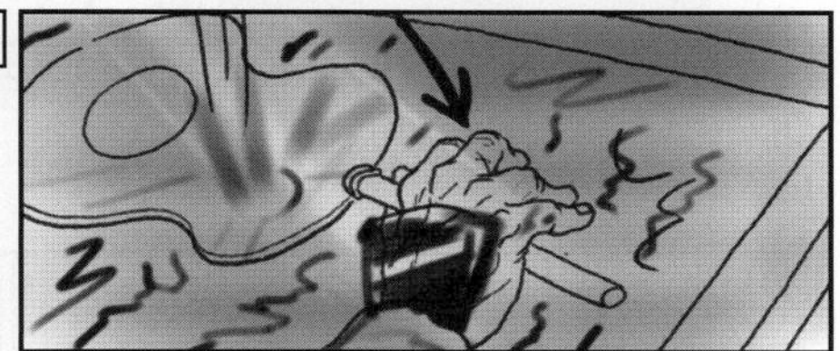

아리마 히데요리님을 위해서라도 부디 저희 주군을 버리지 마시고….

탁. ~~편지를 탁자 위에 내려놓는 손,~~
탁자에 놓인 편지, 군바이로 내려치는데….
흉터와 굳은살이 가득한.

목소리 쓸데없는 걸 닮았구나.

C#5

아리마 !

고개를 스윽 든다.

C#6

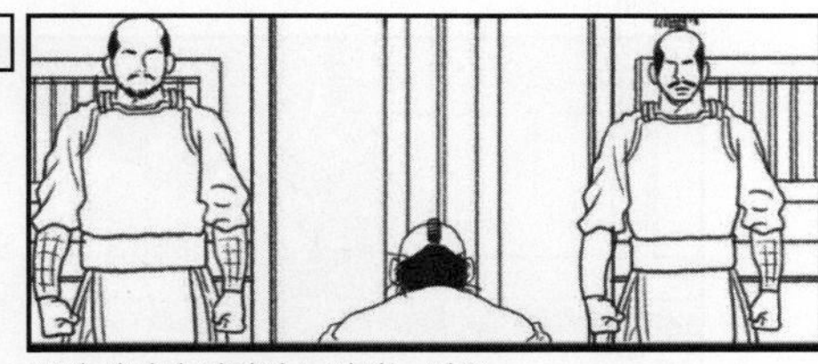

크진 않지만 위엄이 느껴지는 저음.

목소리 그따위 세 치 혀로 모든 걸 풀 수 있다 생각하느냐.

C#7

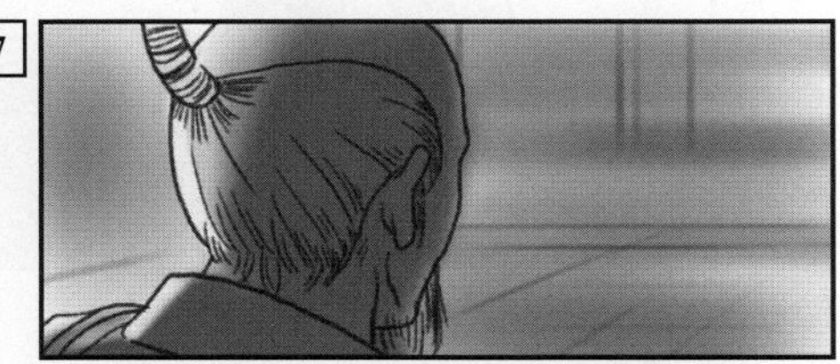

목소리 허긴. 그러니 네 놈을 골라 보낸 것이겠지.

C#8

아리마 (침만 꿀꺽) …….

C#9

이윽고, 로우키 조명 아래 희미하게 드러나는 이목구비. 목소리처럼 선이 굵은.

목소리 히데요리를 함께 지키자는 말은

C#10

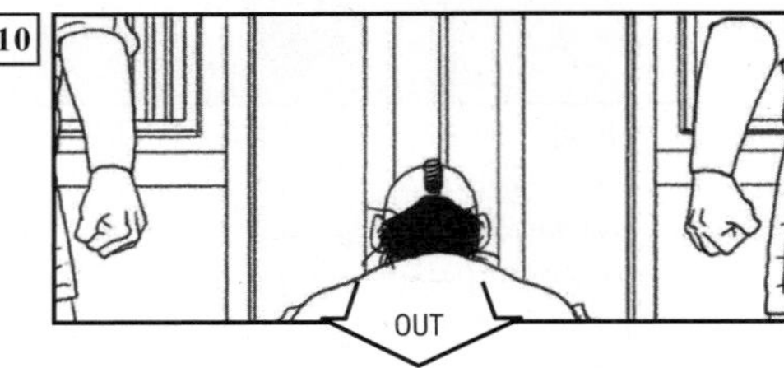

목소리 모든 다이묘들이 한결같이 내게 했던 말이다.

C#11

목소리 고니시가 고작 그 정도의 말을 하기 위해 널 보냈다고?

목소리 실망이군….

C#12

아리마 …….

목소리 듣거라.

C#13

심복들 네, 주군!

C#14

목소리 내일 아침. 부산으로 출발할 것이다. 거기서 도도(도도 다카토라)와 함께 본국으로 돌아갈 것이다.

심복들 네, 주군!

C#15

아리마 부… 부산이라뇨… 도, 도노… 순천 예교성으로….

C#16

대답이 없는 시마즈.

C#17

모리아츠와 토요히사가 아리마를 노려보며 더 이상 지체하는 걸 용납하지 않을 기세다.

C#18

절망스러운 표정으로 굳게 닫힌 누각 문만을 바라보던 아리마, 이를 악물며 문득 한 문장을 읊는데,

아리마 천하인의 꿈이여… 꿈속의 꿈이로다… 몸이여… 이슬로 와서… 이슬로 가는구나… 오사카의 꿈이여….

C#19

순간, 거짓말처럼 안에서 터져 나오는 시마즈의 목소리.

시마즈 뭐라 했느냐. 어찌 네놈이!

C#20

아리마 (이를 악물고) 용의 바다 속에 침몰하니… 이 원통함을 어찌할꼬?

시마즈 천하인의 꿈? 용의 바다? (분노) 네 이놈!

C#21

쾅! 문이 열린다!

C#22

급히 아리마가 고개를 숙인다.

C#23

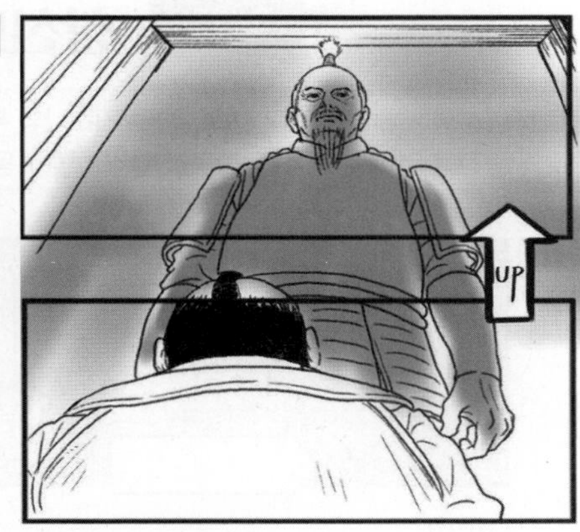

은빛에 가까운 백발의 남자,
비록 나이는 많지만 눈빛에서 뿜어져 나오는 살기가
역시 일본 최고의 맹장다운데, 시마즈 요시히로의
모습이 완전히 보이면,

C#24

시마즈 어디서 미친한 놈이 태합전하의 마지막 유언을….

C#25

아리마 (결연히) 고니시 주군의 진심을 듣고자 하셨습니까?

C#26

아리마 (품에서 또 하나의 서찰을 꺼내는데) 이것이 진정 고니시 주군의 서찰입니다.

C#27

시마즈 …….

S#23 창선도 시마즈 안택선 누각 안

홀로 고니시의 서찰을 읽은 시마즈. 갑판으로 나와 부하들에게 예교성으로의 출진을 명하는 시마즈. 출정을 알리는 뿔고동 소리가 들린다

38 CUTS  INT  DAY VS

C#28

CUT TO
다시 누각 안,
홀로 서찰을 읽고 있는 시마즈….
고니시의 서찰을 따라 들려오는 고니시의 목소리….

C#29

서찰 tight / cam 돌면 -> 시마즈 W.S. / 앙각

고니시(O.S.) 7년이라는 시간, 우리가 승리하지 못하고 이렇게 돌아가는 이유는 오직 단 하나, 바다를 제패한 이순신 때문입니다.

고니시 이대로 돌아간다면 이에야스와의 충돌은 당연한 것! 혹여 그사이 이순신이 우리 열도로 쳐들어온다면 열도 땅 어느 누가 그를 상대할 수 있겠습니까?

C#30

고니시 기필코 지금 이순신을 없애야 합니다! 시마즈님이 기꺼이 응전해주신다면 저도 예교성을 나와 반드시 시마즈님을 도와 배후에서 이순신을 칠 것입니다! 이순신을 제압한다면 열도의 어느 누가 시마즈님을 대적하려 들겠습니까? 필시 이에야스조차도 감히 어쩌지 못할 것입니다.

서찰 tight / t. up -> 시마즈 측면 tight
서찰을 내려놓는 시마즈,
서찰을 뚫어져라 쳐다보더니….

시마즈 고니시… 쓸데없이 똑똑하구나…. 나를 시마즈님이라 부르면서까지…. (이내 나직이) 이순신….

C#31

CUT TO
fr-in 시마즈 후면 W.S. /follow -> 시마즈 O.S. 갑판 F.S.
누각 안에서 걸어 나가는 시마즈,

밖에서 수하들과 아리마가 기다리고 있다.

C#32

아리마 (간절한)…….

C#33

그런 아리마를 보는 시마즈.

C#34

시마즈 출전을 준비해라! 즉시 순천 예교성으로 갈 것이다.

C#35

아리마가 넙죽 시마즈에게 절을 한다.

아리마 감사합니다, 도노! 참으로 감사합니다!

시마즈 그런 아리마를 스쳐 지나

C#36

시마즈 후면 follow / b. up -> 시마즈 함대 F.S. / 약부감

선수 쪽으로 더 나아가면,

시마즈 함대를 축으로 5백여 척의 함대가 전열을 가다듬고 있는데….

C#37

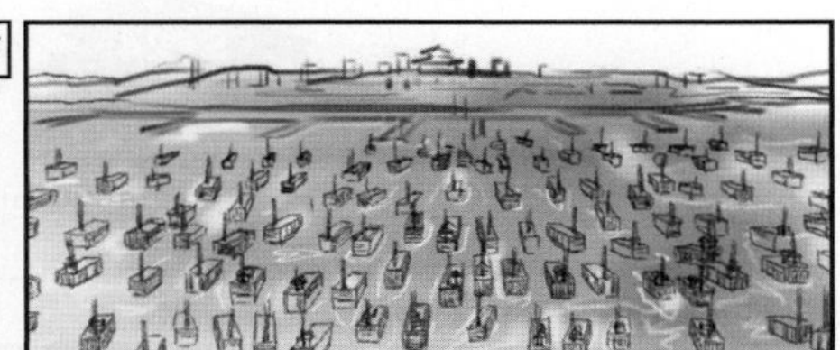

시마즈 함대 너머 왜성 L.S.

긴 뿔고둥 소리! 이내 들리는 출정이다! 소리!

그 모습이 실로 장관이다.

C#38

그 모습을 보는 시마즈.

S#24 순천 예교성 누각 안

시마즈가 올 것을 믿고 가신들에게 전쟁 준비를 알리는 고니시 6 CUTS

INT NIGHT  SET

C#1

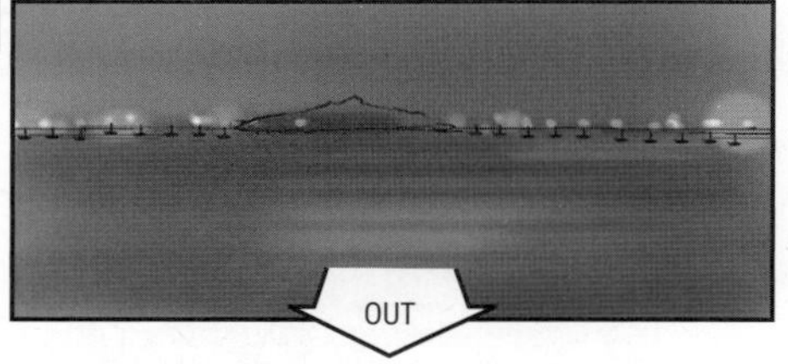

장도, 조명 함대 봉쇄선 / cam-out
-> 고니시 O.S. 장도, 조명 함대 봉쇄선
조명 연합 함대의 봉쇄선을 지그시 바라보는 고니시.

조명 연합 함대의 봉쇄선을 지그시 바라보는 고니시.

C#2

시마즈, 오무라 2shot / 약부감
오무라, 고니시 옆으로 다가와

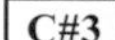**C#3**

고니시, 오무라 측면 2shot B.S.
[focus-in 오무라 -> 고니시]

오무라 (초조) 시마즈가 우리를 구원하러 오겠습니까?

불안한 오무라의 말에 동요됨 없이

조명 연합 함대의 봉쇄선을 지그시 바라보는 고니시.
주변 군마들이 우는 소리가 고니시의 귀를 자극한다.

C#4

고니시 정면 tight B.S.

고니시 군마들을 잡아서 병사들을 먹여라. 이제 말들은 필요가 없다.

C#5

고니시, 오무라, 가신들 정면 W.S.
요시토시와 가신들은 고니시의 의외의 명령에 어리둥절한데….

C#6

고니시 측면 tight B.S. / 약부감 cam-in

고니시 반드시 온다! (혼잣말) 이에야스를 단숨에 제압할 방법… 규슈의 패자 시마즈는 분명 그것을 노릴 것이다.

확신에 찬 고니시의 표정….

S#25 장도 명 진영 진린 막사 안

이순신의 조명 연합 해체 선언에 대해 고민하던 진린이
왜군 포로를 준비하라고 명한다

18 CUTS

INT NIGHT  OPEN SET

C#1

진린 후측면 tight B.S. / cam-out 하면서 돌면
-> 진린 O.S. 진잠, 심리 2shot K.S.
[focus-in 진린 -> 진잠, 심리]
생각지 못한 조명 연합 함대 해체라는 강수를 받은 진린,
고민에 빠져 있다.

함께 있는 등자룡이 쳐다볼 뿐 별말이 없는데,
옆에서 눈치만 살피던 심리가 더는 참지 못하겠다는 듯 입을 연다.

심 리 도독! 군령으로 이순신을 참하십시오! 조명 연합 함대 해체를 들먹이다니요?

C#2

등자룡 O.S. 진린 B.S. [focus-in 진린 -> 등자룡]

진 린 …….

등자룡 진린을 보지도 않고,

등자룡 지금 통제사를 참하려 한다면 이 장도에서 조선 수군과 명 수군이 전쟁을 치를 것이오.

C#3

진린 O.S. 등자룡 / 돌면서 b. up
-> 진린 O.S. 등자룡, 심리, 진잠 3shot K.S. / 약부감

등자룡 거기다 아직 황제 폐하의 정확한 명이 떨어지지 않은 상태에서 연합 함대가 해체된다면 그 뒷수습을 어찌 감당하시려오?

C#4

진린 W.S. / cam-in

진 린 …….(무언가 생각에 빠져드는데)

S#25 장도 명 진영 진린 막사 안

(FLASH BACK) 이면의 죽음을 알리는 서신을 읽고선
충격을 받은 이순신과 이를 바라보는 진린

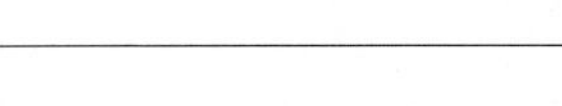

18 CUTS

INT DAY OPEN SET

C#5

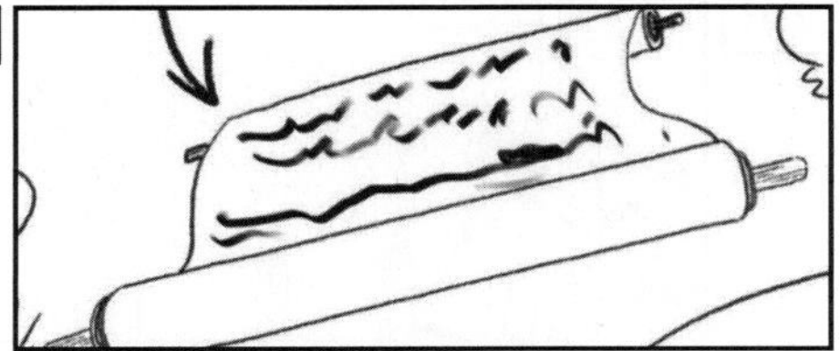

<u>고금도 통제영 군막 안 / 낮</u>

<u>flash back in</u>

군막 안 서찰을 읽던 순신이 순간 서찰을 손에서 놓치고 만다.

떨어지는 서찰 C.U.

C#6

순신 O.S. 장수들 F.S. / 앙각

주변에 있던 조명 연합군 장수들이 놀라서 순신을 바라보고,

C#7

(입부 어깨 걸고) 서찰 C.U.

입부가 바닥에 떨어진 서찰을 들어보면, '통곡(慟哭)'이라 적힌 서신.

C#8

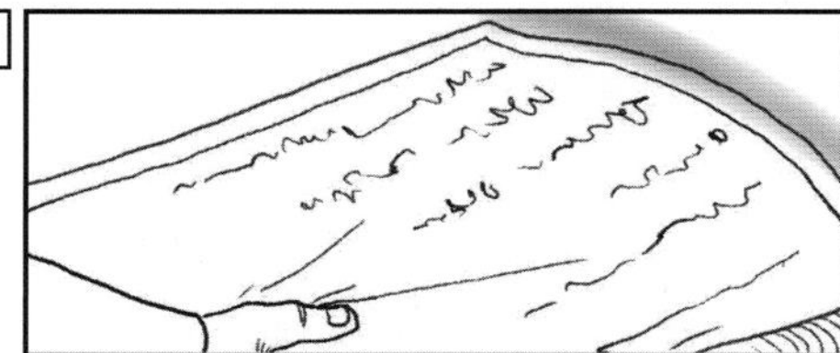

서찰 tight

'셋째 아드님 이면이 왜군의 칼에 죽임을 당했습니다'라는 내용….

C#9

이순신 O.S. 진린 M.S. / 앙각 cam-in

이순신을 보는 진린.

C#10

진린 P.O.V. - 이순신 M.S. / cam-in

떨리는 눈빛을 가다듬고, 숨을 고르는 순신….

C#11

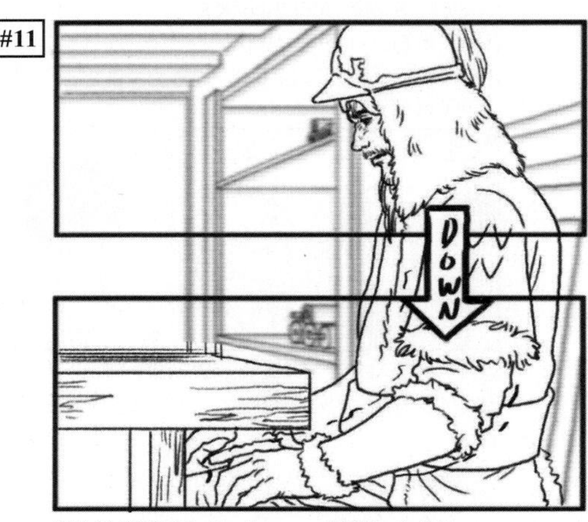

이순신 측면 B.S. / b. down -> 떨리는 손 C.U.

허나 순신의 눈시울이 빠르게 붉어지며 손이 떨리는 게 보인다.

C#12

순신을 바라보는 진린.

C#13

순신 이내 진린을 바라본다.

이순신 진 도독. 오늘은 이만하십시다. 먼저 일어나겠소.

심 리 오늘 회의는 그만하자고 합니다. 먼저 일어나겠다 합니다.

진 린 …….

지휘채를 쥐며 황급히 일어나는 순신의 손이 크게 떨리는 게 보이는데,

빠르게 회의장을 빠져나가는 그의 뒷모습을

주시하는 진린.

<u>flash back out</u>

S#25 장도 명 진영 진린 막사 안

이순신의 조명 연합 해체 선언에 대해 고민하던 진린이
왜군 포로를 준비하라고 명한다

18 CUTS

 INT  NIGHT  OPEN SET

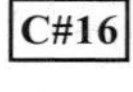

C#16

진 린 (생각에서 깨며) 그 포로들 말이다.

C#17

진 잠/심 리 ?

C#18

진 린 심문했던 그 왜군 포로들 말이다. 준비하라.

S#26 여수 좌수영 선소

선소로 들어서 건조 중인 구선을 바라보는 이순신 10 CUTS

EXT  NIGHT  OPEN SET

C#1

철갑 지붕 F.S. / b. down -> 이회, 순신 후면 B.S. / 앙각
순신이 마지막 철갑을 올리는 구선을 바라보고 있다.

C#2

지붕 너머 O.S. 순신, 이회 2shot F.S. / 약부감
한 발자국 앞으로 나오는 이순신.

C#3

순신, 이회 정면 2shot W.S. / 약부감
구선을 바라보는 순신.

C#4

이회 O.S. 이순신 tight B.S.
이회가 아버지 순신을 물끄러미 바라보고 있다.
이때 이운룡이 다가와 순신에게 인사를 한다.

이운룡 오셨습니까! 장군!

C#5

순신, 이회 2shot M.S. fr-in 운룡
이때 이운룡이 다가와 순신에게 인사를 한다.

이순신 출전이 가능해 보이는가?

C#6

운룡, 순신, 이회 3shot

이운룡 출전에는 무리가 없을 거 같습니다. 다만… 판옥전선을 뜯어다 저리 급조해 만들고 있기에… 지난 구선들만큼 튼튼하지는 못할 거라 합니다.

C#7

운룡 O.S. 순신 C.U.
순신이 숨을 내쉬고 이해한다는 듯한 표정을 짓는다.

C#8

순신, 이회 2shot

이 회 (걱정스레) 험한 충파를 온전히 견뎌낼지 염려됩니다. 군이 구선까지 출전시킬 필요가….

한 발 더 다가서

C#9

이회, 순신, 운룡 O.S. 구선의 용두
구선의 용두를 쳐다보는 순신….

C#10

이순신 반측면 tight B.S. / 앙각
[focus-in 이순신 -> 이회]

이순신 구선은… 우리에게 의지가 되어줄 것이다.

이운룡/이 회 …….
순신을 보다 구선을 보는 이회.

S#27 여수 좌수영 운주당 안

이회가 가져온 류성룡의 서찰을 읽는 이순신 12 CUTS

 INT  NIGHT OPEN SET

C#1

운주당 현판 ins.

C#2

순신 후면 B.S. , fr-in 이회 -> 순신 O.S. 이회 K.S.
좌수영 운주당에 홀로 앉아 있는 순신,

이회가 서찰 하나를 들고 들어온다.

이 회 아버님. 류성룡 대감의 서찰이 당도했습니다.

이순신 …….

C#3

앉아 있는 이순신, 이회 2shot F.S. / 약부감 cam-in
서찰을 꺼내어 읽어보는 순신.
표정이 짐짓 무거워진다.

C#4

풍신수길이 죽어 이제 모든 왜적들이 돌아간다 하니
이 전쟁의 승리는 통제사의 공이 매우 크다 할 수 있소,
허나 이후 영의정 윤두수를 비롯한 무리들이
광해 세자 저하를 시기하여 조정에서
무슨 일을 저지를지 모르니 큰 걱정입니다.

순신 O.S. 이회 / 약부감 cam-in

C#5

부탁건대 온전히 현재 수군의 병력을 유지하여
세자 저하에게 힘이 되어주길 바랍니다.

C#6

순신 O.S. 이회 W.S. / cam 돌면
-> 이순신 측면 B.S. [focus-in 이회 -> 순신]
서찰을 그대로 촛불에 태우는 순신.

이 회 (놀라) 어찌 서찰을 바로!

이순신 (한숨) 하나같이 전쟁 이후만을 바라보는구나.

C#7

이회 O.S. 순신 B.S.
서찰을 태우는 이순신.

촛불 너머 이회 B.S.
그 모습을 보는 이회.

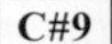

이회 O.S. 순신 B.S.

이순신 (대뜸) 회야! 오랜만에 부자지간에 술 한잔 나누자꾸나. 가서 재어놓은 술 좀 가져오너라.

C#10

순신 O.S. 이회 K.S.
이회, 할 수 없이 술을 가지러 나가고,

C#11

촛대 너머 순신 W.S.
촛대에 남은 재를 바라보는 순신….

이순신 (나직이) 세자 저하에게 힘이 되어달라.

이때 들리는 희립의 목소리.

C#12

(cam 이순신 후면에서) F.S.

송희립(O.S.) 장군, 소장 희립입니다. 밖에 명군 전령이 와 있습니다.

이순신 ……!

S#28 장도 명 진영 선창

이면을 죽인 왜군 포로들을 이순신 앞으로 데려온 등자룡
이순신이 포로들을 그냥 지나치자 진린이 화를 낸다

27 CUTS

C#1

희립, 순신, 이회 후면 follow
좌수영에서 돌아오는 순신을 뜻밖에 기다리고 서 있는 등자룡,

등자룡과 부하들 앞에 무릎을 꿇고 앉아 있는 왜군 포로들이 있다.

C#2

순신 P.O.V. -> 왜군 포로 3shot F.S.
왜군 포로들이 순신을 보고 공포에 질려 바들바들 떠는데….

C#3

이회, 순신, 희립 3shot W.S.

이순신 (담담히) 이자들은 무엇입니까?

C#4

등자룡 W.S.

명 역관 이자들은 누구인지 묻습니다. (중국어)

등자룡 (반색하며) 공의 아드님을 벤 놈들입니다. 천우신조로 진 도독께서 놈들을 잡았다고 당장 통제공께 전령을 보내라 하셨소이다!

C#5

이회, 순신, 희립 3shot W.S.

송희립 그 말이 사실입니까? (중국어) …이면 도련님을 살해한 자들이라고 합니다…. 진 도독께서 장군께 전령을 보내라 하셨다고….

이순신 …….

C#6

뒤를 따르던 이회와 송희립의 얼굴이 굳는다.
왜군 포로 O.S. 등자룡, 순신, 이회, 송희립
순신이 이내 말없이 돌아서는데

등자룡 노, 노야! 바로 이자들이오. 아산에서 아드님을 벤 놈들이란 말이오!

그저 다시 선창으로 향하는 순신….

C#7

fr-out 이순신, 등자룡 M.S. / t.up -> 진린 F.S. / follow
등자룡이 몹시 당황하는데….

진 린 (목소리) 노야… 그자들이 아산서 아드님을 벤 놈들이 맞소.

송희립 (이순신을 따라붙으며) 저자들이 맞다고 합니다….

순신이 돌아보면, 어둠 속에서 진린이 걸어 나온다.

C#8

진린 후면 B.S. / follow

진 린 집 뒤 계곡에서였다 하오.

C#9

진린 정면 B.S.

진 린 그 장소까지 세세히 실토하더이다.

C#10

이회, 순신, 희립 3shot W.S.

송희립 이자들이 아산에서 이면 도련님을 살해한 자들이 맞다 합니다. 집 뒤 계곡이라고 살해한 장소까지 실토했다 합니다.

이순신 …….

미묘하게 변하는 순신의 표정,

C#11

진린, 등자룡 2shot

진 린 노야. 부디 이놈들을 베시고 원한을 푸시오. 그리고 봉쇄를 풀고 우리와 함께 고금도로 돌아가십시다.

C#12

이회, 순신, 희립 3shot B.S. ,fr-out

진 린 더 이상 불필요한 희생들을 만들 필요가 진정 뭐가 있겠소.

송희립 이자들을 참하시고 원한을 푸시라 말합니다. 그리고 봉쇄선을 풀고 고금도로 돌아가자고 합니다.

C#13

순신이 천천히 왜군 포로 하나 앞으로 다가간다.

순신, 병사의 횃불을 들고

C#14

빤히 왜군 포로를 바라보는 순신.

C#15

엄습해오는 공포에 눈이 파르르 떨리는 왜군 포로,

C#16

찬찬히 고개를 들어 나머지 포로들까지 살피는 순신.

C#17

꿈에서 보았던, 아들 면을 베어낸 바로 그 왜군들의 얼굴들이다. 헌데….

C#18

뒤를 따르던 이회의 손이 칼을 향한다.
이회 B.S. / b. down -> 칼을 잡는 이회 손 tight

C#19

이순신을 보는 진린, 등자룡.

C#20

진린, 등자룡 O.S. 순신

이순신 이자들은 아니오. (희립과 이회에게) 그만 가자!

이회가 떨리는 손을 애써 칼에서 떼며 순신을 따른다.

심 리 이자들이 아니라고 합니다.

진 린 (당황) !

C#21

진린 P.O.V. - 이순신, 송희립 이회 후면 K.S.

C#22

진린 tight
급기야 멀어지는 순신에게 폭발하는 진린,

진 린 노야! 이리까지 싸우려는 연유가 대체 무엇이오! 한양에 있는 그 돼먹지 못한 임금에 대한 충성이요? 아니면!

C#23

순신, 회, 희립 3shot / follow pan
송희립이 멈칫 잠시 통역을 시도하지만 그저 멀어져 가는 순신….

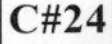

진린 tight / 앙각

진 린 이 전쟁에서 당한 모든 이들에 대한 복수심 때문이오?

C#25

진린 O.S. 후면 3shot
순신이 어둠 속으로 그저 사라져간다.

진 린 다 끝났다 하는 전쟁이오!

C#26

진린 tight / pan -> 등자룡 W.S.

진 린 모두가! 심지어 당신 임금조차도!

아무런 답이 없는 순신….
등자룡 순신의 그런 뒷모습을 그저 진지하게 바라보는데,

C#27

진린 막사 앞 L.S. / 약부감
진린은 제 분에 못 이겨 마침내 칼을 꺼내 들고 포로 하나의 목을 쳐버린다! 어둠 속으로 들어가는 이순신.

S#29 한양 어느 역참 안

역관에게서 서찰을 건네받는 윤두수
이순신의 출정을 막아달라는 진린의 서찰을 받는 윤두수

17 CUTS

INT NIGHT OPEN SET

C#1

어느 역참의 방 안,
급히 명군 사람 하나가 들어온다.

C#2

그 안에는 윤두수와 수하 한 명이 기다리고 있는데 전령은 진린의 역관 중 한 명이다.

C#3

윤두수 O.S. 부관 M.S.
윤두수에게 서찰을 건네는 부관.

C#4

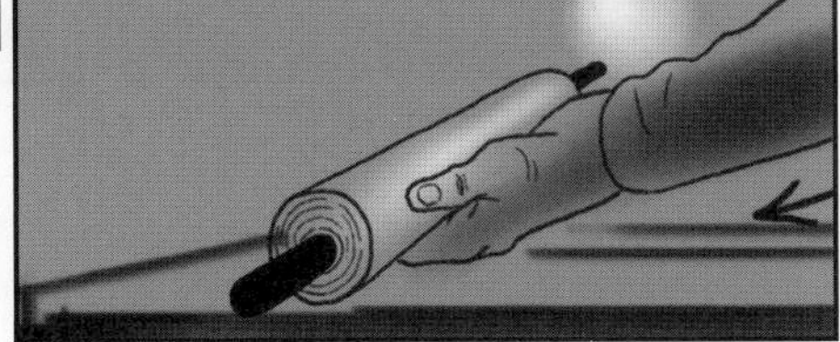

서찰 tight

C#5

윤두수 진 도독이 급히 상감께 보내라 한 것이 이것이냐?

C#6

수 하 이것이 진 도독이 상감께 보내라 한 것입니까? (중국어)

부 관 네… 대감.

C#7

수 하 그렇다고 합니다.

윤두수 그래, 무슨 내용이냐.

수 하 무슨 내용입니까? (중국어)

부 관 여기. 대감께도 같은 서신 속 내용을 전하라 하셨습니다.

수 하 대감께 같은 서신 속 내용을 전하라 하였답니다.

이내 역관이 내미는 또 다른 서찰을 열어보는 윤두수와 그의 수하.

C#8

윤두수 O.S. 서찰 tight

C#9

지금 통제사 이순신은 막대한 피해를 감수하고도 이번 전투를 감행하려 합니다. 같은 장수로서 적에 대한 그의 원한을 이해하기에 통제사의 필사의 각오를 띤 이번 출정을 막기가 쉽지 않습니다. 부디 청컨대 조선의 왕께서 그의 출정을 막아주십시오.

윤두수 tight / cam 돌고 b. up

C#10

3shot F.S. / 약부감 cam-b. up

글 읽기를 다 마친 윤두수가 이내 부관에게 말한다.

C#11

윤두수 내 직접 상감께 전할 테니 자네는 이만 돌아가게.

수 하 직접 상감께 전할 테니 이만 돌아가라 합니다. (중국어)

부관이 인사를 하고 돌아서 나가면

C#12

수하에게 서찰을 건네는 윤두수.

C#13

급히 서찰을 읽어보는 윤두수의 수하 이내 반색하며,

수 하 임금의 명으로 출정을 막는다 해도 통제사는 출정을 할 터이니 이를 빌미로….

C#14

윤두수 쓸데없는 소리! 적을 앞에 두고 그냥 보낼 수 없음은 우리 모두 같은 마음이네!

C#15

수하가 뻘쭘해져 얼굴을 붉히는데.

C#16

그런 수하를 쳐다보던 윤두수의 표정이 이내 미묘하게 미소 띤 표정으로 바뀐다.

윤두수 필사의 각오로 싸운다 하지 않느냐? 그럼 그대로 두어야겠지.

C#17

수하 역시 이내 옅은 미소로 답한다.

S#30 장도 명 진영 일각

밤하늘에 빛나는 대장별을 보며 이순신에 대해 이야기하는 진린과 진잠 21 CUTS

EXT

NIGHT

OPEN SET

C#1

진린, 진잠 후면 2shot / cam-out
밤하늘에 별들이 총총하다.

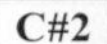
C#2

진린, 진잠 후면 L.S. / tracking
하늘을 보고 서 있는 진린… 그 옆에 진잠이 함께 서 있다.

C#3

진잠, 진린 2shot
북쪽… 큰 별 하나가 오늘따라 더욱 빛을 내며 반짝이고 있다.

C#4

진린 O.S. 진잠
진잠 이내 장도 북쪽 조선 진영을 바라보다,

진 잠 조선군 동태가 심상치 않습니다.

진 린 (짐짓) 북쪽 대장별이 오늘따라 밝구나….

C#5

진잠, 진린 2shot

진 잠 (하는 수 없이) 예. 참으로 밝습니다.

C#6

진린 O.S. 진잠

진 린 저 별이 아니었다면 조선은 진작 명운을 다했을 것이다.

커진 눈으로 진린을 바라보는 진잠.

C#7

진잠 O.S. 진린

진 린 뭘 그리 놀라느냐?

C#8

진잠, 진린 2shot

진 잠 아닙니다. 그저 저는 도독께서 통제공을 그리 여기고 계신지 몰랐습니다.

진 린 그리 여기다니?

진 잠 방금 통제공이 조선을 지켜냈다고….

C#9

진린 tight
대꾸가 없는 진린…. 뭔가 생각에 잠기는데….

C#10

ins.

진린, 등자룡 O.S. 희립, 순신, 이회 후면 3shot

진린, 조금 전 아들의 원수를 뒤로하고 묵묵히 걸어가던 순신을 떠올린다.

C#11

진린 tight

순신을 떠올리는 진린.

이내 고개를 돌려 조선군 진영을 바라보는 진린.

C#12

진잠, 진린 2shot F.S. / 앙각

조선군을 바라보는 진잠, 진린.

C#13

진린 O.S. 조선군 진영 / 약부감

늦은 밤임에도 불야성을 이룬 채 출전 준비에 한창이다.

C#14

P.O.V. -> 조선군 진영 F.S. / 약부감

왔다 갔다 하는 횃불들도 보인다.

C#15

진잠, 진린 2shot /앙각

진 린 …저리 한들 자기 임금이 기뻐나 할까?

진 잠 그러게 말입니다. 도대체 통제공은 왜 저렇게까지….

C#16

진잠 O.S. 진린

진 린 둘 중 하나 아니겠느냐.

C#17

진린 O.S. 진잠

진 잠 ?

C#18

진잠 O.S. 진린

진 린 죽으려고 작정을 했거나… 전하고 싶은 무언가가 있거나….

C#19

진린 O.S. 진잠

진린을 보는 진잠.

C#20

진린 막사 너머 진린, 진잠, 조선군 진영 L.S.

이내, 조선 진영을 바라보는 진린, 진잠.

C#21

진잠, 진린 2shot K.S. / 앙각

진 린 (잠시 고민하더니 마침내) 조선 진영으로 가자!

S#31 장도 조선 진영 작전 막사 안

작전회의 도중 들어오는 진린과 등자룡
적 함대의 규모를 들은 뒤 이순신에게 전략에 대해 묻는 진린

29 CUTS

INT NIGHT  OPEN SET

C#1

조선군 막사 F.S.
조선 진영 막사로 향하는 진린과 명나라 장수들.

C#2

명나라 장수들 O.S. 조선 장수들 F.S.
순신과 조선 장수들이 모두 모여 있는 자리,
작전 회의가 한창이다.
이때 막사 안으로 들어오는 진린과 명나라 장수들.
조선 장수들이 모두 긴장해 쳐다보는데….

C#3

조선 장수들 O.S. 명나라 장수들 F.S.
진잠, 심리 그리고 등자룡이 그들이다.

C#4

순신도 말없이 바라볼 뿐….

C#5

진 린 조명 연합 함대는 아직 해체되지 않았소. 어디! 나도 한번 들어봅시다!

C#6

송희립 조명 연합은 아직 해체되지 않았다고 합니다. 자기도 한번 들어보겠다고 합니다.

조선 장수들 모두 놀라고.

C#7

이순신 …….

C#8

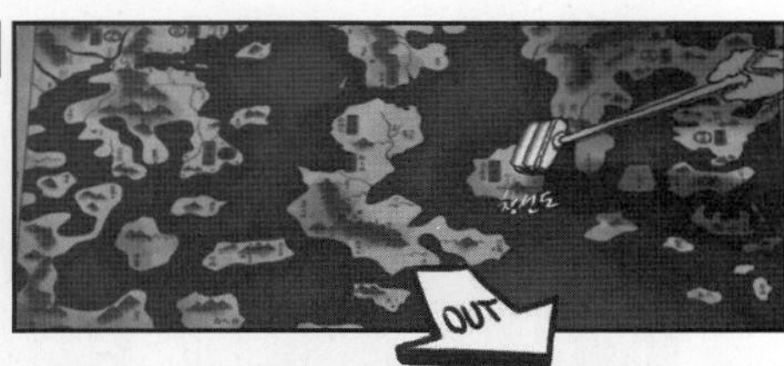

CUT TO
해도를 중심으로 마주 앉은 순신, 진린,
그리고 서서 지켜보고 있는 양국의 장수들 20여 명.
원탁 위에 커다란 해도(海圖, 바다 지도) 한 장이 놓여 있고
이번엔 입부가 상황 보고를 하고 있다.
지도 C.U. / cam-out -> 조명 장수들 F.S. / 약부감

입 부 좀 더 정밀한 탐망 결과 적들은 바로 이곳, 창선도에 집결해 있습니다. 적선의 규모는… 총 5백여 척으로 왜란 이래 최대 규모입니다.

명 역관 탐망 결과, 적들은 창선도에 집결해 있다고 합니다. 적선의 규모는 총 5백여 척이라고 합니다.

긴장하는 명군 장수들…
입부 이내 노량 해협 너머, 사천의 남쪽, 남해도의 동쪽 사이에 위치한 섬을 가리킨다.

입 부 저희가 위치한 장도까지는 반나절(6시간) 길로… 만일 온다면… 적들은 여기 노량 해협을 통과해 광양만으로 들어올 것입니다.

명 역관 장도까지 거리는 반나절 정도고, 노량 해협을 통과해 광양만으로 들어온다고 합니다.

이내 창선도에서 출발해 고성과 남해도 사이의 좁은 해협인 노량을 빠져나와 광양만으로 진입하는 항로를 그려 보이는 입부.

C#9

그저 굳은 표정으로 쳐다보고 있는 명군 장수들.

진 린 (짐짓 너스레) 헌데 마치 오늘 당장이라도 쳐들어올 것 같소이다. 허허….

진린 M.S. / cam-out -> 이순신 O.S. 진린 [focus-in 이순신]

이순신 (진지하게) 오늘 밤이요.

명 역관 오늘 밤이라고 합니다.

진린이 흠칫! 긴장하는 명 장수들.

C#10

허나 조선 장수들은 이미 각오한 듯 초연하고.

C#11

진 린 (짐짓) 배 하나 통과시켜줬다고 적들이 과연 이리 기민하게 움직이겠소?

C#12

송희립 배 하나 통과시킨 걸로 적들이 그리 기민하게 움직일 거냐고 묻습니다.

조선 장수들이 모두 진린을 쳐다보는데 그 시선이 고울 리 없다.

C#13

진린, 이내 헛기침,

진 린 어찌하든 앞뒤통수에 모두 적을 두고 싸울 수는 없는 노릇이고… (짐짓) 봉쇄를 풀 수밖에 없을 텐데 그것은 어찌할 것이요?

C#14

송희립 앞뒤로 적을 맞아 싸울 수 없으니 봉쇄선을 풀 수밖에 없을 텐데 그 방안에 대해 묻고 있습니다.

조선 장수들의 표정들이 더 안 좋은데….

C#15

진린, 어쨌든 순신의 전략이 궁금하다.
등자룡 또한 순신의 반응이 궁금한데, 모든 장수들이 긴장된 표정으로 순신을 지켜본다.
순신 말없이 지도로 다가서며 이내 한곳을 가리킨다.

C#16

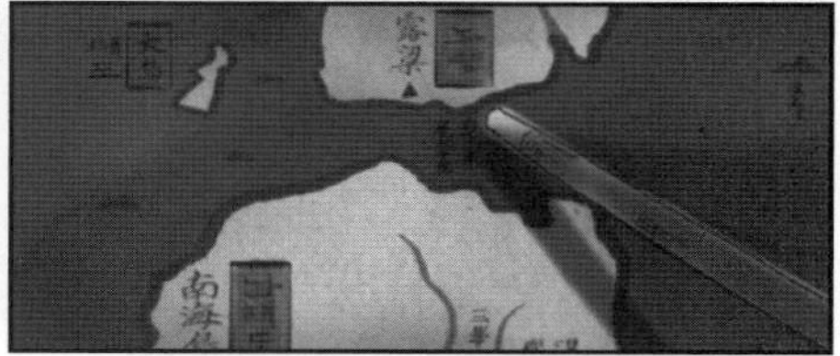

이순신 이곳. 남해 노량에서 적들을 맞이한다.

명 역관 남해 노량에서 적을 맞이하겠답니다.

C#17

장수들/등자룡 !

진 린 (질렸다는 듯) 결국 싸우자는 얘기요?

모두들 순신을 바라본다.

C#18

이순신, 송희립 2shot / 앙각 cam 돌면서 b. up
-> 이순신 O.S. 지도 / 약부감
이내 송희립이 나선다.

송희립 허나 장군! 노량이라면 목이 좁아 대규모의 적들과는 필히 근접전을 펼쳐야 합니다. 아군도 상당한 희생이 따를 것입니다. 차라리 남해도 남쪽으로 내려와 한꺼번에 포격전으로 대적하는 게….

C#19

송희립 O.S. 이순신, 유형 2shot B.S.

유 형 (갸우뚱) …….

이순신 (역시 고개를 저으며) 남해도 남쪽에서 언제 올지 모르는 양쪽의 적들을 한꺼번에 대적하는 것은 적절치 못하다.

유형이 순신의 말에 그제야 고개를 끄덕이고….
진린이 다시 묻는다.

C#20

등자룡, 심리 너머 진린 tight

명 역관 남해도 남쪽에서 양쪽의 적들을 대적하는 것이 적절하지 않다 말합니다.

진린이 다시 묻는다.

진 린 허나 그렇게 싸운다 한들 앞뒤통수로 적을 맞이해야 하는 건 변함이 없지 않소?

C#21

송희립 노량에 진을 쳐도 양쪽으로 적을 맞이하는 건 변함이 없지 않냐 묻습니다.

이순신 (진린을 쳐다보며) 행장이 우리가 광양만을 떠났다는 걸 쉽게 알아차릴 수 없게 할 것이오.

C#22

명 역관 행장이 우리가 광양만을 떠났다는 것을 알아차릴 수 없게 해야 된다고 합니다.

심 리 (나서며) 그건 말이 아니 되오! 어찌 저 영민한 적들을 속일 수가 있단 말이오!

C#23

송희립 저 영민한 적들을 어떻게 속이는 게 가능한지 묻습니다.

이순신 (차분히) 장시간이면 그럴 수 없겠지.

C#24

심 리 !

C#25

이순신 (진린에게) 허여 이번 싸움은 속전속결로 끝내는 것이 무엇보다 중요하오.

C#26

명 역관 이번 전투를 속전속결로 끝내는 것이 중요하다 말합니다.

진 린 그게 가능하겠소? 적선의 숫자가 무려 5백여 척인데….

C#27

이순신 너머 진린, 심리, 등자룡 / 약부감 cam-in ->
이순신 걸고 지도 tight

송희립 적선의 숫자가 5백여 척인데 작전이 가능한지 묻습니다.

순신, 조선군 배 모형들을 잡아 쥔다.
그리고 지도 어느 곳으로 밀어놓는데….

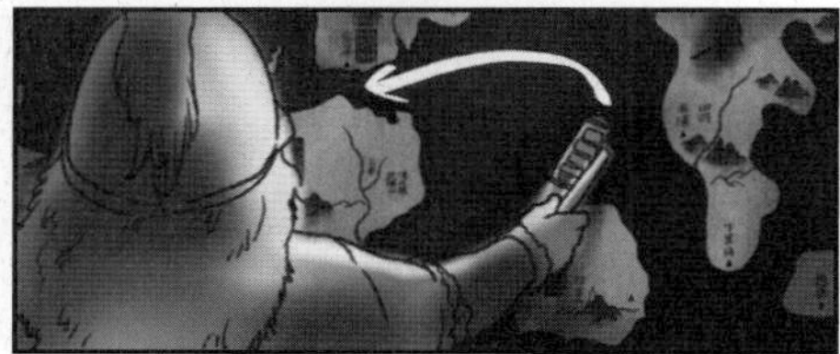

이순신 창선도의 적은 분명 밤안개를 타고 올 것이다.

C#28

(책상 너머) 이순신 K.S. / 앙각
이순신 노량에서 대적하며 해가 뜨기 전까지 필히… 이곳까지 끌고 내려와야 한다.

C#29

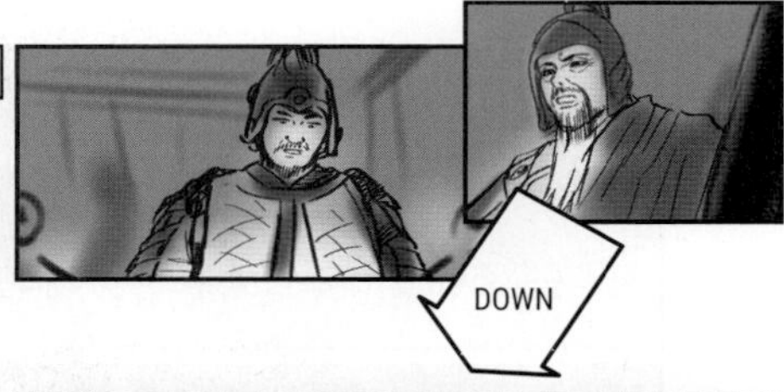

이순신 O.S. 등자룡 / b. down
-> 지휘봉, 배 모형 너머 진린 B.S.
[focus in 모형 -> 진린]

명 역관 노량에서 대적하며 해가 뜨기 전까지 이곳으로 유인해야 한다고 말합니다.

이내 순신이 모형을 내려놓은 지점을 본 모든 장수들의 눈이 커지는데…

등자룡 아니, 저곳은?

이순신 …….

진린, 이내 순신을 진지하게 바라볼 뿐...
더 이상 말이 없는데.

S#32 장도 조선 진영 선창

전쟁 준비를 하는 조선군들을 살펴보는 이순신
척후를 마치고 돌아온 준사에게 다시 임무를 내리는 이순신

16 CUTS

EXT NIGHT OPEN SET

C#1

안개 낀 장도 wide shot
겨울의 차가운 바v닷바람,
구름이 밀려난 텅 빈 하늘엔 처연한 달무리만이 보인다.

C#2

(조선 진영) 돛대 걸고 바다
바다와 하늘,
주변의 섬마저도 그 경계가 분명치 않고…

C#3

판옥선 갑판 위 F.S. / b. down
-> 선창에 서 포탄과 총통을 옮기는 일꾼들
판옥선들로 가득 실리고 있는 포탄과 총통들.
또한 실리는 무수한 볏단들. 한쪽에선 화살촉 밑에 천을 동여매 불화살을 만드는 작업이 한창이다.

C#4

순신 F.S. / follow tracking
이를 돌아보고 있는 순신.

C#5

이순신 후면 K.S. -> 측면 K.S.

이순신 대장군전에도 송진을 충분히 발라두게.

군관1 네, 장군.

C#6

순신 문득 선창에 타오르고 있는 무수한 횃불들을 바라보는데,

C#7

이때 횃불들을 치켜들고 선창으로 걸어오는 준사와 항왜들.

C#8

선창에서 만나는 순신, 준사.

C#9

C#10

준 사 (순신을 향해 인사하며) 명대로 횃불들은 충분히 밝혀뒀습니다.

C#11

이순신 …….

그런 준사를 물끄러미 바라볼 뿐 말이 없는 순신….

C#12

준사, 이내 결의에 찬 표정으로,

준 사 걱정 마십시오. 제가 있는 한, 고니시를 이곳에 그대로 묶어두겠습니다.

C#13

이순신 (차분히) 목숨을 걸지는 마라. 고니시 함대가 출정하는 즉시 내게 보고만 하면 된다. 알겠느냐.

C#14

준 사 (침착히) 알겠습니다.

C#15

순신 준사의 뒤를 보면,

C#16

이순신 P.O.V. - 항왜들 W.S. / pan

함께 침착하게 눈빛을 빛내고 있는 항왜 병사들이 보인다.

S#33 순천 예교성 누각 안

장도 쪽 조명 연합 함대의 봉쇄선을 바라보고 있는 고니시와
시마즈를 믿지 못하는 가신들

10 CUTS

INT

NIGHT
SET

C#1

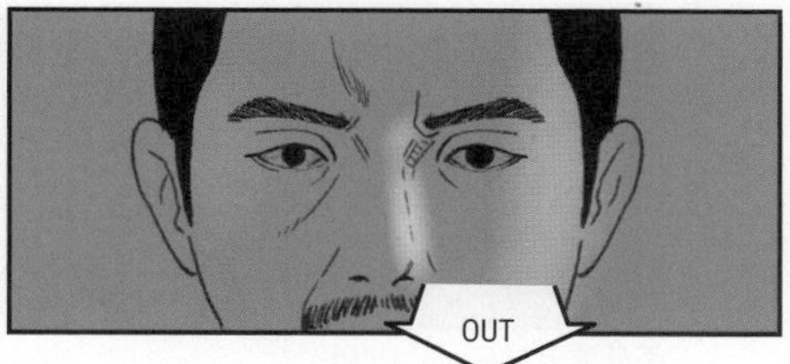

고니시 C.U. / cam-out -> 고니시, 오무라, 가신들 B.S.
창가에 붙어 선 채, 충혈된 눈으로 장도 쪽을 주시하고 있는 고니시.

이제 군마 소리도 들리지 않는다.

C#2

고니시 P.O.V. -> 장도와 조명 함대 봉쇄선
여전히 장도에는 조명 함대가 불을 환히 밝힌 채 늘어서 있다.

C#3

오무라, 앞으로 다가오며

오무라 시마즈는 결국 저희를 버리고 돌아갈 생각입니다!

가신 1 맞습니다. 어째서 이토록 움직이질 않는단 말입니까?

C#4

초조한 표정의 고니시….

오무라 이제 결단을 내리셔야 합니다. 주군! 저희가 죽기를 각오하고 적들의 봉쇄망을 뚫어보겠습니다!

C#5

고니시 …….

가신 1 이제 더 이상 버틸 군량도 군마조차도 없습니다. 이대로 가다간….

C#6

고니시 (단호하게) 그럴 리 없다! 시마즈라면 반드시 움직일 것이다.

고니시, 창가로 다가가 더욱 뚫어져라 장도를 바라보는데….

C#7

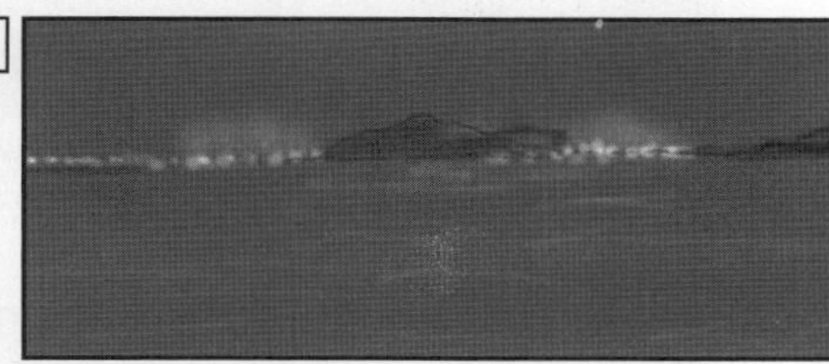

고니시 P.O.V.
- 횃불 하나가 이상하게 움직이는 게 보인다.

C#8

뗏목 너머 예교성 L.S.

C#9

뗏목 위, 횃불 하나가 훅- 꺼진다. 이때, 꺼지는 다른 횃불들.

C#10

고니시 …!

S#34 장도 앞바다

텅 빈 장도 주군지. 배 위에 횃불들이 이리저리 움직인다. 횃불을 움직이는 준사와 항왜 부하들. 예교성 쪽을 살피던 준사가 광양만 쪽을 바라본다

6 CUTS

EXT NIGHT AS

C#1

명 진영 L.S.

텅 비어 있는 장도의 조명 연합군 주둔지.

C#2

조선군 막사 / cam- out -> 조선 진영 너머 봉쇄선 wide

장도 좌우 철벽처럼 늘어서 있던 250여 척의 조명 연합 함대 또한 온데간데없다.

C#3

협선과 뗏목들 측면 F.S.

대신 그 자리에는 찌그덕거리는 낡은 조선 협선들과 횃불 켠 뗏목들이 늘어서 있을 뿐.

허나 그 위에서 이리저리 살아 움직이는 횃불들….

C#4

준사 측면 tight B.S.

바로 준사와 항왜들이다.

C#5

준사 후면 M.S. , 돌아보면

횃불을 든 채 예교성의 동태를 주시하던 준사,

고개 돌려 광양만 쪽을 바라보면,

C#6

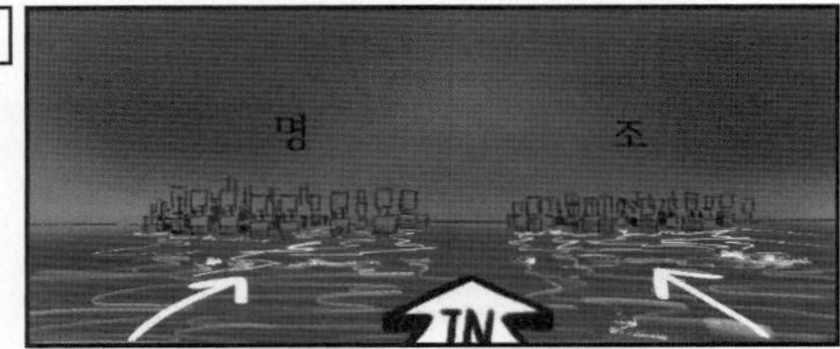

조명 함대 봉쇄선 / follow b. up

-> 물띠 너머 조명 함대 후면 wide

어두운 밤바다 위에 아직 남아 있는 하얀 물띠

(배가 지나간 자국)….

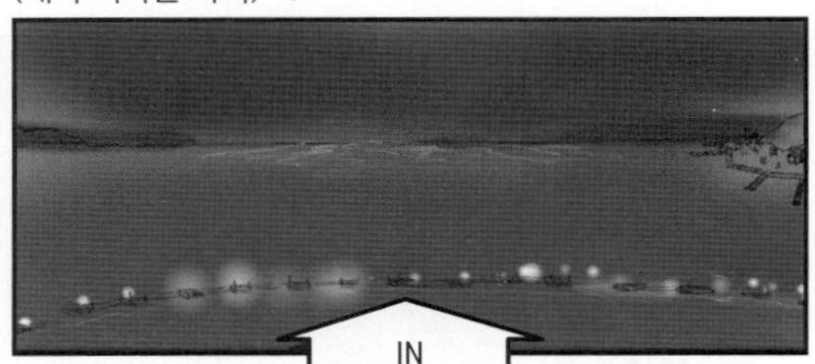

화면, 그 물띠를 쫓아 광양만을 달리면….

S#35 이순신 좌선

전사자들의 이름을 적은 종이를 화톳불에 태워 날려 보내는 이순신
결연한 표정의 장수들

20 CUTS EXT NIGHT VS

C#1

명 함대 -> 조선 함대 약 low F.S. tracking
(명에서 조선으로 카메라 감아돈다.)
조선 3열 장사진 / 명군 4열 장사진
칠흑 같은 바다 위, 1백여 척의 조선 함대가 물살을 가르며 동진(東進) 중이다.

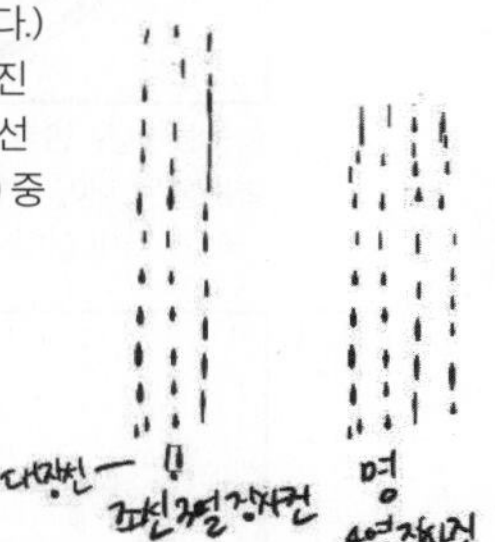

C#2

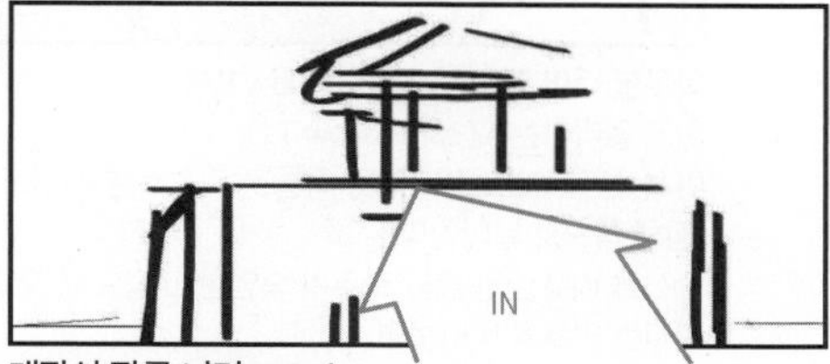

대장선 장루 너머 cam-in
(장루를 걸고 카메라 앞으로 나간다.)
대장선 선수 갑판 위, 순신이 장졸들에 둘러싸여 함께 서 있다.

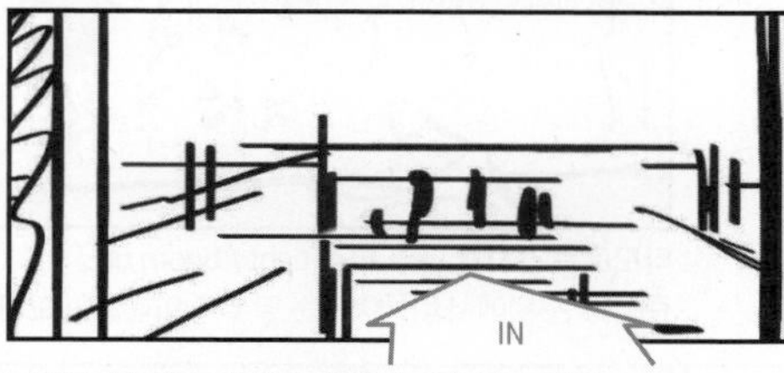

카메라, 장루를 지나 갑판 위의 이순신과 이회,
장수들 쪽으로 간다.

화톳불을 앞에 놓고 서 있는 이순신, 이회
그 뒤로 장수들이 서 있다.

C#3

선수 난간 앞 이순신 너머 장수들 F.S. 송희립 fr-in
무언가를 다들 기다리는 듯. 순신과 장졸들의 결연한 모습들… 이회도 아버지 순신을 바라보고 있다. 이때 다가오는 송희립.

C#4

이순신, 송희립, 이회 3s. low M.S.
송희립, 순신에게 여러 장의 종이를 건넨다.

송희립 …말씀하셨던 지난 7년간의 전사자들 명부입니다.

C#5

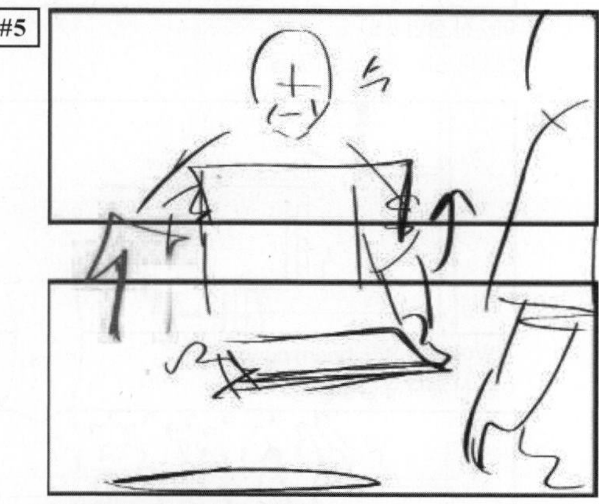

전사자 명단 T.U. 이순신 B.S.
희립에게서 전사자 명부를 건네받은 순신,
명부 위에 쓰인 이름들을 찬찬히 살핀다.

C#6

이순신 O.S. 전사자 명부 tight
전사자 명부를 보는 이순신.

C#7

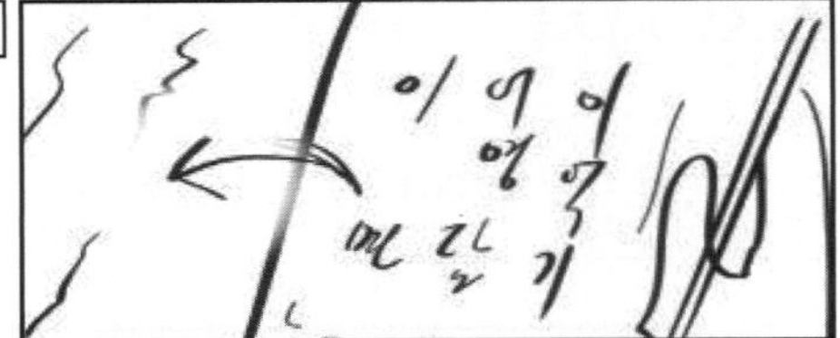

전사자 명부 C.U.
이억기, 어영담, 정운 등 익숙한 이름들과… 아들 이면의 이름도 보인다. 한장을 넘기면, 적힌 수많은 이름들….
(그다음 장도 넘겨보고, 그다음 장도 넘겨보고…
5~6장의 전사자 명부가 있고, 3장 정도 넘겨본다.)

C#8

이순신 측면 너머 이회 B.S.
전사자 명부를 보는 이순신
이회도 아버지 순신을 바라보고 있다.

C#9

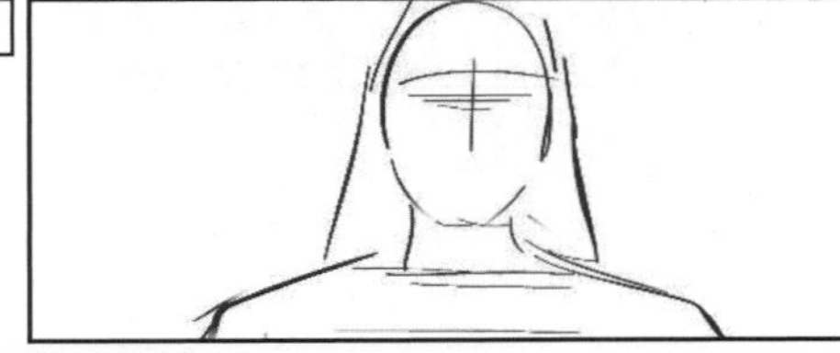

이순신 정면 B.S.
생각에 잠긴 이순신의 얼굴.

C#10

깃발에서 카메라, boom down
이순신 뒷모습 장졸들 F.S.

고요한 파도 소리에 뭉쳐진 그들의 한(恨)의 울음을 듣기라도 한 것일까?
겨울 바다의 바람 소리가 몹시도 을씨년스럽다.
이순신을 지켜보고 있는 장수들의 모습.

C#11

송희립과 장수들 사이 이순신 측면 M.S.
명부를 들고 화톳불로 다가가는 순신….

C#12

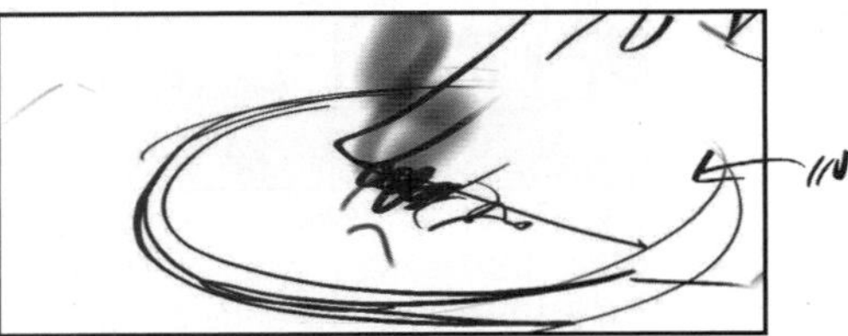

화톳불 tight 명부 fr-in
화톳불은 재에 덮인 채 불씨만이 살아 있는데… 화르륵… 명부에 불길이 살아난다.

C#13

화톳불 너머 이순신과 장수들 low W.S.
위로 올라가는 재 cam follow T.U.
마치 신위(神位)를 태우듯 하늘로 타오르는 전사자 명부….
(장루 쪽으로 날아간다.)
순신을 비롯한 장졸들 모두가 숙연한 표정으로 타오르며 사라지는 명부를 바라보면,

C#14

타오르는 전사자 명부 부감 tight / boom up
순신의 손 위에서 타들어가는 명부… 이름들이 보인다.

C#15

전사자 명부를 둘러싼 장수들 부감 F.S.
타오르는 전사자 명부를 둘러싼 이순신과 이회,
송희립 등 장수들이 서 있다.

C#16

이순신, 장수들 뒷모습 low T.F.S.
하늘로 타오르는 재
명부의 불씨는 쉽게 꺼지지 않고 하늘 위 대장별을 향해 더 높이 향하는데,
(cg_ 검게 그을린 재가 하늘로 올라간다.)

C#17

대장선 선수 갑판 위 부감 T.F.S.
날아오르는 재
이순신, 올려다본다.
장졸들도 타오르는 명부를 올려다본다.

C#18

이순신 약부감 B.S. / tracking
(이순신의 얼굴에서 카메라, 감아돈다.)

이순신(V.O.) 모두가 한마음으로 바라나니… 부디 적들을 남김없이 무찌르게 해주소서. 이 원수를 갚을 수만 있다면 한 몸 죽는다 한들 여한이 없을 것입니다.

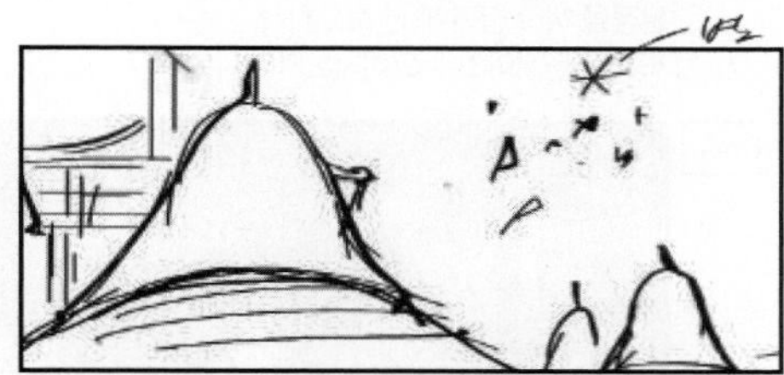

이순신 o.s. 밤하늘
순신 그 불씨들을 우러러보고 그 불씨들과 함께 더욱 빛을 발하는 대장별….
cg_ 밤하늘에 대장별이 빛난다.)

C#19

대장별 tight (매치컷)
불씨들이 완전히 사그라들면 boom down
명부의 불씨들이 완전히 사그라들면 이어지는 조선 수군의 노 젓는 소리만이 들려오고,

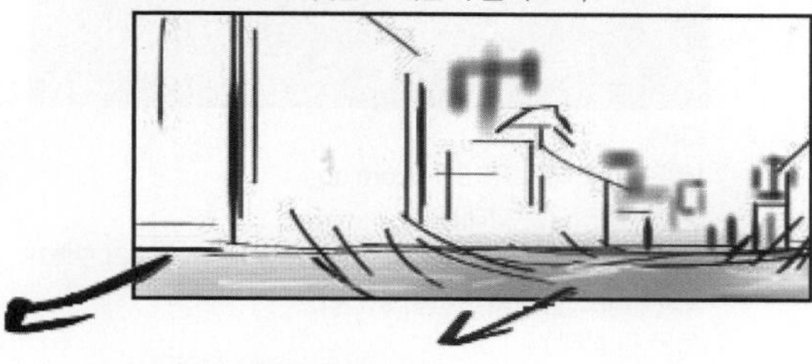

전진하는 조선 함대들 F.S.
그렇게 함대는 고요한 바다를 가르며 빠르게 노량 바다를 향해 간다.

C#20

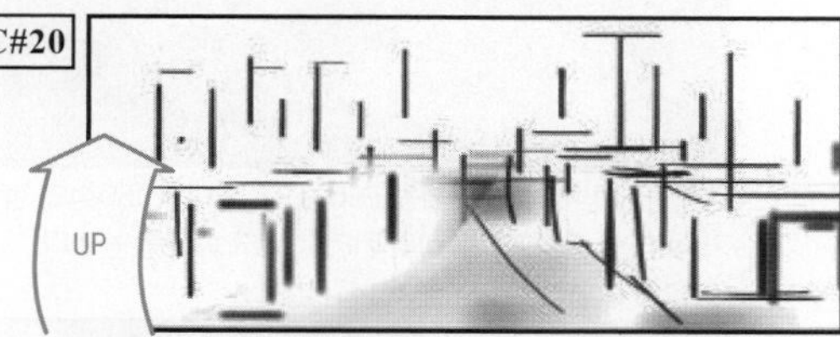

전진하는 조선 함대들 후면 F.S.
boom up
조용히 미끄러지듯 노량 바다를 향해 간다.

저 멀리 바다가 보이는 약부감에서 카메라 들어주면 바다를 향해서 나간다. (cg)
(저 멀리 남해도와 노량 해협이 보인다.)

S#36 시마즈 안택선

이순신의 전략에 대비해야 한다는 아리마와
시마즈 군에 대한 자신감을 보이는 모리아츠

23 CUTS

EXT

NIGHT

VS

C#1

#36A
시마즈의 함대들 T.F.S. / boom up
끝없이 밀려오는 함대들
쿠우우~ 엄청난 속도로 노량을 향해 서진(西進) 중인 5백여 척의 시마즈 함대의 모습이 보인다.
(돛은 편 상태.)

선봉군에 1백 척, 중군에는 250여 척, 후미의 150척의 함대가 각 다섯 마장(약 2km)의 거리를 두고 속도를 높인다.
(끝없이 보이는 종렬이 중요하다.)

끝없이 빠져나가는 왜군 함대.

C#2

#36A
섬을 끼고 빠져나가는 왜군 함대들
tracking F.S.
무수한 왜군 함선들이 빠져나간다.

C#3

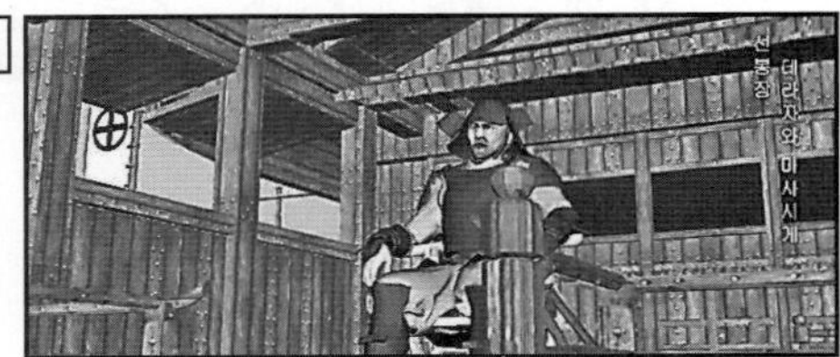

#36B
tracking 데라자와 마사시게 W.S.
선봉선의 갑판에 앉아 있는 데라자와 마사시게.
<선봉장_ 데라자와 마사시게> 자막이 뜬다.

C#4

#36C
갑판 위 토요히사 low W.S. / tracking
팔장을 끼고 갑판에 선 토요히사.
<중군장_ 시마즈 토요히사> 자막

C#5

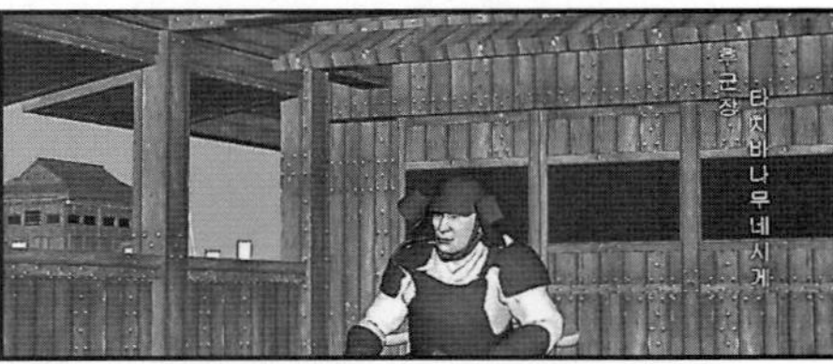

#36D
약부감 boom down 타치바나 M.S.
갑판 위, 앉아서 전방을 보는 타치바나.
<후군장_ 타치바나 무네시게> 자막이 뜬다.
각각 그 위용을 뽐내는데….

C#6

#36C

갑판에 서 있는 시마즈 뒷모습 cam-in

시마즈 안택선 위, 선수 갑판에 서서 전방을 주시하는 시마즈, 그 뒤로 모리아츠와 아리마가 함께 서 있다.

C#7

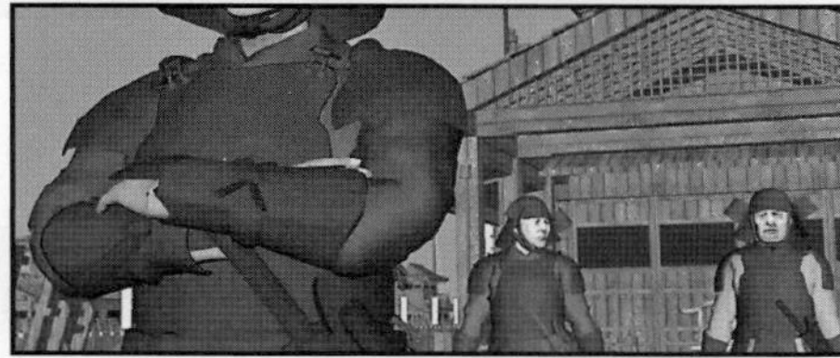

갑판에 서 있는 시마즈, B.S. tracking
->시마즈 O.S. 아리마, 모리아츠 M.S.

시마즈 안택선 위, 선수 갑판에 서서 전방을 주시하는 시마즈, 그 뒤로 모리아츠와 아리마가 함께 서 있다.
<총대장_ 시마즈 요시히로> 자막이 뜬다.

C#8

아리마 너머 모리아츠 약측면 M.S.

모리아츠 (아리마에게) 이 속도면 동이 트기 전에 예교성에 당도할 거요.

C#9

아리마 O.S. 모리아츠 B.S.

모리아츠 (자신만만) 이순신도 우리가 이리 빨리 오리라곤 꿈에도 생각하지 못하겠지.

C#10

모리아츠 O.S. 아리마 B.S.

아리마 (불쑥) 알고 있을 거요.

C#11

#36C

아리마 O.S. 모리아츠 B.S.

모리아츠가 아리마를 의문스럽게 쳐다보면,

C#12

#36C

모리아츠 O.S. 아리마 B.S.

아리마 이순신은 곳곳에 세작을 심어놓았소. 심지어 오사카와 교토에도 있다고 들었소.

C#13

#36C

모리아츠, 아리마 뒷모습 2s
boom down 시마즈 뒷모습 F.S.

모리아츠 (기분 나쁜) 그래서 어쨌다는 거요?

아리마 어쨌다는 것이 아니라… 우리도 그에 맞는 대책을 생각해둬야….

C#14

#36C

모리아츠 B.S.

문득 아리마를 잡아먹을 듯 쳐다보는 모리아츠.

C#15

#36C

아리마 T.B.S.

아리마 !

C#16

#36C
모리아츠 T.B.S.

모리아츠 살! 마! 군!

자막_ <살마군(殺魔軍), 악마 같다고 해서 붙여진 시마즈 군의 별칭>

C#17

#36C
아리마 T.B.S.
긴장하는 아리마.

C#18

#36C
아리마 뒷모습 tight tracking
모리아츠 T.B.S.

모리아츠 우리 시마즈 군을 열도를 너머 조선에서도 그리 부른다! 죽이고 또 죽여도 숨이 완전히 끊기기 전까지 끝까지 일어나서 놈들을 베어내고 마는 모습이

C#19

#36C
아리마 T.B.S. tracking

모리아츠 마치 악귀 와도 같다고 해서 그리 부르지!

모리아츠를 보는 아리마.

C#20

#36C
모리아츠 B.S. (디지털 줌인)

모리아츠 반드시 우리는 이순신에게 악귀처럼 들러붙어 쳐부술 거요!

C#21

#36C
모리아츠 O.S. 아리마 B.S.

아리마 …….

C#22

#36C
모리아츠, 아리마 정면 2s
boom down 시마즈 B.S.
이내 자부심과 존경심이 가득한 표정으로 시마즈를 바라보는 모리아츠.

돌덩이같이 굳은 얼굴로 전방만 주시하고 있는 시마즈..

C#23

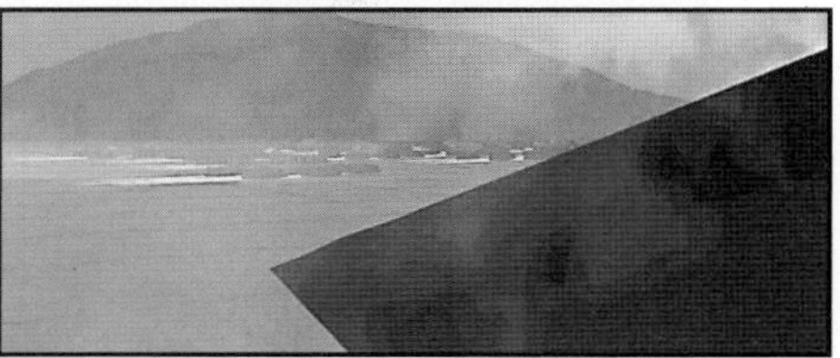

#36A
섬 너머로 전진하는 왜선들 fr-out.
측면 F.S.
노량 해협으로 들어가는 시마즈의 함대들.

S#37 이순신 좌선 - 대도 인근

송희립에게 적들의 위치에 대해 묻는 이순신
이동 중인 명 함대를 바라보는 이순신

9 CUTS

EXT NIGHT VS

C#1

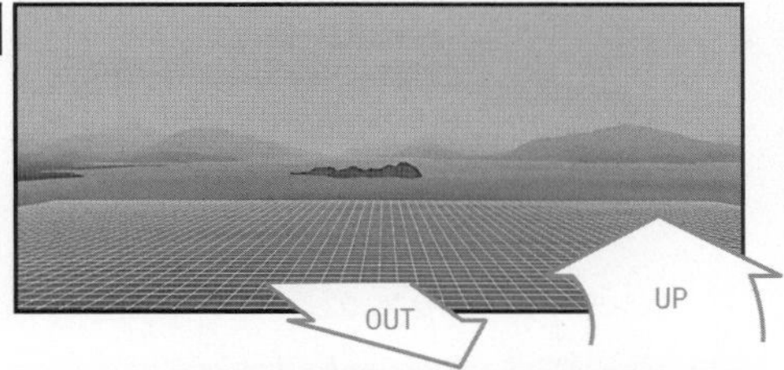

#37A
대도, 아스라이 어둠 속에서 희끄무레하게 보이다가 track out
3열 종대, 4열 종대 조명 함대가 들어오고, 조선 함대가 속도를 줄인다. 어두운 바다, 나란히 향해 가는 조명 연합 함대 앞에 제법 큰 무인도 대도(大島, 竹島라 하기도 함)가 나타난다.

C#2

#37B
다가오는 대장선 boom up
장루 위 이순신, 송희립 부감 T.F.S.
이를 발견한 조선 함대가 서서히 속도를 줄이며 잠시 멈춰서는데…. (명군도 속도를 줄인다.)

선봉에 이순신과 송희립이 보인다.

C#3

#37B
이순신 송희립 측면 2s

이순신 (장루 위) 적들은 어디쯤이냐?

C#4

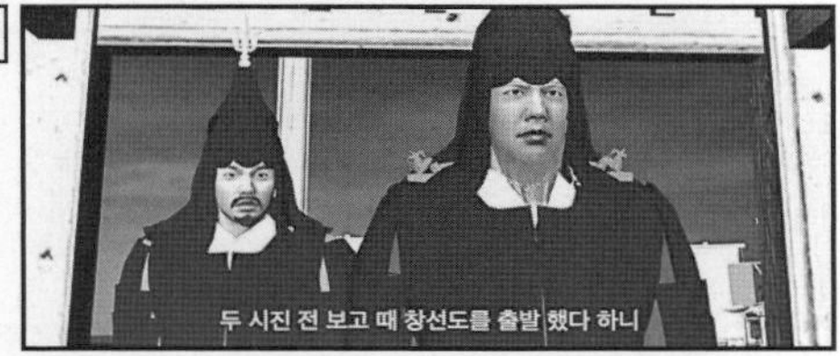

#37B
이순신, 송희립 정면 2s low
송희립 한 발 다가와서

송희립 두 시진(4시간) 전 보고 때 창선도를 출발했다 하니

C#5

#37B
이순신, 송희립 정면 2s low
송희립 한 발 다가와서

송희립 곧 노량에 모습을 드러낼 것입니다.

C#6

#37B
이순신, 송희립 약 측면 B.S.
희립의 보고에 고개를 끄덕이고 옆을 보는 순신.

C#7

#37B
명 함대를 보는 이순신 F.S. boom up
cam-out
이순신과 송희립, 명 함대가 이동하고 있는 것을 본다.
(순신의 시선에 명 함대가 이동하고 있는 것이 보인다.)

C#8

#37A

대도를 중심으로 부감 F.S. 수평 tracking

갈라지는 조명 함대

조선 함대의 옆 150척의 명 함대가 대도를
가운데 두고 북쪽으로 뱃머리를 돌리는데….

C#9

#37B

이순신 B.S. track in

그런 명 함대를 바라보는 순신의 무표정한 얼굴에서….

송희립 노량 앞 대도에 당도했습니다. 장군.

(돛을 내리는 조선 함대와 명 함대.)

S#38 장도 조선 진영 작전 막사 안

(FLASH BACK S#31) 이순신에게 명군은 전투에 참여하지 않을 것이라고 말하는 진린

10 CUTS

INT  NIGHT  OPEN SET

C#1

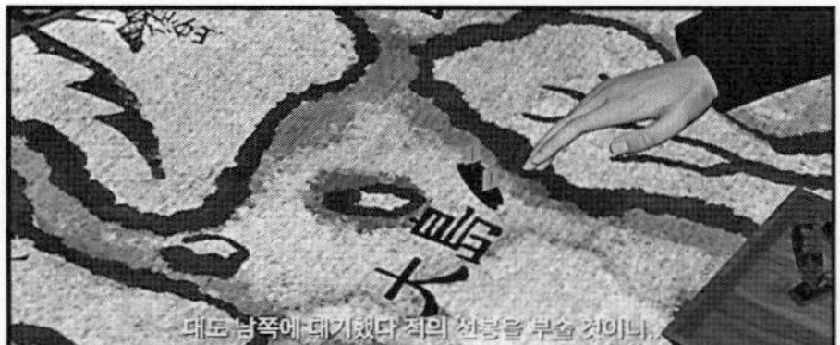

이순신 P.O.V. 해도 / 부감 tight

순신이 대도 앞 노량 앞바다를 가리키며 작전을 설명한다.

이순신 (짐짓) 다시 설명드리리다. 우리는 여기 대도 남쪽에 대기했다가 적의 선봉을 부술 것이니….

심 리 조선군은 남쪽에 대기했다가 적의 선봉을….

진린의 손 fr-in

진 린 (말을 끊으며) 그럼 우린 여기다 진을 치겠소!

광양만과 통하는 주 남쪽 항로와는 동떨어진 대도 북쪽을 가리키는 진린.

C#2

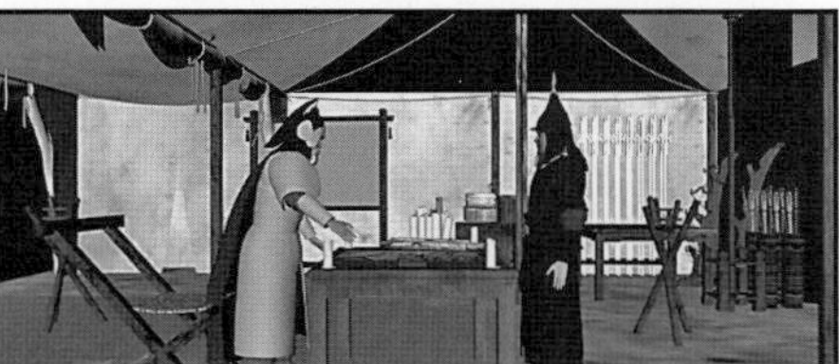

이순신, 진린 side F.S.

해도(海圖)를 가운데 두고 단둘이 마주 서 있는 순신과 진린. 심리와 송희립이 조금 떨어져 서 있다.

(진린은 순신의 얼굴만을 바라보는데….)

이순신 …….

C#3

이순신 O.S. 진린 low

진 린 노야! 다시 찾아온 이유를 솔직히 말하겠소. 난 여전히 다 끝난 이 전쟁에 희생을 더할 생각이 없소.

C#4

진린 O.S. 이순신 low B.S.

송희립 자신이 다시 찾아온 이유는 이 전쟁에 더 희생을 치를 생각이 없다 합니다.

이순신 …….

C#5

이순신 O.S. 진린

진 린 허나 우리 명군이 함께 출정한다면 적어도 조선군의 사기는 떨어지지 않을 것이고,

C#6

진린 O.S. 이순신

듣고 있는 이순신.

C#7

이순신 O.S. 진린 B.S. tracking

진 린 뒤에 우리가 있는 것을 왜군들이 본다면 분명 더 쉽게 돌아갈 것이오.

송희립 하지만 명군이 함께 출정을 하면 우리 군의 사기도 떨어지지 않을 것이고 적도 더 쉽게 돌아갈 것이라 얘기합니다.

C#8

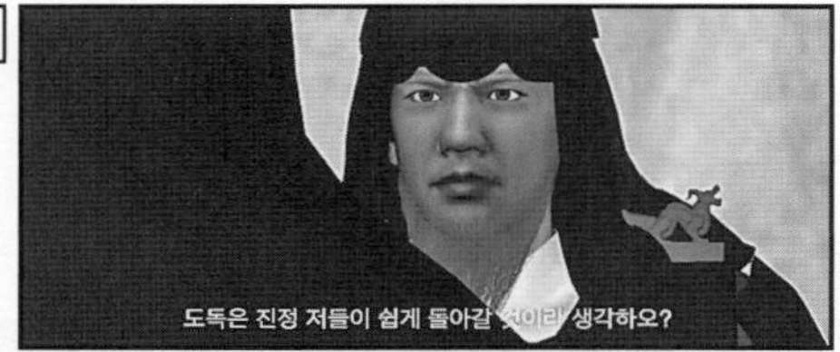

진린 O.S. 이순신 tracking
순신은 그런 진린을 물끄러미 쳐다본다.

이순신 도독은 진정 저들이 쉽게 돌아갈 것이라 생각하오?

C#9

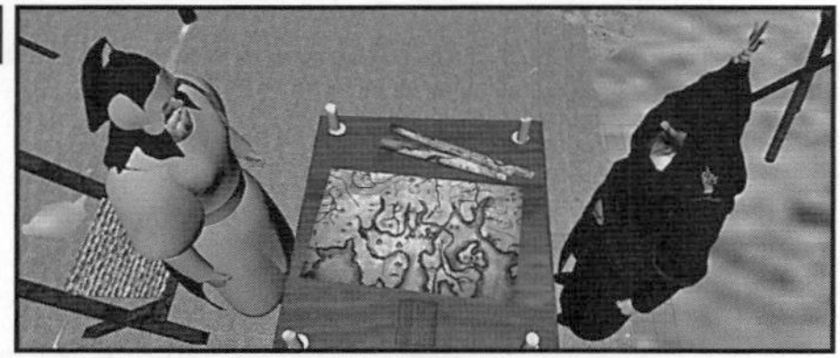

진린과 이순신 부감 T.F.S. / moving

심 리 진정으로 적들이 쉽게 돌아갈 거라 생각하시냐고 묻습니다.

진 린 그렇소!

C#10

이순신 B.S. / tracking

이순신 …….

S#39 진린 호선 - 대도 인근

진잠에게 전투에 참여하지 않고 지켜볼 것이라고 말하는 진린 8 CUTS EXT NIGHT VS

C#1

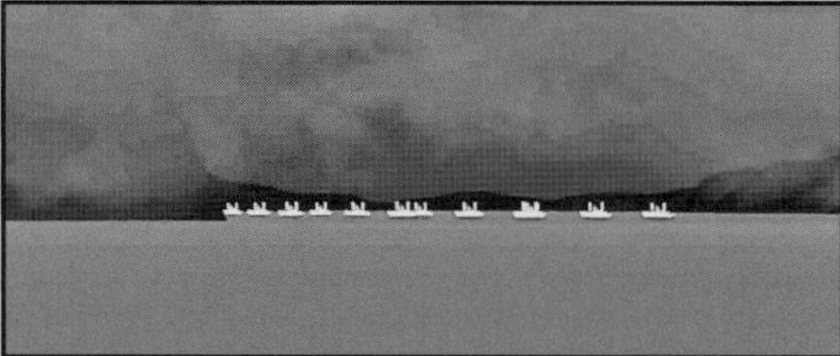

진을 치는 조선 함대 L.S. track out
진린, 진잠 뒷모습 fr-in.
호선 위, 뒷짐을 지고 대도 남쪽에 진을 치는 조선 함대를 바라보고 있는 진린, 진잠
~~뒤에서 진잠이 다가온다.~~

C#2

진린, 진잠 2s. track in

진 잠 출정하고서도 진정 이대로 보고만 계실 요량이십니까?

진 린 말하지 않았느냐. 우리로선 얻을 게 없는 싸움이다.

진 잠 그렇지만 이러다 조선군이 지기라도 하면….

C#3

진린, 진잠 측면 M.S.

진 린 걱정 마라. 왜놈들은 금방 떠날 것이다. 우리가 귀석만자 (시마즈)를 두려워하는 것보다

C#4

진린 low B.S.

진 린 저들은 통제사를 더 두려워한다.

진린을 보는 진잠.

진 잠 ?

C#5

진린 O.S. 진잠 T.B.S.

진 린 출정함으로써 우리는 이미 명분을 얻었고,

C#6

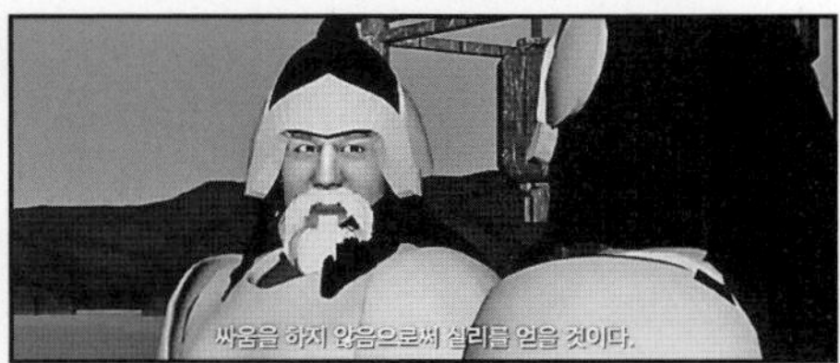

진잠 O.S. 진린 B.S.

진 린 싸움을 하지 않음으로써 실리를 얻을 것이다. 그러니 절대로 나서서는 아니 된다.

진 린 알겠느냐?

진잠을 돌아보는 진린.

C#7

진린, 진잠 약측면 B.S.

진 잠 예. 도독….

차츰 대도에 가려 조선 함대의 모습이 사라져가는 것을 지켜보는 진린.

C#8

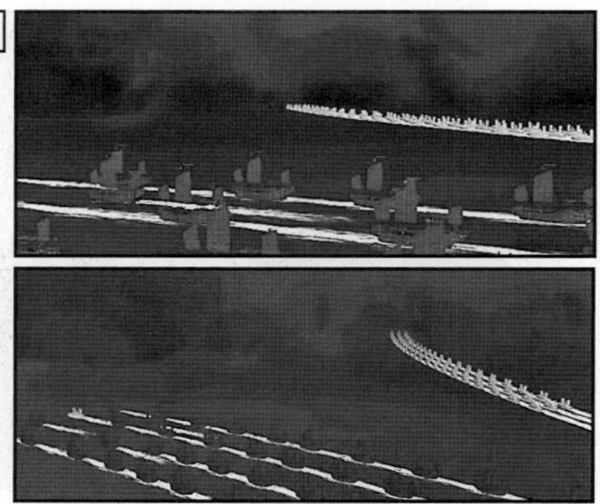

명 호선 너머 조선 함대들 부감 측면 F.S.
tracking
호선 너머로 갈라지는 조선 함대.
대도 뒤쪽으로 명 함대, 대도 앞 노량 쪽으로 조선 함대가 가고 있다.

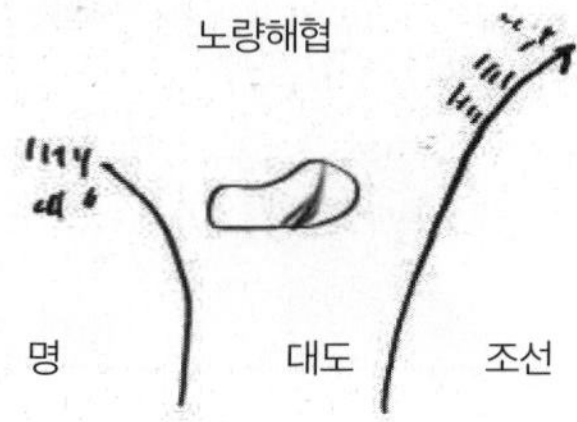

S#40 이순신 좌선 - 대도 남쪽

송희립에게 협선을 출발시키라 명하는 이순신

6 CUTS

EXT NIGHT VS

C#1

#40A
대도 중심으로 진을 이루는 명 함대와 조선 함대
부감 L.S. 수평 tracking
(이 컷의 듀레이션을 충분히 주어 움직임이 보이게 한다.)

C#2

#40A
조선 함대들 정측면 부감 F.S.
대도를 끼고 tracking
명 함대들이 대도 북쪽으로 사라진 대도 남쪽, 삼첩진을 이룬 조선 함대. (맨 앞에 구선이 있고, 1선의 중앙에 이순신의 대장선이 있다.)

C#3

#40A
판옥선의 돛대 걸고 노량 쪽 바다 F.S.
좌-우 tracking
대도를 왼편에 걸고 노량 해협을 향해 진을 치고 있는 조선 함대들.

C#4

#40B
장루 위의 이순신 low F.S. track in
왜군 방향 (노량)을 바라보는 이순신.

C#5

#40B
이순신, 송희립 2s. B.S. / track in

이순신 희립아, 준비한 협선들을 띄워라.

송희립 예! 장군.

명령을 받은 송희립, 움직인다. fr-out

C#6

#40B
이순신 측면 T.B.S.
노량을 바라본다.

협선

앞으로 나아가는 협선. 선두 협선에 타고 있는 조선 부관 | 10 CUTS | EXT NIGHT AS

C#1

#41B
구선 사이로 나가는 협선 back F.S.
송희립의 신호에 짙게 스치는 안개들을 뚫고 두 척의 협선이 앞으로 나아간다.

C#2

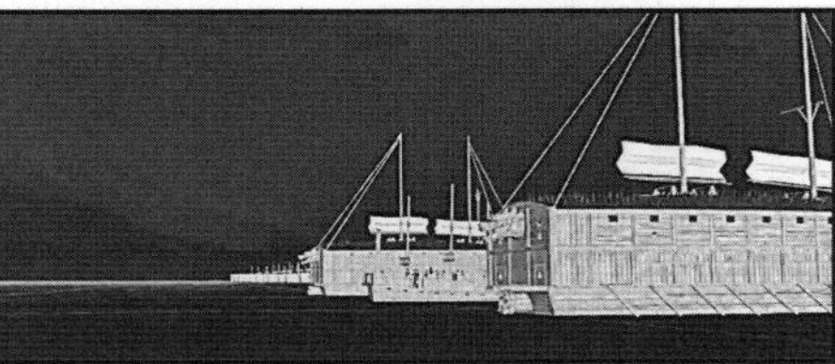

#41B
구선 사이로 나오는 협선 측면 F.S.
구선 사이로 나아가는 협선 두 척.
짙게 스치는 안개들이 바다를 가득 채우고….

C#3

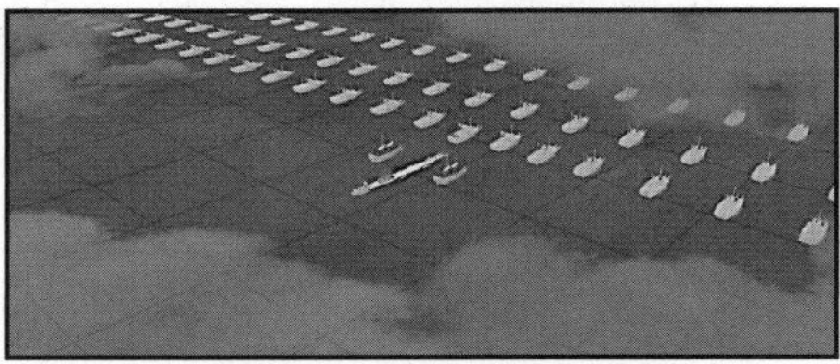

#41A
삼첩진을 이룬 조선 함대들 부감 F.S.
구선 사이로 나오는 협선 두 척.

C#4

#41B
조선 병사들 너머 협선 두 척 정면 F.S.
병사들 너머로 안개 낀 바다 위를 조용히 나아가는 협선 두 척.

C#5

#41D
하무를 문 병사들, 뒷모습 우 -> 좌 tracking
곧 벌어질 격전을 준비하는 판옥선 위 조선 병사들의 모습이 보이는데,

S#41 조선 판옥선

하무를 문 채 활과 총통을 굳게 잡은 병사들

10 CUTS

EXT NIGHT VS

C#6

#41D

조선 병사들 너머 이순신, 송희립 T.F.S.

tracking

소리가 새어나가지 못하도록 입에 하무를 채워 무는 병사들의 얼굴과 총통과 활을 굳게 잡은 병사들의 모습이 이어진다.

C#7

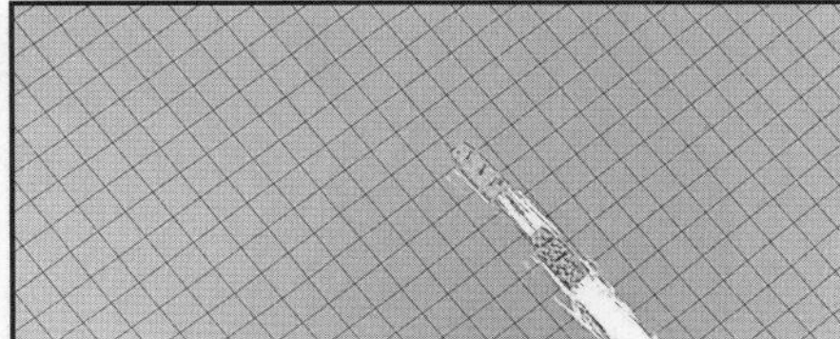

#41B

앞으로 빠져나가는 협선 직부감 F.S.

앞으로 나아가는 협선.

(갑판 위에는 조선 부관과 병사들이 있다. 돛은 내려져 있고)

조선군이 탄 협선이 볏짚을 가득 실은 협선을 이끌고 있다.

C#8

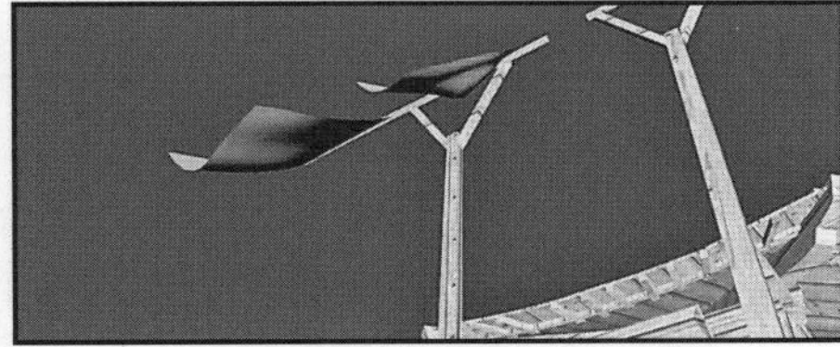

#41D

깃발 low tight

깃발이 잦아들어 멈춘다.

C#9

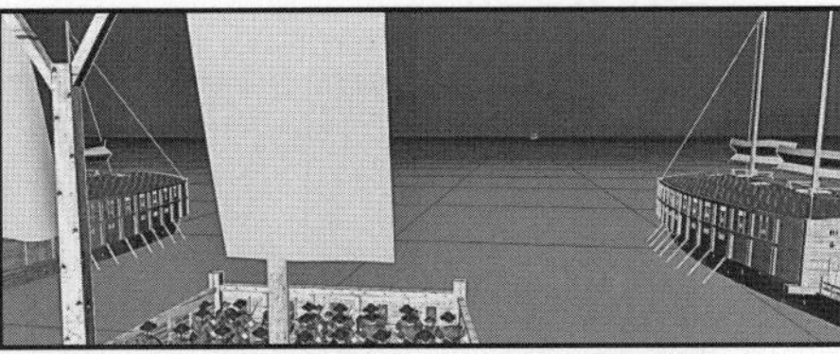

#41D

깃발 boom down

멀리 나아가는 협선 F.S.

바람이 잦아든다. 더불어 일시적 고요함이 찾아오는데….

C#10

#41D

이순신 M.S.

이순신 (앞만 쳐다볼 뿐) …….

바다의 고요함 속 긴장감만이 고조되고….

S#42 시마즈 안택선

아리마의 보고를 듣는 시마즈 7 CUTS EXT NIGHT VS

C#1

#42A
멀리 대도가 보이고 진입하는 왜군 함선들
(crane) L.S. / cam-out

int) 바다를 가르며 쾌속 진군 중인 왜군 함대, 그들 앞에 희미하게 대도의 실루엣이 보인다.

C#2

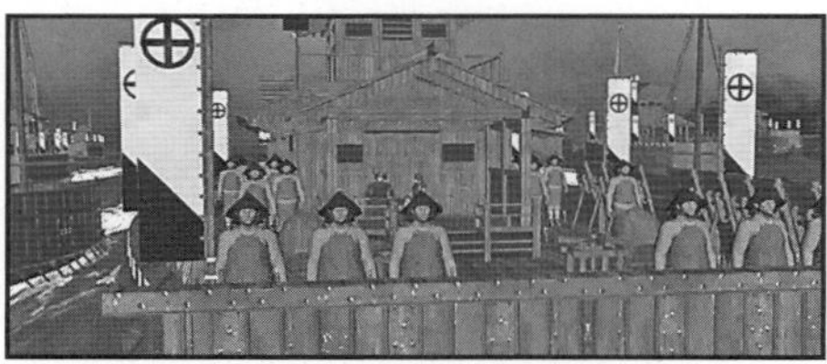

#42C
수면에서 track in / boom up
시마즈의 안택선 T.F.S.

C#3

#42C
아리마 -> 시마즈 pan B.S.
시마즈에게 보고하는 아리마,

아리마 저 앞에 하얗게 보이는 것이 바로 대도 입니다.

해도 보는 시마즈, 고개를 든다.

C#4

#42C
시마즈, 모리아츠, 아리마 O.S. 대도 F.S.
대도를 보는 시마즈, 모리아츠, 아리마.
(달빛에 반사되어 하얗게 빛나는 대도의 모습이 명확히 보이면….)

C#5

#42C
시마즈, 모리아츠, 아리마 3S
안택선 장루 안, 펼쳐진 해도(海圖)를 가운데 놓고 아리마의 보고를 듣는 시마즈.

아리마 그대로 남쪽으로 돌아 나가면, 광양만까진 한 시진(2시간)이면 충분합니다.

C#6

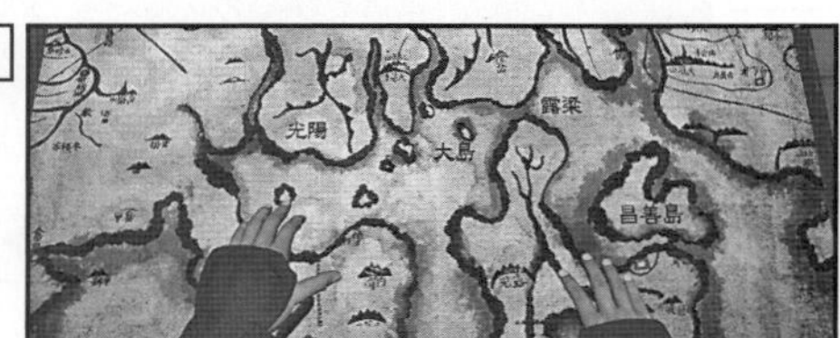

#42C
시마즈의 손 in 남해도 해도(海圖)
부감 tight / moving

C#7

#42C
시마즈 low B.S.
해도를 보다가 고개를 드는 시마즈.

S#43 데라자와 안택선

벳짚이 뒤덮인 협선을 발견하고 데라자와에게 보고하는 왜군 탐망병 16 CUTS

EXT NIGHT VS

C#1

#43A
데라자와 안택선 low T.F.S. / boom up
track in
왜군 선봉선, 데라자와 부장이 전방에 무언가를 발견한다.

C#2

#43A
부장 너머 데라자와 F.S.
데라자와 부장, 뒤를 돌아 데라자와에게.

데라자와 부장 도노! (갑판 위 선봉장 데라자와에게 알리며 손짓하는데)

C#3

#43A
데라자와 B.S.
일어서서 보는 데라자와.

C#4

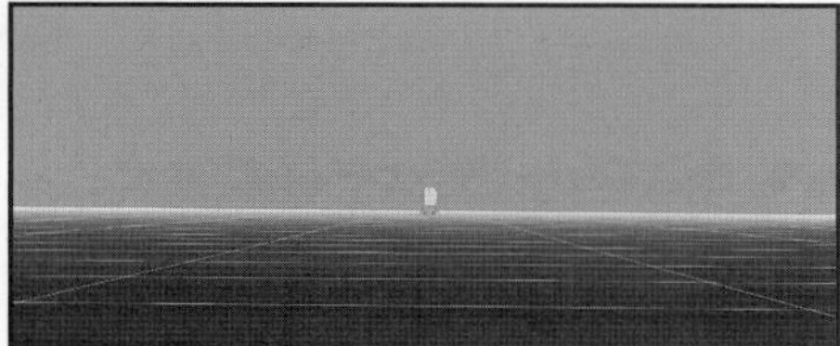

#43B
데라자와 P.O.V. 바다 위 협선 한 척 F.S.
int) 짙은 안개 속에서 형태를 파악할 수 없는 짚 더미 협선 한 척이 두둥실 떠 있고,

C#5

#43A
데라자와 약측면 B.S.

데라자와 저게… 뭐냐?

C#6

#43B
짚 더미 배 약부감 tight / tarcking
int) 파악! 어디선가 날아온 화살이 짚 더미 위에 꽂히며, 화르륵 타오르는 협선.

C#7

#43A
데라자와 부장과 왜병들 low F.S.
협선을 바라보는 데라자와 부장과 병사들.

C#8

#43B
불타는 협선 약부감 측면 F.S.
불에 타는 것은 다름 아닌 순신이 내보낸 볏짚을 잔뜩 실은 협선이다,

C#9

#43B
불타는 협선 너머 선봉선 L.S.
이내 일렁이는 불길 너머로 왜군의 선봉선들이 명확히 드러나기 시작하는데….

C#10

#43A
데라자와와 부장 M.S.
갑판 앞으로 나온 데라자와.

C#11

#43B
데라자와 P.O.V. 협선 L.S.
어리둥절한 데라자와의 시선 속,
멀리서 한 점 불빛이 하늘로 떠오르는데….

C#12

#43A
데라자와 B.S.
불빛을 따라 고개를 드는 데라자와.

데라자와 !

C#13

#43B
데라자와 P.O.V. 협선, 불꽃 F.S.
떠오른 불빛 뒤로 이어지는 다수의 번쩍이는 불빛들….

불타는 협선 뒤로 L.S.
날아오는 포탄 follow / cam-out
이내 들려오는 퍼버벙! 포탄 소리와 함께 포탄들이 쏟아져 내리기 시작하는데,

콰지직! 왜선들 갑판에 깊숙이 박히는 포탄들!
이내 난무하는 비명들!

C#14

#43A
데라자와 뒷모습 tracking
데라자와, 정측면 B.S.
당황하는 데라자와와 부장.

데라자와 !(급당황)

C#15

#43D
포탄이 터지는 판옥선들 측면 F.S.
3선 판옥선들에서 포탄이 터져 날아간다.

C#16

#43C
날아가는 포탄들 follow panning
왜군 선봉선 약측면 부감 F.S.
밤하늘을 날아가는 포탄이 왜군 선봉 함대 위로 떨어진다.
부서지는 데라자와의 선봉대.
(그 뒤로 시마즈의 중, 후군 함대들이 있다.)

선수로 뛰어나가는 모리아츠와 차갑게 전방을 바라보고 있는 시마즈 2 CUTS EXT NIGHT VS

C#1

선봉대가 있는 전장 F.S. / cam-out
대기 중인 중군 함대 지나
시마즈 안택선, 시마즈의 뒷모습까지.
보이지 않는 전방에서 들려오는 포탄 소리들, 이내 비명 소리와 함께 아수라장이 되어버린 전방의 선봉 함대들….

모리아츠가 선수로 뛰어나간다.

C#2

시마즈 투구에서 boom down. 정측면 B.S.
시마즈가 차갑게 전방을 쳐다보고 있다.

시마즈 (나직이) 이순신… 이곳에서 기다리고 있었느냐… 허나 네놈에게도 그리 유리한 곳은 아닐 터….

S#45 이순신 좌선

송희립에게 구선의 돌격을 명하는 이순신 | 11 CUTS | EXT | NIGHT | VS

C#1

전장 tracking 이순신 뒷모습 B.S.
화염과 비명의 전방 상황을 바라보고 있는 순신.

C#2

이순신, 송희립 약측면 B.S.
이순신, 곁의 희립에게 명령한다.

이순신 구선들을 내보내라.

송희립 예!

C#3

이순신, 송희립 약측면 B.S.
이순신, 곁의 희립에게 명령한다.

어둠 속의 용두가 어슴푸레 빛을 발하며 앞으로 나아가면.

C#4

구선의 등 fr-in. follow 전장 L.S.

C#5

구선 1 low F.S. / tracking 구선 2 fr-in
삼첩진의 최전방에서 대기 중인 구선 2척이 나아가기 시작한다. 뒤쪽의 판옥선들이 구선 너머 왜군 선봉 함대에 일제히 다시 포문을 연다.

C#6

이순신과 송희립 정측면 T.B.S.
구선을 바라보는 이순신과 송희립.

이순신 발포하라!

C#7

판옥선의 화포 측면 F.S. / panning
뒤쪽의 판옥선들이 구선 너머 왜군 선봉 함대에 일제히 다시 포문을 연다. '콰앙! 콰앙!' 1선과 2선의 조선 판옥선들에 설치된 총통 수백 문이 연이어 불을 뿜는다.

하늘을 시커멓게 뒤덮으며 날아가는 포탄들!

quick zoom in 구선 너머 선봉대 F.S.
구선 너머 선봉대로 향하는 포탄.

S#45 이순신 좌선

구선 돌격에 맞춰 왜군 선봉대를 향해 화포를 발사하는 판옥선들 11 CUTS EXT NIGHT VS

C#8

((데라자와 안택선))
포탄 맞는 왜선들 약부감 T.F.S. tracking
int) '쿠쾅! 콰지직!' 다시 왜군 선봉 함선들의 선체를 박살 내며 박히는 포탄들,

C#9

((데라자와 안택선))
누각 벗겨지면서 pan
데라자와 안택선, 갑판 위. 약부감 T.F.S.
데라자와가 부장에게 소리친다.

데라자와 시마즈에게 구원을 요청하라! 어서!

C#10

데라자와, 부장 low W.S.
데라자와 부장이 대답한다.

부 장 예! 도, 도노!

C#11

데라자와 low 정측면 B.S.
아수라장의 상황에 당황하는 데라자와.

S#46 시마즈 안택선

명군이 움직이지 않을 것이라고 판단한 시마즈가 전군에게 속도를 내라고 명한다

13 CUTS

EXT NIGHT VS

C#1

시마즈 O.S. 왜병들 너머 선봉 함대 L.S.

전방 선봉선들에서 계속 들려오는 폭발음과 비명 소리들! 데라자와의 안택선에서 구원 신호가 날아온다.

C#2

시마즈 B.S. track out

옆으로 아리마가 앉아 있고, 모리아츠 fr-in

미동도 없이 앉아 있는 시마즈.

모리아츠가 급히 다가온다.

모리아츠 도노! 데라자와 군의 구원 요청 신호입니다!

안절부절못하는 아리마.

C#3

시마즈, 정측면 low B.S.

시마즈 전군, 속력을 내라! 데라자와의 선봉선들을 구한다!

모리아츠(O.S.) 예! 도노! (부장들을 향해) 전군 속도를 낸다!

C#4

나발 track out 약 측면 F.S.

나발수가 신호 나발을 분다.

C#5

전진하는 시마즈 안택선 약측면 T.F.S.

(앞으로 전진하는) 중군 시마즈 함대의 격군들의 젓는 속도가 더 높아지는데,

C#6

전진하는 시마즈 안택선 약측면 T.F.S.

(앞으로 전진하는) 중군 시마즈 함대의 격군들의 젓는 속도가 더 높아지는데,

C#7

track in 시마즈 뒷모습 F.S.

모리아츠가 급히 시마즈에게 다가선다.

모리아츠 도노! 저기 보십시오! 명 함대입니다.

시마즈, 돌아본다.

C#8

모리아츠, 시마즈, 아리마 약측면 low 3s

track in 시마즈 low B.S.

모리아츠가 손끝으로 가리킨다. 자리에서 일어나는 시마즈, 명 함대를 본다.

C#9

시마즈의 P.O.V. 대도 pan 명 함대 L.S.
시마즈의 눈에 멀리 대도 북쪽에 꼼짝하지 않고 있는 명군 함대가 보인다.

C#10

zoom in 명군 함대들 F.S.

C#11

아리마 B.S. pan 시마즈 T.B.S.
아리마가 눈치를 보며 떤다.

시마즈 계속 전진하라!

C#12

시마즈 O.S. 모리아츠 W.S. / pan

모리아츠 예! 도노!

시마즈의 명령을 듣고 가는 모리아츠.

아리마, 눈치를 보며 서 있다.

C#13

진격하는 시마즈의 중군 함대들
부감 back L.S.

S#47 선봉 세키부네

갑판에 엎드려 있던 왜병들이 구선을 확인하고 겁에 질린다　　12 CUTS　　EXT  NIGHT　VS

C#1

#47A
반파된 선봉대 사이로 구선 fr-in. / F.S.
잠시 포격이 잠잠해지자 바짝 엎드려 있던 왜병들이 갑판 위로 슬며시 고개를 내미는데, 이번엔 끼이익! 노 젓는 소리와 함께 바짝 다가서 오는 시커먼 물체들.

C#2

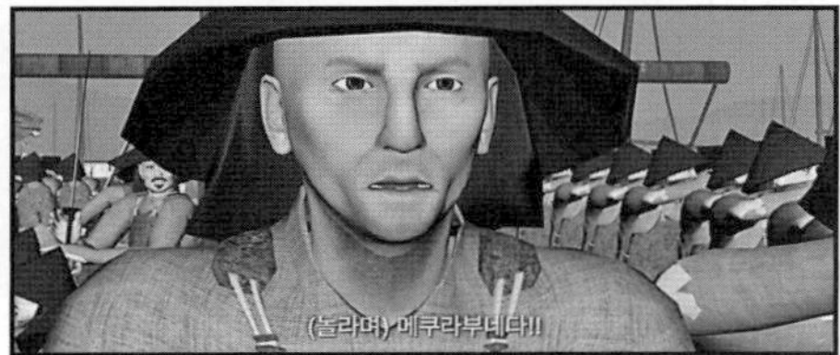

#47B
왜병 B.S.

왜병 1 (놀라며) 메쿠라부네다! 메쿠라부네가 다시 나타났다!

C#3

#47E
전진하는 구선 1 F.S.
불타는 세키부네를 치며 다가오는 구선들.

C#4

#47E / #47B
구선의 등 너머 세키부네들 T.F.S.
순식간에 돌진해 들어오는 구선. 그대로 세키부네를 들이박는다. 구선의 재등장에 동요하는 왜병들,

C#5

#47B / #47E
왜병들 너머 구선의 용두 low tight
순식간에 돌진해 들어오는 구선. 그대로 세키부네를 들이박는다. 구선의 재등장에 동요하는 왜병들,

C#6

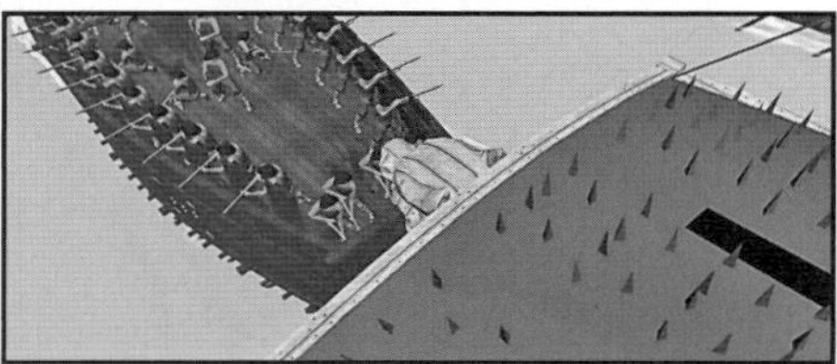

#47B / #47E
구선의 등 부감 tight
충파하는 세키부네 fr-out
조총을 든 왜병들을 그대로 밀고 들어오는 구선.

C#7

#47C / #47D
데라자와 뒷모습 M.S.
멀리 구선을 보며 구선의 충파에 몸이 살짝 흔들린다.

데라자와 (선수 난간을 붙잡고) 치, 칠천량에서 모두 불태웠다 했는데….

C#8

#47C
데라자와 M.S.
구선의 충파에 몸이 살짝 흔들리는 데라자와.

데라자와 일제히 메쿠라부네를 에워싸라! 조총과 대조총을 퍼부어라!

C#9

#47E / #47B

구선을 둘러싼 세키부네들 약부감 F.S.

tracking

<- (구선을 둘러싼 세키부네 3척.
구선도 좌우, 앞뒤로 포를 쏘면서 전진.)

C#10

#47B / #47E

전진하는 구선 측면 tight / follow

세키부네를 들이받는다.

왜병들, 구선을 향해 들고 있던 조총과 대조총을 난사하기 시작한다.

C#11

#47B / #47E

왜병들 너머 구선 충파 약측면 low tight

조총과 대조총을 쏘는 왜병들.
개의치 않고 밀고 들어오는 구선.

C#12

#47B / #47E

구선 주변 세키부네들 직부감 T.F.S.

포를 쏘며 cam-out / F.S.

허나 개의치 않고 왜군 선봉선들을 마구 포를 쏘며 휘젓기 시작하는 구선들. 세키부네들이 연이어 침몰한다.

S#48 이순신 좌선

3선의 판옥선들에게 돌진을 명령하는 이순신 | 13 CUTS | EXT NIGHT VS

C#1

#48A
장루 위, 이순신과 송희립 약측면 low T.F.S.
tracking
전장을 바라보는 이순신과 송희립.
(★ 이 신부터 판옥선들에 화톳불이 켜져 있다.
화포 공격 이후 서로의 위치가 드러났으므로 감출 필요가 없다.)

C#2

#48C
이순신 P.O.V. 선봉선 L.S.
멀리 구선이 활약하는 선봉선을 본다.

C#3

#48A
이순신, 송희립 약 측면 T.B.S.
무표정한 표정으로 지켜보고 있는 순신 이내,

이순신 3선의 판옥선들은 돌진하라.

C#4

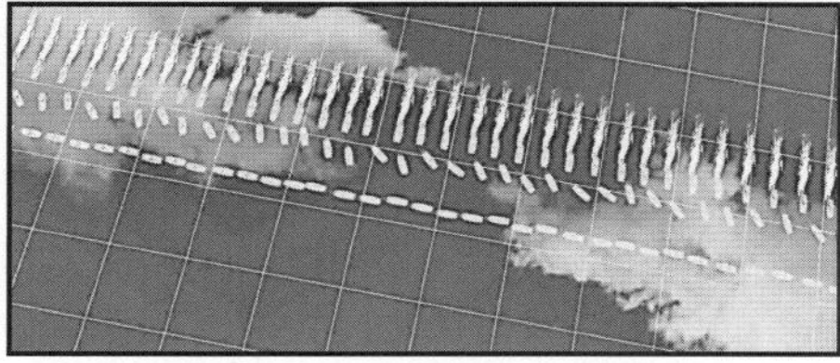

#48C
배를 돌리는 1, 2열 사이로 나가는 3선 판옥선
직부감 wide shot
순신의 명령과 함께 1, 2선에서 횡으로 포를 쏘던 판옥선들이 수직으로 회전하면, 그 사이를 뚫고 나아가는 3선의 판옥선들.

C#5

#48B
이운룡의 판옥선과 함께 3선 판옥선들
low F.S. / 측면으로 boom up
앞으로 나아가는 3선 판옥선들.

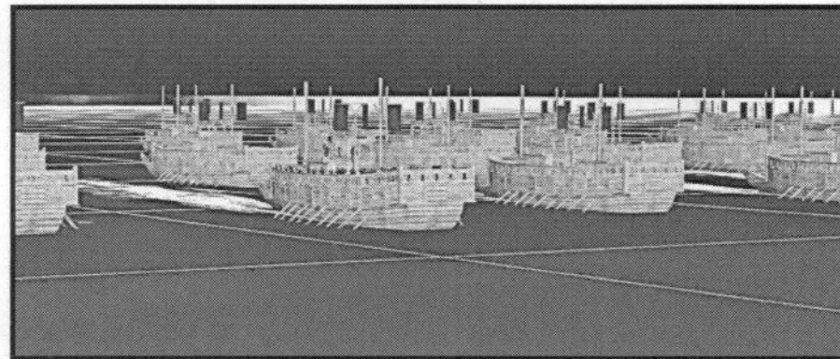

#48B
3선 판옥선들 측면 boom up

#48B
전진하는 3선 판옥선 부감 측면 L.S.

C#6

#48B
((이운룡 판옥선))
cam-in 장루 위의 이운룡 약측면 T.F.S.
3선의 판옥선들을 이끌고 나아가는 이운룡의 결연한 모습이 보인다.

C#7

#48B
((이운룡 판옥선))
이운룡 low B.S. / boom up
이운룡의 결연한 모습.

C#8

#48B
전진하는 3선 판옥선 back F.S. / track out
이순신 O.S. 3선 판옥선
~~저 멀리에는 불타고 있는 전장이 보인다.~~
구선이 휘젓고 있는 왜군 선봉대를 향해 빠르게 돌진하는 이운룡의 3선 판옥선들.

C#9

#48A
고개를 드는 이순신 약부감 B.S.
문득 고개를 돌려 장루 위 깃발을 보는 이순신.

C#10

#48A
올려다보는 이순신 부감 B.S.
깃발을 올려다보는 이순신.

C#11

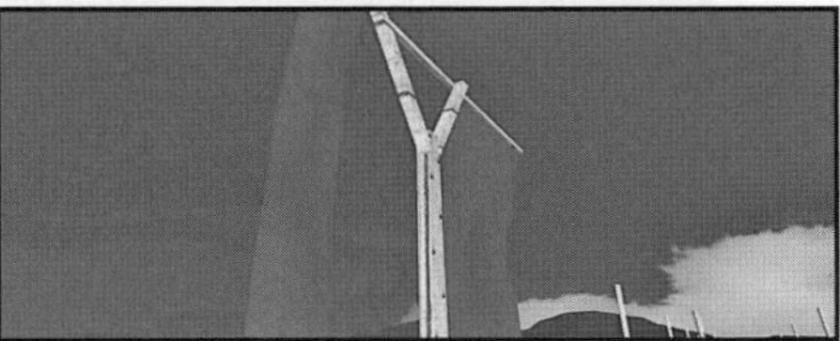

#48A
이순신 P.O.V. 바람에 펄럭이는 깃발
low tight
잠잠했던 대장기가 빠르게 동쪽을 향해
펄럭이고 있음을 본다.

C#12

#48A
깃발 아래 이순신 부감 F.S.
펄럭이는 깃발을 보는 이순신.

C#13

#48A
이순신 부감 B.S.
다시 전장을 보는 이순신.

이순신 …….

S#49 시마즈 안택선

구선을 바라보다 토요히사 부대에게 선봉대를 구하라고 명령하는 시마즈 8 CUTS EXT NIGHT VS

C#1

#49A
시마즈 P.O.V. 전장을 휘젓는 구선 F.S.
살짝 quick zoom out 전장
시마즈의 눈에 선봉선들의 한복판을 휘젓고 있는 구선의 용머리가 실루엣으로 보인다.
(멀리 대도 살짝 걸린다.)

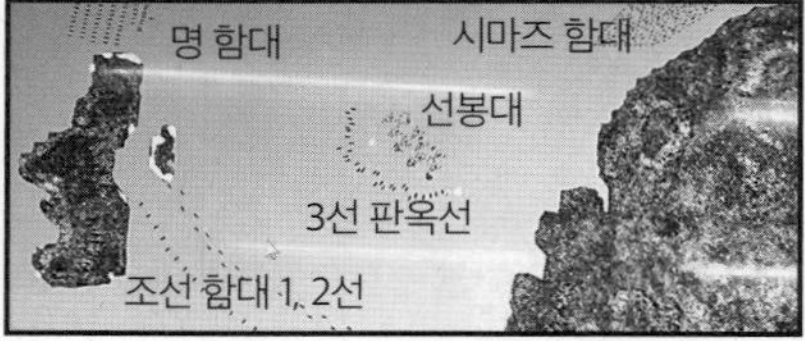

C#2

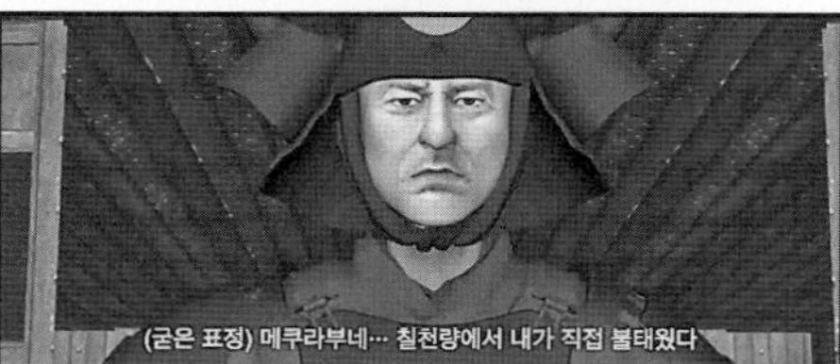

시마즈 B.S.
시마즈 굳은 표정으로 전장을 본다.

시마즈 (굳은 표정) 메쿠라부네… 칠천량에서 내가 직접 불태웠다.

C#3

시마즈 약측면 low B.S. track in

시마즈 그사이에 재건했단 말인가?

C#4

시마즈, 아리마 정면 T.F.S. / 모리아츠 fr-in
시마즈 앉아 있고, 옆에 아리마가 있다.
모리아츠 뛰어 들어온다.

모리아츠 주군! 선봉선들 너머 적선들이 다가오는 게 보입니다!

C#5

불타는 전장, 구선 fr-out
다가오는 3선 판옥선 L.S.
진영이 무너지고 엉망이 된 데라자와의 선봉선들을 향해 다가오고 있는 판옥선들이 보인다.

C#6

다가오는 3선 판옥선 측면 부감 F.S.
(구선을 향해 판옥선들이 다가오는 느낌으로)
진영이 무너지고 엉망이 된 데라자와의 선봉선들을 향해 다가오고 있는 판옥선들이(일자진) 보인다.

C#7

시마즈 side B.S.

시마즈 (이내) 더 속도를 내라! 토요히사에게 전하라! 메쿠라부네부터 일제히 포위해 공격하라 명하라!

C#8

시마즈, 아리마, 모리아츠 3s M.S.
-> 모리아츠 fr-out / track in

모리아츠 네, 주군!

모리아츠 fr-out.

안절부절못하는 아리마.

이운룡 판옥선

조총을 방패로 막으며 볏짚과 기름 주머니를 던지는 조선군들

24 CUTS

EXT NIGHT VS

C#1

전진하는 판옥선들 사이로 전장 F.S.

마침내 이운룡이 이끄는 3선 판옥선 함대의 전방 화포들이 불을 뿜는다.

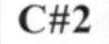
C#2

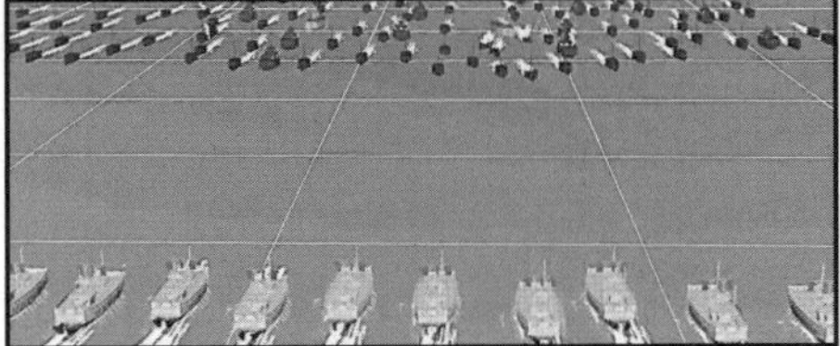

선봉대로 들어가는 3선 판옥선 부감 F.S.

(화포 공격들을 하며 엉망진창인 선봉대의 진영으로 들어가는 3선 판옥선. 구선이 왜선에 둘러싸인 채 전진하는 모습이 보인다.)

C#3

왜선 앞으로 밀고 들어오는 판옥선들
측면 F.S. / boom up

판옥선들이 충파로 우왕좌왕하는 왜군의 선봉 함선들을 그대로 밀어붙이며, (위압적으로 치고 들어온다.)

(전체 붙어 있는 것이 컷의 핵심. 판옥선이 선봉선을 일자로 밀어붙인다.)

C#4

왜군 조총병들 너머 밀어붙이는 판옥선들
약측면 low F.S. tracking

(왜군의 조총병들이 판옥선들을 향해 일제히 조총을 발사한다.) 하지만 아랑곳하지 않고 방패로 막으며 배를 더 붙여대는 조선군들.

C#5

조선군 방패 너머 왜군 조총병들 F.S.

방패 뒤로 몸을 가린 채, 조총 공격을 막는 조선 병사들.

C#6

판옥선 위 방패병 뒷모습 M.S. / tracking
너머 조총 쏘는 왜병들

방패로 막고, 활을 겨누는 조선 병사들.

C#7

이운룡 정측면 low B.S.

이운룡 배를 더 붙여라!

이운룡 부장 (소리) 배를 더 붙여라!

(프리비즈 수정 대사)

C#8

((판옥선의 격군실))
노를 젓는 조선 격군들 정측면 F.S. / track-in

노를 젓는 판옥선의 조선 병사들.

C#9

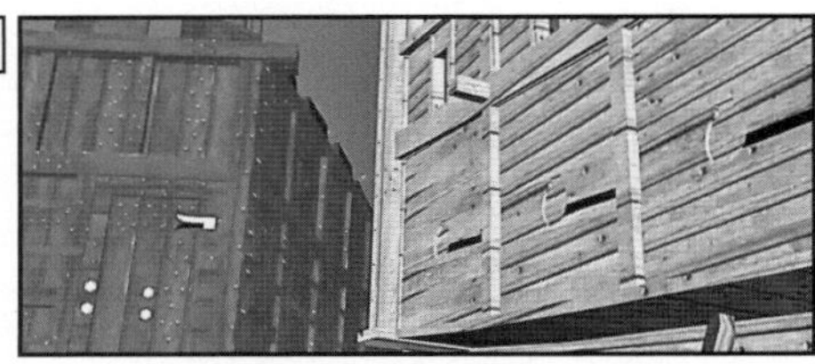

안택선에 더 붙는 판옥선 약 low tight

C#10

세키부네를 밀어붙이는 판옥선
측면 low T.F.S.
판옥선이 세키부네를 밀어붙인다.

C#11

이운룡 O.S. 갑판 위, 부감 F.S.
장루 위의 이운룡,
볏짚을 든 병사들에게 명령한다.

이운룡 볏짚을 투척하라! (프리비즈 대사)

C#12

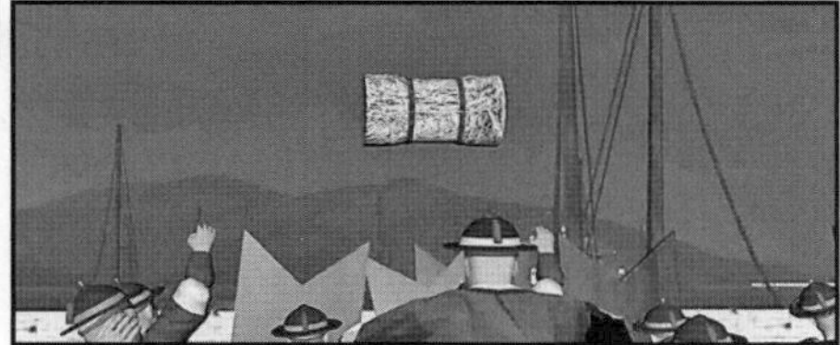

판옥선에서 던져지는 볏짚, 기름 주머니들
low T.F.S.
방패 뒤에서 조선 병사들이 왜선을 향해 볏짚을 던진다.

C#13

판옥선 위, 조선 병사들 정측면 low F.S.
기름 주머니를 들고 돌리는 조선 병사들.

C#14

기름 주머니 던지는 조선 병사들
약측면 low M.S. / 기름 주머니 follow
기름 주머니를 돌려 던진다.

C#15

판옥선 선미 직부감 tight
날아오르는 기름 주머니.

Pan 기름 주머니 follow
안택선 선미 갑판 위 직부감 tight

C#16

안택선 갑판 위 왜병 발 사이 tight
바닥으로 떨어진 기름 주머니가 터진다.

C#17

안택선 갑판 위 측면 약부감 T.F.S.
pan 바닥에 떨어지는 기름 주머니

C#18

안택선 갑판 바닥 약부감 tight
바닥에 떨어져 깨지는 기름 주머니.

C#19

안택선 갑판 위, 왜병 low T.F.S.
너머 3선 판옥선 low T.F.S. / T.U.
판옥선에서 날아와 안택선으로 떨어지는 기름 주머니를 왜병이 본다.

C#20

선봉대 앞에 선 판옥선 약측면 부감 F.S.
boom up track-out
왜선을 가로막고 기름 주머니를 던지는 조선군들.

C#21

이운룡 정측면 low B.S.
3선 판옥선에 명령하는 이운룡

이운룡 모두 배를 뒤로 물러라!

이운룡 부장 배를 뒤로 물러라!

C#22

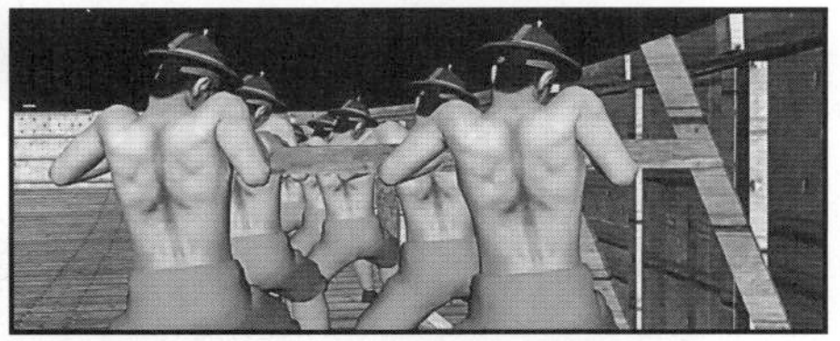

((판옥선의 격군실))
노를 젓는 조선 격군들 back T.F.S.
Track-out
이운룡의 명령에 순간 노를 뒤로 젓는 판옥선들.

C#23

세키부네에서 떨어지는 판옥선 tight

C#24

세키부네에서 멀어지는 판옥선
선미 측면 low T.F.S. / cam-out
왜군 함대에 가까이 붙었던 3선 판옥선 함대가 거리를 벌리며 뒤로 무르고….

멀어지는 판옥선을 향해 조총을 쏘는 세키부네
왜병들. (판옥선에서는 활을 쏘고 있다.)

S#51 시마즈 안택선

갑판으로 나와 깃발을 통해 바람의 방향을 확인한 시마즈가 본대를 멈추라고 지시한다

10 CUTS EXT NIGHT VS

C#1

모리아츠 너머 시마즈 W.S.

모리아츠가 시마즈를 돌아보며 외친다.

모리아츠 주군! 적선들이 갑자기 물러나고 있습니다!

시마즈가 뒤로 무르는 판옥선단을 보곤 갑자기 눈이 커진다.

C#2

시마즈 P.O.V.

왜선 선봉선에서 물러나는 판옥선 quick zoom in

C#3

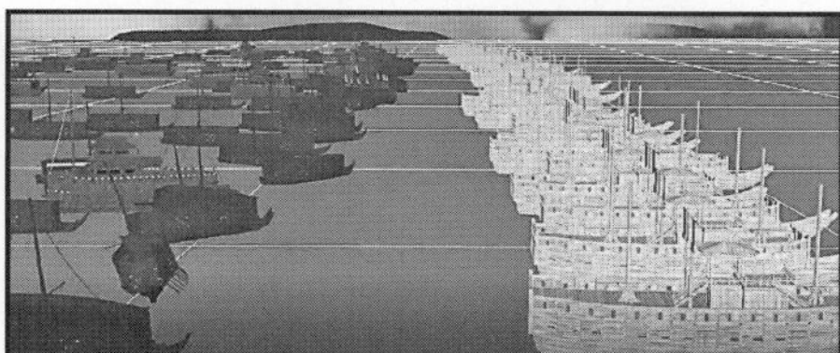

선봉선에서 멀어지는 판옥선 측면 약부감 F.S.

왜선 선봉선에서 물러나는 판옥선.

C#4

시마즈 정면 B.S.

뭔가 직감한 듯, (벌떡 일어나는 시마즈)

C#5

시마즈, 모리아츠 정측면 F.S.

track-in

층루 밖 난간으로 빠르게 뛰쳐나가는 시마즈.

C#6

돌아보는 시마즈 정면 B.S. tracking

시마즈 O.S. 깃발

그러자 시마즈의 얼굴을 사정없이 때리는 맞바람!

시마즈 설마!

고개를 돌려 깃발을 본다.

C#7

깃발 너머 시마즈 모리아츠 부감 F.S.

배에 꽂혀 있는 깃발들을 보면 자기 쪽으로 세차게 펄럭이고 있음을 본다.

C#8

깃발 보는 시마즈 부감 약측면 B.S.

cam-in

깃발을 올려다보는 시마즈.

C#9

모리아츠 O.S. 시마즈 B.S.

시마즈, 돌아본다.

시마즈 (당혹스러운) 배들을 멈추어라! 어서!

C#10

시마즈 O.S. 모리아츠 B.S.

모리아츠 (이내 역시 뭔가를 깨닫고 뛰어가며) 배들을 멈추어라!

모리아츠 fr-out

S#52 이순신 좌선

신기전과 대장군전의 발사를 명령하는 이순신 29 CUTS

EXT NIGHT VS

C#1

화톳불에 불 붙이는 화살 tight T.U.

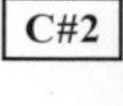

C#2

불화살을 조준하는 조선 병사들 너머
장루 위의 이순신 F.S. / cam-out

C#3

조선 병사들이 쏘는 불화살 low tight
불화살 follow

C#4

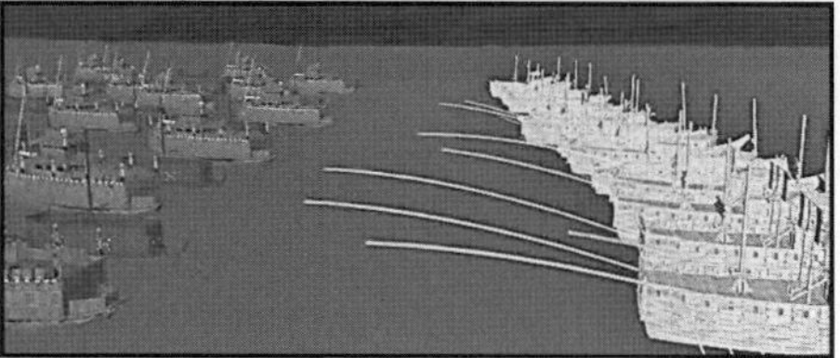

왜군 함대로 불화살을 쏘는 조선 함대들
측면 부감 F.S.

C#5

세키부네 위 왜병들 너머 조선 함대 F.S.
날아오는 불화살들.

C#6

조총을 쏘는 왜병들 위로 떨어지는 불화살
측면 T.F.S. / tracking

C#7

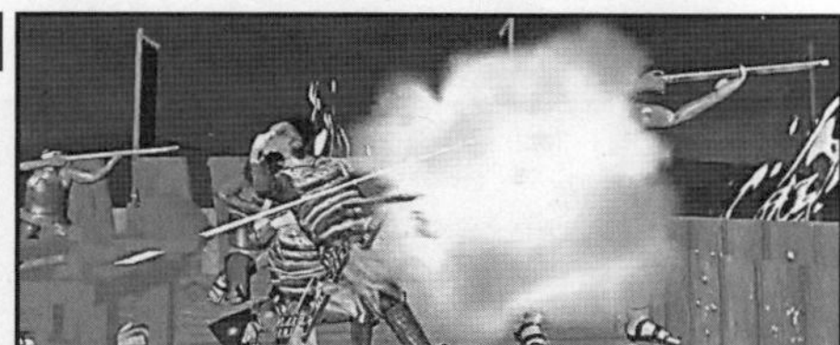

불화살 맞는 왜병 측면 T.F.S.

C#8

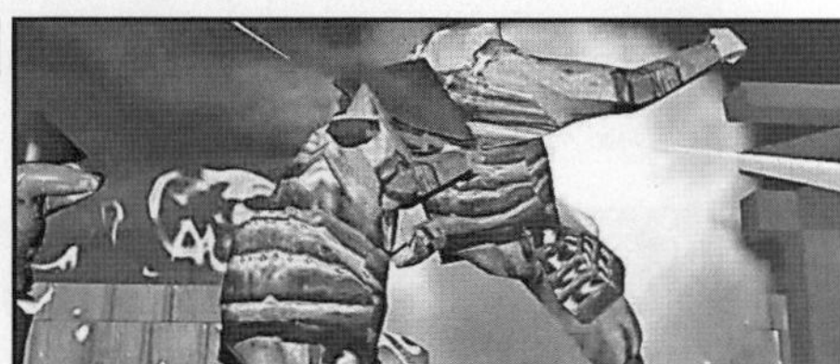

불화살 맞고 쓰러지는 왜병 low tight
pan

C#9

하늘에서 불기둥 tight follow

왜병사 위로 떨어진다.

불에 타면서 쓰러지는 왜병사.

C#10

((이순신 좌선))
이순신 좌선 부감 F.S. / zoom-in
선수 갑판 위, 신기전을 준비한다.

C#11

((이순신 좌선))
신기전을 준비하는 조선 병사
약부감 측면 T.F.S.

C#12

((이순신 좌선))
이순신, 송희립 M.S. track in 이순신
전방을 주시하고 있는 순신.

이순신 발포하라!

순신의 짧은 명령!

C#13

심지에 불을 놓는 조선 병사 low tight

C#14

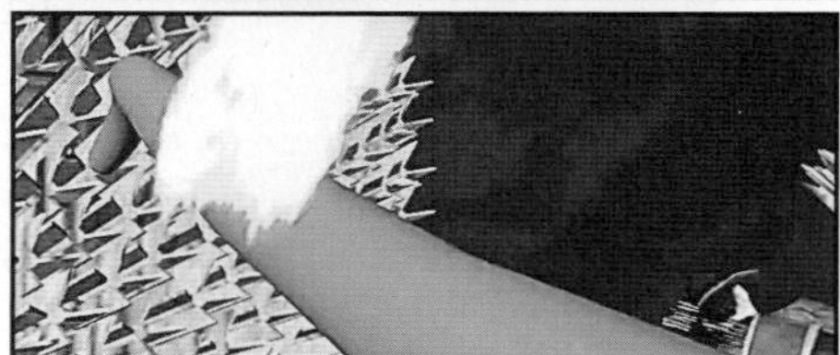

심지를 타고 올라가는 불 follow
신기전에 닿는다.

C#15

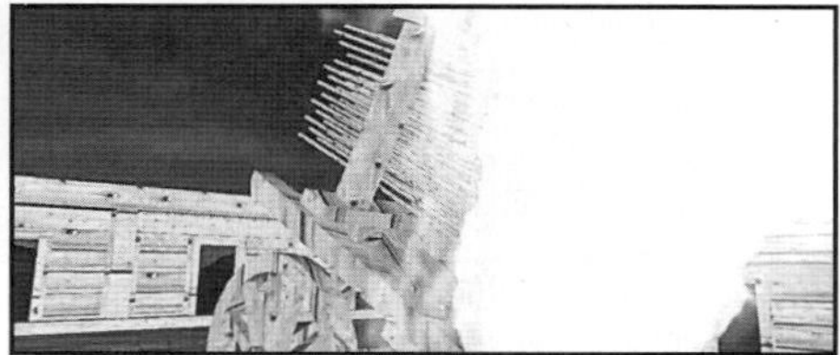

불화살이 날아가는 신기전 low 측면 F.S.
불이 붙자 신기전의 화살이 날아간다.
조선 함대 전체에서 순식간에 불붙은 대장군전들.

C#16

날아가는 불화살 follow / panning
zoom in 하늘로 날아오른 불화살 F.S.
조선 함대 전체에서 순식간에 불붙은 신기전이 날아오른다.

어두웠던 노량의 바다를 대낮처럼 환하게 밝히며 왜군 선봉대를 향해 날아가는 ~~태장군전과~~ 신기전들!

C#17

선봉선 너머 3선 판옥선 F.S.
3선 판옥선에서는 선봉선을 향해 불화살을 쏘고,
그 뒤로 본대에서 선봉선을 향해 신기전을 쏜다.

C#18

선봉선들 사이 tracking low T.F.S.
마치 유성이 떨어지듯 거대한 불기둥을 이루며 왜군 선봉 함선들에 떨어지는데….
~~(쏘아라! 이운룡의 명령에 3선의 판옥선들마저 불화살을 날리기 시작하고)~~

C#19

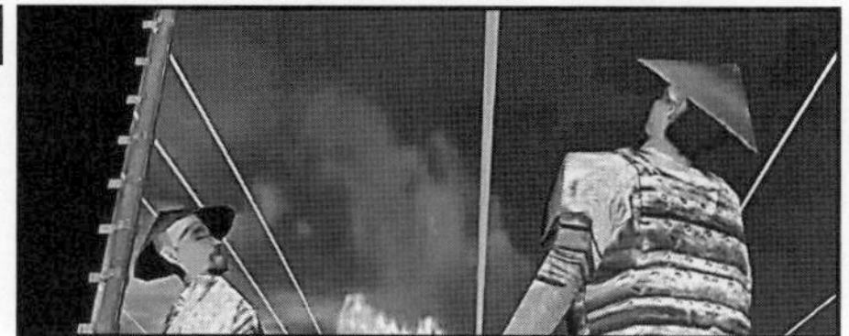

날아가는 신기전의 활을 보는 왜병들
low M.S.

C#20

조총을 겨누는 안택선의 왜병들 약측면 T.F.S.
신기전이 날아와 누각이 터진다.

C#21

안택선 위 조총병들에게 떨어지는 불기둥
back T.F.S.
갑판이 터진다.

C#22

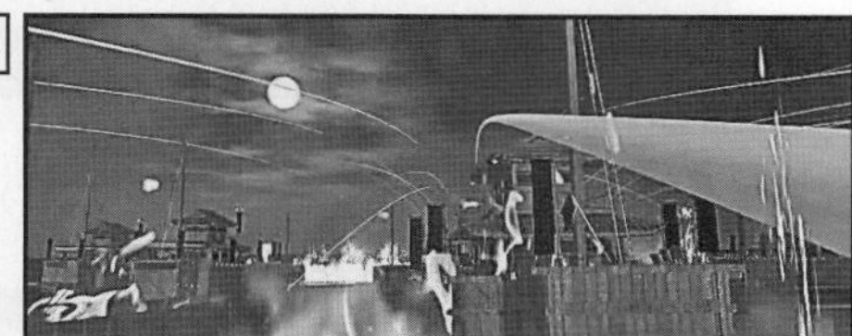

선봉대를 향해 떨어지는 불화살들 low
F.S. / tracking

C#23

((시마즈 안택선))
시마즈 약 측면 low T.B.S.
선봉 함선으로 떨어지는 신기전을 보는 시마즈.

C#24

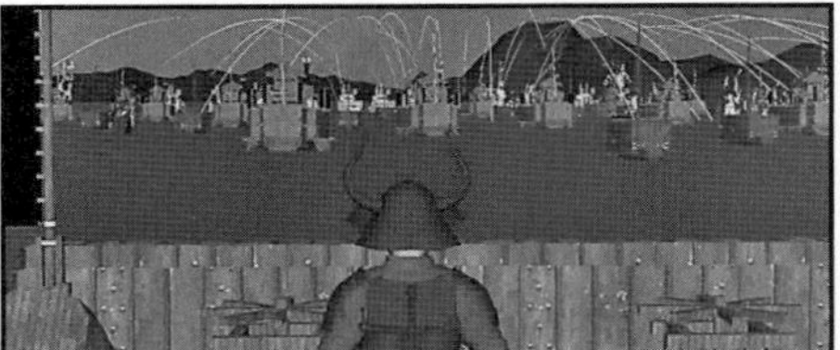

((시마즈 안택선))
시마즈 O.S. 선봉선 L.S. / boom down
터지는 신기전에 더욱 치솟는 불길들.

C#25

((데라자와 안택선))
선봉선의 안택선 약부감 T.F.S. / tracking
조총을 쏘는 왜병들 사이로 불화살이 날아온다.

C#26

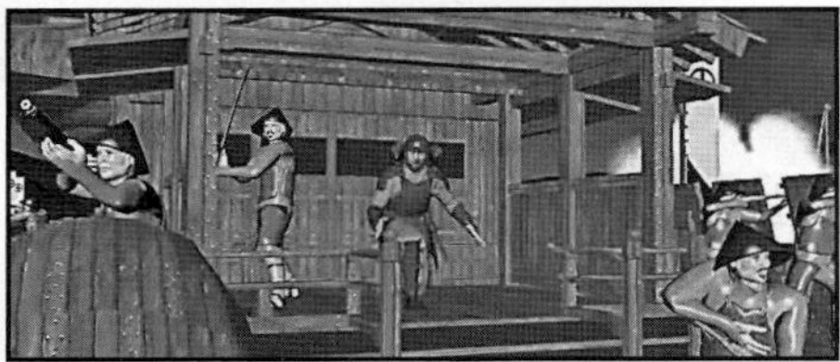

((데라자와 안택선))
누각에 앉아 있던 데라자와 정측면 T.F.S.
tracking

C#27

((데라자와 안택선))
데라자와 B.S.
놀란 데라자와, 주위를 둘러본다.

C#28

안택선 갑판 위 low tight
조총을 쏘던 병사 뒤로 불화살이 떨어지고.

C#29

안택선 갑판 위 T.F.S. (누각 방향)
불붙은 조총병 follow tracking
불붙은 조총병이 갑판 아래로 떨어지고,
불화살이 쏟아지는 갑판 위에 왜병들이 총을 겨눈다.

S#53 화공 몽타주

신기전과 대장군전에 박혀 죽는 세키부네 갑판 위의 왜군들 13 CUTS

EXT NIGHT VS

C#1

판옥선 화포 측면 F.S. / track out
대장군전을 준비하는 판옥선들.

C#2

대장군전을 준비하는 판옥선의 병사들
화포 앞 boom up / back M.S.
이내 떨어지는 조선의 불화살과 신기전에 박혀 죽는 무수한 왜군들….

C#3

이운룡 track out B.S.

이운룡 쏘아라!

C#4

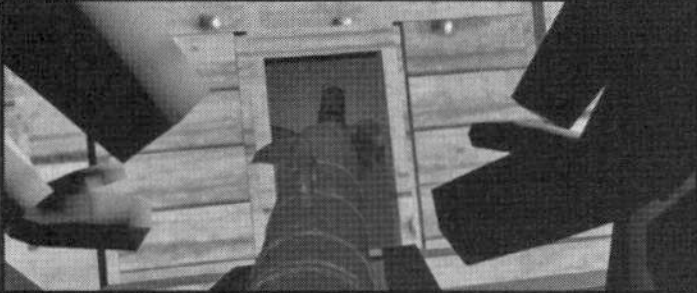

화포에서 나가는 대장군전 follow
대장군전, 안택선의 갑판으로 날아간다.

FR-IN

C#5

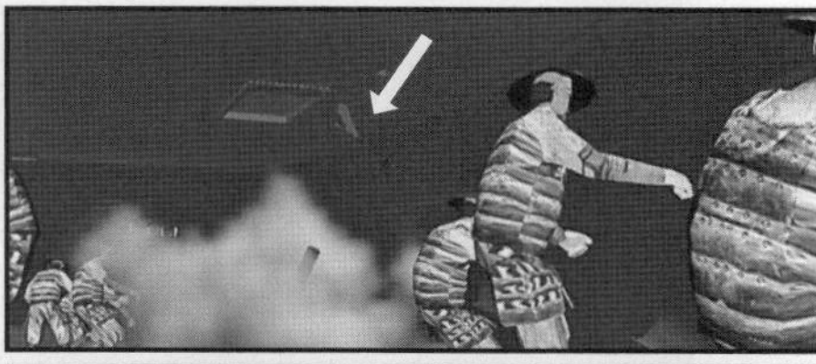

((안택선 격군실))
공격받는 격군실의 왜군들 측면 T.F.S.
대장군전 fr-in / out
심지어 대장군전은 왜군 함대의 격군실까지 파고들어 그곳을 수장시킨다. 쓰러지는 왜병들.

C#6

선봉대의 안택선 갑판 약부감 측면 tight track out
신기전과 대장군전이 떨어지는 선봉 함대들.
조총으로 대응하는 왜병들.

왜군 함선들 곳곳에서 화염들이 거세지고…
왜군들이 불타고 바다에 뛰어든다.

C#7

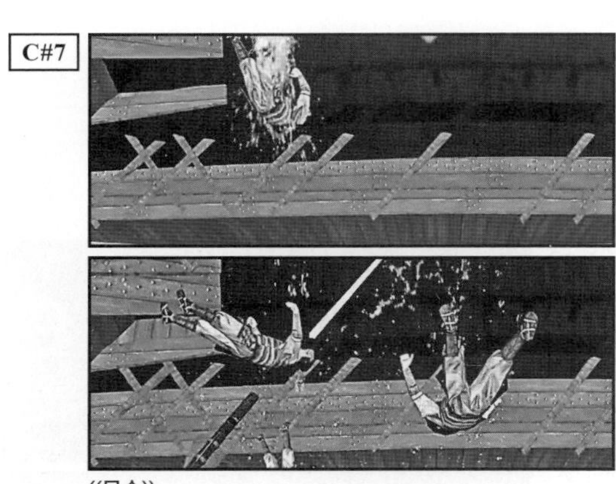

((물속))
물속으로 떨어지는 왜병들 low T.F.S.
대장군전이 물속으로 들어온다.

C#8

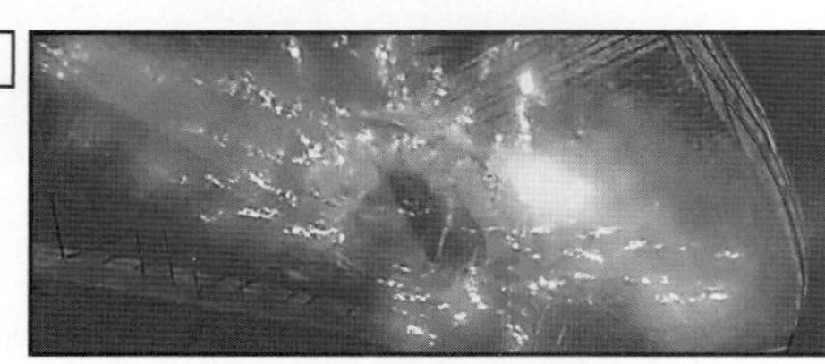

((물속))
불타는 전장 아래 물속 low tight
무언가(구선) 지나간다.

C#9

전장을 누비는 구선 1 정면 F.S.
그 지옥불 사이에서 여전히 맹활약 중인 구선들.
(화포를 쏘며 다가온다.)

C#10

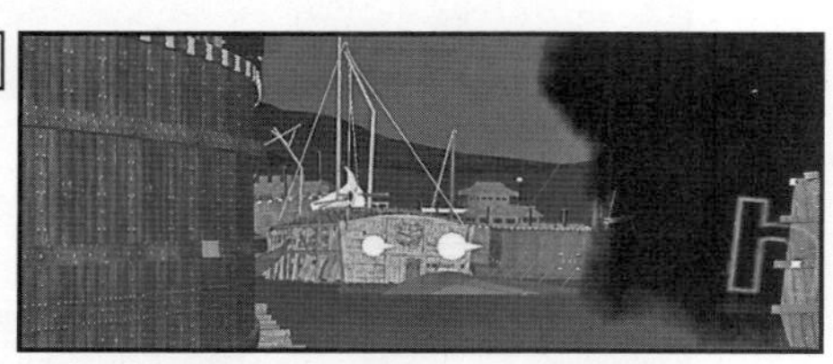

구선 1 약측면 T.F.S. / zoom out
Pan 구선 2 fr-in
화포를 쏘며 전진하는 구선 1.
그 지옥불 사이에서 여전히 맹활약 중인 구선들.

C#11

C#12

무너져 내리는 안택선 약측면 tight
boom up 전장을 전진하는 구선들 F.S.

C#13

불타는 선봉대의 전장 측면 부감 T.F.S.
boom up

S#54 시마즈 안택선

화포를 준비하라고 명령하는 시마즈, 모리아츠가 주춤하자 다그친다 21 CUTS

EXT NIGHT VS

C#1

반파된 세키부네 잔해 tracking
토요히사의 중군 배 low 약측면 F.S.
(토요히사 선수 갑판 위에 서 있다.)
매서운 남서풍을 타고 반파된 몇몇의 왜선들이 멈춰 서 있는 토요히사 중군 쪽으로 흘러들고 있다.

C#2

((토요히사 안택선))
멈춰선 토요히사 안택선 약측면 low F.S.
토요히사의 안택선 쪽으로 흘러오는 반파된 왜선 잔해들.

C#3

갑판 난간에 왜병 1, 2 low B.S.
토요히사의 왜병들, 배 아래쪽을 살핀다.

C#4

토요히사 side B.S.

토요히사 부장 (소리) 불들이 옮겨붙는다! 어서 불을 꺼라!

토요히사가 당황한다. 급히 후방 시마즈 쪽을 보는데.

C#5

토요히사 정면 B.S.
시마즈 쪽을 본다.

C#6

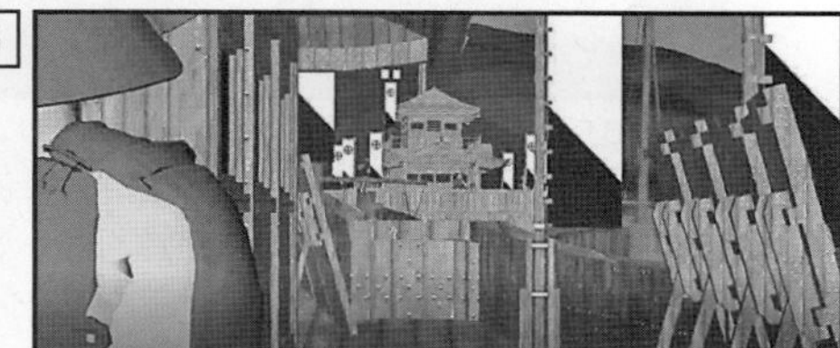

토요히사 O.S. 시마즈 T.F.S. / track-in
시마즈를 보는 토요히사.

C#7

((시마즈의 함대))
시마즈, 아리마 T.F.S.
아리마 또한 순신의 화공 전술을 넋 놓고 그저 바라볼 뿐인데,

C#8

아리마 약측면 W.S.
모리아츠 fr-in / out
앉아서 좌불안석인 아리마,
지나가는 모리아츠.

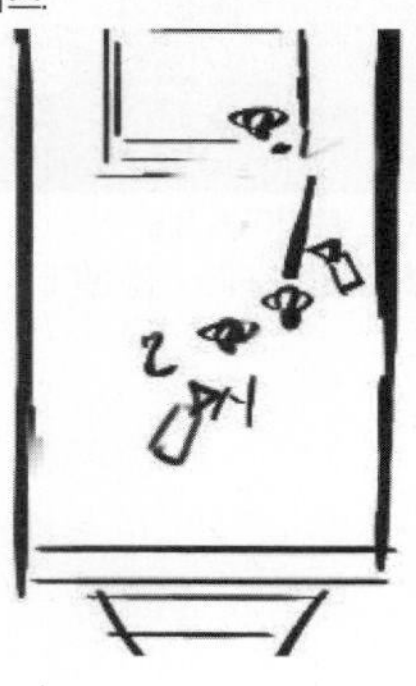

C#9

시마즈, 모리아츠, 아리마 low / W.S.
모리아츠가 시마즈에게 황급히 다가선다.

모리아츠 주군! 불길을 벗어날 방법이 없습니다.

C#10

시마즈 O.S. 모리아츠 B.S.

모리아츠 우리 본대 뒤로 타치바나의 후미 부대까지 도착해 있습니다. 이대로라면 모두가 화염에 휩싸일 수도….

C#11

시마즈, 모리아츠 O.S. 전장 F.S.
동요하지 않고 뭔가 생각을 하며 전방을 주시하는 시마즈….

C#12

시마즈 측면 T.B.S. tracking

시마즈 재밌는 자가 아니냐. 상호 간이 지척인데, 화공이라니!

C#13

시마즈 O.S. 모리아츠 B.S.
모리아츠, 말없이 시마즈를 본다.

C#14

시마즈 정측면 low T.B.S.

시마즈 (차갑게) 토요히사에게 포획한 조선 화포들을 모조리 발포하라고 전해라!

C#15

시마즈 O.S. 모리아츠 측면 low B.S.

모리아츠 (놀라서) 네? 주군. 무리해서 발포했다 자칫 선봉선들에 떨어지기라도 하면….

아! 하더니 갑자기 말을 멈추고 시마즈를 빤히 응시하는 모리아츠….

C#16

모리아츠 B.S.

모리아츠 설마! 선봉선들을….

C#17

시마즈 약측면 low T.B.S.

시마즈 저 정도 용기를 보여주는데 우리도 뭔가 결기를 보여줘야지!

바라보는 시마즈의 얼굴에는 놀랍게도 차가운 미소가 어려 있다. 호적수를 만난 듯, 어떤 희열마저 느껴지는 시마즈의 표정….

C#18

시마즈 P.O.V. 불타는 선봉전장 F.S.
불탄 잔해가 흘러나온다.

C#19

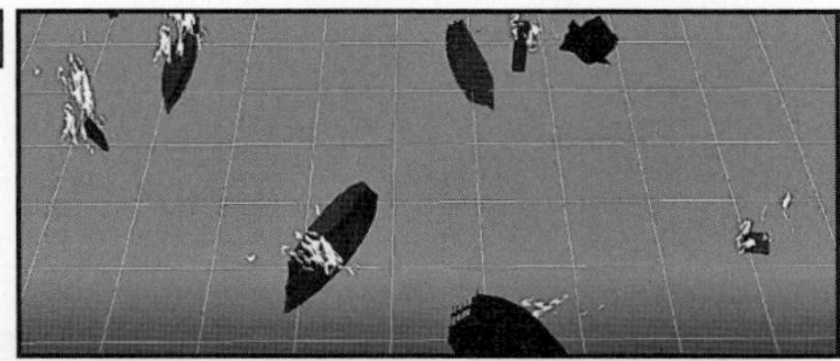

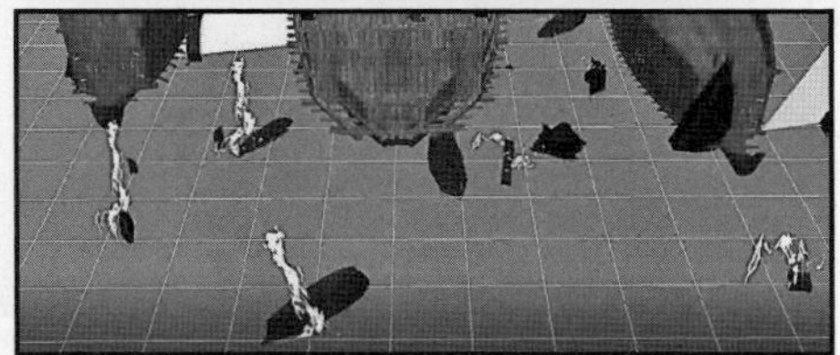

부감. 반파된 잔해들 T.F.S. / boom up
직부감. 떠내려오는 잔해들.
(돛대에 불이 붙어 있다.)

C#20

시마즈, 모리아츠, 아리마 3s. M.S.
zoom in

모리아츠 주군….

시마즈 서둘러라. 불을 꺼야 너머의 놈들을 잡을 수 있다. 토요히사에게 포격을 명하라!

명령을 받은 모리아츠 병사들에게 명령을 내린다.

모리아츠 네, 주군.

C#21

아리마 B.S.
뒤에서 어쩔 줄을 모르는 아리마.

S#55 토요히사 안택선

토요히사가 발사 명령을 내린다. 주저하는 왜병들을 다그치는 토요히사 35 CUTS

EXT NIGHT VS

C#1

갑판 위, 화포들 low tight / boom up
토요히사와 왜병들 정측면 T.F.S.
조선의 화포들을 포구 앞에 고정시키고
불타고 있는 아군 선봉선을 조준하는 왜병들.

C#2

토요히사 B.S.
모리아츠의 포격 신호를 받은 토요히사, 병사들에게 명령을 내린다.

토요히사 선봉선들을 조준하라! 어서! 주저하면 우리가 불길에 죽는다!

C#3

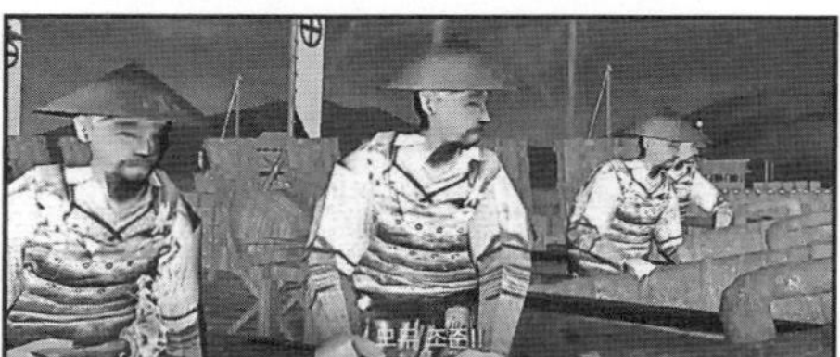

왜병들 정측면 T.F.S.
화포의 심지에 불을 붙이는 왜병들,
눈빛이 흔들리고 손들이 떨린다.

토요히사 모두 조준! (previse)

C#4

왜군 화포 너머 선봉 전장 F.S.
불타는 선봉선을 조준하는 왜군 화포.

C#5

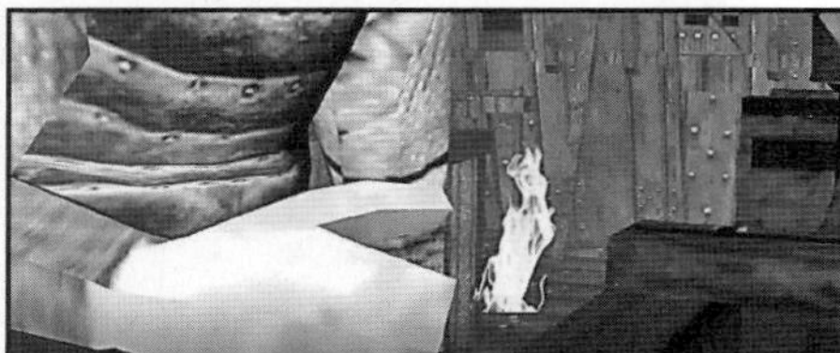

화포의 심지에 불 붙이는 손 tight
boom up 왜군 병사의 얼굴 B.S.
화포의 심지에 불을 붙인다.

C#6

토요히사 B.S. track out
매몰찬 토요히사의 명령!

토요히사 발포!

C#7

발포하는 화포 약측면 tight
track out
이내 발사되는 안택선 위의 포탄들!

C#8

갑판 위 약부감 F.S. 선봉 전장
직사로 날아간 포탄들이 데라자와의 선봉대를 격침 시킨다.

C#9

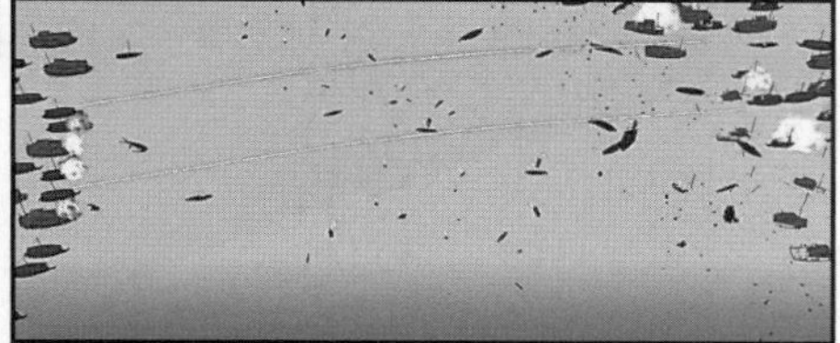

선봉 함대를 향해 포를 쏘는 중군 함대
부감 L.S. / moving
직사로 날아간 포탄들이 데라자와의 선봉대를 격침시킨다.

C#10

((데라자와 안택선))
데라자와 안택선 약측면 low T.F.S.
포탄에 격침당하는 데라자와 안택선.

C#11

((데라자와 안택선))
흔들리는 데라자와 B.S. tracking
포탄의 충격에 흔들리는 데라자와 돌아보면,
공격받아 불길이 치솟는 주변.

C#12

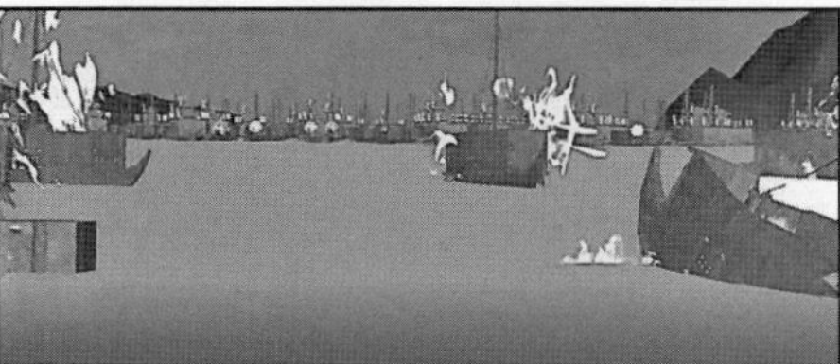

데라자와 P.O.V. 선봉대를 공격하는
토요히사 중군 함대들 F.S.

C#13

((데라자와 안택선))
데라자와 W.S.
포탄이 떨어지는 선봉대들 사이 안택선 위의 데라자와, 소리를 친다.

데라자와 시, 시마즈 네 이놈!

C#14

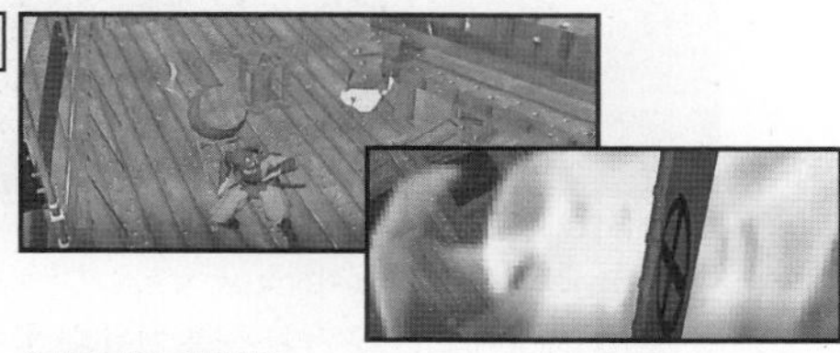

((데라자와 안택선))
갑판 위, 데라자와 부감 F.S.
데라자와 위로 불기둥이 떨어진다.
데라자와가 채 비명도 지르지 못하고 사라진다.

C#15

((데라자와 안택선))
가라앉는 데라자와 안택선 low F.S.
토요히사 함대의 맹포격에 격침되어 바다로
가라앉는 데라자와의 선봉선들.

C#16

화포 쏘는 토요히사 안택선 low T.F.S.

C#17

선봉선들 사이 다가오는 구선 L.S.
헌데 그 잦아드는 불길 속에서 구선들이 돌진해 나온다.

C#18

다가오는 구선 T.F.S.
화포를 쏘며 전진한다.

C#19

토요히사 B.S.
다가오는 구선을 보는 토요히사B

토요히사 (매섭게) 메쿠라부네를 겨눠라! 일제히 사격하라!

C#20

토요히사 앞으로 화포 쏘는 왜군들 너머
선봉대 사이로 다가오는 구선 1, 2, F.S.
놀라며 술렁이는 왜병들. 이내 조총과 포탄들이 구선을 타격한다.

C#21

선봉선 사이로 화포 공격을 뚫고 전진하는
구선 1, 2, 부감 T.F.S. / pan

C#22

((이운룡 판옥선))
이운룡 O.S. 선봉선 후방 F.S.
선봉대들 사이로 나아가는 구선의 후미를 보는 이운룡.

C#23

((이순신의 좌선))
송희립 약측면 low B.S.
전방을 주시하던 송희립, 이순신에게.

송희립 장군… 구선들이….

pan 이순신 low T.B.S.

이순신 …….

이순신, 전장을 본다.

C#24

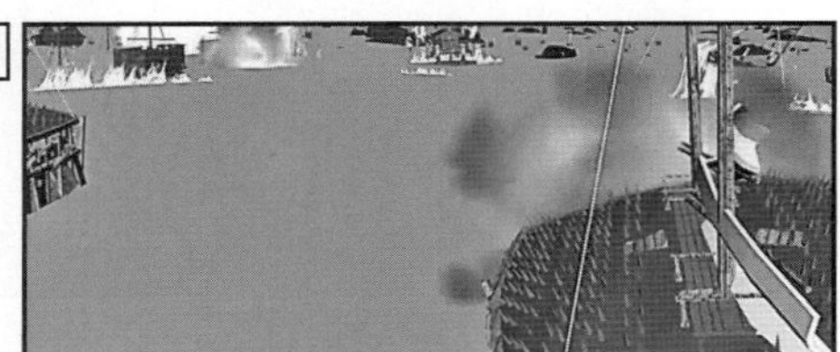

전진하는 구선 1, 2, 약부감 T.F.S.
이내 조총과 포탄들이 구선을 타격한다.

C#25

포탄을 맞는 구선 1 T.F.S. / tracking
포탄 맞으며 전진하는 구선 2
그 충격에 구선 1의 돛대가 부러지고 몸체가 기울기 시작한다.

또다시 화포 공격을 받는 구선 2,
불타는 구선 1이 침몰하고 있다.

화포 공격을 받으면서 전진하는 구선 2.

C#26

토요히사의 왜병들 low T.F.S.
조총을 쏘던 왜병 1이 문득 반색하며 외친다!

왜병 1 저기 봐라! 메쿠라부네가 가라앉는다!

C#27

불타는 구선 2 정측면 F.S.
불에 탄 채로 전진하던 구선 2, 기울기 시작한다.

C#28

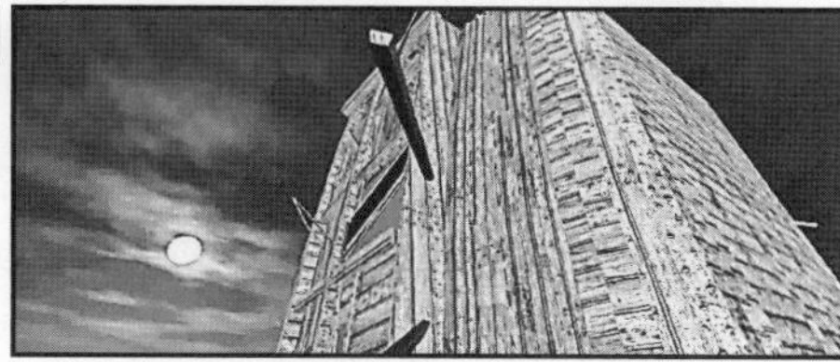

완전히 기울어진 구선 2 trscking
low tight
불타는 구선이 침몰하고 있다.

C#29

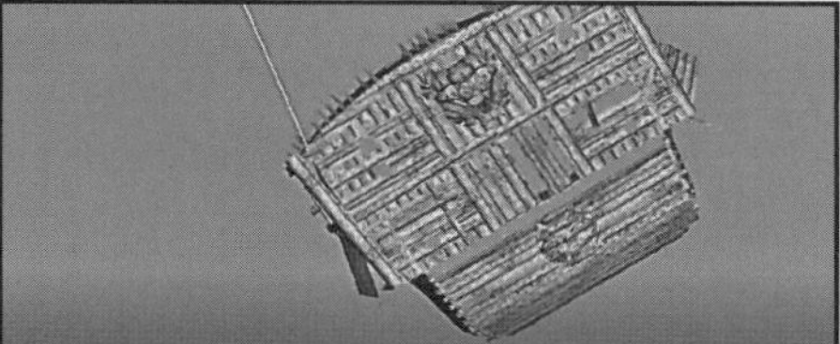

침몰하는 구선 부감 T.F.S.
두 번째 구선이 용두만 남겨둔 채 빠르게 깊은 바닷속으로 가라앉는다.

C#30

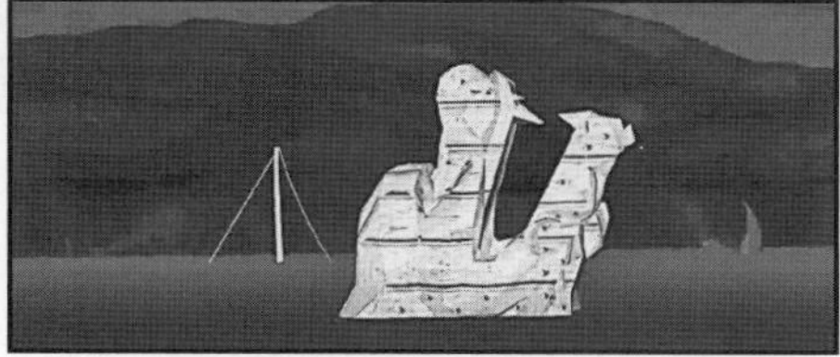

침몰하는 두선의 용두 측면 tight

C#31

((세키부네))
함성 지르는 왜별들 정측면 T.F.S.
사기 오른 왜군들이 함성을 지른다.
"메쿠라부네가 가라앉는다!"

C#32

((이순신의 좌선))
송희립 B.S. / pan 이순신 B.S.
침몰하는 구선을 보는 송희립.

지그시 가라앉는 구선을 보는 이순신.

C#33

((이운룡의 판옥선))
이운룡 측면 T.B.S.
구선의 침몰을 보는 이운룡.

C#34

토요히사 정측면 low B.S. / track in

토요히사 (자신만만하게) 돌진하라!

C#35

용두 너머로 다가오는 토요히사 안택선
low F.S.
용두를 부수고 나아가는 토요히사 안택선.
마침내 토요히사와 시마즈의 중군이 침몰하는 선봉선들을 제쳐가며 전장을 뚫고 나온다.

S#56 이운룡 판옥선

토요히사 함대의 전진을 본 이운룡이 화포를 준비하라고 명령한다 9 CUTS EXT NIGHT VS

C#1

선봉선에서 싸우는 3선 판옥선들 F.S.
(디지털 줌아웃) 이운룡 O.S. 선봉대 전장
순신의 본대와 불타는 왜군 선봉선들 사이의 이운룡. 시마즈군에 토요히사 배들이 가라앉는 선봉선들을 뚫고 나오는 모습을 보며,

C#2

이운룡 B.S.
선봉선을 보며 명령하는 이운룡.

이운룡 어서 포들을 준비하라!

C#3

선봉대의 잔해들 약부감 F.S.
토요히사 안택선 fr-in / boom up
돌진하는 토요히사 함대들 부감 L.S.
빠르게 다가가는 토요히사의 함선들.

C#4

잔해 너머 토요히사 안택선외 함선들
low F.S. / cam-in
잔해를 치고 나오는 토요히사의 함선들.

C#5

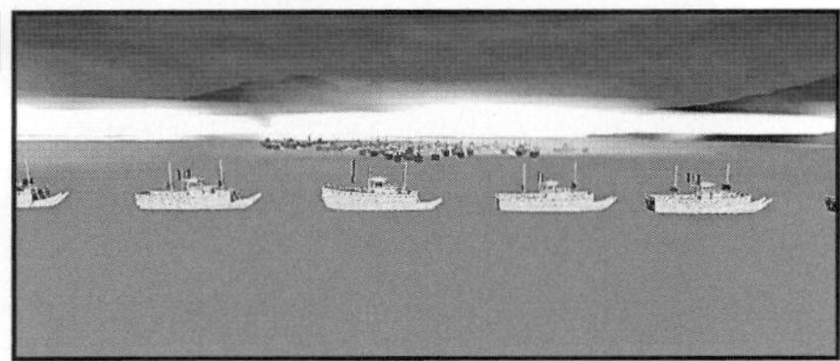

횡으로 막은 3선 판옥선들 약부감 F.S.
이운룡의 명령을 받는 판옥선 선봉 함대가 배를 횡으로 돌린다.

C#6

이운룡 B.S. track-in
다가오는 토요히사의 함대를 보는 이운룡.

C#7

조선 병사들 뒷모습 너머 토요히사 함대들
wide shot
화포 앞으로 대기하는 조선 병사들.
다가오는 토요히사의 함대들.

C#8

이운룡 track out / M.S.
상기된 표정으로 바라보는 이운룡,

이운룡 발포하라!

C#9

판옥선의 화포들 약측면 low T.F.S.
tracking
판옥선들에서 화포, 일제히 발포한다.

S#57 토요히사 안택선

조총 사격 명령을 내리는 토요히사 11 CUTS EXT NIGHT VS

C#1

왜군관 O.S. 이운룡 함대 F.S.

3선 판옥선을 향해 가는 토요히사 안택선.

C#2

왜군관 M.S.

왜군관 포탄을 피해라! 배를 좌현으로 돌려라!

포격을 시작한 이운룡 함대를 향해 돌진 중인 토요히사 함대. 그 속도가 거세졌다.

C#3

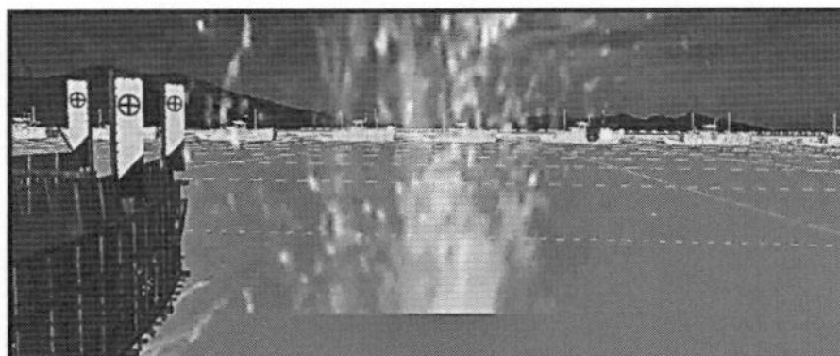

이운룡 함대 L.S. 토요히사 함대 fr.in track out

포격을 시작한 이운룡 함대를 향해 돌진 중인 토요히사 함대. 그 속도가 거세졌다.

C#4

토요히사 정측면 M.S.

토요히사 쏴라!

C#5

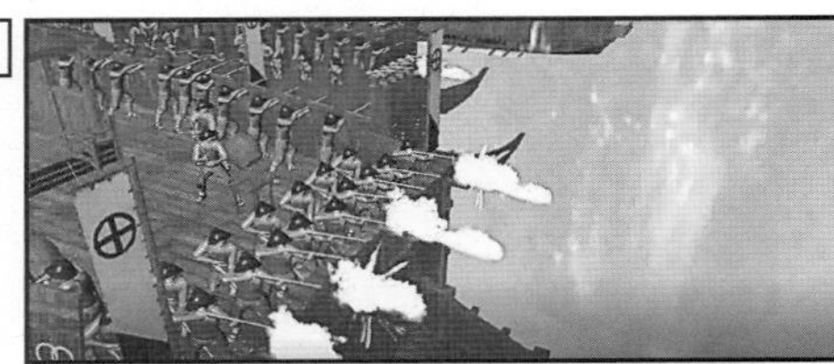

조총 쏘며 돌진하는 안택선들 측면 약부감 tracking

판옥선의 포격을 피하며 돌진하는 토요히사의 함대! 이어지는 조총 반격,

C#6

판옥선 약측면 부감 tracking

이운룡의 판옥선 함대의 군사들이 쓰러지기 시작한다.

C#7

조총 쏘며 돌진하는 왜군들 뒷모습

C#8

((이운룡의 판옥선))

판옥선 측면 F.S. / track-in

이운룡의 판옥선 함대의 군사들이 쓰러지기 시작한다.

C#9

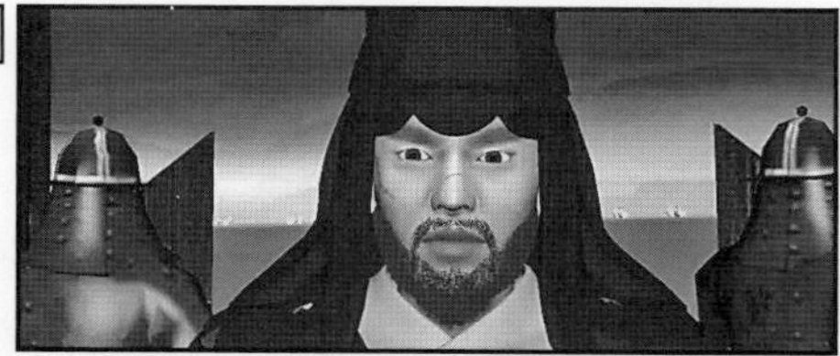

이운룡 T.B.S.
월선을 시도하는 왜군을 내려다보는 이운룡.

C#10

다가오는 세키부네 부감 T.F.S. / follow

C#11

판옥선 너머 세키부네 약부감 T.F.S.
토요히사의 세키부네들이 이운룡의 판옥선들에 들러붙기 시작한다.

boom up 이운룡 약부감 T.F.S.
장루 위, 이운룡 명령한다.

이운룡 갈고리를 끊어내라! (프리비즈 대사)

S#58 시마즈 안택선

자신감에 찬 모리아츠와 토요히사 함대의 교전을 바라보며 대꾸하는 시마즈 6 CUTS

EXT NIGHT VS

C#1

((이운룡의 판옥선))

판옥선, 세키부네 F.S.

토요히사의 세키부네들이 이운룡의 판옥선들에 들러붙기 시작한다.

C#2

((이운룡의 판옥선))

이운룡 판옥선 옆 세키부네 정면 약부감 T.F.S.

이운룡의 판옥선에 월선을 시작하는 왜군들.

C#3

전장 cam-out 시마즈, 모리아츠 뒷모습

(월선 중인 상황, 함성이 높아진다.)

토요히사의 세키부네들이 이운룡의 판옥선들에 들러붙기 시작함을 본다. 묵묵히 토요히사와 이운룡의 교전을 지켜보고 있는 시마즈.

C#4

시마즈, 모리아츠 2s 정측면 B.S.

곁에 있던 모리아츠가 승기가 보인다는 듯 자신감에 찬 표정으로 시마즈에게 묻는다.

모리아츠 이런 곳에서 기다리고 있었다니.

C#5

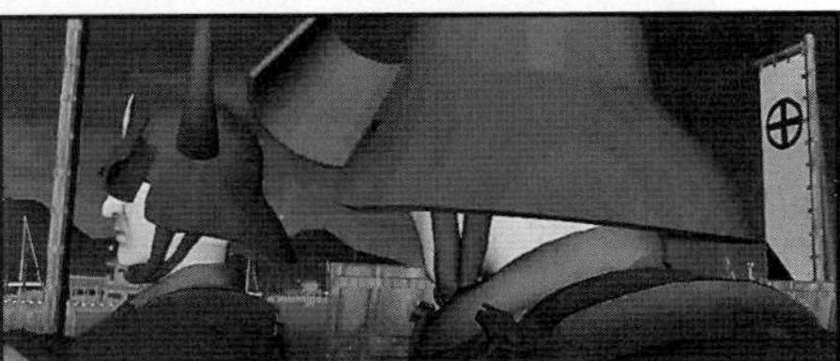

모리아츠 -> 시마즈 측면 B.S. / tracking

모리아츠 결국은 이순신이 제 무덤을 판 것입니다.

시마즈 (나직이) 그럴 수밖에 없었겠지… 고니시와 나를 동시에 막을 순 없을 테니….

C#6

시마즈 low B.S. / track-in

시마즈 (나직이) 그럴 수밖에 없었겠지… 고니시와 나를 동시에 막을 순 없을 테니….

S#59 이순신 좌선

전투 상황을 지켜보던 이순신이 송희립에게 진격을 명령한다 | 10 CUTS | EXT NIGHT VS

C#1

이순신 P.O.V.
토요히사 함대와 치열하게 교전하는 이운룡 3선 함대의 상황.

C#2

송희립 약측면 B.S.
긴장된 표정의 송희립.

송희립 (긴장된) 이 수사(이운룡)의 선봉 함선들까지 도 위험합니다.

pan 이순신 B.S.
상황을 주시하고 있는 순신.

이순신 …….

C#3

이운룡 판옥선 부감 F.S.
이운룡이 고전 중인 게 역력히 보인다.
세키부네들이 이운룡의 배에 마구 들러붙고 있다.
(올라타고, 조총을 쏘고, 사다리가 올려진다.)

C#4

3선의 판옥선 측면 T.F.S. / pan
세키부네가 3선의 판옥선에 들러붙는다.

이운룡 판옥선 측면 T.F.S.

~~**이운룡** 월선을 막아라! 적선의 갈고리를 끊어내라!~~

월선을 막으려 달려드는 조선 병사들.
이미 이운룡의 판옥선에 월선을 시도하는 왜군들.
토요히사가 웃는다.

C#5

이순신 측면 약부감 Boom down

이순신 …….

한 발 걸어 나오는 이순신,

전장을 주시하고 있던 순신이 마침내 결연히 명령을 내린다.

이순신 전군에 진격을 명하라!

C#6

이순신 측면 O.S. 송희립

송희립 (결연히) 예! 장군.

이순신 T.B.S.
전장을 바라보는 이순신.

C#8

송희립 M.S. track out 좌선 선수 F.S.
이순신이 뒤에 서 있다. 앞쪽으로 나온 송희립 순신의 명령을 받은 희립이 큰 목소리로 명령을 전한다.

송희립 전군 진격하라!

나발 소리가 들리고, 진격하는 판옥선들.

C#9

판옥선의 노 측면 T.F.S.
진격하는 판옥선들.

C#10

진격하는 이순신의 본 함대 부감 약측면 L.S.
boom down 이순신의 좌선 low 약측면 F.S.
나발 소리가 들리고, 진격하는 판옥선들.

S#60 진린 호선

전장을 바라보다 나직이 혼잣말을 중얼거리는 진린 | 3 CUTS | EXT NIGHT VS

C#1

왜선에 둘러싸인 3선 판옥선 측면 F.S.
pan 이순신의 본 함대 측면 F.S.
이운룡의 전장으로 진격 중인 이순신의 판옥선들.

~~int) 대도 북쪽에 진을 친 채 그저 대기 중인 명 함대 1500여 척.~~

C#2

진린, 진잠 정측면 low B.S.
강 건너 불구경하듯, 대도 남쪽의 치열해지고 있는 전장을 보고 있는 진린. 고개를 돌려 서쪽 바다 순천 예교성이 있는 광양만 쪽을 응시한다.

진 잠 (진린을 보며) 도독.

한 발 더 다가가서 전장을 보는 진린.

진 린 (한 발 나가며) 고니시… 약간의 무력 시위라 했다.

C#3

진린 B.S. / track in

진 린 이제 끝난것 아니냐….

S#61 광양만

어둠을 응시하는 준사와 항왜들 19 CUTS EXT NIGHT VS

C#1

예교성 너머 장도 L.S.
(천수각 걸고 카메라, 드론샷의 느낌으로.
멀리 장도 앞의 불빛들이 보인다.)
장도를 중심으로 좌우 뗏목들에 타오르고 있는 무수한 횃불들…. (천수각에도 고니시가 있는 것처럼 불이 밝혀져 있다.)

C#2

뗏목 위 횃불들 F.S. / pan 협선 위 검은 실루엣
(뗏목 위에 횃불들이 켜져 있다.)
장도 옆 협선 위, 건너편 어둠을 응시하는 준사와 항왜들의 모습이 보인다.

C#3

협선 위 준사, 항왜들 low F.S. / cam-in
(어둠을 응시하는 준사와 항왜들의 모습이 보인다.)
횃불을 밝힌 협선.

C#4

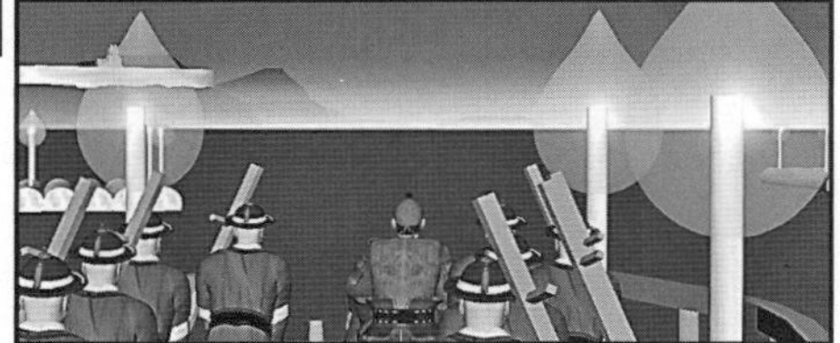

준사와 항왜들 back F.S. / boom up
(멀리 천수각이 보인다. 준사 앞으로 협선이 있고, 주변으로 뗏목이 있다.)
준사와 항왜, 약간 웅크린 자세로 앉아서 전방을 주시한다.
장도 옆 협선 위, 건너편 어둠을 응시하는 준사와 항왜들의 모습이 보인다.

C#6

준사 약부감 B.S. tarck in
준사의 표정이 점차 상기되는데….

C#6

p.o.v 고니시의 함대 L.S. / zoom-in
밤안개 속 희미하게 배들이 보이기 시작하는데.
마침내 1백여 척의 고니시 함대가 모습을 드러내기 시작한다.

C#7

준사 low B.S. / track-in
멀리 고니시의 함대를 보는 준사

준 사 …….

C#8

돌아보는 준사 B.S. / track-out
준사, 뒤를 돌아 항왜들을 본다.
준사 뒤로 멀리 고니시의 함대가 다가온다.

준 사 …….

C#9

정면 low F.S. tracking 준사와 항왜들
(협선 앞의 뗏목 위에 카메라가 위치해 있듯)
횃불을 끄고, 멀어지는 준사 협선. 준사의 명령에 조용하면서도 신속히 장도를 빠져나가는 준사의 협선.

C#10

뗏목 사이 몸을 숨긴 준사 협선
약부감 back F.S. / pan 고니시 함대 L.S.

C#11

boom down 고니시 뒷모습 o.s. 조총병들
전진하는 고니시 안택선.

C#12

고니시 약측면 B.S.
전진하는 고니시의 얼굴.

C#13

고니시 P.O.V. 뗏목들 F.S.
멀리 장도가 보인다. 그 앞의 불빛들.
(낡은 협선 여러 척과 둥실둥실 떠 있는 뗏목들.)
고니시의 눈앞에 펼쳐진 횃불 밝힌 낡은 협선들과 뗏목들.

C#14

고니시 O.S. 오무라 M.S.
고니시를 돌아보는 오무라.

오무라 주군! 전부 뗏목입니다!

C#15

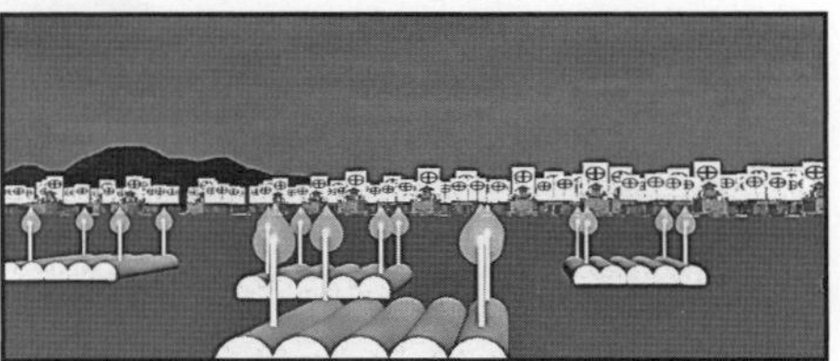

뗏목 너머 다가오는 고니시 함대 low F.S.
tracking
고니시의 안택선, 돛을 펴고 다가온다.
금방이라도 치고 올 것 같은 위협감이 든다.

C#16

고니시 정측면 B.S. tracking

고니시 이깟 속임수로 날 속일 수 있다고 생각했느냐. 이순신?

뚫어버릴 듯 눈빛이 이글거리는 고니시.

C#17

고니시 약측면 T.F.S. tracking

고니시 신속히 남해로 이동한다! 시간이 중요하다! 서둘러라!

오무라 예! 도노!

고니시 (눈빛이 매우 차가운데) …….

C#18

뗏목 너머 고니시 안택선 low F.S.
콰앙! 빈 협선들과 뗏목들을 부수며 전진하는 고니시 함대.

C#19

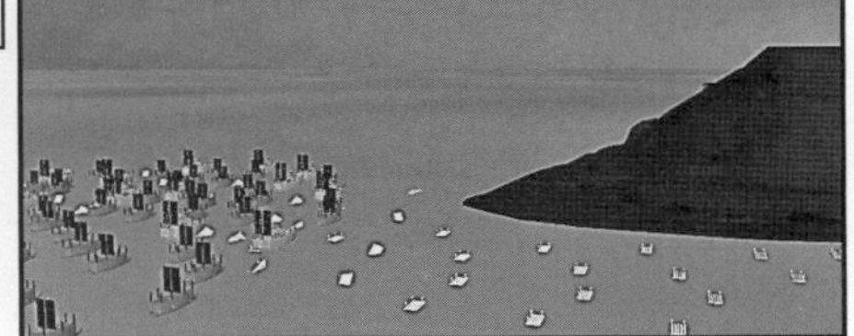

장도 걸고 고니시 함대 약측면 부감 F.S.
마침내 장도를 빠져나오는 고니시 함대.

S#62 근접전 몽타주

토요히사 선봉대를 충파로 밀어붙이는 이순신 본진 18 CUTS

EXT NIGHT VS

C#1

판옥선 측면 follow / cam-in
boom up

세키부네 측면 T.F.S.
너머 다가오는 판옥선 정면 low T.F.S.
콰아앙! 조선군 전체 함대가 토요히사
함대를 그대로 밀어붙이며 충파를 가한다.

C#2

tracking 판옥선 정측면 T.F.S.

tracking 세키부네 측후면 F.S.
너머 다가오는 판옥선 정면 low F.S.

C#3

tracking 판옥선을 들이박는 세키부네
측후면 F.S.
입부, 유형, 권준 등이 순신의 대장선과 함께 이운룡의 3선
함대를 지나 돌진하고 있다.

C#4

((유형 판옥선))
조선 방패병들 너머 조총쏘는 왜병들 T.F.S.

C#5

((유형의 판옥선))
방패 너머 유형 low B.S. / track out
유형, 칼을 앞으로 내밀어 뻗으며.

유 형 직포를 퍼부어라!

C#6

화포를 쏘며 앞으로 나아가는 판옥선
후미 약부감 F.S. / boom up
전진하는 판옥선, 양옆으로 직포를 쏘며 나간다.

C#7

((입부의 판옥선))
방패 너머 입부 정측면 low M.S. / tracking
명령하는 입부.

입 부 활을 쏘아라!

C#8

((입부의 판옥선))
활을 조준하는 조선 병사들 측후면 F.S.
일제히 활을 쏘는 조선 병사들.

밤하늘에 화살들 follow
조선 병사들이 쏜 화살이 토요히사 함대를 향해 날아간다.

((토요히사 안택선))
안택선의 갑판 위로 떨어지는 화살 follow
화살에 맞아 쓰러지는 왜군들 부감 T.F.S.

C#9

((이운룡의 판옥선))
왜병을 베는 이운룡의 뒷모습 M.S.
tracking
월선한 왜군을 장루 위에서 칼로 베는 이운룡. 그 사이에서 고전하던 이운룡이 반색하며 돌아본다. 각각의 전선들을 지휘하는 조선 장수들과 이에 발 빠르게 움직이는 조선 병사들.

고개를 돌려 이순신을 보는 이운룡
cam. 이순신의 좌선으로 moving

((이순신의 좌선))
장루 위의 이순신 W.S.
전장을 바라보는 이순신, 칼을 뽑아든다.

C#10

((이순신의 좌선))
장루 위의 이순신 뒷모습 B.S.
칼을 든 이순신.

C#11

세키부네 위 왜병들 약부감 T.F.S.
follow / cam-out
조총을 쏘며 다가오는 세키부네의 왜병들.

C#12

((이순신의 좌선))
화포를 준비하는 조선 병사들 측면
tight moving

C#13

((이순신의 좌선))
명령을 하는 이순신 M.S. track in

이순신 발포하라!

C#14

선수, 포를 쏘는 조선 병사들 약부감 T.F.S.
track out

C#15

전진하는 세키부네 약부감 F.S.
조총을 쏘며 다가오는 세키부네 뒤로 화포가 떨어진다.

C#16

((토요히사 안택선))
터지는 세키부네 너머 토요히사 안택선 F.S.
전체 판옥선 함대의 거침없는 포격과 진격에
충격을 입는 토요히사의 함대들.

C#17

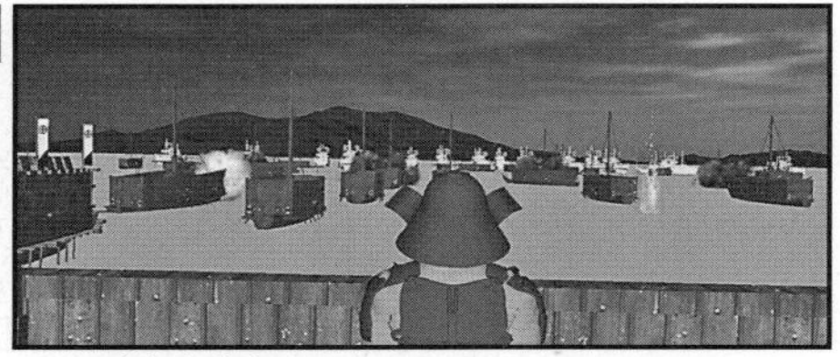

((토요히사 안택선))
전장을 보는 토요히사의 뒷모습 B.S.

C#18

((토요히사 안택선))
토요히사 B.S. / tracking
갑판에 선 토요히사, 판옥선의 포격에 당황한다.

토요히사 (급당황) 뭐냐…!

S#63 시마즈 안택선

전 함대의 돌진 명령을 내리는 시마즈 5 CUTS

EXT NIGHT VS

C#1

전장 약부감 F.S. pan

이순신의 본 함대의 출격에 위험한 토요히사 함대의 전장.

거리를 두고 떨어져 있는 시마즈의 함대들.

C#2

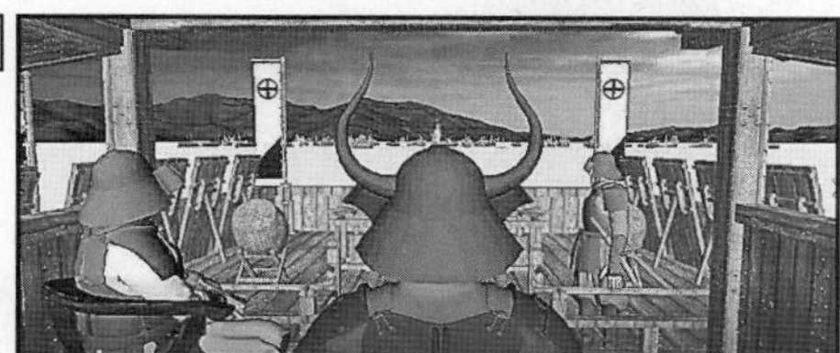

시마즈, 아리마, 모리아츠 back F.S.

boom up

전방을 보고 있는 시마즈.

모리아츠 (시마즈를 돌아보며) 도노… 토요히사가 위험합니다!

C#3

아리마 B.S. / pan 시마즈 정면 B.S.

긴장하는 아리마, 안절부절못한다.

다시 열세에 빠진 전장을 주시하고 있는 시마즈.

C#4

시마즈 측면 B.S. / track in

(아리마 살짝 걸리는)

전장을 주시하고 있는 시마즈….

시마즈 (차갑게) 그대로 돌진하라!

모리아츠 (부장들을 향해) 전 함대 그대로 돌진하라!

C#5

출격하는 시마즈 함대 정측면 low F.S.

follow tracking

마침내 시마즈의 본대도 대대적으로 돌진해 들어오기 시작하는데….

시마즈 안택선 back F.S.

나아가는 시마즈의 본 함대들.

시마즈 안택선 주변 세키부네들 back F.S.

앞으로 나아가는 시마즈 함대들 back F.S.

S#64 진린 호선

전장을 지켜보는 진린. 등자룡이 다가와 출전을 허락해달라고 말한다 | 13 CUTS | EXT NIGHT VS

C#1

격렬한 전장 L.S.
시마즈 함대와 이순신의 함대가 부딪힌다.

C#2

진린, 진잠, 심리 정면 3S. W.S. / track in
더욱 격렬해진 전장을 심각한 표정으로 관망하고 있는 진린…. 옆에 진잠과 심리가 서 있다.
이때 쿵쿵거리며 들려오는 발걸음 소리.

C#3

등자룡의 등 tight / follow
계단을 걸어오는 등자룡 등, 뒷모습.
(계단을 올라와서 진린 앞까지 간다.)

호선 장루 위로 성큼 뛰어오르는 등자룡.

C#4

진린 O.S. 등자룡 low M.S.
진린의 앞에 서는 등자룡.

등자룡 출전을 허락해주시오, 도독.

C#5

등자룡 O.S. 진린 약부감 M.S.
바로 답하지 않는 진린… 잠시 생각하더니.

진 린 정녕 통제사를 돕고 싶소? 그렇다면 제발 가만히 계시오, 부총병.

C#6

등자룡 low B.S.
진린에게 버럭 화를 내는 등자룡.

등자룡 뭣이? (버럭) 지금 그걸 말이라고 하는 것 인가!

C#7

진린 O.S. 등자룡 low W.S.
등자룡, 전장을 가리키며.

등자룡 저 치열한 전장이 안 보이시오! 도독!

C#8

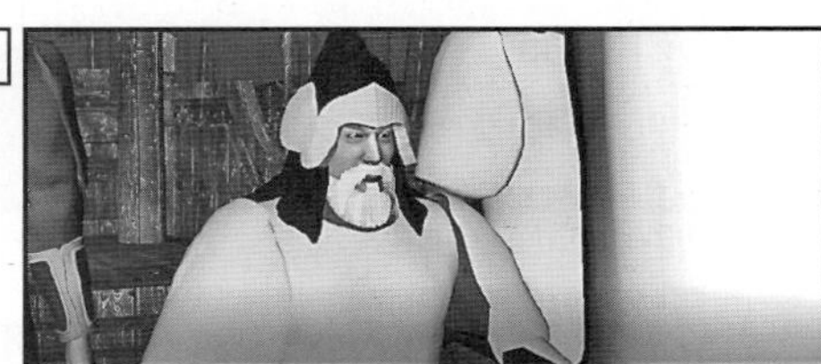

등자룡 O.S. 진린 B.S.
그러나 들은 척도 않는 진린.

C#9

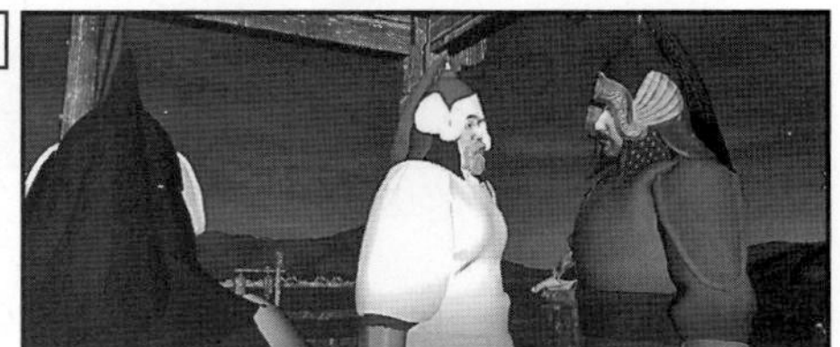

진린 O.S. 등자룡, 진잠 M.S.
진린을 노려보던 등자룡이 갑자기 돌아선다. 진잠이 막아선다.

C#10

진잠, 등자룡 약측면 M.S.
등자룡을 막아선 진잠.

등자룡 (진잠을 밀치며) 비켜라! 통제공을 저대로 내버려둘 순 없다.

앞으로 나가는 등자룡 follw
등자룡 O.S. 진린, 진잠, 심리 T.F.S.
등자룡이 앞으로 나아가면, 그 뒤로 진린이 보고 있다.

진 린 지금 항명을 하겠단 말인가!

우뚝, 멈춰 서는 등자룡.

C#11

진린 B.S.
진린, 등자룡을 향해.

진 린 한 발자국만 더 움직이면 군령에 따라 목을 벨 것이오!

C#12

진잠, 심리 O.S. 등자룡 W.S.
등자룡, 진린을 살짝 돌아본다.

등자룡 송구하오. 처벌은 다녀와서 받겠소.

그대로 장대 계단을 뛰어 내려가는 등자룡.

C#13

진린 B.S. / track in
깊은 고민에 빠지는 진린의 얼굴.

S#65 진린 호선

전황을 지켜보다가 고니시에 대해 의문을 품는 진린 2 CUTS

EXT NIGHT VS

C#1

진린 P.O.V. 전장의 상황 F.S. / tracking
(더 밀려오는 세키부네들이 판옥선에 들러붙는다.
함성 소리가 고조되고) 진린의 시선에 보이는 그 어느 때보다 치열하게 전투가 벌어지고 있는 전장 상황…. 심지어 조선군 쪽이 밀리는 인상을 지울 수 없다.

C#2

진린 T.F.S. / track in 진린 T.B.S.까지

진 린 너무 치열하지 않은가…. 소서행장… 네놈… 설마?

S#66 등자룡 판옥선

왜군들을 향해 결의를 다시는 등자룡 3 CUTS  EXT NIGHT VS

C#1

세키부네 측면 F.S. / cam-in
사이로 치고 들어오는 등자룡의 판옥선 low T.F.S.
용감히 돌진해 적선을 들이받고 전장으로 치고 들어오는 등자룡의 판옥선!

호준포를 쏘며 전진하는 등자룡의 판옥선
boom up 갑판 위 cam-in

장루 위의 등자룡 cam-in

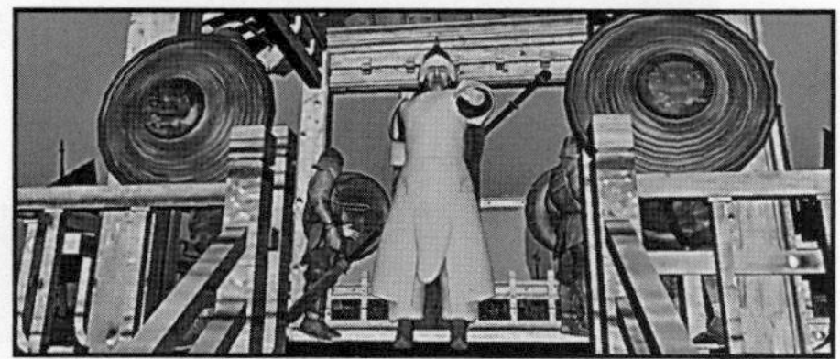

등자룡 low T.F.S.

C#2

등자룡 B.S. 180° tracking

등자룡 통제공의 원수는 곧 우리의 원수다! 한 놈도 살려두지 마라!

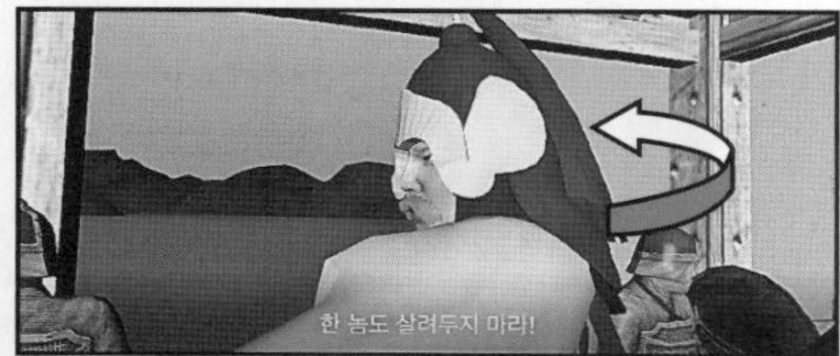

등자룡 O.S. 전장 F.S.
왜군 중군선으로 다가가는 등자룡의 판옥선.

C#3

(왜군 쪽에서 바라보는) 왜선을 치고 들어오는
등자룡의 판옥선과 명군들 F.S. SIDE TRACKING
그 뒤로 등자룡의 휘하 십수 척의 호선들도 함께 호준포를 쏘아대며 과감히 치고, 들어오는데,

S#67 시마즈 안택선

모리아츠에게 등자룡의 목을 가져오라고 말하는 시마즈 | 18 CUTS | EXT  NIGHT VS

C#1

화포를 쏘며 왜군의 중군 함대 사이로 들어온 등자룡의 판옥선과 명 호선들 측면 F.S.

track-in 등자룡의 판옥선 T.F.S.
판옥선 앞으로 다가온 세키부네가 월선을 시도한다.
(시마즈의 시점샷과 같다.)

C#2

((시마즈 안택선))
명군이 합류한 전장 F.S. / cam-out
모리아츠, 아리마, 시마즈의 뒷모습 T.F.S.
명군의 호준포를 갈겨대며 느닷없이 들이닥친 판옥선을 발견하는 시마즈.

C#3

시마즈 정면 B.S.
명군의 호준포를 갈겨대며 느닷없이 들이닥친 판옥선을 발견하는 시마즈.

C#4

시마즈 P.O.V. 등자룡 T.F.S.
세키부네들이 마구 들러붙자 언월도까지 휘두르는 등자룡의 모습이 유난히 돋보인다.

quick zoom in 등자룡

C#5

시마즈, 아리마, 모리아츠 정면 3s

시마즈 (아리마에게) 저자는 누구냐?

C#6

시마즈 측면 O.S. 아리마

아리마 (당황한 표정) 등자룡이란 자로… 명국의 부총병입니다.

C#7

시마즈 B.S. tracking
아리마 O.S. 시마즈

시마즈 (의심하듯) 명군? 고니시가 말했던 것과는 다르지 않느냐.

등자룡을 노려보던 시마즈,

~~어내 서 있는~~ 아리마에게 서늘한 눈길을 보내며,

시마즈 고니시 그놈의 계략이냐? 날 내어주고 밖으로 나가려는….

C#8

시마즈 O.S. 아리마 W.S. / follow
의자에 앉아 있던 아리마, 얼른 바닥에 엎드리며.

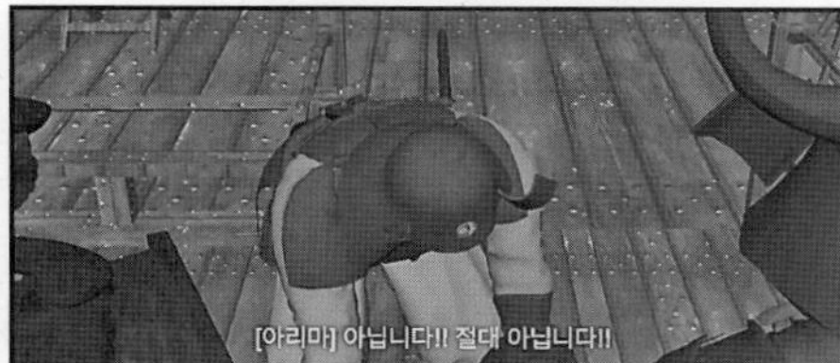

아리마 (넙죽 엎드리며) 아닙니다! 절대 아닙니다!

C#9

시마즈, 측면 T.B.S.

시마즈 (차가운) …….

C#10

모리아츠 O.S. 시마즈 F.S.
(시마즈 앞으로 엎드린 아리마, 그 뒤로 모리아츠가 서서 시마즈를 본다.) 이내 모리아츠에게….

시마즈 모리아츠! 네가 직접 가서 저놈의 목을 가져오거라.

모리아츠 네, 주군.

돌아서는 모리아츠 follow / pan
허리춤의 칼자루를 굳게 잡은 채 층루를 나서려던 모리아츠, 갑자기 멈춰 선다.

모리아츠 (낭패스러운) 주군….

당혹스러운 표정으로 함대의 오른쪽(북쪽)을 바라보고 있는 모리아츠. 시마즈도 고개 돌려 오른쪽을 바라보면,

C#11

모리아츠 P.O.V.
전장 L.S. -> 진린의 본 함대까지 pan

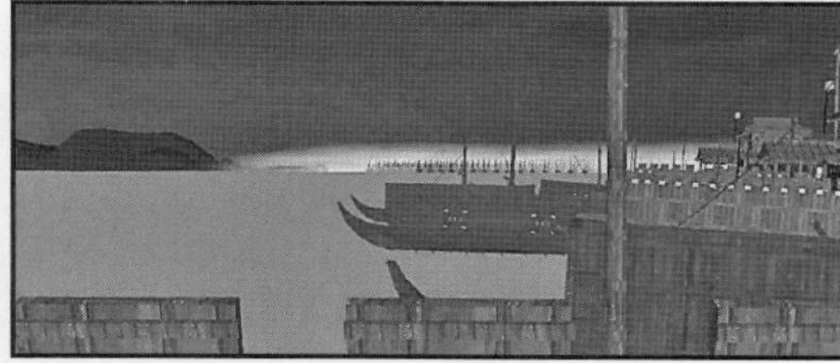

전장을 향해 빠른 속도로 접근 중인 대규모의 명 함대가 보인다.

quick zoom in 진린의 함대들 측면 F.S.

C#12

진린 호선외 호선들 약부감 정면 F.S.
(진린이 보일 정도로) cam-in
전장을 향해 빠른 속도로 접근 중인 대규모의 명 함대가 보인다. 진린도 보이는데….

C#13

진린, 진잠, 심리 W.S. / track in
장루 위, 진린, 진잠, 심리, 빠르게 다가온다.

C#14

시마즈 low B.S.
차가운 눈으로 명 함대를 노려보던 시마즈….

시마즈, 일어난다. T.U.

C#15

아리마, 모리아츠 너머 시마즈 T.F.S.
아리마가 덜덜덜 떨고 있다. 아리마를 보지 않고.

시마즈 ~~(아리마를 가리키며)~~ 저자의 혀를 도려내고

C#16

시마즈 low tight / tracking
시마즈, 아리마를 보지 않고

시마즈 세키부네 뱃머리에 묶어 적들의 먹잇감이 되도록 하라.

모리아츠 예! 도노!

C#17

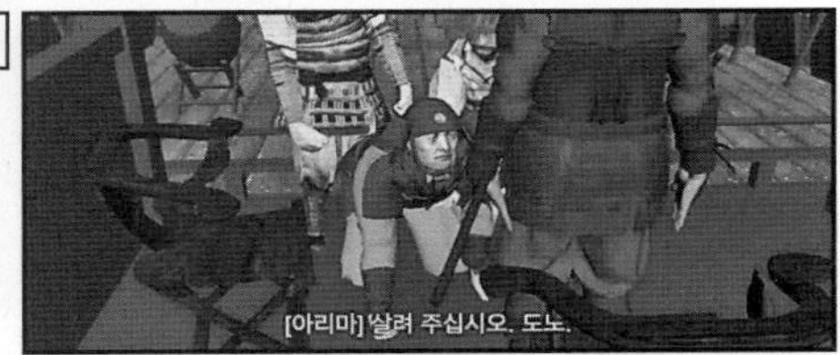

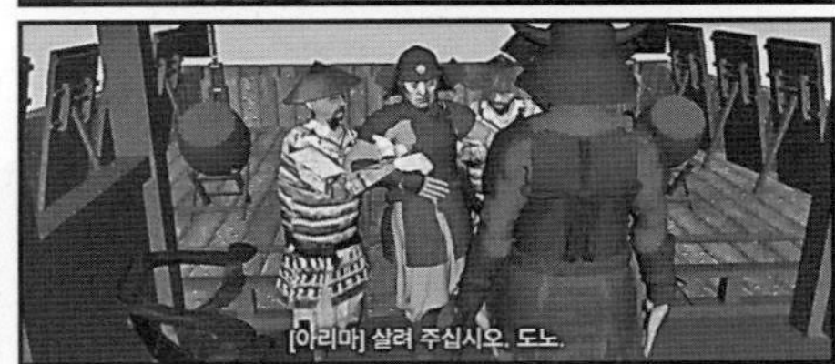

시마즈 O.S. 아리마 부감 T.F.S. / T.U.
부장들이 와서 아리마를 일으킨다.

아리마 살려주십시오, 도노, 절대 그런 게 아닙니다!

아리마를 데려가는 부장들.

C#18

시마즈 B.S. / track in

시마즈 (차가운) …….

S#68 진린 호선

고니시와 한 약조를 확인해봐야겠다고 말하는 진린 | 10 CUTS | EXT | NIGHT | VS

C#1

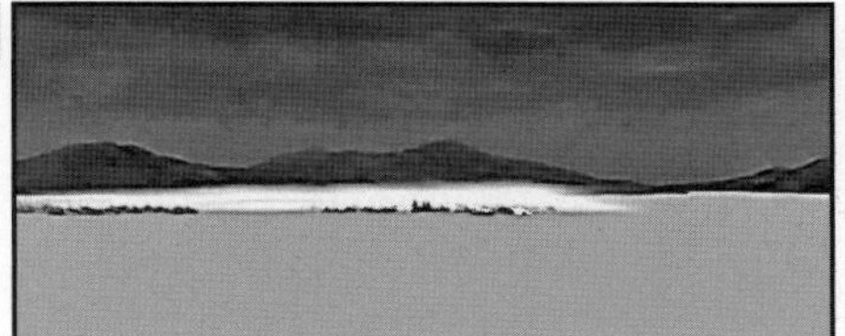

아스라히 전장 L.S. / fr-in 진린의 함대들
boom down 진린 함대들 사이 F.S.
빠르게 전장으로 다가가는 호선들.

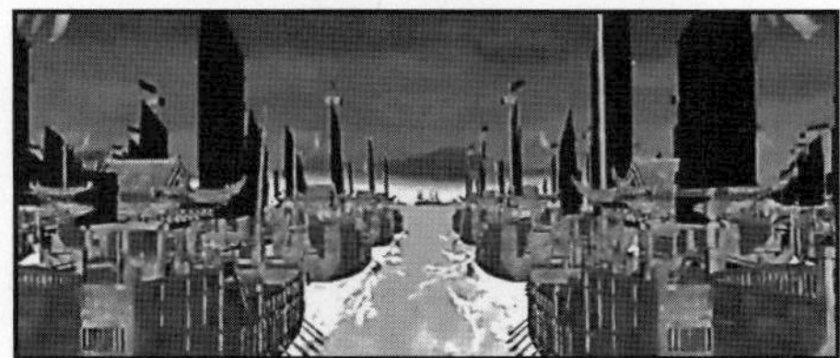

진린의 함대들 사이로 전장이 보인다.

C#2

진린, 진잠 정측면 W.S. / track in
전장으로 빠르게 다가가는 호선 장루 위… 진잠이 진린에게 묻는다.

진 잠 (눈치 살피며) 도독께서 왜 생각이 바뀌셨습니까.

진 린 (전방의 상황을 예의주시하며) 약간의 무력시위라기엔 너무나도 치열하다.

C#3

진린 B.S.

진 린 확인을 해봐야 되지 않겠느냐.

C#4

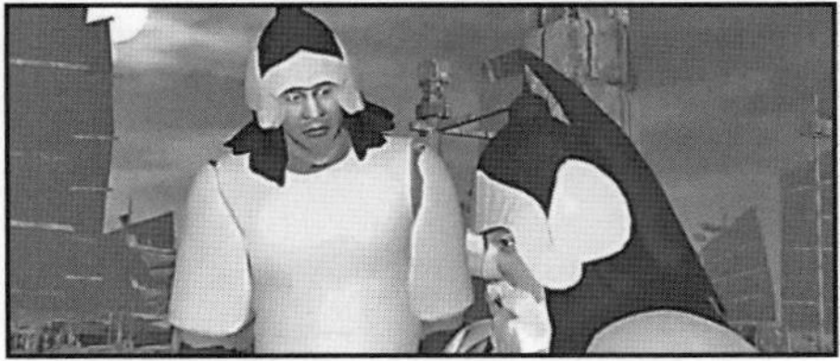

진린 O.S. 진잠 M.S.
의문스럽게 쳐다보는 진잠.

진 잠 ?

C#5

진린 T.B.S.

진 린 우리가 가는데도 적들이 도망가지 않고 별 반응이 없다면….

C#6

진린 O.S. 진잠 M.S.

진 잠 그렇다면 낭패가 아닙니까.

C#7

진린 T.B.S.

진 린 그러니 절대 깊이 들어가선 아니 된다. 그냥 치고 빠지면 될 일! 적들에게 더 확실히 우리가 간다는 걸 알려라!

C#8

진린, 진잠 2s / tracking

진 린 전군! 일제히 나발을 불고 북을 치며 진격하라!

진 잠 네, 도독! (장루를 내려서며) 전군, 나발을 불고 북을 쳐라!

C#9

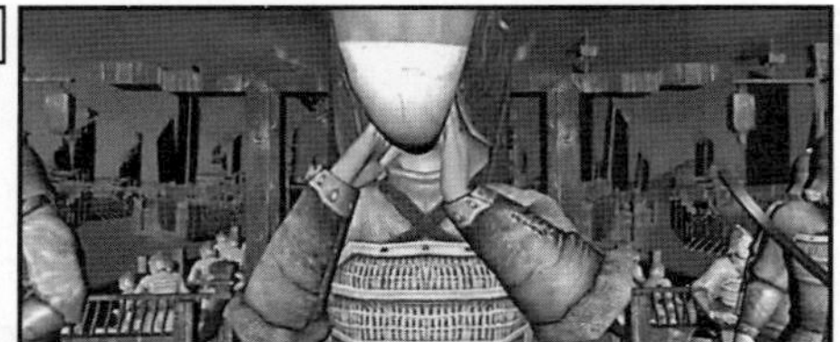

갑판 위의 나발 병사 tight / cam-out
뿌~ 나발을 부는 병사 옆으로 북을 치는 병사들.

진린 호선의 후미 F.S.
일제히 나발을 불고 북을 치며 진격하는 명나라 호선들.

C#10

진린의 명 호선들 측면 F.S. / pan
진격하는 명나라 호선들.

S#69 시마즈 안택선

포위망의 느슨한 곳을 발견한 시마즈가 이순신을 끌어들일 계략을 꾸민다 22 CUTS

EXT NIGHT VS

C#1

시마즈 W.S. / track-in

누각 계단을 내려오는 시마즈. 굳은 표정으로 요란스럽게 다가오는 진린의 명 함대를 노려보고 있다. (나발을 불고 북을 치며 진격하는 명 호선. 소리가 들린다.)

C#2

시마즈 P.O.V. 다가오는 명 함대 L.S.

Pan 불타는 전장 F.S.

요란스럽게 다가오는 명 함대.

C#3

시마즈 약측면 B.S. / 모리아츠 fr-in

tracking

모리아츠 주군! 후군 함선들까지 다가옵니다! 속히 공격 명령을 내려주셔야 정체되지….

C#4

모리아츠 O.S. 시마즈 약측면 B.S.

tracking

시마즈 아니다. 명군의 본 함대까지 대적할 필요는 없다.

명 함대를 보는 시마즈.

C#5

시마즈, 모리아츠 뒷모습 W.S.

시마즈의 시선이 집중되어 있다.

모리아츠 ?

조선 함대의 오른쪽 끄트머리, 당연히 막혀 있을 줄 알았던 육지를 끼고 돌아 나가는 남쪽 방면이 트여 있는데….

C#6

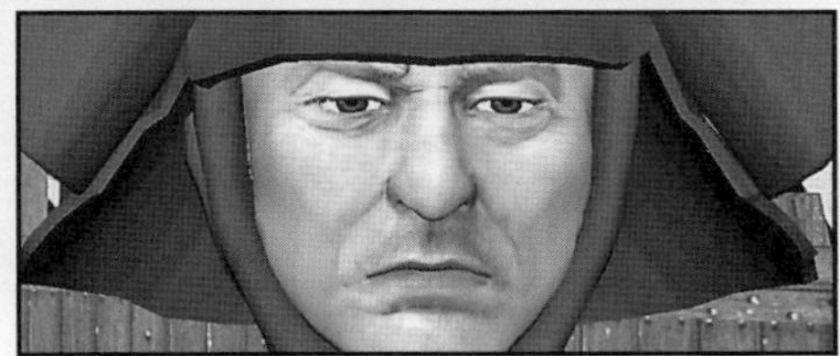

시마즈의 얼굴 측면 -> 정면 tracking

어느 한곳에 집중되어 있는 시마즈의 눈.

(모리아츠를 보지 않는다, 정면을 본다.)

C#7

시마즈, 모리아츠 2s

모리아츠가 시마즈의 눈을 따라 고개 돌려 함대의 왼쪽(노량 해협)을 바라보면….

시마즈 보이느냐.

C#8

시마즈 P.O.V. / zoom in 남쪽 바다 F.S.

바다 사이 트여 있는 남쪽 해안.

C#9

시마즈 O.S. 모리아츠 side B.S.
시마즈를 바라보는 모리아츠 순간, 이미 그곳에 시선이 꽂혀 있던 시마즈 입가가 씰룩….

모리아츠 바다가 아닙니까?

시마즈 남쪽 바다다. 저 바다로 이순신을 끌어내자. 그리고 고니시와 함께 협공한다.

C#10

시마즈 O.S. 모리아츠

모리아츠 고니시가 오겠습니까? 놈이 살아나기 위해 우리를 판 것 아닙니까?

C#11

시마즈 약부감 boom down / T.B.S.

시마즈 (차갑게) 반드시 온다! 아니 이미 오고 있을 것이다! 서둘러라!

모리아츠 (소리) 예!

C#12

시마즈 안택선 선수 갑판 위 약부감 F.S.
cam-out
시마즈의 명령을 받은 왜군의 신호병이 전군에 신호나팔을 불고, 깃발을 흔든다.

C#13

전장 너머 시마즈 함대 L.S. / boom up
신호를 보내는 시마즈의 함대들
불화살이 날아온다. (2개)

C#14

((토요히사 안택선))
돌아보는 토요히사 W.S. / track-in
전장의 토요히사, 시마즈의 신호에 돌아본다.

C#15

토요히사 P.O.V. 시마즈의 함대 L.S.
깃발을 흔들며 배를 돌리는 시마즈의 함대.

C#16

시마즈 함대 F.S.

C#17

((토요히사 안택선))
토요히사, 부장 M.S.
시마즈 함대를 보는 토요히사, 명령을 한다.

토요히사 병력을 빼라! 후퇴한다!

토요히사 부장 네!

C#18

안택선 사이로 빠져나가는 세키부네 low T.F.S.
cam-out
명령을 받은 각 왜군 함선들이 교전을 멈추고 갈고리를 거두거나 끊어버리고, 사다리를 버리고 빠르게 후퇴를 시작한다. 토요히사도 빠르게 후퇴한다.

배를 돌리는 안택선과 세키부네들.

월선한 배들 사이로 빠르게 빠져나가는 세키부네들.

C#19

시마즈 함대 너머 판옥선 사이로 배를 돌리는 토요히사 함대 부감 L.S.
시마즈의 본 함대가 남쪽을 향해서 일제히 뱃머리를 돌리고 있다.

C#20

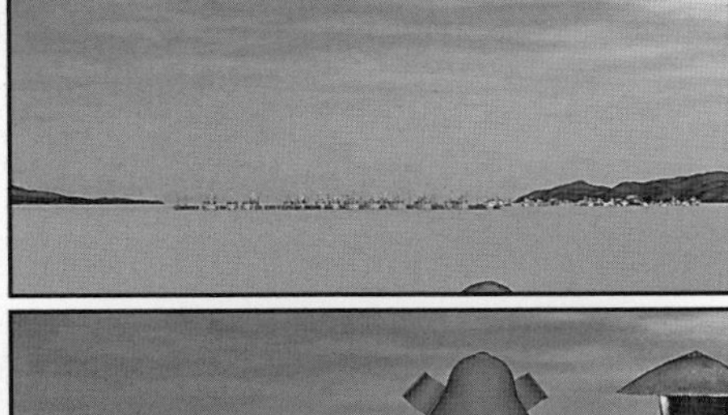

멀리 시마즈 함대 L.S. / boom down
타치바나, 부장 O.S. 시마즈 함대
후미에서 다가오던 타치바나가 시마즈 본대의 신호를 받는다. 시마즈 본대가 남쪽으로 향하는 것을 발견한다.

C#21

타치바나, 부장 M.S.

타치바나 (의아스럽지만) 그대로 함께 이동하라.

명령을 받은 부장들이 큰 소리로 명령을 전한다.

왜군 부장 전군~ 남쪽으로 이동! 남쪽으로 이동한다!

C#22

이동하는 시마즈의 중, 후군 함대들 L.S.
노량을 빠져나가는 왜군 함대들.

S#70 진린 호선

후퇴하는 시마즈 함대를 발견한 진잠과 이를 보고 반색하는 진린 | 2 CUTS | EXT NIGHT VS

C#1

진잠, 진린 low M.S.
누각에 앉아 있는 진린.

진 잠 도독! 저기 보십시오!

진린, 벌떡 일어난다.

진 잠 과연 우리가 가니 적들이 물러납니다!

C#2

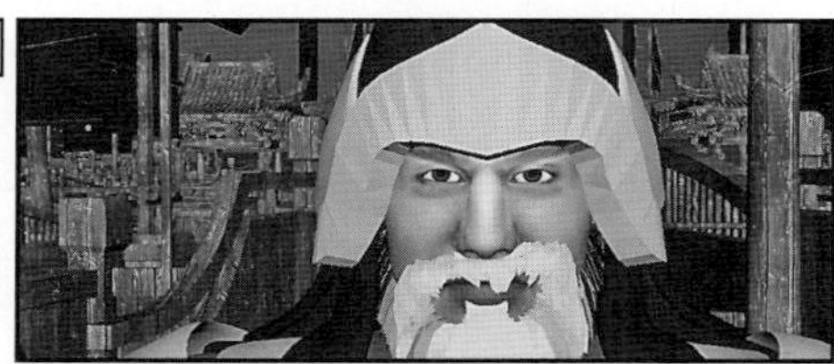

진린 B.S. / track-in
서서 시마즈 함대를 바라보는 진린.

진 린 (반색)…….

S#71 이순신 좌선

물러나는 왜군을 살피던 이순신이 송희립에게 명령을 내린다 3 CUTS

EXT  NIGHT VS

C#1

판옥선들 pan 이순신 좌선 측면 low tight

일제히 물러나는 왜군의 함선들.

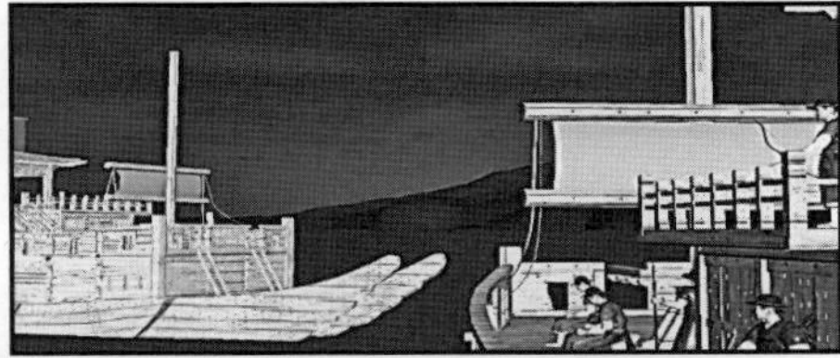

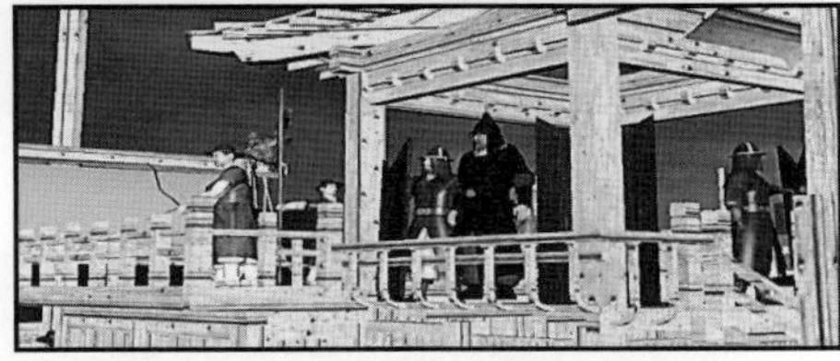

장루 위에 선 이순신 F.S. / fr-in 송희립

순신이 묵묵히 지켜보고 있다.

급히 장루로 올라오는 송희립.

C#2

이순신 M.S. / 송희립 fr-in

이순신의 뒤로 다가와서 보고하는 송희립.

송희립 더 이상 쫓지 말라 전 함선들에 전했습니다.

송희립의 보고에 끄덕이는 이순신.

C#3

이순신 O.S. 시마즈 함대 L.S.

이순신, 시마즈 쪽을 본다.

S#72 시마즈 안택선

갑판으로 뛰쳐나온 시마즈가 관음포 입구로 들어선 조선 함대를 발견한다　　13 CUTS

C#1

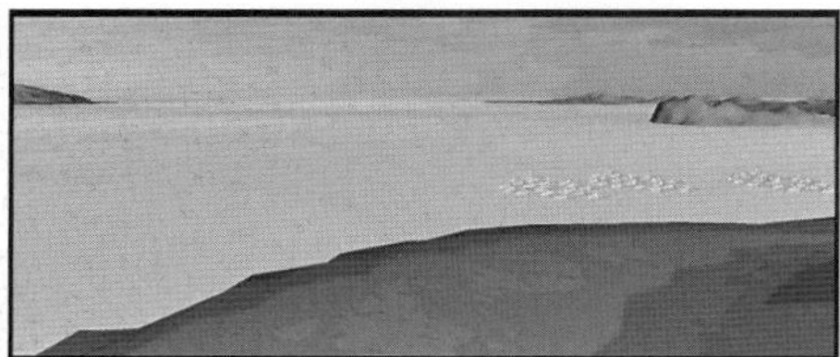

육지 걸고, 이동하는 시마즈 함대
약측면 부감 FOLLOW
남쪽으로 빠져나온 시마즈 본대와 토요히사,
타치바나의 후발대,

C#2

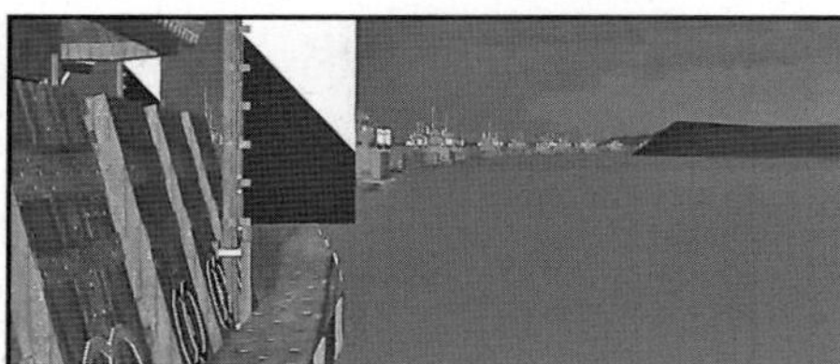

시마즈 깃발 너머 함대들 정측면 F.S.
전진하며 뒤로 합류하며 토요히사, 타치바나 후발대가 길게 따라붙는다.

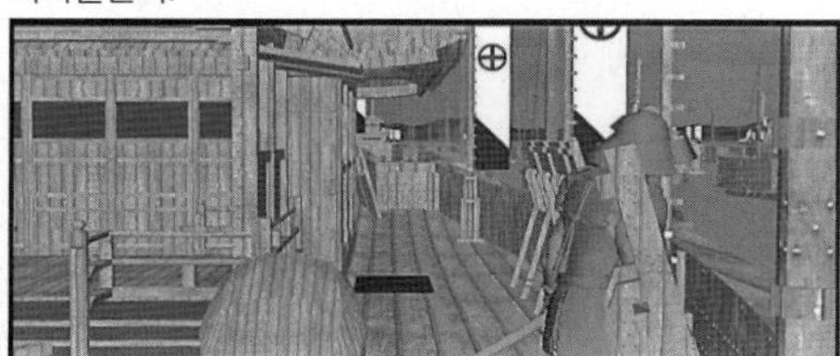

모리아츠 뒷모습 W.S. / tracking
시마즈, 모리아츠 2s M.S.

시마즈 뒤에 선 모리아츠.

모리아츠 추격을 포기한 모양입니다, 주군.

시마즈 아니다. 올 것이다.

여전히 표정을 풀지 않은 채 전방을 주시하는 시마즈.

C#3

시마즈 low tracking / cam-out

시마즈 속력을 늦추지 마라. 고니시와 협공만 이루어진다면….

시마즈의 얼굴에서 강한 승리의 희망이 보이는데….

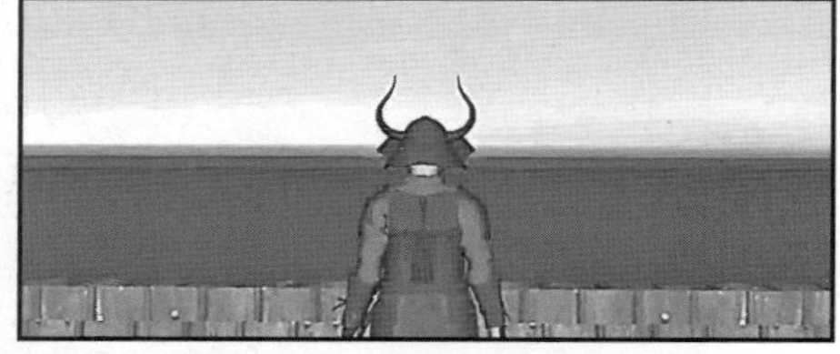

CUT TO
고니시를 기다리며 바다를 바라보는 시마즈.

C#4

빈 세키부네 T.F.S.
어딘가 낯익은 해안가….
그 앞에 좌초된 낯익은 빈 세키부네 한 척.

C#5

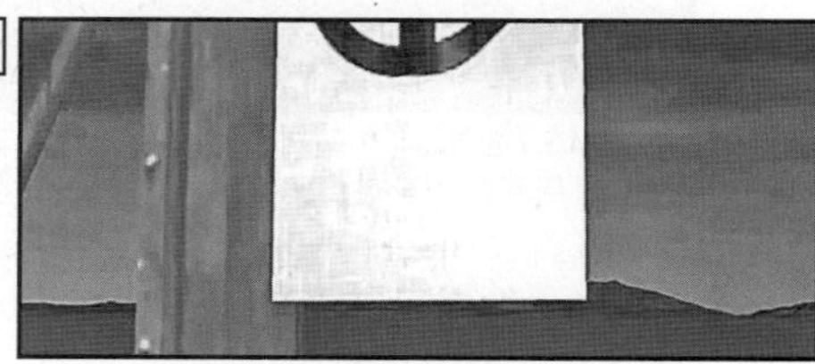

세키부네 돛대 boom down
돛대에 매달려 있는 아리마 측면 B.S.

어느 세키부네 돛대에 묶여 있는 아리마의 얼굴이 사색이 되어 있다.

C#6

갑판 걸고 시마즈, 모리아츠 low T.F.S.
Track-in
갑판 앞에 서서 보는 시마즈.

C#7

모리아츠 B.S.
시마즈를 보는 모리아츠.

모리아츠 주군… 그런데 여기가….

~~저도를 보며 항로를 점검하던~~ 모리아츠의 얼굴이 매우 당혹스러워지는데,

C#8

시마즈 뒷모습 B.S. / boom down
track out / 시마즈 모리아츠 뒷모습 M.S.

멀리 안개 걷힌 관음포 입구를 보는 시마즈.

C#9

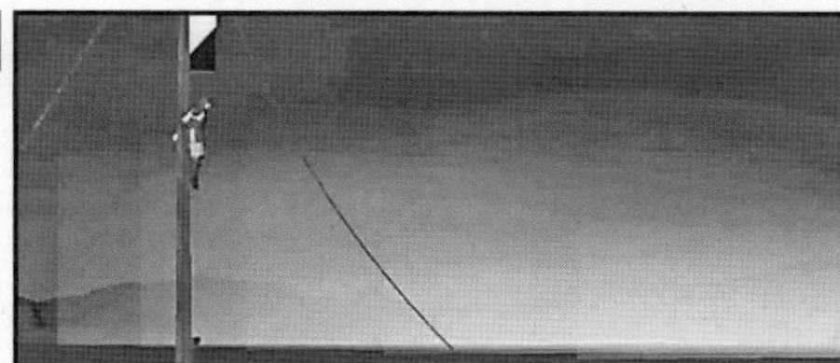

돛대에 매달린 아리마 측면 low tracking
아리마 O.S. 관음포 F.S.

C#10

시마즈 P.O.V. 좌초된 세키부네 F.S.

C#11

돛대에 매달린 아리마 B.S.

아리마 (고통스럽게 머리를 흔들고) !

C#12

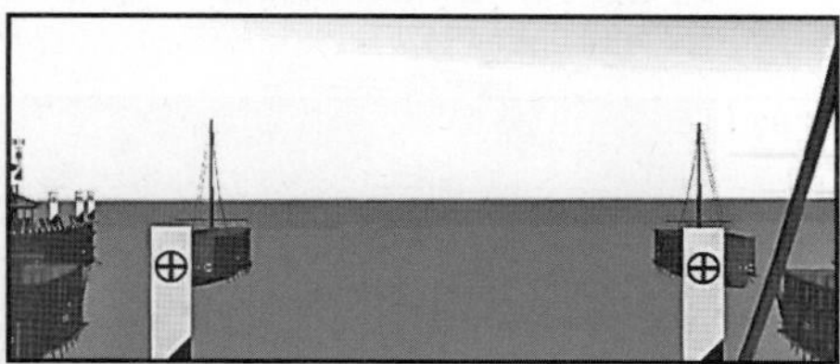

시마즈 정면 B.S.
낭패스러운 시마즈의 얼굴.

시마즈 깃발 boom down
시마즈, 모리아츠 뒷모습 F.S.
관음포 입구를 바라보는 시마즈와 모리아츠.

C#13

시마즈 정면 low T.B.S / track in
관음포 입구를 보는 시마즈.

S#73 이순신 좌선

관음포 방향을 바라보고 있는 이순신 15 CUTS  EXT DAWN VS

C#1

진군하는 조선 함대 back F.S. / boom down
대장선 약부감 T.F.S
관음포 초입. 남해도 걸고 꺾어져 들어가는 느낌.
순신의 함대가 3열 장사진으로 진군 중이다.
3열 중앙에 위치한 이순신의 대장선.
장루 위에 이순신이 있다.

C#2

이순신 함대 정면 F.S. / cam-in
이순신의 대장선이 선두에 있다.

앞으로 다가오는 대장선, 장루 위의 이순신.

C#3

장루 위 이순신 정면 low B.S.
tracking
사라진 왜군 함선들 쪽을 주시하고 있는 순신.
그 표정이 의미심장한데….

S#73 (Flashback) 조선 진영 작전 막사 안

(FLASH BACK S#31) 적들을 관음포로 몰아넣어야 한다는 이순신 15 CUTS  INT DAWN VS

C#4

이순신 O.S. 진린 tracking

이순신 창선도의 적은 분명 밤안개를 타고 올 것이다.

C#5

탁자 주변 이순신, 장수들 약부감 T.F.S. tracking

얼마 전 장도 막사에 모여 있는 조선 장수들과 진린 및 등자룡 이하 명 장수들. 순신이 작전 설명하던 그 광경이 펼쳐진다.

이순신 해가 뜨기 전까지 대적하며 필히….

C#6

진린 o.s. 이순신 tracking

앉아 있는 진린 너머 이순신, 설명한다.

이순신 이곳까지 끌고 내려와야 한다.

이순신이 지휘봉으로 해도 어딘가를 가리킨다.

심 리 노량에서 대적하며 해가 뜨기 전까지 이곳으로 유인해야 한다고 말합니다.

C#7

해도 부감 zoom-in 관음포 tight

어딘가를 가리키던 이순신의 몸이 빠지며 관음포가 보인다.

C#8

이순신 측면 O.S. 등자룡, 입부등 장수들 M.S. track-in

이내 순신이 모형을 내려놓은 지점을 본 모든 장수들의 눈이 커지는데….

등자룡 아니, 저곳은?

S#73 (Flashback) 조선 진영 작전 막사 안

반격을 준비하는 시마즈의 본대들 (토요히사) 15 CUTS

INT DAWN OPEN SET

C#9

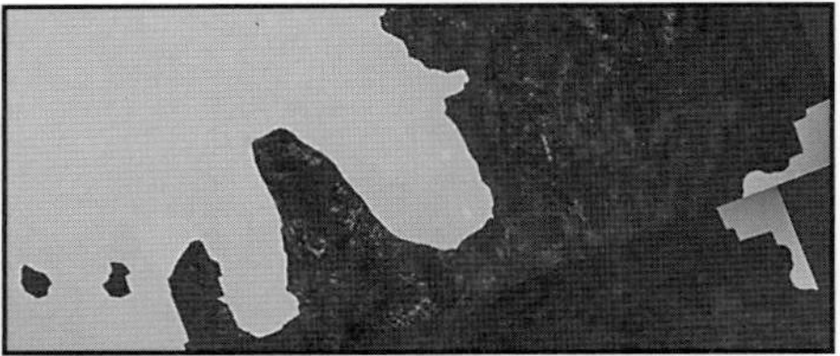

P.O.V. 부감 해도 위 관음포 C.U. /
overlap 실제 지형
해도 속 한 장소… 남해도 서북쪽 육지 안으로 펼쳐진 커다란 만 <관음포>란 지명이 선명히 보이는데,
<u>flashback out</u>

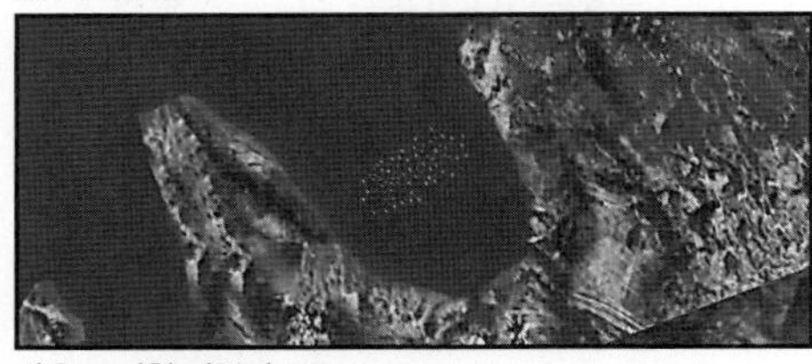

관음포 지형 직부감 L.S.
해도 위 지형이 실경으로 오버랩 되면….

S#73 시마즈 안택선

갑판으로 뛰쳐나온 시마즈가 관음포 입구로 들어선 조선 함대를 발견한다 15 CUTS  EXT DAWN VS

C#10

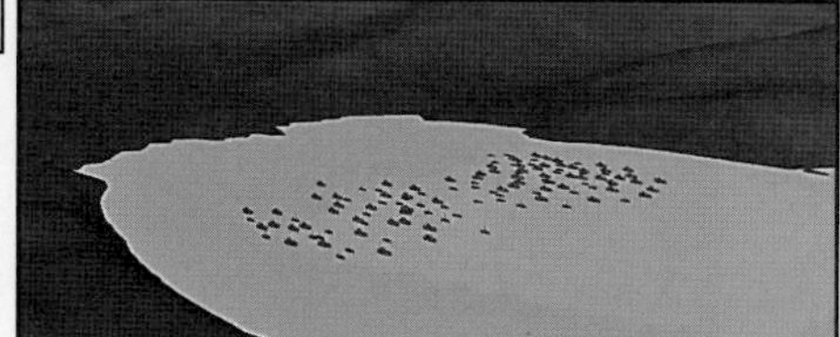

관음포 포구 부감 L.S. / moving
포구 앞에 왜군 함선들.

C#11

난간 boom up 타치바나 low M.S.
후미 함대 타치바나, 전방을 바라본다.

C#12

타치바나 M.S. / track-in
문득 돌아보는 타치바나 표정 또한 당혹스럽게 떨고있고.

C#13

타치바나 P.O.V.
멀리 다가오는 이순신의 본 함대들 L.S.
zoom-in

C#14

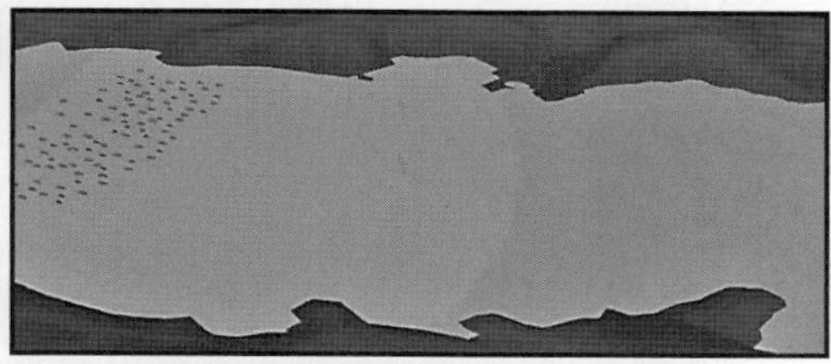

관음포구 앞 시마즈 함대 직부감 L.S.
pan 조선 함대 L.S.
관음포구 앞에 막힌 시마즈 함대.

뒤로 들어서는 조선 판옥선들.

C#15

뒤를 보는 모리아츠, 관음포 보는 시마즈 M.S.
zoom-in 돌아보는 시마즈 B.S.

모리아츠 도노….

낭패한 표정으로 관음포 바깥 입구를
뒤돌아보는 시마즈. track in.

시마즈 (표정 일그러지며) …….

S#74 이순신 좌선

관음포로 들어선 시마즈 함대를 바라보는 이순신과 송희립
관음포로 들어서는 조선 함대들

3 CUTS

EXT DAWN VS

C#1

선두에 선 이순신 대장선 약측면 F.S.
cam-in
순신의 함대가 마침내 더욱 관음포 입구를 봉쇄하며 가득히 들어서는데… (그물을 형성하는 느낌으로)
전진하는 판옥선의 선두에 이순신이 있다.

이순신, 송희립 M.S. / boom down
cam-in

송희립 (차분히) 적들이 제 발로 사지(死地)로 들어갔습니다. 장군.

상기된 표정의 송희립. 천천히 고개를 끄덕이는 순신.

C#2

관음포 직부감 L.S. / pan
들어서는 조선 함대들.

들어오는 판옥선들 측면 tracking
관음포를 들어오는 판옥선들.

C#3

갇힌 시마즈의 함대 후미 F.S. / boom up
멀리 조선 함대들 L.S.
(그 안에 갇힌 물고기 떼처럼)
순신의 함대가 마침내 더욱 관음포 입구를 봉쇄하며 가득히 들어서는데….
(그 뒤로 시마즈의 함대가 보인다.)

S#75 관음포 포구

도망치다 조총에 맞아 쓰러지는 왜군들 8 CUTS  EXT DAWN VS

C#1

육지로 들어오는 세키부네 약측면 F.S.
tracking
인적 없는 갯가로 빠르게 좌초하며 들어서는 세키부네 다섯 척.

C#2

세키부네 측면 low T.F.S. / 왜병들 fr-in / pan
달려 나가는 왜병들.

C#3

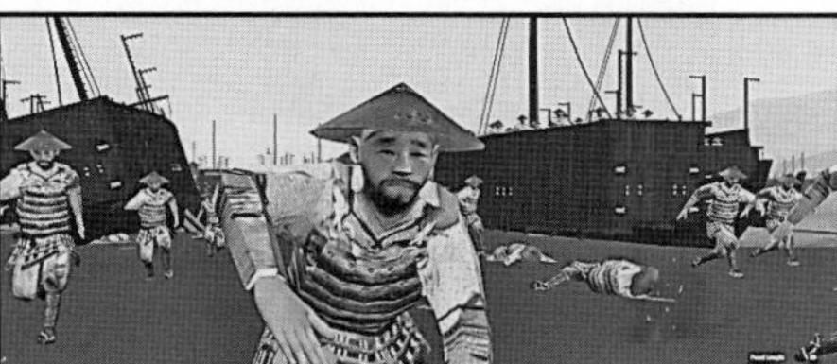

배에서 내리는 왜병(도망병)들 F.S.
겁먹은 왜병들이 허둥지둥 육지로 뛰어내린다.
그런데 이때, 타타당! 어디선가 날아온 탄환! 줄줄이 쓰러지는 왜병들(10), 뒤에서 나오는 왜병들(10).

세키부네 앞 육지 정면 F.S.
좌초된 세키부네 한 척, 비어 있는 세키부네 한 척, 내리지 못하는 왜군들의 한 척 뒤로 모리아츠와 수하들 두 척.

C#4

세키부네 side F.S.
아직 뛰어내리지 않은 또 다른 한 척의 왜병들.

C#5

((시마즈 안택선))
아직 왜병이 있는 세키부네 뒤로 모리아츠의 시마즈 안택선. 정면 T.F.S.
아직 뛰어내리지 않은 또 다른 한 척의 왜병들, 놀라 돌아보면,

C#6

((시마즈 안택선))
모리아츠와 수하들 low F.S.
뒤쫓아 온 모리아츠와 그 수하들이 조총을 쏘고 있다.

C#7

((시마즈 안택선))
모리아츠 B.S.

모리아츠 적에게 등을 보이는 자는 용서치 않는다! 상륙하는 자들은 모조리 죽여라!

C#8

남아 있는 왜병들 M.S.
동시에 덜덜 떨며 지켜보는 뛰어내리지 않은 나머지 한 척 세키부네의 왜병들.

S#76 이순신 좌선

진격하려는 이순신과 대립하는 진린
준사가 다급히 고니시 함대의 출격을 알린다

37 CUTS

EXT DAWN VS

C#1

조선 함대들 약부감 F.S. tracking
너머 시마즈 함대
마침내 관음포 앞에서 2열 횡렬진으로 포위진을 완성한 조선의 판옥선 함대들.

C#2

누각 지붕 boom down
이순신, 송희립 뒷모습 2S
멀리 시마즈 함대를 보는 이순신과 송희립.

C#3

난간 걸고, 이순신과 송희립 low 2S

이순신 북을 쳐라, 희립아. 다시 진격할 것이다.

송희립 네, 장군.

나가는 송희립.

C#4

송희립 fr-in. 뒷모습 follow 북 앞에 선다.
갑판으로 달려가 북을 치려던 송희립. 문득 뿌우우~~ 뒤쪽에서 요란하게 들려오는 호각 소리에 돌아보면,

C#5

송희립 뒷모습 약부감 B.S.
O.S. 다가오는 명 함선 등
진린의 호선을 필두로 한 명군 함선 3척이 빠르게 다가오고 있다.

C#6

이순신 정측면 low T.F.S.
한 발 나가서 보는 이순신.

C#7

P.O.V. 다가오는 명 함선들
진린의 호선을 필두로 한 명군 함선 3척이 빠르게 다가오고 있다.

C#8

이순신 정면 B.S. / track in

이순신 …….

C#9

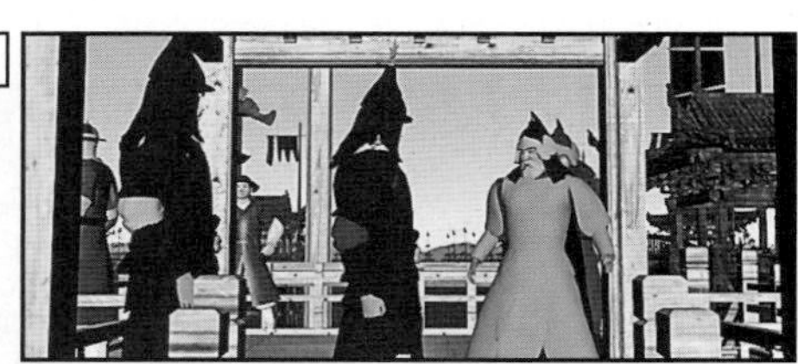

CUT TO
이순신과 송희립 측면 T.F.S. / track in
진린, 심리 fr-in
뒤쪽 계단으로 올라오는 진린, 심리를 맞이하는 뒷모습 이순신, 송희립.

C#10

이순신 O.S. 명군과 진잠 부감 T.F.S.

좌선으로 우르르 건너오는 진잠과 그의 부장들과 십수 명의 병사들….

C#11

이순신 측면 O.S. 진린 B.S.

이순신 …….

진린, 관음포에 갇힌 시마즈 함대를 바라보며,

진 린 기껏 도망친 곳이 하필 남해도 포구 안이라니… 어지간히 재수도 없군. 아니 그렇소, 노야?

미소 띤 얼굴로 순신을 쳐다보는 진린.

송희립 적들이 도망친 곳이 남해도 포구 안이라 다행이라 말합니다.

그러나 웃지 않는 순신, 진지한 표정으로 진린을 바라본다. 이내 웃음기를 거두는 진린, 진지해진 얼굴로,

진 린 이쯤 하고 돌아갑시다. 노야.

C#12

진린 O.S. 이순신 B.S.

이순신 옆에서 통역을 한다.

송희립 이쯤에서 돌아가자고 합니다.

이순신 …….

C#13

이순신 측면 O.S. 진린 B.S.

진 린 밤새 부순 적선이 무려 백 척이 넘소.

송희립 밤새 격파한 적선이 백 척이 넘으니….

이순신 …….

진 린 이 정도면 그간의 원한은 진정 충분히 갚은 거 아니겠소.

C#14

이순신 B.S.

송희립 그간의 원한은 충분히 갚은 거 아니냐 합니다.

하지만 순신은 아무런 말이 없다.

C#15

진린 B.S.

진 린 (답답한) 노야!

C#16

이순신 B.S.

이순신 내 잊지 않으리다.

심 리 잊지 않겠다고 합니다.

진 린 ?

이순신 도독과 그대의 군사들 덕분에 여기까지 올 수 있었소.

C#17

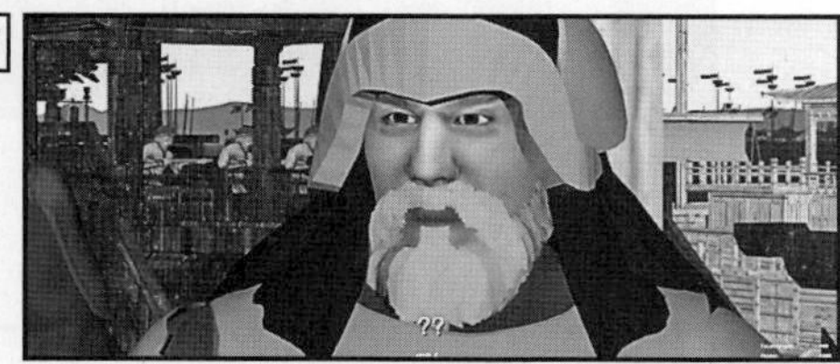

진린 B.S.

심 리 도독과 우리 명 군사들 덕분에 여기까지 올 수 있었다 합니다.

진 린 ?

C#18

이순신, 진린 약측면 B.S.

이순신 남은 적들은 우리 수군이 맡을 것이니 조심히 돌아가시오! (송희립에게)

심 리 남은 적들은 조선군이 맡을 것이니 돌아가도 좋다고 합니다.

C#19

이순신, 진린, 송희립 W.S.

이순신 (송희립에게) 희립은 뭐 하고 있느냐!

C#20

이순신, 송희립 B.S.

이순신 관음포가 급하다!

송희립 네? 네! 장군….

C#21

송희립 O.S. 명군들
송희립, 서둘러 장루를 내려가려는데,
그 앞을 막아서는 진잠과 명의 병사들.

C#22

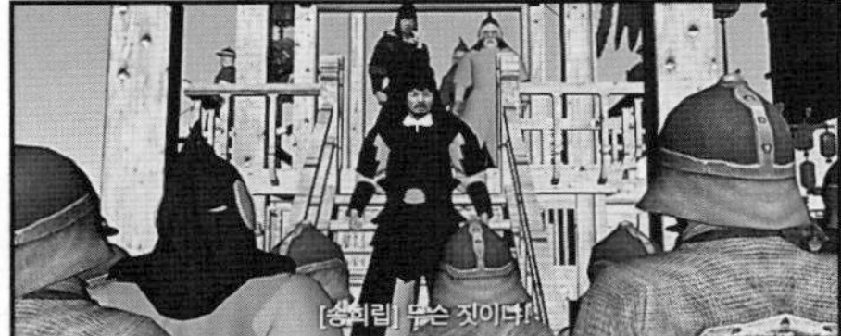

진잠, 명군들 O.S. 송희립 / track out
그 앞을 막아서는 진잠과 명의 병사들.

송희립 무슨 짓이냐!

C#23

이순신 측면 B.S.

이순신 (노해서) 당장 비켜서거라! 싸움이 급하다!

pan 진린 B.S.

진 린 노야답지 않게 진정 왜 이러는 게요!

C#24

이순신, 진린 M.S. / tracking

이순신 (여전히 노한 채) 이제 와서 멈출 순 없소. 희립은 뭐하느냐. 어서!

진 린 이보시오 통제공! 정녕 다치고 저 상한 병사들이 보이지 않소이까!

C#25

진린 측면 B.S.

진 린 이대로 더 전투를 할 수 있다고 보시오?

갑판을 가리키는 진린.

C#26

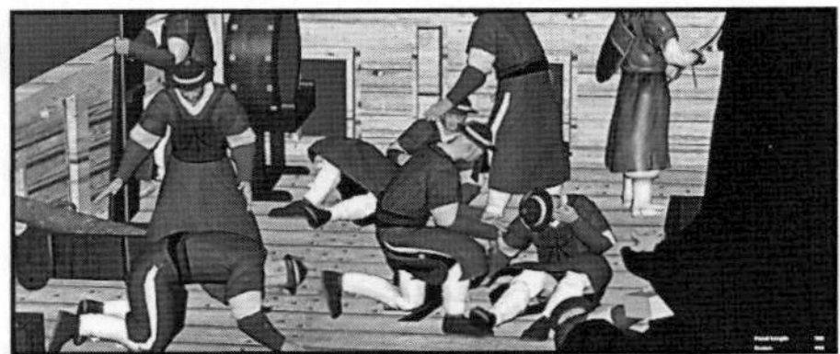

이순신 O.S. 갑판 위 병사들 약부감 T.F.S.
panning
꽤 많은 숫자의 병사들이 다치거나 신음하고 있는 것이 보인다.

C#27

이순신 B.S. / tracking
아무런 표정 변화가 없는 순신,

이순신 각오했던 바요. 만일 이 전쟁을 여기서 이렇게 멈춘다면….

헌데 이때,

준 사 (소리) 장군!

C#28

이순신, 진린 M.S. / 준사 fr-in
돌아보는 이순신과 진린, 다급히 뛰어오는 준사.

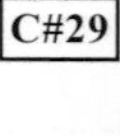

C#29

장루 위 low T.F.S.
준사, 심리, 진린, 이순신.

C#30

이순신 O.S. 준사

준 사 (심각) 지금 소서행장이 예교성을 빠져나와 우리 쪽으로 동진(東進) 중입니다!

심 리 (다급) 소서행장이 예교성을 빠져나와 이쪽으로 오고 있답니다!

C#31

진린, 이순신 M.S.
진린 follow tracking / 진린 O.S. 서쪽 바다

이순신 …….

당황한 진린이 고개를 돌려 서쪽 바다를 바라본다.

C#32

진린 P.O.V. 서쪽 바다

C#33

진린, 이순신 정측면 low W.S.

진 린 소서행장… 이놈이! (분통해하다) 내가 속았소. 허나 아직 늦지 않았소. 노야. 지금이라도 물러납시다.

대꾸 없이 관음포 쪽만 바라보고 있는 순신,

C#34

돌아보는 진린 B.S.

진 린 (답답한) 대체 시마즈와 고니시의 협공을 어찌 감당하려는 것이오!

C#35

이순신 low B.S. / track in
대꾸 없이 관음포 쪽만 바라보고 있는 순신,

C#36

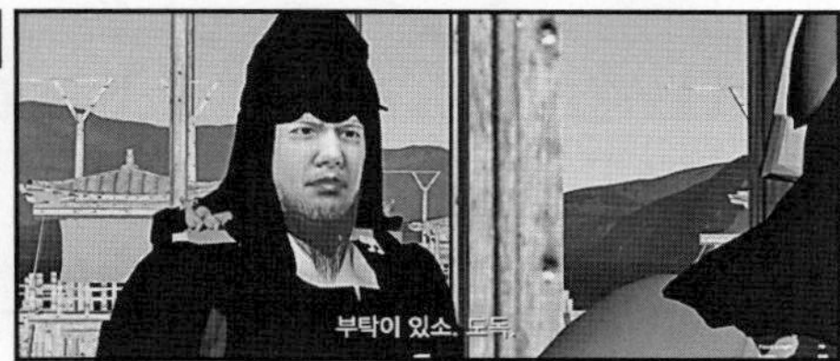

진린 O.S. 이순신 B.S.

이순신 부탁이 있소. 도독.

순신이 진린을 진지하게 돌아본다.

C#37

이순신 O.S. 진린

진 린 ?

이건 또 무슨 소린가 싶은 진린의 얼굴에서,

S#77 시마즈 안택선

고니시의 진격을 알아챈 시마즈가 병사들의 사기를 진작시킨다 39 CUTS

EXT DAWN VS

C#1

병사들 F.S. -> 시마즈까지 track in
도망병들이 무릎 꿇려져 있다. 그 뒤로 칼을 빼 들고 늘어선 모리아츠의 수하들. 시마즈는 누각 안 의자에 앉아 차갑게 지켜보고 있다.

모리아츠 (큰 소리로) 도망친다고 살 수 있을 거 같으냐!

C#2

왜병들 (모리아츠 쪽) 측면 low T.F.S.
눈만 끔벅끔벅할 뿐 대답이 없는 왜병들….
엄습한 죽음의 공포에 울음소리만 커져간다.

C#3

왜병들 측면 (시마즈 쪽) low T.F.S.
눈만 끔벅끔벅할 뿐 대답이 없는 왜병들….
엄습한 죽음의 공포에 울음소리만 커져간다.

C#4

시마즈 O.S. 모리아츠 B.S. 너머 토요히사 T.F.S.

모리아츠 울지 마라! 다들 죽고 싶으냐!

그런데 이때, 옆에 있던 또 다른 안택선 위 토요히사.

토요히사 도노! 이순신이 물러나고 있습니다!

일어나는 시마즈.

C#5

시마즈 low T.F.S.
일어나는 시마즈,
몸을 일으켜 선수로 빠르게 다가가 쳐다보면

C#6

시마즈 뒷모습 follow F.S.
관음포 입구를 에워싸고 있던
조선 함대가 일제히 물러나고 있다.

C#7

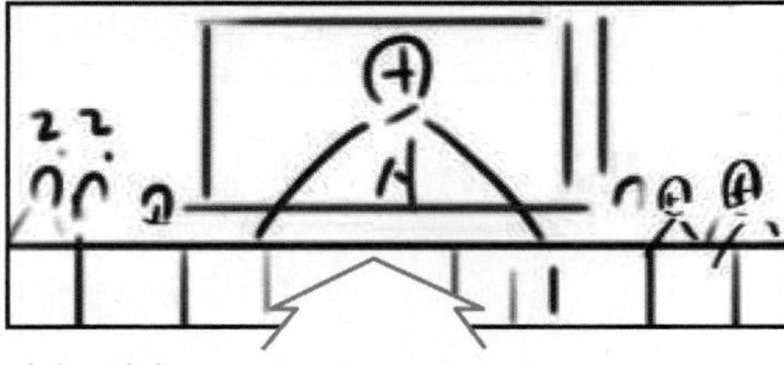

시마즈 정면 F.S. track in
'뭐지?' 싶은 병사들의 얼굴

시마즈 (특유의 미소) 고니시가 오고 있다.

C#8

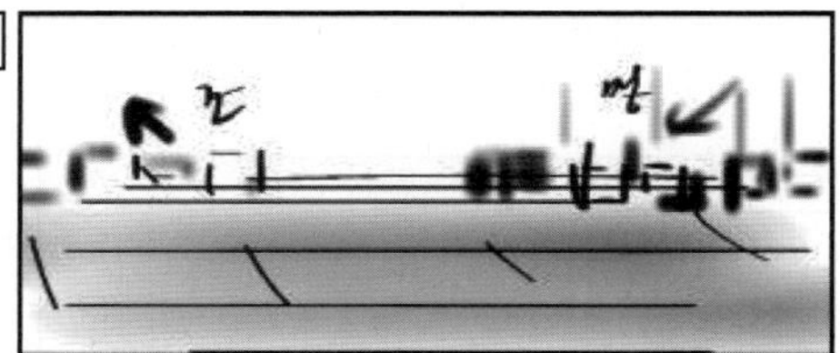

시마즈 P.O.V. 조명 함대 L.S.
조선 함대가 사라지고 있다.

C#9

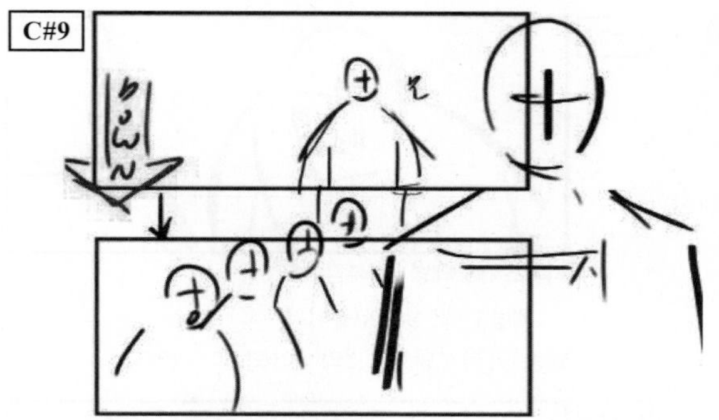

모리아츠 얼굴 T.D. -> 병사들

갑자기 갑판 위의 모리아츠와 왜병들도 환해진 얼굴로 술렁인다.

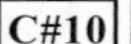

C#10

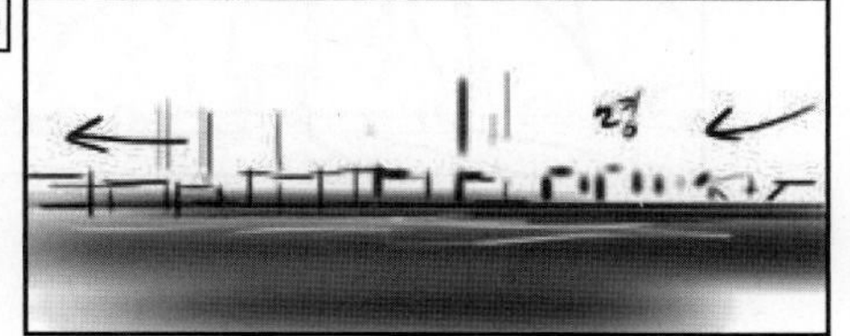

P.O.V. 조명 함대 L.S.

조선 함대가 사라진 자리로 들어서고 있는 명 함대….

C#11

시마즈 B.S.

시마즈 (엷은 냉소) 어리석구나. 이순신… 진린 따위로 이 시마즈를 막을 수 있다고 생각하다니….

숨을 고르는 시마즈, 문득 돌아선다.

C#12

시마즈 O.S. 왜병들

병사들을 향해 돌아선 시마즈, 외친다.

시마즈 (힘주어) 살고 싶은가!

술렁이던 왜병들, 시마즈가 힘주어 묻자 일제히 입을 다문 채 시마즈를 쳐다본다. 왜병들, 서로 눈치만 볼 뿐 섣불리 대답하지 못하는데….

C#13

왜병들 low 약측면 tight

track out 왜병 1 M.S.

불쑥 가장 앳된 얼굴의

왜병 1이 외친다.

왜병 1 살고 싶습니다!

C#14

왜병 1 O.S. 시마즈

시마즈 어느 마을 출신이냐?

C#15

시마즈 O.S. 왜병 1

왜병 1 휴우가 명인촌에서 왔습니다.

C#16

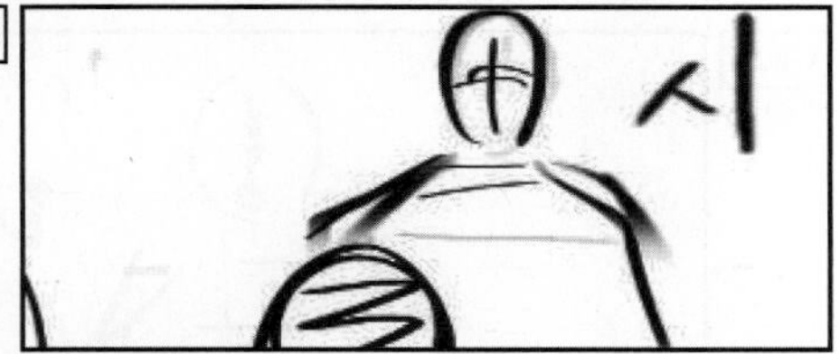

왜병 1 O.S. 시마즈

시마즈 가족들은 있느냐?

C#17

시마즈 O.S. 왜병 1

왜병 1 갓 혼인한 처와 아이가 하나 있었는데….

C#18

왜병 1 O.S. 시마즈 low B.S.

시마즈 …….

C#19

시마즈 O.S. 왜병 1 부감 tight

왜병 1 여기 올 때 갓난쟁이였으니까… 지금쯤이면 아마….

더 이상 말을 잇지 못하는 병사. 그렁그렁 눈물이 고인다. "제발 살려주십쇼." 이내 애원하는데,

C#20

시마즈 뒷모습 왜병들 F.S.
그러자 봇물 터지듯, "저도 살고 싶습니다!" "살려주십쇼 주군!" "집에 보내주십시오!" 아우성치는 왜병들

C#21

모리아츠 B.S.
당혹스러운 표정의 모리아츠.

C#22

시마즈 low F.S. 양 옆으로 왜병들
무표정한 얼굴로 내려다보는 시마즈,

시마즈 (불쑥) 진정 살고들 싶은가!

순간 조용해지는 왜병들, 모두 시마즈만 바라보는데,

C#23

시마즈 O.S. 왜병 1 약부감 B.S.

왜병 1 예! 살고 싶습니다!

왜병 1이 다시 당차게 소리 내어 외친다. 그러자.

C#24

시마즈 low F.S. 양 옆으로 왜병들

왜병들 (일제히) 예! 살고 싶습니다! 도노!

시마즈 그렇다면!

일순 다시 조용해지며 왜병들 모두가 시마즈의 입만 쳐다보는데,

C#25

왜병 1 O.S. 시마즈 low M.S.
왜병 1을 쳐다보는 시마즈.

시마즈 방법은 하나뿐이다.

C#26

시마즈 P.O.V. 왜병 1 부감 T.B.S.
바들바들 떨고 있는 왜병 1.

C#27

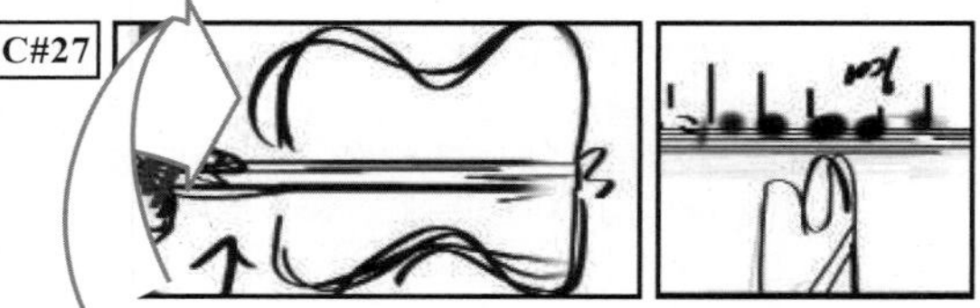

군바이 fr-in. tracking 군바이 너머 명 함대
시마즈, 군바이를 들어 가리킨 곳은 바로 명 함대다.

C#28

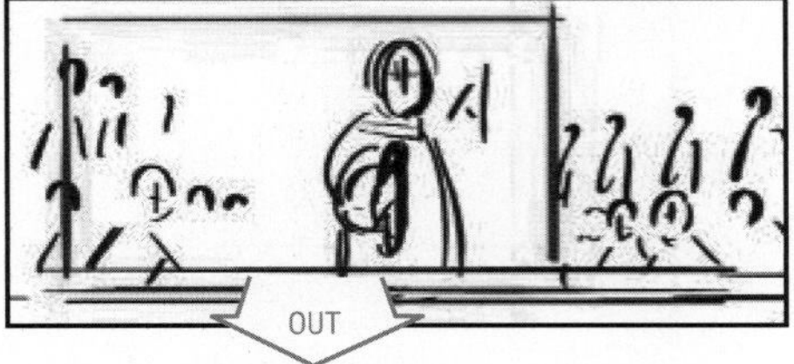

시마즈 정면 M.S. track out 왜병들 F.S.

왜병들 (일제히 돌아보면) …….

시마즈 바로 저기! 저 마귀들을 물리쳐야 고향으로 돌아갈 수가 있다!

C#29

시마즈 뒷모습 왜병들 F.S. /
boom up 명 함선 L.S.
시마즈, 군바이를 들어 가리킨 곳은 바로 명 함대다.

C#30

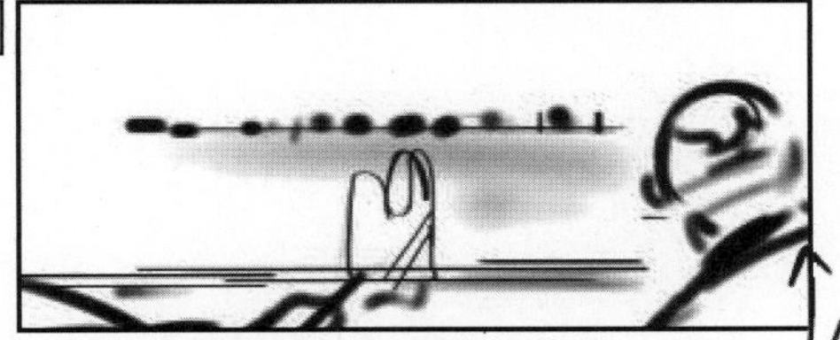

군바이 너머 명 함선 L.S. / fr-in 왜병 1 뒷모습
군바이가 가리키는 곳은 명 함대다.
왜병 1, 고개를 들어 본다.

C#31

시마즈 군바이 O.S. 왜병 1
왜병 1은 이끌리듯 자리에서 일어난다.

C#32

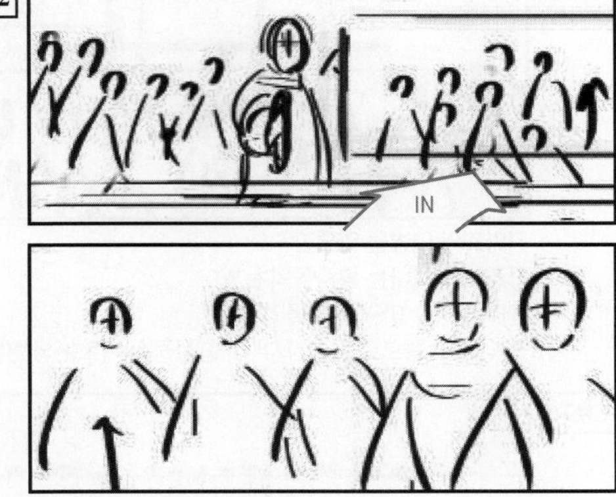

군바이 들고 가리키는 시마즈
뒤로 병사들 정면 F.S. / track in
침을 꿀꺽 삼키는 병사들.
차츰 명 함대를 뚫어지게 노려보는데….

C#33

군바이를 든 시마즈 정면 track in T.B.S.

시마즈 고향으로 돌아간다! 저 마귀들을 뚫고 간다! 그래! 고향으로 돌아가자! 고향으로 돌아가기 위해 모두 몸부림쳐라!

C#34

군바이 tight 너머 왜병 1, 병사들 F.S.
시마즈의 독려에 무슨 힘을 얻은 것일까?
갑자기 살아나는 병사들의 눈빛!

왜병 1 와아아아! 마귀들을 물리치자!

"살아서 고향으로 돌아가자!" 함성을 지르는 왜병들.

C#35

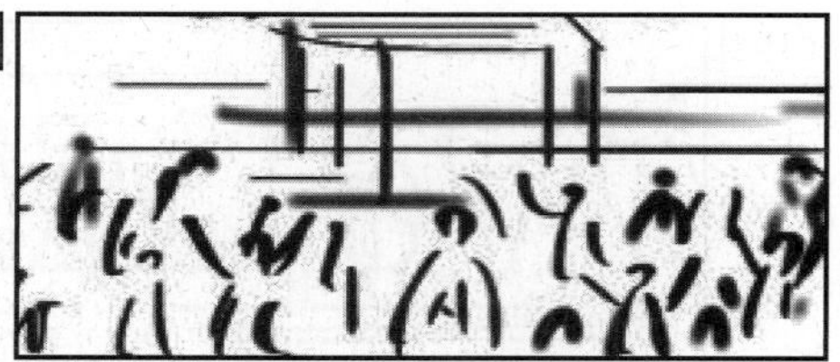

시마즈와 왜병들 약부감 F.S.
갑자기 살아나는 병사들의 눈빛!
"와아아아!" "마귀들을 물리치자!"
"살아서 고향으로 돌아가자!"며 함성을 내지르는 왜병들.

C#36

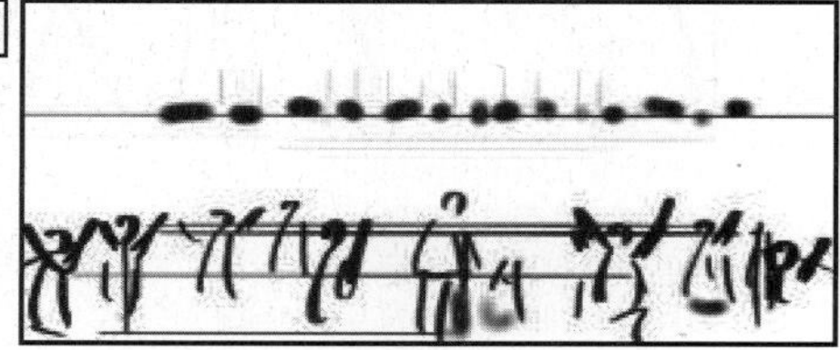

시마즈와 왜병들 너머 명 함대 L.S.
함성을 내지르는 왜병들 너머 대열을 갖추는 명함 대들.

C#37

왜군 함대들 정측면 low F.S. tracking
함성을 지르는 왜군들.

C#38

시마즈 측면, 왜병들 너머 토요히사 F.S.
토요히사가 경탄스러운 표정으로 그런 시마즈를 지켜본다.

C#39

시마즈 정면, 왜병들 뒤로 모리아츠 F.S.
track in

시마즈 …….

S#78 관음포 입구

관음포 입구를 포위하고 있는 명 함대를 향해 방진 형태로 돌진하는 시마즈 함대 3 CUTS

EXT

DAWN

LOCATION

C#1

해수면에서 돌진하는 느낌으로
시마즈 함대 정면 low F.S. / cam-in
쿠쿠쿵! 대열을 정비한 시마즈 함대가 진린이 이끄는 명군 진영을 향해 돌진한다.

안택선을 타고 boom up
커다란 안택선들이 선두에 서고, 그 뒤를 작은 세키부네들이 뒤따르고 있다.

멀리 명 함대를 향하는 시마즈 함대. 약부감 L.S.
(방진을 제대로 보여주는 샷으로)
마치 안택선들이 바깥에서 세키부네를 품고 있듯… 커다란 방진 형태로 돌진한다.

C#2

방진 형태로 전진하는 시마즈 함대
약측면 tracking / boom up 90°
이전과는 다른 진법으로 돌진하는 시마즈 함대.

C#3

명 함대를 향해 전진하는 시마즈의 본대들
약측면 부감 L.S.

S#79 진린 호선

명군을 향해 전진하는 시마즈 함대
왜군의 공격에 진린이 후퇴 명령을 내린다

36 CUTS

EXT DAWN VS

C#1

진잠, 진린, 심리 정면 LOW T.F.S.
TRACKing
돌진하는 시마즈 함대를 보는 진린.

C#2

진잠, 진린, 심리 O.S 전장 F.S. / BOOM UP
적들이 사정거리에 들어오기만을 기다리는데….

C#3

부감. 정면 F.S.
토요히사 안택선을 지나 시마즈의 안택선까지 cam in
방진 형태에서 1열 중앙 토요히사,
2열 중앙에 시마즈의 함대.
함성을 지르며 독기 오른 왜군들.

C#4

시마즈, 모리아츠 약부감 M.S. / BOOM DOWN
진린을 마주 보는 시마즈.

C#5

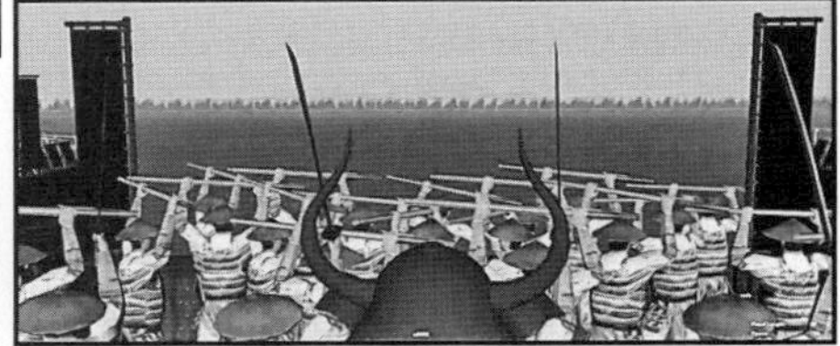

정중앙의 시마즈 O.S. 앞쪽의 안택선들과 너머의 명 함대. / TRACK in
독기 오른 왜군들이 괴성을 지르며 전의를 불태운다.

C#6

등자룡 판옥선 부감 F.S. TRACKinG
BOOM UP 명 함대 측면 부감 L.S.
등자룡의 판옥선 옆으로 나란히 서 있는 호선들.
(진린의 4열 행렬진도 격자로 서 있다.)

C#7

진린, 진잠, 심리 T.F.S. / TRACK in
전방을 주시하는 진린, 진잠, 심리.

C#8

등자룡 F.S. / TRACK in
등자룡이 손을 들어 신호를 준비한다.

C#9

등자룡 M.S. / TRACK in
마침내! 등자룡이 신호를 내린다.

등자룡 발포하라!

C#10

등자룡의 판옥선에서 발포하는 화포들.
SIDE LOW TRACK OUT
명군의 최선봉에 선 등자룡의 판옥선에서 발포가 가장 먼저 이뤄진다.

C#11

명 함대 -> 시마즈 함대 F.S. / PAN
뒤이어 진린이 이끄는 후방에서도 2차 발포가 시작되는데….
일제히 쏟아지는 명군의 화포들!

C#12

안택선의 부서지는 누각 F.S.
명군에 포탄이 돌진해오는 시마즈 함대의 선두 안택선들 위에 포탄이 쏟아진다.

C#13

안택선 약측면 F.S.
명군의 포격에도 돌진하는 왜군들.

C#14

안택선, 세키부네 정면 F.S. ->
안택선 벌어지며 그 사이로 세키부네 F.S.
TRACK OUT & BOOM UP, TRACKing
몇몇의 안택선은 정지하지만 안택선들의 사이사이가 갑자기 벌어지며 그 뒤에 자리했던 세키부네들이 벌떼처럼 쏟아져 나온다.

C#15

세키부네 F.S. / TRACK in & BOOM UP
세키부네들의 빠른 속도전!
몸을 숙인 채 공격을 준비하는 왜군관과 왜군들.

C#16

선두의 세키부네 후면 너머 명 함대들 L.S.
TRACKing 돛대에 매달린 아리마 M.S.
돌진하는 한 척의 세키부네의 돛대에는 묶여 있는 아리마의 공포 어린 얼굴이 보인다.

아리마 아악~~~~~

C#17

아리마 WIDE F.S.
아리마가 묶여 있는 돛대가 포탄을 맞고 부러진다.

C#18

왜군들 SIDE M.S.
세키부네 안, 2열의 조총병들 몸을 숨기고 웅크리고 있고, 후열 중앙에 왜군관이 버티고 있다.
(조총의 사정거리에 도달할 때까지.)

C#20

왜군관 O.S. 명 함대
명 함대를 주시하는 왜군관.

C#20

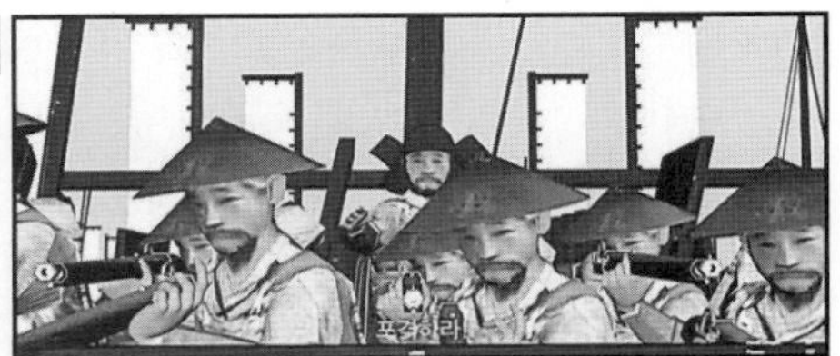

세키부네 안 왜병들 / TRACK OUT
사격 명령을 내리는 왜군관.

왜군관 쏴라!

C#21

세키부네 안 왜병들 F.S.
결국 명군 진영에 왜군 조총의 사정거리가 도달하자 여지없이 조총들이 불을 뿜는다.

C#22

등자룡 판옥선 명 군사들 SIDE F.S.
등자룡이 이끄는 명의 선봉대에 군사들이 우수수 쓰러진다!

C#23

등자룡 정면 TIGHT SHOT / TRACK in
그 전술에 놀라는 등자룡. 심각해진다.

C#24

타치바나 M.S. / TRACKinG
2군의 출진을 명령하는 타치바나.

타치바나 2진 출격하라! (프리비즈 대사)

C#25

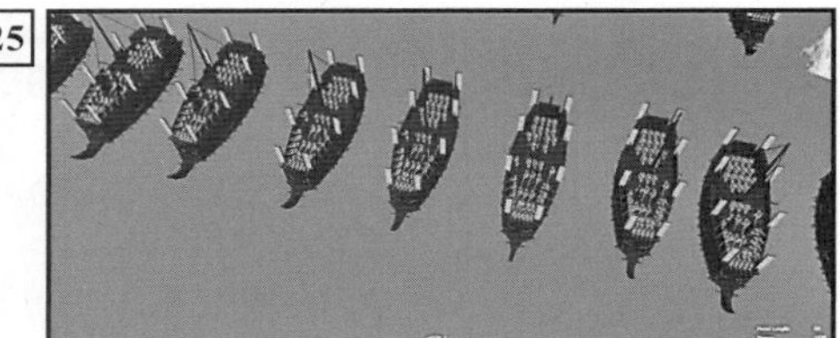

세키부네 직부감 F.S.
앞으로 나서는 후열의 세키부네들.

C#26

시마즈 함대 -> 명 함대 WIDE SHOT
TRACKing
후열의 세키부네들이 명 함대를 향해 돌진한다.

C#27

토요히사 M.S. / TRACKing
사격 명령을 내리는 토요히사.

토요히사 발포하라!

C#28

세키부네 측면 F.S. / BOOM UP
일제히 명 함대를 향해 조총을 발사하는 세키부네의 왜군들.

C#29

진린 호선 약측면 F.S.
조총 공격을 당하는 호선들과 명 군사들.

C#30

진린 호선 SIDE F.S.
조총 공격을 당하는 호선들과 명 군사들.
(공격을 받고 떨어지는 명 군사.)

C#31

진린, 진잠 B.S. 약부감 / TRACKinG
돌진하는 왜군들을 바라보고 있는 진린과 진잠.

C#32

진린, 진잠 M.S. / TRACKinG
그 전술에 놀라는 명군.

진 잠 (당혹) 상당히 정교한 진법입니다. 도독!

C#33

세키부네 정면 약부감 F.S.
조총 사격을 하며 돌진하는 세키부네들.

C#34

세키부네, 명 함대 WIDE SHOT / TRACKinG
명군의 포격 속에도 점점 거리를 좁혀오는 세키부네들.

C#35

진린 B.S.
굳은 표정으로 다가오는 시마즈 함대를 바라보는 진린.

진 린 배들을 물려라. 퇴각한다.

C#36

등자룡 판옥선과 명 함대들 약측면 부감 F.S.
명이 떨어지기 무섭게 황급히 뱃머리를 돌리기 시작하는 명군 함대. 등자룡의 판옥선마저 배를 돌리는데….

S#80 시마즈 안택선

후퇴하는 명 함대를 비웃는 모리아츠와 후열을 다그치는 시마즈 15 CUTS EXT DAWN VS

C#1

세키부네들 너머 뱃머리 돌리는 명 함대 L.S.
boom down 조총병들 뒷모습 F.S.
모리아츠, 시마즈 뒷모습
황급히 뱃머리를 돌리기 시작하는 명군 함대. 등자룡의 판옥선마저 배를 돌리는데…. 그런 명군을 쳐다보고 있는 모리아츠.

그렇게 관음포 입구를 빠져나오는 시마즈 함대 2백여 척. 모리아츠, 시마즈를 보며,

모리아츠 (비웃음 가득한) 오합지졸이 따로 없습니다. 주군.

C#2

시마즈 정측면 low B.S. track in
그러나 여전히 신중한 표정의 시마즈.

C#3

시마즈 P.O.V. / pan 등자룡 low W.S.
등자룡, 아래를 내려다보며 포병에게 명령을 한다.

C#4

시마즈 P.O.V.
세키부네 너머 등자룡 판옥선 F.S.
시마즈의 시선이 도망치는 명 함대 후미 등자룡의 판옥선에 꽂혀 있다. 호준포를 쏘는 판옥선.

C#5

시마즈, 모리아츠 약측면 M.S.
이를 간파하고 동시에 등자룡의 판옥선을 노려보는 모리아츠.

모리아츠 도노! 이번엔 꼭 저 늙은 놈의 목을 가져다 드리겠습니다!

시마즈 …….

C#6

모리아츠 정측면 low B.S.
병사들을 향해 명령하는 모리아츠.

모리아츠 등자룡 추격하라! (프리비즈 대사)

C#7

등자룡 판옥선 너머 명 함대 약 low F.S.
시마즈 안택선 fr-in
등자룡의 판옥선을 향해 전진한다.

C#8

세키부네 약측면 부감 tracking
판옥선을 향해 조총을 겨누는 왜병들.

C#9

호준포를 준비하는 명군들 약부감 T.F.S.
boom up 장루 위의 등자룡 F.S.

등자룡이 돌아보며 긴장하는데….

C#10

장루 위의 등자룡 B.S. / tracking
전장을 둘러보는 등자룡.

C#11

장루 위 등자룡 뒷모습 너머 다가오는 왜선들
T.F.S. 반원형 tracking

조금만 있으면 등자룡의 판옥선을 따라잡을 듯한
시마즈의 안택선….

C#12

시마즈 정면 low M.S. track in
펑! 펑! 펑! 갑자기 뒤쪽에서 들려오는 요란한 포격 소리!

C#13

명 함대 앞으로 진격하는 시마즈의 함대
약 측면 부감 L.S. / cam-in
포탄을 맞는 시마즈의 함대들.

C#14

돌아보는 시마즈 B.S. tracking
모리아츠 본능적으로 돌아보면, 시마즈 역시 소리가 들린 쪽을 돌아보는데!

시마즈 너머 난간 앞으로 가는 모리아츠
너머 포탄 맞고 쓰러지는 왜선들 F.S.

C#15

시마즈 low B.S. / track in
등자룡의 화포 공격을 바라보는 시마즈.

S#81 이순신 좌선 - 허리 끊기

적진의 허리를 끊어내야 한다고 말하는 이순신
사격 명령을 내리는 이순신

26 CUTS

EXT DAWN VS

C#1

섬을 끼고 fr-in 이순신의 판옥선들
측면 F.S. / tracking
놀랍게도 총통을 발사하며 절벽 뒤에서 튀어나오는 조선의 판옥선들.

C#2

판옥선들 측면 T.F.S.
화포를 쏘며 등장한다.

C#3

화포를 쏘는 판옥선 정면 low L.S.
화포를 쏘며 전진하는 판옥선.
시마즈의 함대를 향해 날아가는 화포.

quick pan 포를 맞고 부서지는 세키부네 T.F.S.

C#4

갑판 아래로 떨어지는 왜군들 부감 T.F.S.
세키부네가 부서지며 갑판 아래 바다로 떨어지는 왜군들.

C#5

이순신 함대를 보는 시마즈 부감 back F.S.
boom up 이순신 함대 정측면 L.S.
갑자기 나타난 조선 함대들을 멍하니 바라보는 왜병들….

C#6

세키부네 측면 T.F.S. cam-in
판옥선의 시점 샷으로 느낌으로 점점 앞으로 다가가고 있다.

C#7

세키부네 너머 충파하는 판옥선 low T.F.S.
다가오는 판옥선이 세키부네를 그대로 들이받는다.

C#8

전진하는 판옥선 정면 부감 boom up L.S.
cam-out
시마즈 함대의 절반 쪽 측면을 거침없이 돌진해 충파하고 들어오는 4열 장사진의 판옥선들.

C#9

왜선을 밀고 들어오는 판옥선 측면 약부감 F.S.

C#10

시마즈, 모리아츠 정측면 low M.S.
track-in
갑판 측면으로 나와서 이순신 함대를 보는 시마즈와 모리아츠.

C#11

조총을 든 왜병들 약측면 low W.S.
일제히 조총을 장전하는 시마즈의 왜군들.

C#12

왜병들 너머 판옥선 low T.F.S.
판옥선을 향해 조총을 쏘는 왜병들.

zoom-in 대장군전을 장전한 조선 화포 tight

C#13

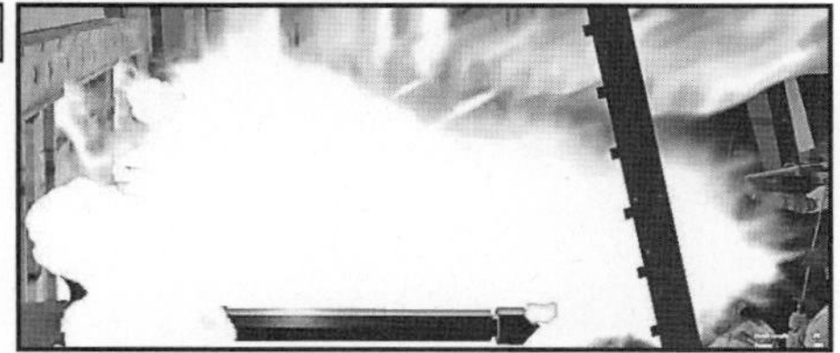

대장군전 측면 T.F.S.
대장군전을 발사하는 판옥선.

C#14

판옥선의 직포 발사에 부서지는 세키부네들
부감 T.F.S.

C#15

시마즈의 진영을 쪼개며 들어오는 판옥선들
약 부감 L.S. moving / cam-in
허리가 완전히 끊어지며 반으로 나눠지고 마는 시마즈 함대. 마치 양방향으로 쌍 학익진을 펼치는 듯한 진법으로 시마즈 함대를 나누어 쪼개 상대하고 있는 순신.

C#16

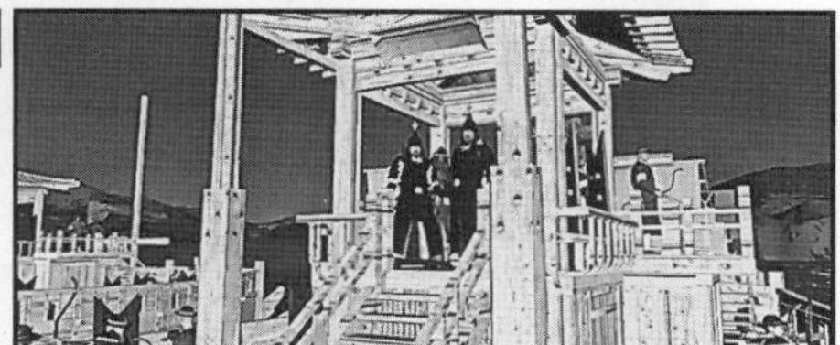

((이순신 좌선))
장루 위 이순신, 송희립 low T.F.S
tracking
좌선에 우뚝 서 있는 순신이 보인다.

C#17

((이순신 좌선))
이순신, 송희립 low B.S.

이순신 적의 허리를 완전히 끊어내야 한다.

송희립 네, 장군.

C#18

밀고 나가는 판옥선들 타고 boom up
약측면 부감 L.S.
시마즈 함대를 절반으로 갈라먹으며 전방 화포와 측면 화포들을 동시에 발사하며 또한 충파로 돌진하는 판옥전선들.

C#19

좌선의 측면 난간 너머 다가오는 세키부네 F.S. / tracking

C#20

((이순신 좌선))
이순신 측면 B.S.
다가오는 세키부네들을 본다.

C#21

((이순신의 좌선))
왜병들 너머 이순신 좌선 측면 T.F.S.
tracking
이순신의 좌선을 향해 조총을 쏘는 왜병들.

C#22

((이순신의 좌선))
이순신 뒷모습 부감 tracking / boom down
정면 B.S.

C#23

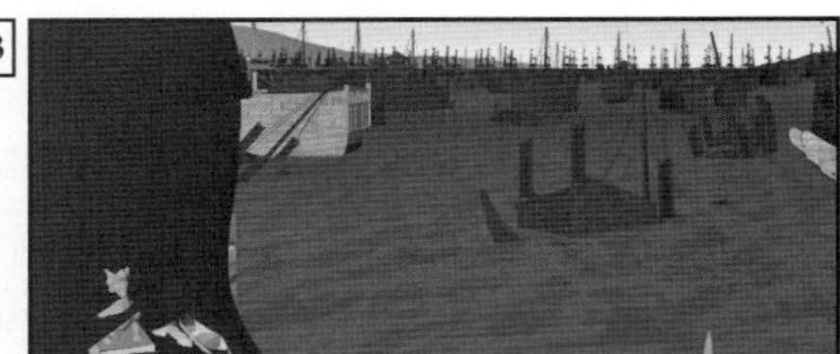

이순신 O.S. 왜선들 F.S.
follow tracking

C#24

이순신 B.S. / tracking
갈라놓은 후방 쪽 적들을 타격하며 함대를 지휘하는 이순신.

이순신 적선들에 더욱 화포를 퍼부어라! 신속히 적의 후미 쪽을 궤멸시켜야 한다.

송희립 발포하라!

C#25

((이순신의 좌선))
화포를 쏘며 전진하는 이순신 좌선
정측면 F.S. / boom up
충파를 하며 왜선을 향해 화포를 쏘는 좌선.

왜군 후방 함대들이 순식간에 궤멸하기 시작하는데…조선군의 직포 공격에 앞으로 향해오던 속도와 관성이 더해져 마구 부서지고 있다.

C#26

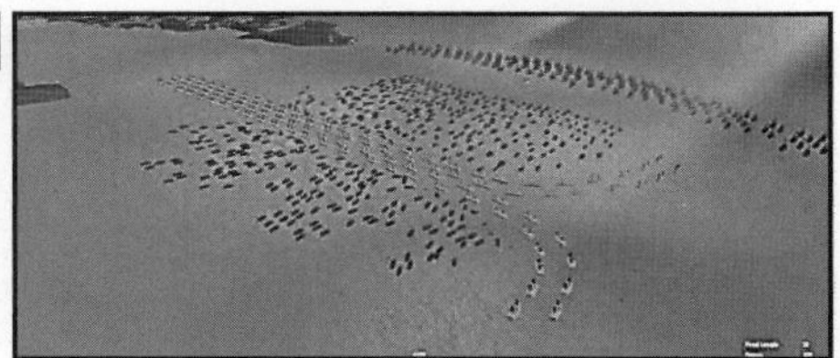

시마즈 함대의 허리를 완전히 끊고 나오는
이순신의 함대 직부감 L.S.

S#82 시마즈 안택선

분한 얼굴로 이순신의 좌선을 노려보는 시마즈 | 3 CUT | EXT DAWN VS

C#1

시마즈와 모리아츠 약측면 M.S.
유인책에 속았음을 깨달은 시마즈,

시마즈 이순신 이놈….

분노를 주체할 수 없는 시마즈… 그러나 여기서 끝이 아니다.

모리아츠 주, 주군….

경악스러운 표정으로 전방을 바라보고 있는 모리아츠.

C#2

시마즈, 모리아츠 O.S. 명 함대 L.S.
boom up
명 함대까지 일제히 방향을 돌려 포를 쏘며 시마즈 함대를 향해 몰려오고 있다.

quick zoom in 명 함대 F.S.
배를 돌리고 있다.

C#3

시마즈 B.S. track in

시마즈 (차갑게 노려보는데) …….

S#83 진린 호선

고니시의 계략에 빠진 것을 분해하며 진잠에게 돌진을 명하는 진린 5 CUTS  EXT DAWN VS

C#1

진린 호선의 장루 지붕 tight / boom down
장루 안, 진린과 진잠 뒷모습 T.F.S.
(앉아 있는 진린, 좌측 옆으로 서 있는 진잠.
그 앞으로 멀리 전장이 보인다.)

전장을 향해 전진하는 진린의 함대들.
(진린 호선의 위치가 2~3열 중앙으로, 격자형으로 달린다. 진린 호선 옆으로 다른 호선이 걸린다.)

C#2

진잠, 진린 약측면 low M.S.
전장을 바라보는 진린.

진 린 그대로 밀어붙여라.

진 잠 (불안한) 치고 빠지는 것이 아니었습니까?

C#3

진린 정면 low B.S.

진 린 (왠지 결의에 찬) 상황이 달라졌다! 최대한 밀어붙여라!

C#4

진린 너머 진잠 약측면 B.S.

진 잠 네, 도독.

명령을 받고 움직이는 진잠.

C#5

진격하는 진린의 호선 약측면 low F.S.
tracking 진격하는 호선들 back F.S.
시마즈 본대를 향해 속도를 내는 진린의 명군 함대.

S#84 시마즈 안택선

자신에게 돌진해오는 명 함대를 보고선 세키부네를 내보내라고 명령하는 시마즈 4 CUTS 
EXT DAWN VS

C#1

다가오는 명 함대 L.S. / boom down
시마즈의 뒷모습 M.S.

누각 안쪽에 앉아 있는 시마즈, 다가오는 명 함대를 본다.

C#2

시마즈 약측면 low B.S.
시마즈, 전방의 명 함대를 보며,

시마즈 (차갑게) 어리석게도 저렇듯 우리에게 다가와 주다니… 오히려 고맙구나.

C#3

시마즈 low T.B.S. / track in

시마즈 (이내) 세키부네들을 대거 내보내라.

C#4

약측면 신호병 W.S. / tracking
boom up
신호병이 나발을 불면 카메라, 빠진다.

시마즈 안택선 갑판 위 boom up

뿔고둥 소리가 울리고, 시마즈 안택선 뒤에 있던 80여 척의 세키부네들이 자신들을 향한 명 함선을 향해 달려간다.

시마즈 함대 너머 명군 함대 부감 L.S.

S#85 세키부네 부대 - 호선

세키부네를 향해 화포와 호준포를 발사하는 명군들
조총 공격에 쓰러지는 명군들

17 CUTS

EXT DAWN VS

C#1

호선의 돛대 boom dowm
선미 갑판 위 약부감 T.F.S. 너머 왜선들 L.S.
호선 갑판 위, 화포를 준비하는 명 군사들, 사이 호준포를 준비하는 군사들.

C#2

명 군관 정측면 low M.S.
예상과 다르게 과감히 달려드는 수많은 세키부네들에 당황하며 주춤하는 명 함선들.

명 군관 발포하라!

C#3

발포를 준비하는 명군들 T.F.S.
명군도 부랴부랴 화포와 호준포를 쏘며 세키부네를 저지하려 하는데….

C#4

명군 호선 앞으로 다가가는 세키부네들
back T.F.S.
세키부네들은 빠르게 피하며 점점 더 명나라 호선들에 가까이 다가간다.

C#5

다가가는 세키부네 왜병들 너머
명 호선 정측면 F.S. / cam-in
그 틈을 놓치지 않고 조총을 퍼붓는 세키부네의 조총 병사들.

C#6

호선의 명 병사들 너머 다가오는 왜선들 F.S.
세키부네에서 쏘는 조총에 맞아 쓰러지는 명군.

C#7

왜군들 너머 호선 위 명군들 T.F.S. / tracking
방어가 약한 호선의 구조, 명군들은 근거리에 왜군들에 노출되어 조총의 총알에 무수히 당한다.

쓰러지는 명군 너머 세키부네 위 조총병들
부감 T.F.S.
왜군의 조총 공격에 쓰러지는 명군들.

C#8

왜군 P.O.V. 쓰러지는 명 군사 low T.F.S.
조총에 맞고 쓰러지는 명군.

C#9

C#10

왜군관 1 B.S.
호선의 약점을 금방 파악한 세키부네의 왜군관.

왜군관 1 놈들의 배는 갑판이 약하다!

(프리비즈 대사)

C#11

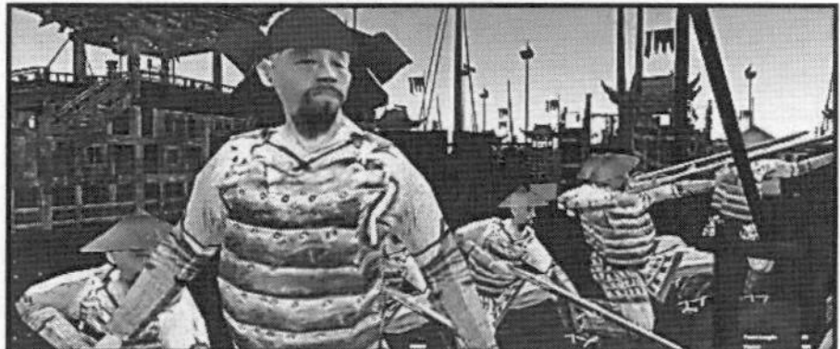

돌아보는 왜군관 1 / 180° tracking

왜군관 1 월선을 피하고 계속 놈들을 감아 돌아라. 그리고 조총을 쏘아라! (눈빛 빛나며) 그리만 해도 놈들을 잡을 수 있다.

왜군관 1 O.S. 왜군에 밀리는 명 함대들
적선들의 공격에 속수무책으로 끌려다니기 시작하는 명 호선들! 그 와중에 유일하게 적선을 부수고 있는 건 등자룡의 판옥선뿐이다.

세키부네 약부감 back T.F.S. / follow
세키부네를 따라 등자룡의 판옥선 쪽으로 간다.

조타수 예! 도노!

C#12

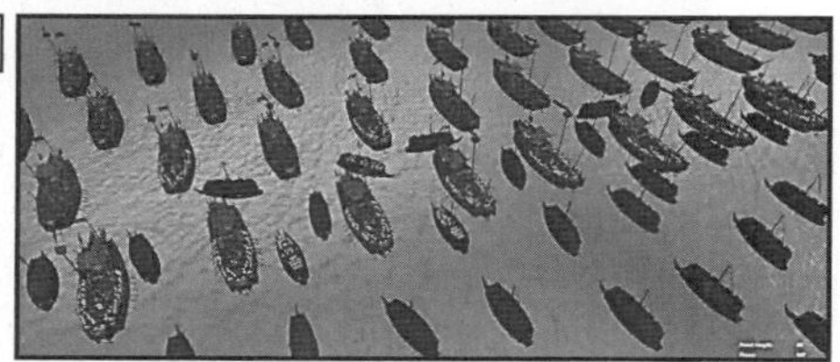

호선들 사이를 파고드는 세키부네들 부감 F.S.
적선들의 공격에 속수무책으로 끌려다니기 시작하는 명 호선들!

C#13

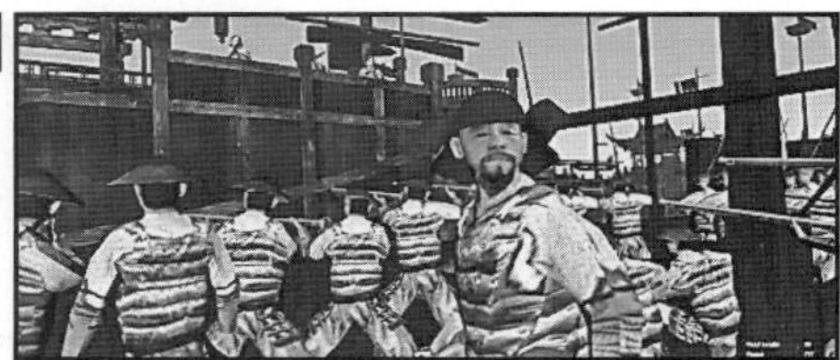

돌아보는 왜군관 1 너머 호선 tight tracking

C#14

세키부네 옆 등자룡 판옥선 후측면 T.F.S.
판옥선의 화포 공격에 부서지는 세키부네.

quick zoom in 장루 위 등자룡 T.F.S.
판옥선의 장루 위에 등자룡이 있다.

C#15

왜군관 M.S.
장루 위의 등자룡을 보는 왜군관 1

왜군관 1 저 자를 잡아야 한다! (프리비즈 대사)

C#16

세키부네의 왜병들 너머 등자룡 판옥선 low F.S.
조총을 쏘며 등자룡의 판옥선으로 다가가는 세키부네.

C#17

세키부네를 보는 등자룡 low W.S.
판옥선으로 다가오는 세키부네를 보는 등자룡.

S#86 등자룡 판옥선

달려드는 세키부네들을 충파하며 호준포를 발사하는 등자룡의 판옥선 8 CUTS EXT DAWN VS

C#1

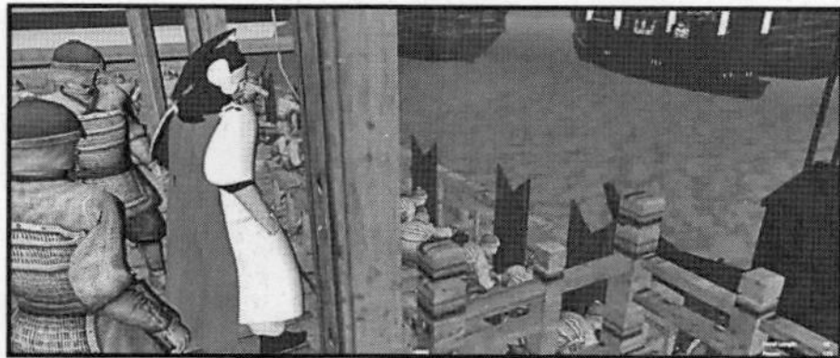

장루 위, 등자룡 약 부감 측후면 T.F.S.
pan 세키부네 위 조총병들 부감 T.F.S.
장루 위에서 내려다보는 등자룡.

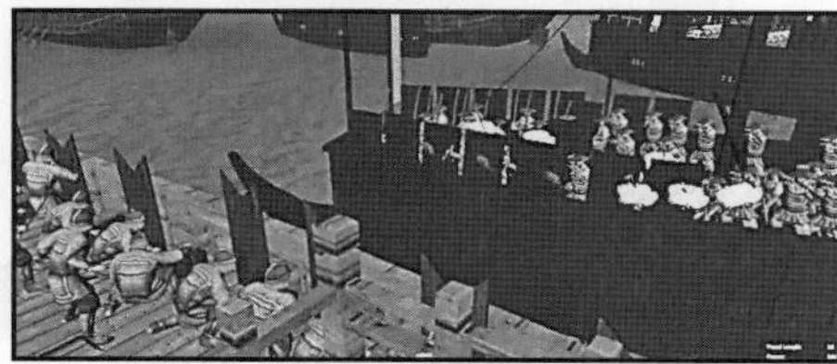

세키부네 한 척이 조총을 쏘며 다가온다.

C#2

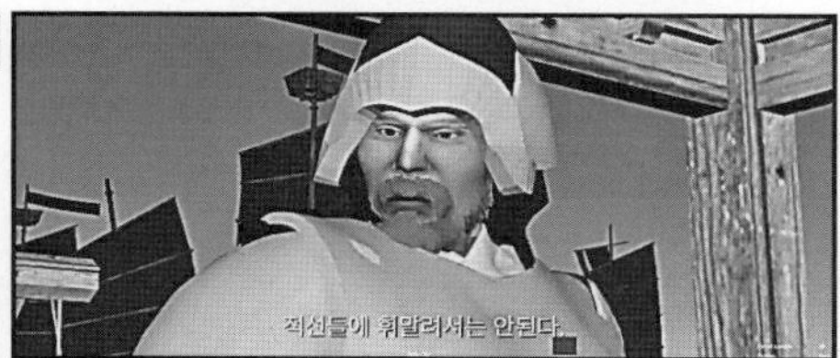

등자룡 B.S. tracking
지휘를 하는 등자룡.

등자룡 적선들에 휘말려서는 안 된다. 남김없이 쳐부숴라!

C#3

전진하는 판옥선 약측면 low T.F.S.
판옥선 follow / pan
그 와중에 유일하게 적선을 부수고 있는 건 등자룡의 판옥선뿐이다. 타타타타타! 투두두둑! 호준포를 내갈기며 적선들을 충파하는 등자룡과 그 수하들.

C#4

등자룡 정측면 low M.S. / 부장 fr-in
부장이 뛰어 들어온다.

부장 1 (뛰어 들어오며) 장군!

전장을 보는 등자룡.

C#5

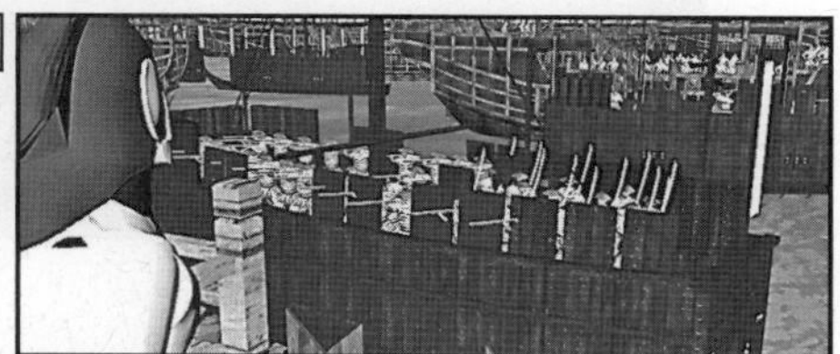

등자룡, 부장 뒷모습 O.S. 명 함대들 T.F.S.
tracking
명 호선들을 에워싸는 세키부네들.

C#6

월선을 시도하는 왜군들 뒷모습 T.F.S.
T.U. 등자룡의 판옥선 측면 tight
앞을 돌아보면, 세키부네 3척이 월선 상황으로 들러붙는다.

C#7

등자룡의 판옥선 옆 세키부네들
약측면 부감 F.S.
세키부네 3척이 월선 상황으로 들러붙는다.

C#8

해수면 너머 명 함대 앞으로 등자룡의 판옥선
Back F.S. 주변으로 세키부네 fr-in
계속해서 밀려드는 세키부네들에 둘러싸여 차츰 속도가 떨어지며 포위되는 등자룡의 판옥선.

S#87 진린 호선

크고 화려해 유독 눈에 띄는 탓에 적선들의 표적이 된 진린의 호선 | 12 CUTS | EXT | DAWN | VS

C#1

명 함대를 향하는 시마즈의 함대 부감 L.S.
boom down

C#2

진린 호선을 둘러싼 세키부네들 F.S.
사선 boom up
같은 시간, 진린의 호선도 위기에 빠진다.
가장 크고 화려해 유독 눈에 띄는 탓에 적선들의 표적이 된 진린의 호선… 결국 몰려든 세키부네들에 포위되고 만다.

C#3

진린 호선으로 걸리는 갈고리들
약측면 low T.F.S.
이내 갈고리를 던지고

C#4

호선으로 월선하는 왜병들 low back T.F.S.
사다리를 놓으며 등선까지 시도하는 왜병들.

C#5

월선 사다리를 건너는 왜군 발 약부감 tight

C#6

명군 너머 월선하는 왜군들 T.F.S.
빠르게 사다리를 타고 날아올라 명군을 공격하는 왜군들.

C#7

포위당하는 진린 호선 부감 F.S.
결국 몰려든 세키부네들에 포위되고 만다.
무수한 총탄에 갑판 위 병사들이 우수수 쓰러진다.
배가 꼼짝하지 못한다.

C#8

누각의 난간 앞 진린, 진잠 Low F.S.
심리 fr-in / track-in
심리, 다급하게 진린에게 온다.

심 리 도독! 우리 배가 사방으로 포위되었습니다!

C#9

진린 B.S. 360° panning / 48f.

진 린 (낭패스러운) …….

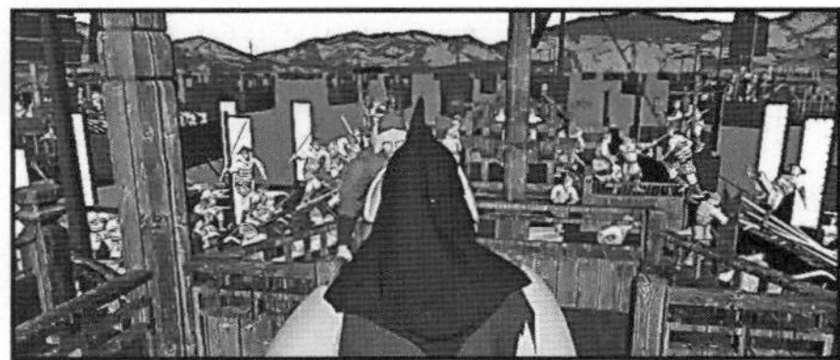

진린 O.S. 호선의 갑판과 주변 F.S.
왜군들이 진린의 호선으로 과감히 월선하기 시작한다.

C#10

진린 정면 O.S. 백병전 T.F.S.
뒤를 돌아보는 진린, 왜병들이 명군에게 칼을 들고 달려든다. 보다 못한 진린,

C#11

진린 low M.S. / tracking
직접 칼을 뽑아 들고.

C#12

진린 너머 장루 후미의 명군과 왜군들 F.S.
boom up
진린, 칼을 뽑아 들고 장루 후미로 가는데….

S#88 시마즈 안택선

포위된 진린의 대호선을 발견하고 직접 진린을 잡으려 나서는 시마즈 | 6 CUTS |  EXT DAWN VS

C#1

호선 위 왜군들 사이 진린 T.F.S.
track out 호선들 사이로 왜선들 F.S.
왜선들에 둘러싸인 진린 호선.

C#2

모리아츠 뒤로 시마즈 low M.S.
포위당한 진린의 호선을 발견한 시마즈 안택선에 모리아츠, 눈빛이 빛난다.

모리아츠 주군! 명국의 대장입니다! 우리 배들이 들러붙고 있습니다.

C#3

시마즈 약측면 B.S.

시마즈 (눈빛 빛나며) 저자를 생포만 한다면 어쩌면… 이 전쟁을 바로 끝낼 수 있다!

C#4

진린 호선 너머 시마즈의 안택선
약부감 F.S.
마침내 시마즈의 안택선마저 진린의 호선을 노리고 접근해 오는데….

C#5

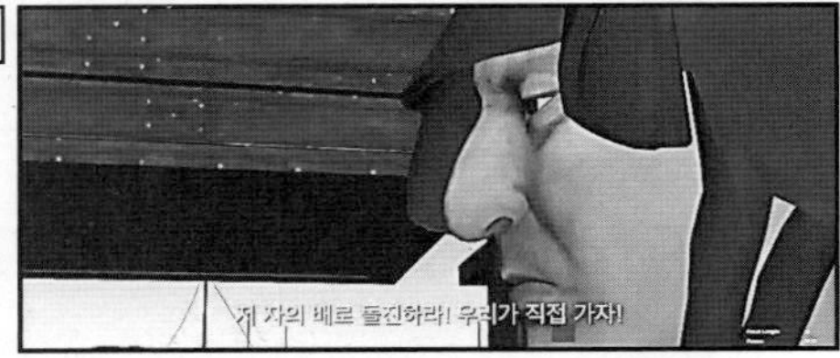

시마즈 측면 T.B.S.

시마즈 저자의 배로 돌진하라! 우리가 직접 가자!

모리아츠 예, 도노!

C#6

시마즈 안택선 T.F.S. / zoom-out
진린 호선 너머 시마즈 안택선 F.S.
진린의 호선 앞으로 다가오는 시마즈 안택선.

적선들의 공격에 속수무책으로 끌려다니기 시작하는 명 호선들!

S#89 등자룡 판옥선

전황을 보고하는 부장, 호준포를 준비하라고 명령하는 등자룡 | 7 CUTS

EXT DAWN VS

C#1

진린의 호선 너머 다가오는 시마즈 함대
부감 F.S.
월선한 왜병들과 싸우는 진린.
진린의 호선을 향해 다가오는 시마즈 안택선.

C#2

왜병과 싸우는 장루 위 등자룡 low T.F.S.
zoom-in
월선한 왜병과 싸우고 있는 등자룡.

등자룡 부장 fr-in

등자룡 부장 장군! 적장이 도독에게 가고 있습니다!

등자룡 뭐라!

적병들을 상대하던 등자룡, 놀라 돌아보면,

C#3

등자룡 O.S. 명 호선에 다가가는 시마즈 함대
측면 F.S. / boom up
시마즈가 진린의 호선으로 다가가고 있다.

C#4

등자룡, 부장 M.S. / zoom-in

등자룡 호위선들은 대체 뭐하고 있단 말이냐!

C#5

등자룡 P.O.V.
quick pan 다가오는 시마즈의 안택선
진린의 호선 주변엔 왜선들만 가득할 뿐….

C#6

등자룡과 부장 약측면 B.S.

등자룡 도독이 당하면 아니 된다! 속도를 내고 어서 호준포를 장전하거라!

등자룡 부장 탄환이 다 떨어졌습니다. 장군!

C#7

부장 O.S. 등자룡 W.S.
부장을 돌아보는 등자룡.

등자룡 !

부장, 병사들과 함께 움직인다. Fr-out

등자룡 따라오라!

S#90 시마즈 안택선

앞을 막아선 등자룡과 부하들이 던진 호준포에 맞아 쓰러지는 왜군들 31 CUTS

EXT DAWN VS

C#1

시마즈 안택선의 갑판 너머
진린의 호선 측면 F.S. / track out
왜선에 둘러싸인 진린의 호선.

누군가 들고 있는 칼 fr-in / track out

C#2

시마즈 B.S.
왜선들에게 둘러싸여 고전하는 진린의 호선을 바라보고 있는 시마즈.

C#3

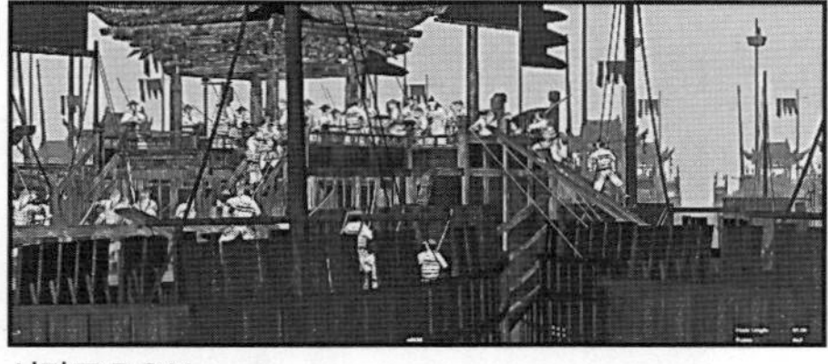

시마즈 P.O.V.
왜군들과 싸우는 진린과 명군들 F.S.
월선한 왜군을 상대로 싸우는 진린.

quick zoom-in 칼을 휘두르는 진린

C#4

시마즈 low K.S. track out
진린의 호선을 바라보고 있는 시마즈. 이미 칼을 빼 든 채 서 있다.

곧 그의 배가 진린의 호선에 다가갈 듯한데,

C#5

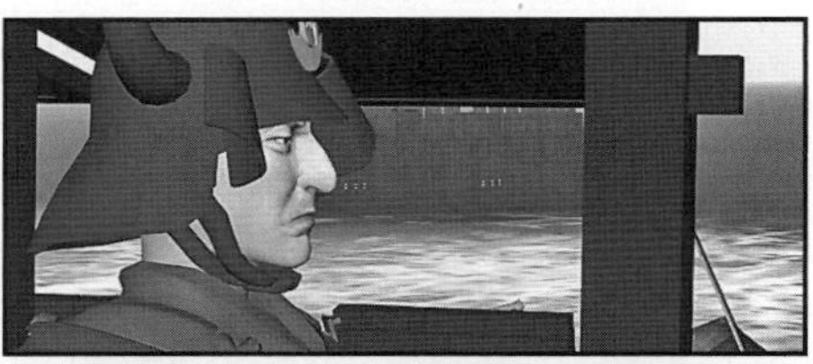

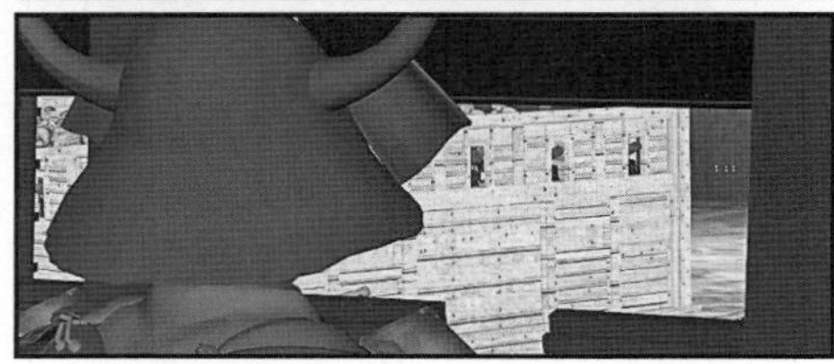

시마즈 측면 T.B.S.
진린을 보는 시마즈, 옆으로 판옥선이 들어온다.

C#6

시마즈 M.S. / track-in
난데없는 판옥선의 등장에 바라보는 시마즈.

C#7

안택선을 들이받는 등자룡의 판옥선
low F.S. tracking
시마즈의 배를 막아서는 등자룡의 판옥선.

C#8

누각 앞 시마즈, 병사들 low F.S.
순간 배를 들이박는 충격을 느낀다.

C#9

안택선, 등자룡의 판옥선
low F.S. 충격에 도는 안택선

C#10

시마즈 안택선과 대치하는 등자룡 판옥선
직부감 T.F.S.

C#11

왜병 너머 등자룡과 명군들 wide shot
칼을 든 왜병과 대치는 하는 명군, 등자룡.

등자룡 월선하라!

C#12

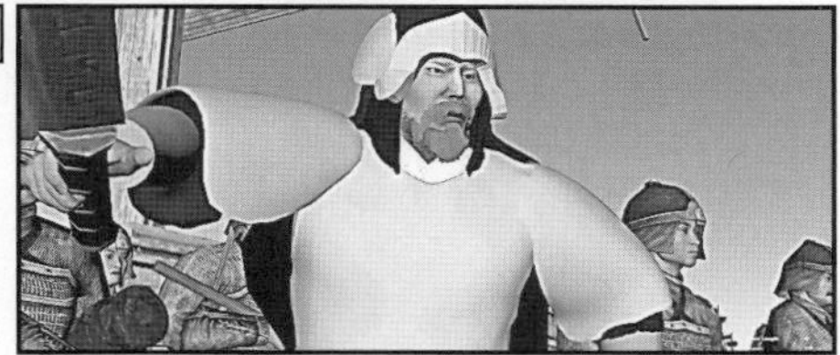

언월도를 든 등자룡 low M.S.
자세를 잡는 등자룡.

C#13

호준포를 든 명군 M.S.
난간 앞 등자룡과 명군들이 두 손으로 호준포의 양 다리를 쥔 채 시마즈를 겨누고 있다.
주춤하는 적병들.

호준포 follow pan 호준포 맞는 왜군들
측면 F.S.

등자룡 으으아아악!

괴성을 내지르며 들고 있던 호준포를 적병들을 향해 집어 던지는 등자룡과 명군들. 날아온 수십 개의 포신을 얻어맞고 줄줄이 쓰러지는 적병들.

C#14

누각 앞 시마즈 W.S.
앞으로 나와서 보고 있는 시마즈.

C#15

명군 너머 왜군들 low F.S.
그 틈에 시마즈의 배 갑판으로 일제히 월선하는 등자룡과 명군들.

C#16

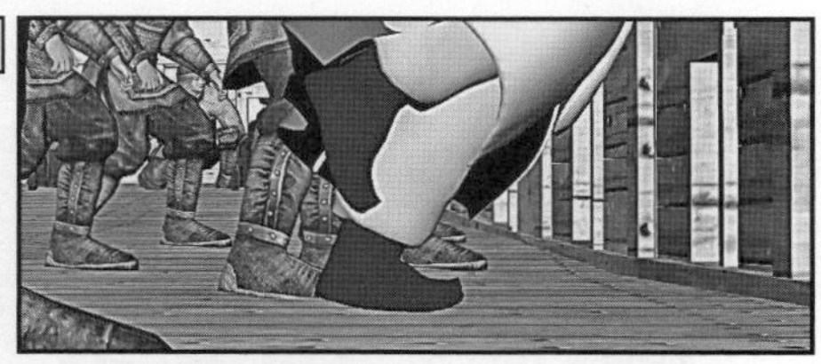

등자룡의 발 tight / follow
월선을 하는 등자룡의 발.

C#17

언월도를 든 등자룡 F.S. / follow
언월도를 들고 재빨리 월선을 시도하는 등자룡.

C#18

등자룡 M.S.
착지하는 등자룡.

C#19

등자룡 O.S. 시마즈 tracking
잠시 시마즈를 보는 등자룡.

C#20

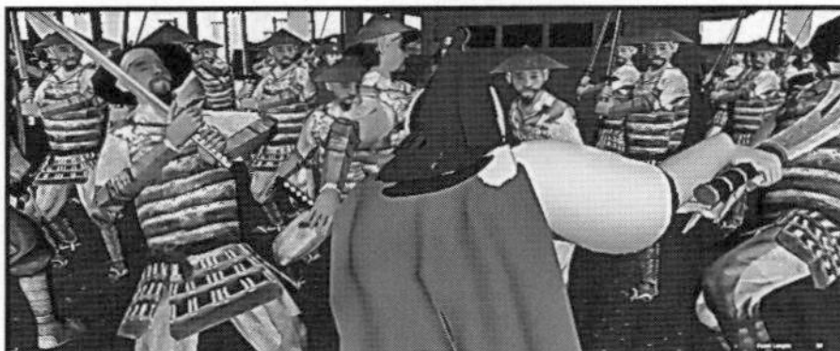

언월도 휘두르는 등자룡 back F.S.
재빨리 허리춤의 칼을 뽑아 들고 시마즈를 향해 일제히 달려간다.

C#21

언월도 휘두르는 등자룡 측면 F.S.
허나 이내 모리아츠와 살마군들에게 도륙당하는 명군 병사들.

C#22

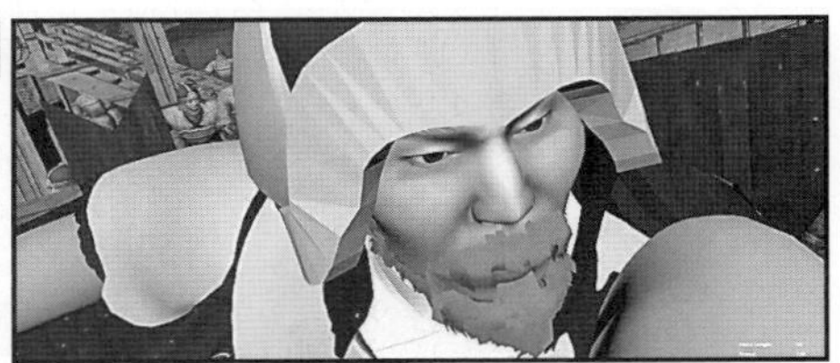

달려드는 등자룡 약부감 T.B.S.
하지만 언월도를 든 등자룡만은 나아간다.
그 저돌적인 돌파력이 놀랍다!

C#23

언월도로 적병을 베며 가는 등자룡 뒷모습
너머 시마즈, 모리아츠 F.S.
적병을 베며 시마즈 앞으로 가는 등자룡
모리아츠가 막아선다.

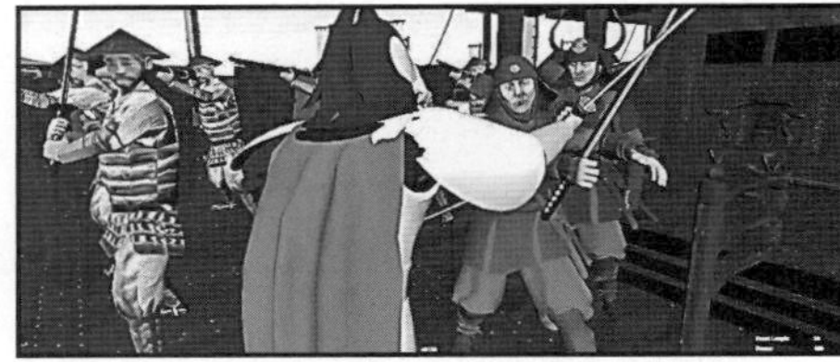

track-in
막아서고 있는 모리아츠마저 당황한다. 시마즈의 칼 쥔 손에도 힘이 들어가는데, 이노옴! 순식간에 언월도로 모리아츠를 향해 내려치는 등자룡!

track-in
모리아츠의 어깨에 언월도가 박힌다.
모리아츠가 꿈틀!

C#24

언월도 잡은 모리아츠 O.S. 등자룡 M.S.
등자룡이 기합 소리와 함께 언월도를 뽑으려 하는데, 오히려 언월도를 잡고 버티는 모리아츠,

등자룡 (순간 당황) 이놈이!

C#24A

시마즈 B.S.
등자룡을 보는 시마즈.

C#24B

등자룡 O.S. 모리아츠 옆 시마즈 M.S.
등자룡을 보던 시마즈, 칼을 들어 등자룡으로 향한다.

C#25

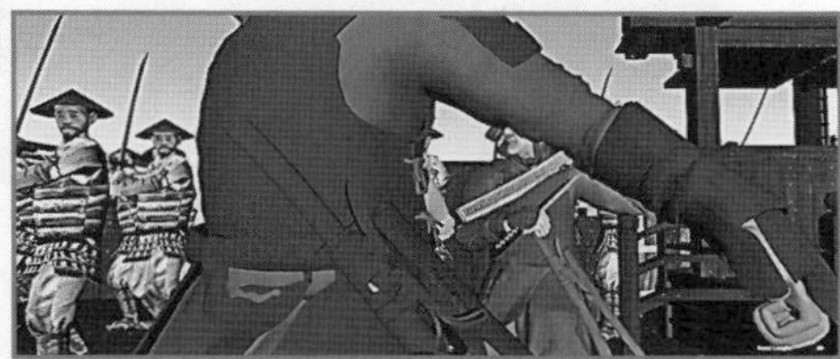

등자룡, 모리아츠 low 측면 F.S.
대치 중인 등자룡과 모리아츠, 그 앞을 빠르게 지나가는 시마즈.

이때 누군가(시마즈)의 칼이 전광석화처럼 등자룡을 향한다.

C#26

등자룡 O.S. 모리아츠, 시마즈 W.S.
피가 솟구치며… 등자룡의 목이 떨어진다.

C#27

시마즈의 칼 너머 등자룡, 모리아츠
Low 측면 R.F.S.
목이 없는 등자룡의 몸이 주저앉는다.

C#28

칼을 내리고 선 시마즈 low W.S.
피가 묻은 칼을 내리고 선 시마즈, 그 아래를 본다.

시마즈 …….

C#29

시마즈 P.O.V. 등자룡의 목 tight
등자룡, 죽어서도 시마즈를 노려보고 있다.

S#91 이순신 좌선

좌선을 향해 끊임없이 돌격해오는 왜선들 24 CUTS EXT  DAWN VS

C#1

이순신, 이회 low W.S. / follow

직접 왜병들을 향해 활을 쏘며 부하들을 독려하고 있는 순신에게 이회,

이 회 아버님! 저기 보십시오!

반대 쪽을 보는 이순신, 이회 W.S.

명 함대 쪽을 보는 이순신.

C#2

이순신 O.S. 진린의 함대 L.S.

quick zoom-in

시마즈와 명 함대가 뒤엉킨 전방 싸움터 쪽에서 불길이 치솟으며 함성이 드높아진 한곳.

진린의 호선 F.S.

낯익은 붉은 깃발… 진린의 호선이다.

C#3

세키부네 너머 진린 호선 약측면 T.F.S.

진린 호선으로 월선하는 왜군들.

칼을 들고 싸우는 진린.

C#4

이순신, 이회 약부감 B.S. 송희립 fr-in

진린 호선의 상황을 보는 이순신, 송희립이 뛰어온다.

C#5

이순신 B.S.

이순신 어서 배를 돌려라, 희립아. 도독을 구해야 한다.

C#6

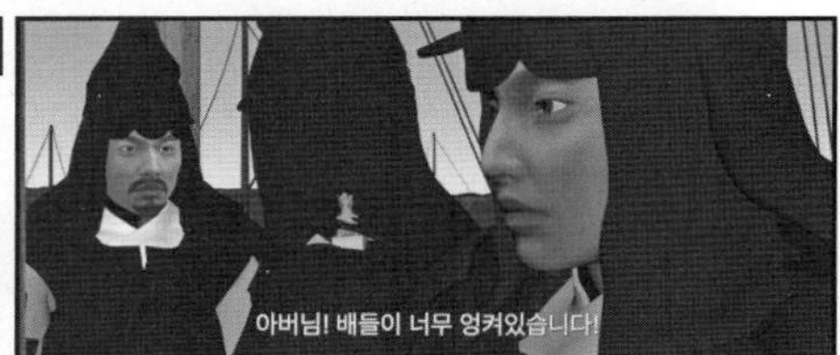

이회, 이순신 측면 O.S. 송희립 B.S.

송희립 장군! 배들이 너무 엉켜 있습니다!

매우 난감한 순신, 적선들에 둘러싸인 진린의 사령선을 그저 바라볼 뿐인데….

C#7

이순신, 이회 O.S. 앞 바다 F.S.

그러나 어지러이 뒤엉킨 양국의 배들로 사방이 막혀 있다. 부딪히고 깨지면서도 이순신의 좌선을 향해 끊임없이 돌진해오는 적선들. 덩치 큰 판옥선으로는 이 밀집된 함선들을 도저히 뚫고 갈 수 없다.

C#8

이순신 P.O.V. 진린의 호선, 장루 위 T.F.S.

월선 중인 왜군과 싸우는 진린.

C#9

송희립, 이순신, 이회 측면 B.S.
적선들을 보며 난감한 이순신, 이때,

준 사(O.S.) 제가 다녀오겠습니다.

돌아보는 세 사람.

C#10

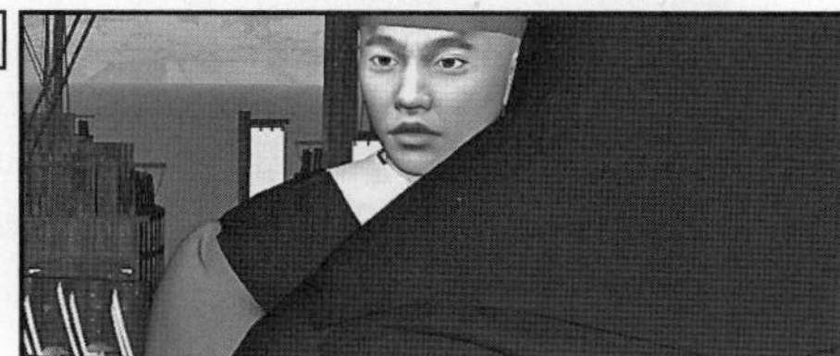

이회 O.S. 준사 B.S. / tracking
준사가 서 있다.

C#11

준사 O.S. 이회, 이순신 M.S.
준사를 보는 두 사람.

C#12

준사 B.S.

준 사 (차분히) 협선이면 가능합니다, 장군.

C#13

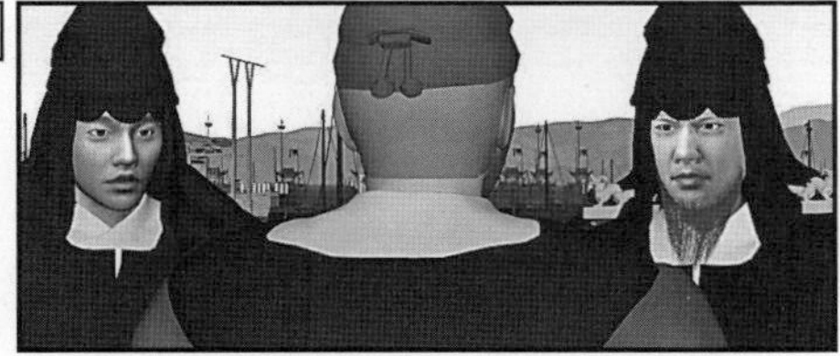

준사 O.S. 이순신, 이회 B.S.
준사를 보는 이순신과 이회.

C#14

이순신, 이회 O.S. 준사 M.S.
잠시 그렇게 서서 서로를 말없이 바라보는
순신과 준사.

C#15

준사 O.S. 이순신 B.S.

이순신 도독을 구하는 즉시 빠져나와야 하네.

C#16

이순신, 이회 O.S. 준사 M.S.

준 사 ?

C#17

이순신 B.S.

이순신 절대 맞서려고 하지 말란 말일세. 알겠는가?

C#18

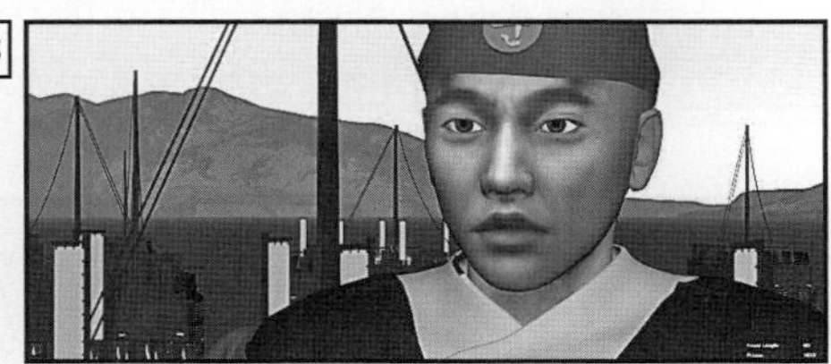

준사 B.S.
순신의 당부가 황송한 듯 준사 잠시 말을 잇지 못하는데….

C#19

준사 O.S. 이순신, 이회 M.S.
인사를 하고 가는 준사 .
준사 fr-out

C#20

계단 내려가는 준사 뒷모습 F.S.
이순신 fr-in
장루 계단을 내려가는 준사.

이순신이 다가온다.

이순신 준사!

걸음을 멈추고 돌아보는 준사.

C#21

준사 O.S. 이순신 low T.F.S.
장루 계단에 선 이순신, 준사에게.

이순신 온전히 이 전쟁을 끝내고 돌아가야 하지 않겠느냐. 준사.

C#22

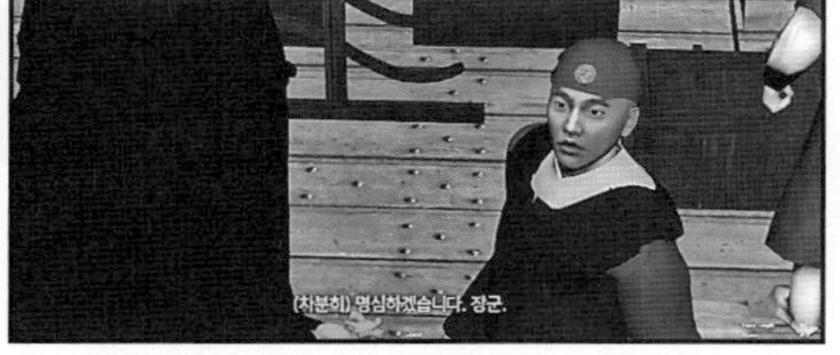

이순신 O.S. 준사 M.S.

준 사 (차분히) 명심하겠습니다. 장군.

다시 계단을 내려가는 준사.

C#23

이순신 B.S. / zoom-in
준사를 보는 이순신.

C#24

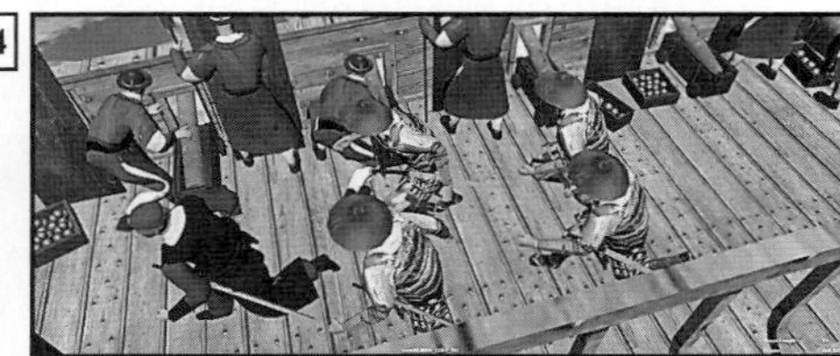

이순신 P.O.V. 준사와 항왜들 부감 T.F.S.
follow panning
순신 그렇게 멀어지는 준사와 항왜들을 끝까지 바라보는데….

S#92A 진린 호선

이순신을 대신해 진린을 구하러 가는 준사 | 64 CUTS | EXT DAWN VS

C#1

((세키부네에 둘러싸인 진린 호선))
갑판 위, 약측면 부감 F.S.
갑판 위에선 치열한 백병전이 펼쳐지고 있다.

C#2

진잠 tracking 진린
적병들의 기세가 사납지만 진잠과 심리 등 명군 병사들의 저항도 만만치 않다.

C#3

적병을 베는 진린 M.S.
적병을 벤 진린이 선수 쪽, 무언가를 보고 멈춘다.

C#4

진린 O.S. 선수 간판 위 F.S.
후미에서 힘겹게 싸우던 진린이 점차 누각 밑 갑판으로 밀리고, 이때, 갑판 위로 뛰어드는 시커먼 그림자들.

C#5

진린 P.O.V. 선수 갑판 위 F.S.
다가오는 시커먼 그림자들.

C#6

시마즈, 모리아츠 W.S.
적병을 베며 앞으로 나오는 모리아츠와 시마즈.
칼을 휘두르자 명군 병사들이 팔목과 어깨들이 잘려나가며 낙엽처럼 우수수 쓰러진다.

그 사이를 유유히 걸어 나오는 모리아츠.
바로 시마즈와 살마군들이다.

C#7

진린 B.S.
시마즈와 살마군을 보는 진린.

C#8

모리아츠 O.S. 시마즈 B.S.
시마즈가 앞으로 나온다.

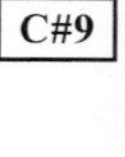

C#9

진잠, 진린, 심리 low W.S. / track in
시마즈와 살마군을 보는 진잠, 진린, 심리.

C#10

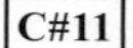

시마즈, 모리아츠와 병사들 T.F.S.
우뚝 선 시마즈, 진린 일행을 향해 달려 나가는 왜병들과 모리아츠.

C#11

시마즈 O.S. 왜병들과 진린 일행 F.S.
달려 나가는 왜병들.

C#12

진잠 측면 low W.S.
진잠이 달려들지만….

C#13

진잠, 모리아츠 너머 시마즈 약부감 T.F.S.
진잠, 한 합에 나가떨어진다.

C#14

모리아츠 O.S. 진잠 B.S.
모리아츠 칼날 앞에서 주저앉는 진잠.

피가 뚝뚝 떨어지는 모리아츠 칼날.

C#15

진린 B.S.
놀란 진린.

C#16

시마즈 low M.S.
앞으로 걸어나가는 시마즈.

C#17

진린 일행 F.S. / boom down
왜병들 사이 앞으로 걸어가는 시마즈 뒷모습.

C#18

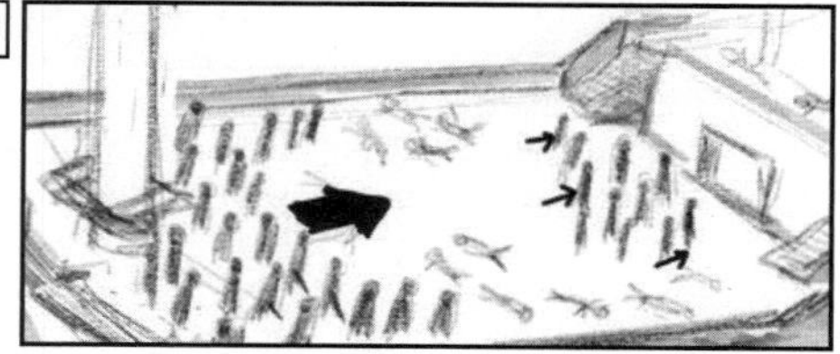

장루 앞 갑판 위, 측면 부감 F.S.
진린의 앞으로 가는 시마즈, 모리아츠.

C#19

시마즈, 모리아츠 O.S. 진린
진린, 진정 악귀를 보는 듯 한 표정으로 뒤로 물러서는데.

C#20

시마즈 정측면 low W.S.
진린을 향해 손에 들고 있던 무언가를 내던지는 시마즈.

C#21

진린 O.S. 시마즈 T.F.S.
등자룡 목 follow T.D.
시마즈가 던진 목은 진린 앞 바닥으로 떨어진다.
바닥을 굴러 진린 앞에 멈춰 서는 무언가….

C#22

진린 M.S.
치를 떠는 진린….
명군 병사들도 경악을 금치 못한 표정이다.

진 린 ?

C#23

진린 O.S. 등자룡의 목 tight
등자룡의 목이다.

C#24

진린 low B.S.
고개를 들어 시마즈를 보는 진린.

C#25

시마즈 B.S. tracking 모리아츠 B.S.

시마즈 저자를… 생포해라.

모리아츠 저자를… 생포해라.

칼을 빼 들고 일제히 앞으로 나서는 살마군들.

C#26

시마즈, 모리아츠 O.S. 진린, 심리 M.S.
뒷걸음질 치는 진린.

C#27

장루 앞 간판 위 약측면 부감 F.S.
그러나 더 이상 물러설 곳이 없다.

C#28

장루 난간 너머 갑판 위 F.S.
누군가 fr-in
이대로라면 그대로 붙잡힐 상황!

C#29

누군가의 손 low tight
던져지는 무언가.

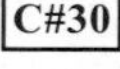

왜병들의 발 사이 부감 tight
허나 이때! 또르르 굴러와 살마군의 발에 부딪히는 작은 호리병 하나.

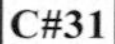

왜병들 low W.S.
이어서 다른 살마군들 앞으로도 호리병들이 굴러온다.

C#32

갑판 위 약측면 T.F.S.
이윽고, 콰앙! 쾅! 쾅! 요란한 폭발음과 함께 폭발하는 호리병!

C#33

왜병들 tight

살마군 아악!

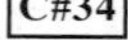

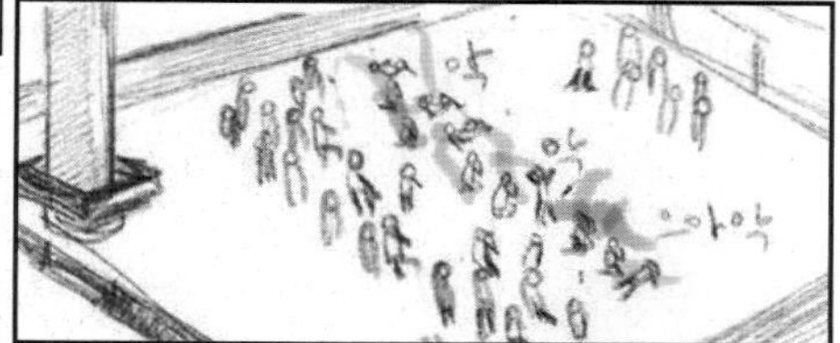

갑판 위 약측면 T.F.S.
비명을 지르며 쓰러지는 살마군들.

C#35

진린 B.S.
상황을 보는 진린(의아한).

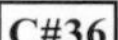

깨진 호리병들 T.U. 왜병들 tight
파편이 얼굴과 온몸에 박힌 채 비명을 내지르며 쓰러지는 살마군들.

C#37

모리아츠 O.S. 시마즈 B.S.
시마즈, 성난 얼굴로 돌아보면,

C#38

진린, 심리 M.S.
진린과 심리도 돌아본다.

C#39

장루 위, 준사와 항왜들 M.S.
갑판 위에 서 있는 준사와 항왜들.

C#40

시마즈 뒷모습 T.B.S.
tracking
장루 양쪽 계단으로 내려오는 항왜들.

C#41

시마즈, 모리아츠 M.S.
시마즈를 호위하는 모리아츠와 부장.

C#42

진린 측면 M.S. / 항왜 fr-in
장루 계단을 내려오는 항왜들.

C#43

시마즈, 모리아츠 O.S. 진린 T.F.S.
내려온 항왜들, 진린을 보호한다.

C#44

수리검을 던지는 준사 M.S.

C#45

시마즈 low B.S.
쉬익! 시마즈의 얼굴로 날아오는 수리검!
본능적으로 고개를 돌려 수리검을 피하는 시마즈,
그러나 칼날이 볼을 스친다.

피가 배어 나오는 시마즈의 뺨.

C#46

준사 follow 진린, 심리 M.S.
진린을 피신시키며

준 사 도독을 모셔라!

C#47

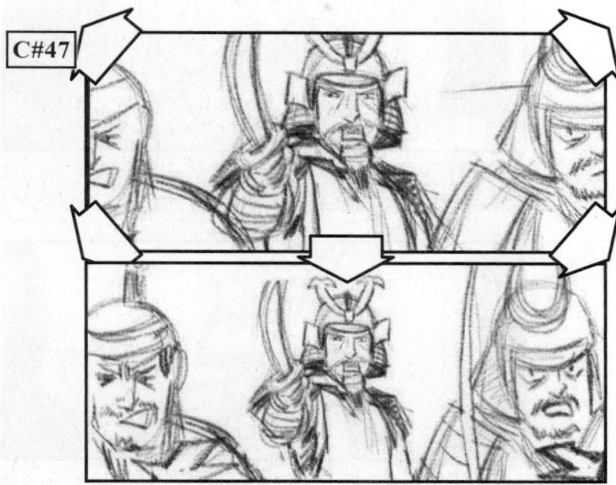

시마즈, 모리아츠, 부장 M.S. / track out
사나운 얼굴로 앞을 보는 시마즈.

시마즈 쫓아라!

C#48

진린, 심리 측면 B.S.
시마즈를 노려보다 이내 계단 쪽으로 도망치는 진린.

C#49

왜병들 너머 항왜들 F.S.
달려드는 왜병들.

C#50

모리아츠와 살마군 tracking
항왜들
모리아츠와 왜병들의 공격을 필사적으로 막아내는 항왜들.

C#51

준사 T.U. 장루 위 진린과 심리 T.F.S.
장루 뒤, 호선 후미 쪽으로 피하는 진린.

C#52

시마즈 B.S.
무서운 얼굴로 보는 시마즈.

C#53

갑판 위 부감 F.S.
바라보는 시마즈, 싸우는 준사, 도망가는 진린
장루로 통하는 계단을 필사적으로 막는 항왜들.

C#54

심리 O.S. 진린 B.S.
진린 뒤를 돌아본다.

C#55

돌아보는 진린 O.S. 심리 M.S.
돌아보는 진린을 보는 심리.

C#56

진린, 심리 T.F.S. / fr-in 왜병
후미 쪽으로 향하는 진린 무리에 달려드는 왜병들.

C#57

진린 O.S. 심리와 항왜, 왜병들 M.S.
왜병의 공격을 막아내는 심리,
곧 항왜가 마무리를 하는 사이

진린을 돌아보는 심리.

심 리 어서 건너십시오, 도독!

C#58

심리 O.S. 진린 T.B.S.

진 린 무슨 소리냐.

C#59

진린 O.S. 심리 B.S.

심 리 도독을 잘못 보필한 죄. 이렇게라도 갚게 해주소서.

C#60

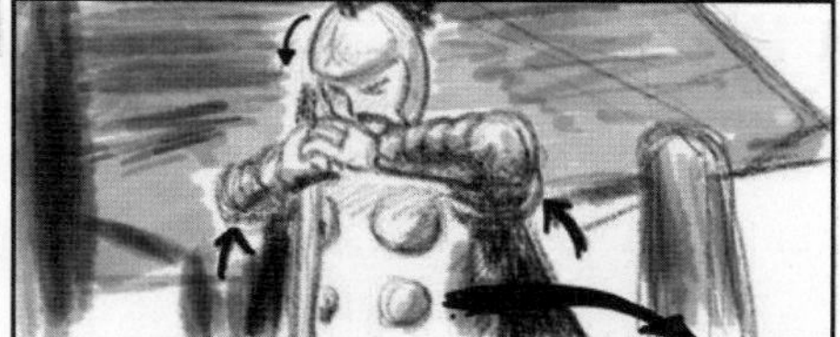

심리 low M.S.
진린을 향해 예를 갖추고 이내 돌아 갑판 쪽으로 돌아 뛰어가는 심리.

C#61

항왜 O.S. 진린 B.S.
항왜들의 호위를 받으며 후미로 가는 진린.

C#62

심리 T.D. 준사 T.F.S.
계단을 오르는 왜병을 베며 갑판으로 내려가는 심리.
갑판 위에서는 준사와 항왜들이 필사적으로 살마군들을 막아내고 있다.

C#63

시마즈 M.S.
바라보는 시마즈.

C#64

진린 P.O.V. 호선 위 F.S. / track out
자신의 배 위에 남은 준사와 항왜들, 그리고 심리를 바라보는 진린. 급기야 심리가 쓰러진다!
더불어 항왜들도 적들의 칼에 쓰러지는데….

S#92B 협선

준사에 의해 구출되는 진린 | 4 CUTS | EXT DAWN VS

C#1

협선에 탄 진린 정측면 low T.F.S.
망연자실 호선을 바라보는 진린.

C#2

진린 T.B.S.

진 린 (그저 망연자실 쳐다볼 뿐) …….

C#3

진린 O.S. 호선 L.S.
호선 위에서 싸우는 심리와 명군, 준사와 항왜를
바라보는 진린의 뒷모습.

C#4

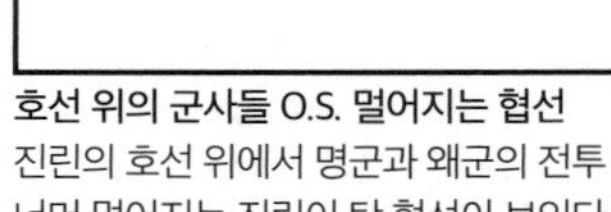

호선 위의 군사들 O.S. 멀어지는 협선
진린의 호선 위에서 명군과 왜군의 전투
너머 멀어지는 진린이 탄 협선이 보인다.

S#93 이순신 좌선

진린을 맞이하는 송희립과 이회, 준사를 찾는 이순신

9 CUTS

C#1

격군실 문 사이 송희립, 이회 / 진린 fr-in F.S.
다가오는 이순신
격군실 열린 문 쪽으로 협선 위 진린을 서둘러 끌어올리는 송희립과 이회.

C#2

이순신, 송희립, 이회, 진린 약측면 F.S.
진린을 맞이하는 이순신.

이 회 살아 계셔서 정말 다행입니다. 도독.

C#3

진린 O.S. 이순신 B.S.
진린을 맞이하는 이순신.

C#4

이순신 O.S. 진린 B.S.

진 린 (눈물을 글썽이며) 이게 다 노야 덕분이오. 내가 진정 어리석었소. 고맙소. 통제공.

C#5

이순신, 송희립, 이회, 진린 약측면 F.S.
순신의 부축 받으며 사라지는 진린.
이순신, 이내 시선을 거두며 협선 쪽을 본다.

C#6

격군실 문 사이로 이순신 low M.S.
다시 협선 쪽을 바라보는 이순신.

이순신 준사는! 준사는 어디 있느냐!

C#7

이순신 O.S. 협선 T.F.S.
협선 위를 살피는 이순신, 준사가 없음을 확인한다.

C#8

이순신 B.S.
멀리 진린의 사령선 쪽을 급히 쳐다보고….

C#9

이순신 P.O.V. 진린 호선 쪽 L.S.
난전 중인 진린 호선 쪽을 본다.

S#94A 진린 호선

(파손) 시마즈와 결투를 벌이던 준사가 죽음을 맞는다 48 CUTS EXT DAWN VS

C#1

피 흘리는 준사 W.S. / track-out
-> 시마즈, 모리아츠 심복들 O.S. 준사 F.S.
이미 피를 잔뜩 흘리고 있는 준사가 시마즈를 노려보고 있다.

C#2

돛대 기둥 boom down
시마즈 군 대 준사 F.S.
위태롭게 기울어진 기둥 아래 준사, 주위엔 이미 모리아츠와 심복들이 장악하고 있다.

C#3

시마즈 검 너머 준사 정측면 M.S.
시마즈의 칼날 앞에 검을 들고 선 준사.

C#4

준사 O.S. 시마즈 M.S.
준사를 보는 시마즈.

C#5

준사, 시마즈, 모리아츠 외 측면 M.S.
칼을 든 준사, 시마즈를 본다.
이때, 펑! 주변의 세키부네에서 터지는 화포.

C#6

진린 호선 뒤 세키부네 부감 약측면 F.S.
진린 호선에 붙은 세키부네가 화포 공격을 받아 기우뚱한다.

C#7

준사 O.S. 시마즈 M.S.
흔들리는 배, 시마즈가 소리가 난 쪽을 본다.

C#8

준사 약부감 B.S.
흔들리는 배 위, 이미 피를 많이 흘린 준사.
~~(갑판 내에 구르는 포 상자에 부딪혀~~ 자세가 찰나적으로 흔들린다.) 검을 들고 달려든다.

C#9

시마즈 T.B.S.
시마즈가 그 찰나의 흔들림을 놓칠 리 없다.

C#10

시마즈와 준사, 모리아츠외 측면 low F.S.
~~칼을 든 시마즈가 빠르게 앞으로 간다.~~
준사, 빠르게 시마즈에게 검을 휘두르고, 대치한다.

C#11

준사 O.S. 시마즈 부감 T.F.S.
준사를 밀어내는 시마즈.

C#12

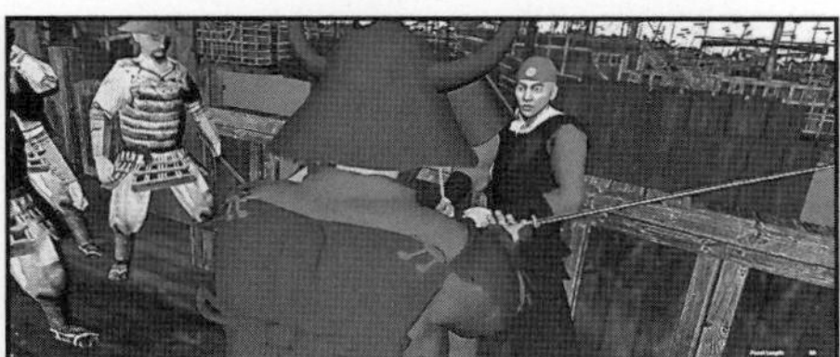

시마즈 O.S. 준사 T.F.S.
곧바로 발을 떼어 준사를 향해 칼을 뻗는 시마즈.
시마즈의 선제공격에 당황한 준사, 몸을 틀어 피하려 해보지만 시마즈의 칼이 몸통을 스치고,

C#13

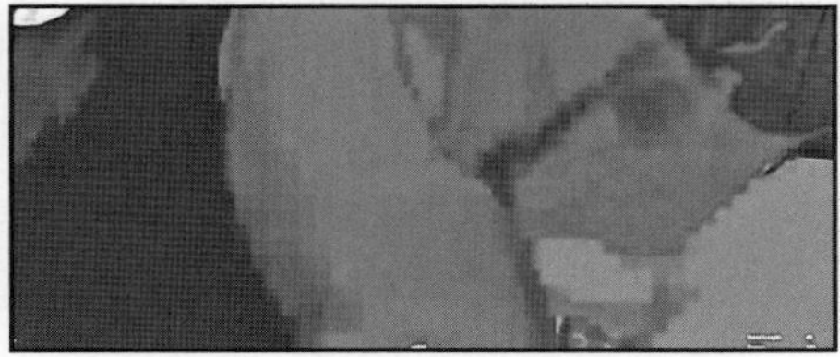

준사의 팔 tight
찌르는 팔꿈치에 맞아 피가 튄다.

C#14

준사 약부감 W.S.
자신도 모르게 무릎을 꿇으며 쿨럭!
~~피를 내뱉는 준사.~~

C#15

준사 약부감 B.S.
칼 쥔 채로 시마즈를 올려다보는 준사.

C#16

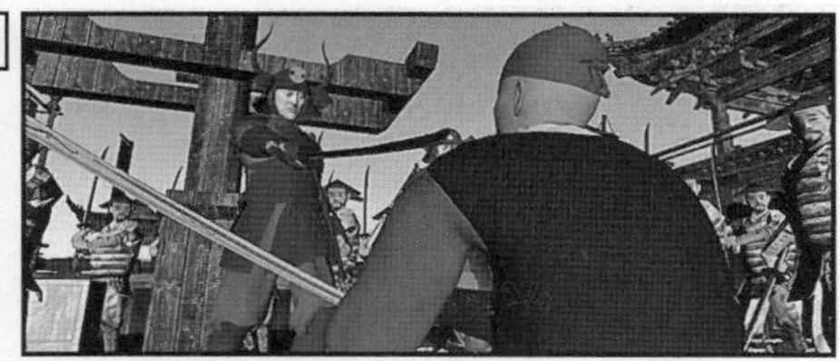

준사 O.S. 시마즈 low T.F.S. / tracking
준사에게 검을 들어 가리키는 시마즈.

시마즈 네놈은 대체 누구냐.

C#17

준사 약부감 B.S.

준 사 …….

C#18

준사 P.O.V. 시마즈 low B.S.

시마즈 조선인이냐 열도인이냐.

C#19

준사 약부감 B.S.
시마즈를 보던 준사, 순간 시선이 기둥으로 간다.

C#20

준사 P.O.V. 시마즈 low B.S. / T.U.
시마즈 뒤로 돛대의 기둥이 기울기 시작한다.

C#21

준사 약부감 B.S.
기둥을 보던 준사, 다시 시마즈를 본다.

C#22

돛대 아래 준사, 시마즈, 모리아츠 직부감 F.S.
기울어지는 돛대.

C#23

시마즈, 모리아츠 너머 돛대 기둥 low tight
그때! 콰지직! 놀란 시마즈가 뒤를 돌아보면, 기울어지는 돛대.

C#24

왜병사들 low K.S.
돛대를 보다가 피한다.

C#25

돛대 아래 준사, 시마즈, 모리아츠 직부감 F.S.
아래로 떨어지는 장대.

C#26

준사, 시마즈, 모리아츠 외 측면 F.S.
예기치 않게 무너져 내리는 장대!

C#27

시마즈, 모리아츠, 준사외 약측면 부감 F.S.
차갑게 상황을 지켜보는 모리아츠와 심복들.

C#28

준사 B.S.
이때 일어나는 준사.

C#29

준사 O.S. 시마즈와 왜병들 W.S.
준사 follow
놀란 시마즈가 뒤를 돌아보면,

C#30

준사, 시마즈, 왜병들 측면 tight 2s
모리아츠 fr-in
그 틈을 놓치지 않고, 남은 힘을 다해 시마즈에게 달려드는 준사. 그러나! 모리아츠가 달려든다.

C#31

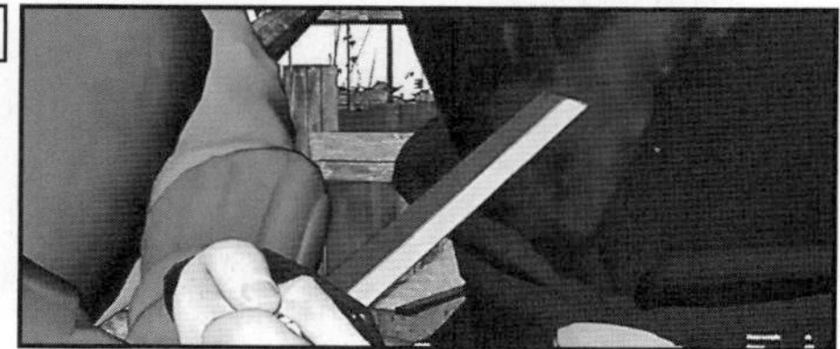

준사의 가슴에 꽂힌 모리아츠의 칼 tight
어느새 날아든 서슬 퍼런 칼이 준사의 가슴에 꽂히고,

C#32

준사 O.S. 모리아츠 B.S. / track-out
준사의 등에 칼이 꽂혀 나와 있다.

C#33

준사, 모리아츠 B.S.
모리아츠의 칼이 준사의 몸을 관통한 채,
시마즈를 보는 준사.

C#34

시마즈, 준사, 모리아츠 외 측면 F.S.
그대로 준사의 몸에서 칼을 빼내며 발로 준사의 몸을 차내는 모리아츠.

C#35

모리아츠 O.S. 준사 W.S. / track-in
모리아츠에 밀려 난간에 부딪히는 준사,
고개를 들어 시마즈를 본다.

C#36

준사 너머 모리아츠와 시마즈 외 T.F.S.
tracking
시마즈를 보는 준사, 그런 준사를 보는 시마즈와 모리아츠,
그리고 심복들.

C#37

준사 부감 M.S. / track-in

준 사 (힘겹게) 7년… 의를 향한 올곧은 싸움… 이제 후회는 없다!

C#38

모리아츠 M.S. / pan 시마즈 B.S.
준사를 향해 다시 검을 드는 모리아츠.

시마즈 다마레!

모리아츠를 만류하는 시마즈.

준사를 보다가, 검을 드는 시마즈.

C#39

시마즈 약측면 W.S. / track-out
준사 O.S. 시마즈
그대로 준사의 몸을 내리치는 시마즈의 검.

C#40

시마즈 O.S. 준사 W.S.
시마즈의 칼이 지나간 준사의 목에서 피가 솟구친다.

C#41

준사 low T.B.S.
피가 쏟아지는 목을 부여잡는 준사.
다시 시마즈를 본다.

C#42

준사 O.S. 시마즈 M.S.
다시 준사를 향해 칼을 드는 시마즈

C#43

준사 T.B.S.
시마즈를 노려보던 준사 몸을 일으킨다.

C#44

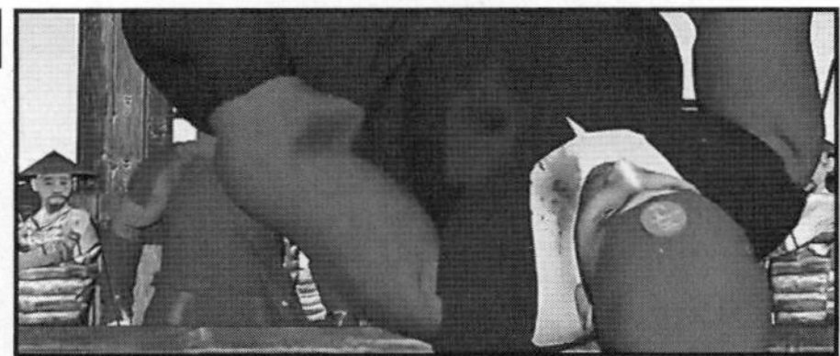

준사 너머 시마즈, 모리아츠, 심복들 low W.S.
몸을 돌려 뛰어내리는 준사.

C#45

시마즈 low T.B.S.
떨어지는 준사를 보는 시마즈 얼굴.

C#46

진린 호선 선미 low F.S.
호선에서 바다로 떨어지는 준사.

C#47

<u>(물속))</u>
바다로 빠지는 준사 뒷모습 F.S.
첨벙! 바닷속으로 가라앉는 준사의 몸.

C#48

<u>((물속))</u>
바닷속으로 가라앉는 준사.
그렇게 준사가 생을 마감한다.

S#94B 진린 호선

(파손) 시마즈와 결투를 벌이던 준사가 죽음을 맞는다 30 CUTS EXT DAWN VS

C#26

시마즈, 모리아츠 측면 M.S.
이때 갑자기 난간을 부수며 날아오는 포탄들.

시마즈 돌아보면,

C#27

시마즈 P.O.V. 이순신 본대 L.S.
zoom-in 이순신 좌선 F.S.
터지는 세키부네 너머 이순신 좌선과 판옥선들.

((이순신 좌선))
순신이 좌선을 몰고 직접 오고 있다.
그 뒤로 판옥선 여러 척이 호위하고 있다.

C#28

시마즈, 모리아츠 정측면 B.S.
이순신의 본대를 보는 시마즈, 모리아츠.

C#29

시마즈 T.B.S.
이순신을 보는 시마즈.

시마즈 (형언할 수 없는 표정) 이…순…신….

C#30

장루 계단 T.U. 장루 위, 이순신 low W.S.
시마즈 함대로 다가가는 이순신.

C#31

시마즈 P.O.V. 좌선 장루 위, 이순신 B.S.
시마즈의 눈에 순신이 보인다.

C#32

시마즈, 모리아츠 정측면 B.S.
다급하게 시마즈를 보는 모리아츠.

모리아츠 (다급) 그만 가셔야 합니다, 주군.

C#33

광양만을 보는 시마즈, 모리아츠 W.S.
꼼짝하지 않고 바라보는 시마즈. 문득 광양만 쪽 먼바다를 돌아보며 난간을 주먹으로 내려친다.

시마즈 (고함) 고니시!

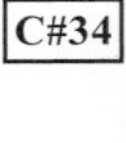

C#34

시마즈 M.S. / track-in

시마즈 고니시 넌 대체 어디서 뭘 하고 있는 것이냐!

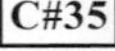

C#35

시마즈, 모리아츠 측면 low M.S.
잡아먹을 듯 광양만 쪽을 바라보던 시마즈….

모리아츠 주군! 시간이 없습니다. 더 늦으면 빠져나갈 수 없습니다.

시마즈 (차갑게) 전군… 배를 돌려라.

모리아츠 예! 도노! 바로 퇴각 신호를 울리겠습니다!

C#36

시마즈 low T.B.S.
생각이 많은 시마즈.

C#37

시마즈 측면 T.B.S. 너머 판옥선들
focus play

시마즈 아니다! 배를 이순신에게 돌려라! 이순신에게 돌진한다!

C#38

시마즈 T.B.S.
이순신 함대를 돌아보며,

시마즈 이순신에게 돌진한다!

C#39

모리아츠 low 약측면 B.S.

모리아츠 (놀라) 도, 도노.

C#40

모리아츠 O.S. 시마즈 측면 B.S.
tracking
시마즈, 이순신 함대를 보며,

시마즈 이순신을 잡아야 이 전쟁은 끝난다!

모리아츠 O.S. 시마즈 B.S. tracking

시마즈 아직도 모르겠느냐!

C#41

시마즈 O.S. 모리아츠 B.S.

모리아츠 !

모리아츠의 눈빛이 점차 살기로 빛난다.

C#42

<u>((토요히사 안택선))</u>
토요히사 안택선 정측면 F.S.
뱃머리를 돌리는 시마즈 함대들,
토요히사 선수 갑판 맨 앞에 서 있다.

모두들 이순신의 대장선을 향해 달려든다.

C#43

<u>((토요히사 안택선))</u>
선수 갑판 앞 토요히사외 병사들
정면 F.S. / cam-out 토요히사 low B.S.
집단적 감염일까. 절망 속 토요히사의 표정도 악귀의 표정으로 변해가고….

C#44

<u>((시마즈 안택선))</u>
모리아츠 측면 M.S. / tracking
track out 모리아츠와 왜병들 W.S.

모리아츠 전군! 이순신을 향해 배를 돌려라! 우리는 살마군이다! 이순신을 잡고 전쟁을 끝내자! 이순신을 잡자! 살마군 만세!

왜군들이 마침내 모두 죽기를 각오한 듯 살마군 만세!를 외치며

C#45

전진하는 왜군 함선 너머 명 함대
부감 약측면 F.S.
일제히 배를 돌리고… 모두들 이순신의 대장선을 향해 달려든다.

C#46

전진하는 이순신의 본대 약측면 부감 F.S.
<u>휘어 감듯이 전진하는 이순신의 판옥선들.</u>

C#47

좌선 갑판 위, 송희립 정측면 약부감 F.S.
cam-in
본대 판옥선들과 함께 전진하는 좌선.
갑판 위의 송희립이 지휘를 한다.

C#48

조선과 왜군 함대 측면 low T.F.S.
서로 달려들어 들이받는 조선과 왜군 함대,
그 뒤로 명 함대가 합류한다.

C#49

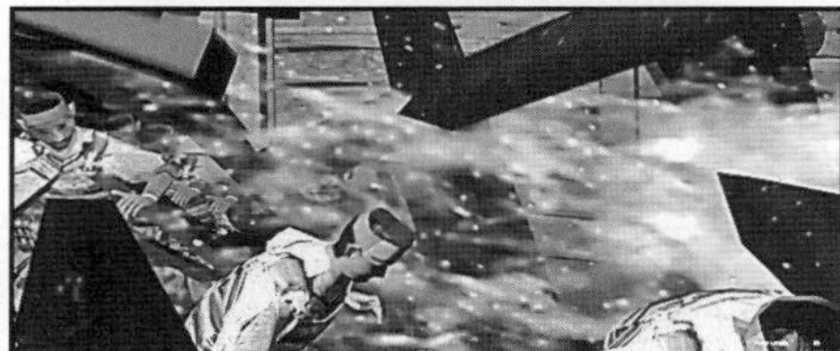

((안택선 격군실))
왜격v군병들 정면 T.F.S. / 판옥선 fr-in
노 젓는 격군병들을 치고 들어오는 판옥선.
격군실 벽면이 부서지고, 물이 치고 들어온다.

C#50

왜군 함대를 치고 들어오는 판옥선들
부감 T.F.S.
왜군 함대를 그대로 밀고 들어오는 이순신 함대들.

C#51

판옥선으로 월선하는 왜병들
low / back F.S.
판옥선으로 월선하는 왜병들.

C#52

칼을 들고 달려가는 판옥선의 조선 병사들
약측면 W.S.
월선하는 왜병을 향해 다가가는 조선 병사들.

C#53

안택선 위 월선 왜군들 약측면 low T.F.S.
안택선에서 판옥선으로 월선하는 왜병사들.
칼을 들고 달려든다.

C#54

판옥선 갑판 위 약부감 L.S. / cam-in
월선하는 병사들과 판옥선의 조선 병사들의 난전.

C#55

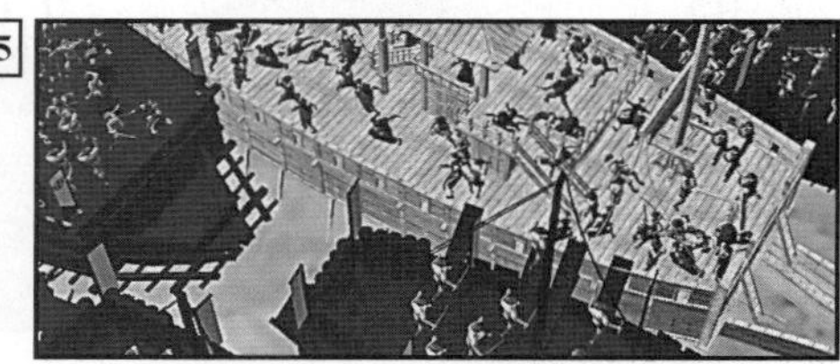

이순신 좌선을 둘러싼 안택선과 세키부네
부감 T.F.S. / panning

Dissolve
좌선을 둘러싼 안택선과 세키부네 부감 F.S.
그리고 호선

Dissolve
판옥선, 안택선, 세키부네, 호선 부감 L.S.

몽타주 - 죽음의 바다(레퀴엠 음악 시작)

아수라장 속에서 전사한 전우들과 아들 이면의 환상을 보는 이순신
선수 쪽으로 달려가 북을 치기 시작한다

42 CUTS

EXT DAWN VS

C#1-1

난전(亂戰)!
와아~~~~ 급기야 서로 간의 월선이 마구 이루어진다.
다시 진린이 이끄는 명국 함선들까지 몰려들었다.

월선하는 배들 T.F.S. / boom down / cam-in
피를 뒤집어쓴 진린이 소리치면,
명나라의 병사들까지 월선하며 백병전을 시도하고,
그야말로 대접전이 펼쳐지는데….

((호선 갑판 위))
바다에 찬란한 붉은 태양이 꿈틀거리며 떠오르고 있다. 대접전의 전장(戰場) 한복판에 대장기 펄럭이며 서 있는 순신의 좌선….(느린 화면)

화면은 어느덧 하늘 위 부감으로 전장을 휘저으며 날아가고,
(계속 느린 화면)
포성, 총성, 함성, 괴성, 비명… 조선말, 명국 말, 왜국 말들이 어지러이 뒤섞이고,

명군 follow
충파에 호선이 흔들리고, 명군 하나가 일어나서 칼을 들고 달려간다.

((안택선 갑판 위))
왜병들을 베면서 앞으로 나아가는 명군.

명군을 향해 칼을 휘두르는 왜병.

왜병을 베는 명군.

명군을 본 조선 장수,

다가와 명군의 목을 벤다.

C#1-2

((안택선 누각 앞))

편집 포인트 1

조선 장수 follow

왜병에게 가는 장수, 세키부네가 들어온다.

왜병을 치는 조선 장수,

포탄이 터지고, 충파에 배가 흔들린다.

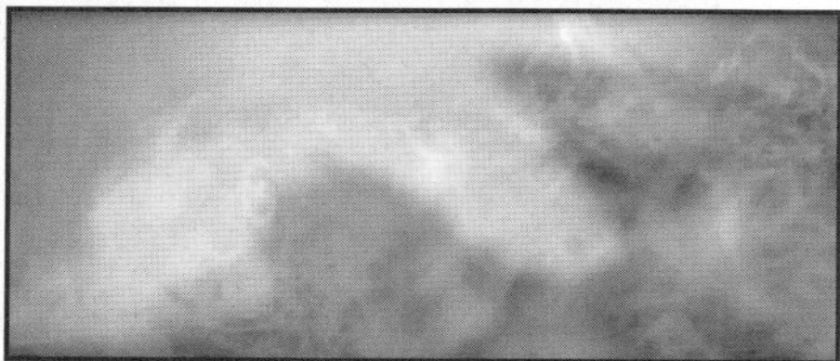

포탄으로 연기가 자욱하다(transition).

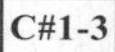

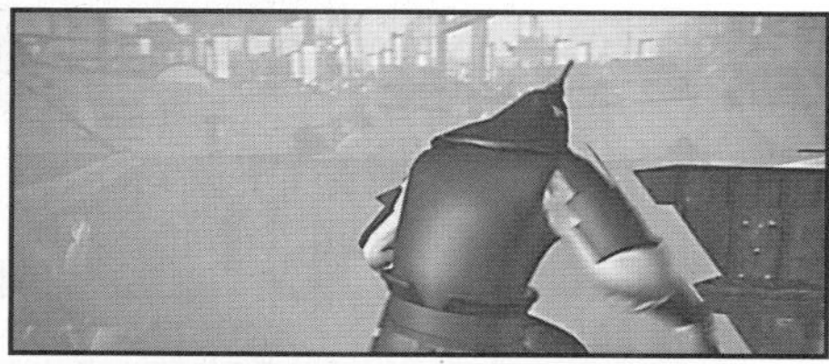

((안택선 갑판 위))

편집 포인트 2

연기가 걷히고

월선을 지휘하는 조선 장수

세키부네로 월선한다.

((세키부네 갑판 위))

왜병의 칼을 맞는 조선 장수.

왜병을 베어버리는 조선 장수.

조선 장수에게 칼을 내려치는 또 다른 왜병.

조선 장수를 쓰러뜨린다.

C#1-4

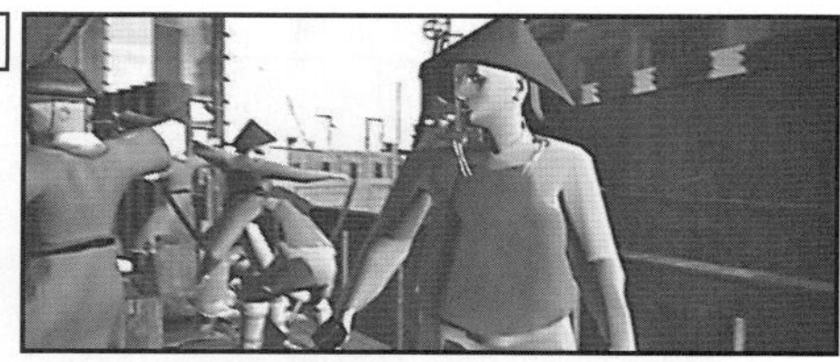

((세키부네 갑판 위))

편집 포인트 3

그대로 달려나가는 왜병.

왜병 follow

한쪽에서는 화포가 터지고….

월선을 하는 왜병.

이순신의 좌선으로 뛰어내린 왜병.

칼을 들고 앞으로 달려 나간다.
포탄에 배가 흔들린다. fr-out

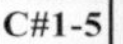
C#1-5

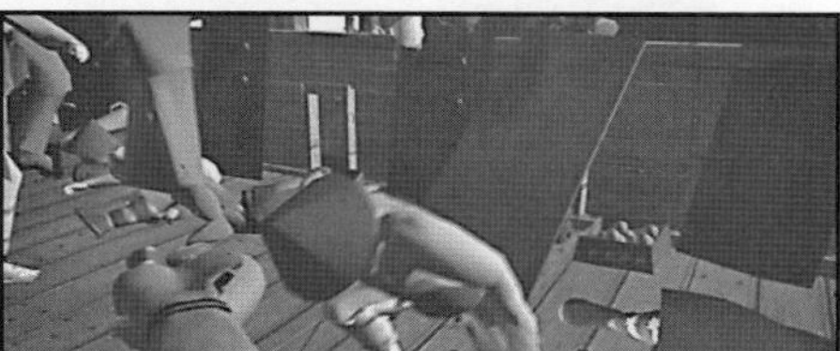

(이순신 좌선 갑판 위))
편집 포인트 4
넘어지며 좌선 갑판으로 넘어온 왜병, 일어난다.

그대로 달려나가는 왜병.

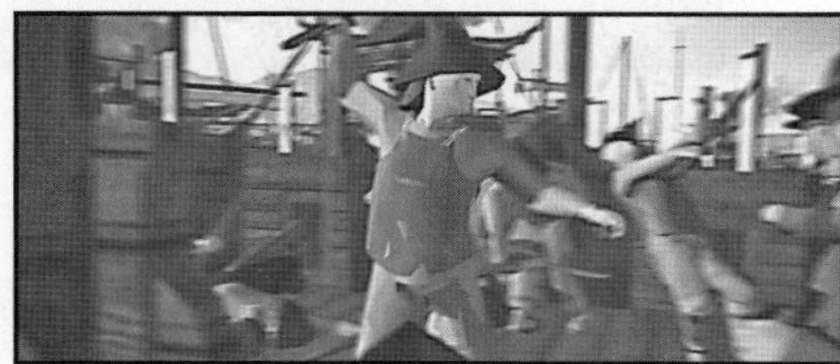

칼을 들고 내려치며 앞으로 나가는 왜병.

이순신이 있는 장루 계단으로 간다.

이순신에게 칼을 휘두른다.

C#2

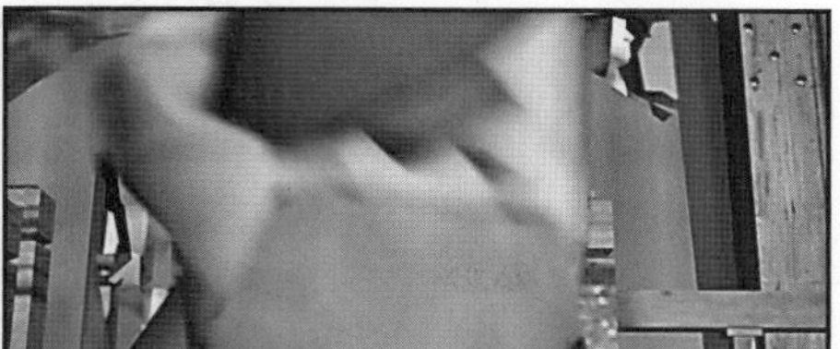

이순신을 향해 칼을 들고 장루로 올라가는 왜병.

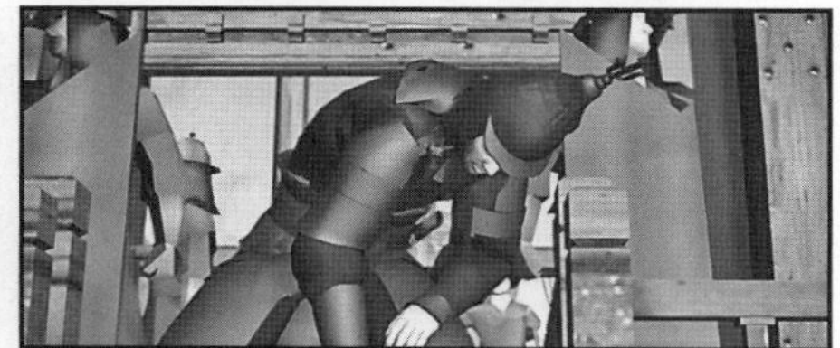

왜병 fr-out. 이순신 W.S.
왜병이 칼에 맞고 쓰러지면, 드러나는 이순신.

C#3

이순신 B.S.
고개를 들어 갑판을 본다.

C#4

이순신 P.O.V. 갑판 위 난전 F.S. / boom up
화약 냄새와 피비린내가 진동하며 배들마다 연기가 자욱하고 하늘 높이 불길이 치솟는, 몸을 잃은 수급과 잘려나간 팔다리가 갑판마다 아무렇게나 나뒹굴고,

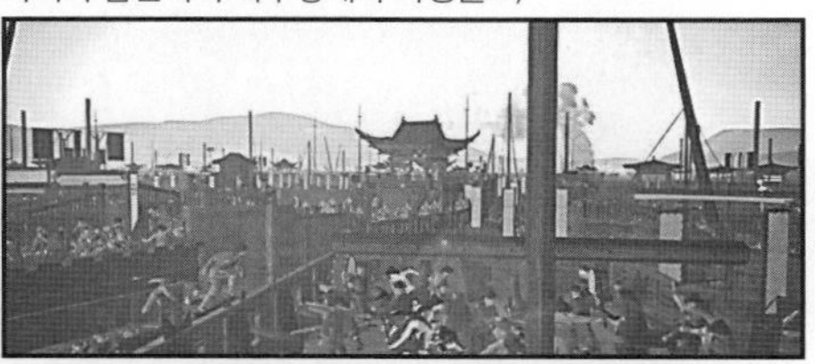

떠오르는 붉은 태양에 파랗던 바닷물이 검붉은 핏빛으로 더욱 물들기 시작한 노량 앞바다….
몰아치는 파고들까지 그 현장을 더 처절하게 만드는데….

C#5

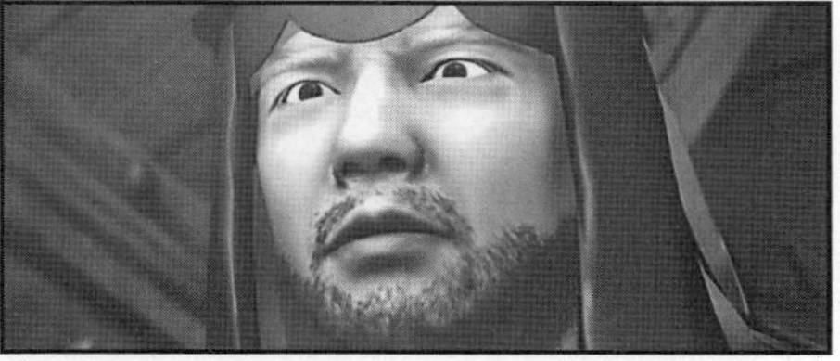

이순신 B.S.
그렇게 팽팽히! 피아(彼我)의 구분 자체가 불가능한… 말 그대로… 죽음의 바다가 펼쳐지고…. 그 한복판에… 순신이 서 있다.

C#6

이순신 O.S. 갑판 위 F.S. / tracking
난전이 벌어지고 있는 갑판 위.

좌-우 tracking (transition)
어느 순간… 순신의 눈에 먼저 떠난 아들 면과 떠난 장수들이 보인다.

C#7

이순신 B.S.
놀란 얼굴로 계단을 내려간다.

C#8

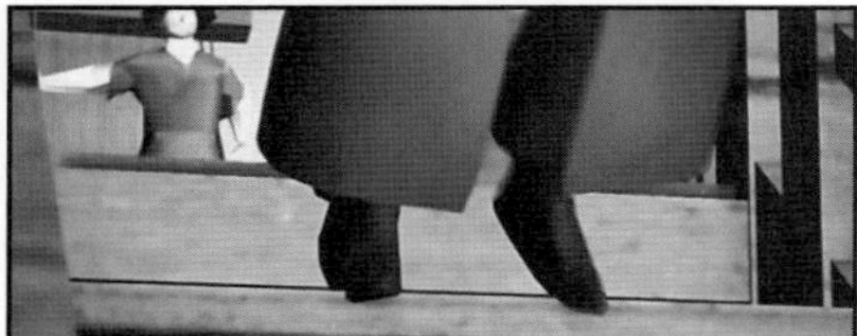

이순신의 발 tight
계단을 내려가는 이순신의 발.

C#9

이순신 P.O.V. 갑판 위 F.S.
월선한 왜병들과 싸우는 조선군 사이로,
고 정운, 고 어영담(향도), 고 이억기가 그와 함께 싸우고 있다. 그들이 마치 살아 있는 듯 그와 함께, 그의 곁에서 싸우고 있다.

C#10

이순신 T.B.S.
계단을 내려온 이순신, 이름을 부른다.

이순신 정 만호!

C#11

이순신 O.S. 정운 F.S.
정운이 싸우다 뒤돌아본다.

C#12

이순신 B.S.
놀란 얼굴로 다시 눈을 돌려본다.

C#13

이순신 P.O.V. 어영담 W.S.
어영담이 싸우다 뒤돌아본다.

이순신 어 향도!

C#14

이순신, 어영담, 정운, 이억기 약부감 F.S. tracking
죽은 이들 모두가 뒤돌아본다. 이순신의 뒤편에서 싸우던 이억기도 멈추고, 이순신을 본다.

C#15

이억기 O.S. 이순신 W.S.
이순신, 이억기를 돌아본다.

C#16

이순신 O.S. 이억기 W.S.
이순신을 보는 이억기.

C#17

이순신 low C.U.

이순신 이… 이 수사!

C#18

이억기 O.S. 이순신 M.S.
부들부들 떨며 그들을 바라보던 순신이 울컥.

C#19

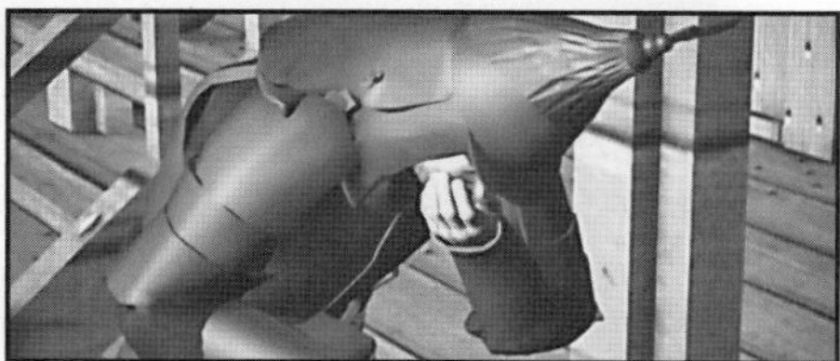

이순신 약측면 W.S.
갑자기 입에서 한 움큼의 검붉은 피를 토해낸다.
휘청거리는 순신.

C#20

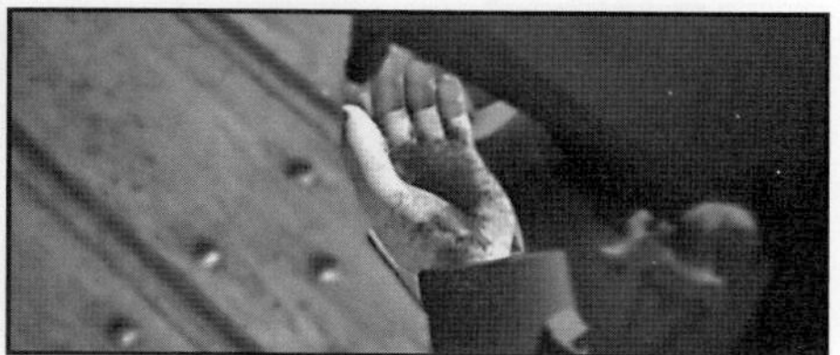

이순신 손바닥 부감 tight
손을 펼치면, 손바닥에 검붉은 피가 흥건하다.

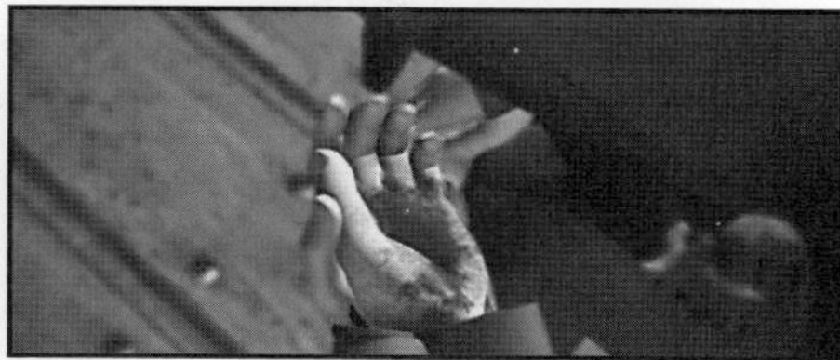

이때 누군가의 손이 순신의 손을 받친다.

C#21

이면의 손 너머 이순신 B.S.
놀란 이순신의 얼굴.

이 면(O.S.) 아버지. 무얼 그리도 힘들어하십니까.

C#22

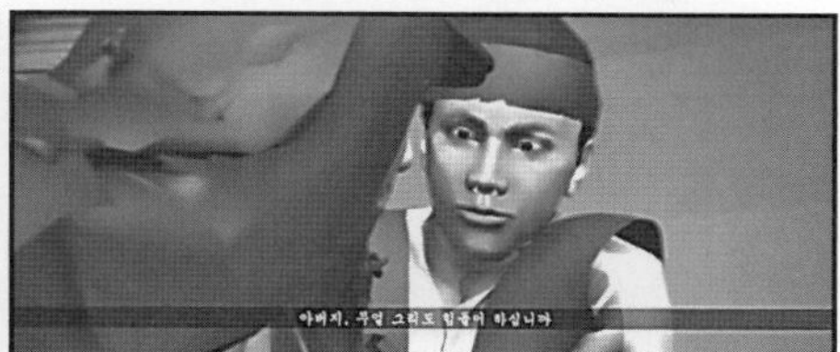

이순신 O.S. 이면 B.S.
순신이 올려다보면 엷은 미소를 띠고 있는 아들 면이 보인다. 순신이 놀란다.

C#23

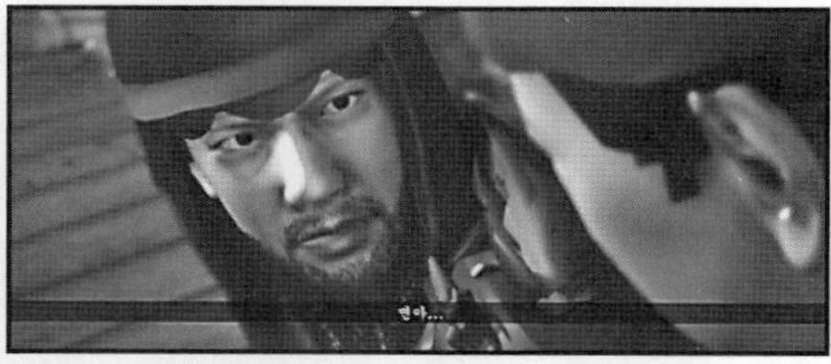

이면 O.S. 이순신 B.S.
죽은 아들 면이 순신을 지그시 바라보고 있다.

이순신 (울컥) 면아….

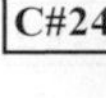

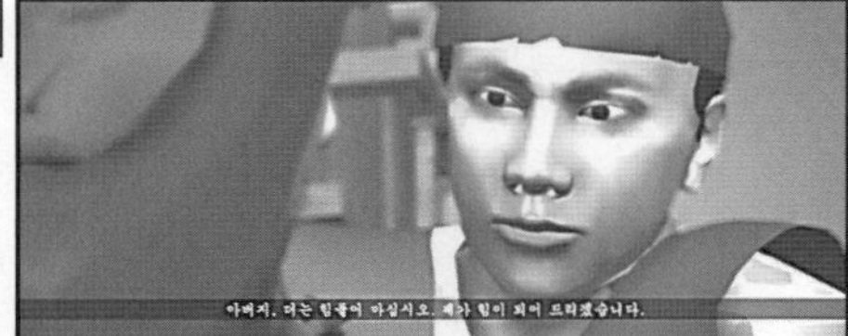

이순신 O.S. 이면 B.S.

이 면 아버지. 더는 힘들어 마십시오. 제가 힘이 되어 드리겠습니다.

C#25

이면 O.S. 이순신 C.U.

이순신 (울컥) …….

C#26

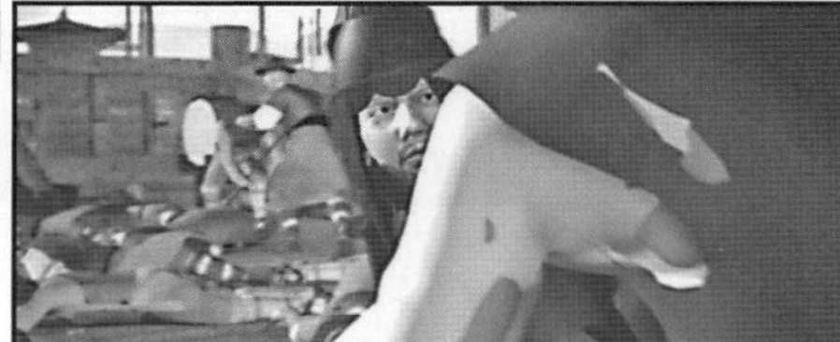

이면 O.S. 이순신 M.S.
일어나는 이면.

C#27

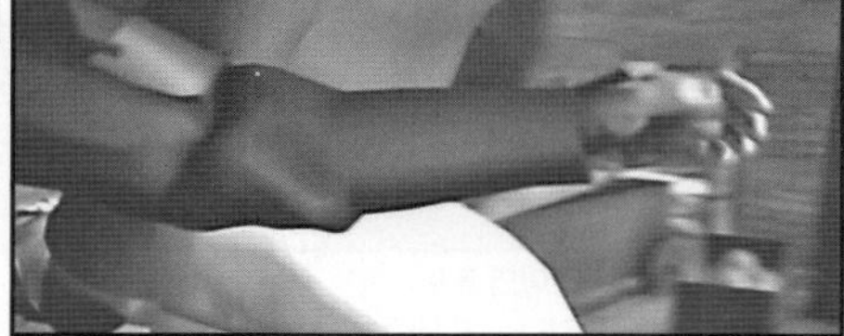

이순신의 손 측면 tight
이순신의 손을 놓고, 전장을 향해서 앞으로 나가는 이면.

C#28

이순신 O.S. 이면 뒷모습 T.F.S.
이내 면이 돌아서며 적들에게 다시 뛰어드는데.

C#29

이순신 측면 T.B.S.

이순신 (가슴속 뭔가가 토해 나오며) 면아!

C#30

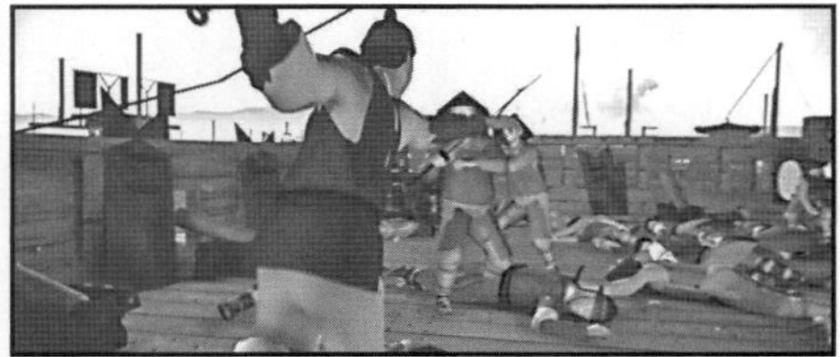

이순신 P.O.V. 갑판 위, 이면 F.S.
~~순신이 갑판을 가로질러 면을 따라가보지만,~~

적을 향해 칼을 휘두르는 이면.

(밀려오는 안개에) 면은 사라져 보이지 않고,

C#31

북채 O.S. 이순신 low F.S. / track out
안개가 걷히면서 (transition)
그곳에 북채만이 보일 뿐이다.

C#32

이순신 M.S.
놀라서 보던 이순신, 잠시 생각을 한다.

C#33

이순신 B.S.
다시 북채를 보는 이순신.

C#34

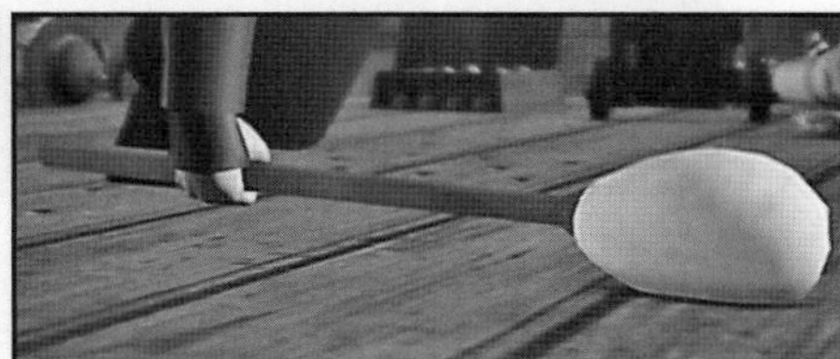

북채 측면 tight / tracking
이순신의 발, 손 fr-in / 북채 fr-out
바닥에 떨어진 북채 옆으로 다가온 이순신
북채를 잡는다.

C#35

이순신 B.S.
이내 북채를 잡는 순신!

C#36

이순신 뒷모습 약부감 M.S.
힘차게 북채를 내려치는데….

C#37

북 너머 이순신 약측면 low W.S.
북을 내려치는 이순신 둥!

C#38

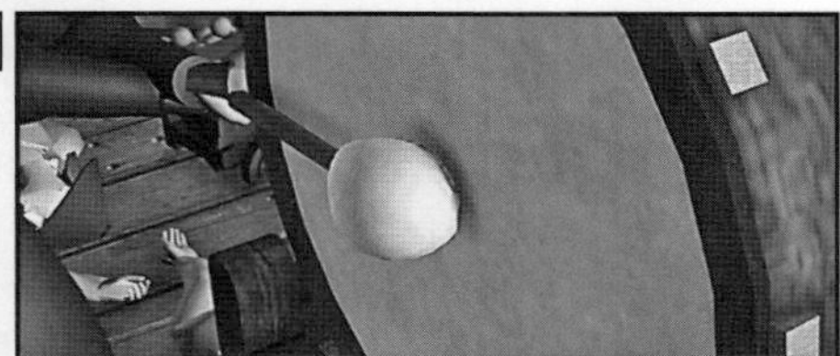

북 tight
조금 더 힘껏 북을 치는 순신.
두웅~ 두웅~

C#39

송희립 W.S.
송희립이 급히 방패를 들고 다가서는데,

송희립 장군! (프리비즈 대사)

C#40

이순신 T.B.S.
다시 북채를 고쳐 잡는 순신,

C#41

이순신 뒷모습 low T.F.S. / 하늘로 T.U.
온 힘을 다해 다시 북을 치면…

C#42

이순신의 좌선 약부감 F.S. / cam-out
전장의 L.S.
두웅~ 두웅~ 두웅~ 노량 앞바다 전체로 진동하듯 퍼져 나가는 순신의 북소리….

S#96 응답(應答)

피 칠갑을 하고 적을 베던 진린이 이순신의 북소리를 듣고 병사들을 독려한다
기세가 살아나는 명군들

11 CUTS

 EXT  MORNING VS

C#1

((입부의 판옥선))
입부 약부감 M.S.
힘겹게 적병을 베고 있던 경상 우수사 입부, 이순신(李純信)이 칼을 멈추고 돌아본다.

C#2

((권준의 판옥선))
권준 약측면 M.S.
끝없이 달려드는 적을 향해 숨 가쁘게 화살을 날리던 권준이 발사를 멈추고 돌아본다.

C#3

((유형의 판옥선))
유형 low B.S.
악귀처럼 달려드는 적병을 힘겹게 메다꽂던 젊은 장수 유형이 숨을 몰아쉬며 돌아본다.

C#4

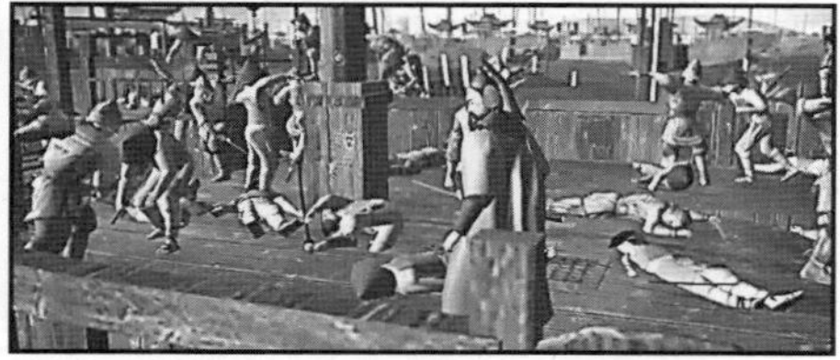

((일반 호선))
호선, 갑판 위 진린 후측면 F.S.
boom up
어느새 피 칠갑을 하고 싸우던 진린도 고개를 돌려 좌선 쪽을 본다.

C#5

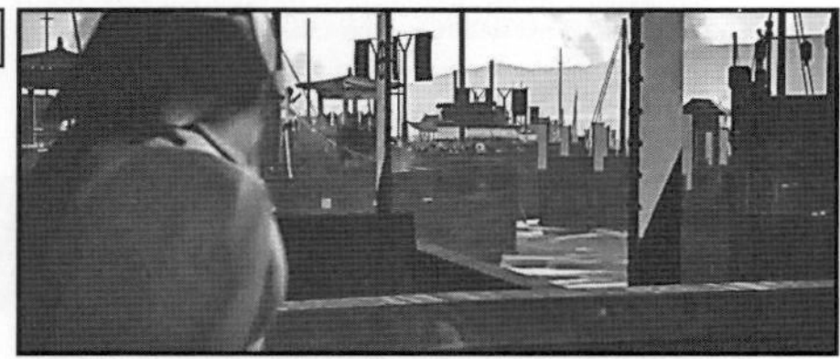

((일반 호선))
진린 O.S. 이순신의 좌선 F.S.
힘차게 북을 치고 있는 순신의 모습이 한눈에 들어온다.

C#6

진린 P.O.V. 북 치는 이순신
북을 치는 이순신.

C#7

((일반 호선))
진린 B.S.
이순신을 보는 진린.

진 린 노야가 아니냐!

C#8

((유형의 판옥선))
유형 M.S. / track in

유 형 좌선이다! 장군께서 우리를 독려하고 계신다!

C#9

((입부의 판옥선))
입부 low M.S.

입 부 힘을 내자! 우리는 이길 수 있다! 더욱 몰아쳐라!

C#10

((입부의 판옥선))

월선하는 조선 병사들 사이 입부 뒷모습

약부감 F.S. / cam-out / boom up

두웅~ 두웅~ 두웅~ 두웅~ 마치 심장박동 소리처럼
조명 연합군의 가슴에서 가슴으로 전달되는 북소리.
월선하는 조선 병사들.

C#11

진린 M.S. tracking

진 린 전군! 돌격하라!

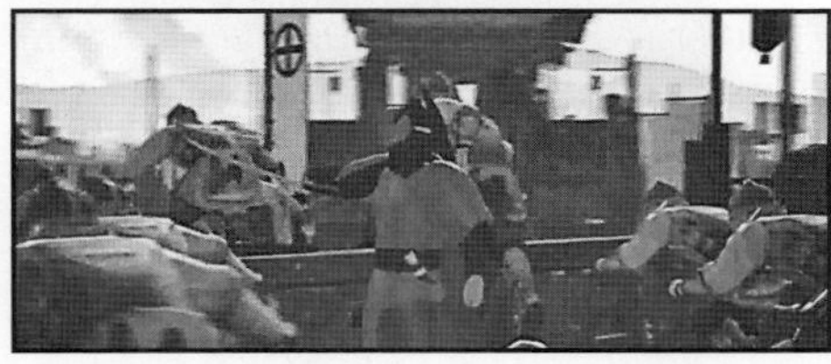

tracking

와아~ 더욱 힘을 내며 몰아치기 시작하는 조명 수군들.

tracking

심지어 왜선 쪽으로 월선까지 시도하는 진린.

cam-out F.S.

놀랍게도 살마군을 자부하던 왜군들의 기세가 거짓말처럼
꺾이기 시작하는데….

cam-out F.S.

세키부네가 터진다.

S#97 고니시 안택선

전장을 바라보고 있는 고니시. 세키부네 한 척이 다가온다
아리마의 시체를 보고 고민에 빠지는 고니시

15 CUTS

EXT MORNING VS

C#1

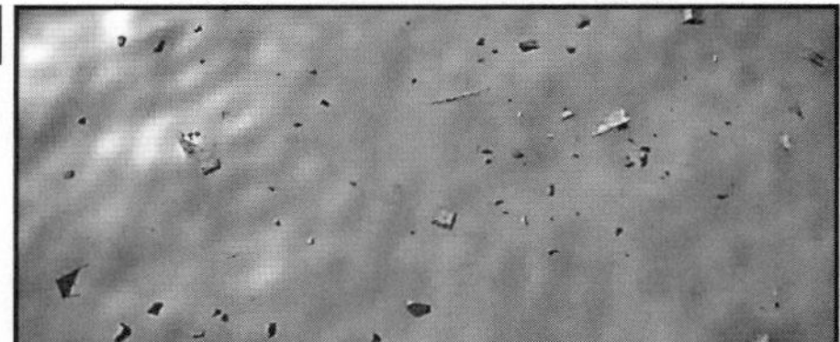

시체 잔해들, 왜선 깃발들. 직부감 F.S.
고니시 함대 fr-in

C#2

바다 위, 잔해들 tight T.U.
고니시 함대 low F.S.
남해도가 조금 못 미친 바다 위…
(돛은 내려진 채) 멈춰 서 있는 고니시 함대가 보인다.

C#3

고니시, 오무라 low T.F.S. / cam-in
갑판 난간 앞, 고니시와 오무라가 전장을 본다.

C#4

고니시 안택선 걸고 부감 남쪽 바다 L.S.
cam-out
아스라이 북소리가 들리는 듯, 굳은 표정으로 노량 앞바다를 바라보고 있는 고니시…. 해가 점점 더 높게 오르며 밝아져만 가는 남해안의 모습. 멀리 여기저기서 불길이 치솟고 있는… 아스라이 비명이 난무하다.

C#5

고니시 함대 약측면 low F.S.
fr-in 반파된 세키부네
이때 고니시 함대 쪽으로 떠내려오는 반파(半破)된 한 척의 세키부네….

C#6

고니시, 오무라 정측면 low F.S.
갑판 난간 앞에 서서 보는 고니시.

고니시 …….

오무라 주군! 저기 보십시오!

C#7

고니시 P.O.V. 세키부네 약부감 F.S.
반파된 세키부네 위에 왜병들이 쓰러져 있다.

C#8

다가오는 세키부네 난간 위 걸고
고니시 안택선 T.F.S.
시키부네를 바라보는 고니시와 오무라.

C#9

세키부네 약부감 T.F.S.
그곳에는 놀랍게도 죽은 아리마가 타고 있다.

C#10

아리마 약부감 T.F.S.
그 죽은 몰골이 마치 악귀를 만난 듯 무척 고통스러운 표정인데.

C#11

고니시, 오무라 low W.S.
죽은 아리마를 보는 고니시와 부장들.

C#12

고니시 T.B.S.

고니시 (당혹스러운)!

고개 들어 다시 노량 쪽을 뚫어지게 바라보는 고니시….

C#13

고니시와 가신 1, 약측면 B.S.
고니시 눈치를 살피다 더불어 전장 쪽을 쳐다보는 가신 1.

C#14

고니시 P.O.V. 전장 L.S.
아스라이 치솟고 있는 연기들. 점점 커지며 들려오는 둥둥 북소리….

C#15

고니시 반측면 tight B.S. / b. down
고니시, 전방의 노량을 바라보며 심각한 고민에 빠져들고….

S#98 시마즈 안택선

후퇴를 명령하는 시마즈
끝까지 자신을 추격하는 조선군의 집요함에 치를 떤다

2 CUT  EXT  MORNING VS

C#1

시마즈 안택선 걸고 전장 약부감 F.S.
cam-in
다시 크게 들려오는 둥! 둥! 북소리!
<u>여기저기서 포탄이 떨어진다.</u>

C#2

시마즈 뒷모습 B.S.에서 360° tracking
점점 커진다. 혼돈 속에 뛰어다니는 왜병들.

피 칠갑이 된 시마즈가 전방에서 계속 가로막는 조선 전선들을 쳐다보며 외친다.

시마즈 끝이 없다! 끝이! 배를 틀어라!

이때, 또 다시 터져나가는 안택선 누각.

시마즈 어서 이곳을 빠져나가야 한다!

전방을 가로막고 있는 조선 전선들을 피해 일제히 방향을 돌리는 왜선들…. 이제 시마즈를 따르는 배들은 불과 50척 남짓이다. 그런데 왼쪽에서 또다시 조선 전선들이 포위하며 다가오고 있다.

시마즈 어찌 이런! 우리 살마군보다 더한 악귀들이다!

갑판이 포탄에 맞아 부서지고

누각 지붕이 터진다.

S#99 총성 - 세키부네

(파손) 시체 더미 속에 파묻혀 있던 왜군 하나가 북소리를 듣고선 급히 바닥을 더듬는다

6 CUTS

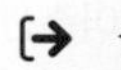 

EXT MORNING VS

C#1

북 앞에 이순신 약부감 F.S. / boom up
좌선 뒤, fr-in 세키부네
두웅~ 두웅~ 두웅~ 여전히 북채를 놓지 않고 있는 순신.
두웅~ 두웅~ 두웅~
계속해서 노량 앞바다를 울리는 순신의 북소리….

C#2

세키부네 한 척 fr-in / 약부감 tight
전장의 피바다… 반파된 채 이리 채이고 저리 채이며 표류하던 세키부네 한 척!

C#3

(P.O.V. 세키부네 안) 엎드려 있는 왜병 T.F.S.
track-in
널브러져 있는 적병들의 시체 더미 속에 묻혀 있던 왜병 하나가 북소리를 듣고 고개를 내민다.

C#4

고개 드는 왜병 O.S. 좌선 low T.F.S.
고개를 내밀어 좌선을 보는 왜병.

C#5

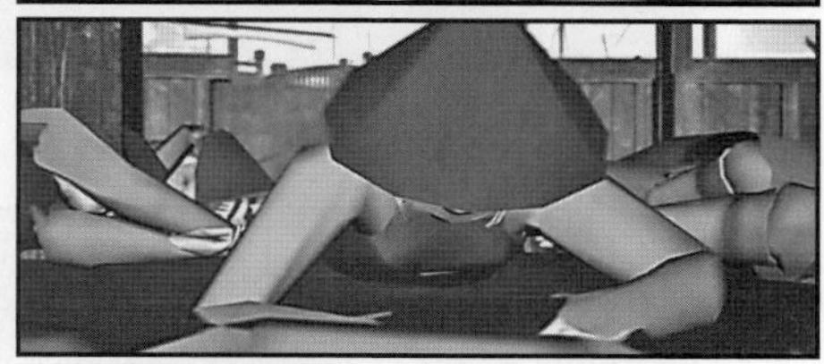

고개 든 왜병 M.S. / track out
앞으로 기어온다.

C#6

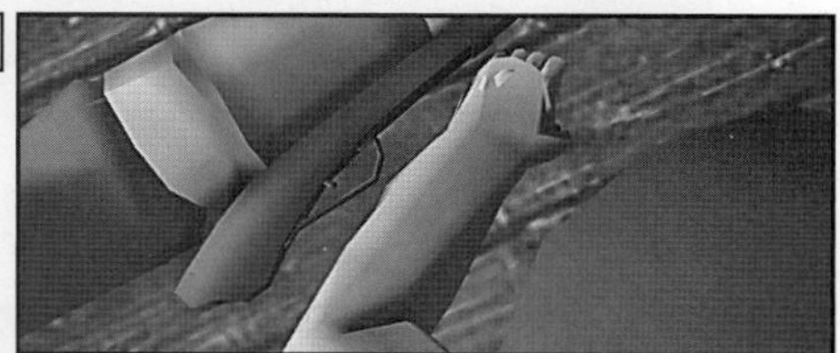

총으로 다가가는 왜병의 손 직부감 tight
뭔가를 찾아 급히 바닥을 더듬는데….
손에 닿는 조총 한 자루….
아직 연기 피어 오르는 심지가 살아 있다.

S#100 이순신 좌선

세키부네가 이순신의 좌선 앞으로 흘러온다
가까스로 왜군의 총알을 피하고 송희립에게 진격 명령을 내리는 이순신
다시 한번 울리는 총성

44 CUTS

EXT MORNING VS

C#1

왜병 tight
고개를 드는 왜병.

C#2

왜병 머리 O.S. 이순신 좌선 약측면 low T.F.S.
두웅~ 두웅~ 두웅~
여전히 북채를 놓지 않고 있는 순신.
고개를 든 왜병 너머에 북 치는 이순신이 멀리 보인다.

C#3

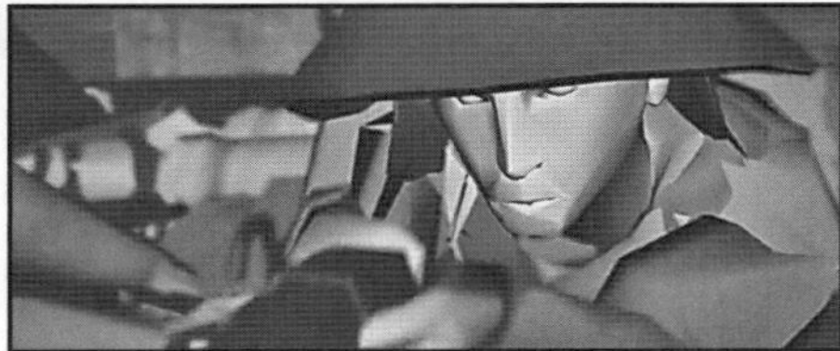

이순신을 보는 왜병 B.S.
계속 좌선 앞으로 흘러 들어오는 반파된 세키부네 한 척,
그리고 그 위의 조총을 든 왜병 하나….

C#4

왜병 P.O.V. 총구 fr-in 너머 이순신 W.S.
북 치는 이순신을 향해 겨누는 총구.

C#5

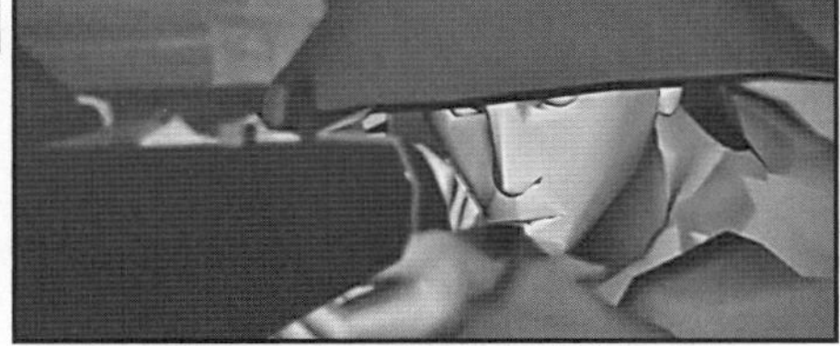

조총을 겨누는 왜병 tight
잔뜩 두려움에 사로잡혀 있는데.

C#6

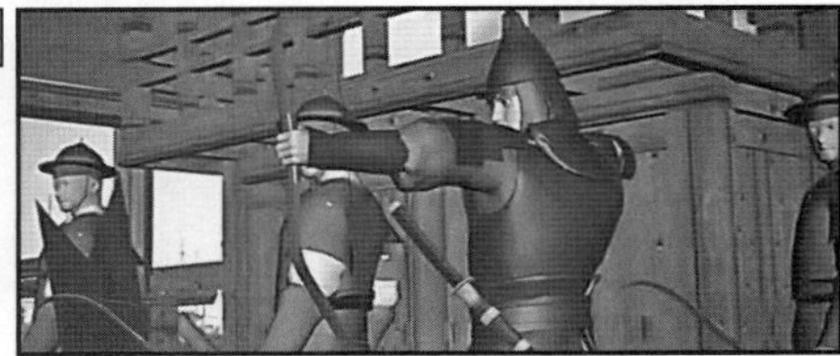

이회 약측면 low W.S.
활을 겨누어 쏘는 이회,
흘러오는 세키부네 쪽을 본다.

이회 P.O.V. 세키부네 위 약부감 T.F.S.
조총을 든 왜병.

C#7

이회 O.S. 세키부네 T.F.S.
이때 그를 발견한 이회!
세키부네 위의 왜병 하나가 조총을 들고 있다.

C#8

이회 P.O.V.
세키부네 위 왜병 약측면 F.S.
이회의 시야에 보이는 조총을 든 왜병.
왜병의 총구가 겨누는 쪽을 따라 시선을 옮기면

pan 북 치는 이순신 T.F.S.
북 치는 이순신이 보인다.
두웅~ 두웅~ 두웅~
계속해서 노량 앞바다를 울리는 순신의 북소리….

C#9

이순신을 보는 이회 T.B.S.
왜병의 총구가 향한 쪽, 이순신을 보는 이회.

이 회 아버님!

C#10

이회 O.S. 이순신 측후면 F.S.
이순신을 보는 이회, 활을 든다.

C#11

활을 겨누는 이회 M.S.
세키부네의 왜병을 향해 활시위를 당기는 이회.

C#12

이회 O.S. 세키부네, 왜병 F.S.
왜병을 조준하는 이회,
이순신을 향한 왜병의 총구.

C#13

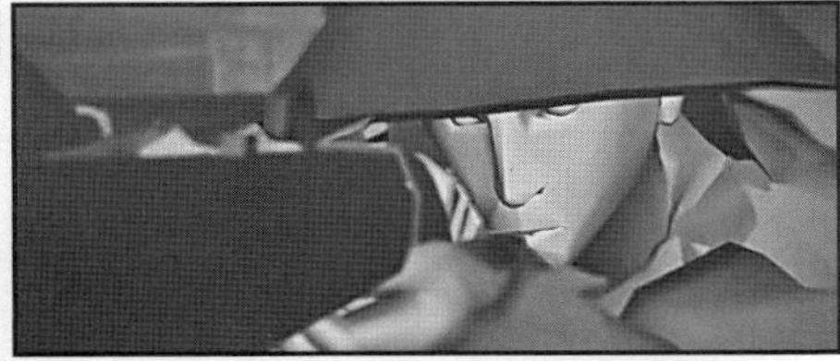

왜병 B.S. / track in
이순신을 겨누는 왜병.

C#14

총구 너머 이순신 low tight
타들어가는 심지…. 천천히 당겨지는 방아쇠의 손가락….

C#15

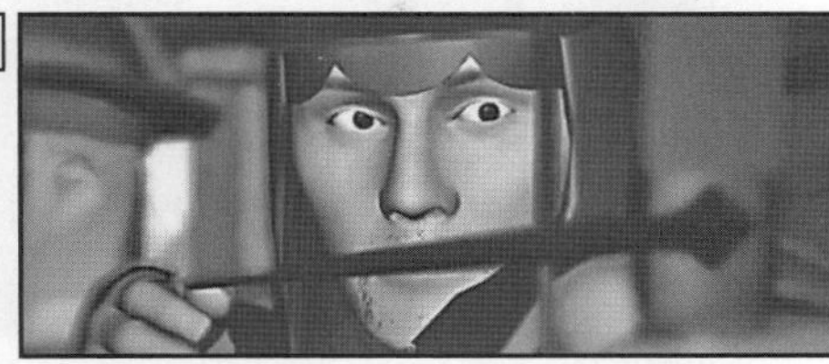

활 시위를 당기는 이회 C.U.
급히 활을 재는데! 쏜다.

C#16

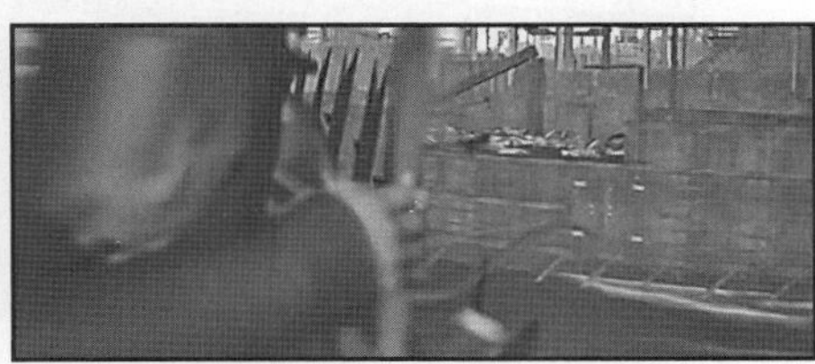

이회 O.S. 세키부네 위 왜병 F.S.
활을 쏘는 이회.

날아가는 활 follow cam-in
왜병을 향해 날아가는 이회가 쏜 화살.

C#17

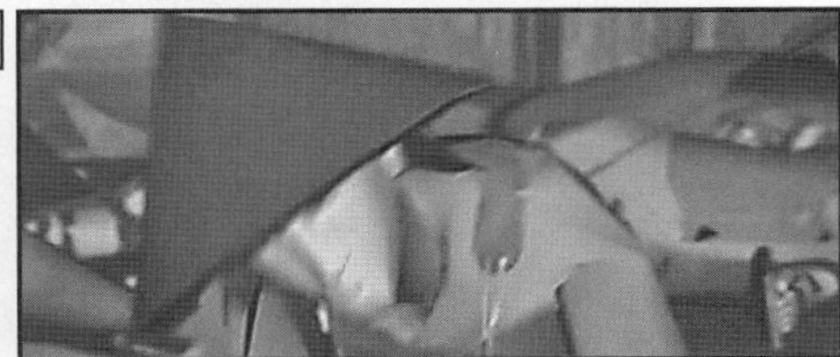

활에 맞는 왜병 B.S.
이회의 활에 맞는 왜병.

C#18

<u>CUT TO</u>
이순신 low M.S. / 북채 follow
타앙! 갑자기 고요해진 전장, 파도 소리만이 이어서 들려오고…. 북채를 놓치는 이순신.

C#19

왜병을 보는 이회 W.S. / pan
왜병을 보는 이회, 얼른 순신을 돌아본다.

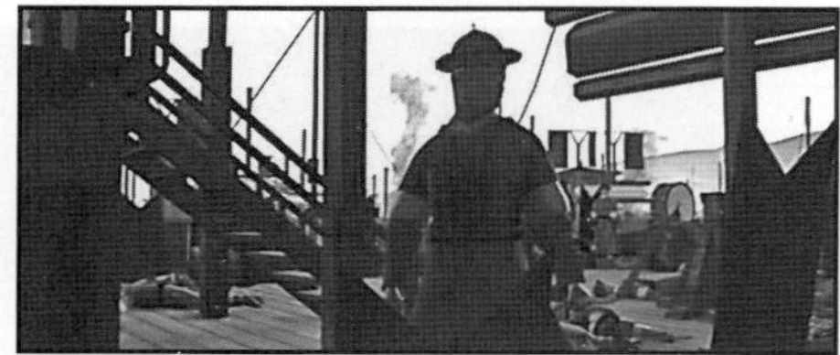

pan 이순신 F.S.
주저앉는 이순신.

pan 이회 W.S.
다시 왜병을 향해 활시위를 당기는 이회.

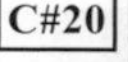
C#20

왜병 약부감 tight
활에 맞은 왜병.

왜 병 (죽어가며 힘겹게 뭐라 말하려는 듯) 부디 이제 제발 저희를….

C#21

왜병 T.F.S.
허나 이내 왜병 무수히 날아드는 화살들에 맞고 완전히 고꾸라지는데,

C#22

<u>CUT TO</u>
이순신에게로 가는 이회 T.F.S.
이회가 다시 활을 들어 병사들과 함께 무수한 화살을 날렸다.

순신이 쓰러졌다. 송희립이 급히 다가서는데,

송희립 (매우 놀란) 장군! 괜찮으십니까!

이 회 아버님!

이회도 뛰어온다. 순신을 부축하고 있는 희립.

C#23

이회 약측면 low T.B.S.
이순신 옆으로 앉는 이회.

이 회 아버님!

C#24

이회 O.S. 이순신 tight
이회를 돌아보는 이순신.

C#25

이회, 이순신 low B.S.

이순신 나는… 괜찮다.

송희립이 보면 다행히 멀쩡한 순신,

C#26

바닥에 떨어진 북채 C.U.

탄환이 떨어진 북채에 맞은 듯 북채 머릿실들이 주변에 마구 풀려 있다.

C#27

송희립, 이순신, 이회 T.F.S. / 이회 fr-out

송희립 안 되겠습니다. (갑판 위 병사들에게) 어서 방패들을 더 가져오너라!

이 회 내가 가져오겠소!

이회가 직접 방패들을 가지러 뛰어간다.

C#28

북채 너머 이순신 low T.F.S.

이순신, 실이 풀어진 북채를 보고 일어난다.

C#29

이순신, 송희립 B.S.

따라 일어서는 송희립.

이순신 어서 다른 북채를 가져오너라.

송희립 장군, 꼭 이리까지 하셔야겠습니까?

한 병사가 급히 뛰어간다.

C#30

송희립 O.S. 이순신 M.S.

이순신 말하지 않았느냐.

송희립 …….

송희립을 물끄러미 바라보는 순신….

이때 들어오는 병사, 새 북채를 순신에게 건넨다.

C#31

이순신 앞 송희립 low W.S.

이순신 저들을 이대로 보내면….

순신의 다음 말을 기다리는 송희립.

C#32

송희립 O.S. 이순신 T.B.S.

이순신 장차 더 큰 원한들이 쌓이게 될 것이다.

C#33

이순신 O.S. 송희립 B.S.

송희립 !

C#34

송희립 O.S. 이순신 low M.S.

송희립 앞으로 서는 이순신.

이순신 희립은 어서 진격 신호를 울리거라.

C#35

이순신 O.S. 송희립 B.S.

송희립 (담담히) 죄송합니다. 장군. 이번만큼은 그리 하지 못하겠습니다.

C#36

송희립 O.S. 이순신 M.S.

이순신 절대 이대로… 이렇게 끝내서는 아니 된다.

C#37

송희립 O.S. 이순신 T.B.S.

이순신 이렇게 적들을 살려 보내서는 올바로 이 전쟁을 끝낼 수 없다.

C#38

이순신 O.S. 송희립 M.S. / track-in

송희립 …….

C#39

송희립 O.S. 이순신 T.B.S. / track-in

이순신 반드시! 놈들을 열도 끝까지라도 쫓아서 기어이 완전한 항복을 받아내어야 한다! 아직도 모르겠느냐!

송희립 …….

C#40

이순신 O.S. 송희립 B.S.
순신의 큰 뜻을 비로소 이해한 듯한 송희립,

송희립 알겠습니다! 다시 진격 신호를 올리겠습니다!

C#41

이순신 약측면 low T.F.S. / tracking
다시 북채를 치켜드는 순신.

이내 다시 북소리가 울려 퍼지기 시작한다.
이때, 이회가 방패병들을 몰고 온다.

이 회 어서 장군을 감싸라!

움직이는 방패들.

C#42

좌선 선수 정면 F.S. / cam-in
북 치는 이순신, 주변으로 방패병들이 호위를 하고, 송희립이 장루 쪽으로 뛰어간다.

C#43

갑판 뒤로 달려가는 송희립 back W.S.
신호기 쪽으로 뛰어가는 송희립. 이때 문득 다시 어디선가 들려오는 한 발의 총소리! **타앙!**

C#44

돌아보는 송희립 B.S. / track-in
송희립이 반사적으로 돌아보면….

S#101 안택선

북소리가 멈추자 초조해하다 다시 북을 치는 이순신을 발견하고
돌진 명령을 내리는 진린

15 CUTS

EXT

MORNING VS

C#1

유형 약측면 M.S.

멈춰버린 북소리, 기세를 올려 적을 제압하던 여러 조선 장수와 병사들이 멈칫한다. 멈칫하는 입부.

C#2

입부 약측면 B.S.

멈칫하는 유형.

C#3

이운룡 약측면 low W.S.

멈칫하는 이운룡.

C#4

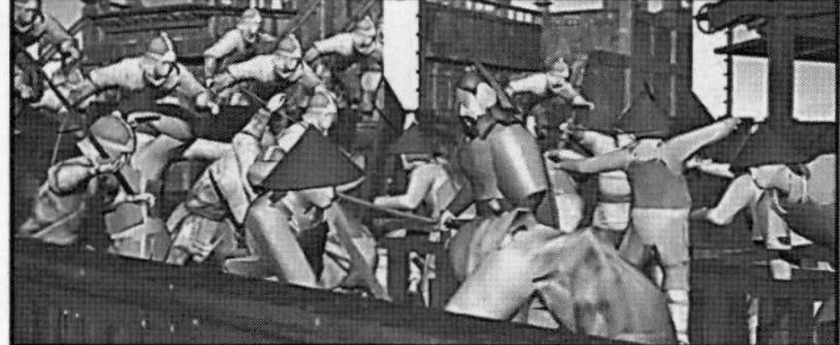

진린 약측면 F.S.

어느 안택선 갑판 위에서 한창 싸움 중이던 진린.

C#5

진린 O.S. 이순신 좌선 F.S. / track in

멈춰버린 북소리에 불안한 기색으로….

진 린 왜 북소리가 들리지 않는 것이냐?

C#6

CUT TO

이순신 좌선 약부감 F.S. / track in

북을 치는 이가 보이지 않는다. 잠시 정적이 흐르고….

하지만 이내 두웅~!

C#7

진린 B.S.

뭔가를 직감한 듯, 초조한 표정으로 순신의 좌선을 바라보는 진린. 두웅! 북소리에 깜짝! 이내 돌아본다.

C#8

진린 M.S.

진린을 비롯한 조명 연합 함대 장수들이 다시 들려오는 북소리에 안심하고.

진 린 적들을 마저 쓸어버리자! 모두 돌진하라!

C#9

유형 M.S.

유 형 돌격하라!

C#10

입부 측면 B.S.

입 부 모두 돌격하라!

C#11

이운룡 약부감 B.S.

이운룡 돌격하라!

C#12

시마즈 함대 F.S. / 판옥선들 fr-in

관음포 인근 바다에서 도망치기 위해 안간힘을 다하는 시마즈 함대를 향해 가는 조명 연합 함대 1백여 척.

C#13

시마즈 안택선 너머 판옥선들 F.S.

계속해서 들려오는 순신의 힘찬 북소리.
왜군들이 북소리를 듣지 않으려 귀를 막는데….

C#14

누각 안 fr-in 시마즈 F.S.

누각 안으로 뛰쳐 들어와 쓰러지는 시마즈….

C#15

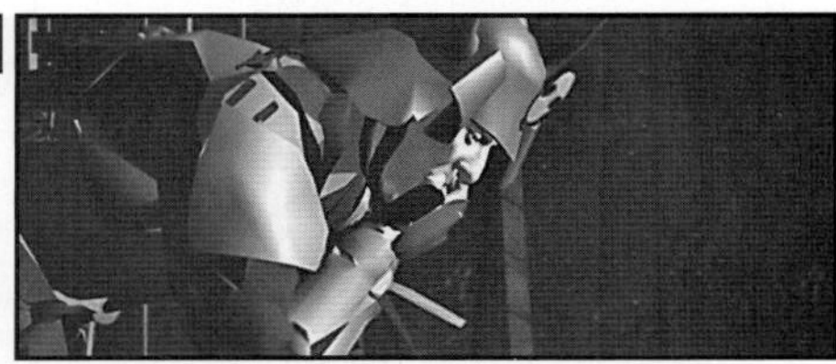

시마즈 측면 B.S.

심지어 쓴 물을 토해내기 시작하는데….

S#102 고니시 안택선 - 퇴각

노량 바다를 바라보던 고니시가 퇴각 명령을 내린다 11 CUTS

EXT

MORNING VS

C#1

전장 L.S. / b. down
-> 고니시 함대 후면 F.S. / 약부감
이미 동쪽으로 높이 떠오른 태양에 눈이 부시다.
더욱 선명히 보이는 노량의 불길들,
더욱 높이 치솟기 시작한다.

C#2

고니시 함대 정면 F.S. (너머 떠오른 태양)
: 실루엣에 halation 많이 들어간 느낌
선봉선에 서서 그저 뚫어지게 앞만 보고 있는 고니시.

C#3

고니시 / 앙각 cam-in
이내 아스라이 들려오는 처절한 비명들… 그리고, 점점 고니시의 귀를 크게 때리며 들려오는 북소리!

C#4

고니시 B.S. / 약부감 b. down
고니시, 한껏 굳어진 표정으로 노량을 바라보다… 마침내,

C#5

고니시, 오무라 2shot /tracking -> 오무라 B.S.

고니시 배를 돌려라….

오무라 주군? 그럼 시마즈는?

C#6

고니시 tight B.S. / 앙각

고니시 (비정하게) 여기까지가 그의 역할이다. 시마즈는 버린다.

C#7

고니시 뒷모습 T.F.S.
고니시, 차갑게 돌아서 누각 안으로 들어가버린다.

C#8

고니시 B.S. / fr-out 오무라 측면 B.S.
고니시를 보다가 이내 갑판 좌우로 소리치는 오무라와 가신 1.

오무라 배를 돌려라! 바로 퇴각한다!

C#9

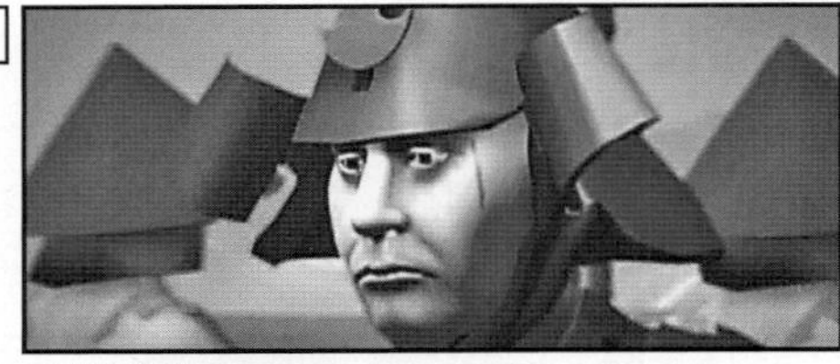

고니시 측면 C.U.
말없이 누각으로 가는 고니시.

C#10

누각 안으로 들어가는 고니시 뒷모습 F.S.

C#11

퇴각하는 고니시 함대 / 직부감에서 b. up -> 전장 L.S.
황급히 돌아서는 고니시 함대,
빠른 속도로 퇴각하기 시작한다.

S#103 이순신 좌선 - 죽음

마지막 왜군 함대를 격파하는 조명 연합 함대, 전투가 끝난 바다
이순신의 투구를 쓰고 북을 치고 있는 이회, 바다 전체로 울려 퍼지는 북소리

24 CUTS

EXT MORNING VS

C#1

난전이 벌어진 전장 직부감 L.S. / cam-in
~~도망치는 고니시 함대를 쫓으며 빠르게 바다를 따라 들어가~~면 전투가 마침내 끝난 전장의 모습….
연기와 불길을 뿜어내는 무수한 적선들이 보이고,
화면, 그 전장 한가운데 순신의 좌선이 보이는데….

C#2

좌선 중심으로 모여드는 판옥선들 F.S.
cam-in
좌선으로 모여드는 판옥선들.

C#3

좌선 갑판 위, 계단을 지나 T.F.S. / cam-in
북소리를 따라가는 카메라.

고개를 숙인 장수와 병사들.

C#4

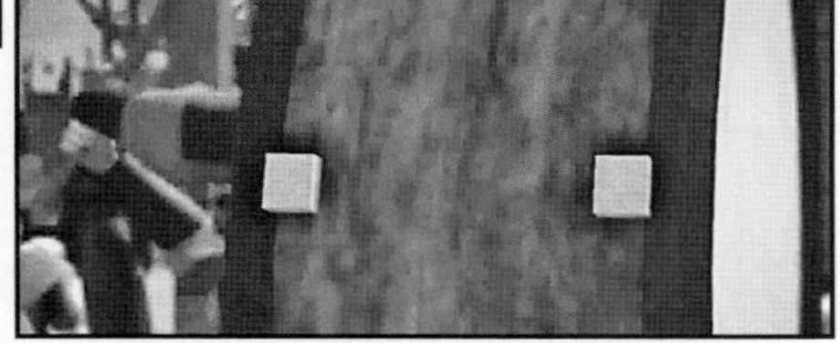

북에 가려진 이회 M.S. / tracking
좌선 위 여전히 북을 치고 있는 순신의 모습이 보인다. 허나 자세히 보면…

C#5

북에서 벗겨지면서 드러나는 이회 T.B.S.
tracking
순신이 아닌 순신의 갑옷을 입은 아들 이회다.

흐르는 눈물에도 결연히 북을 치는 이회….
화면, 울고 있는 이회를 지나 장루로 향하면,

C#6

이회 정측면 B.S. tracking
boom up 장루 위 장수들 low T.F.S.
겹겹이 둘러쳐진 장루 방패들 사이에서 들려오는 일말의 흐느낌들을 들을 수 있다.

C#7

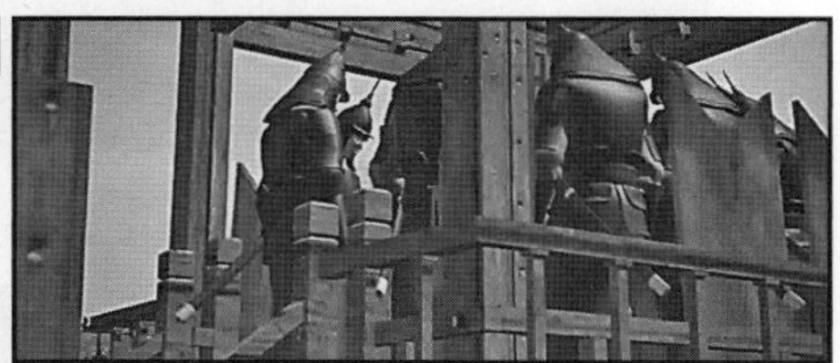

장루 안, 조선 장수들 low tracking

송희립(V.O.) 어서들 그쳐라. 정녕 장군의 뜻을 어길 셈이냐!

그러자 서서히 사그라지는 울음소리들… 문득 방패 밖으로 나오는 송희립, 방패 안쪽을 향해 묵묵히 군례를 행하는데….

C#8

좌선으로 다가오는 호선 low F.S.
tracking

C#9

CUT TO
쳐호선 옆 좌선, 건너가는 진린 측면 F.S.
순신의 대장선으로 몰려들며 속속 올라서는 조선 장수들의 모습들. 진린 또한 기뻐하며 순신을 향해 대장선으로 올라온다.

C#10

이회 O.S 진린 W.S. / track out

진 린 (기뻐하며) 노야! 노야! 우리가 이겼소! 노야!

진린의 눈에 보이는 북을 치는 순신의 모습.
걸음을 멈추는 진린.

C#11

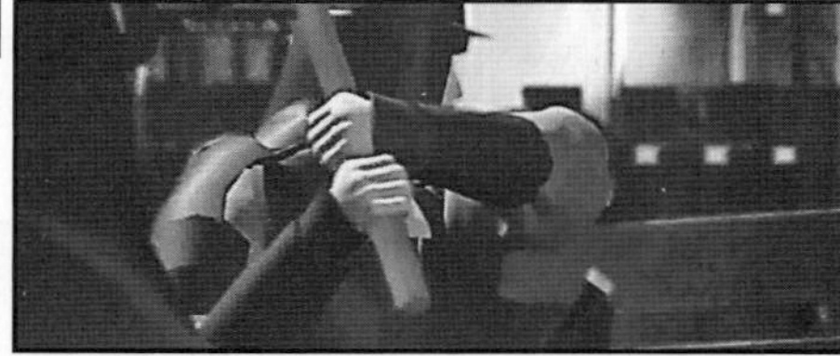

진린 O.S. 이회 측면 M.S.
하지만 북을 치는 이가 순신이 아닌 아들 이회인데….

C#12

진린 B.S.
일순 얼굴빛이 급격히 어두워지는 진린.
돌아보면,

C#13

진린 P.O.V.
pan 무릎 꿇고 있는 장수들 F.S.
T.U. 장루 위 장수들 low F.S.

장루 위, 아래에서 모두 슬픔으로 군례를 행하는 조선군을 보고

C#14

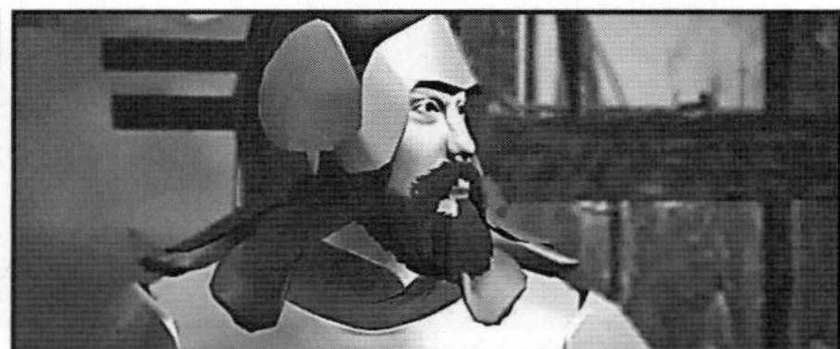

진린 측면 B.S. / fr-out
진린, 상황을 파악한다.

C#15

장루로 가는 진린 뒷모습 F.S.
진린이 장루 위로 걸어 올라간다.

C#16

방패가 열리고, 방패 사이 진린 M.S.
계단을 올라온 진린, 방패들 속으로 파고들면,

진 린 (울부짖으며) 노야!

주저앉는 진린.

C#17

장루 위, 진린과 조선 장수들 약부감
F.S. / moving
주저앉은 진린과 고개 숙인 조선 장수들.

C#18

조선 장수들 B.S. / tracking (좌->우)
이미 슬픔 가득한 눈을 하고 있는 좌선 위 모든 장수들과 병사들….

C#19

조선 장수들 B.S. / tracking
이미 슬픔 가득한 눈을 하고 있는 좌선 위 모든 장수들과 병사들….

C#20

장루 위 진린과 조선 장수들 부감 F.S.
moving / boom up
모두들 고개를 숙이고 있다.

C#21

좌선 주변으로 판옥선들 직부감 F.S.
moving
이심전심의 각 함선의 부장들이 모두 직접 북을 잡고 다시 북을 울리는데… 두웅~ 두웅~

C#22

이회 너머 장루 앞 진린, 장수들 T.F.S.
tracking
북을 치고 있는 이회.

C#23

이회 B.S.
각 함선의 부장들과 함께 북을 치는 이회.

C#24

이순신 좌선 측면 약부감 F.S. / cam-out
남해 바다 전체로 울려가는 혼(魂)의 북소리. 그 위로 자막,

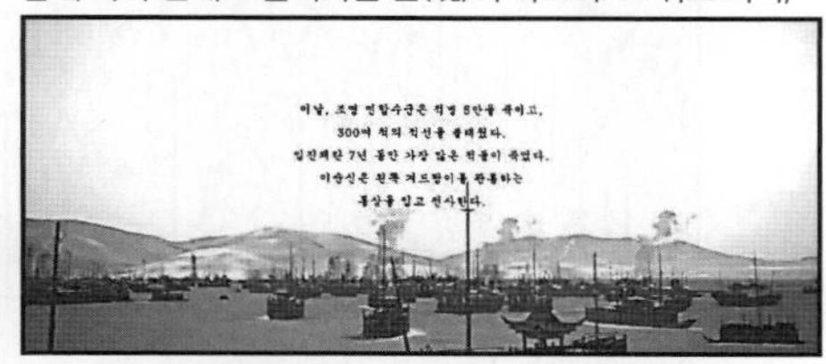

이날, 조명 연합 수군은 적병 5만을 죽이고,
3백여 척의 적선을 불태웠다.
임진왜란 7년 동안 가장 많은 적들이 죽었다.
이순신은 왼쪽 겨드랑이를 관통하는 총상을 입고 전사한다.

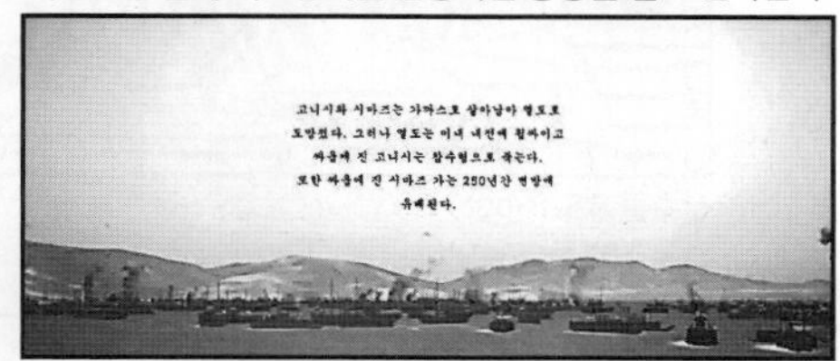

고니시와 시마즈는 가까스로 살아남아 열도로 도망쳤다. 그러나 열도는 이내 내전에 휩싸이고
싸움에 진 고니시는 참수형으로 죽는다.
또한 싸움에 진 시마즈가는 250년간 변방에 유폐된다.

전장 L.S. / 계속 cam-out

S#104 몽타주 / 레퀴엠

이순신의 장례 행렬
그 뒤로 장수들과 끝이 보이지 않는 수많은 백성들. 모두가 통곡한다

8 CUTS

EXT

DAY

LOCATION

C#1

dissolve

fr-in 깃발들
육지에서 벌어진 이순신의 장사 행렬의 모습.

C#2

종 치는 어른, 상여 F.S. / b. up & in -> 사람들 L.S.
삼도수군통제사 이순신의 깃발 아래 많은 장수들과 가족들이 함께하고 있다.

이동하는 장사 행렬.

C#3

장수들 B.S. fr-out
많은 장수들이 보인다.

C#4

fr-in 상여 너머 사람들 W.S.
길거리….

C#5

장사 행렬 너머 아주머니, 아이 M.S. / cam은 발 follow
남녀노소를 가리지 않고…

C#6

FOLLOW

상여 너머 사람들 F.S. / 약부감 follow
많은 이들이 울부짖고 통곡하며…
그 뒤를 따르고 있다.

C#7

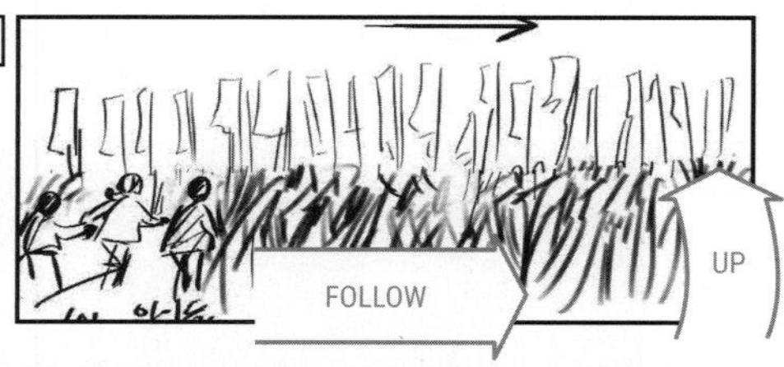

fr-in 아이들 / follow b. up -> 장사 행렬, 그 너머 바다 L.S.
깃대를 보고 따라오는 아이들.

-> follow 하다가 cam b. up 하면 장사 행렬 너머 바다가 보인다.

C#8

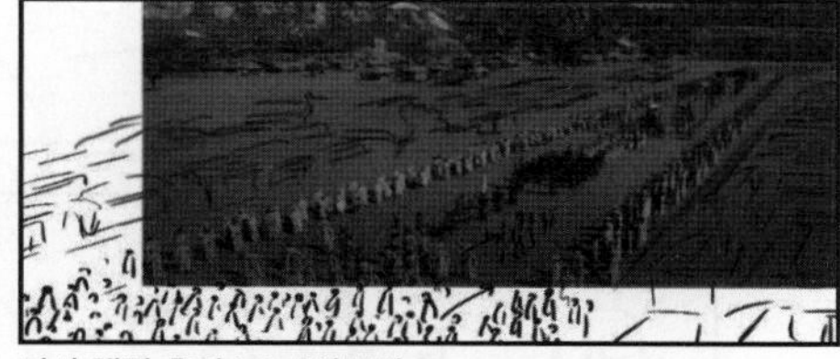

장사 행렬 후면 L.S. / 약부감 cam-out

그런데… 따르는 그 백성들 뒤로 그 끝이 보이질 않고 갈수록 그 수가 불어날 뿐인데….

fade out

S#105 순천 예교성 천수각 안 에필로그

바다를 바라보고 있는 광해와 도열해 있는 장수들
송희립이 이순신의 유지를 전한다. 장수들과 대장별을 바라보는 광해

34 CUTS  
INT DAY OPEN SET

C#1

fade in

천수각, 장도 wide / cam 돌면

1598년 음력 11월 25일 순천 예교성
(노량해전 6일 후)

C#2

OUT

장도 / cam-out -> 송희립 투구 O.S. 광해 B.S.

한 사내가 예전의 고니시처럼 창밖의 바다를 내다보고 있다. 순신이 봉쇄했던 장도 앞바다가 훤히 내다보인다. 사내가 문득 중얼….

사 내 저들을 이대로 살려 보내면… 장차 더 큰 원한들이 쌓이게 될 것이다?

목소리(O.S.) 그렇습니다. 통제사께서 그리 말씀하셨습니다.

사내가 대꾸 없이 천천히 뒤돌아보면,

세자 광해(光海)

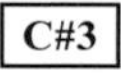

C#3

광해 O.S. 운룡, 입부, 유형, 권준, 부장들 K.S.

대다수의 수군 장수들이 도열해 서 있는 것이 보인다.

C#4

송희립, 권준, 유형, 입부, 운룡 너머 fr-in 권율

입부, 유형, 이운룡, 권준 등 그중엔 송희립도 보인다. 이때 천수각 안으로 한 장수(권율)가 들어서며 사내에게 군례를 올린다.

권율(權慄)

C#5

권 율 세자 저하. 경하드립니다. 오늘부로 이곳 순천 예교성을 완전히 접수했나이다. (감격) 이렇게 7년의 왜란이 그 끝을 고하나이다.

광 해 왜란이라…. 도원수. 이것은 왜놈들의 난이 아니고 참혹한 전쟁이었다.

C#6

권 율 (당황) 아… 예. 세자 저하.

C#7

다시 창밖을 내다보는 광해.
왜성에서 바로 내려다보이는 장도….

광 해 저곳이 통제공이 적을 막아서던 곳이냐.

송희립 (나서며) 그러합니다, 저하!

광 해 그래… 그렇구나. 통제공의 마지막 말이 더 있었더냐.

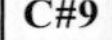

송희립 …….

S#105 이순신 좌선 - 죽음

(FLASH BACK S#106) 총에 맞은 이순신이
자신의 죽음을 알리지 말라고 말한다. 병사들을 다그치는 송희립

34 CUTS

INT DAWN OPEN SET

C#10

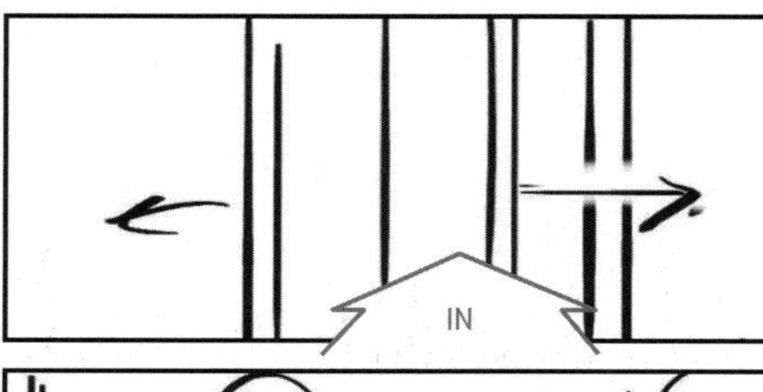

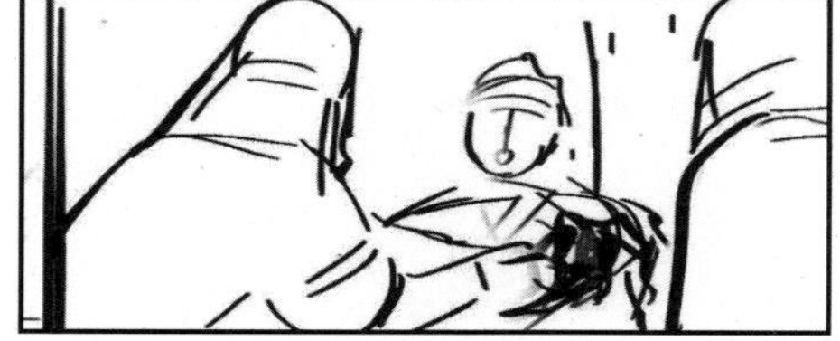

flash back in

열리는 방패 tight /cam-in -> 송희립 O.S. 이순신
사방이 연기로 가득 차 있다.
장루 위 방패들에 가려진 순신의 모습이 연기 속 아스라이 보인다. 지혈하고 있는 송희립.

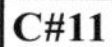

C#11

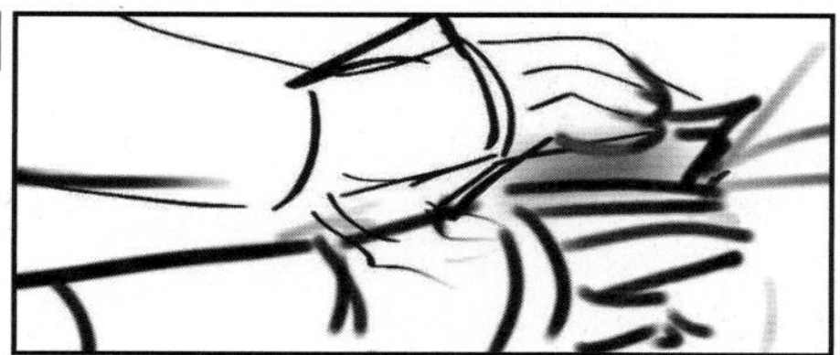

피가 묻은 흰 천 tight
흰 천으로 겨우 막아낸 순신의 겨드랑이에서 붉은 피가 쏟아지고 있다.

C#12

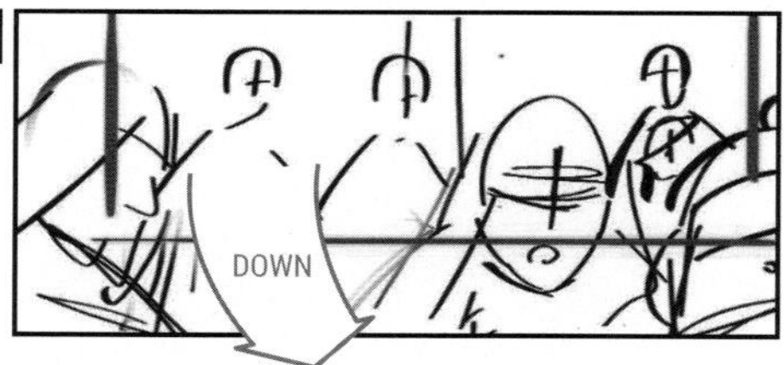

방패 병사들 B.S. / t. down -> 이순신 O.S. 송희립 B.S.
병사들이 울고 있다.
희립이 뜨거워진 눈시울로 순신을 지켜보고 있다.

C#13

이순신 싸움이 급하다… 내가 죽었다는 말을… 내지 마라.

C#14

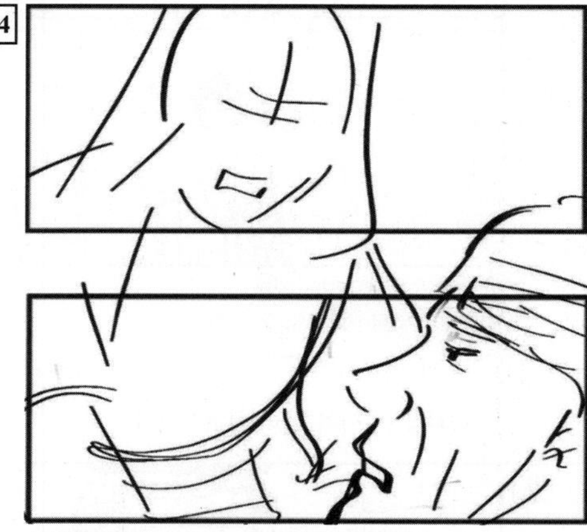

송희립 C.U. / b. down -> 이순신 측면 C.U.

송희립 …….

이순신 결코 이 전쟁을 이대로 끝내서는….

C#15

송희립 O.S. 이순신 tight B.S. / cam-out
-> 송희립 O.S. 이순신 M.S.
더 이상 말이 없는 순신.

일어서는 송희립.

C#16

이순신 O.S. 송희립 K.S. / 앙각
병사들이 오열한다.

송희립 (분연히 일어서며) 어서들 그쳐라! 정녕 장군의 뜻을 어길 셈이냐!

S#105 순천 예교성 천수각 안 에필로그

바다를 바라보고 있는 광해와 도열해 있는 장수들
송희립이 이순신의 유지를 전한다. 장수들과 대장별을 바라보는 광해

34 CUTS   INT DAY OPEN SET

C#17

송희립 B.S., fr-out / b. down -> 이순신 M.S.
장루 밖으로 나가는 송희립,

순신, 눈을 감지 못했다.

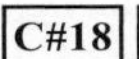

dissolve flash back out

광해 측면 tight B.S.

C#19

송희립 결코 이 전쟁을 이대로 끝내서는… 올바로 이 전쟁을 끝낼 수 없다. 반드시!

C#20

광 해 ?

송희립 (고개를 들며) 열도 끝까지라도 적들을 쫓아 기어이 완전한 항복을 받아내어야 한다 하셨습니다.

C#21

광 해 완전한 항복…. (가만히 끄덕) 맞는 말이다. 결코 이대로는 끝낼 수가 없지. 필히 저 바다 너머로 이 참혹했던 전쟁의 값을 받으러 가야 하지 않겠느냐. 통제공의 마지막 한 판 큰 싸움으로 적도 많이 약해져 있을 테니.

C#22

권 율 (놀라) 저하. 이제 막 그 참혹한 난, 아니 전쟁이 끝난 판국에 어찌….

C#23

광 해 (말을 자르며) 마땅히 생각해야 할 일이다! (거침없이) 그러한즉! 다음 통제사는 능히 저 바다 너머까지 통제할 만한 자가 되어야 할 것이다!

C#24

권 율 (할 말을 잃은)…….

C#25

광 해 말이 나왔으니, 다음 통제사로 누가 적임자일 거 같으냐. 모두 통제공의 휘하였으니 이중에 충분히 재목들이 있을 것 아니냐?

C#26

유형, 입부, 이운룡* 등이 묵묵히 서 있다.
(*추후 이들은 모두가 차례로 통제사가 된다.)

권 율 …정리해 올리겠나이다.

광 해 …….

광해, 문득 하늘 위에서 반짝 빛을 내는 무언가를 본다.

광 해 다들 보았는가.

장수들 (모두 한 발 다가가 쳐다보면) …….

C#27

하늘에 빛나는 별.

C#28

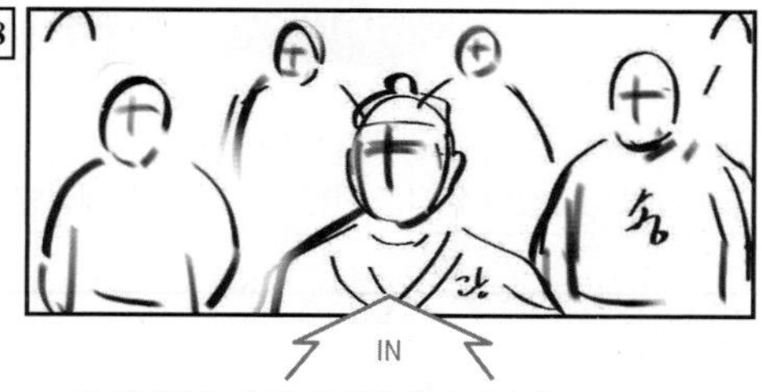

광 해 (엷은 미소) 북쪽의 대장별이다.

권 율 (한 발 다가가) 대장별이라면….

광 해 그래. 별을 볼 줄 아는 사람들은 한결같이 얘기한다. 저 별이 아니었으면 조선은 진작에 명운을 다했을 거라고.

권 율 근데 어찌 이런 대낮에 저렇게….

C#29

푸른 하늘 위로 더욱 빛을 발하는 대장별….

C#30

광 해 …둘 중 하나 아니겠느냐.

C#31

권 율 …….

광 해 전하지 못한 말이 아직 남았거나….

장수들 …….

C#32

잠시 뜸을 들이며 하늘을 바라보는 광해….

광 해 행하지 못한 일이 아직 남았거나….

권 율 !

C#33

순간, 광해의 말을 듣기라도 한 듯,

C#34

더욱 휘황한 빛을 뿜어내는 대장별…
눈부시게 찬란한.

fade out

타이틀 다시 들어오고,
진중한 오케스트라 음악과 함께,

終

不難復招聚諸船。盡殺舟師。然後直上京江
云云。此言雖不可盡信。亦不無是理。故送傳
令船于右水營。告諭避亂人。即令上去。
十五日癸卯。晴。數小舟師。不可背鳴梁爲陣。故
移陣于右水營前洋。招集諸將約束曰。兵法
云。必死則生。必生則死。又曰。一夫當逕。足懼
千夫。今我之謂矣。爾各諸將。勿以生爲心。小
有違令。即當軍律。再三嚴約。是夜。神人夢告
曰。如此則大捷。如此則取敗云。
十六日甲辰。晴。早朝。別望進告。賊船不知其數。

부록

스페셜 컷

명량

한산

용의 출현

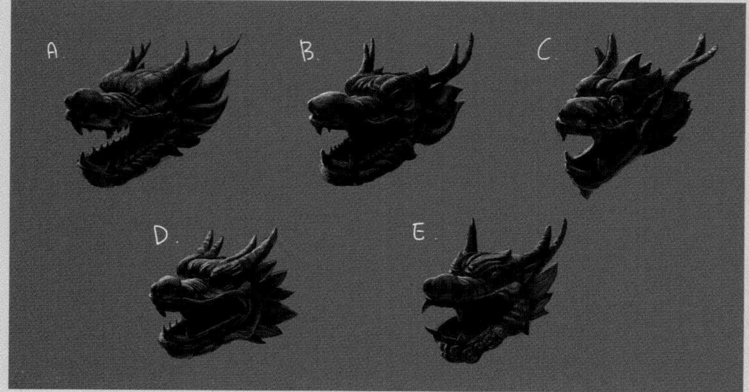
A.
B.
C.
D.
E.

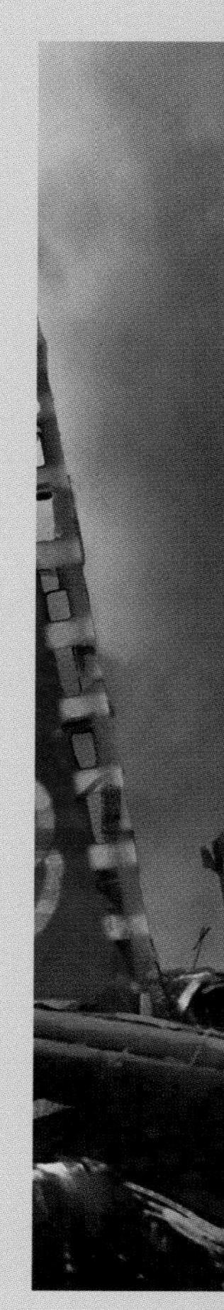

노량

죽음의 바다

KI신서 11663

명량, 한산, 노량
각본집 & 스토리보드북 콜렉션 2

1판 1쇄 인쇄 2024년 02월 06일
1판 1쇄 발행 2024년 03월 20일

지은이 김한민
펴낸이 김영곤
펴낸곳 (주)북이십일 21세기북스

인생명강팀장 윤서진 **인생명강팀** 최은아 강혜지 황보주향 심세미
디자인 정윤경 **본문편집** 디자인프린웍스
출판마케팅영업본부장 한충희
마케팅2팀 나은경 정유진 박보미 백다희 이민재
출판영업팀 최명열 김다운 김도연 권채영
제작팀 이영민 권경민

출판등록 2000년 5월 6일 제406-2003-061호
주소 (10881) 경기도 파주시 회동길 201(문발동)
대표전화 031-955-2100 **팩스** 031-955-2151 **이메일** book21@book21.co.kr

ISBN 979-11-7117-351-8 04680
979-11-7117-342-6 (세트)

(주)북이십일 경계를 허무는 콘텐츠 리더

21세기북스 채널에서 도서 정보와 다양한 영상자료, 이벤트를 만나세요!

페이스북 facebook.com/jiinpill21 **포스트** post.naver.com/21c_editors
인스타그램 instagram.com/jiinpill21 **홈페이지** www.book21.com
유튜브 youtube.com/book21pub